THIRD EDITION

신경계물리치료학

NEUROLOGIC INTERVENTIONS FOR PHYSICAL THERAPY

MARTIN

KESSLER

3rd EDITION

NEUROLOGIC INTERVENTIONS FOR PHYSICAL THERAPY

물리치료사를 위한 신경계 물리치료

SUZANNE "TINK" MARTIN, PT, PhD

Professor and Associate Chair
Department of Physical Therapy
University of Evansville
Evansville, Indiana

MARY KESSLER, PT, MHS

Associate Dean
College of Education and Health Sciences
Director Physical Therapist Assistant Program
Associate Professor
Department of Physical Therapy
University of Evansville
Evansville, Indiana

역자
강태우 | 박현주 | 성윤희 | 심재훈 | 오덕원 | 유재호
이규완 | 이주상 | 이형렬 | 정신호 | 정연규 | 차현규

ELSEVIER

군자출판사

ELSEVIER

Neurologic Interventions for Physical Therapy, 3rd Edition

ISBN: 978-1-4557-4020-8

This translation of *Neurologic Interventions for Physical Therapy*, 3rd Edition by Suzanne "Tink" Martin, Mary Kessler was undertaken by Koonja Publishing, Co. and is published by arrangement with Elsevier Inc. and Elsevier Korea L.L.C.

신경계물리치료학, 이주상외 11명

Korean ISBN 979-11-5955-256-4

Neurologic Interventions for Physical Therapy, 3rd Edition, Suzanne "Tink" Martin, Mary Kessler의 번역서는 *Elsevier Inc.* 와 Elsevier Korea L.L.C. 와의 계약을 통해 (주)군자출판사에서 출간 되었습니다.

Notice

본서의 번역은 엘스비어코리아 단독으로 책임을 집니다. 연구자들과 실무자는 본서에 기술된 정보, 방법, 화합물 또는 실험을 평가하고 사용하는데 있어서 자신의 경험과 지식을 언제나 의지해야합니다. 특히, 의학의 급속한 발전으로 인해 진단 및 약물투약에 대한 독립적인 검증도 이루어져야 합니다. 본서에 포함된 방법, 제품, 지침 또는 아이디어의 사용 또는 작동과 관련하여 본서를 번역함에 있어, 법의 최대한의 범위내에서 Elsevier, 저자, 편집자 또는 기고자는 제품책임, 과실 또는 기타 이유로 인명 또는 재산상의 상해 또는 손상에 대해 책임을 지지 않습니다.

Printed in Korea

항상 사랑과 지지를 보내준 남편 테리와 항상 내 교육적 노력을
지지해준 부모님에게 이 책을 바치며

팅크

이 일뿐만 아니라 다른 직업적 목적을 이룰 수 있도록 사랑과 지지,
격려를 보내준 남편 크레이크와 여전히 인쇄된 자신들의 사진을 보기
좋아하는 카일과 케이틀린에게 이 책을 바치며
마지막으로 내가 열심히 일하고 우수한 실력을 갖추도록 노력하라고
격려해준 부모님 존과 주디 오터에게 감사를 전한다.

메리

서문
Preface

≪신경계 물리치료 중재≫ 2판까지 매우 긍정적인 반응을 보여준 사람들에게 감사한다. 더 좋은 참고서를 만들기 위해서 검토자들과 물리치료사, 물리치료보조사들의 조언을 받아들여서 3판을 완성했다. 이 책에서 연속되는 장들은 운동 발달과 함께 발달적 성향과 다루기와 자세잡기, 성인 중재 이전에 아동 중재를 다룬다. 구체적인 소아 징별과 성인에게 나타나는 신경질병을 다룬 장들은 물리치료실습과 물리치료보조사의 역할을 다루는 도입부 장들과 마찬가지로 그대로 남아 있다. 기본적인 해부학 구조와 기능을 검토하고, 고유 감각 신경근육 촉진을 다루는 장은 업데이트되어 계속해서 기본적인 지식을 제공한다. 다른 장들의 중재 요소들은 환자들의 물리치료 관리 영역에서 현재의 가장 우수한 증거를 이용하고 기능을 강조하도록 개선되었다. 신경가소성과 과제 특화적 훈련과 관련된 개념들도 추가했다. 모든 환자 실례들은 현재의 실습 상황을 반영하기 위해 수정했고, 문서화 기술을 갖춘 학생들을 돕는 방식으로 구성되었다.

물리치료보조사와 물리치료 프로그램 의사가 되려는 학생들이 이 책을 계속 이용하고 있고, 이 책은 확실히 폭넓은 관심을 받고 있다. 하지만 지난번 서문에서 암시했듯이 신경성 결손 아동과 성인 치료에서 물리치료보조사의 역할을 설명하는 데 헌신하고자 한다. 이와는 대조적으로 물리치료 학생들은 이 책을 이용해서 신경성 결손 환자들의 기능을 최대화하는 재활 팀의 모든 구성원들에게 필요한 정신운동 기술과 비판적 사고 기술을 이해하고 공감해야 한다.

교수진과 학생들을 위해 추가적인 자원들을 추가하려고 노력하고 있기 때문에 이볼브 사이트(Evolve site)는 계속 개선될 것이다. 이번 3판에서는 테스트 뱅크와 파워포인트 슬라이드가 추가되었다. 새롭게 추가한 걸음과 고유감각 신경근육 촉진 동영상뿐만 아니라 중재 동영상은 학생들이 주제를 더 잘 이해하고, 자격시험의 신경 부문에 더욱 더 잘 대비할 수 있도록 도와줄 것이다.

어느 사회에서나 전체 인구 중에서 가장 약한 계층인 젊은이와 노인을 얼마나 잘 대접하느냐에 따라 교양의 수준이 결정된다. 우리의 계속되는 노력으로 우리가 돕는 사람들의 삶의 질을 향상시키기 위해서 움직임을 이끌어내고, 성장과 발달을 인도하며, 잃어버린 기능적 기술을 되찾는 작업의 신비를 더욱 쉽게 풀어낼 수 있기를 바란다.

팅크 마틴
메리 케슬러

감사의 글
Acknowledgments

동료들과 친구, 공동작가인 메리 케슬러의 헌신과 노고를 다시 한 번 인정하고 싶다. 우수함을 추구하는 메리의 노력은 업데이트된 성인을 다루는 장에 잘 드러나 있다. 소아과 부문에서 놀라운 통찰력을 보여준 돈 웰본-메브레이에게 특별히 감사한다. 예전의 기고자들인 팜 리츨린 박사와 메리 케이 솔론, 도나 체흐 박사, 테리 챔들리스에게도 감사한다. 에반스빌 대학교 학생들에게도 감사 인사를 전한다. 바로 그 학생들을 위해 이 책 초판을 출판했고, 지금까지 계속 이 책을 증보해보고 있다. 엘제비에서 일하는 사람들, 특히 3판을 제때에 완성할 수 있도록 도와준 브랜디 그레엄의 노고를 인정하고 싶다.

팅크

훌륭한 내 친구와 멘토, 동료들, 공동작가 팅크 마틴에게 감사하지 않을 수 없다. 팅크가 없었다면 어느 판 할 것 없이 이 책을 완성하지 못했을 것이다. 팅크는 많은 세부적인 내용을 계속 살펴보았고, 언제나 우리가 최종 결과에 집중하도록 해주었다. 계속적인 팅크의 격려와 지지에 가장 감사한다.

에반스빌 대학교 학생들 모두에게도 특별한 감사를 전하고 싶다. 우리가 이 프로젝트를 시작한 이유가 그들이었고, 에반스빌 학생들은 이 책을 업데이트하고 수정하도록 계속해서 우리를 격려하고, 의욕을 북돋아주고 있다. 캐서린 맥그로와 메간 브레츠, 사라 스넬링, 팜 리츨린 박사, 메리 케이 솔론, 자넷 스체판스키, 테리 심스, 베스 약카우스키, 아만다 피셔를 포함해서 지난 20년 동안 우리를 도와준 모든 사람들에게도 감사하는 마음을 전한다. 여기서 언급한 모든 사람들은 이 책의 전반적인 우수성과 성공에 기여했다.

메리

목차
Contents

서문 vii
감사의 글 ix

1 부
기초

1 장
신경계 재활 물리치료사와 물리치료 보조사의 역할, 1

서론, 1
환자 관리 부분에서 물리치료사의 역할, 3
신경 손상을 보이는 환자 치료에서 물리치료 보조사의 역할, 4
의료 팀의 일원, 물리치료 보조사, 9

2 장
신경해부학, 11

서론, 11
신경계의 주 요소, 11
손상 후 반응, 34

3 장
운동조절과 운동 학습, 38

서론, 38
운동조절, 38
운동조절 관련 문제, 52
운동 학습, 55
운동 학습 이론, 56
운동 학습 단계, 58

4 장
운동 발달, 71

서론, 71
발달 시기, 73
인지와 동기의 영향, 75
발달 개념, 79
발달 과정, 83
운동 발달, 83
전형적인 운동 발달, 89
노화에 따른 자세와 균형, 보행의 변화, 109

2 부
아동

5 장
운동기능을 발달시키는 자세잡기와 핸들링, 116

서론, 116
신경 손상 아동, 116
일반적인 물리치료 목적, 117
자세와 관련된 기능, 117
물리치료 중재, 119
자세잡기와 핸들링 중재, 121
움직임 준비, 133
머리와 몸통 조절을 증진시키는 중재, 136
자세잡기와 운동성 적응 기구, 148
아동 세계의 맥락 내에서 나타나는 기능적인 움직임, 157

6 장

***뇌성마비,* 164**

서론, 164
발병, 164
병인, 165
출생 후 원인, 167
기능 분류, 170
진단, 171
병태 생리학, 172
관련 결손, 174
물리치료 검사, 177
물리치료 중재, 181

7 장

***척수수막탈출증,* 216**

서론, 216
발병, 216
병인, 218
산전 진단, 218
임상적 특성, 218
물리치료 중재, 225

8 장

***유전질환,* 257**

서론, 257
유전적 전달, 258
범주, 258
다운 증후군, 259
고양이울음증후군, 263
프라더-윌리 증후군과 엔젤만 증후군, 263
선천성다발관절굽음증, 264
불완전 골생성증, 270
낭포성 섬유증, 276
척수근위축증(SMA), 283
페닐 케톤뇨증, 286
뒤센느근디스트로피, 287
베커 근육 영양장애, 292
취약X 증후군, 293
레트 증후군, 295
자폐증 스펙트럼 장애, 295
유전적 장애와 지적 장애, 296

3 부
성인

9 장

***고유 수용성 신경근 촉진법,* 315**

서론, 315
고유 수용성 신경근 촉진법의 역사, 315
PNF의 기본 원리, 316
생체 역학적 고려 사항, 319
패턴, 319
고유 수용성 신경근 촉진 기법, 326
발달 순서, 346
고유 수용성 신경근 촉진법과 운동 학습, 369

10 장

***뇌혈관 장애,* 372**

서론, 372
병인, 372
의료적 중재, 373
뇌졸중 회복, 374
뇌혈관 장애 예방, 375
뇌졸중 증후군, 375
임상적 결과: 환자 손상, 377
치료 계획, 383
뇌졸중 후 합병증, 384
급성 치료 환경, 386
물리치료 보조사에게 중재 지시하기, 386
조기 물리치료 중재, 386
중간 회복기에서 후기 회복기, 435

11 장

***외상성 뇌손상,* 455**

서론, 455
뇌손상 분류, 455
이차적 문제, 458

환자 검사 및 평가, 459
환자 문제 영역, 460
물리치료 중재: 급성 치료, 462
입원 환자 재활 기간 동안의 물리치료 중재, 465
과제의 물리적 구성 요소와 인지 구성 요소를 치료 중재에 통합하기, 478
퇴원 계획, 482

12 장

척수손상, 490

서론, 490
병인, 490
손상 수준 명칭, 491
손상의 메커니즘, 493
의료 중재, 494
손상 후 병리학적 변화, 494
병변 유형, 495
척수손상의 임상 양상, 498
척수 쇼크 해소, 498
합병증, 498
기능적 결과, 503
물리치료 중재: 급성 치료, 508
입원 환자 재활 기간 동안의 물리치료 중재, 514
체중지지 트레이드밀, 557
퇴원 계획, 558

13 장

기타 신경계 질환, 569

서론, 569
파킨스병, 570
다발성 경화증, 581
근위축 측삭경화증, 592
길랑-바레 증후군, 594
소아마비 후 증후군, 600

색인, 613

SECTION 1

기초

CHAPTER 1

신경계 재활 물리치료사와 물리치료 보조사의 역할

학습 목표 ***이 장을 학습한 후 학생들은 아래 사항에 대하여 이해하고 설명할 수 있다.***

1. 국제기능장애건강분류체계(ICF)를 파악하고, 물리치료 업무와의 관계를 이해한다.
2. 물리치료사가 환자 · 고객 관리에서 맡는 역할을 설명할 수 있다.
3. 물리치료 보조사가 신경 손상(neurologic deficits)을 보이는 성인과 아동 치료에서 맡는 역할을 파악한다.

서론

미국의 물리치료 업무는 보험급여지급 기관들과 연방 법규의 서비스 규정에 따라 증가한 요구를 이행하기 위해 계속 변하고 있다. 물리치료 방면에서는 신경 손상을 보이는 성인과 아동에게 물리치료 중재를 제공하는 물리치료 보조사(PTA)들이 증가하고 있다. 물리치료 보조사들은 외래 진료소와 입원 환자 재활센터, 소아 의료 시설, 학교 시설, 가정간호기관, 장기요양 시설에서 일하고 있다. 신경 손상을 보이는 성인과 아동의 재활 관리는 통상적으로 환자의 징후와 증상, 기능 손상을 개선하는 중재와 질병을 파악하고 행하는 치료로 이루어진다. 물리치료사와 물리치료 보조사는 '사람들의 건강과 행복, 삶의 질을 향상시켜 그들이 운동능력과 활동 능력, 기능을 유지하고 회복하고 개선할 수 있게' 도와준다(APTA, 2014). 물리치료는 '장애를 입을 수 있고, 활동 제약과 참여 제약을 받을 수 있는' 아동과 성인에게 평생 동안 제공한다(APTA, 2014). 이러한 제약들은 개인적 요소들과 환경적 요소들의 상호 작용과 다양한 건강 상태에 영향을 받아 나타난다.

사회학자 사드 나기(Saad Nagi)는 건강과 기능의 관계를 설명해주는 건강상태 모델을 제시했다(Nagi, 1991). 나기(Nagi) 장애 모델의 네 요소(질병, 손상, 기능 제약, 장애)는 개인이 건강을 잃을 때 점진적으로 진전된다. 질병은 개인의 항상성이나 내적 균형을 깨뜨리는 징후와 증상이 나타나는 병리적 상태다. 손상은 해부학적으로나 생리적으로, 혹은 심리적으로 구조나 기능이 달라지는 것이다. 기능적 제한은 손상이 일어나면서 나타나고, 개인이 일상적인 활동을 하지 못할 때 분명하게 드러난다. 예를 들어 신체적 손상으로는 앞정강근(tibialis ant.)의 근력이 감소하거나, 앞정강근(anterior tibialis muscle), 근력이 감소하거나 어깨 관절 굽힘 각도가 15도 감소한다. 이러한 신체적 손상으로 개인의 기능적 업무 수행 능력이 제약을 받거나 그렇지 않을 수도 있다. 발등 굽힘(ankle dorsiflexion)이 불가능한 환자는 보행 중에 발가락이 들리지 않고 발뒤꿈치가 땅에 닫지 않을 수도 있다. 반면 어깨 관질운동범위에 15도 제약이 있다고 해서 스스로를 돌보지 못하거나 옷을 입지 못할 가능성은 거의 없다.

나기(Nagi) 장애 모델에 따르면 장애는 기능적 제약이 극히 심해져 사회적 환경이나 물리적 환경에서 연령별 기대치를 충족시킬 수 없을 때 나타난다(Verbrugge와 Jette, 1994). 사회는 개인의 기대역할 수행

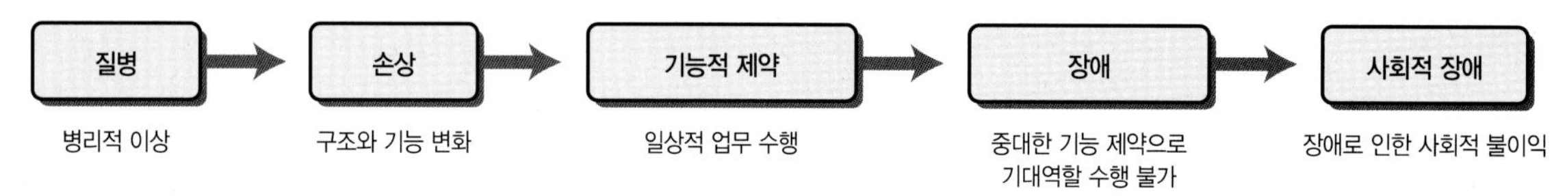

그림 1-1. 나기(Nagi)의 건강상태 분류 체계

에 방해가 되는 물리적 장벽과 사회적 장벽을 세울 수 있다. 이러한 사회적 태도 때문에 신체적 장애를 가진 사람이 사회적으로도 장애가 있다는 공동체 의식이 생겨날 수 있다. 그림 1-1은 나기(Nagi)의 건강 상태 분류 체계를 보여 준다.

≪물리치료사 실습 가이드(Guide to Physical Therapist Practice)≫ 2판은 나기(Nagi) 장애 모델을 물리치료 실습의 개념적 틀에 포함시켰다. 이 책은 나기(Nagi) 장애 모델을 이용해서 물리치료사(PT)들이 손상과 기능적 제약, 환자의 일상적 활동 능력의 관계에 집중할 수 있게 해 준다. 물리치료 중재로 얻고자 하는 결과는 가정과 지역 사회에서 개개인의 독립성이 증가하고, 개인적 삶의 질이 개선되는 것이다(APTA, 2003). 그러나 물리치료 실습이 발전하면서 요즘의 물리치료 실습 가이드는 물리치료와 물리치료보조사의 중대한 역할이 '환자와 모든 사람들에게 재활과 자활 서비스, 수행능력 향상 서비스, 위험 감소 서비스, 예방 서비스를 제공하는 것'임을 인지하고 있다(APTA, 2014).

우리는 물리치료 전문가로서 환자의 기능을 최적화하는 역할이 얼마나 중요한 지 잘 알고 있다. ≪물리치료사 실습 가이드≫ 2판(APTA,2003)에서는 기능이란 '개인이 육체적 안정과 사회적 및 심리적 안정을 유지하고 개인적으로 의미 있는 삶을 영위하는 데 필수적이라고 생각하는 활동들'이라고 정의했다.

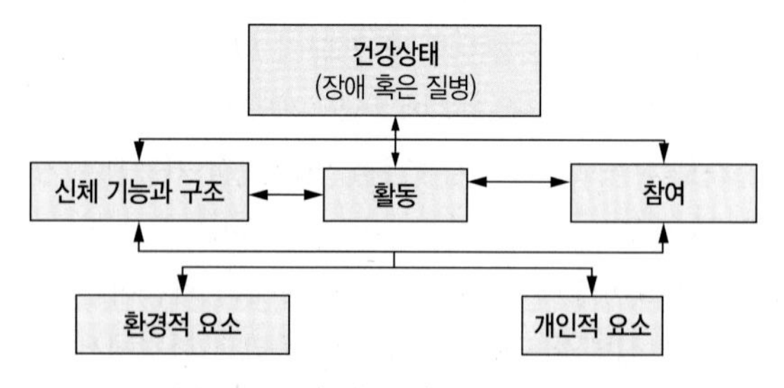

그림 1-2. 국제장애분류체계(ICF) 모델(Cech와 Martin의 ≪평생에 걸친 기능적 운동 발달(Functional Movement Development Across the Life Span)≫ 3판에서 발췌, 2012년 세인트루이스, 엘제비어 출판사)

기능은 특정한 사회적 맥락과 물리적 환경에서 생겨나는 연령별 역할들과 연관되어 있고, 생후 6개월 된 아이와 15세 청소년, 65세 노인이라는 대상에 따라서 그 정의가 달라진다. 개인의 기능적 수행 능력에 영향을 미치는 요소로는 육체적 능력과 감정 상태, 인지 능력 같은 개인적 특성이 있고, 가정과 학교, 혹은 지역 사회처럼 성인이나 아동이 거주하고 일하는 환경이 있다. 마지막으로 가족과 지역 사회, 또는 사회가 개인에게 거는 사회적 기대도 기능적 수행 능력에 영향을 미친다.

세계보건기구(WHO)는 미국물리치료협회(APTA)가 인정하는 ICF를 개발했다. ICF는 건강과 기능, 장애를 설명해주는 보다 더 긍정적인 틀과 표준 언어를 제공하며, ≪물리치료사 실습 가이드≫ 3판에 포함되어 있다. 그림 1-2는 ICF 모델을 보여 준다.

건강은 단순하게 질병에 걸리지 않은 상태가 아니다. 그보다는 개인이 기능적 활동과 현실 상황에 참여할 수 있는 육체적 안정과 정신적, 사회적인 안정을 유지하는 상태다(WHO, 2013; Cech와 Martin, 2012). ICF의 핵심은 생리심리사회적 모델이며, 이 모델에 따르면 인간의 건강 상태와 기능적 능력은 생물학적 영역과 심리적 영역, 사회적 영역의 상호 작용으로 정의된다(그림 1-3). 생리심리사회적 모델이라는 이 개념 체계는 두 사람이 동일한 진단을 받아도 환경적 요소와 개인적 요소에 따라서 서로 다른 기능적 결과와 참여도를 보일 수 있음을 내포하고 있다.

ICF는 또한 기능과 장애를 건강이라는 맥락에서 제시하고, 두 부분으로 명확하게 나눈다. ICF 1부는 기능과 장애의 요소들을 건강 상태와 연관 지어 다룬다. 건강 상태(질병이나 장애)는 개인의 신체 구조와 기능

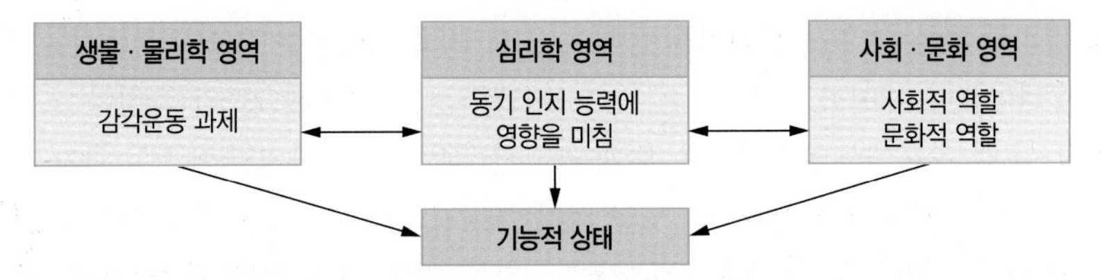

그림 1-3. 생물 · 물리학 영역과 심리학 영역, 사회 · 문화 영역이라는 세 가지 기능 영역은 최상의 기능 상태를 유지하기 위해 상호의존적으로 활동함과 동시에 독립적으로 활동해야 한다(세인트루이스 엘제비어 출판사에서 2012년에 출간된 Cech와 Martin의 ≪평생에 걸친 기능적 운동 발달(Functional Movement Development Across the Life Span)≫ 3판에서 발췌).

이 손상되거나 달라지면서(생리적 과정과 해부적 과정) 나타나는 결과이다. 활동 제약은 임무나 행동을 수행하지 못하는 어려움을 뜻하고, 여기서 활동은 인지 활동과 소통 활동뿐만 아니라 신체 활동을 포괄한다. 참여 제약은 개인이 환경 내에서 사회적 역할과 의무를 다하려고 애쓸 때 부족감을 느낄 수 있는 상태를 말한다. 그러므로 기능과 장애는 연장선에 있어서 기능이 활동 수행을 포괄한다. 또한 참여와 장애는 활동 제약과 삶에 참여하는 능력의 제약을 의미한다. ICF 2부는 장애를 대하는 사람의 반응에 영향을 미치는 외적 환경 요소와 내적 요소, 의미 있는 활동에 참여하는 능력에 영향을 미치는 그러한 요소들의 상호 작용을 다룬다(APTA, 2014; WHO, 2013). 이 모든 요소들은 기능과 참여에 미치는 영향을 파악하는 도구로 사용해야 한다(O'Sullivan, 2014; Cech와 Martin, 2012).

ICF는 나기(Nagi) 모델과 유사하나 장애보다 가능성을 강조한다(Cech와 Martin, 2012). ICF 모델에서는 의학적 상태의 원인보다 활동 제약과 참여 제약이 개인에게 미치는 영향을 훨씬 더 강조한다. 개인의 건강이 나빠지면 어느 정도 수준의 장애가 나타날 수 있다. 그래서 ICF는 '장애를 겪는 경험을 주류로 삼고, 그러한 경험을 인간의 보편적 경험으로 간주한다(ICF, 2014)'.

가정과 직장, 지역 사회라는 환경에서는 다양한 기능적 기술이 필요하다. 그러한 기술을 수행하면 개인의 육체적 행복과 심리적 행복이 증진된다. 개인은 자신이 무엇을 성취할 수 있고, 어떻게 이 세상에 참여할 수 있는가로 스스로를 정의한다. 기능적 과제 수행 능

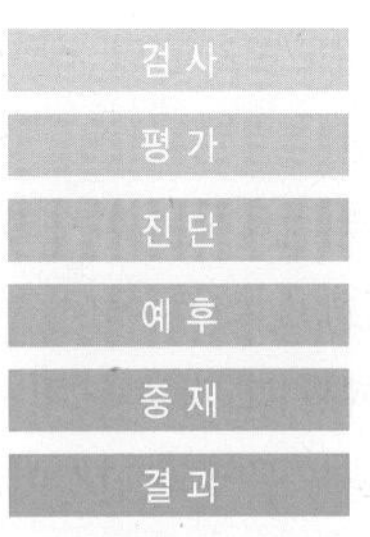

그림 1-4. 환자 · 고객 관리 요소(물리치료협회: 물리치료 실습 가이드≪American Physical Therapy Association: Guide to Physical Therapist Practice 3.0)≫, 버지니아 주 알렉산드리아, 2014, APTA)

력은 개인의 육체적 능력과 감각운동 기술에만 달려 있는 것이 아니라 개인의 감정 상태(우울, 불안, 자기 인식, 자부심)와 인지 능력(지성, 동기, 집중력, 문제 해결 기술), 타인과 교류하고 사회문화적 기대치를 충족시키는 능력에도 영향을 받는다(Cech와 Martin, 2012). 뿐만 아니라 선천적 장애와 질병에 걸리기 쉬운 유전적 소인, 건강 습관, 인구 통계(연령, 성별, 교육과 소득 수준)와 같은 개인적 요소들과 환경적 요소들(의료적, 재활적 관리의 접근법과 물리적 및 사회적 환경 포함)도 개인의 기능과 삶의 질에 영향을 미칠 수 있다(APTA, 2014).

환자 관리 부분에서 물리치료사의 역할

앞서 말했듯이 물리치료사는 재활과 자활 서비스, 수행능력 향상 서비스와 예방 서비스를 제공할 책임이 있다(APTA, 2014). 궁극적으로는 환자의 과거력과 계통을 살펴보고, 물리치료 서비스가 필요한지를 결정하기 위해 적절한 테스트와 측정을 할 책임이 있다. 검사를 끝낸 후에 환자가 물리치료 서비스를 받는 편이 좋겠다는 결론이 나온다면 치료 목적과 예상 결과,

바라는 환자 치료 결과를 얻을 수 있는 중재법을 정해서 관리 계획을 세운다(APTA, 2014).

물리치료사가 환자 · 고객 부문에서 밟아나가는 단계는 ≪물리치료사 실습 가이드≫ 3판에 서술되어 있고, 그 단계에는 검사와 평가, 진단, 예후, 중재, 결과가 있다. 물리치료사는 이러한 요소들을 통합해서 환자의 치료 결과를 최상으로 끌어올린다. 여기에는 개인의 건강 또는 기능을 개선하거나 건강한 개인의 수행 능력을 향상시키는 일도 포함된다. 상기의 요소들은 그림 1-4에 잘 나와 있다.

검사 단계에서 물리치료사는 환자의 과거력과 문진을 통해서 자료를 모으고, 그 후에 적절한 테스트와 측정을 실시한다. 이어서 그 자료를 평가하고, 환자의 반응을 해석하며, 환자 문제의 만성이나 심각성에 관해서 임상적 판단을 내린다. 물리치료사는 평가 과정에서 환자의 손상과 기능 제약 정도를 토대로 물리치료 진단을 한다. 이때 감별 진단(differential diagnosis, 환자를 진단 범주에 분류해 넣는 체계적인 과정)을 할 수도 있다. 진단이 확정되면 물리치료사가 예후를 내놓는다. 예후란 예상하는 호전 수준과 그 수준에 이르기까지 걸리는 시간을 말한다. 환자 목표도 평가의 예후 측면에 속하는 요소다. 평가 과정에서 마지막 단계는 관리 계획 수립이다. 관리 계획에는 치료의 예상 결과, 치료의 빈도와 기간뿐만 아니라 장단기 목표와 실시할 구체적인 중재법이 들어간다. 목표와 치료 결과는 객관적이고, 측정 가능하며, 기능 지향적이면서 환자에게 의미 있는 것이어야 한다. 중재는 물리치료사나 물리치료보조사가 진단과 예후로 알 수 있는 환자의 상태를 바꾸기 위해 다양한 물리적 중재를 실시하면서 환자와 상호 작용하는 환자 관리의 요소이다(APTA, 2014). 중재는 아홉 가지 범주로 구성되는데 '환자나 고객 지도(모든 환자에게 해당됨)와 기도 청결 기법, 보조 공학, 생물학적 요인, 가정과 직장, 지역사회, 사회생활과 공공 생활에서 행하는 기능 훈련, 외피복구와 보호 기법, 도수 치료 기법, 운동기능 훈련, 치료적 운동이 있다(APTA, 2014).'

환자 재검사에는 환자가 치료를 받아 나아지고 있는지, 치료 방법을 바꾸어야 하는지를 결정하기 위해 시행하는 적절한 테스트와 측정이 포함되어 있다. 환자 관리와 관련된 마지막 요소는 환자 치료 결과 검토다. 물리치료사는 선택한 중재법이 질병이나 장애, 손상, 활동 제약, 참여, 위험 감소, 예방, 건강, 웰니스(wellness), 피트니스(fitness), 사회적 자원, 환자 만족도에 미치는 영향을 알아내야 한다(APTA, 2014). 환자 · 고객 관리의 다른 측면에는 협응(모두가 함께 일하는 것)과 소통, 제공된 서비스의 문서화가 있다.

물리치료 보조사는 치료 과정에서 중재만 돕는다(Clynch, 2012). 물리치료 보조사가 시행하는 모든 중재는 물리치료사가 지시하고 감독한다. 이러한 중재에는 '절차적 중재와 관련 자료 수집, 효과적인 과제 완수'가 있다(Crosier, 2010). 다른 모든 과제는 물리치료사가 전적으로 책임진다.

신경 손상을 보이는 환자 치료에서 물리치료 보조사의 역할

신경 손상을 보이는 성인 치료에서 물리치료 보조사가 수행하는 역할에 관해서는 논쟁의 여지가 거의 없다. 물리치료보조사가 환자의 개인적인 요구를 고려하고 물리치료사가 수립한 관리 계획을 따르기만 한다면 아무런 문제가 없다. 물리치료 보조사는 '선택한 중재를 제공하는 물리치료사를 도와주는' 유일한 의료인이다(APTA, 2014).

주 물리치료사는 환자를 법적으로나 윤리적으로 책임지고, 환자 관리와 관련된 PTA의 행동도 전적으로 책임진다(APTA, 2012a). 물리치료사는 자신이 선택한 중재를 제공하는 물리치료 보조사를 지도하고 감독한다. APTA는 물리치료사가 전적으로 책임지고 수행해야 하는 일을 아래와 같이 명시했다.

1. 가능한 경우의 의뢰 해석
2. 초기 검사, 평가, 진단, 예후
3. 목표와 예상 결과가 포함된 관리 계획 수립이나 수정
4. 물리치료사가 언제 전문지식과 의사결정 능력을 동원해서 개인적으로 서비스를 제공해야 하는지, 언제 물리치료보조사를 활용하는 것이 적절한지 결정하기

5. 지시가 있을 경우 환자 재검사 및 관리 계획 수정
6. 퇴원 계획 수립과 퇴원 요약서 문서화
7. 제공한 모든 서비스 서류 관리

APTA 정책 문서에 따르면 즉각적이고 지속적인 검사와 평가가 필요한 중재는 물리치료사만 할 수 있다(APTA, 2012b). 이러한 중재의 구체적인 실례들이 최근에 달라졌다. 물리치료사와 물리치료보조사는 물리치료보조사 업무 범주에서 벗어나는 중재에 관한 가장 최신 정보를 알려주는 물리치료보조사 정책 문서와 국가 실습 규정, 물리치료교육위원회(CAPTE)의 가이드라인을 참조하라고 권고 받는다. 물리치료 시술자들은 또한 물리치료사/물리치료보조사 관계에 관해 언급할 때 감독 요건에 대한 국가 실습 규정과 지급자 조건을 검토하도록 권장 받고 있다(Crosier, 2011).

물리치료사는 물리치료보조사에게 중재의 특정한 일부를 시행하라고 지시하기 전에 중재를 시행하는 시술 환경과 중재의 유형, 예상할 수 있는 환자의 치료 결과를 고려해서 환자의 상태(안정성, 예민성, 위험성, 복잡성)를 비판적으로 평가해야 한다(APTA, 2012a).

뿐만 아니라 물리치료보조사에게 어떤 업무를 언제 지시할 수 있는지 결정할 때는 물리치료보조사의 경험과 훈련, 기술 수준과 지식 기반을 고려해야 한다. APTA는 물리치료사가 환자 관리의 특정 부분을 물리치료보조사에게 수행하도록 지시하고 그 일을 감독해야 할 때 고려해야 하는 단계를 제시해서 물리치료사를 도와주려고 두 가지 알고리즘(물리치료보조사 지시와 물리치료보조사 감독, 그림 1-5와 1-6참조)을 개발했다.

안타깝지만 현 의료 환경에서는 환자가 생산성 문제와 지급자의 비용 공급원천을 따져보고 물리치료보조사에게 치료받을지 여부를 결정하는 경우가 있다. 몇몇 병원과 물리치료보조사들은 물리치료보조사가 제공한 서비스의 비용 지급을 거부하는 보험회사들 때문에 문제를 겪는다. 결론적으로 말해서 물리치료보조사의 서비스 이용 여부는 때때로 환자의 필요가 아니라 재정적 보수 문제로 결정된다.

물리치료보조사는 뇌혈관 장애와 척수손상, 외상성 뇌손상을 겪은 성인을 다루고, 물리치료사는 여전히 소아과를 자신들의 전문 분야로 여기고 있다. 사실 물리치료보조사가 병원과 외래 진료소, 학교뿐만 아니라 피트니스 센터와 스포츠 훈련 시설을 포함한 지역사회 시설에서 아동을 다루고 있음에도 이러한 편견은 사라지지 않고 있다.

몇몇 소아 물리치료는 전문가의 영역이지만 다른 많은 영역들이 일반 물리치료사와 물리치료보조사의 업무 범주에 들어간다(Miller와 Ratliffe, 1998). APTA의 소아과 부문은 이러한 논란의 해소를 돕기 위해서 다양한 소아과 시설에서의 물리치료보조사 활용 문제를 요약한 성명서 초안을 내놓았다. 이 성명서 원문에 따르면 '중환자실의 신생아처럼 의학적으로 불안정한 상태를 제외하면 소아과 환경에서 물리치료 보조사를 적절하게 활용할 수 있다(소아과 부문, APTA, 1995).' 이 서류는 1997년에 개정되었고, 여전히 소아과 부문에 수록되어 있다. 또한 이 성명서에는 '물리치료 보조사가 물리치료사의 지시와 감독 하에서 소아 물리치료 서비스를 도울 자격이 있다'고 명시되어 있다(소아과 부문, APTA, 1997). 그러나 생리학적으로 불안정한 아동은 물리치료 보조사가 치료하지 않는 것이 권장사항이다(소아과 부문, APTA, 1997). 이 뿐만 아니라 이 성명서에는 '아동의 생리학적 상태나 치료에 대한 반응이 급속도로 변해서 순서와 절차를 자주 수정해야 할 때는 물리치료보조사에게 물리치료 절차를 위임해서는 안된다'고 명시되어 있다(소아과 부문, 1997).

이 문서에서 제시하는 가이드라인은 물리치료 분야에서의 과제 분석과 책임 분할에 관한 낸시 와츠(Nancy Watts) 박사의 1971년도 논문에 언급된 것을 따르고 있다(Watts, 1971). 이 논문은 인력을 지원하기 위해서 환자 관리 활동을 위임하는 가이드라인을 제시해 물리치료사를 돕고자 하는 목적으로 작성된 것이다. 오늘날에는 환자 관리 책임을 다른 의료인에게 떠넘긴다는 어감 때문에 위임이라는 용어를 사용하지 않지만 와츠(Watts)가 정의한 환자 · 고객 관리 원칙들은 현재의 물리치료 서비스 제공 현장에 적용할 수 있다. 이 논문을 접하지 못한 물리치료사와 물리치료보조사는 이 논문을 읽어보기 바란다. 이 논문에 제시된 가이드라인이

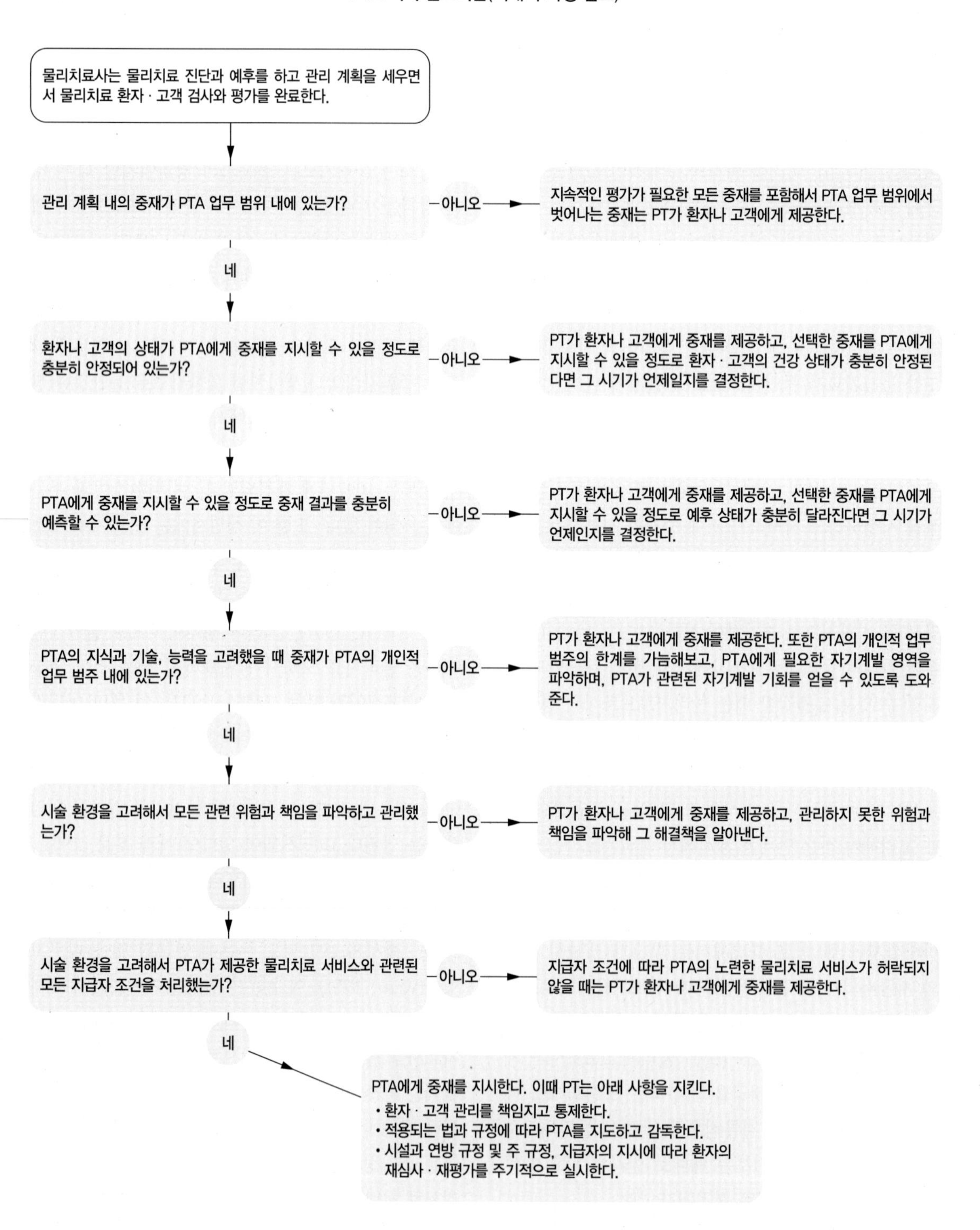

그림 1-5. PTA 지시 알고리즘(크로저 J의 ≪PT 지시 및 감독 알고리즘(PT direction and supervision algorithms, PT in Motion)≫에서 발췌, 2(8):47).

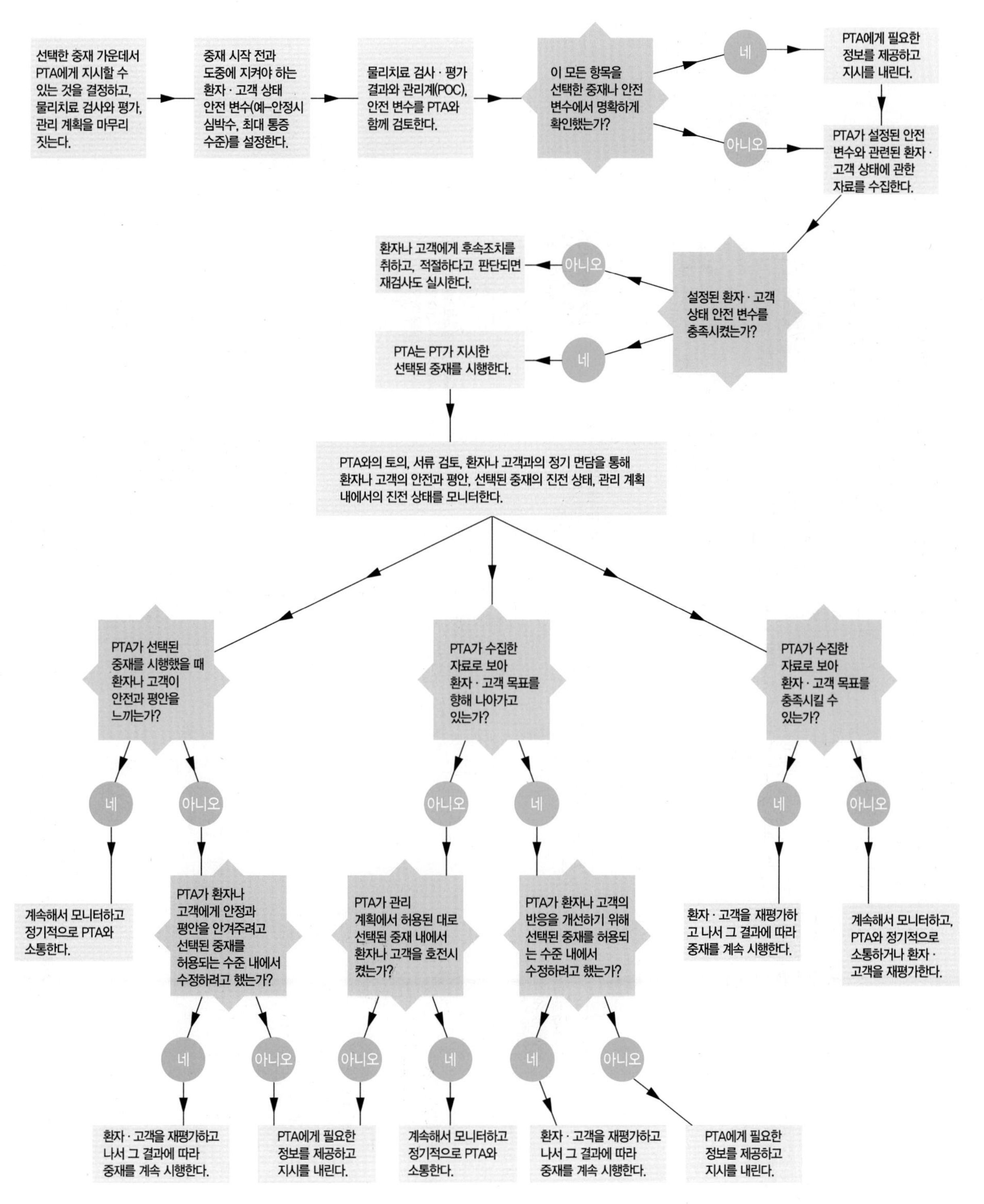

그림 1–6. PTA 감독 알고리즘(크로저 J의 ≪PT 지시 및 감독 알고리즘(PT direction and supervision algorithms, PT in Motion)≫에서 발췌, 2(8):47).

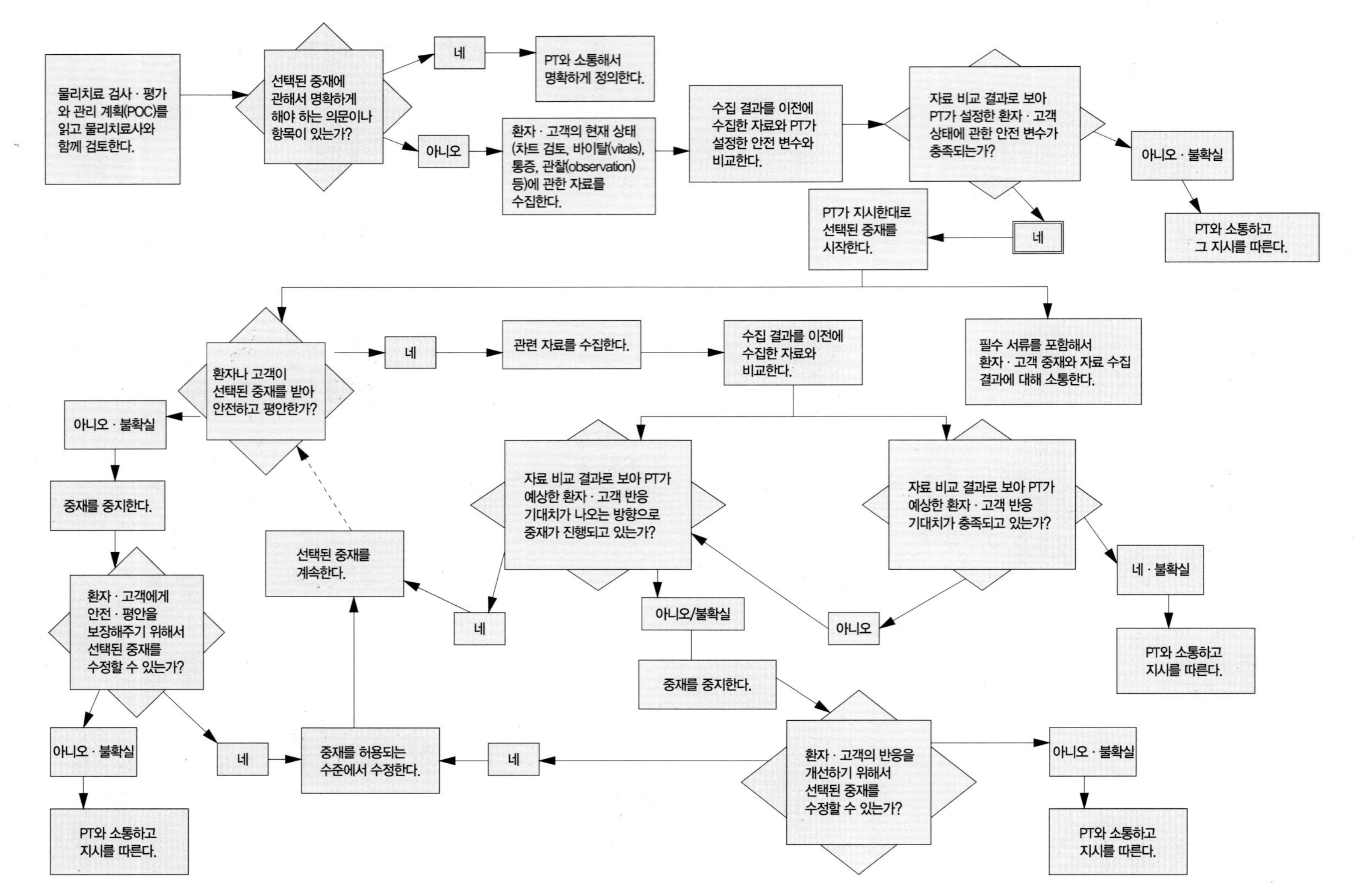

그림 1-7. 환자 · 고객 관리에서 PTA가 사용하는 문제해결 알고리즘(≪물리치료협회: 물리치료사 교육 정상 모델(American Physical Therapy Association: A normative model of physical therapist assistant education)≫, 2007년 판, 버지니아 주 알렉산드리아, 2007, APTA 85쪽).

오늘날의 임상의에게도 적합하고, APTA 서류에도 언급되어 있기 때문이다.

의료 팀의 일원, 물리치료 보조사

물리치료보조사는 모든 치료 환경에서 재활 팀의 일원으로 활동한다. 재활 팀은 주 물리치료사와 의사, 언어와 작업 및 레크리에이션 치료사, 간호 인력, 심리학자, 케이스 매니저(case manager), 사회복지사로 구성된다. 그러나 가장 중요한 일원은 환자와 환자의 가족이다. 재활 치료 환경에서 물리치료보조사는 환자의 기능 독립성을 개선하기 위해 중재를 제공한다. 침상 위에서의 이동과 환자 이동, 보행 기술, 계단 오르기, 휠체어 조작과 같은 운동 활동 재학습은 해당되는 경우에 한해서 환자의 기능적 이동성을 개선할 때 강조된다. 뿐만 아니라 물리치료보조사는 환자와 가족 교육에 참여하고, 환자의 퇴원 계획에 필요한 정보를 제공한다. 환자와 가족 지도에는 정보와 교육 기회 제공뿐만 아니라 환자와 가족, 중요한 관련 인물들이나 보호자들에게 실질적 훈련 기회를 제공하는 것이 포함되어 있고, 이러한 지도는 모든 환자 관리의 일부분이다(APTA, 2014; APTA, 2003). 모든 팀 활동과 마찬가지로 모든 팀원들 간의 개방적이고 솔직한 소통은 환자의 참여를 최대화하고 최상의 기능적 결과를 얻어내는 데 결정적인 요소다.

신경 손상을 보이는 아동을 다루는 재활 팀은 보통 아동과 아동의 부모, 아동 관리에 관여하는 의사들, 물리치료사 및 작업치료사와 청력학자 같은 다른 의료 전문가들, 언어병리학자, 아동의 학급교사로 구성된다. 물리치료보조사는 재활 팀과 아동에게 특정 기술들을 제공한다. 그 기술에는 자세잡기(positioning)와 핸들링(handling), 보조 기구 사용, 비정상적 근긴장에 관한 지식뿐만 아니라 기능적 운동 기술과 움직임 전환 기술을 발전시켜주는 발달 활동에 관한 지식, 가족 중심 관리와 교육 환경에서 물리치료의 역할에 관한 지식도 포함된다.

게다가 대인적 소통 기술과 변호 기술도 아동과 아동의 가족, 그밖에 다른 사람들과 함께 일하는 물리치료보조사에게 유익하다. 가족 교육과 지도는 아동의 일상생활과 깊이 연관된 다양한 중재를 제공하는 가족 중심 접근법 내에서 시행된다. 물리치료보조사는 가정이나 학교에서 아동에게 서비스를 제공할 수 있기 때문에 추가적인 문제나 부모의 걱정을 제일 먼저 포착할 수 있다. 이때는 즉각적으로 그 사실을 담당 감독 물리치료사에게 전달해야 한다. 소아와 소아의 가족을 대할 때는 대인기술이 필요하고 환자의 문제가 복잡하다. 그렇기 때문에 대부분의 병원은 그러한 치료 환경에서 활동할 물리치료보조사와 물리치료사를 고용할 때 경력을 요구한다(Clynch, 2012).

물리치료사와 물리치료보조사는 환자의 의료 팀에서 귀중한 일원들이다. 이 둘의 관계를 최상으로 끌어올리고 환자의 치료 결과를 극대화하려면 각각의 의료인들이 교육적 준비 과정의 필요성과 서로의 경험적 배경을 알아야 한다. 가장 선호하는 물리치료사와 물리치료보조사 관계는 신뢰와 이해, 상호 존중, 효과적인 소통, 서로의 공통점과 차이점 공감으로 특징한다(Clynch, 2012). 이러한 관계에는 물리치료보조사에게 지시할 수 있는 과제 결정 문제를 포함하는 지시가 수반된다. 또한 과제나 중재를 지시받고 수락하는 물리치료 보조사를 감독할 책임이 물리치료사에게 있기 때문에 감독도 이 관계에 포함된다. 이밖에도 소통과 윤리적 및 법적 행동 실천이 이 관계에 수반된다. 이러한 관계에서 얻을 수 있는 긍정적인 측면은 보다 더 명확하게 정의되는 물리치료사와 물리치료보조사의 정체성과 고품질 서비스를 제공할 수 있는 보다 더 통합된 접근법, 비용효과적인 물리치료 서비스가 있다.

결론 요약

물리치료 업무가 변하면서 PTA의 수가 늘어나고, 이러한 의료인들이 치료하는 환자들의 유형도 더욱 다양해지고 있다. PTA는 신경 손상을 보이는 성인과 아동 치료에 적극적으로 관여한다. 주 PT는 환자의 상태를 철저하게 검사하고 평가해서 PTA가 환자의 중재 전체나 일부분을 안전하게 시행할 수 있는지를 결정한다. PTA는 환자 재활 팀의 일원으로 활동하고, 환자가 의미 있는 활동에 참여하는 능력을 극대화할 수 있도록 돕는다. 가정과 학교나 지역 사회에서의 개인 기능 개선은 여전히 물리치료 중재의 주요 목표로 남아 있다. ■

검토사항

1. 건강과 기능과 관련된 ICF 모델에 관해 토의한다.
2. 개인의 기능적 활동 수행 능력에 영향을 미치는 요소들을 나열해 본다.
3. PT가 PTA를 활용하기 전에 고려해야 하는 요소들을 파악한다.
4. 신경 손상을 보이는 성인이나 아동을 다룰 때 PTA가 어떤 역할을 수행하는지 토의한다.

참고 문헌

American Physical Therapy Association: *Guide to physical therapist practice*, ed 2, Alexandria, VA, 2003, APTA, pp 13–47, 679.

American Physical Therapy Association: Direction and supervision of the physical therapist assistant, 2012a, *HOD P06-05-18- 26*. Available at: www.apta.org/uploadedFiles/APTAorg/About_Us/Policies/Practice/DirectionSupervisionPTA.pdf.AccessedJanuary 5, 2014.

American Physical Therapy Association: Procedural interventions exclusively performed by physical therapists, 2012b, *HOD P06-00-30-36*. Available at: www.apta.org/uploadedFiles/APTAorg/About_Us/Policies/Practice?ProceduralInterventions.pdf.AccessedJanuary5,2014.

American Physical Therapy Association (APTA): *Guide to physical therapist practice 3.0*, ed 3, Alexandria, VA, 2014, APTA. Available at: http://guidetoptpractice.apta.org,AccessedSeptember24,2014.

American Physical Therapy Association Education Division: *A normative model of physical therapist professional education*, version 2007, Alexandria, VA, 2007, APTA, pp 84–85.

Cech D, Martin S: *Functional movement development across the life span*, ed 3, Philadelphia, 2012, Saunders, pp 1–13.

Clynch HM: *The role of the physical therapist assistant regulations and responsibilities*, Philadelphia, 2012, FA Davis, pp 23, 43–76.

Crosier J: PTA direction and supervision algorithms, *PT-inMotion*, 2010. Available at: www.apta.org/PTinMotion/2010/9PTAsToday,AccessedJanuary7,2014.

Crosier J: *The PT/PTA relationship: 4 things to know*, February 2011. Available at: www.apta.org/PTAPatientCare,AccessedJanuary7,2014.

International classification of functioning, disability, and health (ICF), World Health Organization. Available at: www.who.int/classifications/icf/en/.AccessedJanuary5,2014.

Miller ME, Ratliffe KT: The emerging role of the physical therapist assistant in pediatrics. In Ratliffe KT, editor: *Clinical pediatric physical therapy*, St Louis, 1998, Mosby, pp 15–22.

Nagi SZ: Disability concepts revisited: Implications for prevention. In Pope AM, Tarlox AR, editors: *Disability in America: toward a national agenda for prevention*, Washington, DC, 1991, National Academy Press, pp 309–327.

O'Sullivan SB: Clinical decision making planning and examination. In O'Sullivan SB, Schmitz TJ, Fulk GD, editors: *Physical rehabilitation assessment and treatment*, ed 6. Philadelphia, 2014, Davis, pp 1–29.

Section on Pediatrics, American Physical Therapy Association: Draft position statement on utilization of physical therapist assistants in the provision of pediatric physical therapy, *Sect Pediatr News l* 5:14–17, 1995.

Section on Pediatrics, American Physical Therapy Association: *Utilization of physical therapist assistants in the provision of pediatric physical therapy*, Alexandria, VA, 1997, APTA.

Verbrugge L, Jette A: The disablement process, *Soc Sci Med* (38):1–14, 1994.

Watts NT: Task analysis and division of responsibility in physical therapy, *Phys Ther* (51):23–35, 1971.

World Health Organization: *How to use the ICF: a practical manual for using the international classification of functioning, disability and health (ICF)*, 2013, Geneva.

CHAPTER

2 신경해부학

학습 목표 ***이 장을 학습한 후 학생들은 아래 사항에 대하여 이해하고 설명할 수 있다.***

1. 중추신경계와 말초신경계를 구분할 수 있다.
2. 신경계 내부의 중요한 구조를 파악할 수 있다.
3. 신경계 내부 구조의 주 기능을 이해할 수 있다.
4. 두뇌로 혈액이 공급되는 과정을 설명할 수 있다.
5. 목신경얼기와 팔신경얼기, 허리엉치신경 얼기의 구성에 대하여 설명할 수 있다.

서론

이 장의 목적은 학생들에게 신경해부학 개요를 제공하는 것이다. 이 장에서는 신경계의 기본적인 구조와 기능을 설명한다. 이러한 정보는 물리치료사(PT)와 물리치료 보조사(PTA)에게 매우 중요하다. 신경기능 장애 환자를 치료하는 물리치료사와 물리치료보조사가 임상적 징후와 증상을 파악해서 의료인들을 돕는 일을 하기 때문이다. 뿐만 아니라 물리치료보조사가 신경해부학을 알면 환자의 예후와 기능의 잠재적 결과를 제대로 이해할 수 있다. 그러나 이 책에서 제공하는 내용만으로는 신경해부학을 종합적으로 파악하기 어렵다. 보다 더 깊이 있는 내용을 알고 싶다면 신경과학과 신경해부학 서적을 읽어보기 바란다.

신경계의 주 요소

신경계는 중추신경계(중추신경계)와 말초신경계(말초신경계)로 나뉜다. 중추신경계는 뇌와 소뇌, 뇌줄기, 척수로 구성되며, 말초신경계는 머리뼈와 척수 이외의 모든 요소들로 구성된다. 생리학적으로 말초신경계는 몸신경계와 자율신경계(자율신경계)로 나뉜다. 그림 2-1은 중추신경계의 주요 요소들을 보여 준다.

신경계는 철저하게 조직된 소통체계다. 신경계 내부의 신경세포들은 신체의 다른 영역들과 정보를 주고받고 소통하며 정보를 분석한다. 예를 들어 촉감과 자기 수용, 통증, 체온과 같은 감각들은 말초신경계(periphery)가 전기화학적 자극을 신경계 경로를 통해서 중추신경계로 보낸 것이다. 뇌에서 정보가 처리되면 새로운 전기화학적 자극이 운동로를 통해 말초 조직으로 전달된다. 이러한 전달 과정이 환경과 상호 작용하는 개인의 능력에 영향을 미칠까? 개인은 신경계 기능 덕분에 감각적 경험을 인지하고, 몸을 움직이고, 인지적 과제를 수행할 수 있다.

신경세포 유형

뇌와 뇌줄기, 척수는 뉴런과 신경아교(neuroglia)라는 기본적인 두 가지 신경세포 유형으로 구성된다. 뉴런의 세 가지 하위 유형은 각각의 기능에 따라서 (1) 날신경과 (2) 사이신경세포, (3) 들신경으로 나뉜다. 날신경이나 감각신경세포는 말초신경계에서 감각 정보(sensory input)를 받아 중추신경계로 전달한다. 사이신경세포는 뉴런과 뉴런을 서로 연결해 준다. 사이신경세포의 주 기능은 정보를 처리하거나 신호를 전송하는 것이다(Lundy-Ekman, 2013). 들/몸신경세포나 운동신경세포는 근육에 신호를 전달해 몸을 움직이려고 정보를 팔다리로 전송한다.

신경아교는 뉴런에 중요한 서비스를 제공하는 비신경 지지세포다. 각기 다른 신경아교 유형은(별아교세포, 희소돌기아교세포, 미세아교세포, 뇌실막세포) 중

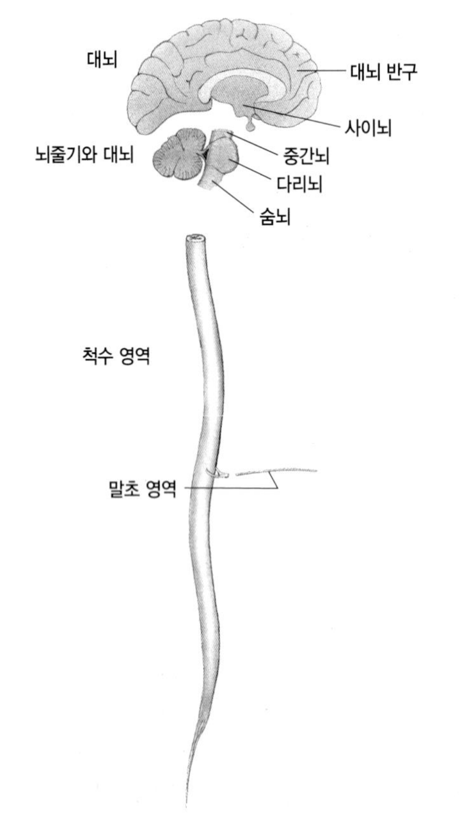

그림 2-1. 신경계 영역의 측면. 왼쪽은 영역 명칭, 오른쪽은 하위영역 명칭이다(Lundy-Ekman L의 ≪신경과학: 재활의 기본(Neuroscience: fundamentals for rehabilitation)≫ 4판, 세인트루이스, 2013, 엘제비어).

추신경계에서 찾아볼 수 있다. 그림 2-2는 신경아교 유형을 보여 준다. 별아교세포는 모세혈관의 내피세포를 유지하고 혈관과 뉴런을 연결해 준다. 뿐만 아니라 중추신경계의 신진대사에 기여하고, 신경전달물질의 세포외농도(extracellular concentration)를 조절하며, 부상 후에 증식하여 신경아교흉터(glial scar)를 만든다(Fitzgerald 등, 2012). 희소돌기아교세포는 백질에 있는 축삭 주변의 말이집을 감싸고, 이온교환에 참여하는 회색질의 위성 세포를 생산한다. 미세아교세포는 중추신경계의 포식세포로 알려져 있다. 이 세포는 병원균을 에워싸서 소화시키고, 신경계를 도와서 상처를 회복시킨다. 뇌실막세포는 뇌실계(ventricular system) 안쪽을 덮고 있으며, 심실 내의 수액 이동을 돕는다(Fitzgerald 등, 2012). 슈반세포와 위성세포는 말초신경계에서 비슷한 기능을 수행한다.

신경세포 구조

그림 2-3에서 보다시피 전형적인 신경세포는 세포체와 수상돌기, 축삭으로 구성되어 있다. 수상돌기는 정보를 받아서 세포체로 전달하고, 세포체는 그 정보를 처리한다. 수상돌기는 또한 다른 신경세포에서 나오는 자극을 세포체에 전달한다. 신경세포에 따라서 수상돌기의 수와 배열이 다르다. 세포체나 체세포는 세포핵 하나와 다수의 각기 다른 세포소기관(cellular organelles)으로 구성된다. 세포체는 단백질을 합성하고, 전기화학적 자극 전달과 세포 복구 같은 신경세포의 기능적 활동을 지원한다. 세포체는 중추신경계 내부에 모여 있어서 회색으로 보이기 때문에 회색질이라고 한다. 말초신경계에 모여 있는 세포체는 신경절(ganglia)이라고 한다. 축삭은 신경세포의 메시지 전송 요소다. 세포체에서 뻗어 나와 있는 축삭은 세포체에서 자극을 받아 근육세포와 분비기관, 혹은 다른 신경세포를 포함하는 표적세포에 전달한다.

시냅스

시냅스는 신경계의 각각 다른 부분들이 서로 교류하고 영향을 주고받게 해주는 신경세포 사이의 접합부분이다. 시냅스 간극은 축삭종말과 시냅스 후부 표적세포(postsynaptic target cell) 사이의 공간이며 신경세포 간의 교류 장소다

신경전달물질

신경전달물질은 세포체에서 흘러나와 축삭종말에 저장되는 화학물질이다. 신경세포의 활성화(탈분극)에 따라 활동 전위가 축삭에서 나와 축삭종말에 다다르면 신경전달물질이 시냅스 간극으로 배출된다. 이어서 신경전달물질은 수용체와 결합해서 수용체의 활동 변화를 이끌어 낸다(Lundy-Ekman, 2013). 신경전달물질에 관한 보다 더 심층적인 내용은 이 책에서 다루지 않는다. 그러나 중추신경계 질병과 관련된 몇 가지 흔한 신경전달물질에 관해서는 여기서 짚어보고 넘어가겠다. 더군다나 중추신경계 병에 걸린 환자들에게 사용할 수 있는 많은 약학적 중재들이 신경전달

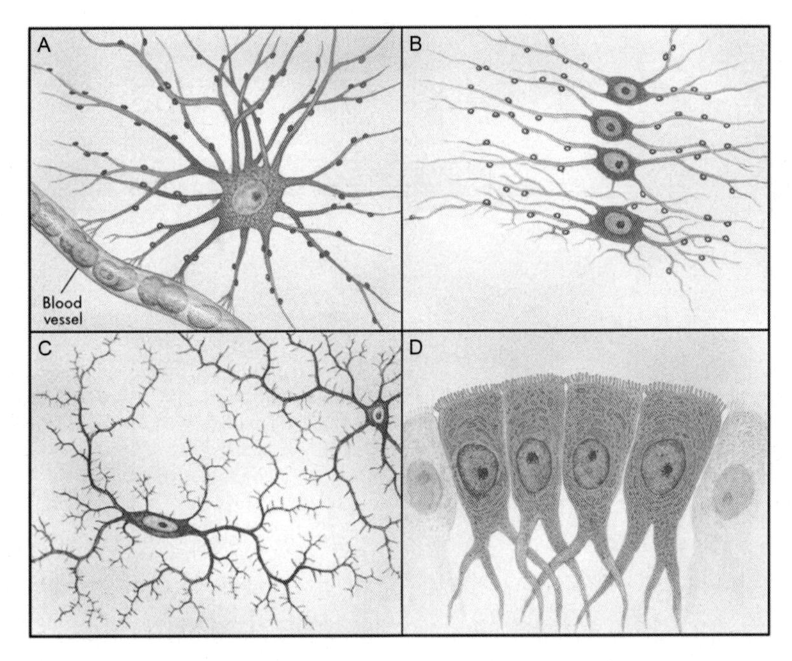

그림 2-2. 네 가지 유형의 신경교세포: 별아교세포, 미세아교세포, 희소돌기아교세포, 뇌실막세포 (Copsteael LEC와 Banasik JL의 ≪병리생리학: 생리학 및 행동학적 관점(*Pathophysiology: biological and behavioral perspective*)≫ 2판에서 발췌. 2000년 필라델리아, WB 숀더스 출판).

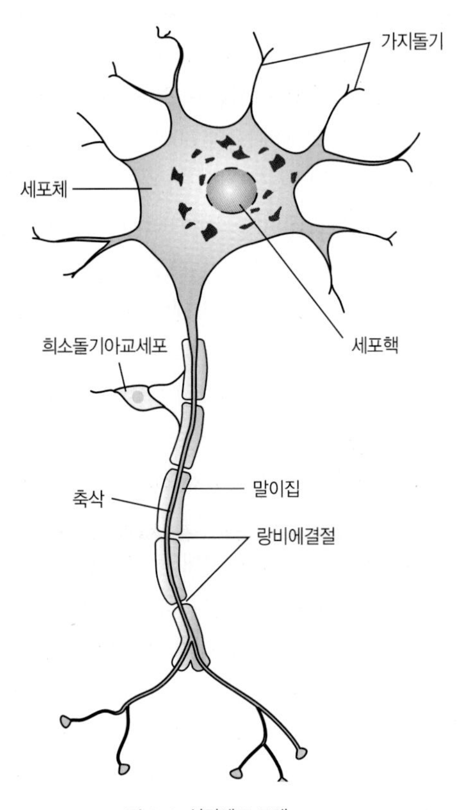

그림 2-3. 신경세포 도해

물질의 활동을 촉진시키거나 억제해서 효력을 발휘한다. 흔한 신경전달물질로는 아세틸콜린과 글루타메이트, 감마 아미노뷰티르산(GABA), 도파민, 세로토닌, 노르에피네프린이 있다. 아세틸콜린은 말초신경계에서 정보를 전달하고, 뼈대근육 섬유(아래운동신경세포)와 접합하는 모든 신경세포들이 사용하는 신경전달물질이다(Lundy-Ekman, 2013). 이뿐만 아니라 심박동수와 다른 자율 기능들을 조절하는 역할을 한다. 글루타메이트는 흥분성 신경전달물질로 발달 과정 동안 뉴런의 변화를 촉진시킨다. 과도한 글루타메이트 분비는 중추신경계 손상 이후의 신경세포 파괴에 기여한다고 한다. GABA는 두뇌의 주요한 억제성 신경전달물질이며, 글리신은 척수의 주요한 억제성 신경전달물질이다. 도파민은 운동 활동과 동기, 일반적 각성, 인지에 영향을 미친다. 세로토닌은 '분위기와 행동'에 영향을 미치는 역할을 수행하고, '통증을 억제'해준다(Dvorak and M자율신경계field, 2013). 노르에피네프린은 자율신경계가 사용하고, 투쟁-도피 반응을 이끌어 내어 스트레스를 가한다(Fitzgeraled 등, 2012; Lundy-Ekman, 2013).

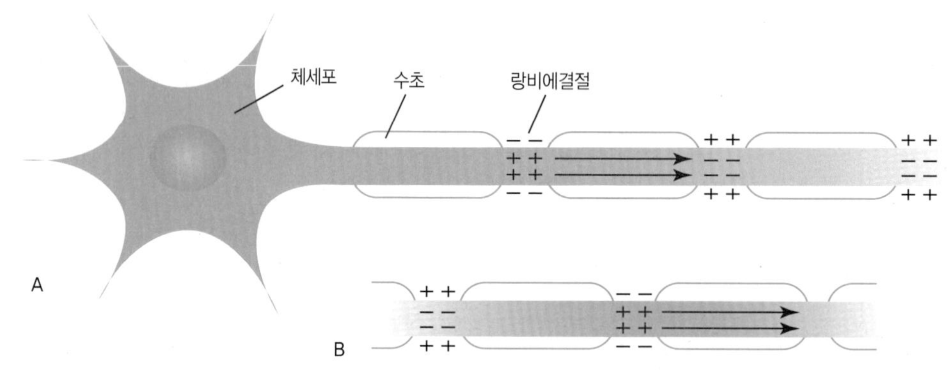

그림 2-4. 비약 전도, 혹은 활동 전위가 축삭을 따라 하나의 결절에서 다음 결절로 뛰어넘어가는 것 같은 과정. A, 탈분극하는 전위는 말이집 축삭 영역을 따라 신속하게 퍼져나가다가 말이집화되지 않은 랑비에결절을 지날 때 느려진다. B, 랑비에결절에서 활동전위가 생겨날 때 탈분극하는 전위가 말이집 영역을 가로질러 다시 빠르게 퍼져나가면서 하나의 결절에서 다음 결절로 뛰어넘어가는 것처럼 보인다(룬디-에크만 L의 ≪신경과학: 재활 기본≫ 4판에서 발췌, 세인트루이스, 2013년, 엘제비어 출판사).

축삭

정보가 처리되면 축삭이 처리된 정보를 다른 신경세포들과 근세포들, 혹은 분비기관으로 전송한다. 축삭은 말이집화되거나 그렇지 않을 수 있다. 말이집은 축삭을 감싸서 절연시키는(insulate) 지질 · 단백질이다. 희소돌기아교세포가 중추신경계에서 수초를 생산하는 세포인 반면, 슈반세포는 말초신경계에서 축삭 주변의 말이집을 감싼다. 말이집이 있으면 자극 전도가 빨라져서 신경계의 반응성이 높아진다. 축삭을 둘러싼 말이집은 쭉 이어져 있는 것이 아니다. 말이집이 끊어지거나 비어 있는 공간이 있는데 이것을 랑비에결절이라고 한다. 랑비에결절이 이온 흐름을 통제할 때 활동 전위의 자극 전도가 가능해진다. 자극이 말이집화된 축삭을 따라 이동할 때 한 랑비에결절에서 다음 결절로 뛰어 넘어 가는 것 같다. 각각의 랑비에결절에서 새로운 활동 전위들이 생겨나기 때문에 자극이 하나의 결절에서 다음 결절로 뛰어 넘는 것처럼 보인다. 도약전도라는 이 과정 덕분에 신경계 자극 전도 속도가 증가한다(그림 2-4). 수초화되지 않은 축삭은 수초화된 축삭보다 훨씬 천천히 메시지를 보낸다(Lundy-Ekman, 2013).

백색질

도약 극히 많이 몰려 있는 신경계 영역은 수초의 백색 성분 때문에 하얗게 보인다. 결론적으로 말해서 백색질은 세포체에서 정보를 받아 나르는 축삭으로 구성되어 있다. 백색질은 뇌와 척수에서 찾아볼 수 있다. 말이집 축삭은 중추신경계 내부에 모여 섬유 경로(fiber tract)를 형성한다.

회색질

회색질은 신경세포체와 수상돌기가 많은 영역이다. 이런 세포체 때문에 회색질이 회색으로 보인다. 회색질은 대뇌 표면 전체를 뒤덮고 있어 대뇌겉질이라고 한다. 대뇌겉질에는 약 500억 개의 신경세포가 있어서 신경아교세포가 거의 5,000억 개에 달하며, 중요한 모세혈관망이(capillary network) 형성되어 있다(Fitzgeraled 등, 2012). 회색질은 또한 척수 깊숙한 곳에 자리하고 있다. 더 자세한 내용은 이 장 후반부에서 다루겠다.

섬유와 경로

주요한 감각로나 날섬유로(afferent tract)는 정보를 뇌에 전달하고, 주요 운동로나 들섬유로(efferent tract)는 뇌에서 민무늬근과 뼈대근으로 신경흥분을 전달(tr자율신경계mission)한다. 감각 정보는 후각과 시각, 청각, 촉각, 미각, 열기, 냉기, 압력, 통증, 움직임과 같은 감각으로 척수나 뇌신경을 통해 중추신경계로 들어간다. 정보는 섬유로를 따라 이동하는데 섬유로는 인식과 협력, 해석을 하기 위해 감각 수용체에서 겉질로 이어지는 특정한 경로를 따라 올라가는 축삭

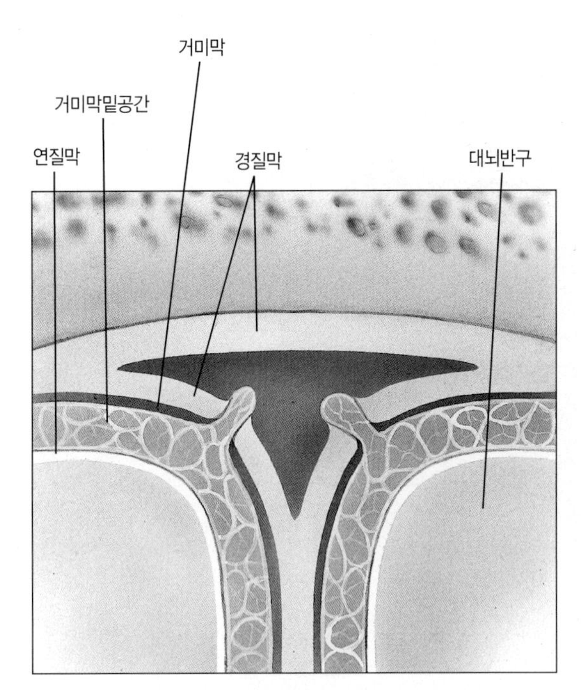

그림 2-5. 머리뼈와 뇌척수막(meninges), 대뇌반구를 가로지르는 관상 단면. 이 관상 단면은 머리뼈 상부의 중심선 구조를 보여 준다. 여기에는 뇌척수막과 위시상정맥굴(superior sagittal sinus), 거미막과립(arachnoidal granulations)이라는 3층의 막이 있다(Lundy-Ekman L의 ≪신경과학: 재활의 기본(Neuroscience: fundamentals for rehabilitation)≫ 4판, 세인트루이스, 2013, 엘제비어).

으로 구성된다. 운동 신호는 근육을 움직이기 위해 들섬유로(efferent fiber tract)를 통해 겉질에서 척수로 내려간다. 섬유로는 시작 지점과 종착 지점으로 표기된다. 그러므로 주요 운동로인 겉질척수로는 겉질에서 시작되어 척수에서 끝난다. 감각로인 가쪽척수시상로(lateral spinothalamic tract)는 척수의 회색질에서 시작되어 척수의 가쪽을 타고 올라가 시상에서 끝난다. 운동로와 감각로에 관한 보다 더 심층적인 내용은 이 장 후반부에서 다루겠다.

뇌

뇌는 두 대뇌반구(오른쪽과 왼쪽)로 나눠지는 대뇌와 소뇌, 뇌줄기로 구성된다. 대뇌 표면 혹은 대뇌피질은 고랑(sulci)과 이랑(gyri)으로 이루어진다. 이러한 주름 덕분에 뇌 크기를 키우지 않아도 대뇌 표면 영역이 넓어진다. 대뇌의 가장 바깥 표면은 거의 2 mm에서 4mm 두께인 회색질로 구성되고, 안쪽 표면은 백질섬유로로 구성된다(Fitzgeraled 등, 2012). 백질이 정보를 전달하고, 회색질 내에서 정보가 처리 및 통합된다. 물론 대뇌반구 내에도 겉질과 연관되어 있거나 서로 연관된 세포핵이 다수 존재한다.

지지 구조와 보호 구조

뇌는 손상 가능성을 최소화하기 위해서 각기 다른 다수의 구조와 물질로 보호받는다. 먼저 뇌는 머리뼈라는 뼈 구조에 둘러싸여 있다. 또한 뇌척수막이라는 3층의 세포막으로 뒤덮여 추가적으로 보호받고 있다. 이 중에서 가장 바깥 막은 경질막이라고 한다. 경질막은 머리뼈에 붙어 있는 두꺼운 섬유질 연결 조직막이다. 이 경질막에는 눈에 띄게 튀어나온 부분이 두 개 있는데 그중 하나는 대뇌반구를 분리하는 대뇌낫(대뇌겸)이고, 다른 하나는 대뇌후반구와 소뇌를 분리하는 소뇌천막이다. 경질막과 두개골 사이의 영역은 경질막바깥공간(경막외공간)이라고 한다. 그 다음 층이나 중간 층은 거미막이다. 경질막과 거미막 사이의 공간은 거미막밑공간(지주막하공간)이라고 한다. 이곳에 대뇌동맥이 자리하고 있다. 세 번째 보호 층은 연질막(pia mater)이라고 한다. 연질막은 가장 안쪽 층이며, 뇌에 바로 붙어 있다. 뇌막(cranial meninges)은 척수를 뒤덮어 보호하는 세포막과 이어져 있다. 뇌척수액은 뇌를 씻어주고 거미막밑공간에서 순환한다. 그림 2-5는 뇌막과 머리뼈의 관계를 보여 준다.

대뇌엽

대뇌는 이마엽과 마루엽, 관자엽, 뒤통수엽이라는 네 개의 대뇌엽으로 나눠어져 있다. 각각의 대뇌엽은 그림 2-6에 나타난 것처럼 독특한 기능을 수행한다. 뇌의 두 반구는 서로 완전히 닮은 꼴임에도 특수화된 기능을 수행한다. 뇌 기능의 이러한 편파성은 반구 특수화(specialization)나 반구 편재화(lateralization)라고 한다.

이마엽. 이마엽에는 일차운동겉질이 있다. 이마엽은 복합적 운동 활동을 자발적으로 통제한다. 이처럼 운동을 책임질 뿐만 아니라 판단력과 집중력, 의식, 추

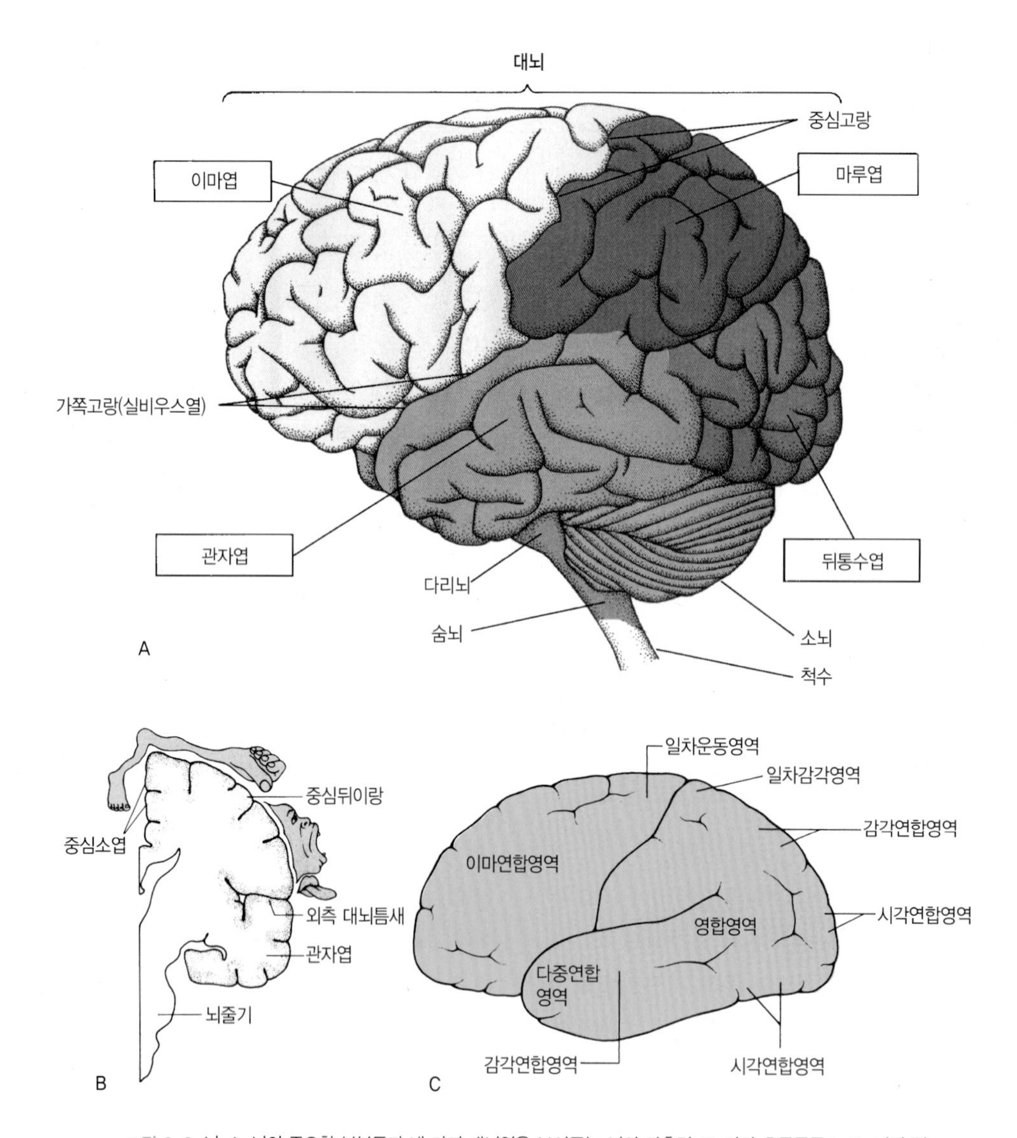

그림 2-6. 뇌. A, 뇌의 주요한 부분들과 네 가지 대뇌엽을 보여주는 뇌의 좌측면. B, 감각 호문클루스. C, 뇌의 일차 및 연합 감각 영역과 운동영역(Guyton의 ≪기본적 신경과학: 해부학과 생리학(Basic neuroscience: anatomy and physiology≫ 2판에서 A 발췌, 1991년, 필라델피아, WB 손더스 출판사. Cech와 Martin의 ≪평생에 걸친 기능적 운동 발달(Functional Movement Development Across the Life Span)≫ 3판에서 B와 C 발췌, 2012년 세인트루이스, 엘제비어 출판사).

상적 사고, 기분, 공격성을 포함한 인지 기능에 강력한 영향력을 행사한다. 언어를 책임지는 주된 운동영역(브로카영역)이 이마엽에 자리하고 있다. 왼쪽반구에서 브로카영역은 입을 움직여 발화를 유도한다. 오른쪽반구에서 이와 똑같은 영역은 몸짓과 개개인의 어조 조정을 포함한 비언어적 소통을 책임진다.

마루엽. 마루엽에는 일차감각겉질이 있다. 마루엽에서는 유입되는 감각 정보를 처리하고 그 자극에 의미를 부여한다. 지각(perception)은 감각 정보에 의미를 부여하는 과정이며, 뇌와 신체, 개인 환경의 상호 작용을 필요로 한다(Lundy-Ekman, 2013). 대부분의 지각적 학습은 마루엽이 기능해야 가능해진다. 마루엽 내에는 정보를 해석하기 위해 특정한 신체 영역을 담당하는 부분들이 있다. 이러한 지도를 감각 호문클루스(그림 2-6)라고 한다. 또한 마루엽은 단기 기억 기능에도 한 몫을 담당하고 있다.

관자엽. 관자엽에는 일차청각겉질이 있다. 관자엽의 베르니케 영역은 모든 감각기관을 해석하는 최중심 영역이며, 개인은 이 영역 덕분에 언어를 듣고 이해할 수 있다. 시각적 지각 능력과 음악 구별 능력, 장기 기억 능력은 모두 관자엽과 관련된 기능이다.

뒤통수엽. 뒤통수엽에는 일차시각겉질이 있다. 인간의 눈은 시야에 잡히는 물체와 관련된 시각적 신호를 받아들여서 그 정보를 전달한다. 시각연합겉질(visual association cortex)은 대뇌반구 전체에 광범위하게 펴져 있다.

연합겉질

연합겉질은 이마엽과 마루엽, 관자엽 내에서 겉질의 각기 다른 부분들을 수평으로 연결해주는 영역이다. 예를 들어 감각연합겉질은 감각 정보를 받아들이는 모든 대뇌엽에서 정보를 받아 통합하고 해석한다. 개인은 이 겉질 덕분에 감각적 경험을 자각하고, 그 경험에 의미를 부여할 수 있다. 감각연합겉질의 또 다른 기능으로는 성격 형성과 기억력, 지능, 감정 생성이 있다(Lundy-Ekman, 2013). 표 2-6의 C는 대뇌반구의 연합 영역들을 보여 준다.

대뇌피질의 운동영역

이마엽에 위치한 일차운동겉질은 팔다리와 얼굴 근육 움직임을 대측적으로 자발 통제한다. 그러므로 이러한 신체 일부분을 통제하는 신경세포들이 이 영역의 표면 전체에서 훨씬 많은 부분을 차지하고 있다. 다른 운동영역으로는 몸통 근육과 선행적 자세조절(anticipatory postual adjustment)을 통제하는 운동앞영역(premotor area), 운동 시작과 눈과 머리의 방향, 양측성 운동(bilateral movement)과 순차적 운동을 통제하는 보조운동영역, 발화 도중의 입 동작과 언어의 문법적 측면을 관장하는 브로카영역이 있다(Lundy-Ekman, 2013).

뇌반구 특수화

대뇌는 더 나아가서 왼쪽반구와 오른쪽반구로 나눌 수 있다. 이 두 반구는 큰 해부학적 차이를 보인다. 언어를 책임지는 반구는 우세반구(dominant hemisphere)로 간주된다. 오른손잡이를 포함한 전체 인구의 약 95%가 왼쪽반구가 우세한 사람이다. 왼손잡이 중에서도 왼쪽반구가 일차 언어중추인 사람이 약 50%에 달한다(Geschwind와 Levitsky, 1968, Gliman과 Newman, 2003, Guyton, 1991, Lundy-Ekman, 2013). 표 2-1은 왼쪽반구와 오른쪽반구의 주요 기능을 보여 준다.

왼쪽반구 기능. 왼쪽반구는 뇌의 언어적 측면이나 분석적 측면이라고 한다. 왼쪽반구는 정보를 순차적이고 체계적이며, 논리적이고 선형적인 방식으로 처리할 수 있게 해 준다. 정보를 단계별적으로나 세부적으로 처리하면 철저하게 분석할 수 있다. 대부분의 사람들은 왼쪽반구, 특히 이마엽과 관자엽에서 언어를 생성하고 처리한다. 왼쪽 마루엽은 개인이 단어를 인식하고 읽은 내용을 이해할 수 있게 해 준다. 또한 수학적 계산도 한다. 왼쪽 마루엽은 기능할 때 개인이 동작과 몸짓을 배열하고 수행할 수 있다. 왼쪽반구에서 담당하는 마지막 행동은 행복과 사랑같은 긍정적인 감정을 표현하는 것이다. 왼쪽반구를 다친 환자는 흔히 운동 과제를 계획하지 못하고(운동불능), 과제를 시작하고 배열하고 처리하기 어려워한다. 또한 언어를 생성하고 이해하기 힘들어하며, 기억력 손상 증상을 보이고, 언어와 행동을 계속 반복한다(O'Sullivan, 2014).

오른쪽반구 기능. 오른쪽반구는 개인의 비언어적 능력과 예술적 능력을 책임진다. 또한 개인이 모든 세부 사항을 구체적으로 검토하지 않고도 정보를 완벽하게, 전체적으로 처리할 수 있게 해 준다. 이러한 개인은 일반적인 개념을 파악하고 이해할 수 있다. 오른쪽반구는 또한 눈과 손의 협응, 공간 관계 및 공간 내의 자기 위치 인식을 포함한 시각적 지각 기능을 수행한다. 비언어적 소통 능력과 표현된 것을 이해하는 능력도 오른쪽 마루엽이 담당한다. 얼굴 표정 파악과 시

공간적 관계 인식, 신체상 인식을 포함한 비언어적 기술은 오른쪽 뇌에서 처리한다. 오른쪽 뇌의 또 다른 기능으로는 수학적 추론과 판단, 동작이나 자세 유지, 분노와 불행 같은 부정적 감정 인식이 있다(O'Sullivan, 2014). 오른쪽반구 손상 환자가 보일 수 있는 특정한 결핍 증상으로는 판단력 약화와 안전 의식 약화, 비현실적 기대, 장애나 결핍 부정, 신체상 혼란, 과민성, 무기력 상태가 있다.

반구 연결

뇌의 두 반구는 각기 다른 기능적 능력을 가지고 있지만 동일한 행동을 많이 수행한다. 게다가 지속적으로 소통하기 때문에 개인은 분석적이 될 수 있고, 광범위한 일반 개념을 파악할 수 있다. 오른손은 왼손이, 왼손은 오른손이 무엇을 하고 있는지 알 수 있다. 뇌들보(corpus callosum)는 오른쪽반구와 왼쪽반구를 연결하고 두 겉질 사이의 소통을 가능하게 해주는 대규모 축삭 집단이다.

심층 뇌구조

겉질 하부 구조는 뇌 안쪽 깊숙이 자리하고 있으며, 속섬유막(internal capsule)과 사이뇌(diencephalon), 바닥핵(basal ganglia)을 포함한다. 이러한 구조는 운동 기능에 기능적으로 중요한 요소이므로 여기서 간략하게 설명하고 넘어가겠다.

속섬유막. 속섬유막에는 대뇌 겉질과 연결된 주요 투사섬유(projection fibers)가 있다. 이마엽의 운동영역에서 나가는 모든 내림섬유(descending fibers)는 대뇌 반구 깊숙이 자리한 속섬유막을 통과한다. 속섬유막은 겉질에서 빠져나와 겉질하부구조 아래에서 대뇌겉질까지 이어지는 백질섬유(겉질 하부 구조)에 닿는 축삭으로 이루어진다. 속섬유막은 미만 부등호(<)처럼 생겼고, 다섯 개 영역으로 나뉜다. 속섬유막 앞다리(anterior limb)는 앞대뇌겉질과 연결되어 있고, 속섬유막 무릎(genu)에는 몇몇 사이뇌 운동 세포핵으로 뻗어나가는 운동 섬유가 있다. 속섬유막 뒷다리(posterior limb)는 시상에서 마루엽 겉질(parietal cortex)로 가는 감각 신호와 겉질척수로(corticospinal tract)의 이마엽 신호(frontal signal)를 전달한다. 속섬유막의 남은 두 다리는 시각 신호와 청각 신호를 시상에서 뒤통수엽과 관자엽으로 각각 전달한다. 이 영역에 병변이 생기면 반대쪽에서 자발적 운동과 의식적 몸감각(somatosensation)이 사라질 수 있다. 몸감각은 촉각 정보와 자기 수용 정보를 인지하는 능력이다. 속섬

표 2-1 왼쪽반구와 우반구의 영향을 받는 행동

행동	왼쪽반구	오른쪽구반
인지/지능	연속적 및 선형적 정보 처리 세부사항 관찰 및 분석	동시에 전체적으로나 형태주의적으로 정보 처리하기 전체적 조직이나 패턴 이해하기
지각/인지	언어 처리 및 생성, 구두 신호와 신호 처리	비언어적 자극(환경음, 시각적 신호, 억양, 복잡한 모양, 디자인) 처리하기
학구적 기술	읽기: 음가-상징 관계, 단어 인식, 독해 수학적 계산하기	추론을 이끌어내고 정보를 종합하기 수학적 추론과 판단
운동 및 과제 수행 행동과 감정	동작 계획하고 동작 순서 배열하기 명령하기 위해 동작과 몸짓 수행하기 조직 긍정적 감정 표현하기	계산 시 숫자 정렬 동작 수행 시 동작이나 자세, 일관성 유지하기 자기교정 능력, 판단, 장애 인식, 안전상 우려 부정적인 감정을 표현하고 감정 감지하기

(O'Sullivan SB와 Schmitz TJ가 편집한 ≪신체 재활 평가 및 치료(Physical rehabilitation assessment and treatment)≫ 4판(필라델피아, FA 데이비스 출판사, 2001)에서 발췌한 O'Sullivan의 뇌졸중 내용 수정, O'Sullivan SB와 Schmitz TJ가 편집한≪신체 재활(Physical rehabilitation)≫(필라델피아, FA 데이비스 출판사, 2014) 6판에서 발췌한 O'Sullivan SB의 뇌졸중 내용 수정)

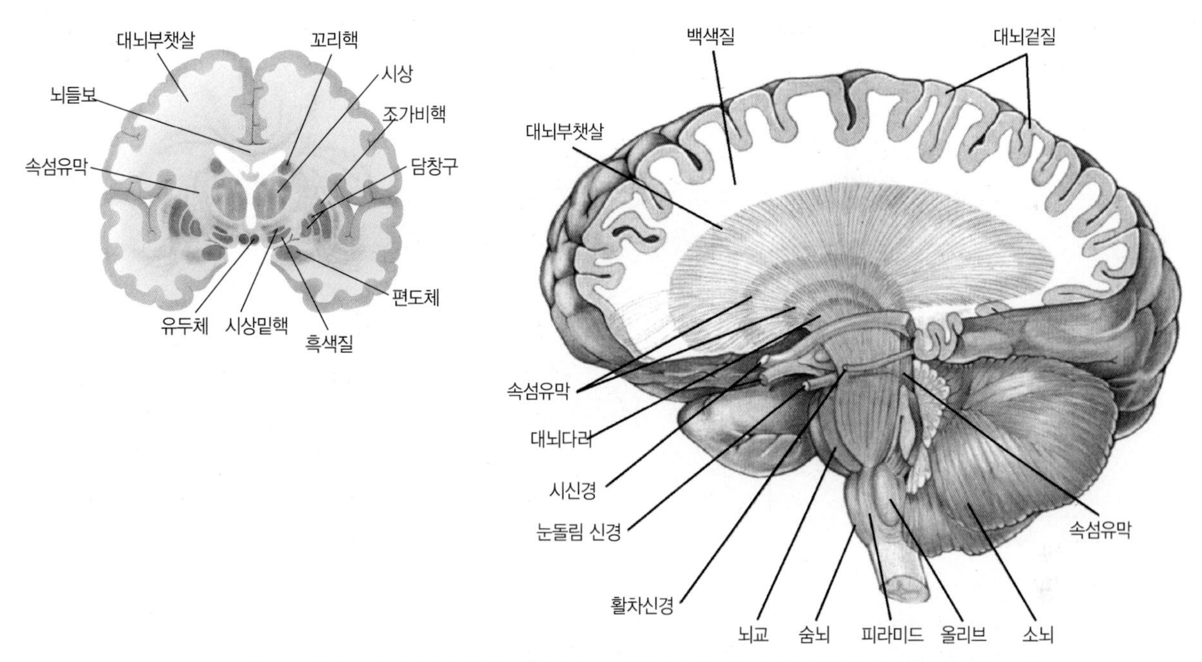

그림 2-7. 대뇌. A. 사이뇌와 대뇌반구. 관상 단면. B. 대뇌 겉질과 중앙 신경계 하부영역 사이에서 양방향으로 신호를 전달하는 방사 신경섬유인 방사관을 보여주는 대뇌 심층 절개도(Lundy-Ekman L의 ≪신경과학: 재활의 기본(Neuroscience: fundamentals for rehabilitation)≫ 4판에서 A 발췌, 세인트루이스, 2013, 엘제비어 출판사, Guyton의 ≪기본적 신경과학: 해부학과 생리학(Basic neuroscience: anatomy and physiology≫ 2판에서 B 발췌, 1991년, 필라델피아, WB 손더스 출판사).

유막은 그림 2-7에 소개되어 있다.

사이뇌. 사이뇌는 대뇌 깊숙한 곳에 자리하고 있으며, 시상과 시상상부(epithalamus), 시상밑부(subthalamus)로 구성된다. 사이뇌는 또한 주요 감각로(등 기둥 경로(dorsal columns)와 가쪽척수시상로(lateral spinothalamic))와 시각적 경로 및 청각적 경로가 접합하는 영역이다. 시상은 세포핵과 시냅스의 대규모 집단이며, 신체와 뇌의 다른 부분들에서 대뇌로 올라가는 감각 자극의 중계국 역할을 한다. 또한 감각 신호를 받은 후에 해석하기 위해서 겉질의 적절한 영역들로 보낸다. 뿐만 아니라 감각 정보를 겉질 내부의 적절한 연합 영역으로 전달하기도 한다. 바닥핵과 소뇌에서 받은 운동 정보도 시상을 통해서 적합한 운동 영역으로 전달된다.

시상하부. 시상하부는 시상 아래쪽, 뇌의 바닥에 있는 세포핵 집단이다. 시상하부는 균형 잡힌 내부 환경을 유지해나가는 항상성을 조절한다. 이 구조는 허기와 갈증, 소화, 체온, 혈압, 성행위, 수면각성 주기를 조절하는 자동적 기능에 주로 관여한다. 시상하부는 뇌하수체(pituitary gland)와 뇌하수체의 호르몬 분비를 조절해서 내분비계(endocrine system)와 자율신경계의 기능을 통합한다.

바닥핵. 대뇌 바닥에 자리한 또 다른 세포핵 집단은 바닥핵을 구성한다. 바닥핵은 꼬리핵(미상핵, caudate nucleus)과 조가비핵 (피각, putamen), 창백핵(담창구, globus pallidus), 흑색질(substantia nigra), 시상밑핵(subthalamic nuclei)으로 구성된 겉질하부 구조를 형성한다. 창백핵과와 조가비핵은 렌즈핵(lentiform nucleus)을 형성하고, 꼬리핵과 조가비핵은 새줄무늬체(neostriatum)로 알려져 있다. 바닥핵의 세포핵은 다양한 운동 회로를 통해서 대뇌 겉질의 운동 계획 영역에 영향을 미친다. 바닥핵은 주로 자세와 근긴장을 조절하고, 의지적 동작과 반사적 동작을 통제한다. 꼬리핵은 조가비핵과 함께 운동을 통제할 뿐만 아니라 인지 기능에도 관여한다. 바닥핵 이상으로 나타나는 가장 흔한 상태는 파킨슨 병이다. 바닥핵의 세포

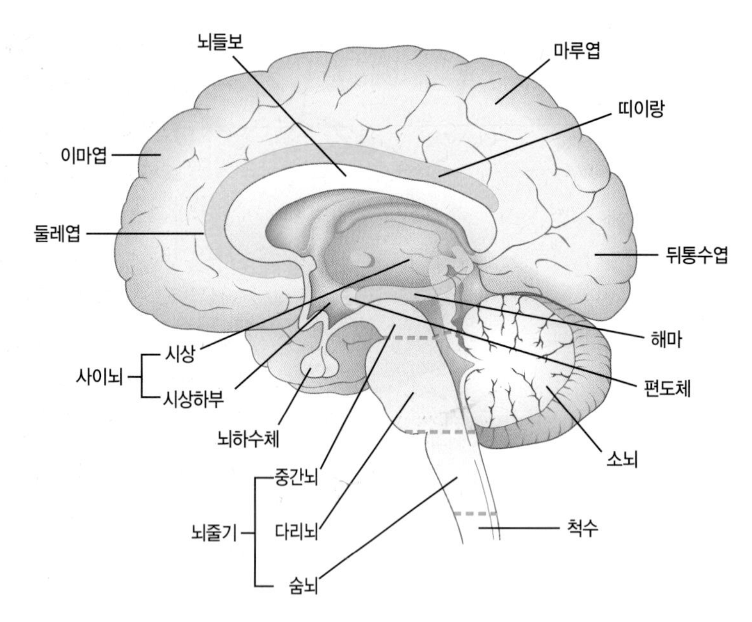

그림 2-8. 대뇌 겉질과 소뇌, 척수, 뇌줄기의 관계와 기능적 움직임에 중요한 겉질하부 구조를 보여주는 개략적 정중시상면(Cech D.와 Martin S.의 ≪평생에 걸친 기능적 운동 발달(Functional Movement Development Across the Life Span)≫ 3판에서 발췌, 2012년 세인트루이스, 엘제비어 출판사).

핵인 흑색질이 바닥핵 신경세포가 정상적으로 기능하는 데 필수적으로 필요한 신경전달물질 도파민을 생성하지 못하면(Fuller 등, 2009), 파킨슨 병의 증상이 나타날 수 있다. 파킨슨 병의 증상으로는 운동완만(동작이 느림), 운동불능(동작을 하지 못함), 떨림, 경직, 자세 불안정이 있다.

둘레계통. 둘레계통은 시상과 시상하부, 이마엽과 관자엽의 일부분을 포함하는 사이뇌와 겉질 깊숙한 곳에 자리한 뇌 조직(brain structures) 집단이다. 시상하부와 편도체(amygdala)는 분노와 공포 같은 원시적인 감정 반응을 통제하는 역할을 수행한다. 편도체는 둘레계통으로 신호를 전달한다. 둘레계통은 행동을 조절해주는 감정들을 인도하고, 학습과 기억에 관여한다. 구체적으로 설명하자면 기억과 통증, 쾌락, 분노, 애정, 성적 관심, 슬픔을 통제하는 것 같다.

소뇌

소뇌는 균형과 근육의 복잡한 움직임을 통제한다. 소뇌의 위치는 대뇌의 뒤통수엽 아래, 뇌줄기 뒤쪽이다. 소뇌는 머리뼈의 뒤머리뼈우묵(후두와, posterior fossa)을 가득 채우고 있다. 대뇌처럼 대칭적인 반구와 정중 벌레부(midline vermis)를 가지고 있다. 소뇌는 다중관절 움직임의 통합과 협응, 수행을 책임진다. 뿐만 아니라 근육 수축의 시작과 시기, 순서배열, 생성을 조절한다. 또한 계단 오르기나 손 뻗기 같은 동작을 수행할 때 근육이 움직이는 순서를 정한다. 소뇌는 균형 잡기와 자세 유지를 돕기도 하고, 기대되는 실질적인 운동 수행 능력을 비교하기도 한다. 예를 들어 실제로 수행한 움직임과 요구되는 움직임을 관찰하고 비교한다(Horak, 1991).

뇌줄기

뇌줄기는 대뇌 바닥과 척수 사이에 위치해 있고, 세 영역으로 나눠진다(그림2-8). 이 세 영역은 머리와 꼬리 방향으로 중간뇌와 다리뇌, 숨뇌 순으로 위치해 있다. 각각의 영역은 다른 기능을 수행한다. 중간뇌는 사이뇌와 다리뇌를 연결하고, 대뇌와 척수 혹은 소뇌 사이를 지나는 경로의 중계역 역할을 수행한다. 중간뇌에는 시각 반응과 청각 및 촉각 반응을 담당하는 반사중추(reflex center)가 있다. 다리뇌는 소뇌와 중추

신경계의 나머지 영역 사이를 오가는 축삭다발을 지니고 있고, 숨뇌와 함께 호흡률을 조절한다. 뿐만 아니라 시각적 자극과 청각적 자극에 반응해서 머리가 움직이도록 도와주는 반사중추도 지니고 있다. 다리뇌 내부에서는 뇌신경핵, 특히 5번 뇌신경핵에서 8번 뇌신경핵을 찾아볼 수 있다. 이 세포핵은 운동 정보와 감각 정보를 얼굴로 전달한다. 숨뇌는 척수의 확장이며, 숨뇌에는 척수를 따라 움직이는 섬유로가 있다. 목과 입 영역의 운동핵과 감각핵은 심박동수와 호흡을 담당하는 통제 센터와 마찬가지로 숨뇌 내에 자리하고 있다. 구토와 재채기, 삼킴을 담당하는 반사중추도 수질 내에 있다.

그물체(reticular formation)도 뇌줄기 내에 위치해 있고, 수직으로 뻗어나간다. 그물체는 수면각성 주기를 포함해서 개인의 각성 수준을 유지하고 조정한다. 뿐만 아니라 자기조절과 항상성 기능에 필수적인 자발적이고 반사적인 운동반응을 촉진시키고, 신체 전반의 근육 긴장을 조절한다.

척수

척수의 두 가지 주요 기능 가운데 하나는 운동 정보와 동작 패턴을 조화시키고, 감각 정보를 주고받는 것이다. 또한 척수 내에서는 도피반사와 신장반사(늘림반사)를 포함한 무의식적인 반사가 통합된다. 뿐만 아니라 척수는 뇌와 말초신경의 소통 수단을 제공한다. 척수는 뇌줄기, 특히 숨뇌에서 바로 이어지는 연장선으로, 척추 내에 위치해 있으며, 첫 번째와 두 번째 허리뼈 척추사이원반에 거의 닿을 듯 말 듯한 지점까지 뻗어있다. 척수의 확장은 세 번째 목 분절(cervical segment)에서 두 번째 흉부 분절(thoracic segment)까지 뻗어나가는 것과 첫 번째 허리 분절에서 세 번째 엉치 분절(sacral segment)까지 뻗어나가는 것이 있다. 이러한 확장에는 이 영역 내에 위치한 사지의 신경을 자극하는데 필요한 다수의 신경세포들이 있다. 척수는 제1 허리뼈(L1척추) 부근에서 척수원뿔(conus medullaris)이라는 콘 모양의 구조가 된다. 척수원뿔은 척수 엉치 분절로 구성되어 있다. 이 아래의 척수는 말총(마미, cauda equina)이라는 척수신경뿌리 집단이 된다. 말총은 L2에서 S5까지 이어지는 척수신경의 신경뿌리로 구성되어 있다. 그림 2-9는 척수신경과 뇌와의 관계를 보여 준다. 가는 실 같은 척수 종말끈(filum terminale)은 척수의 꼬리말단(caudal end)에서 뻗어 나와 꼬리뼈(coccyx)에 닿아 있다. 뿐만 아니라 척수는 척추뼈로 보호되며 뇌와 마찬가지로 뇌막으로 싸여 보호받는다.

내부 해부학 구조

척수의 내부 해부학 구조는 단면으로 보면 뚜렷하게 두 영역으로 나뉜다. 그림 2-10A는 척수의 내부 해부학 구조를 보여 준다. 척수는 뇌처럼 회색질과 백질로 구성되어 있다. 척수의 핵심인 회색질은 H모양이나 나비 모양처럼 생겼다. 회색질에는 운동 및 감각 신경세포와 시냅스의 세포체들이 있다. 회색질 상부는 등뿔(dorsal horn)이나 뒤뿔(posterior horn)이라

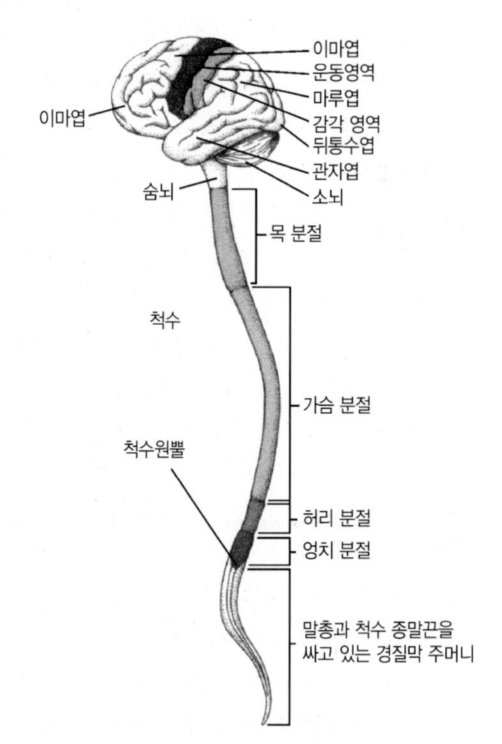

그림 2-9. 신경계의 주요 해부학 구조(Guyton의 ≪기본적 신경과학: 해부학과 생리학(Basic neuroscience: anatomy and physiology≫ 2판에서 발췌, 1991년, 필라델피아, WB 손더스 출판사).

고 하며 감각 자극을 전송한다. 회색질 하부는 앞뿔(anterior horn)이나 배쪽뿔(ventral horn)이라고 한다(그림 2-10B). 회색질 하부에는 하위 운동신경세포의 세포체가 있는데 이 세포체의 주된 기능은 운동 자극을 전송하는 것이다. 가쪽뿔(lateral horn)은 T1에서 L2 레벨 사이에 위치해 있고, 여기에는 신경절 이전 교감 신경세포(preganglionic sympathetic neuron)의 세포체가 있다. 가쪽뿔은 반사적인 정보를 처리한다.
척수의 말초신경은 백질로 구성되어 있다. 백질은 감각 섬유로(오름)와 운동 섬유로(내림)로 이루어져 있다. 경로란 출발지와 도착지, 기능이 비슷한 신경섬유 집단이다. 이러한 섬유로는 신경계 내부의 다양한 영역으로 자극을 전달한다. 뿐만 아니라 척수와 뇌 내부의 다양한 지점에서 신체의 한쪽과 다른 한쪽을 가로지르며 오간다. 그러므로 척수의 오른쪽이 손상되면 반대쪽의 운동기능이나 감각기능이 상실될 수 있다.

주요 들섬유로(감각로)

주요한 오름 감각로 두 개는 척수의 백질 내에 위치해 있다. 척수의 등쪽기둥 혹은 뒤기둥은 위치 감각(자기수용감각)과 진동, 깊은 촉각(deep touch)에 관한 정보를 전달한다. 표 2-10은 이러한 섬유로의 위치를 보여 준다. 뒤기둥의 섬유는 뇌줄기를 가로지른다. 통증과 체온 감각은 척수에 앞가쪽으로 위치한 척수시상로를 따라 전달된다(그림 2-11). 이 경로에서 나온 섬유는 척수와 시냅스로 들어가고, 세 분절(segment)을 가로지른다. 감각 정보는 반드시 시상으로 전달되어야 한다. 촉각 정보는 대뇌 피질이 처리해서 식별해

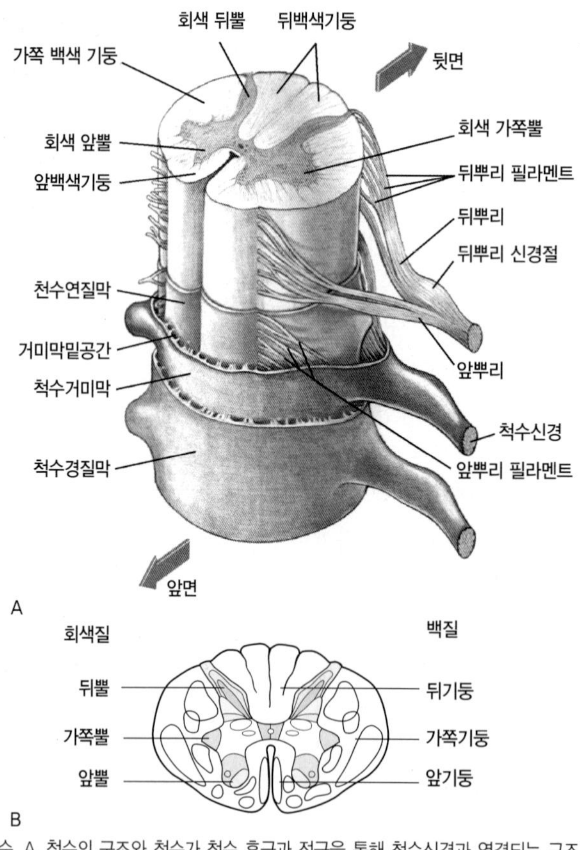

그림 2-10. 척수. A, 척수의 구조와 척수가 척수 후근과 전근을 통해 척수신경과 연결되는 구조. 척수를 덮고 있는 뇌막도 유의해서 볼 것. B, 척수 단면. 중앙의 회색질은 뿔(각)과 맞교차(교련, commissure)로 나뉘어져 있고, 백질은 기둥으로 나뉜다(Guyton의 ≪기본적 신경과학: 해부학과 생리학(Basic neuroscience: anatomy and physiology≫ 2판에서 A 발췌, 필라델비아, WB 손더스 출판사, 1991).

야 한다. 가벼운 촉감과 압력 감각은 척수와 시냅스로 들어가고, 뒤기둥과 앞기둥 내에서 전달된다.

주요 날섬유로(운동로)

겉질척수로는 주요 운동 경로이며, 팔다리의 능숙한 움직임을 통제한다. 이 경로는 이마엽의 일차 겉질(primary cortices)과 앞운동피질(premotor cortices)에서 시작되어 내섬유막을 통과해서 내려가고, 마지막으로 척수의 앞뿔세포와 연결된다. 이 경로는 또한 뇌줄기의 한쪽과 다른 한쪽을 가로지른다. 겉질척수로 손상의 흔한 징조는 바빈스키 징후(Babinski sign)이다. 이 징후를 확인할 때 의료인은 펜 뒤쪽과 같은 뭉툭한 것으로 환자의 발 바깥쪽 가장자리를 쭉 눌러본다(그림 2-12). 이때 엄지발가락이 뻗치고 다른 발가락들이 벌어지면 바빈스키 징후가 나타나는 상태다. 바빈스키 징후가 나타나면 겉질척수로가 손상됐다는 뜻이다.

기타 내림 경로

근긴장에 영향을 미치는 다른 하행 운동로에는 적핵

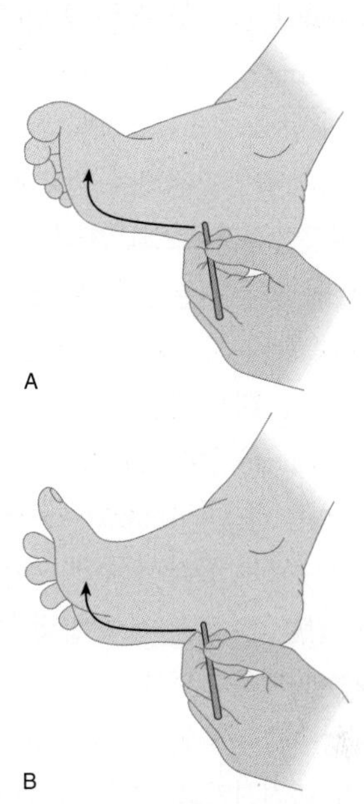

그림 2-12. 바빈스키 징후. A, 정상 상태. 발꿈치에서 발 볼까지 발바닥 바깥쪽을 쓸어 올라가서 발 볼을 가로질러 문지를 때 발가락이 구부러지는 것이 정상이다. B, 발달 중이거나 병적 이상 상태. A와 동일한 자극에 바빈스키 징후가 나타남. 겉질척수로가 손상된 사람이나 생후 7개월 이하 아기의 경우에는 엄지발가락이 뻗친다. 그림에서 처럼 다른 발가락들이 벌어지더라도 엄지발가락 이외에 다른 발가락들의 움직임은 바빈스키 징후와 상관이 없다(Lundy-Ekman L의 ≪신경과학: 재활의 기본(Neuroscience: fundamentals for rehabilitation)≫ 4판, 세인트루이스, 엘제비어 출판사, 2013).

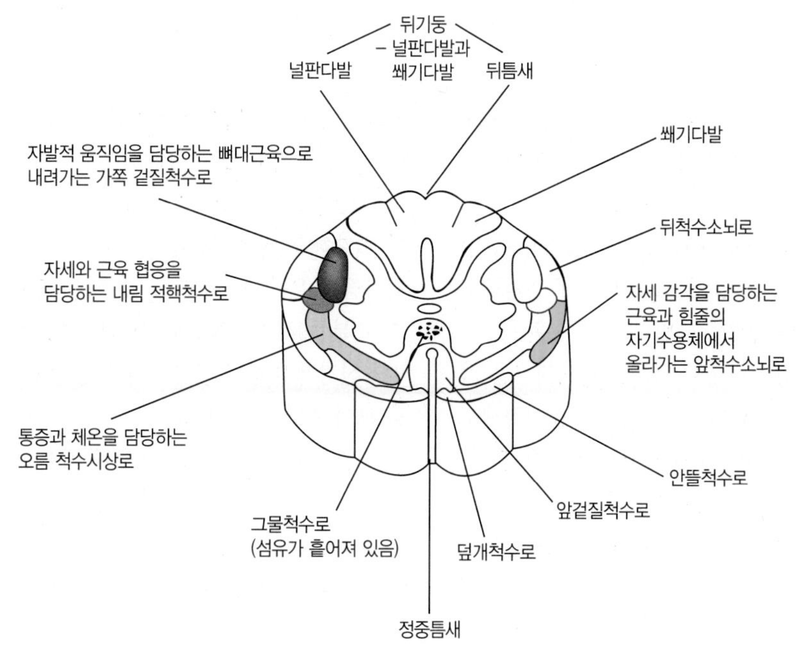

그림 2-11. 경로를 보여주는 척수 단면(Gould의 ≪건강 관련 업무의 병리 심리학(Pathophysiology for the health-related professions)≫에서 발췌. 필라델피아, WB 손더스 출판사, 1997).

척수로(rubrospinal tract)와 가쪽 및 안쪽 안뜰척수로(vestibulospinal tract), 덮개척수로(tectospinal tract), 그물척수로(reticulospinal tract)가 있다. 적핵척수로는 중뇌의 적색핵에서 기원하여 주로 팔에 신경자극을 가하는 하부운동신경세포와 연결되는 앞뿔에서 끝난다. 이 경로의 섬유들은 굽힘운동신경세포(flexor motor neuron)를 촉진시키고, 폄운동신경세포(extensor motor neuron)를 억제한다. 또한 좀 더 멀리 떨어진 먼쪽 근육(distal) 집단에도 어느 정도 영향을 미치지만 주로 몸쪽 근육(Proximal muscle)에 영향을 가한다. 적핵척수로는 동작 실수의 교정을 도와주기도 한다. 가쪽 안뜰척수로는 몸쪽 굽힘 근육을 촉진시켜 자세 조정을 도와준다. 목과 등부위의 근긴장 조절은 안쪽 안뜰척수로 기능이다. 안쪽 그물척수로는 팔다리의 폄근을 촉진시키고, 가쪽 그물척수로는 굽힘근을 촉진시키고 폄근 활동을 억제한다. 덮개척수로는 머리의 방향이 소리가 나거나 움직이는 물체쪽으로 향하게 한다

앞뿔세포

앞뿔세포는 척수의 회색질에 위치해 있는 커다란 신경세포다. 앞뿔세포는 축삭을 배쪽 혹은 앞쪽 척수근을 통과해 내보낸다. 이러한 축삭은 말초신경이 되고 근육 섬유에 신경자극을 가한다. 그리하여 앞뿔세포가 활성화되면 뼈대근육 수축이 이루어진다. 알파운동신경세포(alpha motor neuron)는 앞뿔세포의 한 형태로 뼈대근육을 신경지배(innervate)한다. 몇몇 근육 섬유들은 축삭 분지(axonal branching) 때문에 신경세포 하나에서 신경자극을 받을 수 있다. 운동단위(motor unit)는 알파운동신경세포와 이 세포에 신경자극을 가하는 근육 섬유로 구성되어 있다. 감마운동신경세포(gamma motor neuron)도 앞뿔 내부에 위치해 있다. 이러한 운동신경세포들은 방추속근육세포(intrafusal fibers)에 자극을 전달하고 근긴장 유지를 돕는다.

근방추

근방추는 뼈대근육 내부의 감각기관이며, 운동종말(motor ending)과 감각 종말(sensory ending), 근섬유로 구성되어 있다. 이러한 섬유들은 신장(stretch)에 반응하기 때문에 근육의 길이에 관한 피드백(되먹임)을 중추신경계에 제공한다.

신경계 내에서 근방추가 기능하는 방식을 개념화하는 가장 쉬운 방법은 신장반사 매커니즘(mechanism)을 살펴보는 것이다. 신장이나 깊은힘줄반사(DTR)는 위팔두갈래근과 위팔세갈래근, 넙다리네갈래근, 장딴지근에서 쉽게 일어날 수 있다. 무릎힘줄을 두드리는 것 같은 감각자극을 근육과 근방추에 가하면 그 입력 정보가(input)가 척수 뒤뿌리를 통과해서 앞뿔세포(알파운동신경섬유)로 연결된다. 앞뿔세포가 자극을 받으면 넙다리네갈래근의 반사적 수축(무릎 폄) 같은 운동반응이 일어나고, 이때 정보가 앞뿔에서 뼈대근육으로 이동한다. 신장이나 깊은힘줄반사에서 주목해야 할 중요한 점은 겉질의 영향을 크게 받지 않아도 운동 활성화(their activation)와 다음의 운동 반응이 일어날 수 있다는 것이다. 감각 정보가 척수에 입력되면 해석을 위해 겉질로 전송할 필요가 없다. 이것은 목척수 손상 환자가 하지 마비에도 불구하고 하지 깊은 힘줄반사를 계속할 수 있다는 뜻이므로 임상적 암시를 지닌다.

말초신경계

말초신경계는 뇌줄기에서 나가는 뇌신경과 척수에서 나가는 척수뿌리를 포함해서 중추신경계를 들락날락하는 신경들로 구성되어 있고, 이러한 다수의 신경들이 결합해서 말초신경을 이룬다. 이러한 신경들은 감각자극과 운동자극을 통해 중추신경계와 신체의 나머지 부분들을 기능적으로 연결해 준다. 그림 2-13은 말초신경계와 말초신경계에서 중추신경계로의 이동을 보여 준다.

말초신경계는 몸(신체)신경계와 자율신경계(ANS)라는 두 가지 주요 요소로 나뉜다. 몸신경계 혹은 수의신경계(voluntary nervous system)는 외적 자극에 대한 반응과 관계가 있다. 또한 의식적인 통제 하에 있으며, 31쌍의 척수신경을 통해 뼈대근 수축을 책임진다. 이와는 대조적으로 자율신경계는 샘과 민무늬근

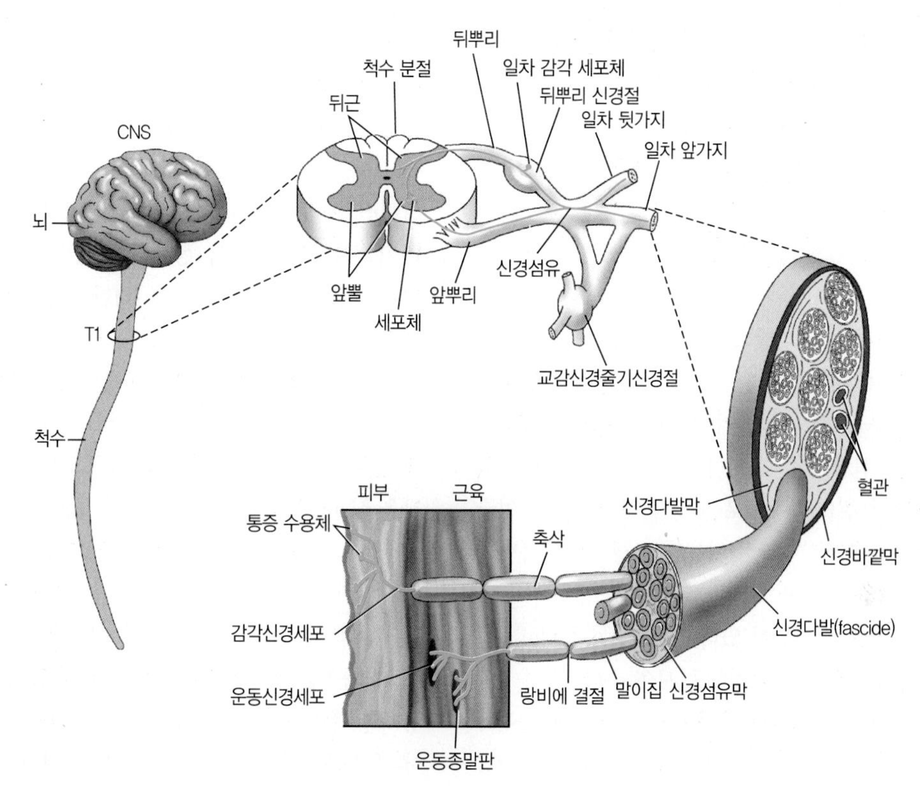

그림 2-13. 말초신경계와 중추신경계로의 이동을 개략적으로 보여주는 도해

표 2-2 뇌신경

번호	이름	관련기능	뇌와의 연결지점
I	**후각신경(Olfactory)**	후각	이마엽 아래
II	**시각신경(Optic)**	시각	사이뇌
III	**눈돌림신경(Oculomotor)**	눈동자를 위, 아래, 중앙으로 움직이기, 위쪽 눈꺼풀 올리기, 동공 수축하기, 수정체 모양 조절하기	중간뇌(앞쪽)
IV	**도르래신경(Trochlear)**	눈동자를 중앙으로나 아래로 움직이기	중간뇌(뒤쪽)
V	**삼차신경(Trigeminal)**	얼굴 감각, 씹기, 턱관절의 감각	다리뇌(외측)
VI	**갓돌림신경(Abducens)**	눈동자를 바깥쪽으로 돌리기	다리뇌와 숨뇌 사이
VII	**얼굴신경(Facial)**	얼굴 표정, 눈 감기, 눈물, 타액 분비, 미각	숨뇌 사이
VIII	**안뜰달팽이신(Vestibulocochlear)**	중력과 관련된 머리 위치 감각, 머리 움직임; 청각	다리뇌와 숨뇌 사이
IX	**혀인두신경(Glossopharyngeal)**	삼키기, 타액 분비, 맛보기	숨뇌
X	**미주신경(Vagus)**	내장 조절, 삼키기, 말하기, 맛보기	숨뇌
XI	**부신경(Accessory)**	어깨 올리기, 고개 돌리기	척수와 숨뇌
XII	**혀밑신경(Hypoglossal)**	혀 움직이기	숨뇌

((Lundy-Ekman L의 ≪신경과학: 재활 기본≫ 4판에서 발췌, 세인트루이스, 엘제비어 출판사, 2013)

(내장근), 심장근육에 신경자극을 가하는 불수의 신경계(involuntary system)이다. 자율신경계의 주요 기능은 항상성과 최적의 내부 환경을 유지하는 것이다. 특수한 기능으로는 소화와 순환, 심장근육 수축 조절 기능이 있다.

몸신경계

몸신경계 내부에는 12쌍의 뇌신경과 31쌍의 척수신경, 뇌신경 및 척수신경과 연결되는 신경절이나 세포체가 있다. 뇌신경은 뇌줄기에 위치해 있고, 감각신경이나 운동신경, 혹은 둘 다 섞인 신경이 될 수 있다. 뇌신경의 주요 기능으로는 눈 움직임, 후각, 얼굴과 혀로 감각 인식, 시각적 기능과 균형 기능, 목빗근(sternocleidomastoid mucsle)과 등세모근(trapezius muscle) 신경지배 기능이 있다. 표 2-2는 보다 더 상세한 뇌신경 목록과 주요 기능을 보여 준다.

척수신경은 목신경 8개와 가슴신경 12개, 허리신경 5개, 엉치신경 5개, 꼬리신경 1개로 이루어진다. C1에서 C7까지의 목신경(cervical spinal nerve)은 상응하는 척추뼈 위쪽으로 뻗어 나온다. 목뼈는 7개 밖에 없기 때문에 C8 척수신경은 T1 척추뼈 위쪽으로 뻗어 나온다. 이 지점에서 이어지는 각각의 척수신경은 각각의 척추뼈 아래로 뻗어 나온다. 그림 2-14는 말초신경의 분포와 지배를 보여 준다. 감각 요소(뒤뿌리)와 운동 요소(앞뿌리)를 구성하는 척수신경은 척추사이구멍(intervertebral foramen)에서 빠져 나온다. 개별 척수신경에서 나오는 감각 날섬유가 신경지배하는 피부 영역은 피부분절(dermatome)이라고 한다. 근절(Myotomes)은 척수신경이 지배하는 근육 집단이다. 척수신경은 척추사이구멍을 빠져나가자마자 두 가지로 나뉜다. 이러한 분할은 말초신경계의 시작을 의미한다. 등쪽 가지, 혹은 뒷가지는 척추옆(paravertebral) 근육과 척추뼈 후면, 그 위쪽 피부를 신경지배한다. 배쪽 혹은 앞가지는 갈비사이근(intercostal muscles), 사지 근육과 피부, 앞줄기와 옆줄기를 신경지배한다.

12쌍의 가슴신경은 다른 신경들과 합쳐지지 않고 분절 관계를 유지한다. 그러나 다른 척수신경의 일차 앞가지(anterior primary rami)는 서로 합쳐져서 목신경얼기(cervical plexuse)와 팔신경얼기(brachial plexus), 허리엉치신경얼기(lumbosacral plexuse)로 알려진 국지망(local network)을 형성한다(Guyton, 1991). 이러한 구조를 상세하게 설명하자면 이 책의 범위를 벗어나기 여기서는 이러한 신경얼기를 간략하게만 소개하고 넘어가겠다.

목신경얼기. 목신경얼기는 C1에서 C4까지의 척수신경으로 구성되어 있다. 이 신경들은 주로 목의 깊은 층 근육(deep muscles)과 목 앞쪽의 얕은 층 얕앞목근육은(superficial anterior neck muscle), 어깨올림근(levator scapulae), 등세모근과 목빗근의 일부를 신경지배한다. 가로막신경(phrenic nerve)은 목신경얼기 내부의 특정한 신경 가운데 하나로, C3 가지들에서 C5가지들로 구성된다. 이 신경은 공기 유통을 담당하는 주요 근육인 가로막을 신경지배하고, 가로막에 존재하는 유일한 운동신경이자 주요 감각신경이다(Guyton, 1991). 그림 2-15는 목신경얼기의 요소를 보여 준다.

팔신경얼기. C5의 일차 앞가지에서 T1까지가 팔신경얼기를 구성한다. 팔신경얼기는 수차례 나뉘었다가 합쳐지며 하나 이상의 척수신경뿌리 부위에서 근육들의 운동과 감각을 신경지배한다. 팔신경얼기의 다섯가지 주요 신경으로는 근육피부신경(musculocutaneous nerve)과 겨드랑신경(axillary nerve), 노신경(radial nerve), 정중신경(median nerve), 자신경(ulnar nerve)이 있다. 그림 2-16은 팔신경얼기의 구성요소를 보여 준다. 이러한 말초신경 다섯 개는 상지 근육계 대부분을 신경지배한다. 다만 안쪽가슴근신경(medial pectoral nerve, C8)은 가슴근(pectoralis muscle)을, 어깨밑신경(subscapular nerve, C5와 C6)은 어깨밑근을 지배하고, 가슴등신경(thoracodorsal nerve)은 넓은 등근(latissimus dorsi muscle)에 신경을 공급한다(Guyton, 1991).

근육피부신경은 아래팔 굽힘근(forearm flexor)을 신경지배한다. 팔꿈치와 손목, 손가락 폄근은 노신경

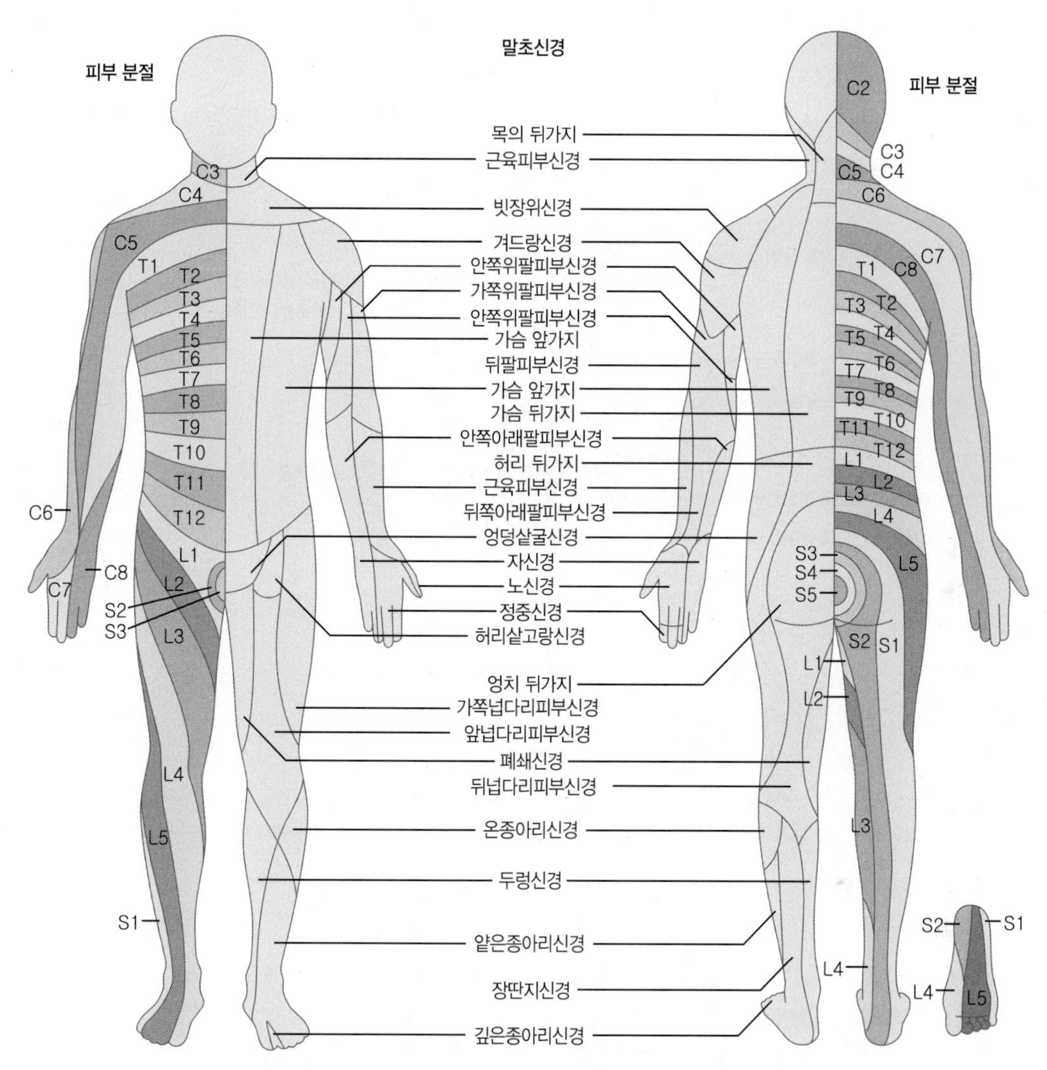

그림 2-14. 말초신경의 피부 분절과 피부 분포(Lundy-Ekman L의 ≪신경과학: 재활 기본≫ 3판에서 발췌, 필라델피아, WB 손더스 출판사, 2007).

의 신경지배를 받는다. 정중신경은 아래팔 엎침근(forearm pronator)과 손목 및 손가락 굽힘근에 신경을 공급하고, 엄지손가락 벌림과 대립(맞섬)을 가능케 한다. 자신경은 정중신경과 함께 손목과 손가락 굽힘, 손가락 벌림과 모음을 도와주고, 새끼손가락 맞섬을 가능케 한다(Guyton, 1991).

허리엉치신경얼기. 허리신경얼기와 엉치신경얼기를 따로 구분하기도 하나 이 책에서는 이 둘을 하나로 묶어서 살펴보겠다. 이 두 신경얼기가 모두 하지 근육계를 신경지배하기 때문이다. L1의 일차앞가지에서 S3까지가 허리엉치신경얼기를 구성한다. 허리엉치신경얼기는 허벅지와 종아리, 발의 근육을 신경지배한다. 이 신경얼기는 팔신경얼기와 동일하게 나눠졌다가 합쳐지지는 않는다. 허리엉치신경얼기에는 8개의 근이 있는데 이것들이 주요한 6개의 말초신경을 형성한다. 폐쇄신경(obturator nerve)과 넙다리신경(femoral nerve), 위볼기신경(superior gluteal nerve), 아래볼기신경(inferior gluteal nerve), 온종아리신경(common peroneal nerve), 정강신경(tibial nerve)이 그것이다. 물리치료에서 자주 다루는 궁둥신경(sciatic

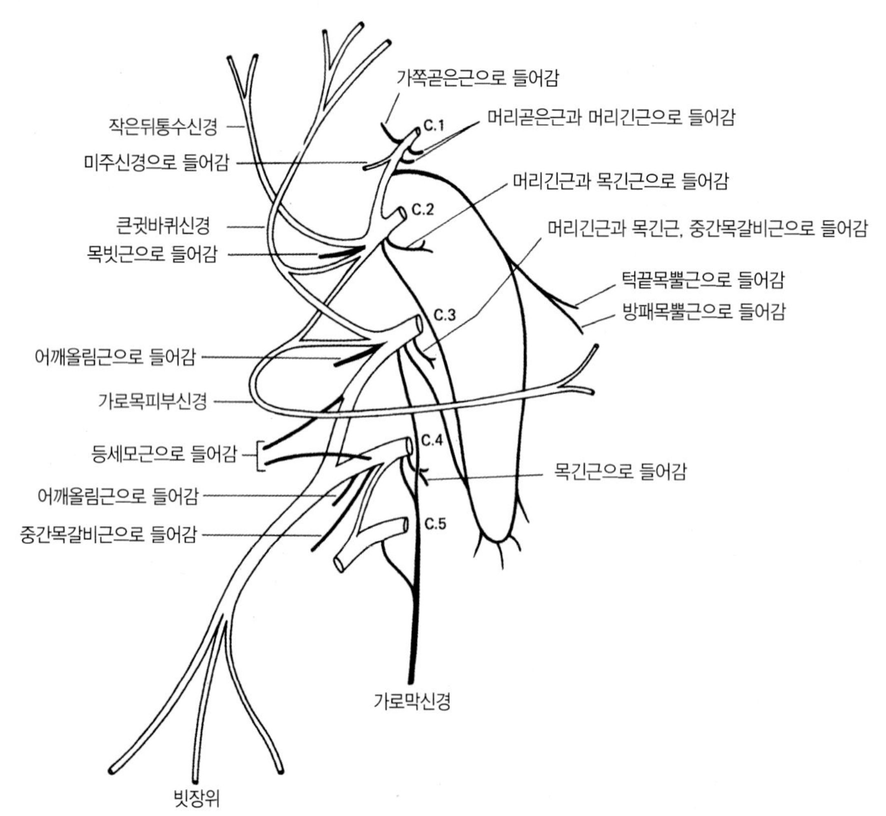

그림 2-15. 목신경얼기와 그 가지(Guyton의 ≪기본적 신경과학: 해부학과 생리학≫ 2판에서 발췌, 필라델피아, WB 손더스 출판사, 1991)

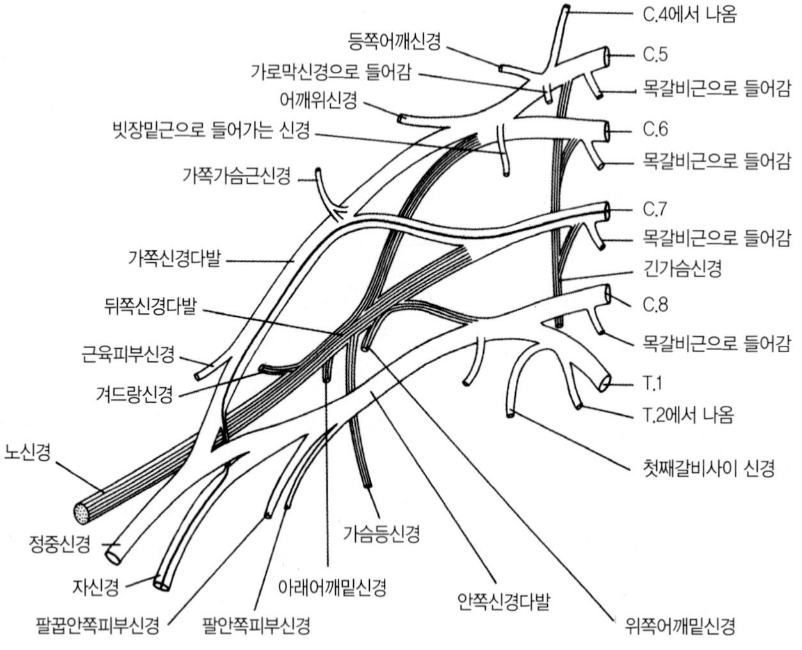

그림 2-16. 팔신경얼기와 그 가지(Guyton의 ≪기본적 신경과학: 해부학과 생리학≫ 2판에서 발췌, 필라델피아, WB 손더스 출판사, 1991)

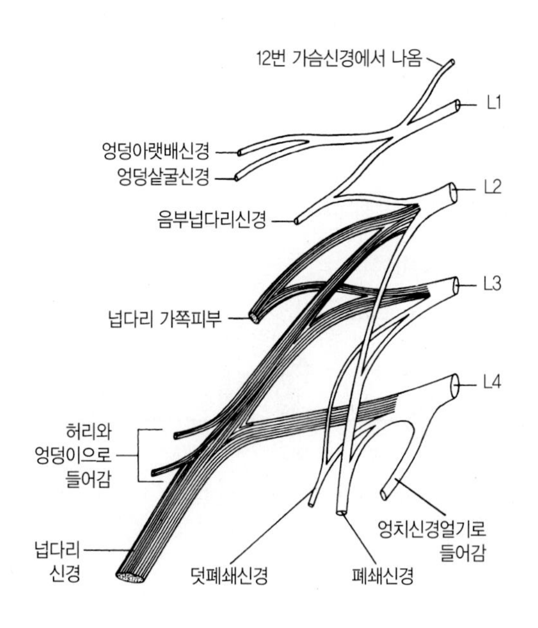

그림 2-17. 허리신경얼기와 그 가지들, 특히 넙다리 신경
(Guyton의 ≪기본적 신경과학: 해부학과 생리학≫ 2판에서 발췌, 필라델피아, WB 손더스 출판사, 1991).

nerve)은 사실 온종아리신경과 정강신경이 하나의 수초에 감싸여 형성된 것이다. 궁둥신경은 넙다리뒤인대(hamstrings)를 신경지배하고, 엉덩이 폄과 무릎 굽힘을 가능하게 해 준다. 이 신경은 무릎 바로 위쪽에서 각각의 요소들로 나뉘어진다(Guyton, 1991). 허리엉치신경얼기는 그림 2-17과 2-18에서 보여 준다.

말초신경. 신경섬유의 주요한 두 가지 형태인 운동(들)섬유와 감각(날)섬유는 말초신경에 있다. 운동섬유는 여러 갈래로 분지된 수상돌기와 하나의 기다란 축삭을 가진 커다란 세포체이다. 이 세포체와 수상돌기들은 척수의 앞뿔에 위치해 있다. 운동섬유의 축삭은 백질을 통과해 앞뿔에서 빠져나오고, 다른 유사한 축삭들과 함께 앞뿌리(anterior root)에 위치해 있다. 여기서 앞뿌리는 척추사이구멍에서 척수 바깥쪽에 자리한 것이다. 이어서 운동섬유의 축삭은 마침내 말초신경의 일부가 되고, 근육의 운동종말판을 신경지배한

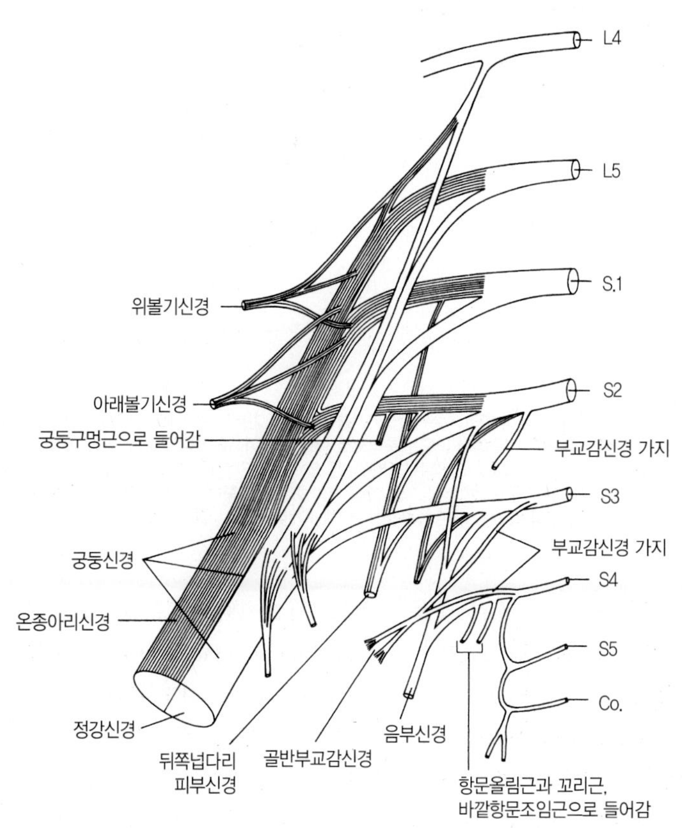

그림 2-18. 엉치신경얼기와 그 가지, 특히 궁둥 신경
(Guyton의 ≪기본적 신경과학: 해부학과 생리학≫ 2판에서 발췌, 필라델피아, WB 손더스 출판사, 1991).

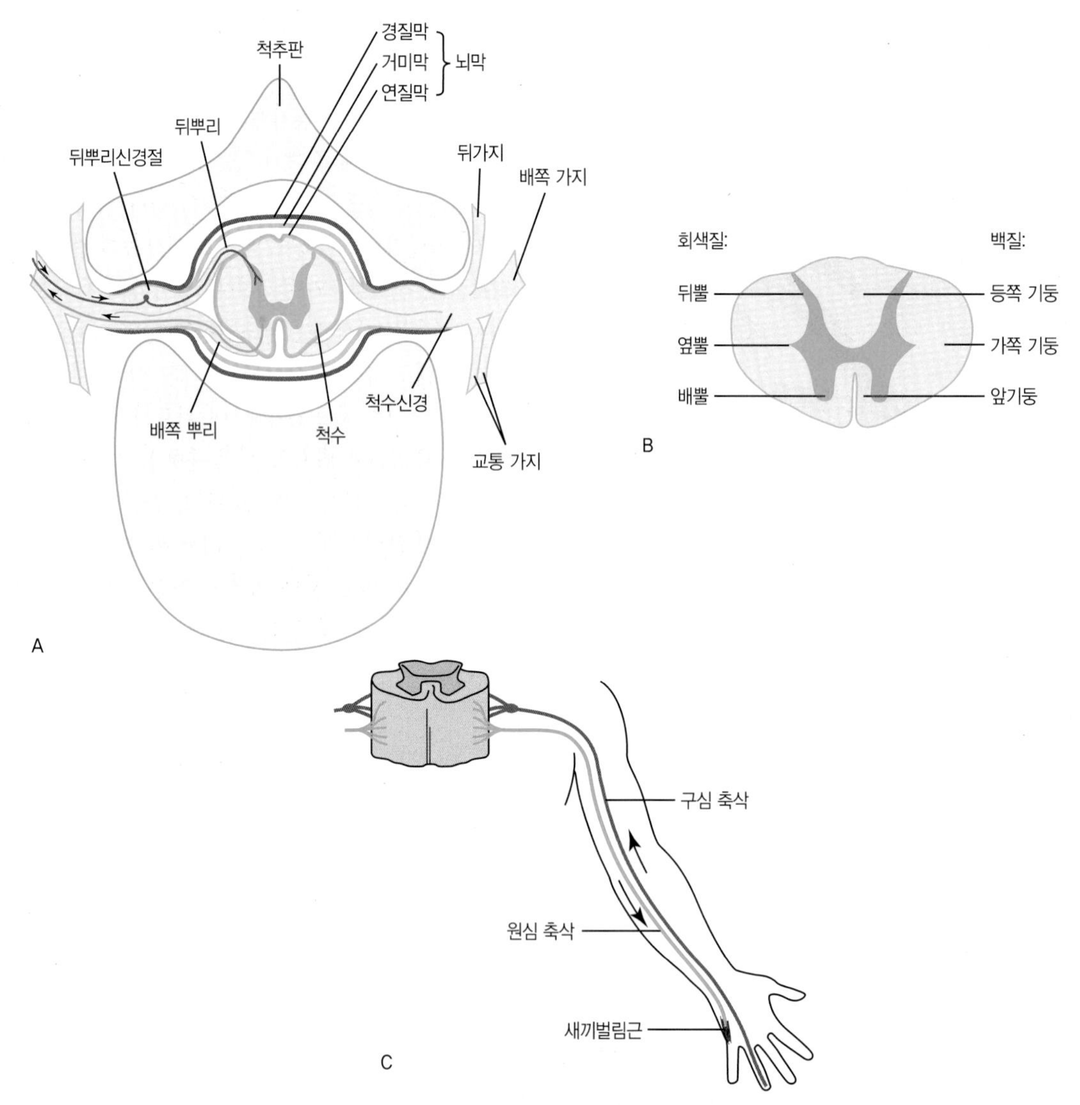

그림 2-19. A, 척수 영역: 척추뼈와 척수, 뿌리, 척수신경, 가지를 포함하는 가로 단면. 왼쪽은 날신경세포와 들신경세포 그림. 척수신경은 뒤뿌리와 배쪽 뿌리에서 나오는 축삭으로 형성됨. 뒤가지와 배쪽 가지로 갈라지는 척수신경은 척수에서 말초 영역으로의 이동을 의미함. B, 척수 단면도. 중앙의 회색질은 뿔과 맞교차로 나뉨. 백질은 기둥으로 나뉨. C, 상지의 구심 축삭과 원심 축삭. 한 분절 그림. 그림 속의 화살표는 중추신경계와 관련된 정보의 방향을 표시함(Lundy-Ekman L의 ≪신경과학: 재활 기본≫ 4판에서 발췌, 세인트루이스, 엘제비어 출판사, 2013).

다. 그러나 감각신경세포는 피부와 근육, 혹은 내장의 수용체를 신경지배하는 말초 축삭을 지니고 있다. 이 감각신경세포는 말초신경을 따라 이동하고, 이 세포의 세포체는 뒤뿌리신경절(dorsal root ganglion)이다. 이 세포들의 중앙 축삭은 척수로 들어가는 뒤뿌리를 형성한다. 한 예로 골지힘줄기관(Golgi tendon organ)은 수초화된 커다란 축삭의 신경지배를 받는다(그림 2-19). 이 기관은 또한 근힘줄이음(musculotendinous junction)에서 찾아볼 수 있는 피막화된(encapsulated) 신경종말이다. 그리고 근육 힘줄 내부의 긴장에 민감하게 반응하며, 그 정보를 척수로 전달한다. 이 기관의 축삭은 척수신경의 뒤뿌리를 통과해서 뒤뿔을 거쳐 척수로 들어간다. 그리고 여기서 끝나거나 백질 섬유로로 들어가 척수나 뇌줄기의 다른

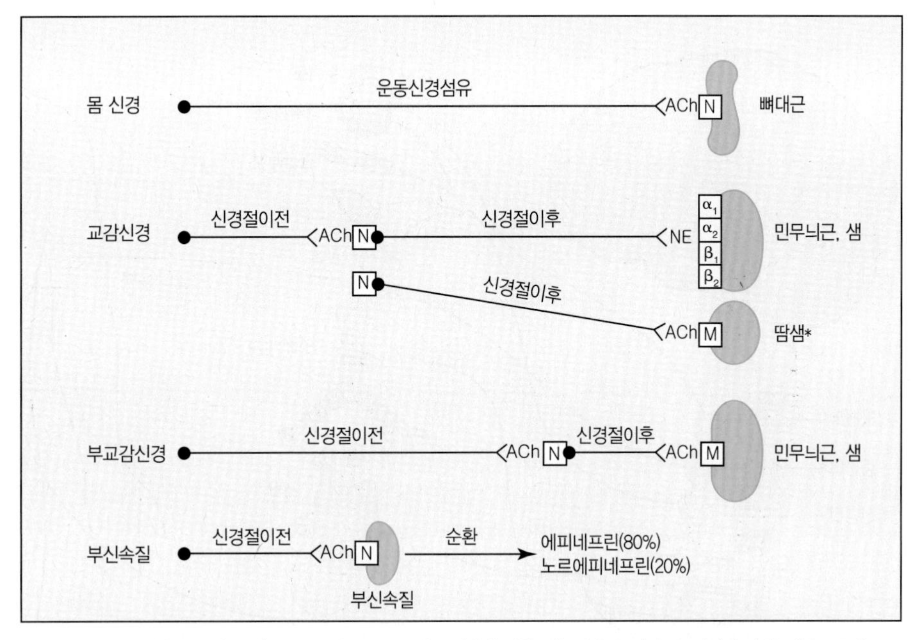

그림 2-20. 자율신경계 조직(Cech D.와 Martin S.의 ≪평생에 걸친 기능적 운동 발달≫ 3판에서 발췌, 세인트루이스, 엘제비어 출판사, 2012)

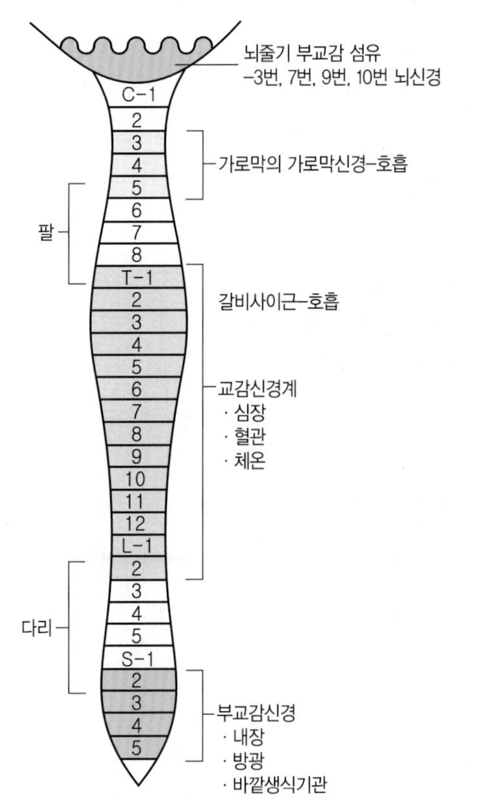

그림 2-21. 척수의 기능 영역(굴드 BE의 ≪건강 관련 업무의 병리 심리학≫에서 발췌, 필라델피아, WB 손더스 출판사, 1997)

부분으로 올라갈 수도 있다. 그러므로 감각신경세포는 말초신경에서 척수로 정보를 전달한다.

자율신경계

자율신경계의 기능으로는 '순환과 호흡, 신진대사, 분비, 체온, 생식' 조절이 있다(Lundy-Ekman, 2013). 자율신경계 통제센터는 시상하부와 뇌줄기에 위치해 있다. 자율신경계는 효과기관(effector)이나 표적장기(target organ)라고 하는 민무늬근과 심장근육(cardiac muscle), 샘을 신경지배하는 척수신경 내의 운동신경세포들로 구성되어 있다. 자율신경계는 또한 교감신경과 부교감신경으로 나뉜다. 교감신경과 부교감신경은 둘 다 내부 장기들을 신경지배하고, 신경로 두 개와 신경절 하나를 이용해 자극을 전도하고 자율적으로 기능한다. 말초날신경(peripheral afferent)의 정보와 중추신경계 내부 수용체의 정보를 통합하면 자동조절이 가능해진다. 이중 신경로(신경절이전신경세포와 신경절이후신경세포)는 중추신경계와 자율 효과 기관을 연결해 준다. 신경절이전 신경세포의 세포체는 뇌나 척수 내부에 위치해 있다. 이 세포체의 말

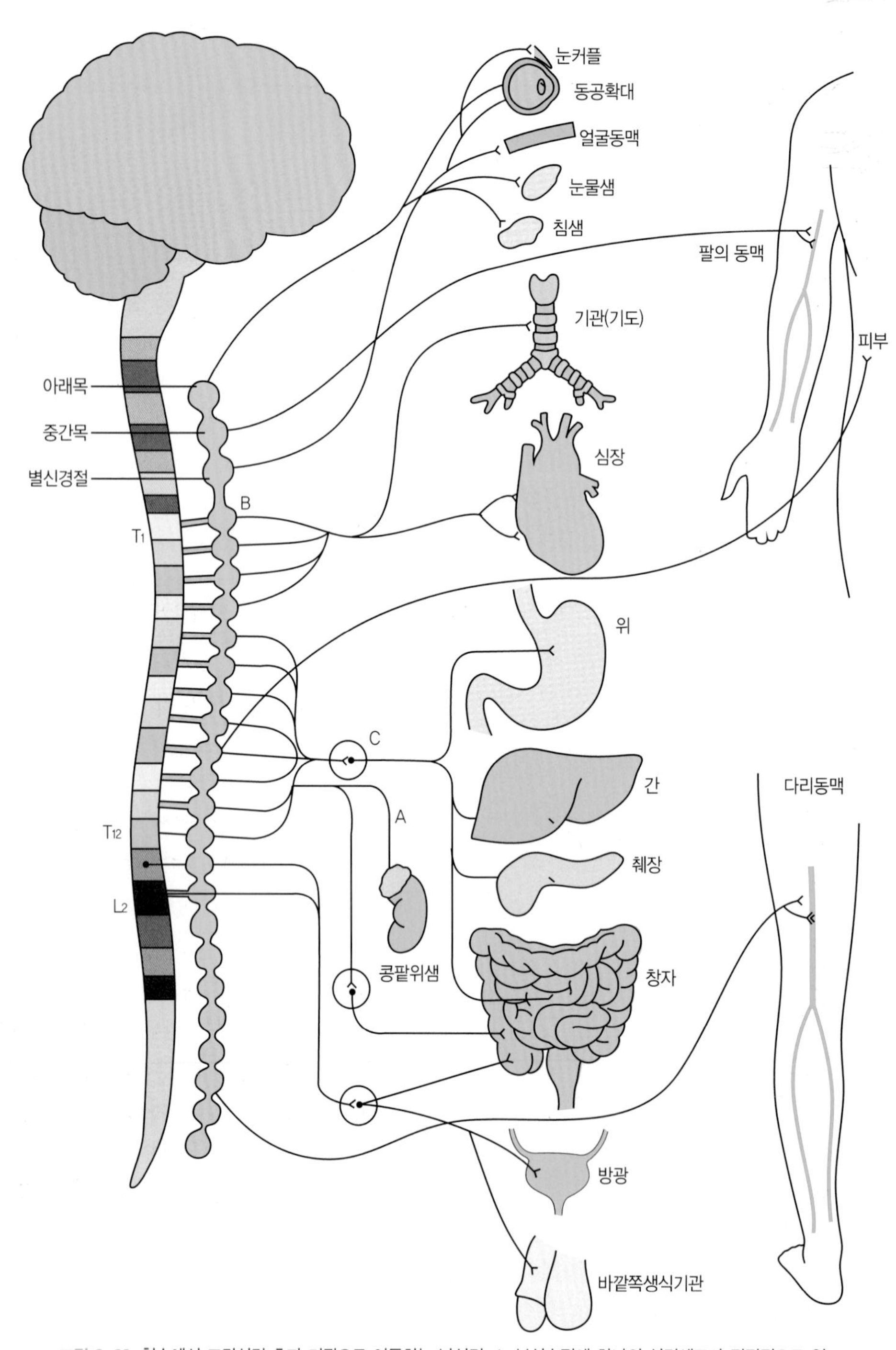

그림 2-22. 척수에서 교감신경 효과 기관으로 이동하는 날신경. A, 부신수질에 하나의 신경세포가 직접적으로 연결됨. B, 척추주위신경절의 시냅스와 함께 말초신경과 가슴내장으로 이어지는 신경로 두 개. C, 외딴(outlying) 신경절의 시냅스와 함께 복부 기관과 척수 기관으로 이어지는 두 신경로. 모든 교감신경세포가 가슴판과 허리판에서 시작된다는 사실을 명심할 것(Lundy-Ekman L의 ≪신경과학: 재활 기본≫ 4판에서 발췌, 세인트루이스, 엘제비어 출판사, 2013).

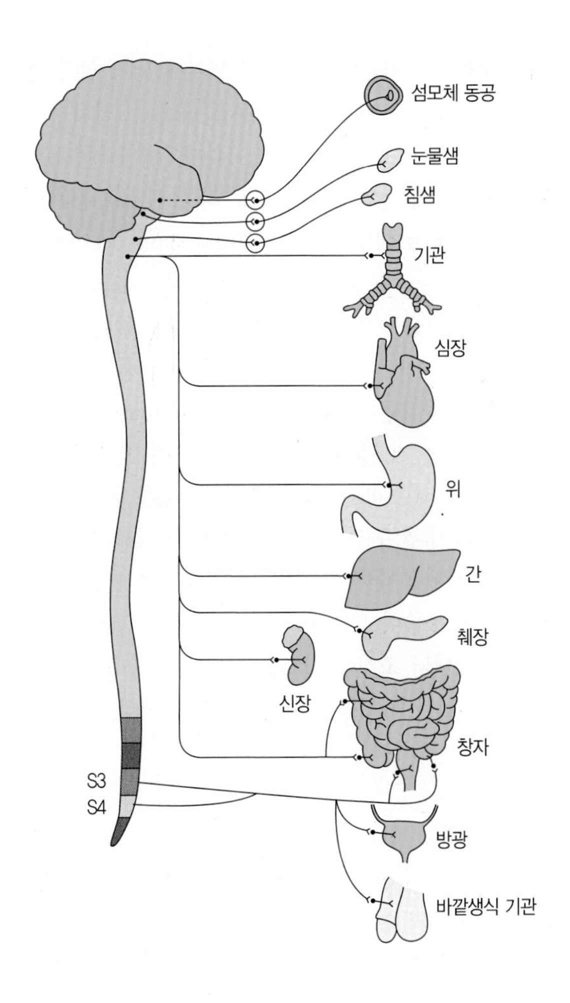

그림 2-23. 3번, 7번, 9번, 10번 뇌신경과 S2에서 S4를 거치는 부교감신경의 유출. 모든 부교감 신경절이전 신경세포들이 뇌줄기이나 엉치척수에서 기원한다는 사실을 명심할 것(Lundy-Ekman L의 ≪신경과학: 재활 기본≫ 4판에서 발췌, 세인트루이스, 엘제비어 출판사, 2013).

이집이 형성된 축삭은 중추신경계에서 빠져나가 말초신경절의 신경세포들과 접촉한다. 뿐만 아니라 말이집 형성되지 않은 이 신경절이후 축삭을 형성하는 한편 효과기관들의 표적세포를 신경지배한다(farber, 1982, Lundy-Ekman, 2013). 그림 2-20은 이 조직의 개략적 도해를 제시하고, 그림 2-21은 효과기관의 교감신경과 부교감신경의 영향력을 보여 준다.

자율신경계의 교감 섬유는 척수의 가슴과 허리 부분에서 나온다. 신경절이전신경세포의 축삭은 교감신경줄기나 복부에 위치한 척추 앞뼈 신경절에서 끝난다. 자율신경계의 교감신경은 스트레스 상황에 반응하는 개인을 도와주기 때문에 종종 '투쟁도피 반응'이라고 한다. 교감신경 반응은 최적의 혈액 공급을 유지해서 개인이 자극에 대처할 준비를 할 수 있도록 도와준다. 교감신경이 활성화되면 혈관의 민무늬근이 자극을 받아 수축해서 혈관수축이 일어난다. 이러한 활동을 책임지는 주요한 신경전달물질은 바로 노르에피네프린(Norepinephrine), 혹은 노르아드레날린(noradrenaline)이다. 결과적으로 신체가 위험한 상황에서 싸우거나 도망갈 준비를 하면서 심박동수와 혈압이 올라간다. 또한 혈류가 위장관(gastrointestinal tract)에서 방향을 바꾸면서 근육으로 유입되는 혈류가 증가한다. 부교감신경은 필수적인 신체 기능이나 항상성을 유지한다. 또한 뇌줄기, 특히 3번 뇌신경(눈돌림신경), 7번 뇌신경(얼굴신경), 10번 뇌신경(미주신경)과 척수의 아래엉치분절(lower sacral segment)에서 정보를 받는다. 미주신경은 부교감 신경절이전신경(parasympathetic preganglionic nerve)이다. 미주신경 내부의 운동섬유는 심장근육(myocardium)과 폐의 민무늬근, 소화관을 신경지배한다. 미주신경이 활성화되면 느린맥(bradycardia)과 심장근육 수축력 감소, 기관지수축(bronchoconstriction), 점액 생산 증가, 꿈틀운동(연동, peristalsis) 증가, 샘 분비 증가가 일어날 수 있다. 엉치의 날(efferent) 요소들이 활성화되면 창자와 방광, 생식기관이 비워진다. 아세틸콜린(Acetylcholine)은 신경계 자극을 부교감신경의 효과 세포(effector cells)에 전달하는 화학전달물질이다. 또한 신경절이전 시냅스에서 교감신경과 부교감신경 모두에 사용되고, 세동맥을 팽창시킨다. 그러므로 부교감신경이 활성화되면 혈관확장(vasodilation)이 일어난다. 사람이 차분해질 때는 부교감신경 활동이 심박동수와 혈압을 떨어뜨리고, 위창자 활동(gastrointestinal activity)의 정상화를 신호로 알린다. 그림 2-22와 2-23은 효과 기관에 미치는 교감신경과 부교감신경의 영향력을 보여 준다(Lundy-Ekman, 2013). 중추신경계에서 더 높은 곳에 위치한 영역들도 자율신경계에 영향을 가한다. 이러한 통제와 가장 근접하게 연관된 영역은 시상하부이며, 시상하부는 소화와 같은 기능을 조절하고 심박동수와 호흡수를 통제한다.

대뇌 순환

신경계 토론에서 마지막으로 짚고 넘어가야 할 영역은 뇌로의 순환이다. 뇌 내부의 세포들은 포도당과 산소를 얻기 위해 지속적인 혈액 공급에 전적으로 의지한다. 뇌 내부의 신경세포들은 당분해를 할 수 없고, 글리코겐을 저장할 수 없다. 그러므로 이러한 신경세포들은 반드시 혈액을 지속적으로 공급받아야 한다. 뇌혈관 해부학 지식은 뇌혈관 사고와 외상뇌손상 환자들에 관한 임상소견과 진단, 관리를 이해하는 기본이 된다.

앞쪽순환

뇌의 모든 동맥은 대동맥활(aortic arch)에서 나온다. 목 내부에서 앞쪽과 가쪽으로 올라가는 첫째 주요 동맥들은 온목동맥(common carotid arteries)이다. 이러한 목동맥들은 대뇌의 대부분을 순환하며 혈액을 공급한다. 오른 온목동맥과 왼 온목동맥은 턱 뒤쪽 바로 아래에서 갈라져 바깥목동맥과 속목동맥이 된다. 바깥목동맥은 얼굴에 혈액을 공급하고, 속목동맥은 머리뼈로 들어가 이마엽과 마루엽, 관자엽과 뒤통수엽의 일부를 포함하는 대뇌반구에 혈액을 공급한다. 뿐만 아니라 속목동맥은 시신경과 망막에도 혈액을 공급한다. 뇌 바닥에서는 각각의 속목동맥이 좌우 앞쪽과 중간 대뇌동맥으로 갈라져 들어간다. 중간대뇌동맥은 대뇌동맥 가운데서 가장 크고 가장 자주 막힌다. 이 동맥은 뇌의 가쪽 표면뿐만 아니라 전두엽과 두정엽의 깊숙한 일부분에도 혈액을 공급한다. 앞쪽대뇌동맥은 이마엽과 마루엽 위쪽 가장자리에 혈액을 공급한다. 중간대뇌동맥과 앞쪽대뇌동맥 둘 모두가 뇌의 앞쪽순환을 책임진다. 그림 2-24와 2-25는 대뇌 순환을 보여 준다.

뒤쪽 순환

뒤쪽 순환은 빗장밑동맥(subclavian)의 가지인 척추동맥 두 개로 이루어진다. 척추동맥은 뇌줄기와 소뇌에 혈액을 공급한다. 이 척추동맥은 목의 기저에서 나가 뒤쪽으로 올라가서는 큰구멍(foramen magnum)을 통해 두개골로 들어간다. 두 척추동맥은 숨뇌와 위쪽 척수(upper spinal cord)에 혈액을 공급하고, 합쳐져서 뇌바닥동맥(basilar artery)을 이룬다. 뇌바닥동맥은 다리뇌 소뇌에 혈액을 공급하고, 좌우 뒤대뇌 동맥으로 갈라진다. 뒤대뇌동맥은 뒤교통동맥(post communicating artery)을 통해 목동맥(carotid system)과 연결된다. 이러한 동맥들은 모두 중간뇌 구조에 혈액을 공급한다. 이어서 뒤대뇌동맥은 뒤통수엽과 관자엽에도 혈액을 공급한다. 목동맥의 가지인 앞교통동맥과 뒤교통동맥은 뇌 기저에서 서로 연결되어 있고, 윌리스환(circle of Willis)을 형성한다. 이렇게 혈관이 연결되면 뇌 내부 구조를 보호할 수 있다. 윌리스환 덕분에 대뇌 동맥 하나가 손상되거나 막혀도 뇌로 유입되는 혈액 흐름이 치명적으로 감소하지는 않는다. 결과적으로 대뇌 조직에 필요한 영양과 신진대사를 충족시키면 혈관 폐색을 면하거나 피할 수 있다.

손상 후 반응

중추신경계나 말초신경계가 손상되면 무슨 일이 일어나는가? 중추신경계와 말초신경계는 다양한 유형의 손상을 입기 쉽고 각각 다르게 반응한다. 중추신경계 내에서 동맥폐쇄가 오랫동안 계속되면 수 분 내로 세포와 조직이 죽는다. 산소 박탈로 죽은 신경세포들은 재생하지 못한다. 손상 영역 근처에 있는 신경세포들도 흥분성 신경전달물질 글루타메이트의 분비로 이차 손상을 입을 위험에 처한다. 정상 수치일 때 글루타메이트는 중추신경계의 기능을 도와주지만 수치가 그보다 훨씬 더 높아지면 신경세포에 유독한 물질이 되어 신경세포의 죽음을 앞당길 수 있다. 과도한 글루타메이트는 또한 칼슘 분비를 촉진시켜 칼슘 의존 소화 효모 해방과 세포부종, 사망을 비롯한 흥분성독성(excitotoxicity)을 일으킨다(Lundy-Ekman, 2013).

뇌손상은 영구적이며, 회복 기회가 거의 없다는 것이 오랜 통념이었다. 그러나 신경 가소성에 대한 이해가 깊어지면서 이러한 관점은 더 이상 정확하다고 보지 않는다. 신경 가소성이란 적응하는 뇌의 능력과 '행동 훈련을 비롯한 다양한 안팎의 압력에 반응해서 조직

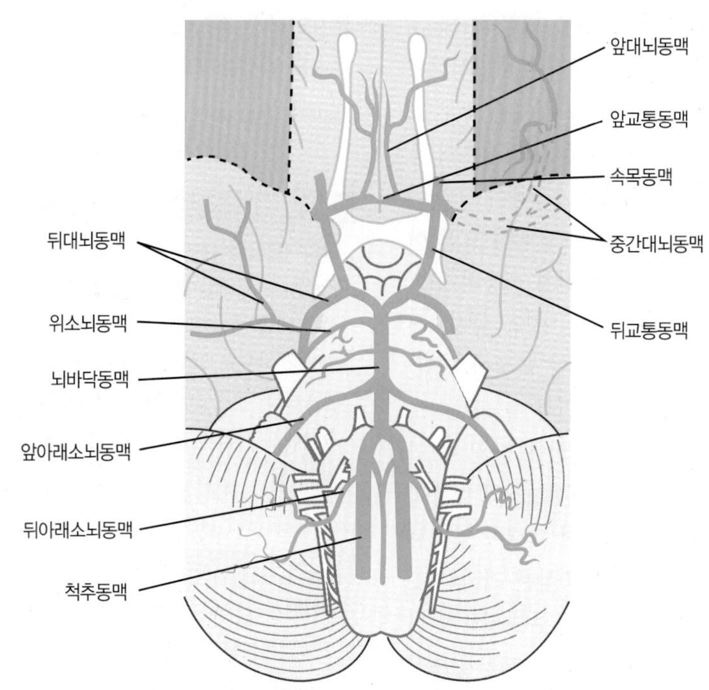

그림 2-24. 뇌에 혈액을 공급하는 동맥. 왼쪽은 척추동맥이 혈액을 공급하는 뒤쪽 순환. 오른쪽은 속목동맥이 혈액을 공급하는 앞쪽 순환. 큰 대뇌동맥들 끝부분의 작은 접합부들(anastomoses)이 혈액을 공급하는 분수령 영역(watershed area)은 점선으로 표시(Lundy-Ekman L의 ≪신경과학: 재활 기본≫ 4판에서 발췌, 세인트루이스, 엘제비어 출판사, 2013).

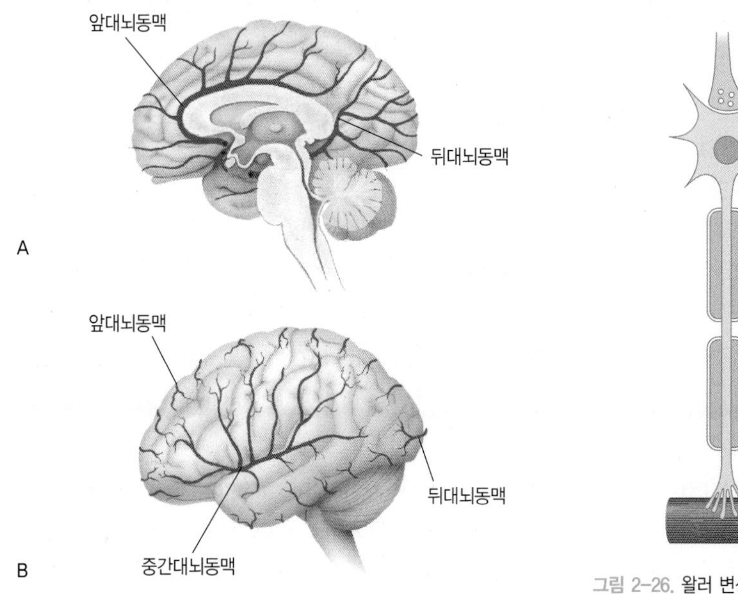

그림 2-25. 대뇌반구에 혈액을 공급하는 동맥. 앞쪽, 중간, 뒤쪽의 큰대뇌동맥(Lundy-Ekman L의 ≪신경과학: 재활 기본≫ 2판에서 발췌, 세인트루이스, 엘제비어 출판사, 2002)

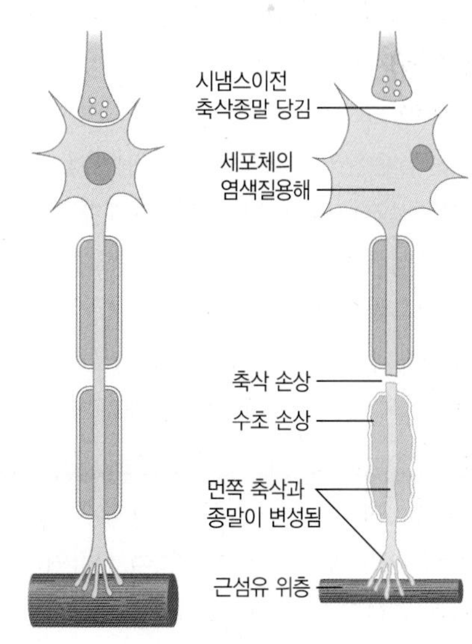

그림 2-26. 왈러 변성(Wallerian degeneration). A, 축삭이 단절되기 이전의 정상 시냅스. B, 축삭 단절에 뒤이은 변성. 축삭 손상 이후 변성 시 일어나는 몇 가지 변화. (1)축삭종말 변성 (2)축삭이 단절되고 부스러기 생김. (3)세포체의 신진대사 변화. (4)시냅스이전 축삭종말이 죽어가는 세포체에서 당겨 올라감. (5)시냅스이후 세포 변성(Lundy-Ekman L의 ≪신경과학: 재활 기본≫ 4판에서 발췌, 세인트루이스, 엘제비어 출판사, 2013)

과 기능을 바꾸는' 신경세포의 능력을 말한다(Kleim 과 Jones, 2008). 신경세포 재생과 이전에 비활성화된 영역의 활성화, 축삭과 곁가지 싹틔움 상태는 모두 뇌 기능 향상으로 이어질 수 있다. 우리는 치료사로서 중추신경계 회복을 최대화하는 치료를 계획해야 한다.

이와는 반대로 말초신경 손상은 종종 혈관성 요인 이외의 다른 요인으로 발생한다. 말초신경 손상의 주요 요인으로는 신장(stretching)과 열상, 압박, 당김, 질병, 화학독성(chemical toxicity), 영양 부족이 있다. 이 같은 손상으로 환자는 감각이상(핀과 바늘로 찌르는 듯한 감각)과 감각 상실, 근육 약화를 겪을 수 있다. 말초신경의 손상 후 반응은 중추신경계의 반응과 다르다. 말초신경의 세포체가 죽으면 재생이 불가능하다. 손상 부위에서 멀리 떨어진 축삭은 괴사하고, 수초가 벗겨지기 시작하며, 그 자리에 슈반세포가 식균하면서 왈라 변성이 일어난다(그림 2-26). 말초신경 손상이 심하지 않아서 축삭만 손상된 경우에는 재생이 가능하다. 손상된 축삭에서 가까운 끝부분에서 축삭 싹틔움이 일어날 수 있다. 축삭은 신경 섬유의 크기에 따라서 매일 1 mm 비율로 자라난다(Dvorak 과 M자율신경계field, 2013). 축삭이 본래 기능을 회복하려면 자라나서 적절한 근육을 재신경지배해야 한다. 그렇게 하지 못하면 축삭 싹틔움 변성이 일어난다. 말초신경 손상의 회복률은 환자의 나이, 재생하는 신경 섬유의 목적지와 병변까지의 거리에 달려 있다. 말초신경 손상의 물리치료 관리 문제는 이 책에서 논하지 않는다.

운동신경섬유가 손상되면 다양한 결과가 나타날 수 있다. 이마엽에서 시작되어 척수 내부에서 끝나는 피질척수로가 손상된 환자는 위운동신경섬유 손상을 입었다고 분류된다. 위운동신경섬유 손상의 임상적 징후로는 경직(속도에 비례해서 수동적 신장에 대한 저항 증가)과 반사항진(hyperreflexia), 바빈스키 징후, 간대성경련(clonus)가 있다. 클로누스는 수동적인 발등굽힘이나 수동적인 손목 뻗침으로 일어나는 반복적인 신장반사다. 뇌줄기와 척수뿌리, 혹은 척수신경의 운동신경세포인 앞뿔세포가 손상된 환자는 아래운동신경섬유 손상을 입는다. 이러한 손상의 임상적 결과로는 이완과 두드러진 근육위축, 근육섬유다발수축(muscle fasciculations), 반사저하(hyporeflexia)가 있다.

결론 요약

물리치료사와 물리치료 보조사는 신경계의 구조와 기능을 반드시 이해해야 한다. 이러한 지식이 있어야 환자의 병리적 상태와 결핍, 잠재능력을 보다 더 잘 이해할 수 있기 때문에 신경근육 이상 환자를 다룰 때는 이러한 지식이 매우 유용하다. 뿐만 아니라 신경해부학 지식은 환자와 그 가족들에게 환자의 상태와 가능한 예후를 알려줄 때 도움이 된다. ■

검토사항

1. 신경계의 주요 요소들을 설명한다.
2. 백질의 기능은 무엇인가?
3. 마루엽의 일차적 기능은 무엇인가?
4. 브로카 실어증은 무엇인가?
5. 시상의 일차 기능을 논한다.
6. 겉질척수로의 일차 기능은 무엇인가?
7. 앞뿔세포란 무엇인가? 그 위치는 어디인가?
8. PNS의 요소를 논한다.
9. 대뇌경색이 흔히 일어나는 곳은 어디인가?
10. 위운동신경세포 손상의 임상적 징후 몇 가지는 무엇인가?

참고 문헌

Dvorak L, Mansfield PJ: *Essentials of neuroanatomy for rehabilitation*, Boston, 2013, Pearson, pp 50–74, 141–143.

Farber SD: *Neurorehabilitation: a multisensory approach*, Philadelphia, 1982, WB Saunders, pp 1–59.

FitzGerald MJT, Gruener G, Mtui E: *Clinical neuroanatomy and neuroscience*, St Louis, 2012, Elsevier, pp 78, 97–110, 299.

Fuller KS, Winkler PA, Corboy JR: Degenerative diseases of the central nervous system. In Goodman CC, Fuller KS, editors: *Pathology for the physical therapist*, 3 ed., St Louis, 2009, Saunders/Elsevier, p 1439.

Geschwind N, Levitsky W: Human brain: Left-right asymmetries in temporal speech regions, *Science* 161:186–187, 1968.

Gilman S, Newman SW: *Manter and Gatz's essentials of clinical neuroanatomy and neurophysiology*, ed 10, Philadelphia, 2003, FA Davis, pp 1–11, 61–63, 147–154, 190–203.

Guyton AC: *Basic neuroscience: anatomy and physiology*, ed 2, Philadelphia, 1991, WB Saunders, pp 1–24, 39–54, 244–245.

Horak FB: Assumptions underlying motor control for neurologic rehabilitation. In *Contemporary management of motor control problems: proceedings of the II step conference*, Alexandria, VA, 1991, Foundation for Physical Therapy, pp 11–27.

Kleim JA, Jones TA: Principles of experience-dependent neural plasticity: implications for rehabilitation after brain damage, *J Speech Lang Hearing Res* 51:S225–S239, 2008.

Lundy-Ekman L: Neuroscience: *fundamentals for rehabilitation*, ed 4, St Louis, 2013, Elsevier, pp 35, 36, 53–65, 70–77, 153–170, 416–426.

O'Sullivan SB: Stroke. In O'Sullivan SB, Schmitz TJ, Fulk GD, editors: *Physical rehabilitation*, 4 ed., Philadelphia, 2014, FA Davis, p 659.

CHAPTER

3 운동조절과 운동 학습

학습 목표 *이 장을 학습한 후 학생들은 아래 사항에 대하여 이해하고 설명할 수 있다.*

1. 운동조절과 운동 학습, 신경 가소성을 정의한다.
2. 운동조절과 운동 학습, 운동 발달의 관계를 이해한다.
3. 운동조절과 운동 학습 모델의 차이를 안다.
4. 자세조절과 균형의 발달을 이해한다.
5. 운동조절과 운동 학습에서 경험과 되먹임(피드백)의 역할을 논의한다.
6. 운동조절과 운동 학습, 신경 가소성의 원칙들을 치료적 중재와 연관지어본다.

서론

운동조절과 운동 학습을 통해 운동을 발달시키는 과정에는 운동능력과 기술이 필요하다. 움직임은 일단 기본적인 패턴이 잡히면 과제의 목표나 과제를 수행하는 환경에 적합하게 다양화할 수 있다. 어린 시절, 조기운동 발달 과정에서 습득하는 운동 기술과 습득 순서는 상당히 예측하기 쉽다. 그러나 그러한 운동능력을 사용하는 방식은 매우 다양하다. 하나의 움직임을 매번 똑같은 방식으로 사용하는 경우는 거의 없다. 다양성은 자세와 움직임을 통제하는 방식을 설명해주는 모든 모델의 일부가 되어야 한다.

"모든 운동 체계(movement system)는 운동 수행자(mover)와 운동이 일어나는 환경의 변하는 요구에 맞춰나갈 수 있어야 한다. 운동 수행자는 이전의 운동 경험에서 교훈을 얻을 수 있어야 한다. 각기 다른 운동조절 이론들은 자세와 움직임의 상이한 발달적 측면을 강조한다. 자세조절과 균형의 발달은 운동조절 발달에 포함되어 있다. 운동조절과 운동 학습, 운동 발달의 관계를 이해하면 모든 연령의 신경기능장애 환자 치료를 이해할 수 있는 귀중한 기틀이 마련된다.

운동 발달은 과정인 동시에 결과이다. 운동 발달의 결과는 발달 순서뿐만 아니라 운동능력에 필수적인 머리 및 몸통 통제와 같은 운동기능학적(kinesiologic) 요소들을 알려주는 이정표이다. 이러한 결과는 4장에서 소개한다. 운동 발달 과정은 운동능력이 나타나는 방식을 말한다. 이러한 과정과 결과는 시간(연령)과 성숙(유전자), 적응(물리적 제약), 학습과 같은 많은 요소들의 영향을 받는다. 운동 발달은 타고났거나 내장된 종별 자세 및 움직임 청사진이 주어진 환경 내에서 할 수 있는 개인의 운동 경험과 상호 작용을 통해 나오는 결과다. 운동 수행자가 움직임과 움직임의 결과에 관해서 배우려면 감각 정보를 입력받아야 한다. 이러한 감각 정보 입력은 지각 발달에 기여한다. 지각이란 감각에 의미를 부여하는 행위이기 때문이다. 운동 발달은 운동 수행자의 본성과 양육 환경이 결합된 것이다. 유전적인 운동 청사진의 일부는 자세와 운동을 통제하는 수단이다. 운동 발달과 운동조절, 운동 학습은 평생 동안 움직이며 살아가는 모든 사람이 끊임없이 변하도록 이끌어 준다.

운동조절

자세와 움직임을 유지하고 바꾸는 능력인 운동조절은 신경학적 과정과 기계적 과정의 복잡한 합작품이다. 이러한 과정에는 운동과 인지 발달, 지각 발달이 있다. "운동조절은 자발적 움직임 통제에서 시작해 과제와 변하는 환경의 요구에 따른 움직임 통제로 나아

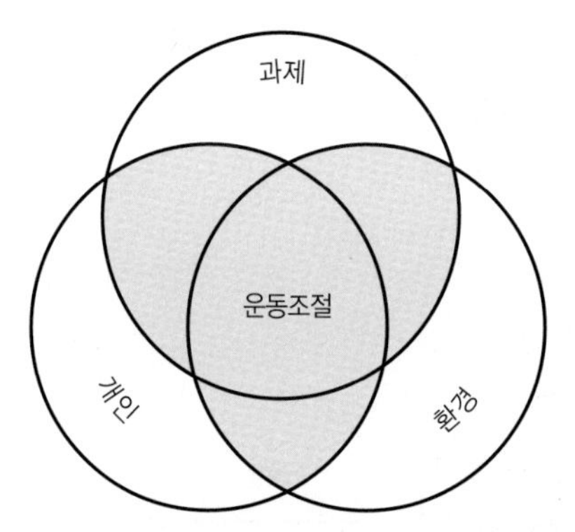

그림 3-1. 개인과 과제, 환경의 상호 작용으로 나타나는 움직임(Shumway-Cook A와 Woollacott MH의 ≪운동조절: 이론과 실제 적용(Motor control: theory and practical applications.)≫ 4판에서 발췌, 볼티모어, 윌리엄스앤윌킨스 출판사, 2012)

간다." 자가운동(self-movement) 통제는 대체로 신경운동계(neuromotor system) 발달로 나타난다. 신경계와 근육계가 성숙하면 움직임이 가능해진다. 자발적 운동의 지각 결과가 운동 발달을 이끌어 낸다(Anderson 등, 2014). 운동조절이 가능해지면 신경계가 운동 문제(movement problem)를 해결하기 위해 근육의 사용처와 사용 순서, 사용 속도를 알려 준다. 유아의 첫 동작 문제는 중력을 극복하는 것이다. 이와 연관된 두 번째 운동 문제는 훨씬 작은 몸에 비해서 상당히 큰 머리를 움직여 통제하는 것이다. 이후에 나타나는 운동 문제들은 머리와 몸통, 사지의 안정성과 운동성을 통제하는 것과 관련이 있다. 구슬 꿰기와 자

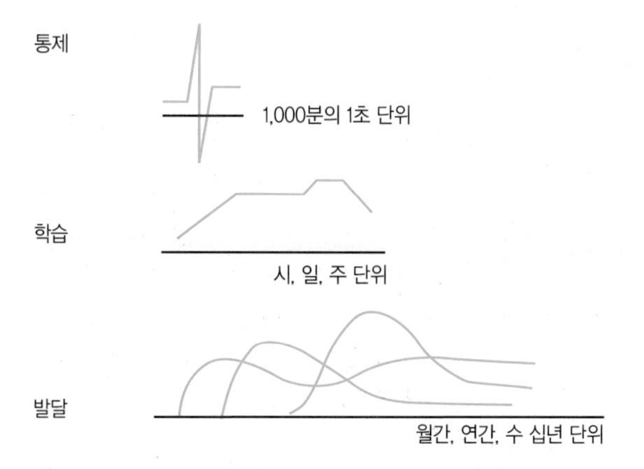

그림 3-2. 운동조절과 운동 학습, 운동 발달 관점에서 본 관심 구간의 시간 단위(Cech D.와 Martin S.의 ≪평생에 걸친 기능적 운동 발달≫ 3판에서 발췌, 세인트루이스, 엘제비어 출판사, 2012).

전거 타기와 같은 과제 특정적 운동의 통제는 인지 능력과 지각 능력에 달려 있다. 특정 환경 내에서 개인이 수행해야 하는 과제에 따라서 필요한 운동 문제 해결 방법이 결정된다.

개인의 운동능력은 시간의 흐름에 따라서 변하기 때문에 주어진 운동 문제의 해결방법도 달라질 수 있다. 개인의 운동 동기도 시간에 따라서 변할 수 있고, 운동 해결의 복잡성에 영향을 미칠 수 있다. 유아가 계단 앞에서 맨 위 계단에 있는 장난감을 보면 계단을 기어서 올라가지만 이후에는 계단을 내려올 방법을 찾아내야 한다. 이때 울어서 도움을 청할 수도 있고, 앉아서 엉덩방아를 찧으며 내려오거나 뒤로 기어내려올 수도 있다. 혹은 앞으로 기어내려 오려고 할 수도 있다. 아장아장 걷는 아기가 이와 동일한 상황에 처하면 난간을 잡고 한 번에 한 계단씩 올라갔다가 장난감을 쥔 채 앉아서 계단을 내려오거나 한 손으로 장난감을 쥐고 다른 한 손으로 난간을 쥔 채 계단을 걸어서 내려올 수 있다. 이보다 좀 더 큰 아이는 난간을 잡지 않고 계단을 올라갔다 내려오고, 더 나이가 많은 아이는 계단을 뛰어올라 갈지도 모른다. 운동 과제와 개인, 환경의 관계는 그림 3-1에 잘 나타나 있다. 운동조절에 관해 숙고할 때는 이 모든 요소들을 고려해야 한다.

운동조절 소요시간

운동조절은 운동 발달처럼 며칠이나 몇 주 단위로 일어나는 것이 아니라 초 단위로 일어난다. 그림 3-2는 운동조절과 운동 학습, 운동 발달과 관련된 소요 시간을 비교해서 보여 준다. 운동조절은 세포와 조직, 기관의 생리적 과정 때문에 일어나는 것이다. 생리적 과정은 시기적절하고 효과적인 움직임을 이끌어내기 위해서 빠르게 진행되어야 한다. 쓰러지고 나서 한 팔을 뻗으면 무슨 소용이 있겠는가? 충분히 빠르게 팔을 뻗어야 몸을 보호할 수 있고, 쓰러지지 않을 수 있다. 신경계질환이 있는 사람들은 정확한 운동 패턴을 수행할 수는 있지만 시기를 제대로 맞추지 못해서 너무 느리게 움직이거나 근육 활성화 순서를 지키지 못해서 엉뚱한 시기에 근육을 수축시킨다. 때와 순서를

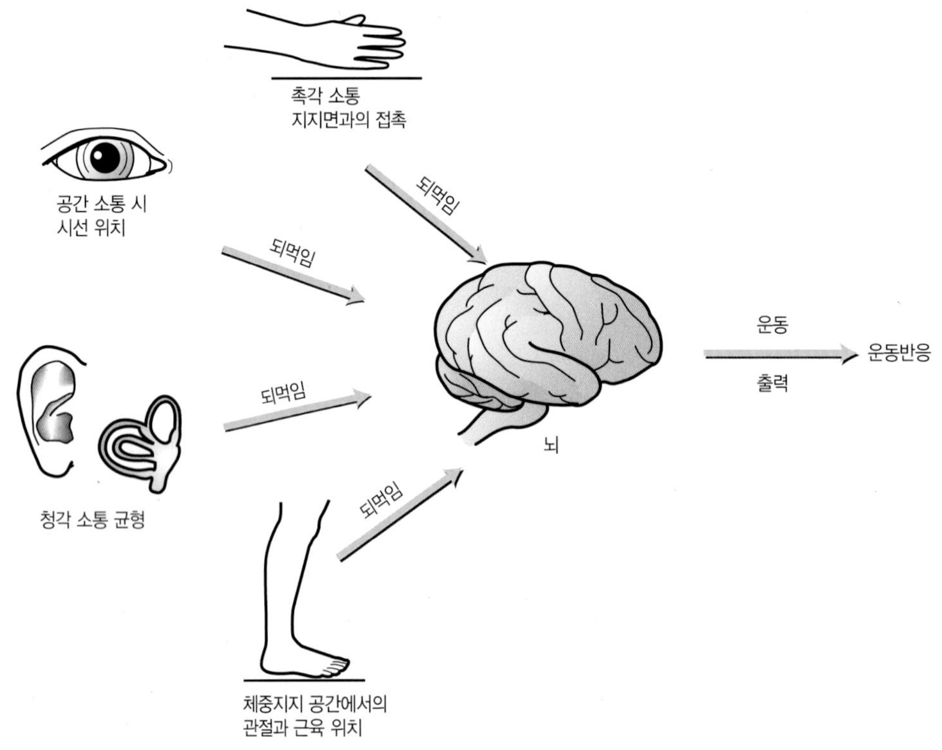

그림 3-3. 감각 되먹임의 원천

제대로 못 맞추는 이러한 문제들은 운동조절력 결핍의 사례들이다.

운동조절에서 감각의 역할

감각 정보는 운동조절에서 중요한 역할을 수행한다. 맨 처음에 감각이 인지 능력이나 지각 능력을 필요로 하는 반사 동작을 하라고 신호한다. 감각 자극은 반사적인 운동 반응을 이끌어 낸다. 유아의 엉덩이를 만지면 머리가 돌아가고, 쭉 뻗은 다리를 쓰다듬으면 다리가 움츠러든다. 감각은 반사가 우세해 보이는 갓난아이의 운동행동을 이끌어내는 상시 신호이다. 운동 발달 과정에서 수의적인 움직임이 일어날 때 감각은 손을 뻗는 위치와 기어가는 동작에 관한 정확한 되먹임(피드백)을 제공한다. 체중지지에서 얻는 감각은 팔꿈치와 팔, 무릎으로 땅을 짚는 것과 같은 발달적 자세의 유지를 강화해 준다. 감각 정보는 운동 수행자가 물체와 상호 작용하고 어떤 환경에서 움직일 때(maneuvering) 매우 중요하다. 그림 3-3은 감각이 팔 뻗기나 걷기와 같은 과제를 수행해야 하는지, 얼마나 잘 수행해야 하는지를 신체에 알려주기 위해 필수적인 되먹임을 제공하는 방식을 보여 준다. 감각 경험은 자세조절, 운동 기술 획득과 발달에 기여한다.

되먹임의 역할

되먹임은 운동조절의 매우 중요한 특성이다. 되먹임은 운동 결과로 수용되는 감각 정보나 지각 정보를 말한다. 되먹임에는 내재적 되먹임, 혹은 움직임으로 생겨나는 되먹임이 있다. 감각 되먹임은 운동의 실수를 감지할 때 사용할 수 있다. 되먹임과 오류 신호(error signal)가 중요한 첫째 이유는 되먹임이 자기통제 과정을 이해하는 수단을 제공해주기 때문이다. 개인을 둘러싼 환경의 감각 자극이 반사작용을 일으키고 통제한다. 개인 내부의 과정이 오류 신호를 보낼 때 되먹임을 받은 운동 행동이 나타난다. 많은 운동 계층

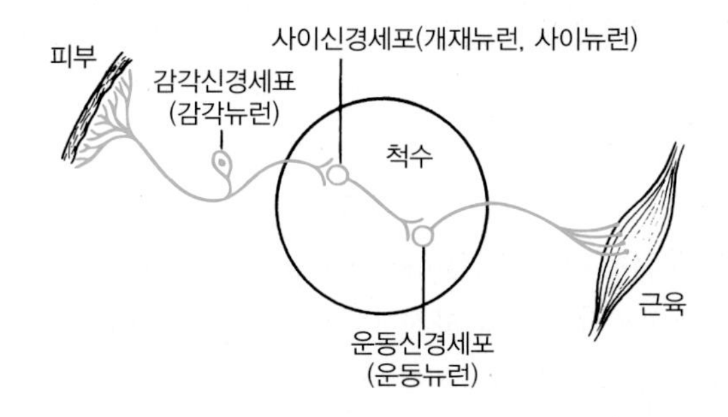

그림 3-4. 세 가지의 신경세포(뉴런)로 구성된 신경계(Redrawn from Romero-Sierra C: Neuroanatomy: a conceptual approach, New York, 1986, Churchill Livingstone.)

표 3-1 원시반사

반사	시작 시기	통합
빨기-삼키기 반사	임신 28주	생후 2-5개월
먹이찾기 반사	임신 28주	생후 3개월
굽힘근 회피 반사	임신 28주	생후 1-2개월
교차성 폄 반사	임신 28주	생후 1-2개월
모로 반사	임신 28주	생후 4-6개월
발바닥쪽 움켜잡기 반사	임신 28주	생후 9개월
양성지지	임신 35주	생후 1-2개월
비대칭 목긴장 반사	생후	생후 4-6개월
손바닥쥐기 반사	생후	생후 9개월
대칭 목긴장 반사	생후 4-6개월	생후 8-12개월

Cech D.와 Martin S.의 ≪평생에 걸친 기능적 운동 발달≫ 3판 54쪽에서 발췌, 세인트루이스, 엘제비어 출판사, 2012.

(motor hierarchies)의 최상층은 의지적 기능이나 자기 통제 기능이지만 그 작동 방식에 관한 설명은 거의 찾아볼 수 없다.

둘째 이유는 되먹임이 새로운 운동 기술을 학습하는 기능적 과정을 제공하기 때문이다. 내재적 되먹임은 고유감각기(proprioceptor)와 같은 신체 내부의 감각 원천이나 목표가 명중되거나 공이 경기장을 벗어나는 모습을 감지하는 신체 외부의 감각 원천에서 나온다(Schmidt와 Wrisberg, 2004). 외재적 되먹임은 운동 수행자가 몇몇 외부 원천에서 받은 추가적이거나 증대된 감각 정보이다(Schmidt와 Wrisberg, 2004). 치료사와 코치는 개인의 운동 수행에 관한 향상된 되먹임을 제공할 수 있다. 이러한 이유로 되먹임은 운동조절과 운동 학습 이론의 공통적인 요소이다.

운동조절 이론

초기의 운동조절 이론은 1800년대에 처음으로 등장했다. 셰링턴(Sherrington)은 연쇄적으로 일어나 운동을 이끌어내는 반사의 순서를 보여주는 반사모델을 제시했다. 반사는 보다 더 복합적인 움직임의 토대였다. 다른 전통적인 이론들은 신경계의 각기 다른 부분들이 반사와 반응을 담당하는 신경계의 위계적 조직을 예측했다. 최근의 이론들은 운동 프로그램과 운동 체계 관점을 다룬다. 이에 대해서 간략하게 살펴보겠다.

반사 이론과 위계적 이론

많은 운동조절 이론들 가운데서 가장 전통적인 것이 반사 이론과 위계적 이론이다. 이러한 이론들의 특징은 하향식 관점이다. 뇌의 피질이 최상층 통제 조직이며, 모든 피질하부 구조들이 이 피질의 명령을 받는다. 뇌의 피질은 움직임의 방향을 지시할 수 있고, 실제로 그렇게 한다. 누군가가 어떤 방향으로 움직이겠다고 생각할 수 있다면 신경계가 그 명령을 수행한다. 운동조절의 최종 단계인 자발적 움직임은 피질이 성숙했을 때 일어난다.

발달하는 뇌의 성숙과 운동 행동 발현의 관계는 유아한테서 찾아볼 수 있다. 신경계 성숙도를 일상에서 측정하는 한 가지 방법은 반사 평가다. 반사는 운동조절모델의 기본적인 운동 단위이다. 반사와 반응이 연쇄적으로 일어날 때 운동이 이루어진다. 반사는 그림 3-4에 나타난 것처럼 감각자극과 운동반응이 쌍을 이루는 것이다. 몇몇 반사는 간단한 반면 복잡한 반사도 있다. 가장 간단한 반사는 척수 영역에서 일어난다. 척수 영역 반사의 실례로는 굽힘근 회피 반사(flexor withdrawal)가 있다. 발바닥에 유해한 자극을 가하거나 발바닥을 만지면 발이 움츠러든다. 이러한 반사는 유아 시절에 나타나기 때문에 원시 반사(primitive reflex)라고 한다. 원시 반사는 표 3-1에 나와 있다.

그 다음 단계의 반사는 중추신경계의 뇌줄기와 관련

된 긴장성 반사(tonic reflex)이다. 긴장성 반사는 근긴장과 자세의 변화를 이끌어낸다. 유아가 보여 주는 긴장성 반사의 실례로는 긴장성 미로반사(tonic labyrinthine reflex)와 비대칭 긴장성 목 반사(asymmetric tonic neck reflex)가 있다. 긴장성 목 반사가 일어날 경우, 유아가 고개를 오른쪽으로 돌리면 오른팔이 뻗치고 왼팔이 굽는다. 긴장성 미로반사가 일어나면 유아가 반듯이 누워 있을 때 폄근의 긴장이 증가하고, 유아가 엎드려 있을 때 굽힘근의 긴장이 증가한다. 이 모델에서 대부분의 유아기 반사(빨기와 먹이 찾기)와 원시적인 척수반사, 긴장성 반사는 생후 4개월에서 6개월 사이에 통합된다. 물론 예외도 있다. 통합이란 미성숙한 반응이 자발적 움직임으로 합쳐지는 매커니즘이다.

신경계 성숙은 자세조절력 습득에 결정적인 요인이다. 유아의 운동조절이 발달하기 시작하면 반응성 균형 반응이 나타날 때까지 척수 위쪽의 뇌 구조가 자세와 움직임을 통제하기 시작한다. 이러한 반응성 균형 반응에는 바로잡기반응과 보호 반응, 평형반응이 있다. 바로잡기반응과 평형반응은 성인기까지 계속 나타나는 복잡한 자세 반응이다. 이러한 자세 반응은 머리와 몸통과 관련이 있고, 신체의 지지면 안팎에서 일어나는 중력의 중심 이동에 반사적으로 대응하는 방법을 알려 준다. 중력의 중심이 지지면에서 빠르게 벗어날 때 그에 대응해서 나타나는 사지의 움직임은 보호반응이라고 한다. 이러한 보호 반응은 자세 반응으로 간주되며, 바로잡기반응이나 평형반응으로 잃어버린 균형을 되찾지 못할 때 발동하는 예비 체계(back-up system)다. 운동조절의 위계 모델에 따르면 자동적 자세 반응은 중뇌와 피질과 관련되어 있다.

이 위계 체계에서 점점 더 위쪽으로 올라갈수록 하부 신경계 구조와 그 구조가 유발하는 반사 동작이 점점 더 억제된다. 긴장성 반사는 척수반사를 억제하고, 바로잡기반응은 긴장성 반사를 억제한다. 억제가 일어나면서 이전에 나타났던 움직임의 자극반응 패턴이 보다 더 의지적인 움직임으로 통합되거나 수정된다. 이보다 더 복잡한 자세반응은 위계적 관점의 자세 통제 발달에서 살펴보겠다.

운동조절 발달. 운동조절 발달은 자세 운동성과 안정성의 관계(Sullivan 등, 1982)와 자동적 자세 반응 습득(Cech와 Martin, 2012)으로 설명할 수 있다. 초기의 무작위적인 움직임(mobility)은 자세 유지하기(stability)와 한 자세를 유지하면서 움직이기(controlled mobility), 마지막으로 한 자세에서 다른 자세로 움직이기(skill)에 이어서 나타난다. 운동조절 능력을 습득하는 순서는 그림 3-5의 핵심 발달 자세에 나와 있다. 각각의 새로운 자세를 습득할 때마다 그 자세 내에서의 조절 능력이 발달한다. 예를 들어 굴러서 바로 눕기 전에 엎드려서 체중 이동하기가 먼저 일어난다. 또한 아기가 기어 다니기 전에 손과 무릎으로 체중을 지지하고 이동하기 능력이 먼저 발달한다. 걷기 이전에는 잡고 이동하기(cruising)나 서서 옆으로 체중 이동하기가 가능해진다. 구르기, 뻗기, 기기, 잡고 이동하기, 걷기와 같은 실질적인 운동 성취 결과는 운동성과 안정성이 결합된 숙련이며, 이때는 몸에서 멀리 떨어진 팔다리가 자유롭게 움직인다. 유아의 경우에는 운동성과 안정성, 통제된 운동성, 숙련 순으로 운동조절과 자세조절이 발달한다.

운동조절 단계

1단계. 1단계는 움직임이 시작되는 운동성 단계이다. 유아는 생후 3개월의 발달 범주 내에서 무작위로 움직인다. 이 단계에서는 움직임이 불안정하다. 움직임의 목적이 분명하지 않고, 반사적인 움직임이 흔하다. 이 단계의 유아는 반듯이 누운 자세에서 머리와 몸통을 고정시키고 팔다리를 마구잡이로 움직인다. 안정성 이전에 운동성이 나타난다. 성인의 경우에 운동성은 자세를 취하기 위해 운동범위를 이용하고, 움직임을 시작하기 위해 충분한 운동단위 활동을 하는 것이다.

2단계. 2단계는 안정성, 즉 체중을 지지하고 중력에 저항하는 안정된 자세를 유지하는 능력을 습득하는 단계다. 이 단계는 정적 자세 조절 단계라고도 한다. 발달상 안정성은 긴장성 유지(tonic holding)와 동시수축(cocontraction)으로 세분된다. 긴장성 유지는 단축된 운동범위 끝부분에서 일어나고, 보통 항중력 자

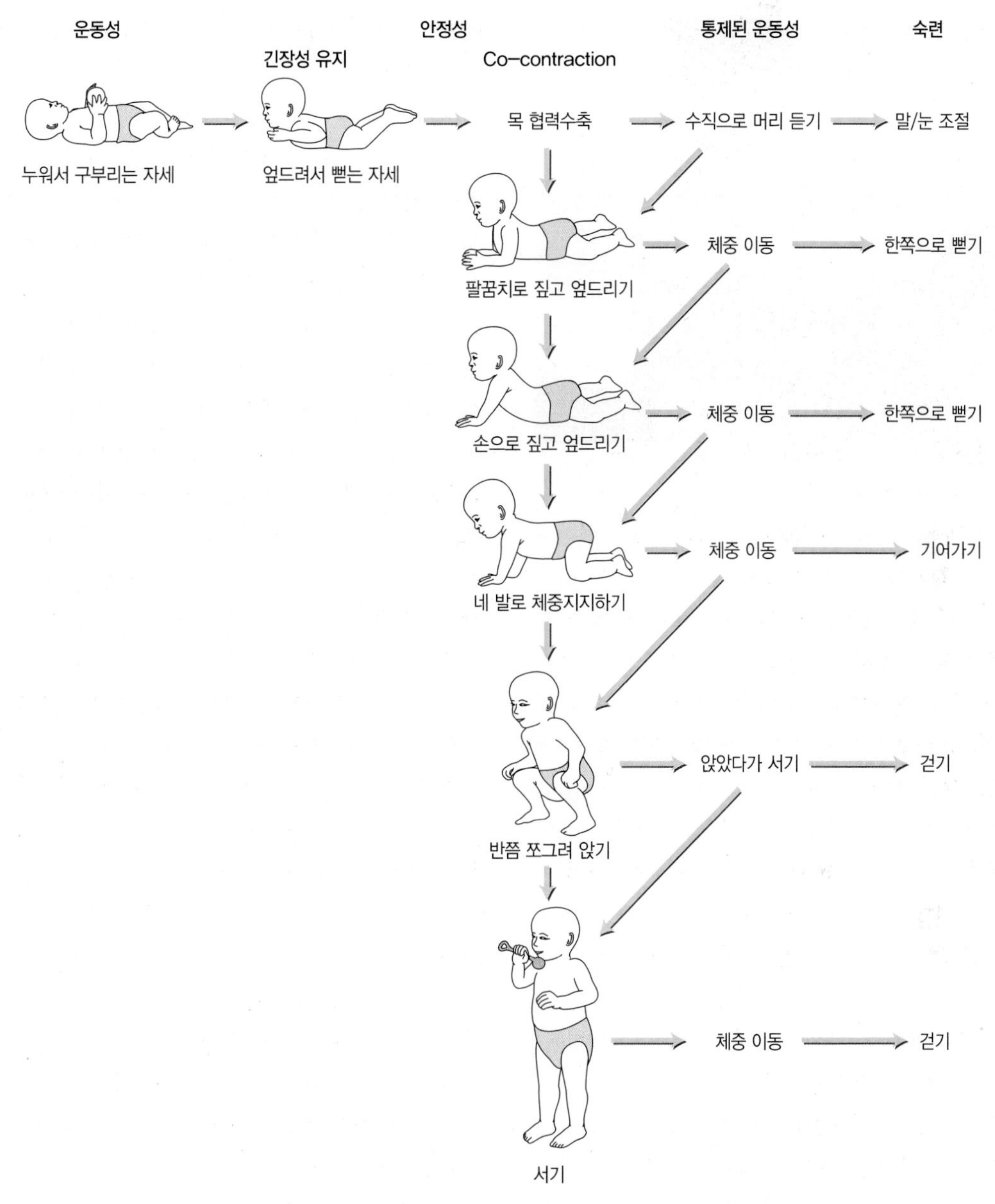

그림 3-5. 핵심 자세와 발달 순서

세 펌근(antigravity postural extensor)의 등척성 움직임(isometric movements)과 관련이 있다(Stengel 등, 1984). 아이가 그림 3-5에서처럼 지렛대 복와위(pivot prone position, 엎드려 폄 자세(prone extension))를 유지할 때 긴장성 유지가 가장 분명하게 나타난다. 머리의 자세 유지는 엎드린 자세에서 비대칭적으로 시작되기 때문에 아기는 엎드려서 머리를 비스듬히 놓았다가 이후에는 중앙에 놓고 유지할 수 있으며, 이어서 지지면에서 90도 각도로 들어 올려 유지할 수 있다. 반듯이 누운 자세에서는 아기가 머리를 이쪽저쪽으로 돌리다가 중앙에 놓고 유지한다. 마지막으로 생후 4개월 된 아기를 앉혀 놓으면 아기가 머리를 중앙에 두고 턱을 당긴다(그림 3-6).

동시 수축은 관절 주변의 대항근(antagonistic muscle)

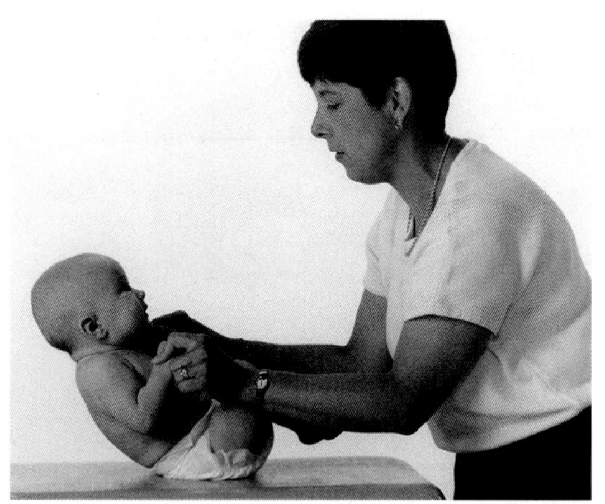

그림 3-6. 끌어당겨 앉혀진 자세에서 턱을 당기는 아기.

이 중간 자세(midline position)나 체중지지 자세에서 안정성을 확보하기 위해서 동시에 정적 수축(static contraction)하는 것이다. 다양한 근육들, 특히 자세 고정에 필요한 근육들은 발달하는 아기가 엎드려 뻗는 자세, 팔과 손으로 짚고 엎드리는 자세, 네 발로 기는 자세, 반쯤 쪼그리고 앉는 자세를 유지할 수 있게 해 준다. 동시 수축 패턴은 그림 3-5에 나타나 있다. 엎드리는 자세와 네 발로 기는 자세, 서는 자세에서 운동성과 안정성의 초기 관계가 확립되자마자 변화가 일어나 이미 확립된 안정성에 운동성이 더해진다.

3단계. 통제된 운동성은 같은 자세에서 체중만 이동함으로써 발달되었던 이전의 자세 안정성에 덧붙여 개발되는 운동성이다. 몸쪽 운동성(Proximal mobility)은 먼쪽 운동성과 결합된다. 통제된 운동성은 운동조절 3단계에 해당하며, 팔다리로 체중을 지지하고 네 발로 기어서 체중을 이동하며 움직이거나 걸어 다닐 때 나타난다. 몸통은 지지면과 수평을 이룰 때나 중력선과 직각을 이룰 때 통제된 운동성을 보여 준다. 엎드린 자세와 네 발로 기는 자세에서는 체중이 이동될 때 사지와 몸통이 통제된 운동성을 보여 준다.

유아가 엎드려서 처음으로 체중을 이동하려는 시도는 우연히 일어나서 거의 조절하지 못한다. 유아가 그와 똑같은 움직임을 시도하려고 애쓰고 다양한 움직임을 결합해서 연습할 때 그러한 움직임을 보다 더 잘 조절할 수 있게 된다. 통제된 운동성의 또 다른 실례는 팔꿈치로 체중을 지지하고 엎드려 있다가 장난감을 발견한 유아한테서 찾아볼 수 있다. 이때 유아가 장난감을 잡으려고 양손을 뻗는다면 바닥에 얼굴을 찧을 가능성이 크다. 보통은 한쪽을 뻗기 전에 두 손을 내밀기 마련이다. 유아가 한쪽 팔꿈치에서 다른 쪽 팔꿈치로 체중을 옮기는 법을 배우고 인내심 있게 연습하면 눈앞의 장난감을 잡을 가능성이 훨씬 더 높아진다. 체중지지와 체중 이동, 어깨 주변 근육의 공동수축은 팔이음뼈 안정성(shoulder girdle stability) 발달에 중요한 요소다. 어깨 몸쪽부(Proximal shoulder) 안정성은 상지의 능숙한 먼쪽 조작 기능을 뒷받침해 준다. 이러한 안정성이 확보되지 않으면 먼쪽 수행 능력이 손상될 수도 있다. 통제된 운동성은 또한 역동적 자세 조절(dynamic postural control)이라고도 한다.

4단계. 숙련은 가장 성숙한 형태의 움직임으로, 보통 한 자세에서 통제된 운동성을 보여준 이후에 습득하는 것이다. 예를 들어 유아는 손과 무릎으로 체중을 지지하는 것과 같은 자세에서 체중을 한쪽으로 이동한 이후에 반대쪽 팔과 다리를 자유롭게 움직여 기어간다. 기는 것은 능숙한 움직임이다. 다른 숙련 패턴은 그림 3-5에 나와 있다. 움직임의 숙련 패턴은 비체중지지 자세에서 안정성이 확보된 이후에 운동성이 덧붙여 나타날 때 가능해진다. 몸쪽 분절은 먼쪽 분절이 자유롭게 움직일 때 안정된다. 몸통은 중력의 힘과 수직이나 수평이 될 때 능숙하게 움직인다. 서 있는 자세에서 체중을 이동할 때는 다리만 통제된 운동성을 보여 준다. 앞으로 뻗은 다리는 체중을 지지하는 다른 쪽 다리가 통제된 운동성을 보여줄 때 능숙하게 움직인다. 유아가 기거나 걸을 때 사지를 움직이는 동작은 숙련을 사용하는 것이고, 지지면과 접촉하는 동작은 통제된 운동성을 사용하는 것이다. 기기와 걷기는 숙련된 움직임으로 간주된다. 숙련된 움직임은 환경 조작 및 탐구와 관련이 있다.

자세 조절 발달. 자세 조절은 4장에서 소개할 게젤(Gesell)의 발달 원칙에 따라서 머리에서 꼬리쪽 방향으로 발달한다. 자세 조절은 신체의 일직선 정렬 상태를 유지하는 능력이다. 특히 신체 부위들끼리 일직선

을 이루고, 신체 부위와 외부 환경도 일직선을 이루는 능력이다. 유아는 똑바로 서는 자세를 유지하기 위해서 일단의 자동적인 자세 반응을 배운다. 이러한 자세 반응은 균형을 잃고 다시 평형을 잡으려고 애쓸 때 끊임없이 나타난다.

자세 반응의 발달은 바로잡기반응과 보호 반응, 평형반응 순으로 이루어진다. 유아의 경우에는 머리바로잡기반응이 제일 먼저 발달하고, 이어서 몸통바로잡기반응이 발달한다. 팔다리의 보호 반응은 앉기와 같은 보다 더 높은 단계의 자세에서 균형을 잡으려고 애쓸 때 나타난다. 마지막으로 평형반응은 엎드리는 자세에서 시작되어 모든 자세에서 발달한다. 자세와 움직임은 보통 머리에서 꼬리쪽 방향으로 발달한다. 그렇기 때문에 중력에 따라 각기 다른 위치에서 균형이 잡힌다. 머리 조절 다음에는 몸통 조절이 가능해진다. 공간 내에서의 머리 조절이 가능해져야 앉고, 서서 균형을 잡을 수 있다.

바로잡기반응. 바로잡기반응은 공간에서 머리의 위치를 잡고 눈과 입을 수평으로 유지하는 것이다. 이러한 정상적 배열은 수직으로 똑바로 선 자세뿐만 아니라 몸이 기울거나 회전할 때도 유지된다. 바로잡기반응은 방향 또는 배열을 되찾거나 유지하기 위해서 머리와 몸통이 움직이는 것이다. 표 3-2에 나열된 것처럼 몇 가지 바로잡기반응은 아이가 태어나자마자 나타나지만 대부분은 생후 4개월에서 6개월 사이에 분명하게 드러난다. 머리나 신체 위치의 변화와 중력은 가장 자주 일어나는 바로잡기반응들을 이끌어내는 신호가 된다. 시각은 시각바로잡기반응을, 중력은 미로바로잡기반응을, 배와 지지면의 접촉은 몸-머리바로잡기반응을 이끌어낸다. 이러한 머리 바로잡기반응들은 유아의 머리조절 발달에 도움이 된다.

머리돌리기는 목-몸통 바로잡기반응(neck-on-body righting)을 이끌어낼 수 있어서 몸통이 머리의 움직임을 따라간다. 몸통 상부나 하부가 돌아가면 몸통-몸통 바로잡기반응(body-on-body righting)이 일어난다. 목-몸통 바로잡기반응이나 몸통-몸통 바로잡기반응이 일어나면 통나무 구르기(log rolling)나 분절 구르기(segmental rolling)가 가능해진다. 통나무 구르기는 생후 3개월 유아한테서 찾아볼 수 있는 미성숙한 바로잡기반응이다. 성숙한 바로잡기반응은 생후 4개월경에 나타난다. 바로잡기반응의 목적은 지면에 비례해서 머리와 몸통의 정확한 방향을 유지하는 것이다. 머리와 몸통 바로잡기반응은 지지면 위에서 체중이 이동될 때 일어난다. 이동 정도에 따라서 반응 강도가 결정된다. 예를 들어 엎드린 자세에서 체중을 천천히 오른쪽으로 옮기면 가쪽 굽힘(lateral bend)이나 머리 바로잡기반응이 일어나고 몸통이 왼쪽으로 기운다. 지지면 이탈 속도가 너무 빠르면 다른 형태의 반응, 즉 보호 반응을 볼 수 있다. 이탈 속도가 느려질 때 머리와 몸통 바로잡기반응이 나올 가능성이 크다. 이러한 반응은 어떤 자세에서나 나올 수 있고, 앞쪽과

표 3-2 바로잡기반응과 평형반응

반응	시작 시기	통합
머리바로잡기 반응		
목(미숙)	임신 34주	생후 4-6개월
미로	생후 0-2개월	평생 지속됨
시각	생후 0-2개월	평생 지속됨
목(성숙)	생후 4-6개월	5세
몸통바로잡기 반응		
신체(미성숙)	임신 34주	생후 4-6개월
신체(성숙)	생후 4-6개월	5세
란다우	생후 3-4개월	1-2세
보호 반응		
다리 아래로 뻗기	생후 4개월	평생 지속됨
팔 앞으로 뻗기	생후 6-7개월	평생 지속됨
팔 옆으로 뻗기	생후 7-8개월	평생 지속됨
팔 뒤로 뻗기	생후 9개월	평생 지속됨
다리로 딛기	생후 15-17개월	평생 지속됨
평형반응		
엎드리기	생후 6개월	평생 지속됨
바로 눕기	생후 7-8개월	평생 지속됨
앉기	생후 7-8개월	평생 지속됨
쪼그려 앉기	생후 9-12개월	평생 지속됨
서기	생후 12-24개월	평생 지속됨

Cech D.와 Martin S.의 《평생에 걸친 기능적 운동 발달》 3판 54쪽에서 발췌, 세인트루이스, 엘제비어 출판사, 2012.

뒤쪽, 가쪽으로의 체중 이동에 반응한다.

바로잡기반응은 아이가 다섯 살이 될 때까지 지속된다고는 하나 생후 10개월에서 12개월 사이에 자세와 움직임에 가장 큰 영향력을 미친다. 아이가 누워 있다가 몸통을 굴리지 않고도 일어설 수 있게 되면 바로잡기반응은 더 이상 나타나지 않는다. 몸통을 굴린다는 것은 긴 축을 중심으로 몸을 바로잡을 수 있다는 뜻이다. 뿐만 아니라 5세 아동은 앞으로 똑바로 일어서고 몸통을 굴리지 않고도 일어서는 정중면 움직임(sagittal plane movement)을 취할 수 있을 정도로 복부 힘이 강해지기 때문에 운동 행동의 변화가 일어난다.

보호 반응. 보호 반응은 몸이 대각선이나 수평으로 작용하는 힘을 받아 빠르게 밀려날 때 일어나는 사지의 움직임이다. 보호 반응의 예측 가능한 발달순서는 표 3-2에 나와 있다. 사람은 한쪽이나 양쪽 팔다리를 뻗어서 추락에 대비하거나 몸을 멈춰 세울 준비를 한다. 생후 4개월 된 아이를 똑바로 세워 안아 들었다가 빠르게 지지면으로 내려놓으면 아이가 다리를 바깥쪽으로 뻗는다. 생후 6개월이 되면 넘어지지 않으려고 팔을 아래쪽으로 뻗는 보호 반응을 보인다. 생후 7개월과 8개월 사이에는 팔을 옆으로, 생후 9개월에는 팔을 뒤로 뻗어 스스로를 보호한다. 다리를 비틀거리면 균형을 잡는 보호 반응은 생후 15개월에서 17개월 사이에 분명하게 드러난다(Barnes 등, 1978). 유아가 팔을 뻗어 몸을 지지하는 능력, 다시 말해서 엎드려 팔굽혀 펴기 자세를 취할 때나 양육자가 그 자세를 잡아줄 때 아이 스스로 할 수 있는 이 움직임은 사지의 보호 반응과 다르므로 혼동해서는 안된다. 유아는 보호 반응을 취할 때 팔을 뻗어서 체중을 지지할 수 있어야 하기 때문에 팔을 뻗어 체중을 지지하는 훈련이나 엎드려 팔굽혀 펴기 자세 연습은 치료 중재로 유용하게 사용할 수 있다.

평형반응. 평형반응은 가장 진보한 자세 반응이자 발달의 마지막 단계다. 평형반응이 일어나면 질량 중심과 지지면의 관계가 천천히 변할 때 몸 전체가 그 변화에 적응할 수 있다. 평형반응은 이미 습득한 머리-몸통 바로잡기반응을 통합해서 굽힘과 폄, 가쪽 머리-몸통 움직임에 사지 반응을 더해서 균형을 되찾는 것이다. 체중이 옆으로 쏠리면 몸통은 지지면 내에서 신체의 질량 중심을 유지하려고 체중이 쏠린 방향의 반대 방향으로 돌아간다. 이와 같은 몸통 회전은 가쪽 가쪽 이동(lateral displacement) 시에만 분명하게 나타난다. 신체가 지지면에 비례해서 옆으로 움직이거나 사람이 기울어진 널빤지 위에 있을 때처럼 지지면이 움직일 때 평형반응이 일어난다. 후자의 경우에 나타나는 움직임은 기울임 반응(tilt reaction)이라고 한다. 서 있을 때 질량 중심이 지지면 가장자리로 이탈할 때 나타나는 세 가지 예상 반응은 다음과 같다. (1) 체중 이동 방향과 멀리 떨어진 곳에서 머리와 몸통 바로잡기가 측면에서 이루어진다. (2) 팔과 다리가 체중 이동 방향의 반대쪽으로 움직인다. (3) 체중 이동 방향과 멀리 떨어진 곳에서 몸통 회전이 일어난다. 이 마지막 반응이 일어나지 않는다면 다른 두 반응이 일어나 넘어질 수밖에 없는 사태를 잠시나마 연기할 수 있다. 중력선이 지지면을 벗어나면 팔을 뻗는 보호 반응이 일어나거나 다리를 딛거나 비틀거리는 보호 반응이 일어나 안정적인 지지면을 되찾을 수 있다. 그러므로 발달 상 습득되는 반응 순서는 균형을 찾을 때 사용하는 반응 순서와 다르다.

균형 반응은 또한 일련의 발달 순서와 일정을 가지고 있다(표 3-2). 엎드리기는 중력에 저항해 움직이는 법을 배우는 자세다. 그렇기 때문에 평형반응은 생후 6개월 아기의 엎드리기 자세에서 처음 나타나고, 이어서 생후 7개월에서 8개월 사이 아기의 바로 눕기 자세, 생후 7개월에서 8개월 사이 아기의 앉기 자세, 생후 9개월에서 12개월 사이 아기의 네 발로 기는 자세, 생후 12개월에서 21개월 사이 아기의 서기 자세 순으로 나타난다. 유아는 언제나 한 번에 한 가지 이상 다른 수준(level)의 자세를 취한다. 예를 들어 생후 8개월의 아기는 앉아서 처음에는 한 손, 이어서 두 손을 자유롭게 움직이며 체중을 이동하는 법을 배우는 동시에 바로 누운 자세에서 완벽한 균형 반응을 보여 준다. 앉기 균형 반응은 아기가 기어 다닐 때 성숙한다. 서기와 잡고 이동하기는 네 발로 기는 자세에서 완벽한 균형 반응이 일어날 때 가능해진다. 아장아장 걷는 아기는 서 있는 자세에서 균형 반응이 성숙해질 때 걷기 속도를 높일 수 있다.

운동조절의 운동 프로그램 모델

운동 동작(motor action)에서 감각 정보가 수행하는 역할에 관한 논의가 진행되면서 현재의 운동조절과 운동 학습 이론에 매우 중요한 또 다른 개념이 등장했다(Lashley, 1951). 그것은 바로 운동 프로그램 개념이다. 운동 프로그램은 동작 조절에 관한 지시를 내리는 기억 구조이다. 이 프로그램은 또한 향후 사용에 대비해서 저장해두는 계획이기도 한다. 운동 프로그램 개념이 있으면 신경계가 각각의 동작을 처음부터 새롭게 구상하지 않아도 되고, 덕분에 동작을 처음 취할 때 시간이 단축된다. 그렇기 때문에 운동 프로그램은 매우 유용한 개념이다. 운동 프로그램에 속하는 것이 무엇인지는 많은 논쟁의 대상이 되고 있다. 각기 다른 연구학자들이 다양한 운동 프로그램을 제시했다.

운동 프로그램 이론은 아무리 느린 움직임도 감각 입력 정보가 그러한 움직임에 영향을 미치는 속도에 비하면 너무나 빠르게 일어나기 때문에 모든 움직임이 연쇄나 반사를 통해 이루어진다는 개념에 직접적으로 이의를 제기하기 위해 나타난 것이었다. 다시 말하자면 적시에 효과적으로 움직이려면 운동 수행자가 운동 동작의 내적 표상(internal representation)을 이용할 수 있어야 한다. "운동 프로그램은 동작이 일어나는 시기에 구체화되는 일련의 근육 명령들과 연관되어 있다(Wing 등, 1996)." 슈미트(1988)는 운동 프로그램 이론을 확장시켜 일반화된 운동 프로그램 개념이나 각기 다른 시스템에 분산된 동작의 추상적인 신경 표현(neural representation) 개념을 포함시켰다. 동작을 마음 속으로 표현할 수 있는 능력은 운동조절 발달의 일부에 해당한다(Gabbard, 2009).

운동 프로그램이라는 용어는 걷기와 같은 운동 유형을 만들어낼 수 있는 중추 유형 발생기(CPG)라는 특정한 신경 회로를 일컫는다. CPG는 척수 내에 자리하고 있으며, 양쪽 다리에서 엉덩이와 무릎을 움직여 발을 딛는 동작을 조절해 주는 디딤유형발생기(SPG)라고 부르기도 한다(Yang 등, 2005). 걷기 동작에는 머리와 몸통의 자세 조절과 발목의 능동적(수의적) 조절이 필요하다. 감각 되먹임은 시기를 조절해주고, 근육 활성화를 강화해 준다(Knikou, 2010).

운동조절의 시스템 모델

운동조절의 시스템 모델은 주로 다양한 두뇌 중추와 척수 중추(spinal center)들이 자세와 움직임을 조절하기 위해서 협력하는 관계를 설명할 때 사용한다. 시스템 모델에서 자세와 움직임을 관장하는 신경 조절(neural control)은 분산되어 있다. 다시 말해서 자세나 움직임을 조절하는 신경계 영역들은 수행할 과제의 복잡성에 따라 달라진다. 신경계는 스스로를 조직할 수 있기 때문에 몇몇 신경계 영역들이 움직임 문제 해결에 관여할 수 있다. 그리하여 당면 과제의 맥락과 목표에 특화된 해결책들이 주로 나온다(Thelen, 1995). 시스템 모델의 이점은 다양한 환경 조건에서 나타나는 운동 행동의 융통성과 적응성을 설명할 수 있다는 것이다.

시스템 모델의 두 번째 특징은 신경계 이외의 신체 시스템들이 움직임 조절에 관여한다는 것이다. 그중에서도 가장 두드러지는 시스템은 근골격계이다. 신체는 기계적인 시스템이며, 근육은 점탄성을 지니고 있다. 근육과 골격, 신경, 심장혈관, 폐처럼 움직임 생성에 관여하는 모든 신체 시스템에서 생리적 성숙(Physiologic maturation)이 일어난다. 예를 들어 근육의 수축성이 성숙하지 않으면 특정한 유형의 움직임을 취할 수 없을 수도 있다. 다리의 근력이 충분하지 않으면 보행이 지연될 수 있다. 근력과 자세, 지각 능력은 발달 궤적을 보여주며, 이러한 발달 궤적은 운동조절 과정에 영향을 미쳐 운동 발달 비율을 바꿔놓을 수 있다.

되먹임은 운동조절 시스템 모델의 세 번째 기본적인 특징이다. 개인이 움직임을 조절하려면 그 움직임이 성공적인 것인지 아닌지를 알아야 한다. 운동조절의 닫힌 고리 모델(closed-loop model)에서는 감각

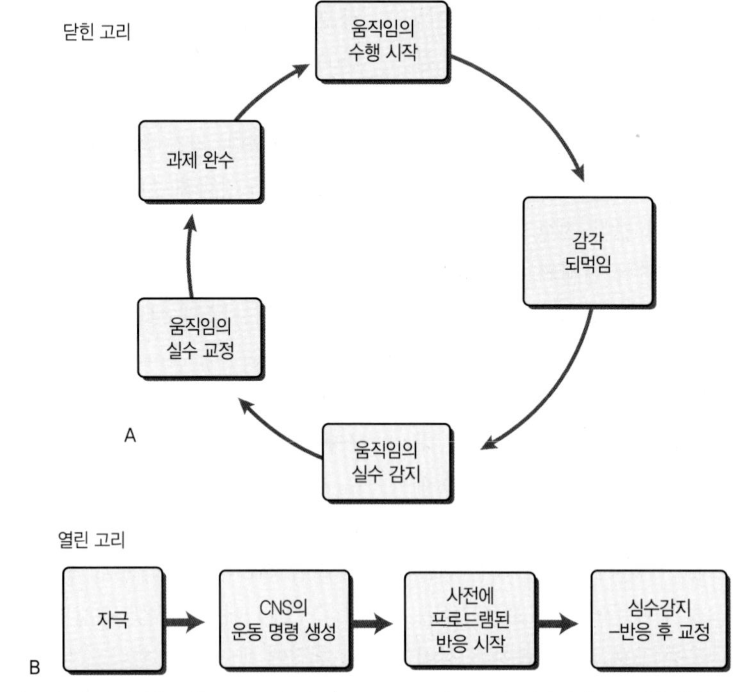

그림 3-7. A, B, 되먹임 모델(Montgomery PC와 Connolly BH의 ≪운동조절과 물리치료: 이론적 틀과 실제 적용(Motor control and physical therapy: theoretical framework and practical application)≫에서 수정한 것, Hixson, Chattanooga Group, 1991)

정보가 다음 동작을 돕기 위해 신경계에 전해지는 되먹임이 된다. 예를 들어 화면 속의 인물을 조종해야 하는 비디오 게임을 할 때 닫힌 고리 되먹임이 필요하다. 이러한 유형의 되먹임은 움직임의 자가 조절을 가능하게 해 준다. 고리는 움직임의 일부로 생성되는 감각 정보로 형성되어 뇌로 전해진다. 이러한 감각 정보는 향후의 운동 동작에 영향을 미친다. 그리하여 연습해서 교정할 수 있는 실수를 감지하고, 수행 성과를 개선할 수 있다. 이러한 되먹임 유형은 그림 3-7에 나와 있다.

이와는 대조적으로 운동조절의 열린 고리 모델(open-loop model)에서는 운동 프로그램 같은 중추 구조나 말초 조직에서 나오는 감각 정보가 신호를 보내 움직임을 이끌어 낸다. 이러한 움직임은 되먹임 없이 일어난다. 예를 들어 투수가 선호하는 구종으로 투구할 때는 그 움직임 속도가 너무 빨라서 되먹임을 수용할 수 없다. 이 경우에는 동작이 일어난 이후에 실수를 감지해 낸다. 외부의 감각 정보에 촉발되어 동작이 일어나는 경우는 화재 경보가 울렸을 때이다. 화재 경보를 들으면 어떻게 움직일지 생각하기도 전에 몸이 먼저 움직인다. 이러한 유형의 되먹임 모델도 그림 3-7에 나와 있으며, 이 모델은 빠른 움직임을 조절하는 방식으로 간주된다. 닫힌 고리 모델과 열린 고리 모델의 차이를 알아보는 또 다른 방법은 피아노곡을 연주하는 사람을 살펴보는 것이다. 학생이 되먹임을 수용하면서 피아노곡을 연습할 때는 천천히 연주한다. 그러나 일단 그 곡을 다 배우고 나면 앉은 자리에서 처음부터 끝까지 빠르게 연주할 수 있다.

자세 조절 시스템의 요소. 시스템 모델에서 자세와 움직임은 모두 다른 생물학 및 기계적 시스템과 움직임 요소들의 상호 작용을 상징하는 고려된 시스템(considered system)이다. 자세와 움직임의 관계는 자세 조절이라고 한다. 그렇기 때문에 자세는 움직일 준비가 된 상태, 다시 말해서 균형을 저해하는 위협에 대응하는 능력뿐만 아니라 운동 계획을 지원하는 데 필요한 자세를 예측하는 능력을 의미한다. 운동 계획이나 운동 프로그램은 움직이기 위한 계획으로, 보통 기억으로 저장된다. 자세조절 시스템의 일부인 일곱 가지 요소들은 그림 3-8에 나와 있다. 이 일곱 가지 요소는 안정성 한계와 감각 조직, 눈-머리 자세 안정화, 근골격계, 운동 협응, 예측적 중추 조절, 환경 적응이다. 자세조절은 운동조절처럼 복잡한 진행형 과정이다.

안정성 한계. 안정성 한계는 특정 자세의 지지면(BOS) 경계를 말한다. 질량 중심(COM)이 지지면 내에 있는 한, 사람은 안정된 상태를 유지한다. 갓난아기의 지지면은 신체와 지지 표면의 접촉 면적과 신체 크기에 따라 계속 달라진다. 누운 자세와 엎드린 자세는 신체가 지지 표면과 상당히 많이 접촉한 상태이기 때문에 훨씬 더 안정적이다. 그러나 앉거나 서 있는 자세에서는 지지면의 크기가 손과 지지 표면의 접촉 여부와 다리 위치에 따라 달라진다. 사람이 일어섰을 때 안정성 한계나 지지면 내에서 움직일 수 있는 영역은 그림 3-9에 나와 있듯이 안정성 원주(cone of stability)라고 한다. 중추신경계는 다양한 감각 신호를 통해서 신체의 안정성 한계를 인지한다.

신체의 질량 중심을 지지면 내에 두고 유지하는 것이 균형이다. 가만히 서 있는 자세(quiet stance)에서 신체가 흔들릴 때 안정성 한계는 COM의 위치와 이동 속도의 상호 작용에 따라 달라진다. COM이 빠르게 이동하고 BOS 경계에 있을 때 균형을 잃기가 훨씬 더 쉽다. 신체는 한 자세를 취할 때 압력 중심(COP)의

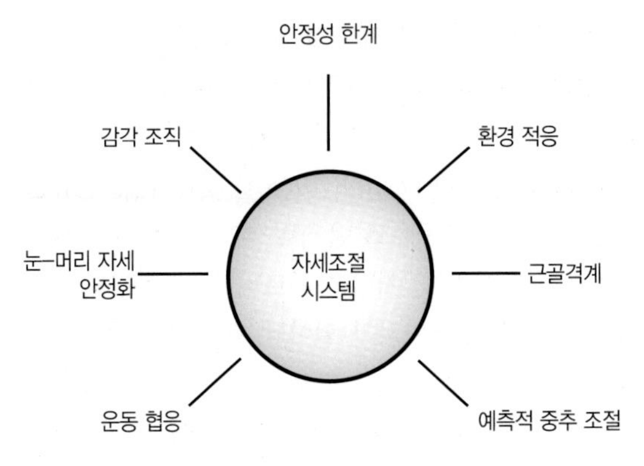

그림 3-8. 정상적 자세 조절의 요소들(APTA의 허락 하에, Duncan P이 편집한 ≪균형: APTA 포럼의 절차(Balance: proceedings of the APTA forum)≫에서 수정한 내용, 알렉산드리아, 미국물리치료협회, 1990)

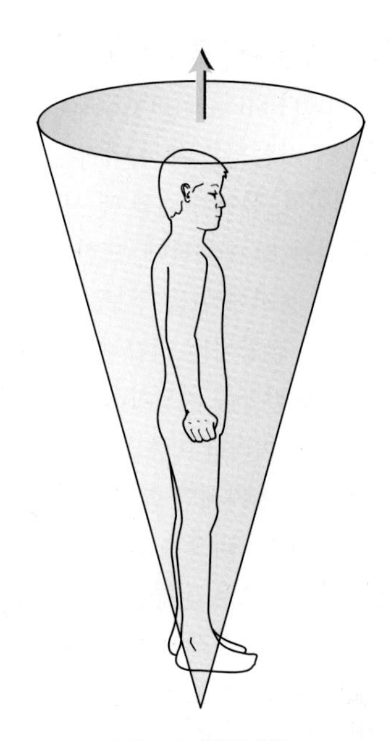

그림 3-9. 안정성 원주

이동 폭을 감지해서 COM의 변화를 인지한다. COP는 지면 반발력(ground reaction force)의 작용점이다. 서 있는 자세에서는 양발 아래가 COP가 된다. 서서 체중을 앞뒤로 옮기면 COP의 변화를 느낄 수 있다.

감각 조직. 시각계와 안뜰계(전정계), 몸감각계는 움직임에 관한 정보를 신체에 제공하고, 자세 반응을 알리는 신호를 보낸다. 감각계의 성숙과 각 계통의 균형 기여도는 상충되는 몇몇 조사 결과와 함께 광범위하게 연구되고 있다. 그러한 충돌 가운데 몇몇은 정적인 균형을 평가하거나 동적인 균형을 평가하는 것과 같은 균형을 연구하는 방식과 감각운동조절의 성숙과 관련되어 있을 수도 있다. 그러나 이러한 차이와 상관없이 감각 입력 정보는 자세조절 발달에 필요하다.

시각은 머리 조절 발달에 매우 중요한 역할을 수행한다. 갓난아기들은 시각 정보의 흐름에 민감하고, 심지어는 그러한 시각 정보에 반응해서 자세를 조절할 수도 있다(Jouen 등, 2000). 시각계에서 나오는 입력 정보는 머리와 몸통 조절이 안정될 때 처음에는 목 움직임, 그 다음에는 몸통 움직임에 지도화되어 저장된다. 다양한 신체 일부분의 위치를 보여 주는 공간 지도 제작은 근육 동작과 연관되어 있는 것 같다. 목 자세와

시각의 연결은 몸감각이 목 근육에 지도화되어 저장되기 전에 일어난다(Shumway-Cook과 Woollacott, 2012). 대부분의 사람들은 세 살까지는 시각이 우세한 감각 시스템이며, 유아가 걸을 때 시각에 의존해서 자세를 조절한다는 데 동의한다. 또한 몸감각이 지도화되어 저장되는 동시에 안뜰 정보도 지도화되어 목 근육에 저장된다. 결국에는 시각-안뜰 정보와 같은 감각 입력 정보의 결합을 지도화하는 작업이 이루어진다(Jouen, 1984). 이러한 이중 모델 지도화(bimodel mapping)덕분에 이전 자세와 현 자세를 비교할 수 있다. 개개인의 감각에서 나오는 감각 정보의 지도화는 목에서 몸통, 다리 순으로 진행된다(Shumway-Cook과 Woollacott, 2012). 시각에서 나오는 정보는 신체가 움직일 때 되먹임으로 작용하고, 그와 동시에 앞먹임이 되어 움직임을 예측해 주는 신호가 된다. 아이가 다리에서 전해지는 몸감각 정보를 이용하는 법을 배울 때 몸감각 입력 정보는 자세 반응을 결정해주는 주요한 감각 입력 정보가 된다.

몸감각은 촉각과 고유감각에서 전해지는 결합된 입력 정보다. 성인은 몸감각을 자세 반응의 주요한 원천으로 이용한다. 감각 충돌이 일어날 때 안뜰계가 자세 반응을 결정짓는다. 몸감각은 움직이라고 하고 시각은 움직이지 말라고 할 때 안뜰 입력 정보는 그러한 충돌을 해결해서 균형을 유지할 수 있어야 한다. 그러나 Hirabayashi와 Iwasak (1995)의 주장에 따르면 기립 자세 조절과 관련된 안뜰 기능은 15세가 되어도 성인 수준에 이르지 못한다.

눈-머리 안정화. 머리에는 자세와 균형에 가장 큰 영향을 미치는 감각수용기가 두 개 있다. 눈과 미로가 바로 그것이다. 이 두 감각계는 주변 환경과 머리 각각의 움직임에 관한 진행 중인 감각 입력 정보를 제공한다. 눈과 미로는 공간에서의 머리 방향을 알려 준다. 눈은 머리가 움직일 때도 안정적인 시각 이미지를 유지할 수 있어야 하고, 몸이 움직일 때 머리와 함께 움직일 수 있어야 한다. 미로는 머리의 움직임에 관한 정보를 안구 핵(ocular nuclei)에 전달하고, 위치에 관해서는 운동 수행자가 자기중심적(egocentric, 몸과 비교한 머리 위치) 운동과 세상 중심적(exocentric, 주변 환경의 물체와 비교한 머리 위치) 운동을 구별할 수 있도록 도와준다. 걷거나 엘리베이터를 탈 때 머리가 움직이는 것은 세상 중심적 운동의 실례다.

공간에서의 머리 안정화 전략(HSSS)은 몸을 움직이기 전에 공간에서의 머리 안정화를 예측하는 것과 관련이 있다. 유아는 세 살 무렵 평평한 땅을 걸을 때 이러한 전략을 처음으로 구사한다(Assiante와 Amblard, 1995). 공간적 환경에 관해서 머리의 각 위치를 유지할 때 안뜰 입력 정보를 보다 더 잘 해석할 수 있다. HSSS는 7세에 성숙하는 것 같다(Assiante와 Amblard, 1995). 나이가 더 많은 성인들은 왜곡되거나 일치하지 않는 몸감각 정보와 시각 정보를 받을 때 HSSS를 사용한다(DiFabio와 Emasithi,1997).

근골격계. 신체는 기계적으로 연결된 구조로, 자세를 지탱해주고 자세 반응을 제공한다. 근육과 관절, 힘줄, 인대의 점탄성은 자세와 움직임을 제약하는 고유의 성질이 될 수 있다. 목과 가슴, 골반, 엉덩이, 무릎과 같은 신체 분절들의 유연성은 자세를 취하고 유지하거나 자세 반응을 보이는 데 기여한다. 각각의 신체 분절은 질량을 지니고 있고, 각기 다른 비율로 성장한다. 관절을 움직일 수 있는 각각의 방식은 자유도(degree of freedom)를 의미한다. 신체의 아주 많은 개별적 관절들과 근육들은 수많은 방식으로 움직일 수 있기 때문에 특정한 근육들은 자유도를 조절하기 위해서 협동 작용(synergy)을 한다.

정상적인 근긴장은 자세를 유지하고 정상적 움직임을 지탱하는 데 필요하다. 근긴장은 근육의 휴식 시 장력(Lundy-Ekman, 2013)이자 신장에 저항하는 근육의 경직(Basmajian과 Deluca, 1985)을 뜻한다. 근긴장은 사지팔다리를 수동으로 움직일 때 느껴지는 저항을 평가해서 결정한다. 저항은 주로 근육의 점탄성 때문에 생겨난다. 신장반사가 일어날 때 근육 고유감각기인 근육방추(muscle spindles)와 골지힘줄기관(Golgi tendon organs)이 근긴장이나 근육 강도를 조절한다. Shumway-Cook과 Woollacott (2012)은 서 있는 자세에서 중력에 저항하는 근육의 기본적 활동을 자세

긴장(postural tone)이라고 했다. 그밖에 다른 학자들도 근육 집단의 근긴장 유형들을 자세 긴장으로 본다. 근육과 근방추, 골지힘줄 기관, 하행 운동로의 점탄성이 근긴장을 조절한다.

운동 협응. 운동 협응은 근육 활성화를 자세 유지 순서대로 조직하는 능력이다. 이러한 운동 협응의 실례로는 자세 반응에 근육 협동 작용을 이용하고, 기립 자세에 동요 전략(sway strategies)을 사용하는 것이다. 이에 관해서는 신경 조절을 다루는 부분에서 다시 설명하겠다. 근육 협동작용에 어떤 근육을 사용할지는 수행할 과제와 과제를 수행하는 환경에 따라 달라진다.

근력과 근긴장은 중력에 저항하는 움직임과 운동 협응의 전제 조건이다. 머리–몸통 조절을 하려면 엎드린 자세에서 머리와 목, 몸통을 중력의 반대 방향으로 뻗어 올릴 수 있는 힘이 필요하다. 뿐만 아니라 똑바로 누워서 머리와 목, 몸통을 중력의 반대 방향으로 구부리고, 옆으로 누워서 머리와 목, 몸통을 옆으로 굽힐 수 있어야 한다.

예측적 중추 조절. 예측적 중추 조절은 자세 조절의 요소로, 이를 가장 잘 설명해주는 말은 자세 준비성(postural readiness)이라고 할 수 있다. 움직임에 앞서 자세 준비 상태를 만들어 주는 예측적 신호는 감각과 인지다. 이러한 준비성이나 자세 조절(postural set)은 반드시 움직임을 뒷받침해 주어야 한다. 아침에 잠에서 깼을 때 얼마나 움직이기가 힘든지 한 번 생각해보라. 몸이 움직일 준비가 되어 있지 않기 때문이다. 이처럼 자세가 준비되지 않은 상태와 대조적으로 올림픽에 출전한 선수는 당면 운동 과제에 극도로 집중해서 모든 근육을 긴장시킨 채 당장이라도 움직일 태세를 갖추고 있다. 예측적 중추 조절은 자세 조절에 매우 중요한 요소이다. 성숙한 운동조절의 특징은 자세 조절을 통해 향후의 움직임을 예측하는 신체 능력이다. 예를 들어 무거운 역기를 들 때 팔 근육을 긴장시키는 능력이다. 예측적 준비는 앞먹임 과정의 실례로, 향후의 움직임을 준비하기 위해서 감각 정보를 미리 보낸다. 이와는 대조적으로 되먹임 과정에서는 움직임에서 얻은 정보를 신경계로 보내서 비교하고 오류를 감지해 낸다. 신경 손상을 보이는 많은 성인 환자들은 이러한 예측적 준비가 부족하다. 그렇기 때문에 자세 준비는 치료의 시작점이 된다. 신경 손상을 보이는 아동들은 이런 식으로 감각을 이용하는 경험을 못했을 수도 있다.

환경 적응. 우리의 자세와 움직임은 그 움직임이 일어나는 환경에 적응한다. 이는 움직이는 버스에 탔는데 잡을 만한 것이 없을 때 자세를 바꾸는 방식과 매우 유사하다. 갓난아기는 태어나자마자 중력의 지배를 받는 환경에 적응해야 한다. 갓난아기의 감각계(sensory system)는 현 상황에 맞추어 역동적으로 변하는 움직임 유형을 만들 수 있도록 정보를 제공한다. 시스템 모델에서 이러한 움직임 유형은 전형적인 자세 반응에 국한되어 있지 않다. 자세망(postural network)이 발달하면서 예측적 자세 조절도 발달해 자세 유지에 이용된다. 적응적 자세 조절(Adaptive postural control)은 내적으로나 외적으로 인지한 요구에 대응해 움직임을 바꿀 수 있게 해 준다.

내쉬너(Nashner)의 기립 시 자세조절 모델.

내쉬너(Nashner, 1990)는 약 20여 년을 바쳐서 기립 균형 조절 모델을 만들었다. 이 모델은 가만히 서 있는 자세에서 볼 수 있는 세 가지 흔한 동요 전략을 설명해 준다. 발목 전략과 엉덩이 전략, 디딤 전략이 그것이다. 가만히 서 있는 성인은 발목을 흔들거린다. 이러한 전략은 발이 단단한 표면에 닿아 있는지, 시각계와 안뜰계, 몸감각계가 온전한 상태인지에 따라 달라진다. 사람이 뒤쪽으로 흔들리면 앞정강근(anterior tibialis)이 작용해 몸이 앞으로 움직인다. 한편 앞쪽으로 흔들리면 장딴지근(gastrocnemius)이 작용해 몸이 다시 중앙으로 움직인다.

두 번째 동요 전략은 엉덩이 전략이라고 하는데 주로 지지면이 좁을 때, 예를 들어 평균대 위에 옆으로 서 있을 때 사용한다. 이 상황에서는 발 전체가 지지면과 닿지 않기 때문에 발목 전략은 효과적이지 않다. 엉덩이 전략을 사용하면 발목 근육보다 먼저 엉덩이 주변 근육이 활성화되어 균형을 유지한다. 마지막 동요 전략은 디딤 전략이다. 균형 이상(balance disturbance)이 충분한 속도와 강도로 진행될 경우, 개인은 균형 상실이나 추락을 막기 위해 발을 내딛는다. 이러한 디딤 반응은 다리의 보호 반응과 동일하다. 발목 전략과 엉덩이 전략은 그림3-10에 나와 있다.

앞서 언급했던 시각계와 안뜰계, 몸감각계는 움직임에 관한 정보를 신체에 제공하고, 서 있는 자세에 적합한 자세 반응이 나오도록 신호한다. 아이가 세 살이 되면 시각계가 자세와 균형을 조절하는 우세한 감각계가 되는 것 같다. 시각은 몸이 움직일 때 되먹임으로 작용하는 동시에 향후의 움직임을 예측하는 앞먹임으로 이용된다. 생후 18개월이 된 아동은 가만히 서 있는 자세에서 균형이 흐트러질 때 발목 전략을 사용한다(Forssberg와 Nashner, 1982). 그러나 반응 시간은 성인보다 훨씬 길다. 4세에서 6세까지의 아동이 기립 자세에서 균형 이상에 반응하는 양상을 조사한 결과는 매우 다양했다. 심지어 이 또래 아동이 더 어린 아동보다 균형 감각이 훨씬 나쁘다는 결과가 나오기도 했다. 이 또래 아동들은 때로는 발목 전략을, 때로는 엉덩이 전략을 선보였다(Shumway-Cook과 Woollacott, 1985). 원래 아동은 열 살까지는 성인과 같은 반응을 보이지 못한다고 한다.

안뜰계와 몸감각계가 정상일 때 움직이는 발판 위에 서서 자세 동요 전략을 구사하는 능력은 4세에서 6세까지의 아동이 7세에서 10세까지의 아동보다 더 뛰어나다(Shumway-Cook과 Woollacott, 1985). 7세에서 10세까지 아동의 경우, 성인 동요 전략은 주로 몸감각계 정보에 좌우된다고 한다. 안뜰 정보도 사용하나 이 나이에는 안뜰 시스템이 아직 성숙하지 않은 상태이다. 흥미롭게도 시각 손상을 입은 아동은 시각 손상을 입지 않은 아동과 동일한 수준으로 자세 동요를 최소화할 수는 없다(Fortfors-Yemans와 Riach, 1995). 이 또래 아동이 몸감각 정보나 안뜰 정보를 완전히 활용할 수 없기 때문인지도 모른다.

조사 결과에 따르면 7세에서 8세 무렵에 HSSS를 사용할 수 있기 때문에 과도기가 시작된다고 한다(Rival 등, 2005). 7세 아동은 역동적인 안뜰 신호에 의존해 HSSS를 효과적으로 사용할 수 있다(Assaiante Amblard, 1995). 그러나 기립 자세에서 성인 자세 반응으로의 이행은 12세가 되어야 완성된다. 12세에서 14세까지의 아동은 잘못된 시각 정보를 받으면 성인 수준의 적절한 균형 반응을 보이지 못한다(Ferber-Viar 등, 2007). 이들 조사 학자들은 6세에서 14세까지 아동이 동일한 연구 대상인 청소년들만큼이나 좋은 몸감각 입력 정보와 점수를 보였지만 이들의 감각 조직이 달랐다는 사실을 알아냈다. 결론적으로 말해서 아동은 균형 반응을 결정할 때 안뜰 입력 정보 보다 시각 입력 정보를 선호하고, 이러한 아동에게 안뜰 정보는 자세 조절에 가장 효과적이지 못한 요소다.

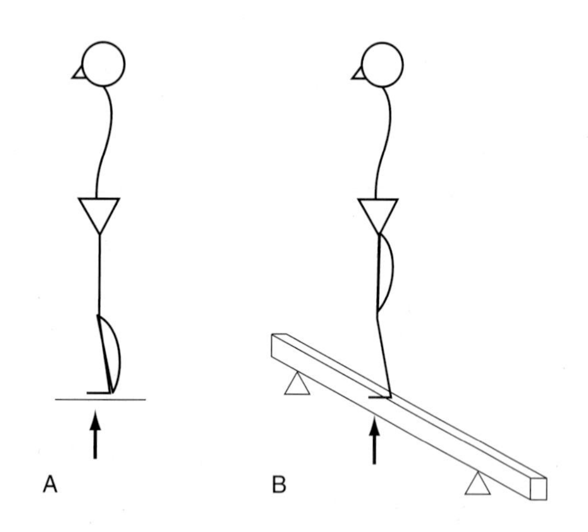

그림 3-10. 동요 전략. A, 가만히 서서 발목을 흔드는 자세. B, 평균대 위에 서서 엉덩이를 흔드는 자세
(Cech D.와 Martin S.의 ≪평생에 걸친 기능적 운동 발달≫ 3판에서 271쪽을 수정한 내용, 세인트루이스, 엘제비어 출판사, 2012).

운동조절 관련 문제

상의하달식 조절 또는 분산 조절

움직임 조절 문제는 언제나 운동조절에 관한 토론의 핵심 쟁점이었다. 운동조절이 움직임을 익히는 시간이나 새로운 운동 기술이 발달하는 시간과 비교했을 때 천분의 1초 단위로 일어난다는 사실을 명심하기 바란다. 이러한 위계적 반사 모델은 운동 수행자를 통제하는 피질이 예측해 낸다. 그러나 피질이 없어도 움직임은 여전히 일어날 수 있다. 피질이 움직임을 일으킬 수 있지만 그 일을 할 수 있는 유일한 신경 구조는 아니다. 기저핵을 포함한 병리학 연구에 따르면 파킨슨병에 걸린 환자의 경우에는 움직임 시작이 느려진다고 한다. 움직임을 일으키거나 조절할 수 있는 다른 신경 구조로는 기저핵과 소뇌, 척수가 있다. 척수는 중추 유형 발생기를 활성화시켜 기본적인 상호 움직임을 일으킬 수 있다. 사지의 반사적 회피와 폄(신전, extension)은 자율적 보행을 돕는 주기적 움직임 유형을 발생시키기 위해 수정할 수 있지만 뇌의 상위 중추들이 수정할 수 있는 것이다. 마지막으로 소뇌는 움직임 협응과 움직임 시기에 관여한다. 신경계 내부에서 하나 이상의 구조가 운동에 영향을 미치고 운동을 조절할 수 있다는 사실은 움직임의 분산 조절에 신빙성을 실어 준다.

움직임을 바라보는 시스템적 관점에서 단 하나의 조절 장소는 존재하지 않는다. 움직임은 운동 수행자와 운동 과제, 환경의 결합된 요구에서 나온다. 과제를 수행하는 최상의 방법을 연구한 결과에 나와 있듯이, 가장 효과적으로 움직임을 일으키려면 구조(structure)와 경로(pathway), 과정(process)이 필요하다. 이러한 구조와 경로 혹은 과정은 지속적으로 사용해야 운동 과제를 더욱 잘 수행할 수 있고, 특정한 운동 과제를 수행할 때 선호하는 방법이 된다. 발달 상 특정한 구조와 경로, 혹은 과정 발달 초기에만 사용할 수 있기 때문에 나이가 들면서 움직임이 다듬어지고 조절 능력이 개선된다. 움직임 조절은 중추신경계(CNS)가 변할 뿐만 아니라 근골격계가 성숙하면서 개선된다. 근골격계는 움직임을 수행하기 때문에 그 성숙도가 움직임 결과에 영향을 미칠 수 있다.

자유도

자유도의 기계적 정의는 '하나의 관절에서 나올 수 있는 운동면(planes of motion)의 수'이다(Kelso, 1980). 한 시스템의 자유도는 조절 시스템의 모든 독립적인 움직임 요소들과 각 요소의 활용 방식 개수로 정의한다(Schmidt와 Wrisberg, 2004). CNS 내부에는 과잉 수준이 다수 있다. 번스타인(Bernstein, 1967)은 CNS의 핵심 기능이 자유도나 사용되는 독립적인 움직임 요소들의 수를 최소화해서 그러한 과잉을 조절하는 것이라고 주장했다. 예를 들어 근육들은 특정한 움직임 유형이나 관절 운동을 조절하기 위해서 다양한 방법으로 발화할 수 있다. 뿐만 아니라 한 가지 특정한 결과나 행동을 완수하기 위해서 많은 다양한 운동학적 유형이나 움직임 유형을 수행할 수 있다. 새로운 과제를 익히는 초기 단계에서 신체는 종종 '2나 2 이상의 자유도를 연결하고(Gordon, 1987)', 근육 협응을 통해 몇몇 관절들을 단단하게 고정시켜 관절의 운동량을 제약해서 매우 간단한 움직임을 생성해 낼 수 있다. 행동이나 운동 과제를 익힐 때는 제일 먼저 근육 동시 활성화를 통해 관절들을 단단하게 고정시키고, 그 다음에 동시 활성화를 약화시켜 근육을 자유롭게 풀어 준다. 이로써 관절 주변의 자유도가 증가한다(Vereijken등, 1992). 이 개념은 이 장 후반부에서 좀 더 자세하게 다루겠다.

운동 기술을 획득하는 초기 단계에서 자유도를 최소화하기 위해 관절경직을 높이는 것이 모든 유형의 운동 과제에 부합하는 것은 분명 아니다. 실제로 다른 기술마다 각기 다른 유형의 근육 활성화가 필요하다. Spencer와 Thelen (1997)은 근육 동시활동(coactivity)이 빠르게 수직으로 뻗는 움직임을 익힐 때 증가한다고 했다. 또한 고속의 움직임이 실제로는 원치 않는 회전력에 대응하기 위해 근육 공동 활동이 필요해서 생겨난다고 주장했다. 그러나 걷기와 앉았다 일어서기와 같이 다수의 관절을 움직이는 복잡한 과제를 수행할 때는 근육 공동활성화가 전혀 바람직하지 않고, 사실상 부드럽고 효과적인 움직임을 일으키는데 부정적인 영향을 미칠 수 있다. 자유도 문제 해결은 운동과제와 환경의 요소들뿐만 아니라 학습자의 특징에 따라 달라진다. 번스타인의 원 가설(1967)은 다양한 해석의 여지가 있지만 자유도 문제 해결은 계속해서 운동조절 시스템 이론의 근본적인 기초가 될 것이다.

최적화 원칙

최적화 이론에 따르면 움직임이란 선택 비용 함수(select cost function)를 최적화하는 것이다(Cruse 등,

1990; Nelson, 1983; Wolpert 등, 1995). 비용 함수는 시스템에 비용을 치르고 움직임에 영향을 미치는 운동학적(공간적) 요소들이나 역동적(힘, force) 요소들이다. 운동 기술 발달이나 재학습의 목적은 시스템에 치르는 비용을 최소화하면서 선택한 목표를 달성하는 것이다. 과제 요구를 충족시키고 과제 제약을 수용하면서 비용을 줄인다면 이론적으로 자유도 문제가 해결되고 움직임의 효율성이 향상된다.

아동과 성인이 발달하면서 혹은 신경 손상에서 회복되는 동안 기능적 이득을 얻으려고 분투할 때는 효율적이지 못한 움직임 전략을 취하는 것처럼 보일 수도 있다. 적어도 외부적 관점에서는 그렇다. 그러나 실제로는 그들이 현재 갖고 있는 자원들을 이용해서 가장 효과적인 움직임을 수행하는 것일지도 모른다. 예를 들어 편마비성 뇌성마비 아동은 어깨나 손목이 약하고 손가락이 잘 나눠지(분리되지) 않는 물리적 제약을 안고 있을 수도 있다. 그래서 과제 요구를 충족시키면서 시스템에 치르는 비용을 줄이기 위해 '굽힘 협동작용(flexion synergy)'을 사용할 수 있다. 이는 어깨 높이에 있는 물건을 잡으려고 어깨를 올리는 동시에 몸통을 옆으로 굽힐 때 팔꿈치를 구부리는 것이다. 이러한 굽힘 협동작용은 움직임 요소의 수를 줄이는 것처럼 보이지만 목표물을 성공적으로 획득할 수 있게 해주는 전략이다. 이러한 전략은 특정한 상황에서는 유용할 수 있지만 광범위한 과제를 수행할 때는 상습적인 것이 될 수 있고, 효과적이지 않을 수도 있다. 조사학자들은 우반구 손상으로 편마비 뇌성마비에 걸린 아동이 고유감각 되먹임(proprioceptive feedback)을 이용해서 팔 위치를 인지하는 능력이 부족하다는 사실을 발견했다(Goble등, 2005).

자세 조절의 다양성은 유아기에 나타난다. 다양성은 기능적 움직임 발달에 필요하다. 더 나아가서 자세를 다양화하고 조정하는 능력이 있으면 주변 환경을 보다 더 쉽게 탐구할 수 있고, 인식과 행동 기회를 얻을 수 있다. 자세 다양성과 움직임 다양성이 부족한 유아는 운동장애를 보일 위험이 있다. Dusing과 Harbourne (2010)은 복잡한 자세 조절 능력의 부족은 발달 이상의 조기 징후가 될 수도 있다고 주장했다. 이와는 반대로 자세 다양성과 움직임 다양성에 복잡성까지 더해지면 운동 기능의 기능적 변화가 촉진될 수 있다.

자세 조절과 운동조절의 연령 관련 변화

유아는 움직이면서 움직이는 법을 배운다. 자세 조절은 움직임을 도와주고, 뻗기와 잡기, 기기, 걷기와 같은 운동 동작 중에서 어떤 동작을 지원할지에 따라 그에 적합한 전략을 제공해 준다. 발달 초기의 움직임은 다양성이 매우 높다. 발달 초기에는 움직임 적응력이 명확하게 드러나지 않지만 경험이 쌓이면서 발달한다(Hadders와 Algra, 2010). 자세 조절의 다양성은 유아기에 나타난다. 유아는 주변의 시각 정보로 머리의 자세 반응을 조정한다(Bertenthal 등, 1997). 이처럼 시각 정보를 이용해 자세 반응을 조정하는 능력은 생후 5개월에서 생후 9개월 사이에 향상된다.

앉은 자세 균형 전략

유아는 앉을 수 있기 전에 특정한 자세 반응들을 방향성 있게 발달시켜 나간다(Hadders와 Algra, 2008). 이러한 반응들은 타고나는 것처럼 보이며, 수직적 방향감(orientation of the vertical axis) 및 COM과 BOS의 관계와 같은 안정성 제약의 내적 표상을 따른다. 이는 초기 자세 반응의 원천인 중추 유형 발생기 가설과 일치한다(Hirschfeld와 Fossberg, 1994). 이러한 회로는 구심성(날) 정보에 촉발 받아 일어나는 근육 활성화의 공간적 특성을 결정짓는다. 이 시기의 유아는 다수의 반응을 보여 준다. 좀 더 발달하여 이 회로가 성숙하고 경험이 쌓이면 초기의 다양성이 감소한다. 이러한 반응들의 일시적이고 공간적인 특성들은 특정 과제의 요구에 맞추어 세밀하게 다듬어진다. 이러한 적응 반응을 형성하려면 다감각 구심성 입력 정보가 필요하다.

예측적 자세 조절 발달에 관한 많은 연구는 뻗기를 과제로 삼는, 앉는 자세에서 이루어진다. 몸통의 자세 활동은 유아가 앉은 자세에서 손을 뻗을 때 측정한다

(Riach와 Hayes, 1990). 몸통 근육은 뻗기에 근육을 사용하기 전에 활성화 된다. 조사 학자들은 예측적 자세 조절이 수의적(자발적) 움직임에 앞서 일어나고, 생후 9개월까지의 유아한테서 찾아볼 수 있다고 결론 내렸다(Hadders와 Algra 등, 1996a). 아동은 성장하면서 훨씬 더 많은 불균형을 견뎌내는 것 같다(Hay와 Redon, 1999). 예측적 자세 조절 능력은 3세에서 8세 사이에 상승하고, 이보다 더 나이가 많은 아동은 보다 더 세밀한 반응을 보여 준다. 다시 말해서 아동은 특정 과제에 필요한 자세 준비성의 수준을 보다 더 잘 맞춰나가게 된다. 예를 들어 무거운 물건을 들 때와 비교해서 가벼운 물건을 들 때는 자세 활성화를 약화시켜야 한다.

기립 자세 전략

노인은 젊은이들보다 훨씬 더 즉각적으로 흔들린다. (Maki와 McIlroy, 1996; Sturnieks 등, 2008). 이러한 흔들림의 증가는 중력의 영향을 메우려는 보상이라고 한다. 그러나 노인은 증가한 흔들림을 이용해서 진행 중인 감각 정보를 CNS의 자세 조절 매커니즘에 제공할 수도 있다. 감각 상태를 바꾸는 것은 젊은이와 노인 모두에게 어려운 일이다. 노인이 서 있는 자세에서 눈을 감으면 젊은이들보다 훨씬 더 비대칭적인 자세가 나온다. 노인은 가만히 서 있는 자세에서 시각을 잃었을 때 다른 감각 신호들을 이용하기보다 발목 관절 주변의 근육들을 협력수축하는 경직 반응을 보인다고 한다(Benjuya 등, 2004). 중앙 가쪽으로 흔들림이 증가하는 것은 노인이 쓰러질 것이라고 가장 잘 예측해 주는 징후이다(Maki 등, 1994). 디딤 반응은 COM의 위치가 BOS를 벗어나지 않아도 외적 동요에 대응하는 보다 더 현실적인 반응일 수도 있다(Rogers 등, 1996; Maki와 McIlroy, 1997).

평생에 걸쳐서 나타나는 자세와 움직임의 변화를 가장 잘 설명해 주는 운동조절 모델은 운동 수행자의 연령과 경험, 수행 과제의 물리적 요구, 과제 수행 환경에 따라 달라진다. 2세 아동이 부엌 식탁 위의 쿠키 단지를 잡는 움직임 문제를 해결하는 방법은 12세 아동의 문제 해결 방법과 다를 것이다. 나이가 어릴수록 움직임 문제 해결책이 점점 더 비슷해진다. 반면 유아가 성장하면서 움직임 문제 해결책이 다양해지고, 그 자체가 자세와 움직임과 관련된 신체 시스템의 자기조직 속성을 반영할 수도 있다.

자세는 몸을 움직이기 이전과 이후, 몸을 움직이는 동안에 움직임에 영향을 미치는 역할을 수행한다. 자세는 움직임의 준비 상태로 보아야 한다. 앉은 자세에서 인라인 스케이트 타는 법을 배우려는 사람은 없을 것이다. 인라인 스케이트 신발을 신고 출발하기 전에 먼저 일어서서 균형을 잡으려고 할 것이다. 이 사람의 신체는 움직이기 전에 필요한 자세를 예측하려고 한다. 그러므로 운동장애가 있는 환자들을 다루는 의료인들은 환자들에게 움직이기 전에 움직일 준비를 시켜야 한다.

인라인 스케이트를 배울 때는 몸을 꼿꼿이 세우는 자세를 유지하려고 끊임없이 노력한다. 자세 조절은 사람이 앞으로 움직일 때 정렬 상태(alignment)를 유지해 준다. 사람이 균형을 잃고 쓰러지면 자세 반응이 나온다. 쓰러질 때는 신경계에서 자동적인 자세 반응이 나온다. 팔이 몸을 보호하려고 뻗어 나간다. 스턴트맨은 가볍게 팔을 굽혀 착지하고 나서 몸을 웅크리고 굴러서 부상을 피하는 법을 배운다. 이전의 경험과 현재의 상황 지식을 이용하면 최종 결과가 수정되고, 최상의 보호 반응이 나온다. 많은 상황에서 기본적인 운동 기술을 배우고 완벽하게 수행하려면 자동적인 자세 반응을 잊어버려야 한다. 웅크린 자세에서 몸을 앞으로 움직여 날아오르는 멀리뛰기 선수를 생각해 보라. 이 선수는 뒤로 넘어지지 않으려고 팔을 앞으로 뻗고, 뒤로 뻗어나가려는 자연스러운 신체 반응에 저항해야 한다.

운동 학습

사람은 평생 동안 새롭고 도전적인 운동 과제에 직면해서 새로운 운동 기술을 수행하는 법을 배워야 한다. 유아는 머리를 치켜들고 구르고 앉고 기고, 종국에는 걷는 법을 배워야 한다. 각각의 운동 기술을 통달하려면 시간이 걸리고, 그것도 유아가 각각의 기술을 여러 가지 다른 방식으로 연습해 보고 나서야 가능해진다. 유아는 그렇게 해서 달리기와 가구에 기어 올라가기, 계단 오르기, 뛰어오르기, 공 갖고 놀기에 능숙해진다. 취학 연령의 아동은 더욱 발전해서 축구공을 골대로 차 넣고, 공을 농구골대에 던져 넣으며, 자전거나 스케이트보드를 탄다. 청소년과 성인이 새로운 운동을 배울 때는 기술을 다듬어서, 스키를 타는 중에 보다 더 효과적으로 회전하거나 야구공을 좀 더 빠르게 스트라이크 존으로 던져 넣는다. 성인은 또한 직업과 관련된 과제를 보다 더 효과적으로 수행하는 법을 배운다. 이러한 과제는 직업에 따라서 그 종류가 매우 광범위하며, 그 종류에는 효과적으로 타자를 치는 일과 사다리 오르기, 혹은 상자 들기가 있다. 노인은 힘과 유연성의 변화에 발맞추어 운동 기술 수행 능력을 수정해야 할지도 모른다. 예를 들어 골프를 치는 노인은 골프채를 휘두르는 자세를 바꾸거나 골프공을 최대한 멀리 날려 보내기 위해 좀 더 묵직한 골프채를 사용하는 법을 배워야 할 수도 있다. 종종 다치거나 병에 걸린 사람은, 일어나 앉고, 걷고, 셔츠를 입거나 차를 타고 내리는 법을 다시 배워야 한다. 이처럼 개개인이 새로운 움직임을 배울 때 사용하는 방식은 운동 학습 과정을 보여 준다. 운동 학습은 개인이 운동 과제를 배우거나 수정하는 법을 연구하는 것이다. 운동조절에서 살펴봤듯이 운동 과제의 특성과 운동 학습자, 운동 환경은 운동 기술의 수행과 학습에 영향을 미칠 것이다. 운동 학습에서 일반적 원칙들은 모든 연령의 사람들에게 적용되지만 아동과 성인, 노인이 사용하는 운동 학습 방법은 다양하다.

정의와 시간 단위

운동 학습은 연습과 경험의 결과로 운동 수행의 영구적인 변화를 가져오는 과정이라고 정의 할 수 있다(Schmidt와 Wrisberg, 2004). 운동 학습의 시간 단위는 운동조절의 천분의 1초와 운동 발달인 년 단위 사이다. 연습 시간과 날, 주 단위는 운동 발달의 일부분이다. 유아가 중력을 극복하고 걷는 법을 배우려면 일년 가까이 걸린다. 몇몇 기술은 완벽하게 익히려면 몇 년이 걸리기도 한다. 타율을 높이거나 축구공을 잘 차려고 애쓰는 사람에 물어보면 잘 알 수 있을 것이다. 운동 발달과 운동조절, 운동 학습은 각기 다른 시간대에 일어나지만 이러한 시간대에 어느 한 쪽이 일어나지 못하게 배제되지는 않는다. 실제로는 이러한 과정들이 서로 다른 시간대에 일어나기 때문에 상호 호환될 수 있다.

운동 학습 이론

운동 기술을 조절하고 습득하는 방법에 관한 많은 연구를 불러일으킨 운동 학습 이론이 두 가지 있다. 이 두 이론은 모두 프로그램을 이용해서 움직임을 조절하고 습득하는 방법을 설명한다. 아담스의 닫힌 고리 운동 학습 이론(Adams, 1971)과 슈미트의 도식 이론(Schmidt와 Lee, 2005)이 그것이다. 이 두 이론의 차이점은 진행 중인 되먹임의 혜택 없이도 일어나는 열린 고리 과정을 얼마나 강조하느냐이다(Schmidt와 Lee, 2005). 슈미트는 느린 움직임과 빠른 움직임의 습득을 설명하려고 도식 이론을 만들어낼 때 아담스의 기발한 아이디어들을 많이 수용했다. 이 장 전반부에서 정의했듯이 내재적 되먹임과 외재적 되먹임은 상기의 두 이론에 중요한 요소들이다.

아담스의 닫힌 고리 이론

이 아담스 이론의 명칭은 되먹임의 결정적인 역할을 강조한다. 운동조절의 닫힌 고리라는 개념은 감각 정보가 운동 행동을 처리하고 조절하려고 중추신경계로 전달된다는 뜻이다. 이러한 감각 되먹임은 정확한 움직임을 이끌어낼 때 사용된다.

아담스 이론의 기본 전제는 움직임이란 현재 진행 중인 움직임과 실습 시에 이루어진 수정의 내부 기준(internal reference)을 비교해서 수행하는 것이라는 사실이다. 이러한 내부 기준은 과제를 정확하게 수행했을 때 얻게 되는 되먹임을 뜻하는 지각 흔적(perceptual trace)이라고 한다. 지각 흔적은 학습자가 반복적으로 동작을 수행할 때 형성된다. 지각 흔적과 되먹임을 계속 비교하면 팔다리를 바라는 위치에 놓을 수 있다. 과제를 배우려면 정확한 지각 흔적을 강화하기 위해서 기술을 반복적으로 연습해야 한다. 수행의 질은 지각 흔적의 질과 직결된다. 지각 흔적은 학습자가 보내는 내재적 되먹임 신호들로 구성된다. 여기서 내재적 되먹임은 동작 수행을 통해 생겨나는 감각 정보를 뜻한다. 예를 들자면 움직임의 운동감각적 느낌이 그것이다. 새로운 움직임을 배울 때 정확한 결과(outcome)는 가장 효과적이고 정확한 지각 흔적의 발달을 강화해 준다. 반면 부정확한 결과를 낳는 지각 흔적은 폐기된다. 지각 흔적은 반복될수록 더욱 강해지고, 되먹임의 결과로 정확한 동작 수행을 보여 주면서 보다 더 정확해진다.

이에 관한 연구가 보다 더 깊어지면서 운동 학습의 닫힌 고리 이론의 한계가 드러났다. 이 이론으로는 감각 정보를 이용할 수 없을 때 일어나는 움직임을 설명할 수 없다는 것이 그 한계이다. 이 이론은 또한 개인이 반복된 연습과 지각 흔적의 도움 없이 가끔씩 새로운 과제를 성공적으로 수행할 수 있는 방법도 설명하지 못한다. 뿐만 아니라 뇌의 기억 저장 용량을 고려했을 때 수행 가능한 모든 움직임에 필요한 개별적인 지각 흔적들을 뇌가 모두 다 저장할 수 있는지도 의문스럽다(Schmidt, 1975).

슈미트의 도식 이론

슈미트의 도식 이론은 아담스의 닫힌 고리 이론과 그 한계에 직접적으로 대응하기 위해 만들어졌다. 슈미트 이론은 되먹임 없이 행할 수 있는 움직임을 습득하는 법과 관련된 것이며, 열린 고리 조절 요소와 운동 프로그램에 의지해서 학습을 증진시킨다. 움직임에 필요한 운동 프로그램은 움직임을 성공적으로 완수해내기 위해서 일반적인 규칙들을 반영한다. 이러한 일반적 규칙들, 혹은 도식들은 다양한 상태나 환경에서 움직임을 수행할 때 사용할 수 있다. 예를 들어 걷기의 일반적인 규칙들은 타일 위나 잔디, 얼어붙은 보도 위에서 걸을 때, 언덕을 오를 때 적용할 수 있다. 이러한 운동 프로그램은 움직임을 완수하기 위해 필요한 근육 활성화에 관한 공간적이고 일시적인 정보를 제공해 준다(Schmidt와 Lee, 2005). 이 운동 프로그램은 숙련된 동작들과 관련된 규칙들의 도식이거나 추상적 기억이다.

도식 이론에 따르면 사람이 움직임을 수행할 때는 아래의 네 가지 정보가 단기 기억으로 저장된다.

1. 움직임을 수행하는 최초의 상태(예- 신체의 위치, 동작을 수행하는 사람과 닿은 표면의 종류, 혹은 과제를 수행하기 위해 사용하는 물체의 모양과 무게)
2. 운동 프로그램에 부여되는 변수(예- 운동 프로그램 시작 시에 구체적으로 명시된 힘이나 속도)
3. 수행 결과
4. 움직임의 감각적 결과(예 - 움직임을 수행할 때의 느낌, 동작 수행으로 생겨나는 소리, 혹은 동작 수행의 시각적 효과)

이러한 네 가지 정보를 분석하면 그 정보들의 관계를 파악할 수 있는 통찰력이 생기고, 회상 도식과 인지 도식이라는 두 가지 유형의 도식을 만들어낼 수 있다.

회상 도식은 운동 과제를 완수할 방법을 선택할 때 사용한다. 회상 도식은 또한 운동 수행 초기의 상태와 운동 프로그램 내에 명시된 변수, 운동 수행의 결과라는 세 가지 요소의 관계를 추상적으로 대변해주는 것이기도 하다. 학습자는 운동 프로그램에 명시된 변수와 운동 수행 결과를 분석해서 그 두 요소의 관계를 이해하기 시작한다. 예를 들자면 학습자는 자갈길에서 휠체어를 움직이려고 힘의 강약을 다양하게 조절하면서 휠체어가 얼마나 멀리 움직이는지를 이해할 수 있다. 학습자는 이 도식을 저장해두었다가 다음번에 자갈길로 휠체어를 몰고 갈 때 사용한다.

인지 도식은 운동 행동이 얼마나 잘 수행되었는지를 평가하는 데 도움이 된다. 운동 수행 시작 시의 상태와 운동 수행 결과, 학습자가 인지하는 감각 결과의 관계를 보여주는 것이 인지 도식이다. 인지 도식은 회상 도식과 유사한 방식으로 만들어지기 때문에 일단 만들어졌다 하면 주어진 운동 과제의 수행을 조절하고 평가하는 데 사용될 동작의 감각 결과를 평가하는 데 이용된다.

운동 학습에서 운동 행동은 인지 도식을 이용해서 평가한다. 오류가 발견되면 회상 도식을 다듬는 데 이용한다. 회상 도식과 인지 도식은 숙련된 움직임을 학습할 때 지속적으로 수정되고 업데이트 된다. 도식 이론에도 한계가 있다. 일반적 운동 프로그램의 형성을 설명할 수 없다는 것이다. 새로운 운동 기술을 학습하는 다양한 연습 방법의 효율성을 연구한 결과들이 서로 일치하지 않는다는 것도 도식 이론의 또 다른 의문점이다.

운동 학습 단계

사람이 새로운 기술을 배우는 시기는 보통 감지할 수 있다. 이 시기의 수행은 그 기술을 완벽하게 통달한 사람한테서 찾아볼 수 있는 우아하고 효과적인 움직임이 부족하다. 예를 들어 성인이 스키 타는 법을 배울 때는 보통 무릎을 쭉 펴고 양팔을 옆구리에 붙여서 전신을 뻣뻣하게 유지한다. 그러다가 시간이 지나 좀 더 편안하게 스키를 타게 되면 회전할 때 무릎을 구부렸다 편다. 마지막으로 능숙하게 스키를 타는 사람을 보면 가파른 경사를 내려가거나 활강 경기를 완주할 때 몸 전체가 유동적으로 회전하고 굽었다가 펴진다. 기술 숙련과 관련된 단계는 운동 학습의 초기 단계들과 후기 단계들 사이에서 분명하게 구별된다. 운동 학습 단계의 두 모델은 아래와 같고, 표 3-3에 나와 있다.

운동 학습의 초기 단계에서는 수행하고 있는 기술을 머리로 생각해봐야 하고, 심지어는 입으로 '말하며' 익혀나가야 한다. 예를 들어 스키를 타면서 회전하는 법을 배울 때 초보자는 회전을 시작하는 순간 무릎을 굽혔다가 회전 중에 똑바로 펴고 회전이 끝나면 다시 구부리자고 혼잣말을 할 수도 있다. 이 초보자는 회전을 하면서 '굽히고 펴고 굽히고'나 '아래로, 위로, 아래로'라고 중얼거릴 수도 있다. 운동 학습 과정의 초기에는 움직임이 뻣뻣하고 비효율적이기 일쑤이다. 학습자가 새로운 기술을 항상 성공적으로 완수할 수 있는 것은 아니다. 머뭇거리다가 그 기술의 동작 수행 시기를 정확하게 맞추지 못할 수도 있다.

운동 학습의 후기 단계에서는 그 기술을 머리로 생각할 필요가 없어진다. 예를 들어 이 단계에 다다른 사람은 스키를 타고 가파른 경사를 내려가면서 시기에 맞는 적절한 동작을 자동적으로 수행해나갈 것이다. 이와 마찬가지로 야구 선수는 타석에 들어섰을 때 공을 어떻게 칠지에 관해서 그다지 많이 생각하지 않는다. 타자는 스트라이크 존에 들어오는 공을 자동적으로 쳐낼 것이다. 숙련된 스키 선수나 야구 선수가 실수를 하면 자신의 동작 수행을 자체 평가하고 다음 번에는 그 실수를 바로잡으려고 노력할 것이다.

피츠의 운동 학습 단계

피츠(Fitts, 1964)는 새로운 운동 기술을 습득하는 과정을 분석해서 운동 학습의 3단계를 제시했다. 1단계는 인지 단계로, 이 단계에서 학습자는 완수할 과제의 목표를 의식적으로 생각해야 하고, 순응해야 하는 동작 환경의 특성을 인지해야 한다(Gentile, 1987). 복잡한 방을 가로질러 걷기와 같은 과제를 수행할 때는 바닥의 표면과 방 안에 있는 사람들의 위치와 체형이 고려되어야 하는 조절 요인이다. 바닥이 미끄러울 때와 바닥에 양탄자가 깔려 있을 때 걷는 유형은 서로 다르다. 조명이나 소음 같은 배경의 요소들도 수행에 영향을 미칠 수 있다. 학습의 초기 인지 단계에서는 움직임 목표를 달성하기 위해서 다양한 전략을 사용하려고 한다. 이러한 시행착오 접근법을 사용하면 효과적인 전략들이 세워지고 비효율적인 전략들은 제거된다.

학습의 다음 단계인 연합 단계에서는 학습자가 과제를 수행하는 데 필수적인 일반적 움직임 유형을 개발하고, 기술의 수행을 다듬고 개선할 준비를 갖춘다. 학습자는 미묘하게 움직임을 조정해서 실수를 바로잡고 기술을 운동과제의 다양한 환경적 요구에 맞춘다. 예를 들어 젊은 야구선수는 방망이를 짧게 쥘 때 보다 더 효율적으로 일관성 있게 공을 칠 수 있다는 사실을 배울 수 있다. 이 단계에서는 학습자의 관심이 '무엇'에서 '어떻게'로 옮아간다(Schmidt, 1988).

학습의 마지막 단계인 자동 단계에서는 학습자가 운동 기술에 모든 관심을 집중시킬 필요가 없기 때문에

표 3-3 운동 학습 단계

모델	1단계	2단계	3단계
피츠의 운동 학습 단계	인지 단계 목표를 적극적으로 생각 하기 상태 생각하기	연합 단계 수행 다듬기 오류 수정	자동 단계 자동 수행 일관적이고 효율적인 수행
네오번스타인 운동 학습 모델	초보 단계 자유도 수 감수	고급 단계 몇몇 자유도 해제	전문가 단계 부드럽고 효과적인 움직임을 위해 모든 자유도 사용
일반적 특성	뻣뻣해 보임 모순적인 수행 오류 느리고 부드럽지 못한 움직임	좀 더 부드러운 움직임 오류 감소 개선된 일관성 개선된 효율성	자동적 부드러움 일관적 효율적 오류 수정

Cech D.와 Martin S.의 ≪평생에 걸친 기능적 운동 발달≫ 3판 77쪽에서 발췌, 세인트루이스, 엘제비어 출판사, 2012

운동 기술이 보다 더 '자동적으로' 변한다. 이 단계에서 학습자는 감지하기 힘든 환경적 장애물을 살펴보는 것과 같은 과제의 다른 요소들에 관심을 기울일 수 있다. 또한 환경의 특성 변화에 보다 더 잘 적응할 수 있다. 젊은 야구선수는 다른 방망이를 사용하거나 관중들의 환호성이 들릴 때도 비교적 성공적으로 공을 칠 것이다.

'네오번스타인' 모델

이 모델의 운동 학습 단계는 학습자가 새로운 기술을 배울 때 다수의 자유도를 능숙하게 사용하는 능력을 고려한다(Bernstein, 1967; Vereijken 등, 1992). 이 모델의 운동 학습 초기 단계인 초보 단계에서는 학습자가 과제를 수행하는 동안 조절해야 하는 자유도를 줄인다. 학습자는 몇몇 관절들을 '고정시켜' 동작이 일어나지 않게 하고, 그 관절의 자유도를 제약한다. 예를 들어 스키를 처음 타는 사람이 무릎이 뻣뻣한 상태에서 회전하려고 몸통을 굽히면서 편다고 생각해 보자. 이 결과로 생겨난 움직임은 뻣뻣해 보이고, 항상 효율적인 것도 아니다. 예를 들어 언덕 경사가 너무 가파르거나 스키 타는 사람이 미끄러운 길에서 회전하려고 한다면 그러한 움직임은 효과적이지 않을 것이다. 이 모델의 두 번째 단계인 고급 단계에서는 학습자가 과제를 수행할 때 자유도를 어느 정도 풀어 주면서 더욱 많은 관절을 움직인다. 관절 주변의 작용근(agonist)과 대항근(antagonist muscles)이 초기 움직임 시도에서 관절을 '고정시킨' 것처럼 관절을 제약하기보다는 움직임을 일으키기 위해 협력할 때 협응이 개선된다. 이 모델의 3단계인 전문가 단계에서는 효율적이며 잘 조율된 과제 수행에 필요한 모든 자유도가 풀린다. 이 단계에서 학습자는 움직임의 속도를 조절해 움직임의 효율성을 개선하려고 동작 수행을 조절하기 시작할 수 있다. 스키 타는 사람을 한 번 생각해 보자. 스키를 잘 타는 전문가는 하강 속도가 빨라지면 회전하기가 훨씬 쉬워진다는 사실을 잘 알 것이다.

닫힌 과제와 열린 과제

운동 수행자와 운동 과제, 운동 환경의 상호 작용이 일어날 때 움직임이 생겨난다. 운동 수행자와 운동 환경은 앞에서 살펴보았다. 이제부터 알아볼 운동 과제는 열린 과제나 닫힌 과제로 분류할 수 있다. 열린 기술들은 소프트볼을 하거나 울퉁불퉁한 지면을 걷고 차를 운전할 때처럼 시간의 흐름에 따라 환경이 변하는 곳에서 사용하는 것이다. 한편 닫힌 기술들은 양탄자 위를 걷고 물건을 들거나 목표물을 향해 손을 뻗는 것처럼 변수가 정해져 있고 동일한 상태를 유지하는 것이다. 이러한 기술들은 서로 다른 방식으로 처리되는 것 같다. 좀 더 인지적인 정보와 관련된 것은 어느 쪽일까? 운동 수행자가 열린 기술을 수행하려면 움직임들을 지속적으로 업데이트하고, 소프트볼과 교통의 움직임, 혹은 지지면에 관해서 유입되는 정보에 관심을 기울여야 한다. 열린 기술이나 닫힌 기술을 구사하면 운동 문제들이 훨씬 적어질까? 변수가 설정된 닫힌 기술들은 훨씬 적은 문제를 낳는다. 열린 기술과 닫힌 기술이 운동조절이나 운동 학습의 열린 고리 과정과 닫힌 고리 과정과는 다르다는 점을 명심하기 바란다.

연습 효과

운동 학습 이론가들은 또한 연습이 운동 과제 학습에 미치는 영향과 다양한 연습 유형들이 초기 학습을 훨씬 수월하게 만들어주는지를 연구했다. 연습은 운동 학습의 핵심 요소다. 몇몇 연습 방법들을 사용하면 초기 학습이 한층 수월해지지만 그 학습을 다른 과제로 전이시키기가 훨씬 어려워진다. 연습 환경이 과제를 수행할 실제 환경과 유사할수록 학습의 전이가 훨씬 잘 일어난다. 이를 일컬어 과제-특화 연습(task-specific practice)이라고 한다. 그러므로 물리치료 체육관에서 걷는 법을 가르친다면 그 학습은 양탄자가 깔린 집에서 걷는 것으로 전이되지 않을 수도 있다. 많은 시설들이 환자가 집에서 겪을 수 있는 실제 상황을 연출하기 위해서 이지 스트리트(Easy Street, 모조 혹은 소형 집과 일터, 공동체 환경)를 사용한다. 물론 가정에서 물리치료 서비스를 제공하는 것도 운동 학습에 아주 좋은 기회다.

집중 연습 대 분산 연습

집중 연습과 분산 연습의 차이는 휴식 시간과 연습 시간의 비율과 관련이 있다. 집중 연습에서는 휴식 시간보다 연습 시간이 훨씬 길다. 연습과 연습 사이의 휴식 시간이 연습하는 시간보다 짧은 것이다. 분산 연습에서는 휴식 시간이 연습 시간보다 길다. 억제유도치료(Constraint-induced therapy)는 형성(shaping)과 강화를 통해 학습된 미사용(learned nonuse)을 극복하는 집중 연습의 수정된 형태로 간주할 수 있다(Taub 등, 1993). 형성은 과제를 작은 단계로 나누어 배우며 개별적으로 완전히 익혀나갈 때 부분적 연습이라는 운동 학습 개념을 포괄한다. 개인이 과제 전체를 수행할 수 있을 때까지는 과제 완수에 근접하는 일이 연이어 일어난다. 반신마비 환자의 경우, 건측(uninvolved) 팔이나 손이 제약을 받으면 환측(마비된) 팔로 기능적인 과제를 수행할 수 밖에 없다.

무선 연습과 구획 연습

연습 시간을 계획할 때 또 하나 고려해야 하는 사항은 과제를 연습하는 순서이다. 구획 연습은 동일한 과제를 연속해서 수차례 반복해서 연습하는 것이다. 다시 말해서 하나의 과제를 몇 차례 연습하고 나서 두 번째 과제를 연습한다. 무선 연습은 한 가지 과제를 연속해서 두 차례 연습하는 일이 거의 없이 다양한 과제를 무작위 순으로 연습하는 것이다. 혼합 연습(Mixed practice)은 무선 연습과 구획 연습을 통합해서 사용하는 것으로 몇몇 상황에서 유용할 수도 있다.

불변 연습(Constant practice)은 동작 기술의 한 가지 변형을 연속해서 여러 차례 연습하는 것이다. 예를 들어 휠체어에서 일어서거나 농구공을 골대에 던지는 동작을 반복해서 연습한다. 가변 연습(Variable practice)은 학습자가 연습 시간 동안 한 가지 동작 기술의 여러 가지 변형을 연습하는 것이다. 예를 들자면 재활치료 중인 환자는 일어서는 연습을 휠체어, 침대, 화장실, 바닥에서 할 수 있다. 아동은 동일한 연습 시간 내에 공을 골대에 던져 넣고, 벽에 붙은 과녁에 던지고, 아래나 위로, 혹은 짝에게 던지는 연습을 할 수 있다. 가변 연습 훈련은 학습자가 운동 기술을 일반화해서 광범위한 환경과 상태에서도 사용할 수 있도록 도와준다. 일반적인 운동 프로그램 규칙들이 새로운 과제에 맞게 구체화되면 그 힘이 증대되기 때문에 학습은 가변 연습으로 향상된다고 한다. 이러한 매커니즘은 개인이 새로운 과제를 시도할 수 있는 방법으로 간주되기도 한다. 이전의 운동 과제들을 위해 만들어진 규칙들을 통합해서 새로운 운동 과제를 해결할 수 있기 때문이다.

완전 과제 훈련 대 부분 과제 훈련

과제는 완전한 동작으로 연습(완전 과제 연습)하거나 요소들로 나누어 연습(부분 연습)할 수 있다. 걷기와 달리기, 혹은 계단 오르기처럼 지속적인 과제들은 완전 과제 연습으로 배울 때 보다 더 효과적이다. 걷기를 발 앞쪽으로 체중 옮기기와 같은 요소로 나누어 부분 연습으로 학습하면 체중 이동 행동이 향상되지만 그러한 개선점이 걷기(waling sequence)로 일반화되지는 않는다(Winstein 등, 1989).

구체적인 부분으로 나눌 수 있는 기술들은 부분 연습 훈련으로 익히는 것이 가장 효과적일 것이다. 예를 들어 혼자 힘으로 휠체어에서 내려오는 법을 배우는 환자는 휠체어에 브레이크를 거는 법을 먼저 배우고 나서 휠체어에서 몸을 앞으로 내미는 법을 배운다. 이러한 부분적 과제들을 완전히 익히고 나면 발을 적절하게 내려놓고 발 앞으로 몸을 기울이고 마지막으로 일어서는 법을 익힌다. 이와 유사하게 아동이 옷 입는 과제를 배울 때도 먼저 셔츠를 머리 위로 당겨 입는 법을 배우고, 이어서 양팔을 집어넣는 법을 배운다. 이러한 부분 과제를 완수하자마자 단추를 잠그는 법이나 지퍼를 올리는 법을 익히는 데 집중한다.

운동 발달과 운동조절, 운동 학습의 제약

우리의 움직임은 우리 몸의 뼈와 관절, 근육의 생물기계학적 속성에 제약을 받는다. 신경 메시지가 아무리 정교하더라도, 사람이 얼마나 의욕적이든 상관없이 움직임에 관여하는 신체 일부가 힘이나 범위를 제약받으면 부정확한 움직임이 일어나거나 움직임이 아예 일어나지 않는다. 조절 방향을 잘못 해석해도 의도한 움직임이 일어나지 않는다. 사람은 가장 약한 부분의 능력만큼만 훌륭하게 해낼 수 있는 운동 수행자이다. 어떤 사람들의 경우에는 가장 약한 부분이 근육계나 신경계와 같은 구체적인 시스템이고, 또 다른 사람들의 경우에는 인지와 같은 시스템 기능이 가장 약한 부분이다.

운동조절의 발달과 운동 능력의 습득은 근육계와 골격계가 성장하면서 신경계가 성숙할 때 일어난다. 신체의 모든 물리적 시스템이 변하면 운동조절 발달에 지속적인 장애가 생긴다. 텔렌과 피셔(1982)의 설명에 따르면 유아가 특정 연령 이후에 반사적으로 발을 내딛지 못하는 것처럼 운동 행동이 달라지는 이유는 너무 무거워서 다리를 움직이지 못하는 것이 아니라 신경계가 몇몇 반사 반응을 더 이상 보여 주지 않기 때문이다. 유아가 머리를 조절하는 법을 배우기 어려운 이유는 신체에 비해서 머리가 너무 크기 때문이라는 사실은 앞서 이미 살펴보았다. 유아는 성장하면서 머리를 위로 들 수 있다. 근육을 긴장시키고 거기서 생겨나는 힘을 이용해 연관된 시스템인 골격을 조절해야 한다. 근육들을 동시에 어떤 순서로 움직여야 하는지를 배우는 것은 엄청나게 큰 과제다.

청소년은 신체 관계들이 급속도로 변하는 또 다른 시기이다. 아이가 청소년이 되면서 신체 크기가 급속도로 불균등하게 변하기 때문에 움직임 협응이 제대로 일어나지 못할 수도 있다. 움직임 협응이 잘 이루어지던 10세나 12세 아이가 협응이 잘 이루어지지 않아 흐느적거리는 키만 멀쑥하니 큰 14세나 16세 아이로 변할 수 있다. 성장이 급등하는 청소년기에는 십대의 운동조절이 크게 조정된다.

운동 학습의 연령 관련 변화

아동의 학습 방식은 성인과 다르다. 아동은 연습하고 연습하고 또 연습한다. 예를 들어 유아가 걷는 법을 배울 때는 매일 축구장 29개와 맞먹는 거리를 걷는다(Adolph 등, 2003). 생후 14개월 된 보통 아이는 한 시간에 2000개가 넘는 계단을 오른다(Adolph, 2008). 이 두 실례는 새로운 기술을 배우고 획득하기 위해서 구획 연습을 한다는 이론을 뒷받침해 준다. 유아는 과제를 수행할 때 타고난 다양성을 보여 준다.

어린 아이들이 아주 중대한 새로운 운동 과제를 배울

때는 구획 연습법을 사용하는 것이 기술을 좀 더 잘 전이하고 수행할 수 있는 것 같다. 델 레이(Del Rey)와 동료들은 발달 중인 보통 아동들(대략 8세 아동)에게 각기 다른 속도의 타이밍 과제(timing task)를 구획 연습이나 무작위 연습으로 수행하도록 시켰다. 그리고 나서 새로운 협응 유형으로 전이 테스트를 했다. 이에 조사학자들은 전이 과제를 무작위 연습보다는 구획 연습으로 익힐 때 더 나은 수행 결과가 나온다는 사실을 발견했다. 프리스비를 던지는 실험에서 아동은 구획 연습을 했을 때, 성인은 무작위 연습을 했을 때 프리스비를 과녁에 맞추는 정확성이 향상되었다(Pinto-Zipp와 Gentile, 1995; Jarus와 Goverover, 1999). 무작위 연습 스케줄을 짜 넣는 맥락적 개입을 해도 아동의 새로운 운동 기술 습득에는 도움이 되지 않는 것 같다(Perez 등, 2005).

아동에 관한 대부분의 논문은 전신 과제의 연습 스케줄로 구획 연습 스케줄이나 혼합 연습 스케줄을 지지했지만 몇몇 조사 학자들은 정상 발달 중인 아동이 가변 연습을 하면 숙련된 기술이나 스포츠에 특화된 기술을 배울 수 있다는 사실을 발견했다(Vera 등, 2008; Douvis, 2005; Granda와 Montilla, 2003). 그러한 가변 연습 스케줄은 구획 연습 요소들과 무선 연습 요소들을 결합한 것이며, 아동이 맥락적 개입 요소들로 새로운 기술을 연습해서 이득을 보게 해준다. 베라와 동료들은(2005) 가변 연습이 테니스의 포핸드 드라이브 자세를 배우는 아동과 청소년에게 미치는 영향을 조사했다. 청소년은 그 과제를 아동보다 훨씬 잘 수행해서 연령과 발달의 영향력을 보여주었지만 두 연령대는 모두 다 가변 연습을 했을 때 더 뛰어난 수행능력을 보여주었다. 가변 연습 시간에는 테니스 선수들이 실제 경기에서 할 때와 더욱 유사한 방식으로 포핸드 드라이브를 수행했다. 실제 경기에서는 포핸드 드라이브에 이어서 백핸드 드라이브를 사용한다.

노인의 운동 학습은 나이에 영향을 받는다. 일반적으로 노인은 순차적 학습 능력과 새로운 기술 학습 능력, 노력이 필요한 양손 협응 능력이 부족하다. 이러한 결핍 중에서 일부는 노화로 인한 힘 생산력과 감각 능력, 혹은 감각 처리 속도 하락과 집중력 분산 문제와 관련이 있다. 좋은 소식은 노인도 연습을 통해 운동 수행 능력을 향상시킬 수 있다는 것이다. 노인은 젊은이들에 비해서 훨씬 느리게 배우고 실수를 더 많이 하나 운동 학습에 유익한 연습 스케줄로 이득을 보는 것은 젊은이들과 똑같다.

신경 가소성

신경 가소성은 신경계가 변화하는 능력이다. 신경계가 평생 동안 변화에 적응해나간다는 가설은 언제나 존재했지만 이제는 성인의 뇌가 재조직 능력이나 가소성을 유지한다는 증거가 풍부해졌다(Butefisch, 2004; Doyon과 Benali, 2005; Jungerman 등, 2007). 전통적으로는 가소성이 발달 중인 신경계에 국한되어 나타난다고 알려졌다. 결정적 시기(Critical periods)에는 신경세포들이 시냅스 부위를 차지하려고 경쟁한다. 신경 회로의 활동의존적인 변화는 보통 유기체가 경험의 효과에 민감한 발달 시기나 결정적 시기에 제한된 시간 내에 일어난다. 가소성이라는 개념은 내적 요구와 외적 요구에 대응해서 구조적 변화를 이루어내는 신경계의 능력을 포함하고 있다. 학습과 운동 행동은 평생 동안 신경 발생을 조절하는 것 같다.

경험은 발달에 매우 중요한 영향을 미친다. 신경 가소성의 두 유형은 논문에 나와 있다(Black, 1998). 안타깝게도 신경 가소성의 두 유형을 칭하는 명칭은 혼동하기 쉽다. 하나는 경험 기대적 가소성이며, 다른 하나는 경험 의존적 가소성이다. 유아는 보통 태아기와 출생 후 발달 과정에서 적절한 시기에 충분한 환경 자극에 노출된다고 예상된다. 실제로 유아가 적절한 양과 질의 입력 정보에 노출되지 않으면 정상적인 발달이 진행되지 않을 것이다. 이러한 유형의 경험 기대적 신경 가소성은 생후에 기능할 태세를 갖추지만 완전하게 성숙하려면 빛과 소리를 경험할 필요가 있는 감각계에서 찾아볼 수 있다. 결정적 시기의 박탈은 예상되는 시각과 청각 발달의 부족을 초래할 수 있다.

경험 의존적 신경 가소성은 신경계가 비교적 예측불가하고 색다른 환경 경험에서 얻은 다른 유형의 정보들을 통합할 수 있게 해 준다. 이러한 경험은 개개인에게 독특한 것이며, 물리적 환경과 사회적 환경, 문화적 환경과 같은 발달이 일어나는 환경에 의존한다. 리비어(Lebeer, 1998)는 이를 일컬어 생태적 가소성(ecological plasticity)이라고 하는 반면 존스턴(Johnston)은 활동 의존적 가소성이라고 한다. 기후와 사회적 기대, 양육 행위는 움직임의 경험을 바꿔놓을 수 있다. 각각의 아동이 배우는 것은 마주하는 독특한 물리적 도전 과제에 따라 달라진다. 운동 발달의 일부가 되는 운동 학습은 경험 기대적 신경 가소성의 실례다. 유아가 각기 다른 문화권에서 겪는 경험은 운동 능력 습득에서 변화를 가져올 수 있다. 이는 모든 아동이 정확하게 똑같은 말을 경험하지는 않지만 모든 아이가 언어를 배우는 것과 마찬가지이다. 활동 의존적인 가소성은 경험이나 학습의 결과로 시냅스나 신경 회로에서 변화를 이끌어내는 것이다.

신경계의 상처가 회복되는 방식은 두 가지 중 하나이다. 하나는 자발적 회복 방식이고, 다른 하나는 기능 유도 회복 방식이다. 상처 유도 가소성과 기능 회복에 관한 심층적인 논의는 슘웨이-쿡과 울라콧(2012)을 참조하기 바란다. 기능 유도 회복은 사용자 의존적인 피질 재조직이라고도 한다. 전문 용어와는 상관없이 초기 경험으로 운동 발달과 감각 발달이 이루어지는 것처럼 피질을 재조직하는 활동으로 변화가 일어난다. 클레임과 존스(Kleim과 Jones, 2008)는 활동 의존적 신경 가소성을 보여주는 연구를 요약했고, 신경 재활의 열 가지 원칙들을 추천했다. 이는 반복과 과제 특수성과 관련이 있는 운동 학습의 원칙들과 일치한다.

운동조절과 운동 학습, 신경 가소성 원칙에 기반을 둔 중재

증거 기반 연습은 임상 전문 지식과 이용할 수 있는 최상의 증거, 환자의 특징들을 통합한 것이다(Sackett 등, 2000). 이전에는 중재가 신경생리학적 접근법에 기반을 두고 있어서 신경 손상을 보이는 사람들의 손상을 집중적으로 다루었다. 그러나 최근에 이르러서는 신경 손상을 보이는 사람들의 활동 제약과 참여 제한을 강조하고 있다. APTA가 국제기능장애건강분류체계(ICF)를 채택하면서 중재를 보다 더 광범위하고 기능적인 관점에서 바라보게 되었고, 그러한 중재가 개인의 삶의 질에 미치는 영향이 주목을 받게 되었다. 중재는 아동이든 성인이든 상관없이 개인과 관련되어야 한다. 중재를 계획하는 치료사는 흥미롭고 매력적인 중재를 계획해야 한다. 선택한 운동 활동들도 그 활동 대상에게 매력적이고 의미 있는 것이어야 한다. 치료사는 연습 유형과 되먹임 제공 시기를 결정할 뿐만 아니라 수행할 과제와 환경을 선택한다. 운동 학습을 하려면 적극적인 참여가 필요하다.

물리치료사와 물리치료 보조사의 운동조절 관점과 운동 학습 관점은 신경근육 문제가 있는 아동과 성인을 치료할 방법을 선택하는 데 영향을 미친다. 널리 퍼진 운동조절 관점과 운동 학습 관점이 시스템 관점(systems view)이라는 사실을 감안하면 중재를 계획할 때 모든 신체 시스템을 고려해야 한다. 움직임에 관여하는 신체 시스템의 크기와 성숙도를 고려해야 한다. 운동 수행자의 과제를 이해하는 인지 능력과 관련된 과제의 연령 적합성도 고려해야 할 요소이다. 신경 손상을 보이는 아동을 치료하는 몇몇 중재는 반응적 자세 반응(reactive postural reaction)의 발달만 집중적으로 다룬다. 아동은 강제적으로나 자발적으로 취한 자세에서 안전해야 하나 적응적 자세 반응(adaptive postural response)도 배워야 한다. 적응적 반응은 뻗기와 잡기, 보행, 놀이 활동의 맥락 안에서 학습하는 것이다. 움직임 경험은 가능한 실제 상황과 유사해야 한다. 유아나 아동이 움직임 순서(movement sequences)를 다양하게 이용해서 자세를 바꾸고 유지하도록 도와주는 것은 치료 시나 가정에서 가장 중요한 일이다. 아이가 다양한 움직임을 시도해서 문제를 해결할 수 있는 상황을 조성해주는 것이 가장 이상적이며, 종종 최상의 치료가 되기도 한다. 이러한 활동 기반 접근법은 물리적 기능을 최대화 해줄 수 있고, 사회적 발달과 감정적 발달, 인지 발달을 촉진시킬 수 있다.

간과될 수 있는 팔다리의 강제 사용 원칙은 반신마비 아동과 성인에게 매우 효과적이다(Taub 등, 1993; Charles 등, 2001, Charles 등, 2006). 억제 유도 움직임 치료(CIMT)는 반신마비 환자의 건측 상지를 제약하는 동시에 숙련된 활동이나 기능적 과제를 반복적으로 연습시키는 것이다. 린(2007)은 만성 뇌졸중 환자들이 CIMT를 받고 나서 목표 지향적 과제를 수행할 때 그들의 운동조절 전략들이 개선되었다는 사실을 발견했다. 손팔 양손 중재(HABIT) 프로그램은 반신마비성 뇌성마비 아동에게 효과적인 CIMT 프로그램의 실례이다(Charles와 Gordon, 2006; Gordon 등, 2007). 휴앙(Huang)과 그의 동료들(2009)의 최근 시스템 관점에 따르면 CIMT는 팔 사용을 증가시켰다. 최상의 사용량을 확정하려면 더욱 많은 연구가 필요하다. CIMT 상태에서 집중 연습을 하면 피질 재조직과 지도 제작(mapping)이 일어나 반신마비된 팔로 과제를 수행할 때 효율성이 증가한다(Taub 등, 2004; Nudo 등, 1996). 이러한 연구 결과는 CIMT가 활동 의존적인 신경 가소성에 미치는 영향을 보여 준다.

보행 연습의 한 형태로 부분적 체중지지 트레드밀 훈련(PBWTT)은 하면 걷기를 시도하기 전에 몸통 자세 조절을 할 필요가 없다. 과제 특화 연습은 편마비 성인 환자와 불완전 척수 손상 성인 환자, 다운 증후군 아동 환자와 뇌성 마비 아동 환자의 치료 결과에 긍정적인 영향을 미친다. 부분적 체중지지 트레드밀 훈련(PBWTT)는 광범위하게 연구되어 왔고, 뇌졸중 발병 이후 환자에게도 안전하다(Moseley 등, 2005). 최근의 코크란(Cochrane) 리뷰에서 메르홀츠(Mehrholz)와 그의 동료들은(2014) 부분적 체중지지 트레드밀 훈련(PBWTT)이 재활 치료 동안 보행 속도와 자연스러운 걷기 속도를 크게 높여준다는 사실을 발견했다. 트레드밀 훈련을 하기 전에 걸을 수 있는 사람들은 후속 치료 시기에도 지구력 이점을 유지할 수 있다. 상기의 저자들은 뇌졸중 발병 이후에 걸을 수는 있지만 혼자 힘으로 걷지는 못하는 환자들이 체중지지 트레드밀 훈련이나 체중지지 없는 트레드밀 훈련으로 보행 속도와 지구력을 높일 수 있다고 결론 내렸다. 트레드밀 훈련은 불완전 척수 손상 환자들에게도 사용한다. 이 경우에 다리는 신체 체중지지 시스템과 수신호를 이용하면서 최대 한도까지 체중을 지지한다. 이렇게 되면 지구력과 보행 속도, 균형감, 독립성이 증가한다는 증거가 있다(Behrman과 Harkema, 2000; Dobkin 등, 2006; Field-Fote와 Roach, 2011; Harkema 등, 2012).

부분적 체중지지 트레드밀 훈련은 척수손상 아동 환자의 중재로 아주 성공적인 치료법이다(Behrman 등, 2014, CSM). 트레드밀 훈련에 참가한 다운 증후군 아동 환자들은 통제 그룹보다 훨씬 빨리 걸었다(Ulrich 등, 2001). 뇌성마비 아동도 긍정적인 결과를 보였다. 대운동 기능 분류 점수(Gross Motor Function Classification)의 레벨III과 레벨 IV에 속하는 사람들의 경우에는 보행 속도가 크게 증가했다(Willoughly등, 2010).

치료 시간을 계획하는 방법은 어떤 유형의 운동조절 치료를 지지하느냐에 따라 달라진다. 치료사들은 이론들을 길잡이로 삼아 환자가 움직임에 이상을 보이는 원인과 그 문제를 치료할 수 있는 중재를 생각한다. 시스템 접근법을 수용하는 치료사들은 과제 수행에 필요하다고 판단되는 움직임의 요소 하나를 환자에게 연습시키기보다는 환자가 적절한 환경에서 기능적 과제를 수행하도록 한다. 물리치료 보조사는 아동에게 공 위에서 체중을 이동하는 연습을 시키기보다 아동이 벤치에 앉아 체중을 이동시켜 신발 한 짝을 벗게 한다. 치료 시에 시스템 접근법을 사용하는 치료사들은 움직임을 수행하는 몸통이나 사지의 긴장도나 긴장의 정상도보다 되먹임이 주어졌을 때의 연습량과 스케줄 분량에 훨씬 더 많이 신경 쓴다. 물리치료 보조사는 시스템 접근법을 사용해서 과제가 잘 수행되었는지(수행 지식) 뿐만 아니라 과제가 완수되었는지(결과 지식)를 추적할 수 있다. 결과 지식은 운동 과제 학습에 매우 중요한 요소다. 모든 치료적 중재의 목적은 이론적 기반과 상관없이 환자에게 의료시설과 집, 공동체에서 기능적 움직임을 수행하는 법을 가르치는 것이다.

중재는 사람의 연령과 상관없이 발달 상 적절해야 한

다. 80세 노인에게 바닥이나 물리치료 테이블에서 기어 보라고 시키는 것은 적절하지 않지만 유아에게는 이상적일 것이다. 우리 모두는 기능적 활동의 맥락 안에서 움직임 기술을 보다 더 잘 배운다. 놀이는 유아와 아동이 움직이는 법을 배울 수 있는 완벽한 기능적 환경을 제공해 준다. 아주 어린 아동을 다루는 물리치료 보조사는 신경 손상의 크기와 정도에 따라 가능한 움직임 유형의 한계가 정해진다는 사실을 깨닫는다 할지라도 그 연령대에 가능한 가장 전형적인 움직임을 추구해야 한다. 아동은 놀이를 하면서 자신의 동작으로 자기 몸이나 물건이 어떻게 움직이는지를 관찰해 귀중한 인과관계를 배운다는 사실을 명심하기 바란다. 환경 내에서의 움직임은 공간적 개념을 배울 때 중요한 부분이다.

운동 학습은 언제나 기능의 맥락 안에서 일어나야 한다. 아동에게 움직이는 지면 위에서 걷는 법을 가르치는 것은 걷기 학습에 적절한 맥락이 아니다. 걷기 과제는 보통 움직이지 않는 지면 위에서 수행하는 것이기 때문이다. 과제를 습득한 최초의 방식은 기억에 가장 잘 남는다. 이러한 움직임 방식은 스트레스를 받거나 안전하지 못한 상황에서 나타난다. 예를 들어 친구의 딸이 부모님 집에서 난간을 잡지 않은 채 한발씩 내딛어 긴 계단을 오르락내리락 거렸다고 해보자. 이 아동의 운동 기술을 뒷면이 뚫린 스튜디오의 계단에서 촬영했을 때 이 아동은 집에서와 똑같이 한 발을 먼저 계단 위로 올리고, 이어서 다른 발을 똑같은 계단에 올려(제자리걸음, marking time) 계단을 오르내렸다. 이 아동은 계단이 그다지 안전하지 않다는 사실을 인식하고, 덜 위험한 움직임 방식을 택했다. 유아와 어린 아동은 처음으로 정확하게 움직이는 법을 배울 수 있는 기회를 얻어야 한다. 이것은 유아가 운동 이상을 보일 때 초기에 중재해야 하는 중요한 이유 가운데 하나가 된다. 운동 학습에는 연습과 되먹임이 필요하다. 보조바퀴 없이 자전거 타는 법을 배워야 했을 때를 떠올려보라. 시행착오를 거치면서 길 끝까지 가려고 수차례 시도했을 것이다. 넘어져서 상처를 입었지만 마침내는 자전거 타는 법을 익혔고, 그 후로 한 동안 자전거를 타지 않아도 여전히 그 방법을 잊어버리지 않는다. 이러한 움직임 기억은 운동 학습의 결과이다.

기능적 움직임 상태를 평가하는 것은 물리치료사의 검사와 평가에서 일상적인 부분을 차지한다. 기능적 상태는 성취해야 할 기능적 과제의 맥락 내에서 중재를 계획하는 데 도움이 되는 신호를 제공해 준다. 치료 결과는 환자의 변하는 기능적 능력을 토대로 기록해야 한다. 물리치료사가 운동 이상을 보이는 환자를 재검사하고 재평가할 때 물리치료 보조사는 그 환자가 활동을 수행할 수 있는 횟수와 더 낫거나 나쁜 수행 결과를 이끌어내는 신호의 유형(구두 신호와 촉각 신호, 압력), 그 과제를 물리치료 체육관이나 환자의 식당 같은 한 가지 이상의 환경에서 성공적으로 수행할 수 있는지 여부에 관한 객관적 자료를 수집할 수 있다. 이 뿐만 아니라 물리치료 보조사는 환자의 운동 행동 일관성에 관한 의견을 밝힐 수도 있다. 예를 들어 유아가 흥미를 끄는 물건이나 사람에게 이끌려 활동에 참여하려고 할 때 엎드렸다가 굴러서 바로 눕는 동작이 일관적인지 일시적인지에 대한 의견을 말할 수 있다.

결론 요약

운동조절은 항상 존재한다. 운동조절은 자세와 움직임을 감독한다. 운동조절이 없으면 운동 발달이나 운동 학습이 일어나지 않는다. 운동 학습은 연령에 상관없이 신체가 새로운 기술을 획득하는 메커니즘을 제공해 준다. 운동 학습에는 움직임이 일어났는지, 성공적으로 일어났는지를 감각 정보 형태로 제공해주는 되먹임이 필요하다. 연습과 경험 놀이는 운동 학습에서 중요한 역할을 수행한다. 운동 발달은 운동 행동의 변화를 보여주는 연령과 관련된 과정이다. 운동 발달은 또한 움직이는 동안 획득하고 배운 과제들이다. 신경 가소성은 신경계가 발달 과정에서나 신경 발작으로 제한된 동작을 배우는 동안 경험에 적응하는 능력이다. 신경성 결핍은 연령에 적합한 운동 과제를 수행하는 능력(운동 발달)과 운동 기술을 학습하거나 재학습하는 능력(운동 학습), 혹은 필요한 움직임을 충분히 능숙하게 효과적으로 수행하는 능력(운동조절)에 영향을 미칠 수 있다. 목적 있는 움직임을 수행하려면 이 세 가지 과정을 평생 동안 지속적이면서도 우발적으로 사용해야 한다. ■

검토사항

1. 운동조절과 운동 학습, 신경 가소성을 정의한다.
2. 감각, 인식과 감각계가 운동조절과 운동 학습에 어떻게 기여하는가?
3. 자세가 운동 발달과 운동조절, 운동 학습에 어떤 영향을 미치는가?
4. 시각 입력 정보와 몸감각 입력 정보가 충돌할 때 자세 반응은 어떻게 결정되는가?
5. '성인' 동요 전략은 평생이라는 기간 중에서 언제 일관적으로 나타날 수 있는가?
6. 다양한 운동 학습 단계에서 얼마나 많은 관심을 과제에 쏟아야 하는가?
7. 열린 과제와 닫힌 과제의 실례를 하나 들어보라.
8. 움직임을 배울 때 어떤 유형의 되먹임 고리를 사용하는가? 빠른 움직임을 수행할 때는 어떤가?
9. 아동이나 성인의 운동 학습에는 어떤 유형의 얼마나 많은 연습이 필요한가?
10. 신경 가소성의 원칙들은 운동 학습의 원칙들과 어떤 관련을 맺고 있는가?

참고 문헌

Adams JA: A closed-loop theory of motor learning, *J Motor Behav* 3:110–150, 1971.

Adolph KE: Learning to move, *Curr Dir Psychol Sci* 17:213–218, 2008.

Adolph KE, Vereijken B, Shrout PE: What changes in infant walking and why, *Child Dev* 74:475–497, 2003.

Anderson DI, Campos JJ, Rivera M, et al.: The consequences of independent locomotion for brain and psychological development. In Shephard RB, editor: *Cerebral palsy in infancy*, 2014, Churchill Livingstone, pp 199–224.

Assaiante C, Amblard B: Ontogenesis of head stabilization in space during locomotion in children: influence of visual cues, *Exp Brain Res* 93:499–515, 1993.

Assaiante C, Amblard B: An ontogenetic model of the sensorimotor organization of balance control in humans, *Hum Move Sci* 14:13–43, 1995.

Barnes MR, Crutchfield CA, Heriza CB: *The neurophysiological basis of patient treatment, vol 2: reflexes in motor development*, Morgantown, WV, 1978, Stokesville Publishing.

Basmajian JV, DeLuca CJ: *Muscles alive: their function revealed by electromyography*, ed 5, Baltimore, 1985, William & Wilkins.

Behrman AL, Harkema SJ: Locomotor training after human spinal cord injury: a series of case studies, *Phys Ther* 80:688–700, 2000.

Behrman A, Trimble SA, Fox EJ, Howland DR: Rehabilitation and recovery in children with severe SCI. Presented at CSM Feb 6, 2014, Las Vegas.

Benjuya N, Melzer I, Kaplanski J: Aging-induced shift from reliance on sensory input to muscle cocontraction during balanced standing, *J Gerontol A Biol Sci Med Sci* 59:166–171, 2004.

Bernstein N: *The coordination and regulation of movements*, Oxford, UK, 1967, Pergamon.

Bertenthal B, Rose JL, Bai DL: Perception-action coupling in the development of visual control of posture, *J Exp Psychol Hum Percept Perform* 23:1631–1643, 1997.

Black JE: How a child builds its brain: some lessons from animal studies of neural plasticity, *Prev Med* 27:168–171, 1998.

Bruel-Jungerman E, Rampon C, Laroche S: Adult hippocampal neurogenesis, synaptic plasticity and memory: facts and hypotheses, *Rev Neurosci* 18:93–114, 2007.

Butefisch C: Plasticity in the human cerebral cortex: lessons from the normal brain and from stroke, *Neuroscientist* 10:163–173, 2004.

Cech D, Martin S, editors: *Functional movement development across the life span*, ed 3, St. Louis, 2012, Elsevier.

Charles J, Gordon AM: Development of hand-arm bimanual intensive training (HABIT) for improving bimanual coordination in children with hemiplegic cerebral palsy, *Dev Med Child Neurol* 48:931–936, 2006.

Charles J, Lavinder G, Gordon AM: Effects of constraint-induced therapy on hand function in children with hemiplegic cerebral palsy, *Pediatr Phys Ther* 13:68–76, 2001.

Charles JR, Wolf SL, Schneider JA, Gordon AM: Efficacy of child-friendly form of constraint-induced movement therapy in hemiplegic cerebral palsy: a randomized control trial, *Dev Med Child Neurol* 48:635–642, 2006.

Cruse H, Wischmeyer M, Bruwer P, et al.: On the cost functions for the control of the human arm movement, *Biol Cybern* 62:519–528, 1990.

Del Rey P, Whitehurst M, Wughalter E, et al.: Contextual interference and experience in acquisition and transfer, *Percept Mot Skills* 57:241–242, 1983.

DiFabio RP, Emasithi A: Aging and the mechanisms underlying head and postural control during voluntary action, *Phys Ther* 77:458–475, 1997.

Dobkin B, Apple D, Barbeau H, et al.: Weight-supported treadmill vs overground training for walking after acute incomplete SCI, *Neurology* 66:484–493, 2006.

Douvis SJ: Variable practice in learning the forehand drive in tennis, *Percept Mot Skills* 101:531–545, 2005.

Doyon J, Benali H: Reorganization and plasticity in the adult brain during learning of motor skills, *Curr Opin Neurobiol* 15:161–167, 2005.

Dusing SC, Harbourne RT: Variability in postural control during infancy: implications for development, assessment, and intervention, *Phys Ther* 90:1838–1849, 2010.

Ferber-Viart C, Ionescu E, Morlet T, Froehlich P, Dubreauil C: Balance in healthy individuals assessed with Equitest: maturation and normative data for children and young adults, *Int J Pediatr Otorhinolaryngol* 71:1041–1046, 2007.

Field-Fote EC, Roach KE: Influence of a locomotor training approach on walking speed and distance in people with chronic spinal cord injury: a randomized clinical trial, *Phys Ther* 91(1):48–60, 2011.

Fitts PM: Categories of human learning. In Melton AW, editor: *Perceptual motor skills learning*, New York, 1964, Academic Press, pp 243–285.

Forssberg H, Nashner L: Ontogenetic development of postural control in man: adaptation to altered support and visual conditions during stance, *J Neurosci* 2:545–552, 1982.

Gabbard C: Studying action representation in children via motor imagery, *Brain Cogn* 71(3):234–239, 2009.

Gentile AM: Skill acquisition: action, movement, and neuromotor processes. In Carr JA, Shepherd RB, Gordon J, Gentile AM, Held JM, editors: *Movement science: foundations for physical therapy in rehabilitation*, Rockville, MD, 1987, Aspen, pp 93–154.

Goble DJ, Lewis CA, Hurvitz EA, Brown SH: Development of upper limb proprioceptive accuracy in children and adolescents, *Human Movt Sci* 24:155–170, 2005.

Gordon AM, Schneider JA, Chinnan A, Charles

JR: Efficacy of a hand-arm bimanual intensive therapy (HABIT) in children with hemiplegic cerebral palsy: a randomized control trial, *Dev Med Child Neurol* 49:830–838, 2007.

Gordon J: Assumptions underlying physical therapy intervention. In Carr JA, Shephard RB, editors: *Movement science: foundations for physical therapy in rehabilitation*, Rockville, MD, 1987, Aspen, pp 1–30.

Granda VJ, Montilla MM: Practice schedule and acquisition, retention, and transfer of a throwing task in 6-year-old children, *Percept Mot Skills* 96:1015–1024, 2003.

Hadders-Algra M: Development of postural control. In Hadders-Algra M, Carlberg EB, editors: *Postural control: a key issue in developmental disorders*, London, 2008, Mac Keith Press, pp 22–73.

Hadders-Algra M: Variation and variability: key words in human motor development, *Phys Ther* 90:1823–1837, 2010.

Hadders-Algra M, Brogren E, Forssberg H: Ontogeny of postural adjustments during sitting in infancy: variation, selection and modulation, *J Physiol* 493:287–288, 1996.

Harkema SJ, Schmidt-Read M, Lorenz DJ, et al.: Balance and ambulation improvements in individuals with chronic incomplete spinal cord injury sing locomotor training-based rehabilitation, *Arch Phys Med Rehabil* 93(9):1508–1517, 2012.

Hay L, Redon C: Feedforward versus feedback control in children and adults subjected to a postural disturbance, *Exp Brain Res* 125:153–162, 1999.

Hirabayashi S, Iwasaki Y: Developmental perspective of sensory organization on postural control, *Brain Dev* 17:111–113, 1995.

Hirschfeld H, Forssberg H: Epigenetic development of postural responses for sitting during infancy, *Exp Brain Res* 97:528–540, 1994.

Huang HH, Fetter L, Hale J, McBride A: Bound for success: a systematic review of constraint-induced movement therapy in children with cerebral palsy supports improved arm and hand use, *Phys Ther* 89:1126–1141, 2009.

Jarus T, Goverover Y: Effects of contextual interference and age on acquisition, retention, and transfer of motor skill, *Percept Mot Skills* 88:437–447, 1999.

Jouen F: Visual-vestibular interactions in infancy, *Infant Behav Dev* 7:135–145, 1984.

Jouen F, Lepecq JC, Gapenne O, Bertenthal BI: Optic flow sensitivity in neonates, *Infant Behav Dev* 23:271–284, 2000.

Kelso JAS: *Human motor behavior*, Hillsdale, NJ, 1982, Erlbaum Associates.

Kleim JA, Jones TA: Principles of experience-dependent plasticity: implications for rehabilitation after brain damage, *J Speech Lang Hear Res* 51:S225–S239, 2008.

Knikou M: Neural control of locomotion and training-induced plasticity after spinal and cerebral lesions, *Clin Neurophysiol* 121:1655–1668, 2010.

Lashley KS: The problem of serial order in behavior. In Jeffress LA, editor: *Cerebral mechanisms in behavior*, New York, 1951, Wiley & Sons, pp 112–136.

Lebeer J: How much brain does a mind need? Scientific, clinical, and educational implication of ecological plasticity, *Dev Med Child Neurol* 40:352–357, 1998.

Lin KC: Effects of modified constraint-induced

movement therapy on reach-to-grasp movements and functional performance after chronic stroke: a randomized controlled study, *Clin Rehabil* 21:1075–1086, 2007.

Lundy-Ekman L: *Neuroscience: fundamentals for rehabilitation*, ed 4, St. Louis, 2013, Elsevier.

Maki BE, McIllroy WE: Postural control in the older adult, *Clin Geriatr Med* 12:635–658, 1996.

Maki BE, McIlroy WE: The role of limb movements in maintaining upright stance: the "change-in-support" strategy, *Phys Ther* 77:488–507, 1997.

Maki BE, Holliday PJ, Topper AK: A prospective study of postural balance and risk of falling in an ambulatory and independent elderly population, *J Gerontol: Med Sci* 49:M72–M84, 1994.

Mehrholz J, Pohl M, Elsner B: Treadmill training and body weight support for walking after stroke, *Cochrane Database Syst Rev* 23, 2014, CD002840.

Moseley AM, Stark A, Cameron ID, Pollock A: Treadmill training and body weight support for walking after stroke, *Cochrane Database Syst Rev* 19, 2005, CD002840.

Nashner LM: Sensory, neuromuscular, and biomechanical contributions to human balance. In Duncan P, editor: *Balance: proceedings of the APTA forum*, Alexandria, VA, 1990, American Physical Therapy Association, pp 5–12.

Nelson WL: Physical principles for economics of skilled movements, *Biol Cybern* 46:135–147, 1983.

Nudo RJ, wise BM, SiFuentes F, et al.: Neural substrates for the effects of rehabilitation training on motor recovery following ischemic infarct, *Science* 272:1791–1794, 1996.

Perez CR, Meira CM, Tani G: Does the contextual interference effect last over extended transfer trials? *Percept Mot Skills* 10:58–60, 2005.

Pinto-Zipp G, Gentile AM: Practice schedules in motor learning: children vs adults, *Soc Neurosci Abstr* 21:1620, 1995.

Portfors-Yeomans CV, Riach CL: Frequency characteristics of postural control of children with and without visual impairment, *Dev Med Child Neurol* 37:456–463, 1995.

Riach CL, Hayes KC: Anticipatory control in children, *J Mot Behav* 22:25–26, 1990.

Rival C, Ceyte H, Olivier I: Development changes of static standing balance in children, *Neurosci Let* 376:133–136, 2005.

Rogers MW, Hain TC, Hanke TA, Janssen I: Stimulus parameters and inertial load: effects on the incidence of protective stepping responses in healthy human subjects, *Arch Phys Med Rehabil* 77:363–368, 1996.

Sackett DL, Straus SE, Richardson WS, Rosenberg W: *Evidence-based medicine*: *how to practice and teach EBM*, New York, 2000, Churchill Livingstone.

Schmidt RA: A schema theory of discrete motor skill learning, *Psychol Rev* 82:225–260, 1975.

Schmidt R: *Motor control and learning*, Champaign, IL, 1988, Human Kinetics.

Schmidt RA, Lee TD: *Motor control and learning: a behavioral emphasis*, Champaign, IL, 2005, Human Kinetics.

Schmidt RA, Wrisberg CA: *Motor learning and performance*, ed 3, Champaign, IL, 2004, Human Kinetics.

Shumway-Cook A, Woollacott M: The growth of stability: postural control from a developmental perspective, *J Motor Behav* 17:131–147, 1985.

Shumway-Cook A, Woollacott M: *Motor control: theory and practical applications*, ed 4, Baltimore, 2012, Williams & Wilkins.

Spencer JP, Thelen E: A multimuscle state analysis of adult motor learning, *Exp Brain Res* 128:505–516, 1997.

Stengel TJ, Attermeier SM, Bly L, et al.: Evaluation of sensorimotor dysfunction. In Campbell SK, editor: *Pediatric neurologic physical therapy*, New York, 1984, Churchill Livingstone, pp 13–87.

Sturnieks DL, St George R, Lord SR: Balance disorders in the elderly, *Clin Neurophysiol* 38:467–478, 2008.

Sullivan PE, Markos PD, Minor MA: *An integrated approach to therapeutic exercise: theory and clinical application*, Reston, VA, 1982, Reston Publishing.

Taub E, Miller NE, Novack TA, et al.: Technique to improve chronic motor deficit after stroke, *Arch Phys Med Rehabil* 74:347–354, 1993.

Taub E, Ramey SL, DeLuca S, et al.: Efficacy of constraint-induced movement therapy for children with cerebral palsy with asymmetric motor impairment, *Pediatrics* 113:305–312, 2004.

Thelen E: Rhythmical stereotypies in infants, *Anim Behav* 27:699–715, 1979.

Thelen E: Motor development. A new synthesis, *Am Psychol* 50:79–95, 1995.

Thelen E, Fisher DM: Newborn stepping: an explanation for a "disappearing" reflex, *Dev Psychobiol* 16:29–46, 1982.

Ulrich DA, Lloyd MC, Tiernan CW, Looper JE, Angulo-Barroso RM: Effects of intensity of treadmill training on developmental outcomes and stepping in infants with Down syndrome: a randomized trial, *Phys Ther* 88:114–122, 2007.

Ulrich DA, Ulrich BD, Angulo-Kinzler RM, Yun J: Treadmill training of infants with Down syndrome: evidence-based developmental outcomes, *Pediatrics* 108:2001, E84.

Vera JG, Alvarex JC, Medina MM: Effects of different practice conditions on acquisition, retention, and transfer of soccer skills by 9-year-old school children, *Percept Mot Skills* 106(2):447–460, 2008.

Vereijken B, van Emmerik REA, Whiting HTA, Newell KM: Freezing degrees of freedom in skill acquisition, *J Mot Beh* 24:133–142, 1992.

Willoughly KL, Dodd KJ, Shields N, Foley S: Efficacy of partial body weight-supported treadmill training compared with overground walking practice for children with cerebral palsy: a randomized controlled trial, *Arch Phys Med Rehabil* 91:333–339, 2010.

Wing AM, Haggard P, Flanagan J: *Hand and brain: the neurophysiology and psychology of hand movements*, New York, 1996, Academic Press.

Winstein CJ, Gardner ER, McNeal DR, et al.: Standing balance training: effect on balance and locomotion in hemiparetic adults, *Arch Phys Med Rehabil* 70:755–762, 1989.

Wolpert DM, Ghahramani Z, Jordan MI: Are arm trajectories planned in kinematic or dynamic coordinate? An adaptation study, *Ex Brain Res* 103:460–470, 1995.

Yang JF, Lamont EV, Pang MY: Split-belt treadmill stepping in infants suggest autonomous pattern generators for the left and right leg in humans, *J Neurosci* 25:6869–6876, 2005.

CHAPTER

4 운동 발달

학습 목표 ***이 장을 학습한 후 학생들은 아래 사항에 대하여 이해하고 설명할 수 있다.***

1. 발달의 전생애 개념을 정의한다.
2. 인지 발달과 운동 발달의 관계를 이해한다.
3. 운동 발달의 두 가지 주요 이론에 대해 논의한다.
4. 생후 처음 3년 동안의 중요한 운동 성취를 파악한다.
5. 어린 시절의 기본적 움직임 유형 습득과 개선 과정을 설명한다.
6. 평생 동안 일어나는 기능적 움직임 유형의 연령 관련 변화를 설명한다.
7. 연령 관련 시스템 변화가 노인의 자세와 균형, 보행에 미치는 영향을 설명한다.

서론

전생애(Life Span)의 개념

정상적인 발달 변화는 보통 긍정적인 방향으로 일어난다고 한다. 다시 말해서 시간의 흐름에 따라서 능력들을 얻어가는 것이다. 영유아에게 연령은 무언가를 더 할 수 있다는 것을 의미한다. 아이가 좀 더 크면 혼자 앉을 수 있고, 그보다 더 성장하면 달릴 수 있다. 나이가 들면서 십대는 취학 연령의 아동보다 훨씬 더 높이 뛰어오를 수 있고, 더 멀리 던질 수 있다. 발달상의 변화는 부정적인 방향으로도 일어날 수도 있다. 움직임의 속도와 정확성은 성숙한 이후에 감소한다. 지난 올림픽 금메달리스트들의 나이를 살펴보면 운동 수행능력의 정점이 청소년기 초기와 성인기 초기라는 사실이 분명하게 드러난다. 노인은 운동 활동을 보다 더 느리게 수행하고, 새로운 운동 기술을 훨씬 느리게 학습하게 된다. 운동 발달의 전통적인 관점은 성숙으로 이어지는 긍정적 변화와 성숙 이후의 부정적 변화에 토대를 두고 있다.

운동 발달을 바라보는 진정한 전생애 관점은 인생이라는 지속적인 과정의 일부로 나타나는 모든 운동 변화를 포함한다. 이러한 지속적인 과정은 선형이 아니라 원형으로 진행된다. 몇몇 사람들은 심지어 운동 발달을 나선형 과정이라고도 한다. 운동 발달은 심리 영역이나 사회문화 영역과 같은 다른 발달 영역들과 분리되어 일어나지 않는다. 그림 4-1은 사회문화적 환경 내에서의 신체와 정신의 발달 관계를 보여 준다. 움직임은 물리적 영역과 심리적 영역, 사회문화적 영역 내에서 발달한다.

전생애 접근법

전생애 발달이라는 개념은 새로운 것이 아니다. Baltes (1987)는 원래 전생애 관점에 관한 이론을 평가할 때 사용하는 다섯 가지 특성을 제시했다. 발달을 전생애 관점에서 바라볼 때 사용하는 기존의 네 가지 기준과 새로운 다섯 번째 기준은 아래와 같다.

- 평생
- 다차원적
- 가소성
- 발달 안에 내장됨
- 다중 원인

최근에 Baltes (1987)는 전생애 이론의 이론적 토대를 다시 짚어 보았다. 이들은 발달이 성숙기에 완성되지 않는다는 개념을 강화했다. 전생애 이론의 다차원적 성질은 개체발생(발달)의 완벽한 토대를 제공해 준다. 모든 영역에서 얻은 문화와 지식은 사람의 인생에 중대한 영향을 미친다. 생물적 가소성에는 문화적 역량이 동반되기 때문에 발달 시기에 이득 · 상실 역학관계가 생겨난다. 다시 말해서 잃는 것 없이는 얻는 것이 없고, 얻는 것 없이는 잃는 것도 없다. 본질적으로 이것은 인간의 적응 능력이다. 원래 다섯 번째 기준이었던 맥락이 다중 원인으로 대체된 것은 사람이 각각 다른 수단들을 사용하거나 수단들을 결합해서 동일한 목적지에 다다를 수 있다는 뜻이다. 전생애 발달은 단 하나의 경로를 따르거나 발달 궤도를 따르라는 제약을 받지 않는다. 전생애 발달에는 다양성이 존재한다.

인생의 그 어떤 시기도 과거와 미래의 관계를 살펴보지 않고서는 이해할 수 없다. 발달은 그림 4-2에서 볼 수 있는 것처럼 세 가지 방식으로 발달에 영향을 미친다. 규범에 따른 연령별 영향은 Having-hurst (1972)가 각각의 발달 시기에 맞게 기술한 발달 과제들에서 찾아볼 수 있다. 연령에 따른 물리적 이정표와 심리적

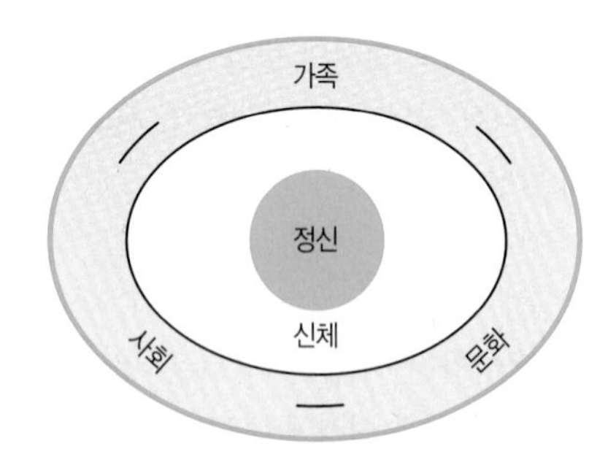

그림 4-2. 사회문화적 환경에서 개인의 심리적(마음)과 신체적(몸) 자아의 관계에 대한 묘사(Cech D, Martin S. 의 《전생에 걸친 기능적 운동발달(Functional movement development across the life span)》3판 17쪽에서 발췌, 필라델피아, WB 숀더스 출판사, 2012).

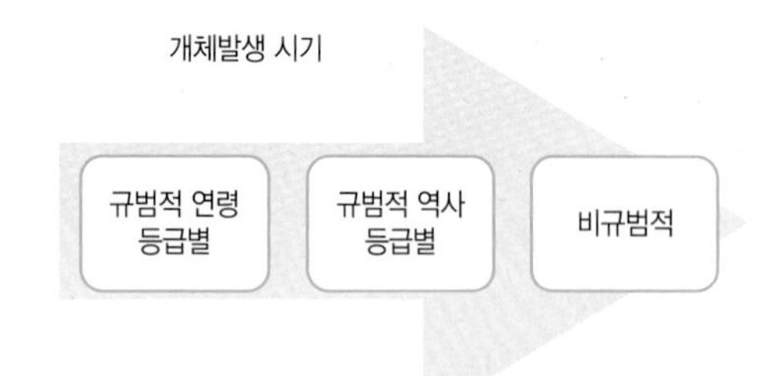

그림 4-2. 전생애 발달에 미치는 세가지 주요 생물문화적 영향(Cech D.와 Martin S.의 《전생에 걸친 기능적 운동발달(Functional movement development across the life span)》 3판 17쪽에서 발췌, 필라델피아, WB 숀더스 출판사, 2012).

및 사회적 운동발달이 이 범주에 속한다. 생후 12개월에 걷고, 16세에 운전면허증을 취득하는 것은 연령에 따른 물리적 과제 수행의 실례이다. 둥근 물체는 굴러간다는 간단한 개념을 이해하고, 청소년기에 또래들과 어울리는 것은 심리적 영역과 사회적 영역의 실례들이다. 더 나아가서 규범적인 역사에 따른 영향력은 사람이 태어났을때의 영향에서 비롯된다. 우리들 각각은 출생 코호트(birth cohort), 혹은 출생 집단의 일부다. 베이비부머 세대가 있는가 하면 밀레니엄 세대가 있다. 하나의 연령 코호트에 속하는 모든 사람들은 2차 세계대전과 챌린저 우주왕복선 폭발사고, 9.11 테러, 보스턴 마라톤 폭발 사고, 폴라 보텍스 같은 동일한 역사적 사건들을 경험한다. 탄생시기가 기대와 행동의 차이를 낳고, 그 시기의 역사적 사건들은 해당 코호트의 삶을 형성한다. 지난 역사와 관련해 영향력은 규범도 없고 기대치도 없는 사람에게 일어나는 일로써, 다시 말해서 복권에 당첨되고 부모를 잃거나 발달 장애가 있는 아이를 낳는 것과 같은 일에서 나온다. 이러한 사건들은 개개인 특유의 개인적 역사의 일부다. 전생애 발달은 성장해서 나이를 먹는 평생 과정이라는 전인적 틀을 제공한다. 생물 물리학적 영역과 심리적 및 사회 문화적 영역 내에서의 발달은 전생애 관점에서 살펴볼 때 풍성해진다.

운동 발달의 전생애 관점

운동 발달이라는 개념은 전생애 걸쳐 발생하는 움직임 능력의 모든 변화를 포괄하는 것으로 확대되었다. 그러므로 어린시절 이후에 나타나는 움직임 방식의 변화도 운동 발달에 포함된다. 운동 발달은 태어나서 죽음에 이르기까지 지속적인 변화를 이끌어낸다. 고전적인 파라오의 수수께끼를 한 번 생각해 보라. 아침에는 기어 다니고, 오후에는 두 발로 걸어 다니며, 저녁에는 세 발로 걸어 다니는 것은 무엇인가? 이 수수께끼의 답은 기어 다니는 유아기를 거쳐 걸음마를 배우기 시작해서 혼자 걸어 다니는 성인기를 지나 말년에 지팡이를 짚고 다니는 노인기라는 다양한 단계를 거치는 인간이다.

발달시기

나이는 생물학적 진보와 심리적 및 사회적 진보를 알려주는 보편적으로 인정받는 지표이기 때문에 발달의 변화를 측정하는 가장 유용한 방법이다. 유아는 어린이가 되고 청소년이 되고 마침내 특정한 나이에 성인이 된다. 노화는 발달 현상이다. 인지 발달 단계는 특정한 역할과 기능을 받아들이는 개인의 능력에 대한 사회적 기대와 마찬가지로 나이와 관련이 있다. 이러한 기간은 운동 발달에 관해 이야기할 때 모든 사람에게 공통된 언어가 사용될 수 있고 발달영역(물리적, 심리적, 사회적)을 비교할 수 있다. 3세 아이가 성인이 아니라는 사실은 모두가 알고 있다. 그런데 언제 아동기가 멈추고 청소년기가 시작되는지 알고 있는가? 성인은 언제 노인이 되는가? 이 책에서 자주 사용할 일반적인 시기의 정의는 표 4-1에 나와 있다.

유아기

유아기는 첫 발달 시기로, 생후부터 2년까지이다. 이 시기에 유아는 돌봐주는 사람과 신뢰를 형성하고, 자율적이 되는 법을 배운다. 이 시기에 세상은 유아 자신의 움직임 시스템과 동작에 대해 배우기 위해 사용할 수 있고 시도해 볼 수 있는 감각적 경험들로 가득 차 있다. 유아는 감각 정보를 이용해서 움직임을 이끌어내는 신호를 보내고, 움직임을 이용해서 환경을 탐색하고 배운다. 그러므로 가정은 호기심이 극히 강하고 이동이 많은 유아나 아장아장 걷는 아기에게 안전한 곳이어야 한다.

표 4-1 발달 시기(성인기 후기까지의 변화)

시기	기간
유아기	생후부터 2세까지
아동기	2세-10세(여자) 2세-12세(남자)
청소년기	10세-18세(여자) 12세-20세(남자)
성인기 초기	18/20세에서 40세
성인기 중기	40세-70세
성인기 후기	70세에서 사망까지

아동기

아동기는 생후 2년에서 시작되어 청소년기까지 이어진다. 아동기에는 움직임 전략을 계획하고 실행하며, 일상적인 문제를 해결하는 능력이 증진된다. 이 시기의 아동은 주변 환경을 적어도 한 번에 한 측면씩 민감하게 의식한다. 또한 이 시기에는 언어와 같은 기호를 사용하기 시작하거나, 물리적으로 존재하지 않는 것을 나타내기 위해 물체를 사용한다. 테이블 위에 씌워놓은 담요가 요새가 되거나 베개가 티파티 의자가 된다. 이 시기의 아동은 적절한 놀이 행동과 화장실 사용법에 관해서 부모의 도움을 받아 자기조절력을 배운다. 자아상도 이 시기에 형성되기 시작한다. 3세에서 5세까지의 취학 전 아동은 나눠 쓰기와 교대로 하기, 줄거리 반복하기와 같은 많은 과제를 성취한다. 취학 아동은 학교 프로젝트나 특별한 학교 기금 모금 과제에서 인정을 받기 위해 열심히 노력한다. 이 시기의 아동은 동그라미, 네모, 색깔, 촉감과 같은 특정한 특성들로 나누어 물건을 분류할 수 있다. 이러한 사고 능력의 확장은 구체적 조작(concrete operation)이라고 한다. 이 시기의 학생은 어떤 용기(길쭉한 용기, 납작하거나 짧은 용기, 넓은 용기)에 물이 더 많이 들어가거나 어떤 끈이 더 긴지를 실험할 수 있다. 자신의 능력에 자신감이 생기면 이미 형성된 긍정적 자아상이 강화된다.

청소년기

청소년기는 사춘기 이전, 사춘기, 사춘기 이후의 시기를 말한다. 그런데 남아와 여아의 사춘기 시작 시기가 달라서 청소년기 기간도 다르다. 그래서 여아의 경우에는 사춘기와 청소년기가 10세에, 남아의 경우에는 12세에 시작된다. 청소년기는 시작 시기와 상관없이 총 8년이다. 청소년기의 시작 시기가 다르기 때문에 여아는 남아보다 더 발달된 사회 감정적 행동을 보일 수 있다. 13세 아동의 교실에서는 많은 여아들이 사춘기를 끝내고 있는 반면 많은 남아들은 이제 막 사춘기에 들어서고 있다.

청소년기는 변화의 시기다. 이 시기에는 개인의 정체

성이 형성되고, 삶의 기준이 될 가치를 받아들인다. 물리적 변화와 사회 감정적 변화가 많은 시기다. 성공적인 청소년기를 보내면 자신이 누구이며, 어디로 가고 있는지, 어떻게 그곳에 도착할지에 대해 알게되는 능력을 가지게 된다. 십대 청소년들이 사회 경력이나 직업을 추구하면 어린 시절의 자기중심주의에서 벗어나는 데 도움이 된다(Erikson, 1968). 10대는 인지적으로 형식적 조작기(ormal operations stage)에 들어가기 때문에 귀납적 추론과 연역적 추론으로 추상적 문제를 해결할 수 있다. 이러한 인지 능력은 청소년의 정체성 위기를 극복하는 데 도움이 된다. 이 시기의 논리적 의사결정 연습은 의사결정이 점점 더 복잡해지는 성인기의 고난을 대비하는 것이다.

성인기

성인기는 하나의 개념으로 20세기의 한 현상이다. 성인기는 인간의 삶에서 가장 긴 시기이지만, 가장 적게 알려진 시기이다. 생물학적으로는 20세에 성인기가 시작되지만 심리적으로는 청소년기 후반(17세)에서 성인기 초기(22세) 사이에 5년이라는 기간의 과도기가 있을 수도 있다. Levinson (1986)은 이 시기를 초기 성인 전환기(early adulthood transition)라고 명명했다. 청소년이 성숙해서 성인이 되기까지는 시간이 걸리기 때문이다. 이러한 과도기뿐만 아니라 다른 과도기가 존재한다는 사실을 뒷받침 해주는 연구 결과도 있다. 성인기의 대부분은 하나의 긴 발달 기간으로 간주되지만 Levinson과 같은 몇몇 조사 학자들은 나이와 관련된 단계를 정의하였다. 성인기 중기는 성인기 초기에서 5년의 과도기를 두고 40세에 시작되어 5년의 이행기를 거쳐 성인기 후기(60세)에 끝이 난다. Arnett (2000, 2004, 2007)는 신생 성인기(emerging adulthood) 이론을 제안했다. 이 시기는 청소년기와 성인기 시작시기 사이의 기간으로, 18세에 시작하여 25세에 끝난다. 이 시기의 특징은 (1) 중간에 머물고 있다는 느낌과 (2) 불안정, (3) 자아 탐구, (4) 자기 집중, (5) 가능성이다. Arnett는 Erikson의 주장과는 반대로 청소년기가 아니라 신생 성인기에 자아가 형성된다고 하였다. 청소년기가 대학생 초기 시절까지 연장되고 성인의 역할을 맡는 시기가 졸업 이후로 연기된다는 가설을 뒷받침 해주는 자료들도 있다.

정신과 의사이자 하버드 성인발달 연구 책임자인 George Valliant (2002)는 Erikson (1968)의 기존 8단계에 경력 강화와 의미 수호라는 새로운 두 단계를 추가하였다. 경력 강화는 Erikson의 친밀성과 생산성 단계 사이에 들어간다. 경력 강화 단계에서는 직업을 선택한다. 이 단계는 젊은 성인이 직장에서 사회적 정체성을 형성하는 일에 주력하는 20세에서 40세 사이에 시작된다. 이 단계는 초기 단계에 형성된 개인 정체성의 확장이다. Valliant (2002)는 "직업" 또는 "취미"를 "경력"으로 바꾸는 4가지 기준을 정의하였다. 이는 역량, 헌신, 만족, 보상이다.

성인이 되는 조건은 무엇인가? 성인이 되는 시기를 암시해주는 마법의 나이 또는 과제가 있는가? 법적으로는 18세가 되면 성인이다. 그러나 스스로가 아직 신생 성인기에 있다고 거의 확신하는 18세 성인이 많다. 어떤 사회경제적 집단에 속해 있는지는 상관없이 성인에 대한 4가지 기준은 문헌에 지속적으로 언급되고 있다(Arnett, 2007). 성인이 되려면 자기 행동에 책임을 질 줄 알아야 하고, 독립적인 결정을 내리고, 타인을 배려할줄 알아야 하며, 경제적으로 독립해야 한다. "성숙은 책임을 질 줄 알고, 타인과 공감할 줄 알아야 한다" (Purtilo와 Haddad, 2007, 272쪽)

의미 수호는 Vallant (2002)가 Erikson의 생산성 단계와 자아통합 단계사이에 추가적으로 포함시킨 단계이다. 의미 수호 단계는 생산성 단계가 끝날 무렵에 시작되기 때문에 성인기 중 · 후반기에 해당한다. 의미 수호 단계의 역할은 다음 세대를 돌보는 것이라기보다는 자신의 문화를 지키는 것이다. 의미 수호 단계는 사회 제도의 보존 뿐만 아니라 보호하는 데 주력한다. 이러한 발달 단계의 실례로 노인들은 종종 족보에 관심을 보인다.

가족 시스템

가족이라는 개념은 매우 광범위하다. 가족의 구조

와 생활 방식이 다양하기 때문이다. 지난 몇 십 년 동안 한부모 가정이 크게 급증했다. 구조와 상관없이 가족의 기능은 가족 구성원 각각의 영향을 받는다. 이는 가족 역학(family dynamics)으로 보거나 브론펜브레너 모델(Bronfenbrenner's model)의 상호 작용하는 요소 시스템으로 볼 수 있다. 부모는 서로와 아이에게 영향을 미치고, 반대로 아이도 부모에게 영향을 가한다. 가족은 하나의 시스템으로서 대가족과 이웃, 학교, 종교 조직과 같은 보다 더 큰 사회 시스템에 속해 있다. 이 모든 시스템은 가족에 영향을 줄 수 있다. 가족 내부의 역학을 인지하는 것은 치료적 관계를 정할 때 매우 중요하다. 가족 중심 개입은 전생애 접근법이다(Chiarello, 2013). 가족은 단계와 이행이 명확하게 드러나는 생활 주기를 가지고 있다. 가족에 관한 보다 더 폭넓고 새로운 토의 내용을 알고 싶은 독자는 Carter와 McGoldrick (2005)의 견해를 살펴보길 바란다.

후기 성인기

노화를 연구하는 노인학자들은 70세를 노년의 시작으로 본다(Atchle와 Barusch, 2004). 인간은 태어나는 그 순간부터 나이를 먹는다. 노화에 관해서는 많은 것이 알려져 있다. 노화의 주요 이론은 활성 산소 이론(free radical theory)이다. 이 이론은 산화 손상 가설(oxidative damage hypothesis)이라고도 한다. 산화 손상은 DNA와 RNA, 단백질, 탄수화물, 지질과 같은 신체의 대형 분자들에 축적된다. 신경계와 근육계는 특히 조직의 높은 신진대사율로 인해 산화적 손상이 발생하기 쉽다. 연령 관련 계통의 쇠약은 충분한 영양 섭취와 수분 섭취, 운동으로 어느 정도 상쇄할 수 있다.

노인이 일선에서 물러나지 않고 사회 활동을 적극적으로 참여하면 성공적인 노화가 가능하다. Rowe와 Kahn (1997)은 맥아더 재단(Mac Arthur Fundation)의 종단적 연구에 기초한 성공적 노화의 세 가지 요소를 찾아냈다. 하나는 질병과 장애를 피하는 것이고, 두 번째는 높은 인지력과 신체기능 능력을 가지는 것이다. 마지막 세 번째는 삶에 적극적으로 참여하는 것이다. Rowe와 Kahn (1997)은 활동 이론가와는 달리 활동을 사회적 가치를 지닌 것으로 정의했다. 이러한 활동을 생산성을 기준으로 평가해서는 안된다.

인지와 동기의 영향

운동 발달과 운동조절, 운동 학습이라는 이 세 과정은 개인의 지적 능력에 따라 다양하게 영향을 받는다. 인지능력 손상은 움직이는 법을 배우는 개인의 능력에 영향을 미칠 수 있다. 지적 장애가 있는 아동은 지능이 정상인 아동과 동일한 속도로는 운동 기술 익히지 못할 수도 있다. 지적 장애 아동의 발달적 변화 속도는 신체 영역과 심리 영역, 사회 영역을 비롯한 모든 영역에서 감소한다. 그러므로 다른 지식 습득과 마찬가지로 운동 기술 습득도 종종 지연된다. 인지가 운동 발달에 영향을 미칠 수 있는 것처럼 운동 시스템도 인지에 영향을 줄 수 있다. Diamond (2000), Piek 등(2008)과 Pitcher 등(2011)은 운동발달과 그에 따른 인지능력을 연관지어 설명하였다. 이마앞겉질(prefrontal cortex)과 소뇌의 밀접한 상호 관계는 운동 시스템의 지속적인 발달과 유사하게 나타난다. 보면 취학 시기의 인지 능력을 예측할 수 있다(Pitcher 등, 2008). 조산아와 저체중아는 운동장애와 인지발달에 문제를 일으킨다(Hack과 Fanaroff, 2000). 기반 인지는 환경과 신체에 인식이 포함되는 개념이다(Barsalou, 2010). 이러한 아동은 지각 운동 경험을 통해서 패러다임을 학습하며 인지를 발달시켜나간다. 연구학자들은 치료사들에게 물체 상호 작용(object interaction)과 앉기, 보행을 기반 인지 모델로 인식할 것을 요구했다(Lobo 등, 2012). 또한 기반 인지 모델에 흉내내기 놀이를 추가하라고 권고하는 바이다. 흉내내기 놀이가 운동 발달뿐만 아니라 언어 발달을 뒷받침 해주기 때문이다. 흉내내기 놀이는 객체 상호 작용에서 보이지 않는 객체의 정신적 표상으로 나아가는 자연스러운 진행 단계이다. 놀이에 관한 추가적인 정보는 5장을 참조하기 바란다.

움직이려는 동기는 지적 호기심에서 나온다. 일반적

으로, 발달 중인 아동은 신체의 운동 잠재력에 본질적으로 호기심을 가진다. 유아는 자신의 움직임을 시각으로 인지한다. 이렇게 시각적으로 생겨나는 의식은 시각적 고유수용감각(visual proprioception)이라고 한다(Gibson, 1996; Gibson, 1979). 아장아장 걷는 아기들은 걸어 다니면서 주변 환경을 보다 더 많이 탐험할 수 있고, 그에 힘입어 심리적 발달도 안정적으로 이루어진다(Anderson 등, 2014). 아이들은 티볼이나 축구 같은 스포츠 관련 활동을 위해 움직인다. 청소년은 종종 운동장에서 발휘하는 수준에 따라 스스로를 정의하기 때문에 그들의 정체성은 상당 부분이 운동 능력과 관련이 되어 있다. 성인은 보통 여가로 스포츠 관련 활동에 참여할 수도 있다. 사람들은 활동을 통해 생애 초기에 발달된 건강한 신체를 유지할 수 있기를 바란다. 운동조절은 운동 학습과 운동 프로그램 수행, 발달 순서대로 성장하는 데 필요하다. 아이디어 형성에 관여하는 두뇌 영역들은 움직임을 적극적으로 유발시킬 수 있다. 움직임은 움직임의 규칙을 이해하는 정신 능력에 영향을 받는다. 5세 무렵의 아동은 동작을 상상하거나 마음 속으로 표현하는 능력을 키워나가기 시작한다(Gabbard, 2009). 이를 일컬어 운동 연상(motor imagery)이라고 한다. 아동의 운동 능력과 운동 연상은 긍정적인 관계를 맺고 있다(Gabbard 등, 2012). 아동의 이러한 능력은 청소년기까지도 계속 개선된다(Molina 등, 2008; Choudhury 등, 2007).

움직임은 또한 환경을 통제하는 방법이기도 하다. '정신력에 달린 문제', '난 잘 할 수 있어'라는 옛말도 있지 않은가? 환경을 조절하는 법은 신체를 조절하는 법과 동시에 배우기 시작한다. 아동이 주변 환경의 물체와 사람과 상호 작용하려면 공간에 익숙해져야 한다. 우리 인간은 제일 먼저 우리 몸에 익숙해져서 공간 관계를 배우고, 그 다음에 우리 자신을 참고 기준으로 삼아 환경 내에서의 움직임을 계획한다. 체육 교사나 코치들은 선수가 경기장이나 코트에서 자신이 차지한 위치 파악해 자신의 움직임이나 공의 움직임을 예측할 수 있는 선수의 능력을 이용한다.

운동 수행 능력을 개선하기 위해서 움직임을 시각화하는 역할은 문헌에 기록되어 있다(Wang와 Morgan, 1992). 스포츠 심리학자들은 동기를 포함한 인지적 운동 전략을 광범위하게 연구했고, 이러한 전략이 운동 수행 능력을 향상시키는데 얼마나 강력한지 인식하였다(Meyers 등, 1996). 우리는 누구나 관심이 없는 운동기술과는 달리 관심 있는 운동기술을 배워볼려고 애쓴 경험이 있다. 처음으로 계단을 내려가려는 아이의 얼굴 표정을 한 번 생각해 보라. 아이는 완전히 집중해서 계단을 내려간다. 인라인 스케이트를 완벽하게 익히려면 얼마나 집중해야 하는지도 생각해 보라. 인라인 스케이트를 처음으로 타고 보도를 달리는 동안 감히 다른 생각을 할 수 있겠는가? 발달은 단순하게 운동영역에서만 일어나는 것이 아니라 하나 이상의 영역에서 일어난다. 그렇기 때문에 독자 여러분이 이미 잘 알고 있을지도 모르는 아래의 심리학적 이론들을 이용해 전생애 관점이 무엇인지를 설명하고자 한다. 이러한 심리학적 이론은 움직임이 지능, 성격, 지각 발달에서 어떤 역할을 하는지 반영한다.

Piaget

Piaget (1952)는 자기 아이들의 행동 반응을 바탕으로 지능 이론을 개발했다. Piaget의 이론에 따르면 2세까지는 지능의 감각운동기(sensorimotor stage)이다. 이 시기의 유아는 감각적 경험을 신체 행동과 연관시킴으로써 세상을 이해하는 법을 배운다. Piaget는 이러한 결합을 스키마(schemas)라고 했다. 몇 가지 예를 들자면 이 시기의 아동은 보고 먹고 손을 뻗기 위해서 스키마를 개발한다. 2세에서 7세까지는 지능의 전조작기(preoperational stage)로, 이 시기의 아동은 말과 물체와 같은 상징으로 세상을 표현할 수 있다. 언어 사용은 상징적 사고가 가능해지기 시작하면서 급증한다. 다음 단계인 구체적 조작기(concrete operations)에는 논리적 사고가 일어난다. 7세에서 11세까지의 아동은 정보의 순서를 뒤바꿀 수 있다. 예를 들어 6 더하기 4가 10이라는 정보를 배웠다면 4 더하기 6도 10이라는 사실을 안다. 마지막 단계는 형식적 조작기

(formal operations)로, 피아제는 12세부터 형식적 조작기가 시작된다고 생각했다. Piaget가 정한 이러한 단계들의 구체적인 시기를 완벽하게 뒷받침 해주는 연구 결과는 없지만 Piaget의 단계들은 상기의 순서대로 진행된다. 형식적 조작기 단계는 청소년기에 시작되고, 우리 인간의 시간대로 보면 여아는 10세에, 남아는 12세에 형식적 조작기가 시작된다. Piaget의 단계는 표 4-2에 나와 있는 발달 연령과 관련되어 있다. Piaget는 추상적 사고가 가능해지는 청소년기까지의 지능 발달을 연구했다. 추상적 사고가 가장 높은 인지 수준이기 때문에 성숙 이후의 지능 변화는 살펴보지 않은 피아제의 이론은 전생애를 다루지 않았기 때문에 지적 개발에 대한 전생애 접근법은 관한 내용은 없다.

그러나 Piaget는 유아가 생후 2년 동안 환경과 어떻게 상호작용할 수 있고 하는지에 대한 유용한 정보를 제공한다. 아동의 연령과 상관없이 치료적 중재를 계획할 때는 항상 아동의 인지 수준을 고려해야 한다.

Maslow와 Erikson

이와 반대로 Maslow (1954)와 Erikson (1968)은 처음부터 끝까지 전체 발달 영역을 살펴보았다. Maslow는 개인의 욕구와 그러한 욕구가 사회심리 발달과 연관지어 어떻게 변하는지를 파악했다. Maslow는 단계를 설명하기 보다는 각각의 더 높은 단계가 전단계의 성취 여부에 좌우되는 계층을 개발하였다. 완벽하게 습득한 전 단계는 잊히거나 사라지는 것이 아니라 다음 단계의 토대가 된다. Maslow는 먼저 개인이 생존하고자 하는 기본적인 생리적 욕구를 충족시켜야 하고, 그 이후에야 다른 욕구들을 충족시킬 수 있다고 강조했다. 개인은 생리적 욕구와 안전 욕구, 애정과 소속감 욕구, 존경 욕구, 마지막으로 자아실현 욕구를 충족시킨다. Maslow의 이론은 그림 4-3에 시각적으로 묘사되어 있다. 자아를 실현한 개인은 자신감이 있고, 자발적이며, 독립적이다. 또한 문제를 해결하려고 하고, 자기 자신에게만 몰두하지 않는다. Maslow의 이론은 역사의 특정한 시기를 뛰어넘어 보편적으로 적용가능한 경향이 있다.

Erikson은 사람이 인격을 형성해나가는 단계를 묘사했다. 이 단계들은 개인의 연령과 관련이 되어 있으며 각 단계는 상반되는 두가지 특성을 나타낸다. 예를 들어 유아기에는 신뢰감 대 불안감의 투쟁이 일어난다. 청소년기에는 자아 정체성 투쟁이 발생한다. 표 4-3에 나와 있는 Erikson의 이론은 발달의 전생애 접근

표 4-2 Piaget 인지발달 단계

수명 기간	단계	특징
유아기	감각운동기	감각 반사와 운동 반사를 짝지어 목적 있는 활동을 이끌어낸다.
취학전 연령	전조작기	환경을 1차적으로 의식 한다. 상징을 사용한다.
취학 연령	구체적 조작기	실제적 물체를 가지고 문제를 해결한다. 분류하고 보존한다.
사춘기	형식적 조작기	추상적 문제를 해결한다. 귀납법과 연역법을 사용한다.

Piaget J의 ≪지능의 기원(Origins of intelligence)≫에서 발췌한 자료, 뉴욕, 국제대학 출판사, 1952)

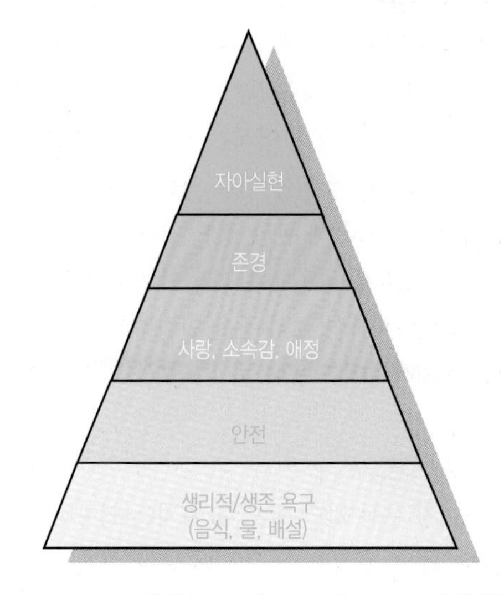

그림 4-3. Maslow의 위계(hierarchy)(Cech D.와 Martin S.의 《평생에 걸친 기능적 운동발달(Functional movement development across the life span)》 3판에서 발췌, 필라델피아, WB 손더스 출판사, 2012).

표 4-3 Erikson의 발달 8단계

수명 기간	단계	특징
유아기	신뢰감 대 불안감	자기 신뢰, 애착
유아기 후기	자율성 대 수치심	독립성, 자기조절
아동기 (취학 전)	주도성 대 죄책감	스스로 활동하기 시작
취학 연령	근면성 대 열등감	인정 받으려고 프로젝트 수행함
청소년기	정체성 대 역할 혼란	신체적으로나 사회적, 성적으로 자아감 형성
초기 성인기	친밀감 대 고립감	중요한 타인과 관계를 맺음
중기 성인기	생산성 대 침체성	다음 세대를 이끌어줌
후기 성인기	통합성 대 절망감	전체성과 활력, 지혜

Erikson E의 ≪정체성: 청년과 위기(IDENTITY: youth and crisis)≫에서 수정한 것. W.W. 노턴앤컴퍼니에서 1968년에 출판함. W.W. 노턴앤컴퍼니의 허가를 받아 사용함.

법을 보여주는 훌륭한 실례다.

지금까지 소개한 이 세 심리학자들은 서로 나이가 다른 사람들과 함께 일할 때 도움이 되는 중요한 정보도 제시할 수 있지만 그에 관해서 보다 더 깊이 파헤치는 것은 이 책의 범위를 넘어서는 일이다. 독자는 다양한 심리 발달 단계에 있는 다른 사람들을 이해하기 위해 이러한 이론가들에 관한 정보를 보다 더 찾아보길 바란다. 전생애 발달 관점은 개인이 도달하였거나 달성할 수 있는 지적 발달 수준을 인정하고 고려해 운동 발달을 이해하는데 도움이 될 수 있다.

운동 발달 이론들

널리 알려진 운동 발달 이론 두 가지는 역동적 시스템 이론(dynamic systems theory)과 뉴런 집단선택이론(neuronal group selection theory)이다. 이 이론들은 우리의 현재 지식 상태를 반영한다. Thelen과 Smith (1994)는 역동적 시스템 이론(DST)이라고 부르는 운동 발달 과정의 기능적 관점을 제시했다. 이 이론은 움직임은 다양한 신체 시스템의 상호작용에 의해 발생한다. DST는 운동 수행자의 신경계의 발달상태에 따라 움직임이 발생하는 환경적 맥락 및 움직임에 의해서 수행해야 할 과제와 함께 운동수행자의 생체역학적 측면을 통합한다. 자세 조절과 균형의 습득은 구제적인 과제 요구와 중력 요구에 의해 좌우된다. 발달 순서와 결합된 움직임 능력은 움직임을 효율적인 유형으로 조직하는 운동조절의 결과이다. DST는 운동 조절 이론인 동시에 운동 발달 이론이다. 뇌와 신경운동 시스템(neuromotor systems)은 운동 수행자의 발달상 요구를 충족시키기 위해 상호 작용해야 한다.

모든 신체 시스템의 성장과 성숙, 적응은 신경계뿐만 아니라 움직임 습득에 도움이 된다. 움직임은 모든 신체 시스템과 당면 과제, 움직임이 일어나는 환경의 상호 작용으로 일어난다. 운동 기술을 습득하기 위해, 운동 수행자는 처음에는 단일 관절, 나중에는 다관절을 움직여 가능한 운동 면의 수를 조절하여야 한다. 이것은 3장에서 논의했던 자유도 문제로 귀결된다. Bernstein은 새로운 운동 수행자나 초보 운동 수행자가 조절 능력이 발달될 때까지 사용되는 독립적인 움직임 요소들의 수를 최소화해야한다고 생각했다. 처음으로 걷는 아이는 자유도를 조절하는 아주 훌륭한 실례가 된다. 처음으로 걸을 때는 양팔을 높이 올려서 몸통 상부를 펴고, 골반을 앞으로 기울여서 몸통 하부를 안정시킨다. 이때 유아는 제자리걸음을 하는 것처럼 한 번에 한쪽 다리만 들어 올려야 한다. 그러고는 약간 앞으로 쏠리는 힘을 이용해서 걸어 나간다.

뉴런 집단선택이론(Andreatta, 2006)에 따르면 운동 기술은 신체 역학의 발달과 뇌의 구조 또는 뇌의 기능의 상호작용에 의한 것이라고 제안했다. 뇌의 구조는 신체가 어떻게 사용되고 움직여 지는지에 따라 변화한다. 뇌의 성장하는 신경섬유망(neural network)은 효율적인 움직임 해결책에 적합하도록 만들어진다. 뉴런 집단선택이론이 운동 시스템에서 효율적으로 적

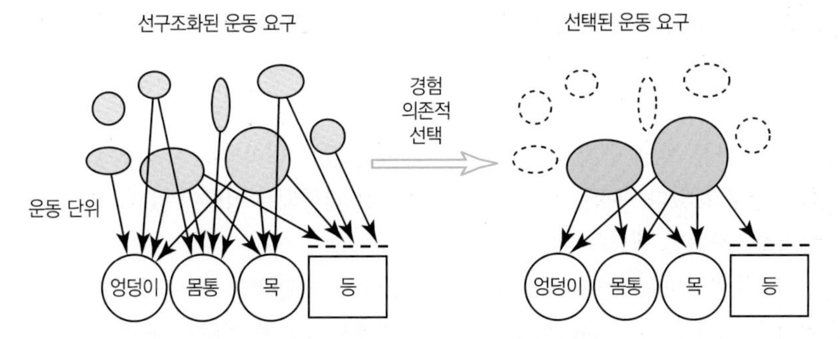

그림 4-4. 뉴런집단선택이론에 따른 발달 과정의 실례는 앉아 있는 유아의 자세 근육 활성화 유형 발달이다. 유아는 혼자 힘으로 앉기 전에 신체가 뒤쪽으로 흔들리는 경우를 포함한 외적 동요에 대응해서 상당히 다양한 근육 활성화 유형을 보여 준다. 배 쪽의 다양한 자세 근육들이 다양한 방식으로 결합해서 수축되고, 때로는 그와 동시에 등쪽 근육이 억제된다. 이러한 반응 유형들 가운데 상당수가 이후에 성인들이 사용하는 것이다. 나이가 들면서 가변성이 감소하고, 유형 수가 점점 줄어든다. 마지막으로 완전한 성인 근육 활성화 유형들만 남는다. 이 과정에서 균형감을 배우면 선택이 가속화된다(Forssberg H의 ≪인간 운동 발달의 신경 조절(Neural control of human motor development)≫ Curr Opin Neurobiol 9:676–682에서 수정함, 1999).

용되려면 세 가지 필수 요건이 충족되어야만 한다. 첫째, 기본적인 움직임 목록이 있어야 한다. 둘째, 적응할 수 있는 움직임 형태를 파악하고 선택하기 위해 감각 정보를 이용할 수 있어야 한다. 셋째, 선호하는 움직임 반응을 강화하는 방법이 있어야 한다.

유아는 자연적으로 생겨난 운동 행동들을 유전적으로 지니고 태어난다. 그림 4-4는 초기의 운동 행동을 이끌어내는 기본적인 신경섬유망을 보여 준다. 이 실례는 앉아 있는 유아의 자세 근육 활성화와 관련이 있다. 유아의 다중감각 시스템이 감지될 때, 뇌회로 사이에 연결된 시냅스연결 강도는 동작에 따라 어떤 신경섬유망을 선택하는지에 달려있다. 환경적 요구와 과제상 요구는 움직임을 이끌어 내기 위한 신경 전체의 일부가 된다. 환경과 과제 요구는 움직임 생성의 일부가 된다. 공간 지도가 형성되고, 성숙한 신경섬유망은 사용의 산물이자 감각 피드백으로 나타난다. 뉴런 선택의 과정을 통해 발달된 공간지도는 선호되는 경로이다. 이러한 지도는 보다 더 자주 사용되기 때문에 선호된다. 이러한 경로들은 상당수의 신경계를 연결하고, 지각과 인지, 감정, 움직임을 체계적으로 연결시켜준다(Campbell, 2000).

뉴런 집단이론에 따르면, 뇌와 신경계는 기초적인 신경회로를 형성하는 게놈지도(genetic blueprint)와 초기활동에 의해 발달된다. 특정한 회로들을 사용하면 그 회로들이 강해지고 시냅스 효과가 높아진다. 이것은 다양한 움직임 방식을 탐구해서 나오는 선택성(selectivity)이다. 마지막으로, 지도는 운동 수행자와 과제 요구에 반응하여 자발적인 움직임 패턴을 구성하여 수행하기 위해 발달된다(Edelman, 1987). 골격계, 근육계, 심혈관계와 호흡계와 같은 다른 신체 계통들은 신경계와 상호작용하여 운동수행자에게 가장 효율적인 움직임 패턴을 선택하도록 돕는다. 이 이론에 따르면 운동 프로그램이 존재하지 않는다. 뇌는 컴퓨터가 아니고, 움직임은 하드웨어에 내장된 것이 아니다. 이 이론은 뇌가소성이 전생에 거쳐 지속적으로 나타나는 특징이라는 사상을 지지한다. 신경 가소성은 원하는 기능을 수행하기 위해 신경계 시스템의 구조를 적응시키는 능력이다. 동시에 활성화되는 신경끼리 서로 연결된다. 움직임 가변성은 언제나 정상적 움직임의 전형적인 특징으로 간주되었다. 이처럼 다수의 시스템이 통합되면 기능적 과제를 수행할 때 다양한 움직임 전략을 사용할 수 있다. 사람이 물체를 잡으려 손을 뻗는 방법이 얼마나 다양한지, 혹은 방을 가로질러 가는 방법이 얼마나 다양한지 한 번 생각해보라.

발달 개념

많은 개념들이 인간의 운동 발달에 적용된다. 이러한

개념들은 발달 법칙이 아니라 운동 발달에 관한 정보를 조직하는 방법에 관한 사상들을 안내해 주는 것이다. 이러한 개념들은 또한 기술 습득 유형의 변화 방향과 관련되어 있고, 각기 다른 발달 단계에서 나타나는 움직임 유형들과 관계가 있다. 모든 발달론자들이 동의하는 그 무엇보다 중요한 개념은 발달이 순차적으로(sequential) 이루어진다는 것이다(Gesell 등, 1974). 이러한 발달의 계열성(developmental sequence)은 대부분의 발달론자들이 아직까지도 인정하고 있다. 순서의 구성에 관해서는 의견 충돌이 일어나는 영역들이 있다. 어떤 특정 기술이 항상 순서의 일부가 되는지, 하나의 기술이 다음 기술을 위한 전제조건이 되는지는 아직까지 논란이 있다.

후생설(Epigenesis)

운동 발달은 후생적이다. 후생적이란 인간이 점진적 분화를 통해 단순한 유기체에서 보다 더 복잡한 유기체로 성장하고 발달한다는 발달 이론이다. 식물 세계에서 실례를 찾아보자면 단순하고 동그란 씨앗이 아름다운 천수국으로 자라는 것이다. 운동발달은 일반적으로 이전에 일어난 것을 토대로 하여 순차적으로 일어난다. 하나의 벽돌 위에 다른 벽돌을 올려 탑을 쌓는 것이 아니라 피라미드처럼 이전의 층을 다음 층이 완전히 뒤덮는 식으로 이루어진다. 이러한 피라미드 방식 덕분에 성장과 변화가 동시에 한 가지 이상의 방향으로 일어난다(그림 4–5). 발달 순서는 일반적으로 머리조절, 구르기, 앉기, 기기 및 걷기로 발달된다고 알려져 있다. 일련의 동작을 운동 이정표(motor milestones)라 한다. 각 기술 습득의 변화율은 한가정이나 여러가정 또는 각기 다른 문화권을 가진 가정마다 다르게 나타날 수 있다. 아이가 몇몇 단계의 기술들을 동시에 습득할 때는 순서가 겹칠 수도 있다. 예를 들어 아이는 앉아서 균형 잡는 법을 배우는 동시에 완벽하게 구르기를 익힐 수 있다. 아이가 새로운 뭔가를 시도하기 전에 그보다 낮은 단계의 기술을 완벽하게 익혀야 할 필요는 없다. 어떤 아이들은 발달상의 손상없이 기기와 같은 낮은단계의 기술을 건너뛰고 걷는 것과 같은 높은 수준의 기술로 나아갈 수 있다.

운동 발달의 방향 개념

자세 발달은 머리에서 꼬리쪽 방향으로, 몸쪽에서 먼쪽으로 진행되는 성향이 있다.

머리에서 꼬리쪽 방향

머리에서 꼬리쪽 발달은 출생 후의 자세 발달에서 찾아볼 수 있다. 유아의 머리조절은 목의 움직임으로 시작하여 몸통 조절의 발달로 이어진다. 몸통 조절의 발달로 이어진다. 출생 후의 자세 발달은 원시척수가 폐쇄될 때 태아에 일어나는 과정을 반영한다. 제일 먼저 목 영역이 폐쇄되고, 이어서 태아의 머리와 꼬리 두 방향으로 폐쇄가 동시에 진행된다(Martin, 1989). 유아는 머리와 목 조절 능력을 발달시키고, 이어서 몸통 조절 능력을 키워 나간다. 머리–몸통 조절의 발달 과정에서는 중복이 일어난다. 입 주변에서 나선형으로 시작되어 바깥쪽으로 퍼져나가 점점 더 많은 신체 부위를 뒤덮는다고 생각해 보라(그림 4–6). 머리와 목의 자세 조절 발달은 초기 운동 발달에서 속도 제한 요소(rate–limiting factor)가 될 수 있다. 머리와 목의 조절이 이뤄지지 않으면 이후의 운동 발달이 지연된다.

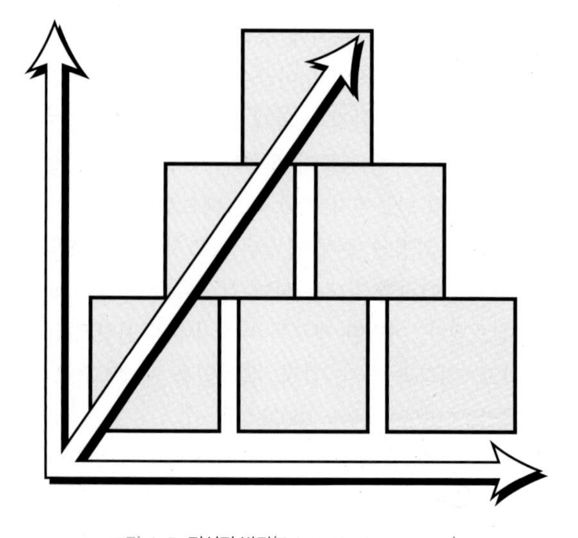

그림 4–5. 점성적 발달(Epigenetic development).

몸쪽에서 먼쪽 방향

신체의 축이나 정중선은 연결된 하나의 구조로서 머리와 눈, 팔다리의 움직임을 얼마든지 조절할 수 있는 안정적인 기반을 제공해야 한다. 몸통은 위쪽의 머리 움직임과 먼쪽의 팔다리 움직임을 제공하기 위한 안정적인 기반이다. 양팔을 사용하지 않고는 똑바로 앉지 못하는데 날아오는 공을 잡으려고 한다면 어떻게 될지 한 번 생각해 보라. 양팔로 몸통을 지지해야 하기 때문에 날아오는 공을 잡으려고 하면 아마 넘어지고 말 것이다. 아니면 머리를 치켜들 수 없다고 상상해 보자. 이때 눈으로 움직이는 물체를 주시할 수 있는 가능성이 얼마나 되겠는가? 발달 초기에 유아는 엎드려서 머리를 들어 올려 목을 정중선에 놓으려고 한다. 그 다음에는 중력에 저항해 척추를 뻗어서 몸통을 정중선에 놓으려고 한다. 이어서 체중지지를 통해 몸쪽의 어깨와 골반이음부를 안정시킨다. 일부 자세를 취할 때는 외부 환경에 머리와 몸통을 기대놓고 팔과 다리를 움직인다. 팔을 뻗는 것은 발달 초기에 가능하나 몸통을 지지해 주는 유아 의자에 앉아 있을 때와 같은 외부 환경이 마련되어야만 가능하다. 다시 한 번 말하자면 유아는 제일 먼저 목을 정중선에 놓아 조절하고, 이어서 몸통을 조절하고, 그 이후에는 팔과 다리, 손, 발을 조절하기 전에 어깨와 골반을 조절한다.

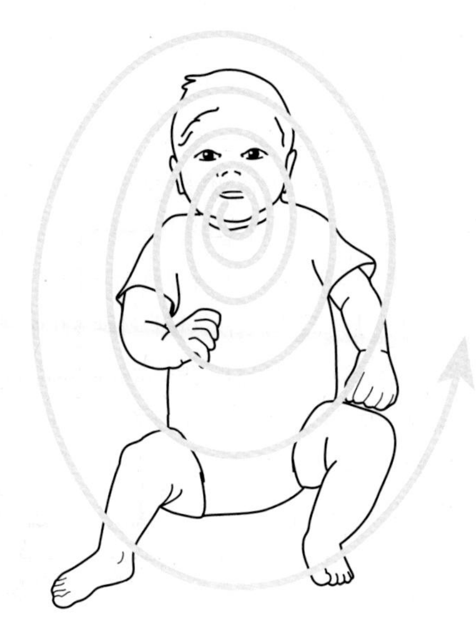

그림 4-6. 유아 발달과 나선형 발달

발달의 일반적 개념

분리

일반적 개념은 발달이 집단적 움직임(mass movement)에서 특이적 움직임(specific movement)으로 진행되거나 간단한 움직임에서 복잡한 움직임으로 진행되는 것이다. 이 개념은 몇 가지 다른 방식으로 해석할 수 있다. 집단적이란 신체 전체를 일컬을 수도 있고, 특이적이란 신체의 더 작은 부분들을 일컬을 수 있다. 예를 들어 유아가 움직일 때는 몸 전체가 움직인다. 이때의 움직임은 특정한 신체 일부분에 국한된 것이 아니다. 유아의 움직임은 몸통과 팔다리의 집단적 움직임이 나타난다. 유아는 독립된 신체의 일부분들을 움직이기 전에 굴러가는 통나무처럼 신체를 하나의 단위로 움직이는 법을 배운다. 한 신체 부위의 움직임과 다른 신체 부위의 움직임을 독립적으로 사용하는 능력이 분리(dissociation)라 한다. 성숙한 움직임은 분리가 특징적으로 나타나며, 전형적인 운동발달에서 흔히 볼 수 있다. 유아가 몸통을 움직이지 않고 머리를 사방으로 돌리는 법을 배우면 머리의 움직임이 몸통의 움직임과 분리되었다고 말할 수 있다. 팔꿈치로 바닥을 짚고 엎드려서 한 팔을 뻗는 것은 몸통으로 부터 팔다리의 분리를 보여 주는 실례이다. 보여 주는 실례이다. 유아가 기어 다닐 때는 팔다리의 움직임과 몸통의 움직임이 분리된다. 더 나아가서 유아가 기어 다니면서 몸통 위쪽을 한쪽으로 틀고 몸통 아랫부분 반대쪽으로 돌릴 때는 몸통 위쪽이 몸통 아랫부분에서 분리되고, 그 반대도 마찬가지다.

상호교류(reciprocal interweaving)

많은 발달론자들이 운동 유형의 안정성과 불안정성 시기를 관찰했다. Gesell 등(1974)은 초기 발달 과정을 거치는 아동의 운동조절에서 나타나는 주기적 변화를 묘사하기 위해서 상호 교류라는 개념을 제시했다. 평형 시기는 불평형 시기로 균형을 맞춘다. 한 살

때 상당히 뛰어나 보이는 머리 조절 능력은 나이가 들면서 감소하는 것처럼 보이지만 유아가 더욱 더 발달하면 회복된다. 각각의 발달 단계에서 능력들이 나타났다가 병합되고 퇴행하거나 대체된다. 불평형 시기에는 움직임 유형들이 초기 상태로 퇴행하나 얼마 후에는 새로운 유형들이 새로 형성된 조절 능력과 함께 나타난다. 어떤 때에는, 엎드려서 머리조절하는 것과 같이 특정 환경에서 습득한 운동능력이 자세 환경이 바뀌게 되면 다시 학습해야하는 경우도 있다. 예를 들어 아동이 앉아 있을 때가 그렇다. 몇몇 움직임 유형들은 필요에 따라서 각각 다른 시기에 나타나는 것 같다. 발달 도중에 특정한 움직임 유형들이 다른 시기에 다시 나타나는 것도 상호 교류라고 할 수 있다. 이러한 움직임 패턴은 어깨뼈 모음을 사용할 때 다시 나타난다. 초기에, 이 움직임 유형은 유아가 엎드려서 몸통 위쪽을 펼려고 할 때 사용된다. 이후 발달에서 아장아장 걷는 아이가 이 움직임 패턴을 사용하여 위쪽 몸쪽을 편채 걷기 시작한다. 걸을 때 이 움직임 패턴을 사용하여 높은 경계자세를 취한다. 상호 교류는 나선형 발달 패턴에서 나타난다.

변화와 가변성

운동 발달은 가변성의 두 단계에서 일어난다고 할 수 있다. 가가변성의 첫단째 단계에서, 운동 수행자가 가능한 모든 종류의 움직임 결합을 탐색하기 때문에 운동 패턴이 극히 다양하게 나타난다. 이러한 움직임에서 발생된 감각정보는 지속적으로 신경계를 발달시킨다. 많은 연구에서 스스로 만들어 낸 감각운동 경험이 운동 발달에 중추적인 역할을 담당한다고 보고하였다(Hadders-Algra, 2010).

가변성의 두번째 단계는 신경계가 상황에 가장 적합한 운동반응을 선택할 수 있도록 움직임에서 나오는 감각정보를 이해할 수 있을 때 시작된다. 일차 가변성에서 이차 가변성으로 전환되는 매커니즘은 아직 알려지지 않았다. 적응성 반응이 일어나는 연령은 관련된 기능에 따라 달라질 수 있다. 예를 들어 빠는 행동은 출산 예정일 이전에 이차 가변성을 드러낸다(Eishima, 1991). 아이는 태어나자마자 빨기 기술을 수행하고 잘 조절한다. 자세 조절은 생후 3개월 된 아이의 몸통 움직임에서 찾아 볼 수 있다(Hedburg 등, 2005). 모든 기본적인 운동 기능들은 생후 18개월 무렵에 이차 가변성의 시작 단계에 도달한다고 알려져 있다. 이러한 기본적 운동 기능으로는 뻗기와 잡기뿐만 아니라 자세조절과 보행도 포함된다. 변화와 가변성은 운동 발달에 있어 전형적인 특징이다. 틀에 박힌 방식으로 움직이거나 한 패턴의 움직임만 고집하는 유아는 운동 문제를 야기할 수 있다. 유아기에 자세 조절 능력의 가변성을 평가하면 운동 문제를 조기에 발견할 수 있다(Dusing and Harbourne, 2010).

운동 발달의 생체 역학적 고려 사항

생리학적 굽힘 운동에서 항중력 폄 운동, 항중력 굽힘 운동까지

논의할 다음 개념들은 각각 다른 발달 단계에서 나타나는 움직임 유형의 변화와 관련되어 있다. 몇몇 움직임들은 발달 중의 특정한 단계에서 수행하기가 훨씬 쉽다. 움직임에 영향을 미치는 요소들은 상황에 따른 생체역학과 근력, 신경근육 성숙과 조절의 수준이 있다. 만삭 출산아의 경우에는 굽힘 근긴장이 우세하다(생리적 굽힘). 팔다리와 몸통은 선천적으로 굽는다(그림 4-7). 팔다리 중 어느 하나라도 똑바로 펴거나 풀려고 하면 다시 원 위치로 돌아가기 쉽다. 이는 중력의 영향, 즉 유아의 체중 때문에 생겨나는 현상이고, 유아가 굽힘 성향을 잃어가고 몸을 펴기 시작하는 일부 초기 반사에 의해 생겨날 수 있다. 발달이 진행되면서 폄 움직임이 보다 더 활발히 일어난다. 항중력 폄 움직임은 신생아가 생리학적 굽힘 자세로 인해 폄근이 늘어나 있기 때문에, 조기에 습득하기 가장 쉽다. 폄근은 짧아진 굽힘근이 시작하기 전에 기능을 시작할 준비를 한다. 유아는 중력에 의해 우세하게 태아 자세로 굽혀져 있다가 중력에 대항하여 능동적으로 몸을 펴는 능력이 발달되기 시작한다. 항중력 굽힘 운동은 바로 누운 자세에서 나타나고, 이후에 항중력 폄운동이 일어난다.

아기들은 태어날 때 C모양의 척추를 지니고 있다. 유

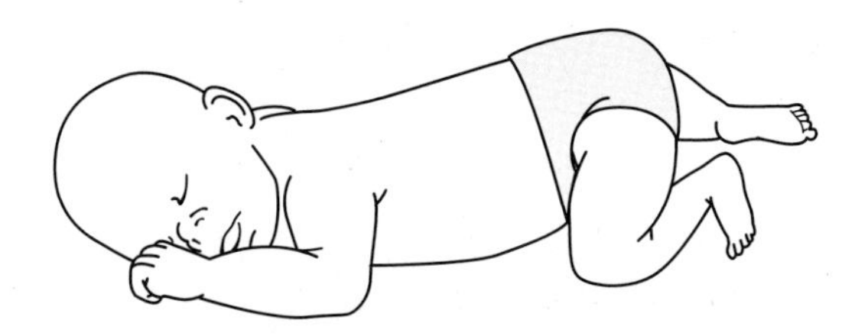

그림 4-7. 갓난아기의 생리적 굽힘

아가 엎드려서 머리를 들어 올리면 이차 목굽이(secondary cervical curve)가 발달한다. 유아의 상체 힘을 길러주기 위해 유아를 엎드린 위치에 노출시키지 않으면, 머리를 올리고 돌리는 능력이 감소한다. 유아가 바로 누워 있으면 비대칭적 머리 자세를 취하는 경향이 있기 때문에 쏠린머리증(plagiocephaly)이나 기형의 위험이 증가한다. 목 근육은 중앙선 안에 머리를 유지할 만큼 충분한 근력을 가지고 있지 않다. 아기의 상체 힘을 길러주기 위해 엎어 두는 것은 양쪽 목근육을 강화시켜 머리를 들어올리고 돌리기 위해 필수적이다.

발달 과정

운동 발달은 성장(growth), 성숙(maturation)과 적응(adaptation)이라는 세 과정의 결과이다.

성장

성장은 크기나 비율의 증가를 뜻한다. 성장을 측정하는 전형적인 방법으로는 치수와 키, 몸무게, 머리둘레가 있다. 유아와 아동의 성장은 보통 소아과에서 성장도표(그림 4-8)를 사용해 추적한다. 성장은 발달 과정의 변화를 보여주는 중요한 요소이다. 어떤 운동 수행 능력의 변화는 신체 크기의 변화와 연관될 수 있기 때문이다. 보통 아이가 키가 클수록 공을 더 멀리 던질 수 있다. 나이가 들면서 힘이 세지는 것은 아이의 키와 체중 증가와 관련되어 있다(Malina 등, 2004). 성장하지 않거나 두 성장 측정치가 일치하지 않는 것은 발달상의 문제를 조기에 암시해 주는 지표가 될 수 있다.

성숙

성숙은 사전에 프로그램 된 내적 신체 과정으로 일어나는 신체적 변화의 결과이다. 유전적으로 일어나는 성숙한 변화로는 신경섬유의 말이집 형성, 일차와 이차 뼈성장 중심(뼈되기 중심, ossification centers)의 등장, 내부 장기의 복잡성 증가, 이차 성징이 있다. 긴뼈의 끝(epiphyses)에서 일어나는 몇몇 성장 변화들은 성숙의 결과로 나타난다. 뼈되기중심(유전적 통제 하에 있음)이 활동하기 시작하면 길이가 증가한다. 이러한 뼈되기중심이 닫힌 후에는 성장이 멈추고, 길이의 변화가 더 이상 일어나지 않는다.

적응

적응은 환경적 영향을 받아 성장과 발달이 일어나는 과정이다. 신체적 변화가 외부 자극의 결과로 나타날 때 적응이 일어난다. 유아는 항체를 만들어서 수두와 같은 전염병 감염에 적응한다. 골격은 기능적 활동 동안 가해지는 체중부하와 근육에 힘(볼프의 법칙, Wolfe's law)에 대응하여 발달동안 재배열된다. 근육이 뼈를 끌어당길 때, 골격은 효율적인 움직임을 위해 뼈대와 근육힘줄의 적절한 관계를 유지하려고 적응한다. 이 적응성은 근육힘줄의 힘이 비정상적(불균형)이거나 정렬이 어긋나 있을 경우 골격의 문제를 유발할 수 있고, 기형을 만들어 낼 수도 있다.

운동 단계

운동 단계와 그 기술들을 사용할 수 있는 연령은 표 4-4와 표 4-5에서 찾아볼 수 있다. 운동 단계를 습득하는 시기는 일반적으로 차이 크다는 것을 기억하라.

머리 조절

유아는 머리 조절 능력이 잘 발달하여야 한다. 유아는 바로 누운자세에서 앉혀 놓았을 때 신체와 일직선 상(귀 어깨뼈 봉우리가 일직선)에 머리를 둘 수 있어야 한다(그림 4-9). 유아는 몸이 기우는 방향의 반대쪽으로 머리를 기울일 수 있어야 한다. 생후 4개월 된 유아는 엎드렸을 때 중력에 저항해서 45도 각도로 머리를

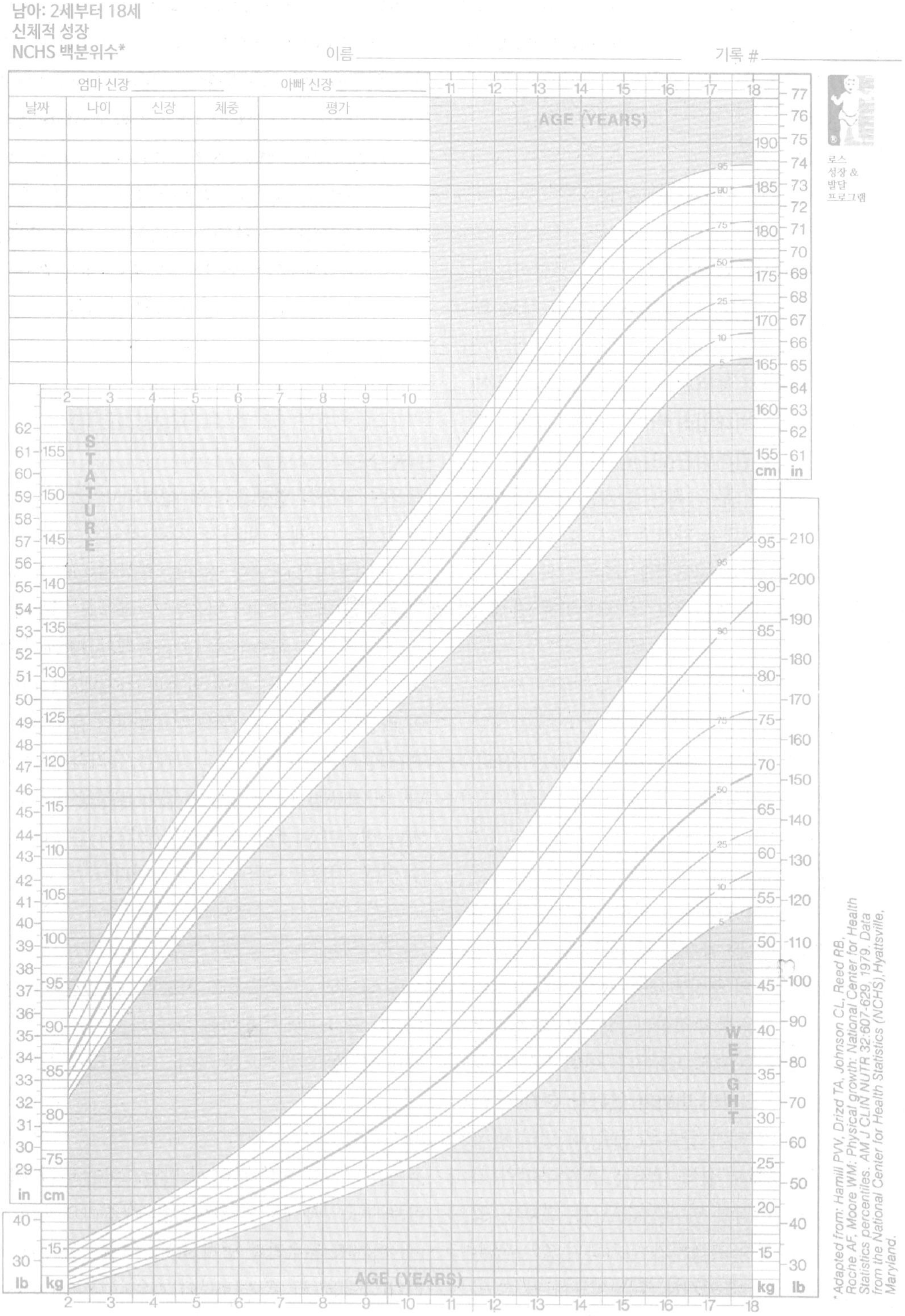

남아: 2세부터 18세
신체적 성장
NCHS 백분위수*

이름 ______ 기록 # ______

엄마 신장 ______ 아빠 신장 ______

날짜	나이	신장	체중	평가

로스 성장 & 발달 프로그램

AGE (YEARS)

STATURE

WEIGHT

*Adapted from: Hamill PVV, Drizd TA, Johnson CL, Reed RB, Roche AF, Moore WM: Physical growth: National Center for Health Statistics percentiles. AM J CLIN NUTR 32:607-629, 1979. Data from the National Center for Health Statistics (NCHS), Hyattsville, Maryland.

그림 4-8. 성장도표(오하이오 주 43216 콜럼버스에 위치한 에보트 래버러토리즈 사 로스 생산부의 허락을 받아 NCHS 성장도표에서 발췌해 사용. 에보트 레버러토리즈 사 로스 생산부에 저작권 있음, 1982).

들어올릴 수 있어야 한다(그림 4-10). 유아는 생후 5개월이 되면 바로 누운자세에서 머리를 굽히는 능력, 즉 항중력 머리 조절 능력을 배우게 된다.

분절 구르기(Segmental Rolling)

다음 운동 단계는 구르기다. 유아는 분절 구르기(생후 6개월에서 8개월 사이)를 하기 전에 통나무 구르기(생후 4개월에서 6개월)를 한다. 통나무 구르기(log rolling)를 할 때는 몸통 회전 없이 머리와 몸통이 하나의 단위로 움직인다. 분절 구르기나 몸통 상부와 하부가 따로따로 회전해 구르기는 생후 6개월에서 8개월 사이에 가능해야 한다. 굴러서 엎드린 자세에서 바로 눕기가 굴러서 바로 누운 자세에서 엎드리기보다 먼저 일어난다. 보통 폄근 조절이 굽힘근 조절보다 먼저 발달하기 때문이다. 엎드린 자세에는 몇 가지 기계적 이점이 있다. 이 자세에서는 유아의 양팔이 몸 아래쪽에 있어서 지지면을 밀 수 있기 때문이다. 유아의 신체 중에서 가장 무거운 머리가 한쪽으로 움직이면 중력에 이끌려 지지면 쪽으로 다가가고 자세가 변한다.

앉기

다음 운동 단계인 앉기는 유아의 기능적 성향이 변화하였다. 예전 기준으로는 생후 8개월에 유아가 독립적으로 앉을 수 있었다(그림 4-11). 그러나 세계 보건기구(WHO, 2006)에 따르면 현재 전 세계 유아가 혼자 앉을 수 있는 생후 6.1개월(표준 편차 1.1)이다. 독립적인 앉기는 앉을 때 혼자 앉는 것으로 정의한다. 이때 뒤굽음증(kyphosis) 없이 등이 곧게 펴져야 한다. 손으로 몸을 지지할 필요도 없다. 이 시기의 유아는 앉는 자세를 취할 순 없더라도 이 자세에서 몸통을 회전할 수 있어야 한다. 머리와 몸통을 돌리는 능력은 환경과 상호 작용하고 동적 균형을 유지하는 데 중요하다.

기기와 잡고 서서 옆으로 걷기

아기는 먼저 배밀이를 할 수도 있지만 WHO (2006)에 따르면 생후 8.5개월(표준 편차 1.7)에 교대적으로 기어다닌다(그림 4-13 참조). 교대적이란 한쪽 팔과 다리가 함께 움직이는 동안 반대쪽 팔다리가 체중을 지지한다는 뜻이다. 생후 10개월에서 11개월 사이의 유아는 대부분 잡고 서서 가구에 의지해 옆으로 걸어다닌다. 서서 옆으로 걷기는 손이나 배를 물체 표면에 대고 걷는 것이다(그림 4-12). 커피탁자와 긴 의자가 이 활동에 적합하다. 유아의 몸을 충분히 지탱해줄 수 있을 정도로 높이가 적당하기 때문이다(표 4-13).

표 4-4 유아 운동 이정표

이정표	연령
머리 조절(앉혔을 때 머리가 아래로 떨어지지 않음)	생후 4개월
바로 누운 자세에서 분절 구르기로 엎드리기	생후 6-8개월
혼자 안정적으로 앉기	생후 6-8개월
교대적으로 기기, 잡고 서기	생후 8-9개월
잡고 서서 옆으로 걷기	생후 10-11개월
혼자 걷기	생후 12개월

표 4-5 뻗기, 쥐기, 놓기 이정표

동작	연령
물체주시	출생-생후 2개월
물체 치기	생후1-3개월
주시하며 팔 뻗기	생후 3.5-4.5개월
팔꿈치로 엎드린 자세에서 팔 뻗기	생후 6개월
손에 놓인 물체 갖고 있기	생후 4개월
손바닥 쥐기	생후 6개월
노뼈-손바닥 쥐기	생후 7개월
가위 쥐기	생후 8개월
노뼈-끝 쥐기	생후 9개월
하향 집게 쥐기	생후 10-12개월
상향 집게 쥐기	생후 12개월
세 손가락 집기	생후 12개월
불수의적 놓기	생후 1-4개월
몸의 중심선에서 옮기기	생후 4개월
몸을 가로질러 옮기기	생후 7개월
수의적 놓기	생후 7-10개월
불록을 작은 그릇에 넣기	생후 12개월
작고 둥근 물체를 작은 그릇에 넣기	생후 15개월

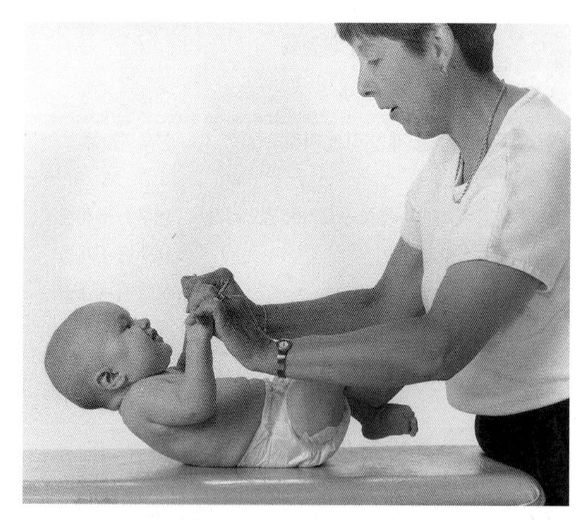

그림 4-9. 일으켜 앉혔을 때 머리를 몸과 일직선에 두기

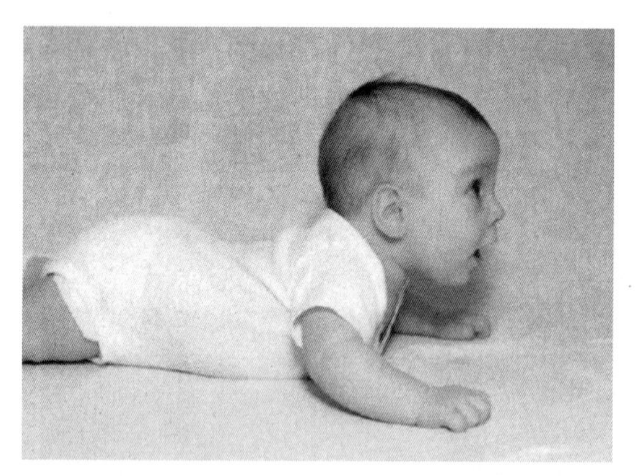

그림 4-10. 엎드려서 머리 들기. 생후 4개월 유아는 엎드려서 45도 각도 이상으로 머리를 들고 유지한다(Wong DL의 ≪웨일리와 웡의 소아 간호의 정수(Whaley and Wong's essentials of pediatric nursing)≫ 5판에서 발췌, 세인트루이스, 모스비(Mosby) 출판사, 1997).

배밀이를 선너뛰고 손과 무릎으로 기기 시작하는 유아도 있다. 또 다른 유아들은 엎드려 움직이기와 잡고 서기를 둘 다 건너뛰고 바로 걷기 시작한다.

걷기

마지막으로 대단위 운동단계는 걷기이다(그림 4-14). 처음 걷는 아이는 다리를 벌림시키고 바깥쪽으로 돌림시켜 기저면을 넓힌다. 또한 허리 척추앞굽음증(lumbar lordosis)이 나타나고, 어깨뼈 모음으로 양팔을 어깨뼈를 모음하고 양팔을 높게 들어올린다. 이러한 기술을 나타나는 전형적인 연령대는 생후 12개월에서 18개월 사이이다. 그러나 생후 7개월 미만의 유아도 이 능력이 나타날 수 있다. 아이들이 이 운동단계에 도달하는 시기는 다양하게 나타난다. 가장 중요한 운동단계는 아마 머리 조절과 앉기일 것이다. 유아가 머리와 몸통을 조절하지 못하면 팔다리 움직임 조절이 불가능하지 않으나 어려워지기 때문이다. WHO (2006)는 아동이 똑바로 서서 독립적으로 움직이는 평균 연령을 12.1개월(표준편차 1.8)로 정하고 있다. 아이가 걸을수 있는 전형적인 나이는 인종에 따라 다르다. 아프리카계 미국인 아동은 좀 더 일찍 걷기 시작하는 반면(10.9개월)(Capute 등, 1985), 백인 아동은 꽤 늦은 15.5개월에 걷는다(Bayley, 2005). 아이는 전형적인 발달 기준보다 빠르게 나타날 수도 있지만, 이 운동발달 성취가 지연되면 문제를 야기할 수 있다.

뻗기, 쥐기, 놓기

뻗기 유형은 물체를 쥐는 손의 능력에 영향을 미친다. 뻗기 유형은 어깨의 위치에 좌우된다. 아래에 따라 뻗기를 시도해 보길 바란다. 어깨뼈를 높이 들어올리고 어깨를 안쪽으로 회전시켜서 책상 위의 연필 쪽으로 손을 뻗어 본다. 팔뚝을 뒤침시키지 말고 자연스럽게

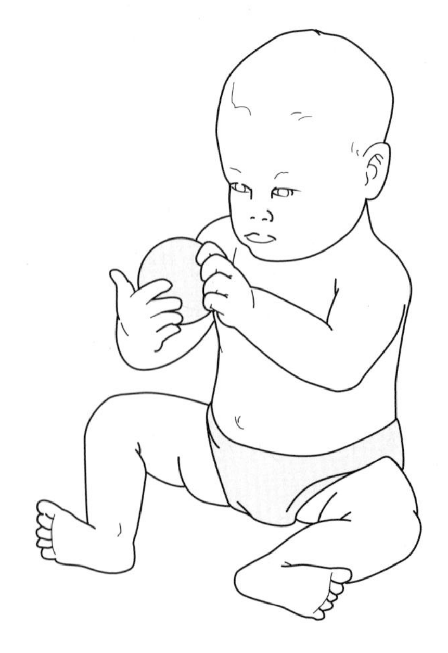

그림 4-11. 독립적으로 앉기

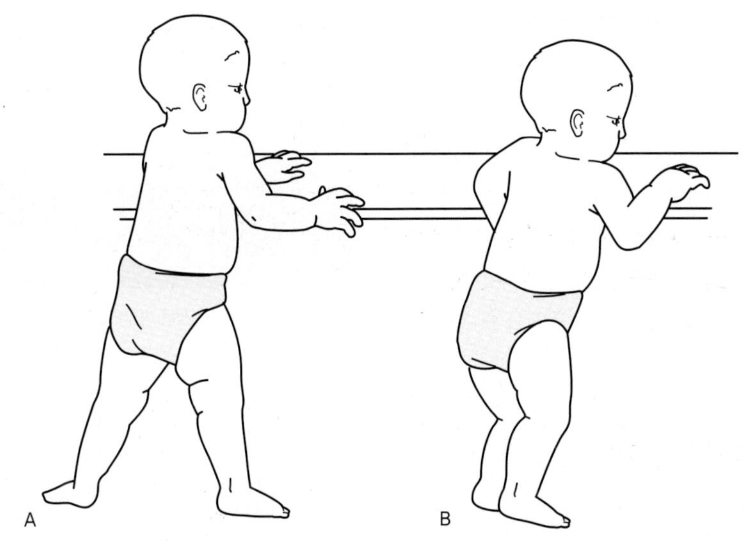

그림 4-12. A와 B, 가구 주변에서 잡고 서서 옆으로 걷기(Cruising)

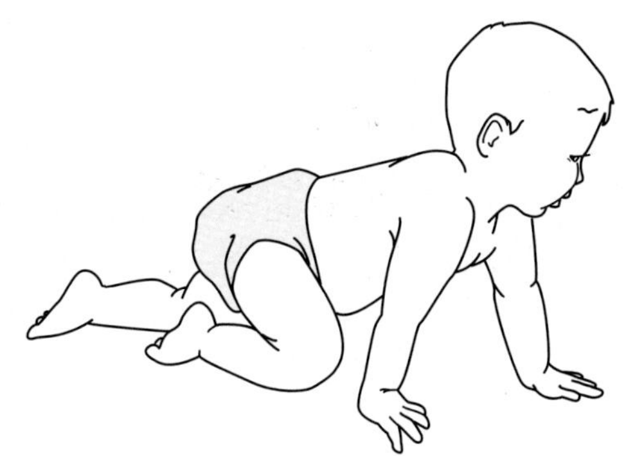

그림 4-13. 교대적 기기(Reciprocal creeping)

엎침시킨다. 이러한 뻗기 유형을 사용하지 않고도 책상 위의 연필을 잡을 수 있지만 어깨뼈를 내리고 어깨를 가쪽돌림하면 훨씬 더 쉽게 연필을 잡을 수 있다. 손 뻗기는 위팔 현상(upper arm phenomenon)이다. 어깨의 위치는 손의 측면을 보이게 할 수도 있다. 잡기(prehension)는 쥐는 행동이다. 물체를 잡거나 쥐려면 그쪽으로 손을 뻗어야 한다. 뻗기와 쥐기, 놓기 발달은 표 4-5에 나와 있다.

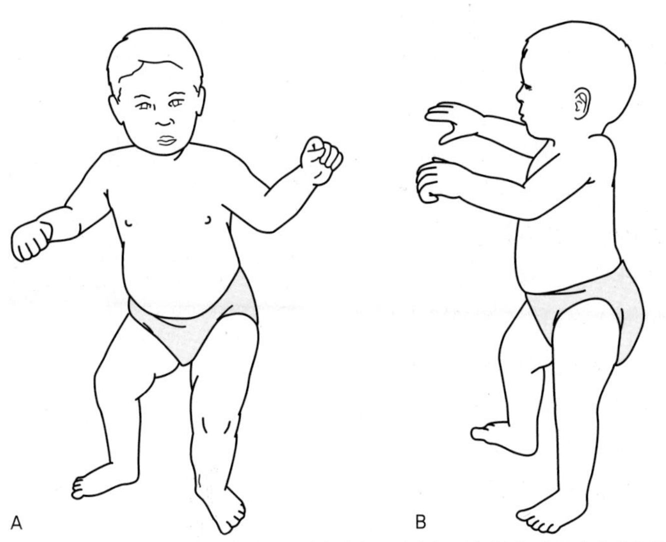

그림 4-14. A와 B, 걷기 초기: 다리를 넓게 벌리고 서서 발을 모임시키고, 양팔을 높이 들어 올리며, '올챙이 배(potbelly)'를 내밀고 등을 앞으로 굽힌다.

손 주시

유아는 생후 2개월에 시야가 보이면서 처음으로 손을 인지한다(그림 4-15). 유아가 머리를 돌려 비대칭적 긴장목반사가 일어나면 유아의 얼굴 쪽에 위치한 팔이 뻗어나가 눈으로 보거나 주시할 수 있는 완벽한 위치에 놓인다. 신생아는 생리적 굽힘근긴장이 우세하기 때문에 처음에는 느슨하게 주먹을 쥔다. 이 시기의 유아는 특히 주변 시야에 있는 다른 물체들을 눈으로 주시할 수 있다.

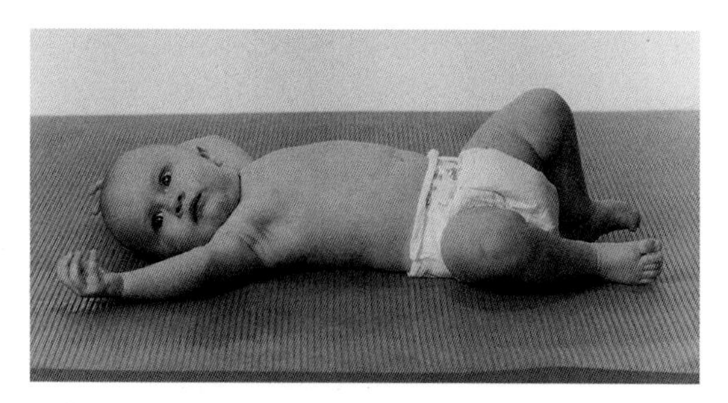

그림 4-15. 비대칭적 긴장목 반사의 도움을 받아 손 주시

반사적 쥐기(reflexive grasp)와 손바닥 쥐기(palmar grasp)

유아의 첫 번째 쥐기 유형은 반사적 쥐기다. 이 경우에는 자극, 즉 촉감에 반응하여 쥐기가 이뤄진다. 신생아는 손을 펴자마자 손바닥, 특히 자뼈(ulnar) 쪽에 촉감을 느끼면 반사적 손바닥 쥐기를 한다. 반사적 쥐기는 생후 6개월에 수의적 손바닥 쥐기로 대체된다.이 시기의 유아는 더 이상 물체의 촉감에 반응해서 쥐기를 하지 않고 수의적으로 쥐기를 할 수 있다. 손바닥 쥐기는 손가락만 손바닥 쪽으로 오므리는 것이다. 이때 엄지는 움직이지 않는다.

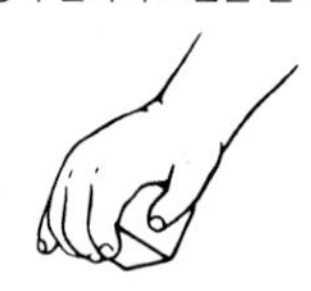

그림 4-16. 생후 7개월: 요골 손바닥 쥐기(엄지 모음이 시작됨), 입에 물체 넣기(Cech D.와 Martin S.의 ≪평생에 걸친 기능적 운동 발달 (Functional movement development across the life span)≫ 3판 17쪽에서 발췌, 필라델피아, WB 숀더스 출판사, 2012)

그림 4-17. 생후 9개월: 요골 끝 쥐기(엄지와 다른 손가락의 대립이 시작됨) (Cech D.와 Martin S.의 ≪평생에 걸친 기능적 운동 발달 (Functional movement development across the life span)≫ 3판 17쪽에서 발췌, 필라델피아, WB 숀더스 출판사, 2012)

수의적 쥐기의 발달

생후 6개월에 쥐기가 수의적으로 일어나면 쥐기의 형태가 점진적으로 변화한다. 생후 7개월에는 엄지가 모음하기 시작하고, 노뼈-손바닥 쥐기(radial-palmar grasp)를 할 수 있다. 1인치 짜리 큐브 같은 작은 물체들을 손의 노뼈쪽(radial side) 면과 엄지를 이용해서 잡는 것이다. 그러다가 유아가 엄지를 다른 손가락들과 마주보게 돌리기 시작하면 노뼈-손바닥 쥐기가 요골-끝 쥐기(radial-digital grasp)로 대체된다(그림 4-16과 그림 4-17). 그 이후에는 손바닥을 이용하기보다는 손끝으로 물체를 쥘 수 있다. 다음의 쥐기 유형 두 가지는 엄지와 검지만 이용하기 때문에 집게 쥐기(pincer grasp)라고 한다. 하향 집게 쥐기(inferior pincer grasp)에서는 무언가를 꼬집어 올리는 것처럼 엄지와 검지의 측면을 이용한다(그림 4-18). 상향 집

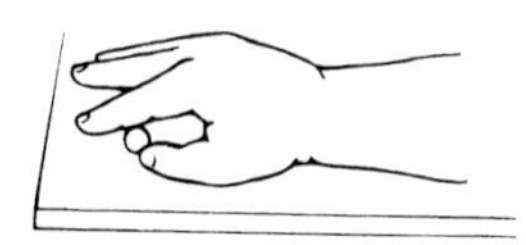

그림 4-18. 생후 9-12개월: 하향 집게 쥐기(독립적으로 검지 손가락펴기)(Cech D.와 Martin S.의 ≪평생에 걸친 기능적 운동 발달 (Functional movement development across the life span)≫ 3판 17쪽에서 발췌, 필라델피아, WB 숀더스 출판사, 2012)

그림 4-19. 생후 1년: 상향 집게 쥐기(손끝으로 쥐기)(Cech D.와 Martin S.의 ≪평생에 걸친 기능적 운동 발달 (Functional movement development across the life span)≫ 3판 17쪽에서 발췌, 필라델피아, WB 숀더스 출판사, 2012)

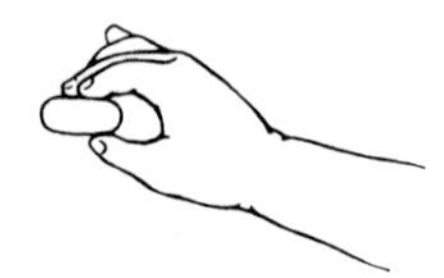

그림 4-20. 생후 1년: 상향 집게 쥐기(손목 폄상태에서 요골 편위)(Cech D.와 Martin S.의 ≪평생에 걸친 기능적 운동 발달 (Functional movement development across the life span)≫ 3판 17쪽에서 발췌, 필라델피아, WB 숀더스 출판사, 2012)

게 쥐기(superior pincer grasp)에서는 건포도나 보푸라기를 집어 올리는 것처럼 엄지와 검지 끝을 이용한다(그림 4-19). 하향 집게 쥐기는 생후 9개월에서 12개월 사이에 나타나고, 상향 집게 쥐기는 생후 1년 무렵에 분명하게 드러난다. 생후 1년 된 유아한테서 찾아볼 수 있는 또 다른 유형의 집기는 세 손가락 집기(three-jaw chuck)라고 한다. 이때는 손목을 뻗고, 중지와 검지, 엄지를 이용해 블록과 그릇을 쥔다.

놓기

손목과 손가락, 엄지 폄근의 수의적 조절이 발달하면서 유아는 쥐고 있던 물체를 놓을 수 있다(Duff, 2012). 생후 5개월에서 6개월 사이에는 물체를 한 손에서 다른 손으로 옮길 수 있다. 한 손을 다른 손으로 안정시킬 수 있기 때문이다. 정확한 수의적 놓기는 생후 7개월에서 9개월 사이에 나타나고, 이 시기의 유아는 다른 사람의 손이나 유아용 의자의 상판에 의지해서 몸을 안정시킨다. 성숙한 조절은 유아가 외적인 지원을 받지 않고 물체를 그릇에 넣거나(생후 12개월) 작고 둥근 물체를 병에 넣을 때 나타난다. 놓기 능력은 계속해서 정교해지고, 아동기에는 공 던지기를 통해 정확성이 개선된다.

전형적인 운동 발달

생후 1년 동안 중요한 운동 발달 단계들은 생후 4, 6, 8, 12개월과 같은 짝수 달과 연관되어 있다(표 4-6). 생후 4개월 된 유아의 전형적인 운동 행동은 머리 조절, 팔과 손으로 지지하기, 정중앙 지향성으로 특징지어진다. 중력에 저항하는 팔다리의 대칭적 폄과 벌림, 중력에 저항해 몸통을 뻗는 능력은 생후 9개월 유아의 특징이다. 생후 6개월에서 8개월 사이의 유아는 몸통의 긴 축을 중심으로 회전을 조절해 분절 구르기를 가능해지고, 몸통을 회전 반대 방향으로 돌려 배밀이와 네발로 기기를 할 수 있다. 6개월 된 아이는 혼자서 앉아서 물건을 가지고 놀 수 있다. 요즘 유아들은 예전보다 훨씬 빨리 이러한 운동 단계에 도달한다. 아이가 몸통을 보다 역동적으로 조절하고 팔다리를 들어 올릴때 자세를 조절할 때까지 팔 지지가 필요할 수 있다. 생후 10개월 유아는 서서 균형을 잡고, 생후 12개월 유아는 독립적으로 걸어 다닌다. 이러한 짝수 달은 상기의 기술들을 습득하는 시기이기 때문에 중요하고, 다른 달들은 유아가 이러한 운동단계들을 습득하는데 필요한 조절 능력을 준비시키기기 때문에 중요하다.

표 4-6 중요한 발달 단계들

연령	단계
생후 1-2개월	내적 신체 과정 안정화 기본적인 생체 리듬이 확립됨 자발적 쥐기와 놓기가 확립됨
생후 3-4개월	아래팔 지지 발달 머리 조절 능력 확립됨 정중앙 지향성 나타남
생후 4-5개월	폄근과 굽힘근의 항중력 조절 시작됨 엉덩이 들기 나타남
생후 6개월	팔다리의 강력한 폄-모음 나타남 완전한 몸통 폄이 나타남 배를 대고 회전하기 혼자 앉기 자발적 몸통 회전 시작됨
생후 7-8개월	앉아서 균형잡기에 따른 몸통 조절 발달
생후 8-10개월	배밀이, 기기, 잡고 서기, 잡고 서서 옆으로 걷기로 움직임이 진행됨
생후 11-12개월	독립적인 보행 가능 쪼그려 앉았다가 일어서기가 가능할 수도 있음
생후 16-17개월	걸어가면서 물체를 옮기거나 당기기 옆으로나 뒤로 걷기
생후 20-22개월	쉽게 쪼그려 앉고 장난감 되찾아 오기
생후 24개월	보행하는 동안 팔 흔들기 보행하는 동안 발꿈치 땅에 닿기

유아

출생에서 생후 3개월까지

신생아는 출생 시에 생리적 굽힘근긴장이 우세하기 때문에 위치와 관계없이 굽히는 자세를 취한다. 처음에는 엎드린 자세에서 머리를 들어 올릴 수 없다. 신생아의 다리는 골반 아래에 굽혀져 있어서 골반과 지지 면의 접촉을 막아 준다. 성인도 앞서와 같은 자세에서 머리를 들어 올리려고 하면 그 상황은 생체역학에 어긋나는 행동임을 즉각 인식하게 된다. 신생아보다 근력과 조절 능력이 훨씬 강하다 해도 엉덩이가 들리고 체중이 앞으로 쏠린 자세에서는 머리를 들어올리기가 훨씬 더 어려워진다. 여러분은 이러한 생체역학적 불이익을 극복할 수 있을 정도로 강인하나 유아는 그렇지 못하다. 이 시기의 유아는 중력의 도움을 받아 골반을 지지면까지 낮추고, 엎드려서 머리를 들어 올릴 수 있을 정도로 목근육이 강화될 때까지 기다려야 한다. 또한 처음에는 한쪽으로만 머리를 들어 올릴 수 있고(그림 4-21), 나중에는 양쪽으로도 머리를 들어 올릴 수 있다.

이후 몇 달 동안은 목 폄과 척주 폄이 발달하고, 머리를 한쪽으로 들어 올릴 수 있으며, 머리를 들어 올려 돌릴 수 있고, 나아가서 머리를 들어 올려 중앙에 놓을 수 있다. 골반이 지지면으로 내려가면 목과 몸통 폄근이 더 강해진다. 머리와 꼬리쪽 방향으로 목에서 등까지 폄이 진행되고, 유아는 엎드린 자세에서 머리를 점점 더 높이 들어 올릴 수 있다. 생후 3개월 무렵에는 머리를 지지면과 45도 각도로 들어 올릴 수 있다. 척주 폄도 가능해져서 두 팔을 몸 아래에서 꺼내 펴기가 몸을 지지하는 자세를 취할 수 있다(그림 4-22). 이러한 자세를 취하면 몸통을 펴기가 훨씬 쉬워진다. 양팔과 어깨로 체중을 지지하면서 팔과 어깨 구조에 대한 감각적 자각이 훨씬 강해지고, 엎드려서 자기 손을 살펴볼 수 있다.

똑바로 누워 있을 때는 팔과 다리를 마구잡이로 움직인다. 팔다리는 여전히 구부러져 있고, 완전히 펴지지 않는다. 머리는 한쪽으로 돌아가 있다. 머리를 중앙에 놓을 정도로 목근육이 강해지지 않았기 때문이다. 아이와 눈을 마주치고 싶다면 비대칭성을 고려해서 유아의 옆에서 접근해야 한다. 비대칭적 목긴장성 반사는 아이가 머리를 한쪽으로 돌릴 때 나타난다(그림 4-23). 머리뼈 쪽이 팔이 구부러지고 머리가 돌아간

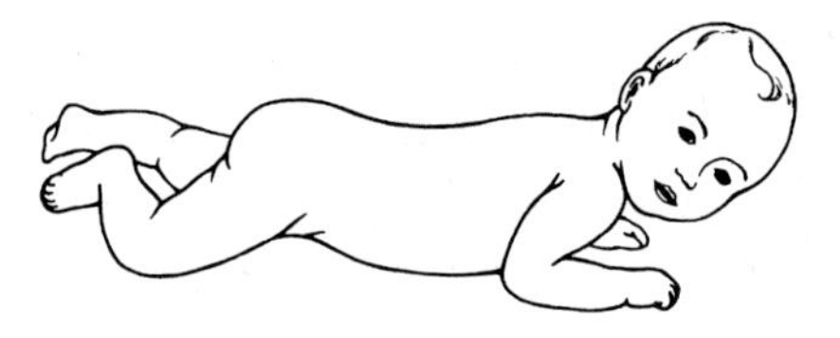

그림 4-21. 신생아의 한쪽 방향 머리 들기(Cech D.와 Martin S.의 ≪평생에 걸친 기능적 운동 발달(Functional movement development across the life span)≫ 3판 17쪽에서 발췌, 필라델피아, WB 손더스 출판사, 2012)

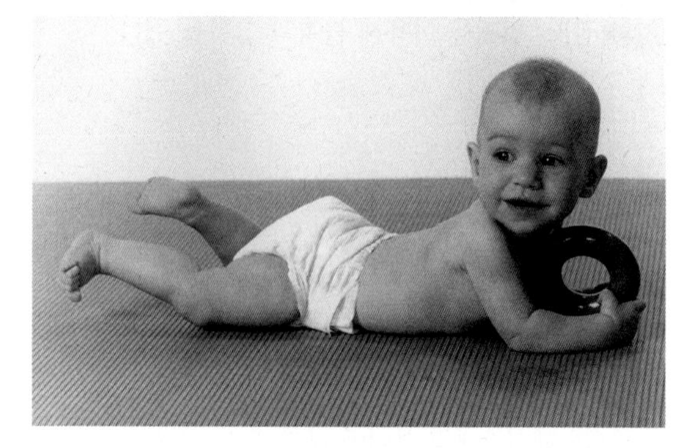

그림 4-22. 팔꿈치로 짚고 엎드리기

쪽의 팔이 쭉 뻗어서 아이는 자기 손을 볼 수 있다. 이러한 '펜싱' 자세는 유아의 자세를 지배하지 않지만 시각 유도 뻗기에 필요한 눈과 손의 기능적 연결의 시작점이 될 수 있다. 신생아의 손은 처음에 주먹이 쥐어진 상태지만 생후 1개월이 되면 활짝 펴진다. 생후 2개월에서 3개월이 되면 눈과 손이 충분히 연결되어 뻗기와 쥐기, 딸랑이 흔들기가 가능해진다. 이 시기의 유아가 눈으로 훨씬 먼 곳까지 보기 시작하면 손으로 자기 몸을 더듬는 모습을 지켜볼 수 있다.

생후 4개월 전에 누워 있는 유아를 앉혀 놓으면 머리가 뒤쪽으로 넘어간다. 머리의 자세 조절이 아직 확립되지 않았기 때문이다. 이 시기의 아이는 목근육의 힘이 충분히 강하지 않아서 중력의 힘을 극복하지 못한다. 원시적 구르기는 유아가 머리를 강하게 한쪽으로 돌릴 때 일어난다. 머리가 움직이는 방향으로 신체가 하나의 단위가 되어 굴러가는 것이다. 이때 아이의 몸이 한쪽 옆으로 돌아갈 수도 있고, 아니면 몸이 완전히 돌아가 똑바로 누운 자세에서 엎드린 자세로, 혹은 엎드린 자세에서 똑바로 누운 자세가 될 수도 있다(그림 4-24). 이처럼 한 단위로 회전하는 것은 원시적 목

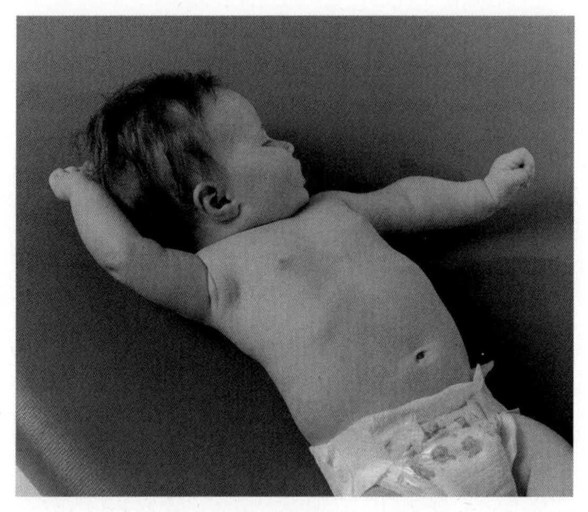

그림 4-23. 유아의 비대칭적 긴장목반사

바로잡기 반사의 결과이다. 반사와 반응에 관한 완벽한 논의는 다음 단락에서 다루겠다. 원시적 구르기 단계에서는 신체의 긴 축을 중심으로 몸통 몸통 위분절과 아래 분절이 분리되어 움직임이 일어나지 않는다.

생후 4개월

생후 4개월은 자세와 움직임이 비대칭에서 보다 더 대칭적으로 바뀌기 때문에 운동 발달에서 결정적인 시기이다. 이 시기의 유아는 이제 엎드린 자세에서 90도 각도 이상으로 머리를 들어 올려 중앙에 놓을 수 있다. 이 아이를 똑바로 누운 자세에서 당겨서 앉혀 놓으면 머리가 몸과 일직선을 이룬다. 똑바로 누워서 쉴 때는 머리의 정중앙 지향성이 나타난다(그림 4-25). 또한 양손을 중앙으로 모아 눈으로 지켜볼 수 있다. 사실상 이때 처음으로 양손을 중앙으로 모으고, 지금까지는 주변에서 꾸물거리는 것으로만 보였던 양손이 신체의 일부임을 인지하고, 실제로 '아하'하고 깨닫

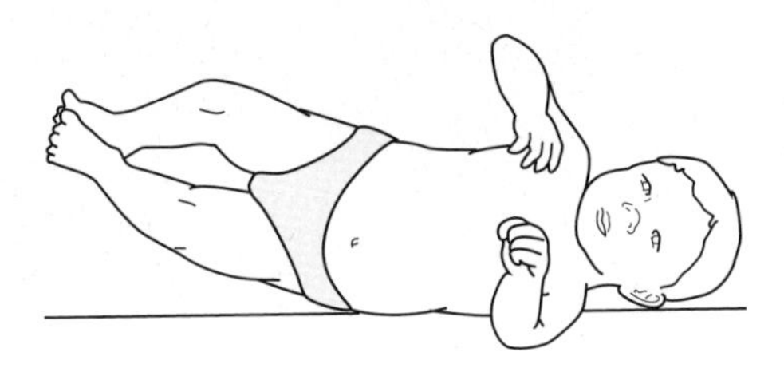

그림 4-24. 회전 없는 원시적 구르기

그림 4-25. 누워서 머리 정중앙 위치하기

는 순간이 온다. 처음에는 몇 시간 동안 손을 중앙에 모아 갖고 놀다가 그러한 발견을 하게 될지도 모른다. 이 시기의 유아는 양손으로 물체를 집어 입으로 가져갈 수 있다. 모든 가능한 발달 상의 위치에서 양손을 갖고 논다. 생후 4개월 유아의 대표적인 운동 행동은 머리 조절과 정중앙 지남력이다.

생후 4개월 유아의 머리 조절은 엎드려서 90도 이상 각도로 머리 들어올리기와 앉혀진 자세에서 머리와 신체를 일직선 상에 두기(그림 4-9), 수직으로 일으켜 세워 한쪽으로 기울여진 자세에서 몸통과 함께 머

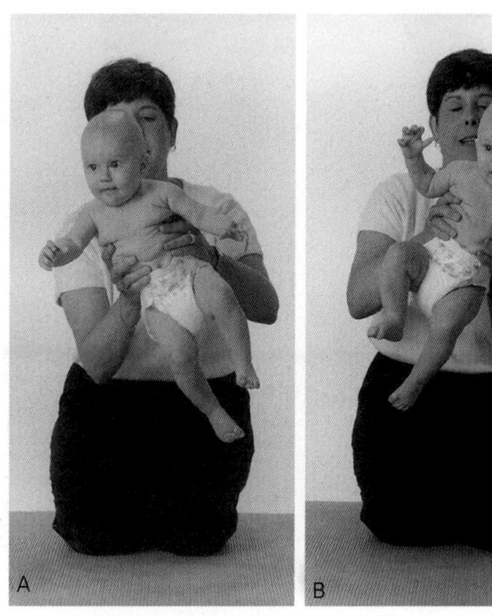

그림 4-26. A와 B, 수직으로 똑바로 세워져 기울어질 때 머리 조절하기. 이때 머리는 정중앙에 머물거나 보상으로 기울어진다.

리 정중앙에 두기로 특정한다(그림 4-26). 정중앙 지남력은 위치와 상관없이 대칭적 자세를 유지하는 것뿐만 아니라 팔다리를 신체의 정중앙에 두는 것을 일컫는다. 이 시기의 유아를 일으켜 앉혀 놓으면 유아는 몸통을 조절하려고 애쓴다. 그러나 이 시기의 유아가 독립적으로 움직일 수 있는 위치는 똑바로 누운 자세와 엎드린 자세로 국한된다. 하지의 움직임이 골반의 움직임을 이끌어내기 시작한다. 누워 있는 자세에서 골반 운동이 시작된다. 이때 유아는 무릎을 세우고 누운 자세에서 교각 자세(Bly, 1983)를 취할 때처럼 두 다리로 지지면을 밀고 엉덩이 폄을 증강시켜서 골반을 앞으로 기울인다. 누운 자세에서 적극적인 엉덩이 굽힘이 일어나면 골반이 뒤로 기울어진다. 유아가 다리로 지지면을 마구잡이로 밀다보면 골반을 움직이는 연습을 보다 더 많이 할 수 있고, 발달 후기, 특히 걸어 다닐 때 도움이 된다.

생후 5개월

앞서 소개했던 머리 조절 능력은 생후 4개월에 완성되지만 누운 자세에서 중력에 저항해 머리를 들어 올리는 것(항중력 목굽힘)은 생후 5개월이 되어야 가능하다. 낮잠을 재우려고 아이를 침대에 내려놓을 때 처음으로 항중력 목굽힘을 발견할 수 있다. 아이는 지지면 쪽으로 내려질 때 머리가 뒤로 떨어지지 않게 힘을 준다. 이때 아이는 머리를 앞으로 움직이려고 애쓰면서 자동차나 카시트에서 나오려고 하는 것처럼 보인다. 이 시기에 누워 있는 유아를 앉혀 놓으면 머리가 그 움직임을 주도하고 턱이 당겨진다. 이때 머리는 몸 앞쪽에 위치한다. 사실상 이 시기의 유아는 종종 몸통 앞굽힘(forward trunk flexion)을 이용해 목굽힘을 강화하고 두 다리를 들어 올려서 위로 끌려 올라가는 힘에 대항한다(그림 4-27).

개구리 같은 자세에서는 엉덩이를 지지면 위로 들어 올리고, 두 발을 시야에 들어오는 위치까지 들어 올릴 수 있다. 유아는 이러한 '엉덩이 들기'로 자기 발을 갖고 놀 수 있고, 감각을 의식하려고 발을 입에 넣을 수도 있다(그림 4-28). 이렇게 발을 갖고 놀다보면 넓적다리뒤인대(hanstring)이 길어지고 오랫동안 앉아 있을 수 있는 준비 태세가 이루어진다. 배부위 아래쪽도 몸통을 지지하느라 움직인다. 교대적 발차기도 이때 나타난다.

유아가 엎드린 자세에서 몸을 쭉 펴게 되면 때때로 '수영' 자세가 나오기도 한다(그림 4-29). 이 자세에서는 대부분의 체중이 배에 실리고, 팔과 다리를 쭉 뻗어서

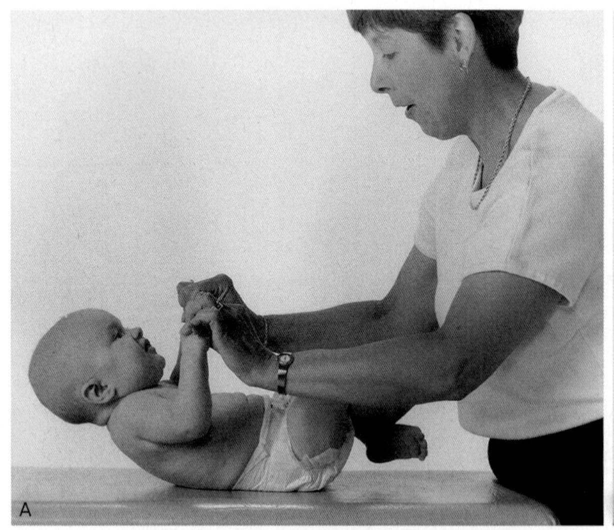

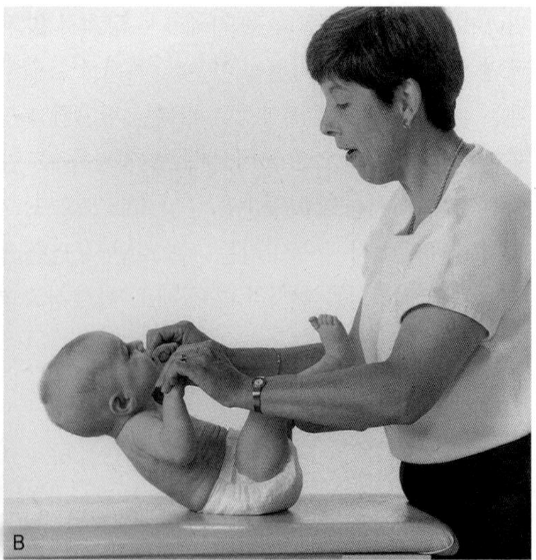

그림 4-27. A. 앉혀 놓은 유아의 머리가 앞으로 나아갈 때 몸통 굽힘을 이용해서 목 굽힘을 강화하는 자세. B. 앉혀 놓은 유아가 다리를 들어 올려 목 굽힘에 대항하는 자세.

바닥이나 매트 위로 들어 올릴 수 있다. 이 자세는 항중력 폄근 조절의 좀 더 발달된 형태이다. 이 시기의 유아는 수영 자세와 팔꿈치 짚고 엎드리기 자세, 혹은 양팔 뻗기 자세를 번갈아 취하면서 논다(그림 4-30). 이때 유아는 팔꿈치 짚고 엎드리기 자세에서 체중을 조금씩 이동시키고 손을 뻗으려고 한다. 이 단계의 움직임은 머리와 팔다리의 분리를 보여 준다.

생후 5개월 된 유아는 혼자 앉을 수 없지만 등 아래쪽으로 몸을 지지할 수 있다. 전형적인 발달 과정을 거치는 유아는 이때 소파 구석에 기대어 앉거나 양팔을 뻗어서 바닥을 짚고 앉을 수 있다. 생후 5개월 유아를 앉혀 놓으면 지지면의 움직임에 대응해서 자세 근육의 적절한 활성화가 방향성 있게 일어난다(Hadders-Algra 등, 1996).

생후 6개월

생후 6개월 유아는 엎드린 자세에서 한 바퀴 돌 수 있다(그림 4-31). 뿐만 아니라 한 팔을 뻗어 체중을 싣고 다른 손을 뻗어 물체를 쥘 수 있다. 손 뻗기 동작을 취할 때는 몸통 측면으로 체중을 옮겨 균형을 잡고, 이때 머리와 몸통은 체중이 실린 측면에서 반대쪽으로 굽는다(그림 4-32). 이처럼 체중 이동에 대응해 측면 굽히기가 일어나는 것은 바로잡기 반응(righting reaction)이라고 한다. 머리와 몸통 바로잡기 반응은 추후에 좀 더 자세하게 설명하겠다. 엎드린 자세에서 팔다리를 몸통에서 멀리 뻗고 벌림시키면 머리와 몸통을 최대한 펼 수 있다. 이렇게 쭉 편 자세는 란다우 반사(Landau reflex)라고 하며, 중력에 저항하는 신체 바로잡기를 뜻한다. 유아가 배 아래쪽으로만 몸을 지지한 채 엉덩이를 지지면에서 멀리 들어 올려 뻗을 수 있을 때 성숙했다고 한다. 이때 유아는 날아가는 것처럼 보인다(그림 4-33). 폄 발달의 이 마지막 단계는 엉덩이가 상대적으로 모음될 때만 가능하다. 엉덩이 벌림이 커지면 큰볼기근(gluteus maximus)이 생체학적 불이익을 당하고, 엉덩이 폄이 훨씬 더 어려워진다. 과도한 벌림은 다운 증후군 아동처럼 근긴장이 낮고 관절운동범위(range of motion)가 높은 아동한테서 흔히 찾아볼 수 있다. 이런 아동은 중력에 대항하여 엉덩이 폄을 수행하기 힘들다.

이 시기에는 분절 구르기가 나타나고, 바로 누운상태

그림 4-29. '수영' 자세, 신체의 항중력 폄

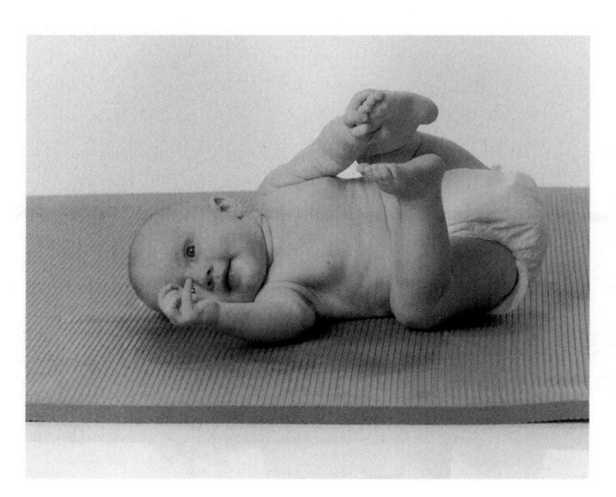

그림 4-28. 엉덩이 들기

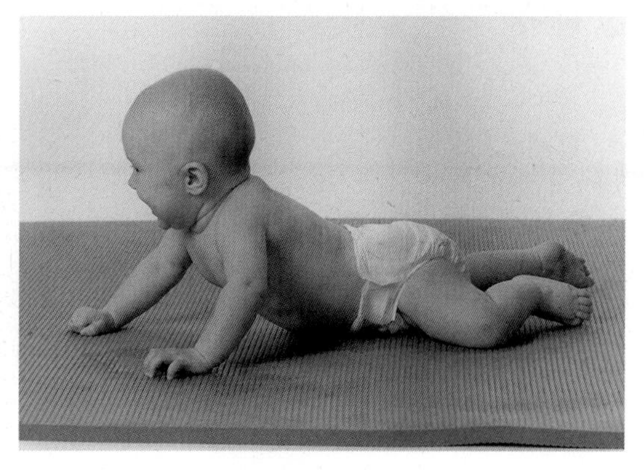

그림 4-30. 양팔을 뻗어 바닥 짚고 엎드리기

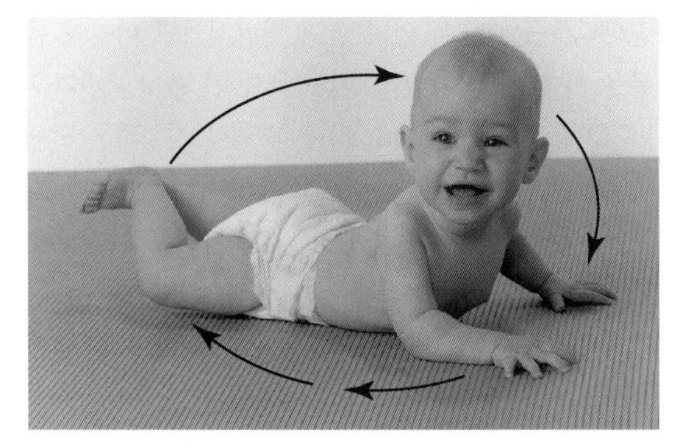

그림 4-31. 엎드려서 돌기

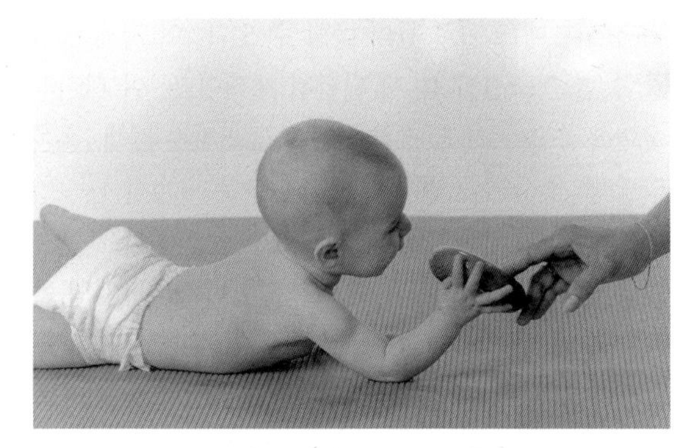

그림 4-32. 가쪽 바로잡기 반응

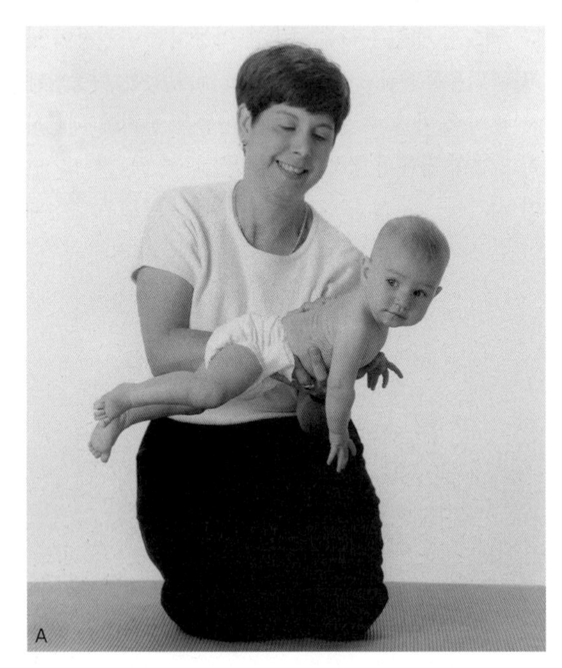

그림 4-33. A. 란다우 반사 유도. B. 자발적인 란다우 반사

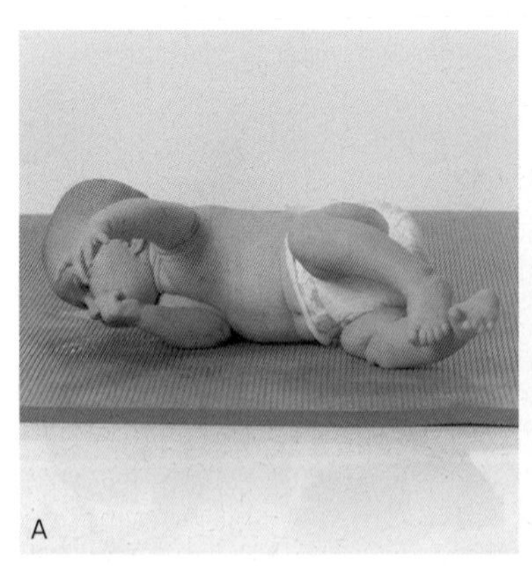

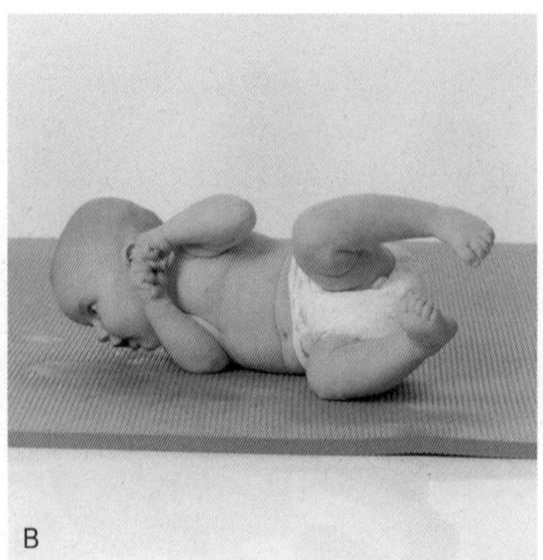

그림 4-34. A에서 C. 똑바로 누운 자세에서 분절 구르기로 엎드리기

에서 엎드리는것보다 덜 힘든 엎드려 누운상태에서 바로누운 상태를 선호하게 된다. 항중력 굽힘 조절은 똑바로 누웠다가 굴러서 엎드릴 때 필요하다. 이러한 움직임은 보통 유아와 환경에 따라서 일부 신체 부위의 굽힘으로 시작된다. 어떤 신체 부위를 사용하는지 상관없이 분절 구르기는 전통적인 조절 발달에 필수적인 것이다(그림 4–34). 이행 움직임들은 엎드렸다가 앉기, 네 발로 기다가 무릎 대고 기기, 앉았다가 서기와 같은 자세 변화를 가능하게 해 준다. 네 발로 기다가 무릎 대고 기기와 앉았다가 일어서기 같은 몇몇 움직임 전환만이 분절 몸통 회전 없이 가능하다. 운동 기능 장애가 있는 사람들은 종종 한 자세에서 다른 자세로 부드럽고도 효과적으로 전환하는 데 어려움을 겪는다. 움직임의 질은 이행 움직임들을 수행하는 개인의 능력에 영향을 미친다.

생후 6개월 유아는 앉혀 놓으면 자세를 바로잡을 수 있다. 정상적으로 발달한 이 시기의 유아는 소파 구석에 기대앉을 수 있고, 양팔을 쭉 뻗어 바닥을 지지하고 앉을 수 있다. 또한 엎드린 자세에서 앉으려고 마음먹고 자세를 바꿀 수는 없지만 엎드린 자세에서 뒤로 움직이다가 우연히 배가 들려 골반이 엉덩이 위로 올라가면서 다리 벌려 무릎 꿇고 앉은 자세가 된다. 이러한 자세를 W자 앉기라고 하며, 운동 발달 문제가 있는 유아는 몸통 근육을 이용해서 균형 잡는 법을 배우기 어렵기 때문에 W자 앉기 자세를 피해야 한다. 이 자세는 자세 안정성을 제공하지만 몸통 근육을 적극적으로 사용할 필요가 없다. 이 자세가 성장하는 관절에 비정상적 스트레스를 가할 수 있다는 우려도 있다. 전형적인 발달 과정을 밟아나가는 아동은 한 자세를 오랫동안 유지하기 보다는 자세를 좀 더 쉽게 바꿀 수 있기 때문에 우려의 여지가 훨씬 적다. 엎드린 자세에서 몸통 폄이 발달한 유아는 허리를 제외한 등의 나머지 부분을 비교적 똑바로 펼 수 있다(그림 4–35). 몸통의 위쪽과 중간 부분은 이전 달만큼 구부정하지 않지만 요추 부분은 아직도 앞으로 굽어 있을 수 있다. 몸을 지지하려면 아직 두 팔이 필요하지만 몸통 조절이 개선되면서 처음에는 한 손, 나중에는 두 손이 자유로워져서 물체를 탐색하고 보다 더 정교한 놀이를 할 수 있다. 앉아 있는 동안 균형을 잃으면 몸을 보호하려고 넘어지는 방향으로 두 손을 뻗는다. 이후로 이와 같은 팔 보호 반응이 측면이나 뒤쪽 등 다른 방향으로도 나타난다.

생후 6개월 유아를 끌어당겨 앉혀 놓을 수 있으면 끌어당겨 세울 수도 있다(그림 4–36). 이때 대부분의 유아는 돌봐주는 사람의 손을 향해 앞으로 손을 뻗을 수 있다. 생후 6개월 유아는 발로 체중을 지지하기 좋아하고, 누가 잡아 주면 그 자세에서 뛰어오른다. 앞뒤로 몸을 흔들고 통통 뛰는 자세는 새로운 자세에서 자세 조절을 익히는 전제 조건인 것처럼 보인다(Thelen, 1979). 율동적인 팔의 반복적인 활동은 이 시기에 물체를 탕탕 두들기고 흔드는 아이의 행동에서 찾아볼 수 있다. 유아는 다른 감각을 이용해서 신체 관계를 더 잘 인식하기 때문에 시각적 신호에 의존해 팔을 뻗는 성향이 줄어든다. 이 시기의 유아는 소리를 듣고 소리를 내는 장난감을 향해 한쪽으로 치우쳐 손을 뻗을 수 있다(Duff, 2012).

완전한 팔꿈치 폄은 아직 부족하나 생후 6개월 유아의 팔 움직임은 중립–엎침–뒤침 뻗기(mid–pronation–

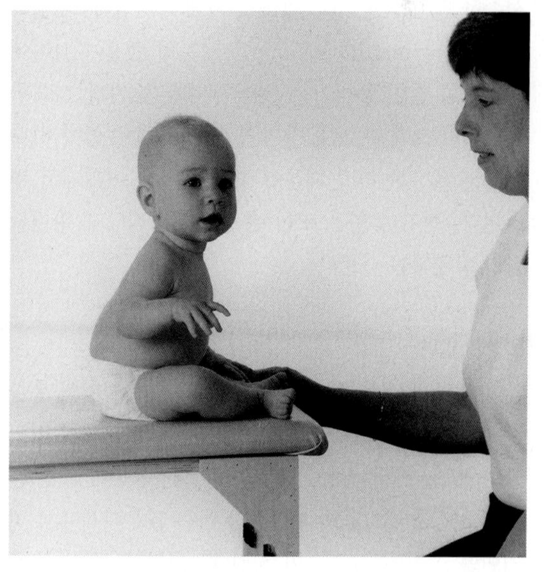

그림 4–35. 허리 부분의 앞 굽힘을 제외하면 비교적 등을 똑바로 펴고 앉은 자세

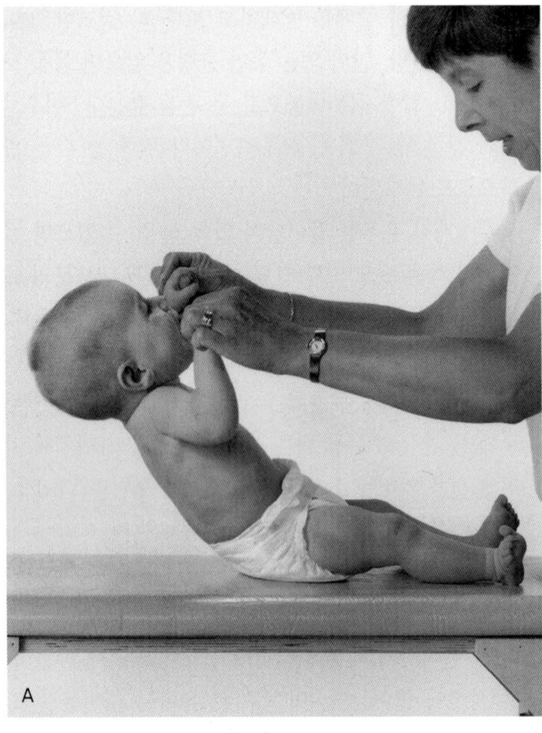

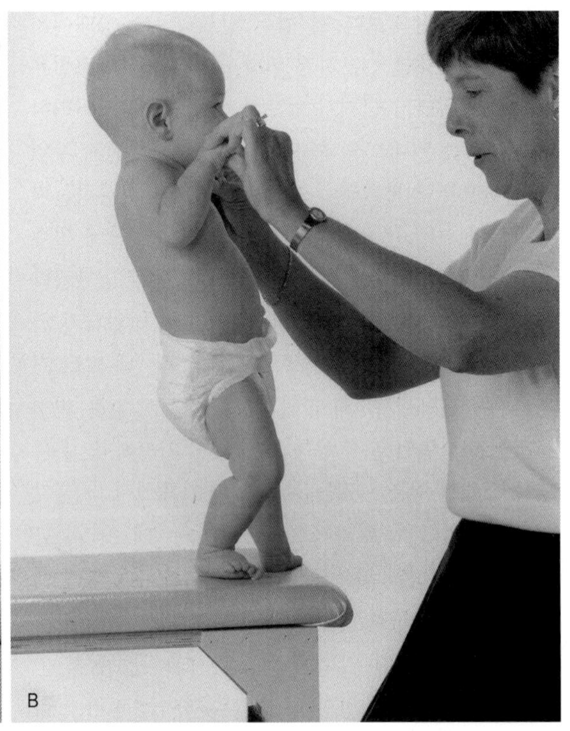

그림 4-36. A와 B. 끌어당겨 앉히기에서 끌어당겨 세우기도 가능해짐

supination reaching)를 찾아볼 수 있을 정도로 성숙해진다. 엎침과 뒤침 사이의 중간 위치를 중립이라고 한다. 엎침해서 뻗기(pronated reaching)는 가장 덜 성숙한 뻗기 유형이며, 발달 초기에 나타난다. 뒤침해서 뻗기(supinated reaching)는 엄지의 측면이 시야에 잡히도록 손이 돌아가는 것이기 때문에 가장 성숙한 유형이다(그림 4-37). 상지 발달 초기에는 팔이 하나의 단위로 기능하기 때문에 뻗기 유형은 어깨에서 비롯된다. 뻗기 유형은 또한 손가락의 움직임과 관련된 잡기 유형과는 다르다.

생후 7개월

앉은 자세에서 몸통 조절이 향상되고, 이 시기의 유아는 한 손이나 양 손을 자유롭게 사용해서 물체를 갖고 논다. 또한 조금이라도 균형을 잃으면 몸통이 균형 손실을 보상할 수 있게 되면서 유아는 앉은자세에서 기저면을 좁힐 수 있다. 이 시기에는 몸통의 근육 작용으로 동적 안정성이 발달한다. 몸통 근육의 활동은 동적 균형을 지원하고, 기저면의 형태에서 기인되는 자세 안정성을 보완해 준다. 고리 모양으로 앉기(ring sitting)와 넓게 다리 벌림해서 앉기(wide abducted sitting), 다리 뻗고 앉기(long sitting)와 같은 각기 다른 앉기 자세들에 따라서 유아가 감당해야 하는 체중

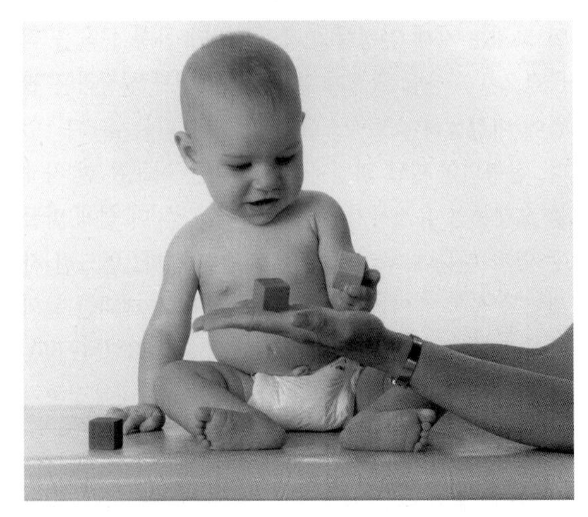

그림 4-37. 뒤침해서 손 뻗기

지지 수준이 다르다. 그림 4–38은 정상 발달 중인 유아가 손으로 체중을 지지하지 않고 앉는 자세의 실례를 보여 준다. 측면 보호 반응(lateral protective reactions)은 이 시기에 앉기 자세에서 나타난다(그림 4–39). 한쪽 손 뻗기(unilateral reach)는 물체를 한 손에서 다른 손으로 옮기는 능력과 마찬가지로 생후 7개월 유아한테서 나타난다(그림 4–40). 앉기는 이 시기의 유아가 선호하는 기능적인 자세이다. 이 시기의 유아는 등을 곧게 펼 수 있기 때문에 양 손을 자유롭게 움직여 물체를 갖고 놀거나 가끔 균형을 잃을 때 양 손을 뻗거나 벌림시켜 균형을 잡는다. 이 시기에 유아가 앉아 놀면서 장난감을 잡으려고 사방으로 손을 뻗을 때는 몸통 위쪽의 돌림이 일어난다(그림 4–38C 참조). 손이 닿지 않는 곳에 장난감이 있다면 한 팔로 몸

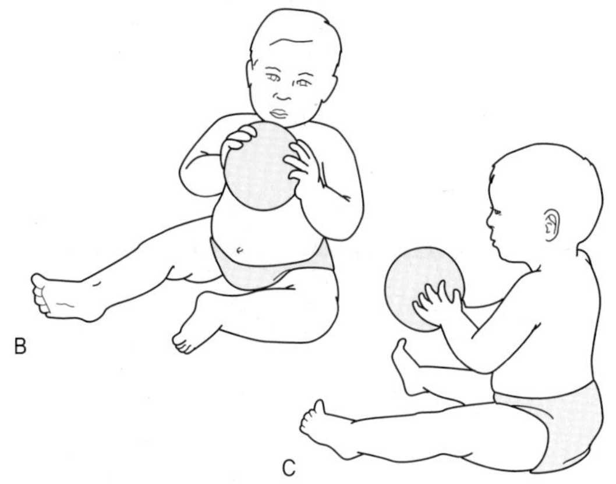

그림 4–38. 앉은 자세. A, 양손으로 앞으로 뻗어 짚고 고리 모양으로 앉기. B, 한쪽 다리 뻗고 앉기(half–long sitting). C, 다리 뻗고 앉기.

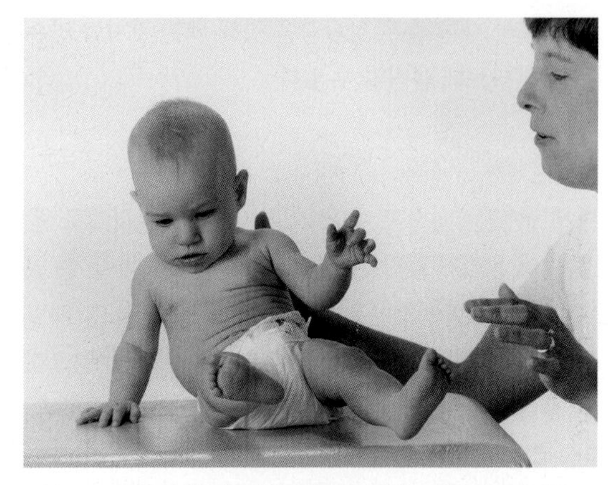

그림 4–39. 앉은 자세에서 균형을 잃을 때 나타나는 가쪽 팔 보호 반응

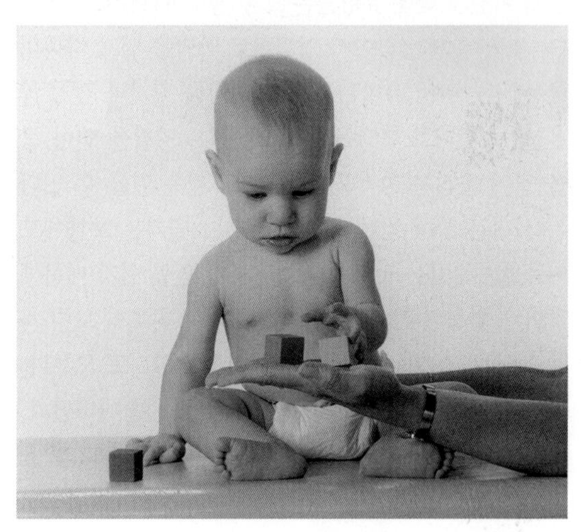

그림 4–40. 한쪽 손 뻗기

을 지탱한 채 몸통을 돌림시켜서 다른 쪽 팔을 뻗었다가 다시 몸통을 돌려서 꼿꼿이 앉을 수 있다. 몸통 돌림 조절 능력이 발달해서 좀 더 분절적으로 움직이고, 전체적으로 몸을 움직이는 일이 줄어든다. 몸통 위쪽의 돌림과 몸통 아래쪽 움직임이 분리되는 이러한 성향은 분절 돌림이 시작되는 생후 6개월에 나타나기 시작한다. 몸통과 팔의 분리는 양팔이 신체의 정중선을 가로지를 때 나타난다. 좀 더 각도가 큰 가쪽 돌림(external rotation)이 어깨 부위에서 분명하게 드러나고(손바닥을 아래로 했다가 중립에 두고 다시 뒤집으면서 팔 전체를 돌림), 벌림해서 뻗기가 가능해진다. 생후 8개월에서 10개월 사이의 유아는 한 손으로 병

을 잡고서 다른 손은 장난감을 향해 뻗는 것처럼 양손을 각각 다르게 움직일 수 있다.

생후 8개월

이제 유아는 옆으로 누워 있다가 자기 의지대로 몸을 밀어 올려서 앉았다 누웠다하며 자세를 바꿀 수 있다. 이때 양손과 양발로 체중을 지지할 수 있고, 배밀이를 하면서 몸을 뒤로 밀어 젖힌 후에 그 자세 그대로(곰 걸음걸이, bear walking) '걸으려고' 할 수도 있다. 배밀이(그림 4-41)와 양손과 무릎으로 기기(그림 4-13 참조), 혹은 앉기와 엉덩이 밀기(hitching) 같은 걷기 이전의 몇몇 유형들은 보통 생후 8개월에 나타난다. 몇몇 유아는 앉아서 엉덩이로 바닥을 밀고 다니며 이동한다. 이런 유아는 손으로 바닥을 짚거나 짚지 않은 채 엉덩이로 바닥을 밀고 다닌다. 양팔을 뻗어 몸을 밀어 올리는 동작을 앉을 때도 계속 취할 수 있다는 사실은 이미 앞에서 살펴보았다. 밀기는 보행에도 이용할 수 있다. 밀기가 당기기보다 훨씬 쉽기 때문에 유아가 엎드린 자세에서 취할 수 있는 최초의 보행 자세는 뒤로 가기(backward propulsion)일지도 모른다. 당기기는 등 위쪽과 어깨의 힘이 되었을 때 나타난다. 엎드린 자세에서 팔이 움직이면 무작위적인 다리 움직임이 따라온다. 이러한 무작위적 다리 움직임으로 우연히 발가락이 굽으면서 다리가 펴질 수 있고, 덕분에 앞으로 나아가는 힘이 더 커질 수 있다. 유아는 이러한 우연을 반복하려고 배밀이하거나 앞으로 기어가는 법을 배우기 시작한다.

생후 9개월

생후 9개월 유아는 앉았다가 옮겨앉고(옆으로 앉는 자세 포함)(그림 4-42) 네발기기를 하면서 계속 자세를 바꾼다. 네 발로 기어가는 자세를 점점 더 많이 연습하면서 율동적으로 몸을 앞뒤로 흔들고, 체중을 양팔과 양다리에 교대로 싣는다. 이러한 노력은 엉덩이를 펴고 굽히는 새로운 능력의 도움을 받는다. 이러한 엉덩이 폄과 굽힘은 골반의 움직임과 몸통의 움직임을 분리하는 능력의 또 다른 실례들이다. 양손과 양무릎으로 체중을 지지하는 네발기기 자세(quadruped position)는 지지가 다소 약한 자세라서 균형감과 몸통 조절 능력이 훨씬 더 많이 필요하다. 몸통 안정성이 증가하면서 유아가 한쪽 팔과 다리를 동시에 움직일 때 반대쪽 팔과 다리로 체중을 지지할 수 있다. 이러한 상반적 보행 형태를 기기(creeping)라고 한다. 유아가 일어서서 가구를 잡고 옆으로 걷기 시작한 이후에도 기기는 보통 몇 달 동안 주요한 보행 수단이 된다. 유아가 기어 다니기 시작하면 빠르게 안정적으로 돌아다니며 주변 환경을 탐구할 수 있다. 세계보건기구(2006)에 따르면 소수의 유아(4.3%)는 네발로 기지 않는다고 한다.

기기에 사용되는 교대적 움직임에는 몸통 분절의 상

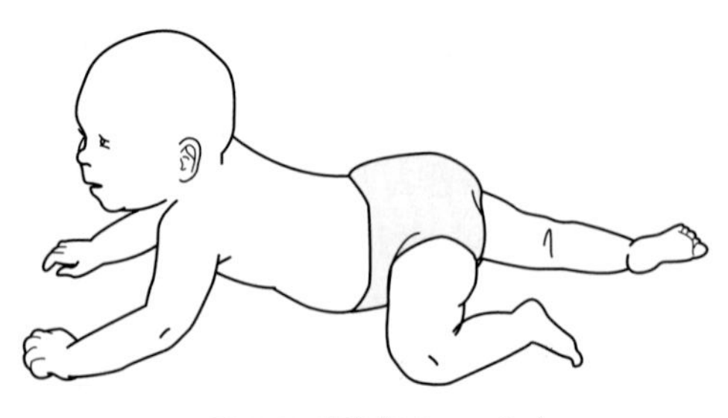

그림 4-41. 배밀이(Belly crawling)

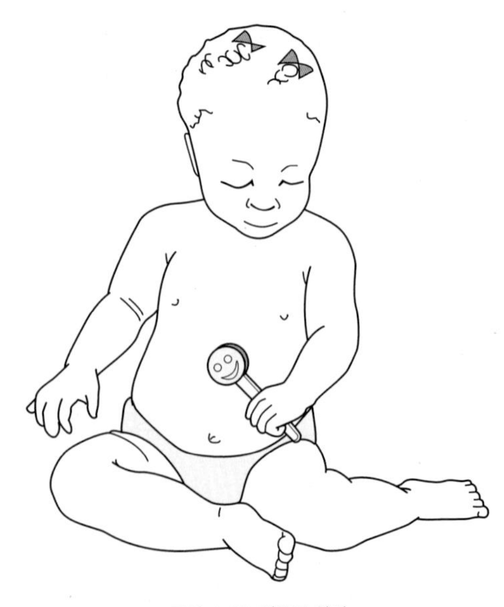

그림 4-42. 옆으로 앉기

반된 돌림이 필요하다. 다시 말해서 어깨가 한쪽 방향으로 돌림하는 동안 골반은 반대 방향으로 돌림하는 것이다. 이러한 상반된 돌림은 이후에 나타나는 똑바로 서서 앞으로 진행(걷기)에 중요한 요소이다. 성공적인 기기에 필요한 다른 중요한 요소들로는 머리와 목, 등, 양팔의 폄, 팔다리 움직임과 몸통 움직임의 분리가 있다. 팔다리 분리는 어깨와 골반이음뼈(pelvic girdles) 각각의 안정성과 이 신체 부위들의 반대 방향 돌림 조절 능력에 달려 있다. 아동은 하루에 다섯 시간 정도 기기 연습을 하고, 축구 경기장 두 개 정도되는 거리를 기어 다닐 수 있다(Adolph, 2003).

유아가 네발로 기기 자세에서 놀이를 할 때는 아기 침대 난간이나 가구를 향해 손을 뻗을 수 있고, 무릎으로 바닥을 짚고 일어설 수도 있다. 엉덩이에 모든 체중을 싣기보다는 양팔로 무언가를 잡아서 균형을 유지한다. 이 시기의 유아는 무릎 자세나 반 무릎 자세(한 팔을 앞으로 편 자세)에서 균형을 잡는 데 필요한 조절 능력을 지니고 있지 않다. 일으켜 세워질 때 무릎 자세나 반 무릎 자세를 취하기도 하나 걷는 법을 배우고 나서 아장아장 걷는 아기나 그러한 자세를 취할 수 있다. 일으켜 세워질 때는 움직임 전환이 급속하게 일어나기 때문에 제대로 된 무릎 자세나 반 무릎 자세가 나올 수 있는 시간적 여유가 없다. 일어서기 시작한 초기의 유아는 커피 탁자나 소파 같은 지지면에 기대어 선다. 그래야 양손을 자유롭게 움직일 수 있다. 두 다리는 탑 받침대처럼 기저면을 보다 더 넓히려고 벌림되는 경향이 있다. 무릎 꿇기 자세는 굽힘과 폄 사이에서 다양하게 나타날 수 있고, 발가락들은 바닥을 움켜쥐었다가 위로 쭉 펴졌다가 하며 균형을 잡는다. 이러한 발 반응은 발의 평형반응(equilibrilum reaction)이라고 한다(그림 4-43).

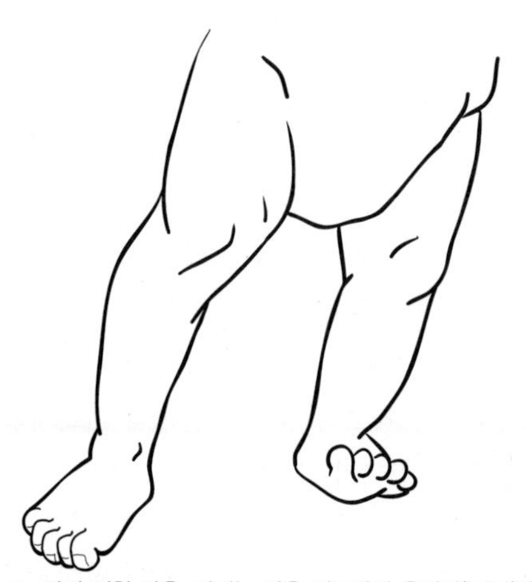

그림 4-43. 발의 평형 반응. 아기는 발을 미묘하게 움직여('펴기'와 '웅크리기') 서서 균형 잡는 법을 배운다(Connor FP와 Williamson GG, Sieрр JM가 편집한 ≪신경운동과 기타 발달 장애가 있는 유아를 위한 프로그램 가이드(Program guide for infants and toddlers with neuromotor and other developmental disabilities)≫ 117쪽에서 발췌해 수정한 내용, 출판사의 허가를 받음. 뉴욕, 컬럼비아 대학교 교육대학원, 1978)

유아는 가구를 잡고 똑바로 일어서자마자 체중을 좌우로 이동시키는 연습을 한다. 똑바로 일어섰지만 본격적으로 잡고 서서 옆으로 이동하기 전에는 한 팔을 앞으로나 뒤로 뻗는 동안 한 다리를 반대 방향으로 흔들면서 팔다리 움직임과 몸통 움직임을 분리하는 연습을 한다. 체중을 좌우로 옮기다보면 실제로 몸이 옆으로 움직여 나가서 유아의 잡고 옆으로 걷기가 가능해진다. 잡고 옆으로 걷기는 가구 주변과 가까운 가구들 사이에서 이루어진다. 이러한 옆으로 '걷기'는 팔 지지로 가능해지고, 앞으로 걸어 나갈 때 엉덩이관절을 벌림시켜 골반 수평을 이루는 수단이 될 수 있다. 이러한 기교들을 보면 언제나 발레 무용수가 춤추기 전에 발레 바 앞에서 몸을 푸는 모습이 연상된다. 이 경우에 유아는 걷기 시작하기 전에 새롭게 습득한 똑바로 선 자세에서 반대 방향 돌림을 연습하면서 몸을 푼다(그림 4-44). 이후 몇 달 동안은 독립적인 보행을 시작하기 전에 골반-엉덩이 조절 능력을 보다 더 발달시켜 완벽하게 똑바로 서는 자세를 익힌다.

아장아장 걷는 아기

생후 12개월

아기는 생후 1년이 되면 아장아장 걷는다. 대부분의 유아가 이 나이에 앞쪽 보행(forward locomotion)을 시도한다. 아기를 돌보는 사람은 이 시기의 유아를 보행기를 태우지 않고 유아의 양손을 잡고서 걸어보라고 부추긴 적이 있을 것이다. 보행기 사용에 관해서는 지금도 소아과 의사들이 안정성 문제를 지적하고 있다. 최근에는 미국소아과학회(AAP)가 정책 성명서에서 보행기 사용에 관련된 피해를 재차 확인했다(AAP, 2012). 또한 너무 빨리 보행기를 사용하면 엎드린 자세에서 기술 진행을 위해 필요한 상체와 몸통의 힘이 충분히 발달하지 못한다. 두 발로 걸으려는 전형적인 첫 시도는 넓게 벌림시킨 한 발에서 다른 한 발로 체중을 옮기는 것이다(그림 4-45). 두 팔은 높은 보호(high guard)(어깨뼈를 모음시켜 두 팔을 높이 들고, 어깨는 가쪽 돌림시키며, 팔꿈치는 굽힘하고 손목과 손가락은 펴는 것) 상태로 둔다. 이런 자세는 엉덩이 폄 부족을 만회하려고 등 위쪽을 강하게 펴면서 나온다. 중력에 저항해서 똑바로 세운 몸통을 유지하기가 훨씬 쉬워질 때 양팔은 중간 보호(midguard, 양손을 허리에 놓고, 어깨는 여전히 가쪽으로 돌림)에서 낮은 보호(low guard, 어깨를 좀 더 중립적인 위치에 놓고 팔꿈치를 폄)까지 내려갔다가 마지막에는 보호 없이 완전히 내려간다.

처음 걷기 시작하는 유아는 엉덩이와 무릎을 살짝 굽혀서 무게 중심을 낮춘다. 다리를 완전히 굽히고 엉덩이 관절들을 바깥쪽으로 회전시킨 채 앞으로 걸어갈 때 체중을 좌우로 이동시킨다. 한 발 전체가 지면에 닿을때 그 발을 엎침시켜 발목의 움직임을 최소화한다. 아장아장 걷는 아기들은 좁은 보폭으로 걸음을 많이 내딛고 천천히 걷는다. 한 발 서기를 하는 짧은 시간 동안에는 걸음걸이의 불안정성이 나타난다(Martin, 1989). 몸통 안정성이 개선되면서 두 다리를 골반 아래로 더 멀리 뻗는다. 엉덩이와 무릎이 좀 더 많이 펴지면서 걸음걸이의 밀기(push-off)단계에 필요한 발바닥쪽굽힘이 발달한다.

생후 16개월에서 18개월

생후 16개월에서 17개월 사이의 유아는 장난감을 들고 걸어 다니거나 걸어 다니면서 장난감을 잡아당기는 게 훨씬 더 능숙하게 된다. 도움을 받으면 한 번에 한 계단씩 오르내린다. 도움이 없으면 유아는 계단을 기어 올라가거나 엉덩이를 대고 내려온다. 생후 12개월이나 이보다 일찍 걷기 시작한 아동이라면 대부분이 시기에는 옆으로나 뒤로 걸을 수 있다. 정상적으로 발달하는 유아는 누워 있다가 굴러서 엎드려 양손과 무릎, 혹은 양손과 발로 몸을 밀어 올려 쪼그리고 앉았다가 일어선다(그림 4-46). 걸음마를 배우는 아기는 대부분 생후 18개월에 상반적인 팔 흔들기와 발꿈치 닿기를 보여주고, 그 후에 다른 성인과 같은 보행의 특징이 나타난다. 이 시기의 유아는 잘 걸어 다니고, '달리는 것처럼' 걷는다. 걸음마를 배우는 아기는 눈-발 협응이 완전하게 발달하지 않아서 여전히 물체에 걸려 넘어지기도 하나 선 자세의 균형 반응이 개선되고 몸통과 하지의 움직임을 운동역학적으로나 시각적으로 조절하는 능력이 향상되어 넘어지는 횟수가 줄어드는 것 같다. 뜀뛰기의 첫 징후는 맨 아래 계단처럼 나지막한 물체 위에서 '뛰어' 내리는 것으로 나타난다. 이 시기의 유아는 어른의 손을 잡고 계단을 내려올 수 있게 된 이후에 처음으로 계단 아래로 뛰어내릴 준비가 된다(Wickstrom, 1983). 잠시 동안 한 발로 서서 균형 잡기도 가능해진다.

두 살

두 살 아이는 점점 빨리 걷고, 양팔을 교대적으로 흔들며, 보폭도 훨씬 커진다. 한 발로 서 있는 시간도 길어진다. 이 시기에 추가적인 운동 기술들이 많이 나타난다. 두 살 아이는 한 번에 한 계단을 오르내릴 수 있고, 두 발을 모은 채 한 계단을 뛰어 내려가며, 커다란 공을 차고 작은 공을 던질 수 있다. 계단 오르기와 발차기는 한 다리에서 다른 다리로 체중을 이동하는 동안 안정성이 향상되었음을 보여준다. 나지막한 물체를 넘어가는 것도 이 시기 아이의 움직임 능력 가운데 하나이다. 양발이 모두 지면에서 떨어지는 '비행' 단계인 진정한 달리기도 이 시기에 나타난다. 빠르게 달리기 시작하다가 빠르게 멈추기는 아직 어렵지만 넓은 공간에서는 회전해서 방향을 바꿀 수 있다. 이 시기의 아이가 처음으로 뛰어오르기를 시도할 때는 한 발이 지면에서 떨어지고 이어서 다른 발이 떨어져 공중에서 걷는 것처럼 보인다.

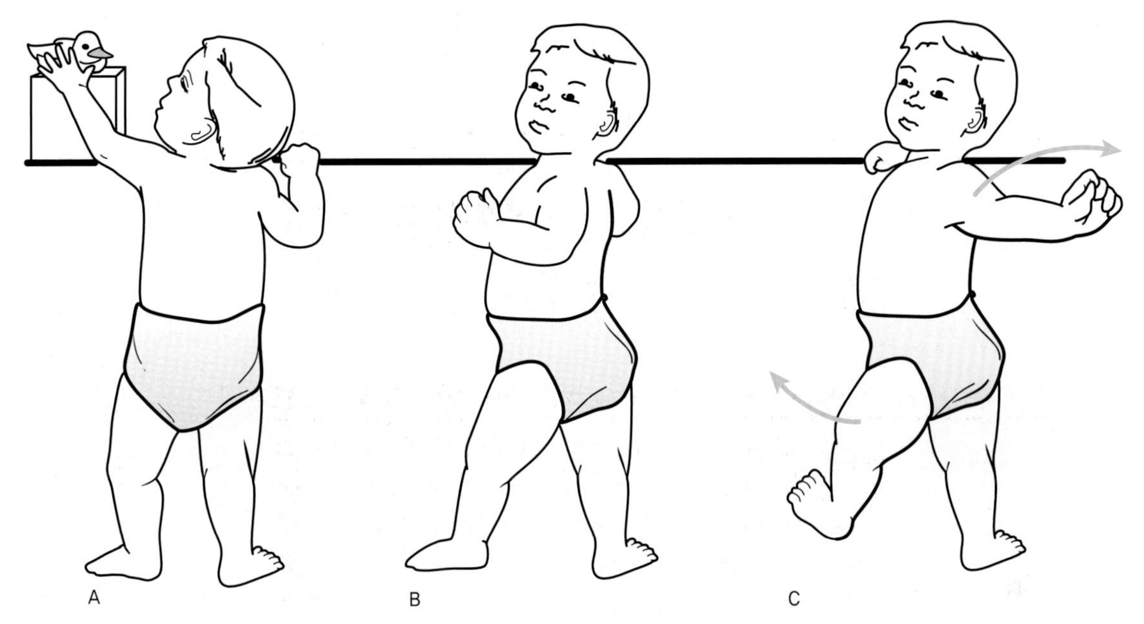

그림 4-44. 잡고 옆으로 걷기. A, 손을 뻗고 옆으로 걷기. B, 서서 몸통 위쪽을 뒤로 돌리기. C, 서서 한 손을 뒤로 뻗고 같은 쪽 다리를 흔들어 반대 방향 돌림하기(Connor FP와 Williamson GG, Siepp JM가 편집한 ≪신경운동과 기타 발장장애가 있는 유아를 위한 프로그램 가이드(Program guide for infants and toddlers with neuromotor and other developmental disabilities)≫ 121쪽에서 발췌해 수정한 내용, 출판사의 허가를 받음. 뉴욕, 컬럼비아 대학교 교육대학원, 1978).

그림 4-45. A와 B, 독립적인 걷기

기본적 움직임 패턴(세 살에서 여섯 살까지)

세 살

한 발 뛰기와 말뛰기(galloping), 두 발 번갈아 뛰기(skipping)와 같은 근본적인 운동 유형들은 세 살에서 여섯 살 사이에 발달한다. Wickstrom (1983)은 달리기와 뜀뛰기, 던지기, 잡기, 때리기도 이 범주에 넣었다. 세 살에 완전히 익히는 다른 상반적인 동작들로는 세 발 자전거 타기와 정글짐이나 사다리 오르기가 있다. 환경의 요구나 복잡한 운동장에서 피구하기 같은 과제를 토대로 보행을 시작하고 멈출 수 있다. 세

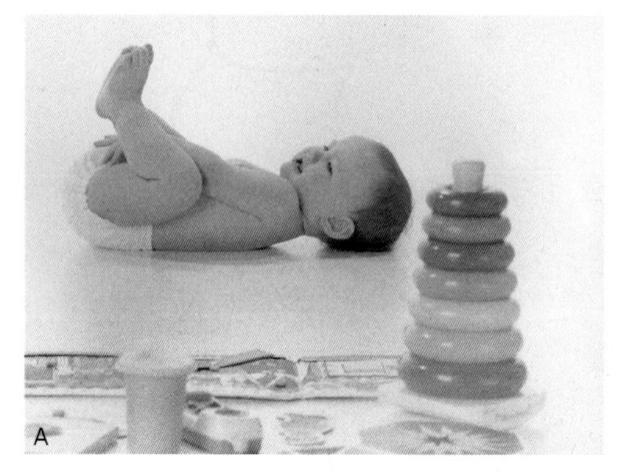

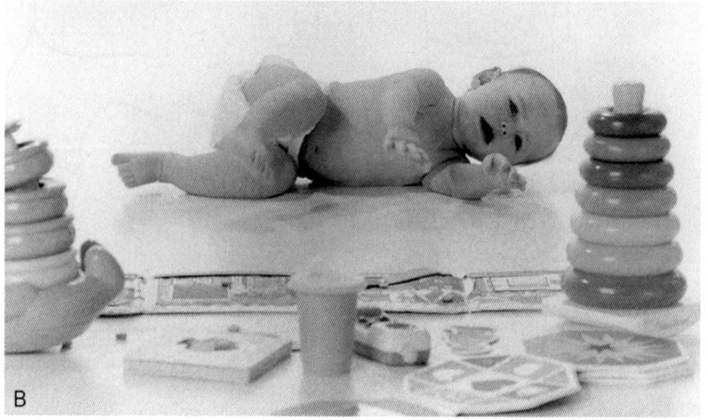

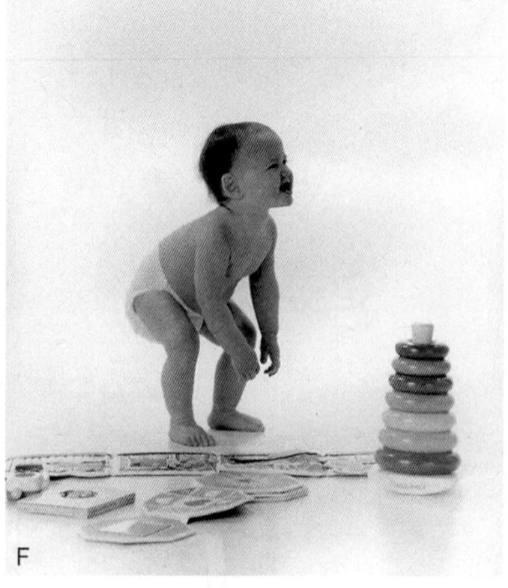

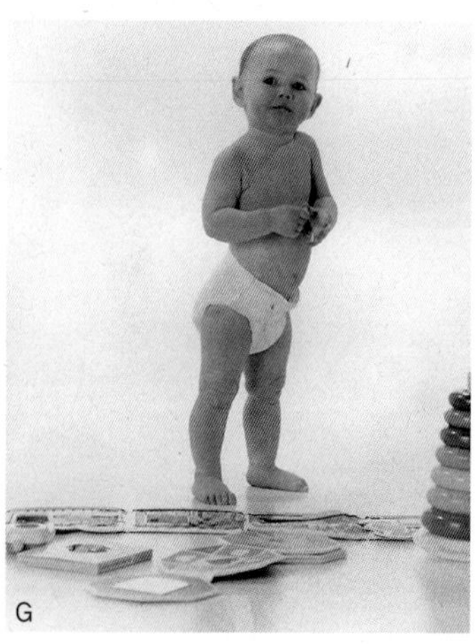

그림 4-46. 누워 있다가 일어서는 진행 과정. A, 똑바로 눕기. B, 구르기. C, 네발로 짚기. D, 발바닥 땅에 붙이기(plantigrade). E, 쪼그리고 앉기. F, 반 쪼그려 앉기 G, 일어서기.

살 아이는 달리면서 급격하게 방향을 바꿀 수 있고, 발뒤꿈치를 들고 서서 균형을 잡을 수 있다. 적어도 3초 동안은 한 발로 서 있을 수 있기 때문에 한 발을 다른 발 앞에 두고 서는 두 발 일자로 놓고 서기(tandem standing)가 가능해진다. 이제는 계단을 오를 때 상반적 걸음걸이를 이용해서 한 발씩 교대로 한 계단에 올려놓는다. 그러나 내려올 때는 한 번에 한계단씩 두다리가 내려와서 다음 계단으로 내려간다.

뛰뛰기는 생후 18개월에 계단 아래로 뛰기에서 시작되고, 두 살이 되면 두 발로 뛰어오른다. 뛰뛰기는 한 발이나 두 발을 바닥에서 떼면서 시작할 수 있다. 두 발 모두 떼고 뛰어올랐다가 착지하는 것이 훨씬 성숙한 운동 유형이다. 뛰뛰기에는 멀리뛰기에서 달리다가 뛰어 오르기나 제자리 멀리뛰기처럼 가만히 있다가 뛰어 오르기도 포함된다. 뛰뛰기는 그 종류가 많고, 놀이나 게임 활동의 일부다. 뛰뛰기 능력은 나이가 들면서 향상된다.

한 발 뛰기는 한 발로 서서 균형을 잡고 체중이 실린 발을 밀어 올리는 능력이 필요한 뛰뛰기 유형이다. 최고의 노력이 필요한 일은 아니다. "두 발 뛰기를 반복하고 나야 진정한 한 발 뛰기를 할 수 있다(Wickstrom, 1983)(그림 4-47 참조)." 뛰뛰기는 어떤 형태든 이보다 어린 나이에는 나타나지 않는다. 세 살 반이 되면 선호하는 발로 한두 번 뛸 수도 있다. 한 발로 서서 체중을 실은 발을 밀어올려서 충분히 오랫동안 균형을 유지할 수 있기 때문이다. 네 살 아이는 한 발로 서서 네 번에서 여섯 번 뛸 수 있어야 한다. 아이가 딛지 않은 발을 이용해 몸을 앞으로 움직여 나아가는 법을 배웠을 때 향상된 한 발 뛰기 능력이 나타난다. 이 시기 이전에는 지지하는 발을 이용해 몸을 움직인다. 이와 비슷한 유형이 팔 움직임에도 나타난다. 처음에는 두 팔이 활발하게 움직이지 않지만 나중에는 움직이는 다리의 동작과 정반대로 움직인다. 여아가 남아보다 뛰뛰기를 잘 한다는 뛰뛰기의 성적 차이는 문헌에 기록되어 있다(Wickstrom, 1983). 아동기에는 여아가 남아보다 균형을 더 잘 잡기 때문인것으로 보인다.

네 살

네 살 아이는 긴장을 풀고 율동적으로 말뛰기를 할 수 있다. 말뛰기를 할 때는 앞장 서는 다리로 걷고 뒤쪽 다리로 달린다. 말뛰기는 비대칭적인 걸음이다. 아이가 스틱으로 치며 말을 타는 모습을 떠올리면 말뛰기를 상상하기 쉽다. 걸음마를 배우는 아기들은 걷는 법을 배운 후 20개월 동안 말뛰기를 한다고 기록되어 있다(Whitall, 1989). 그러나 처음 걷기 시작했을 때처럼 양팔을 높이 들어 올리고 말뛰기를 하기 때문에 움직임이 뻣뻣하다. 네 살 아이는 정적 균형과 동적 균형을 보다 더 잘 잡는다. 그 증거로 세 살 아이보다 더

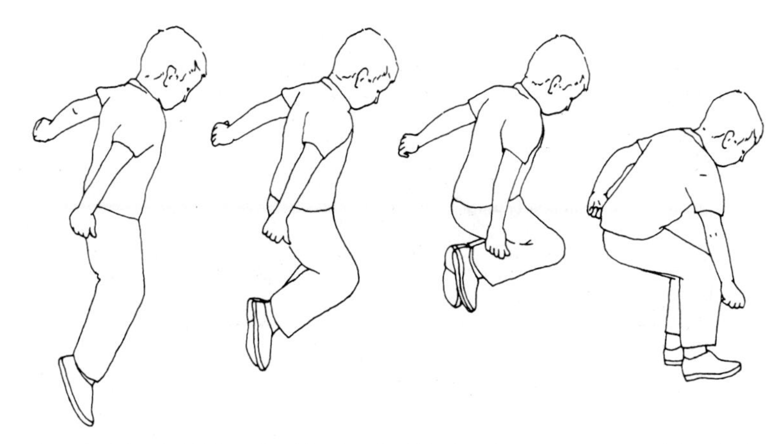

그림 4-47. 수직 뛰뛰기. 수직 뛰뛰기의 미성숙한 형태로 '흔들리는' 팔 동작, 불완전한 폄, 신속한 다리 굽힘이 나타나고 앞으로 살짝 뛰어나가게 된다(Wickstrom의 ≪기본적 운동 프로그램(Fundamental motor program)≫ 3판에서 발췌, 필라델피아, 리앤페비거 출판사리앤페비거 출판사, 1983).

오랫동안(4초에서 6초) 한 발로 서 있을 수 있다. 이제는 발을 교대로 움직여 계단을 내려갈 수 있다.

네 살 아이는 두 팔을 뻗어 날아오는 공을 잡을 수 있고, 좀 떨어진 거리에서 공을 머리 위로 던질 수 있다. 던지기는 생후 18개월에 우연히 물체를 놓치면서 시작된다. 두 살에서 네 살까지는 위로 던지기와 아래로 던지기 등 다양한 던지기 형태가 관찰된다. 성별 차이도 나타난다. 두 살 반 아이는 큰 공이나 작은 공을 1.5미터 정도까지 던질 수 있다(그림 4-48, 표 4-7)(Wellman, 1976). 아이가 네 살이 넘어서야 공을 3미터 이상 던질 수 있다. 아이가 물체를 밀어낼 수 있는 거리는 아이의 키와 관계가 있다(그림 4-49)(Cratty, 1979). 보다 더 성숙한 던지기 발달은 수행능력을 높히기 위해 신체의 힘과 다리와 어깨 움직임을 결합해서 사용하는 능력과 관련이 있다.

"던지기와 잡기는 기능적으로 밀접한 관계를 맺고 있지만 잡기보다 던지기를 훨씬 빨리 배운다(Wickstrom, 1977)." 잡기 능력은 다양한 변수에 좌우된다. 최소한

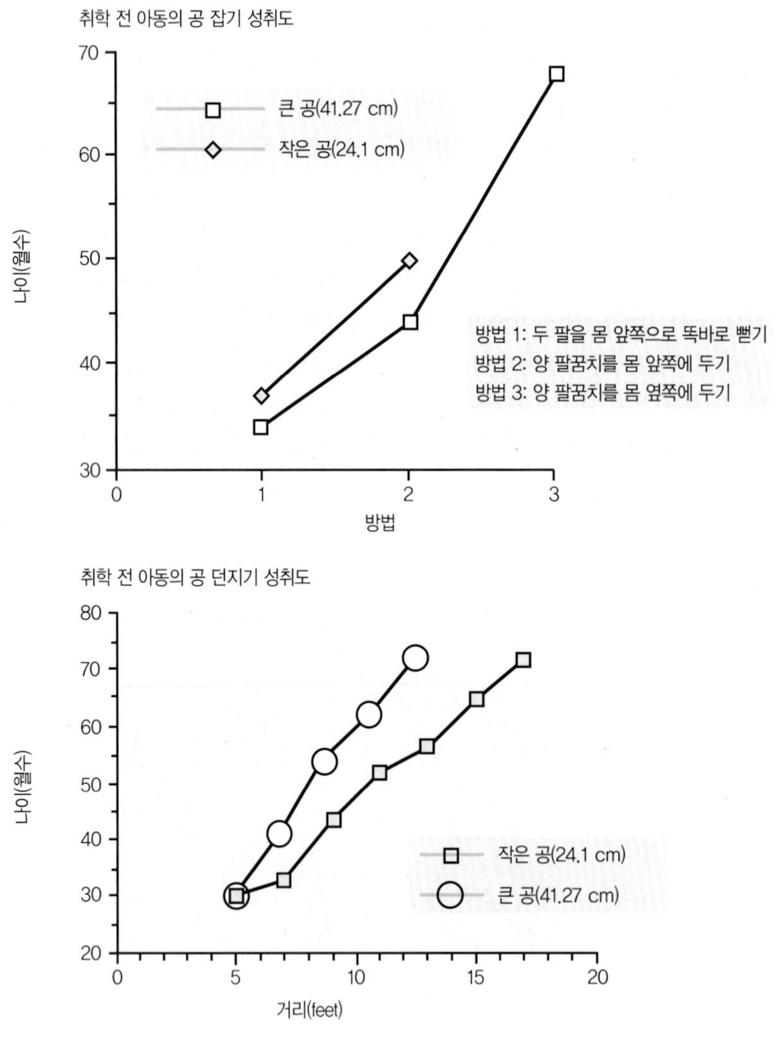

그림 4-48. Wellman의 그래프. A. 공 잡기 기술은 큰 공을 다루는 특정 수준의 수행 능력을 얻었을 때 습득할 수 있다. 그러고 나면 그와 똑같은 수준의 작은 공을 잡는 기술도 습득할 수 있다. B. 생후 30개월에는 큰 공이나 작은 공을 1.5미터까지 던질 수 있다. 아이가 작은 공을 던질 수 있는 거리만큼 큰 공을 던지려면 10개월이 더 걸린다(Espanschade AS와 Eckert HM의 ≪운동 발달(Motor development)≫에서 발췌함. 오하이오 주 콜럼버스, 찰스 E 메릴 출판사, 1967).

표 4-7 취학 전 아동의 공던지 성취도

던지는 거리(피트)	운동 연령 개월 수	
	작은 공 (24.1 cm)	큰 공 (41.27 cm)
4-5	30	30
6-7	33	43
8-9	44	43
10-11	52	63
12-13	57	72개월 이상
14-15	65	
16-17	72개월 이상	

Wellman의 ≪취학 전 아동의 운동 성취 (Motor achievements of preschool children)≫에서 발췌, Child Educ 13:311-316, 1937. 국제아동교육협회 Association for Childhood Education International의 허가를 받아 재 인쇄함. 3615 Wisconsin Avenue, NW, Washington, DC.)

으로 말하자면 공 크기와 속도, 잡는 사람의 팔 위치, 던지는 사람의 기술, 연령 관련 감각적 요소와 지각적 요소에 영향을 받는다. 지각 요인 중 일부는 시각적 신호와 깊이 지각, 눈-손 협응, 잡는 사람이 공을 갖고 논 경험의 양과 연관되어 있다. 날아오는 물체를 보고 눈을 감는 것은 아동한테서 흔히 나타나는 공포 반응이며(Wickstrom, 1977), 물체를 잡거나 치는 법을 배우기 위해서는 극복해야 하는 반응이다.

공을 잡기 전에는 굴러가는 공과 상호 작용을 해야 한다. 이러한 상호 작용은 보통 아이가 두 다리를 뻗은 채 앉아서 다리나 손으로 공을 잡으려고 할 때 일어난다. 아동은 앉은 자세에서 처음으로 움직이는 물체들의 시간과 공간적 관계를 배우고, 나중에는 일어서서 굴러가거나 통통 튀는 공을 쫓아가면서 그 관계를 배운다. 이 시기의 아이는 공간 내에서 물체를 멈춰 세우고 가로막으려고 한다. 그렇지 않으면 자신의 움직임을 조절하려고 하고 물체의 움직임을 예측하려고 한다. 이후에는 공중에서 움직이는 물체를 '잡으려고' 한다. 대부분의 아이들은 세 살이 되기 전에 날아오는 공을 잡을 수 있게 두 팔을 위치시킬 수 있어야 한다. 이 시기에는 공을 던져주는 성인이 아이에게 공을 튀겨 준다. 던지는 사람은 아이의 쭉 뻗은 두 팔 안쪽으로 공이 들어가도록 공을 잘 조절하여 튀겨 주어야 한다. 그림 4-50와 4-51은 생후 33개월과 생후 48개월인 아직 성숙하지 못한 아동이 공을 잡는 모습을 보여 준다. 잡기 능력이 성숙하면서 양손을 좀 더 많이 사용하고 양팔과 몸에 의지하는 비율이 낮아진다. 네 살 아이가 잡기 기술을 완벽하게 익히려면 아직 더 성숙해야 한다.

때리기는 물체를 흔들어 치는 행위이다. 발달상으로 때리기의 가장 초기 형태는 아이가 한 팔을 펴서 손으로 뭔가를 치는 것이다. 아이가 막대기나 방망이와 같은 도구를 들고 있을 때 앞서와 같은 움직임을 취하면 대상 물체를 때릴 수 있다. 두 살에서 네 살까지의 아동은 이처럼 성숙하지 못한 때리기 행동을 보여 준다. 흔한 때리기 유형은 위로 때리기, 옆으로 때리기, 아

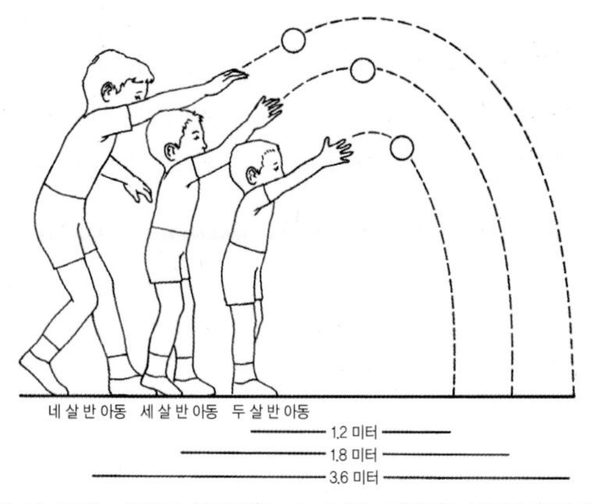

그림 4-49. 나이가 들면서 공 던지는 거리도 증가함(Cratty BJ의 ≪유아와 아동의 지각 발달과 운동 발달 (Perceptual and Motor Development in Infants and Children)≫ 2판에서 발췌, Prentice Hall에 저작권 있음. Pearson Education, Inc의 허가를 받아 재 인쇄함. Upper Saddle River, New Jersey.).

그림 4-50. 미성숙한 잡기. 생후 33개월 남아는 상대가 공을 던지기 전에 두 팔을 뻗는다. 꼼짝 않고 공이 다가오기를 기다리고, 공이 자기 손에 닿은 이후에 반응한다. 그리고 공을 부드럽게 가슴 쪽으로 끌어당겨 잡는다. 근본적으로 로봇과 같은 수행 능력을 보여 준다(Wickstrom의 ≪기본적 운동 프로그램(Fundamental motor patterns)≫ 3판에서 발췌, 필라델피아, 리앤페비거 출판사, 1983).

그림 4-51. 네 살짜리 여아는 두 팔을 쭉 뻗고 손을 펴서 공이 오기를 기다린다. 공에 대한 그녀의 초기 반응은 공을 치는 것이다. 한 손이 공에 닿으면 공을 움켜쥐고 가슴에 끌어안아서 공을 잡고 조절한다(Wickstrom의 ⟪기본적 운동프로그램(Fundamental motor patterns)⟫ 3판에서 발췌, 필라델피아, 리앤페비거 출판사, 1983).

래로 때리기이다. 이 시기의 아동은 어떤 특별한 도움도 받지 않고 좀 더 수평으로 물체를 때리려고 천천히 앞으로 나아간다. 때리기의 성숙한 형태는 보통 적어도 여섯 살이 되어야 나타난다(Malina 등, 2004). 이 시기의 아이가 아래로 때리기에서 좀 더 수평으로 때리기(옆으로 때리기)로 나아가면서 아이의 흔들기 동작이 성숙해 몸통 회전이 점점 더 커진다(Roberton와 Halverson, 1977). 때리기의 성숙한 유형은 한 발 내딛기와 몸 돌리기, 흔들기(내딛기-돌리기-흔들기)로 구성된다(Wickstrom, 1983).

발차기는 때리기의 특별한 유형이며, 양팔이 직접적인 역할을 담당하지 않는 유형이다. 아동은 자발적인 놀이와 조직적인 게임에서 상당히 자주 공을 찬다. 두 살 아이는 지면에 놓인 공을 찰 수 있다. 다섯 살 아이는 3.6 m 상공에서 날아오는 공을 찰 수 있고, 여섯 살 아이는 달려가서 굴러오는 공을 1.2 m까지 차서 올릴 수 있다(Folio와 Fewell, 2000). Gesell (1940)은 다섯 살 아이가 축구공을 2.4 m에서 3.5 m까지 차서 올릴 수 있고, 여섯 살 아이는 3 m에서 5.4 m까지 차서 올릴 수 있다고 보고하였다. 아이가 네 살이 되기 전까지는 발차기 능력을 측정하기가 어렵다. 아동이 다섯 살이 되면 매년 능력이 개선된다(Gesell, 1940). 발차기를 하려면 한 발을 딛고 서서 정적인 균형을 잘 유지하고, 팔을 사용하여 발차기 시 힘의 균형을 잘 잡아야 한다.

다섯 살

다섯 살 아이는 8초에서 10초 동안 한 발로 서 있을 수 있고, 평균대 위를 걸을 수 있으며, 한 발로 8번에서 10번까지 뛸 수 있고, 0.6 m에서 0.9 m까지 제자리멀리뛰기를 할 수 있으며, 두 발 번갈아 뛰기를 할 수 있다. 두 발 번갈아 뛰기를 하려면 좌우 협응(bilateral coordination)이 필요하다. 이 시기의 아동은 달리면서 방향을 바꾸고 빠르게 멈출 수 있다. 또한 자전거와 롤러스케이트를 탈 수 있으며, 1.5 m 떨어진 곳에서 목표물을 공으로 명중시킬 수 있다.

여섯 살

여섯 살 아동은 협응이 잘 이루어지고, 눈을 뜨거나 감은 채 10초 이상 한 발로 서 있을 수 있다. 이러한 능력은 시각을 사용하지 않고도 균형을 유지할 수 있다는 뜻이므로 매우 중요하다. 여섯 살 아동은 3 m 떨어진 거리에서 공을 주고받을 수 있다. 1학년 학생은 바닥에 놓인 평균대 위에서 떨어지지 않고 앞으로, 뒤로, 옆으로 걸을 수 있다. 자전거나 롤러스케이트 같은 다른 형태의 운동을 즐기고 사용한다. 게임을 하면서 배우는 움직임 유형들은 이후의 스포츠 기술의 기초가 된다. 운동 활동과 기술이 변해가는 내내 신경계와 근육계, 골격계가 성숙하고, 신체의 키와 체중도 증가한다. 특정한 움직임 유형에는 힘과 속도가 필요하기 때문에 아동의 힘도 서서히 발달한다(Bernhardt-Bainbridge, 2006).

기본적인 운동 기술들은 시간이 지남에 따라서 변한다. 여섯 살에서 열 살 사이의 아동은 성인 수준의 달리기, 던지기, 잡기를 습득한다. 그림 4-51은 아동의 60%가 나열된 기본적 운동 기술을 특정한 발달 수준까지 발휘할 수 있는 시기를 보여준다. 1단계는 미성숙한 움직임 형태이며, 4단계나 5단계는 동일한 움직임의 성숙한 형태를 뜻한다. 두드러진 성별 차이는 위로 던지기에서 분명하게 나타난다. 어린 아이가 어느 시기에 성숙한 움직임 유형을 보여 주다가 그 이후에 덜 성숙한 유형을 보여 주는 경우가 흔하다. 아이가 기술을 결합하려고 할 때 유형의 퇴행이 일어날 수 있다. 예를 들어 일어서서 위로 공을 던질 수 있는 아이가 달리는 중에는 아래로 공을 던지는 퇴행을 보일 수 있다. 성숙과 미성숙의 교대는 Gesell의 상호교류 원리(reciprocal interweaving) 개념과 일치한다. 아동의 60%가 그림 4-52에 나오는 기본적인 운동 기술을 성취하나 나머지 40%는 정해진 나이까지 성취하지 못한다.

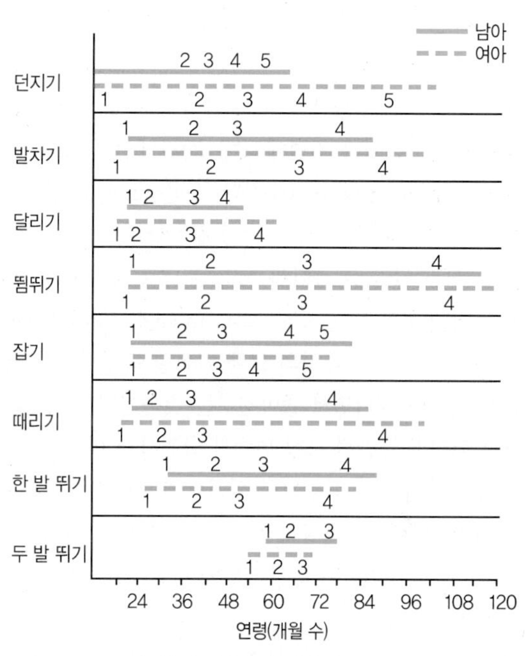

그림 4-52. 60%의 아동이 몇가지 기본적인 운동기술에 대해 특정 발달 수준까지 수행할 수 있는 연령 1단계는 미성숙, 4단계나 5단계는 성숙 단계다(Seefledt V와 Haubenstricker J의 ≪유형과 국면 혹은 단계: 발달 움직임 연구 분석 모델(Patterns, phases, or stages: An analytical model for the study of developmental movement)≫에서 허가받아 재 인쇄. Kelso JAS와 Clark JE가 편집한 ≪움직임 조절과 협응의 발달(The development of movement control and coordination) 314쪽에서 발췌, 1982).

걸음걸이(보행)

대다수의 아동은 생후 1년이 끝날 무렵에 걷기 시작하나 아동이 성숙한 걸음걸이 특성을 나타내려면 몇 년이 더 걸린다. 직립 보행과 관련된 요소로는 지지면 위에 안정성의 한계내에서 평근의 충분한 근력, 동적 균형감, 머리 자세 조절이다. 처음 걷기 시작하는 사람의 움직임은 처음 걷기 시작한 연령이 아니라 걷는 시간으로 판단한다. 유아가 약 5개월 동안 걷기 연습을 하고 나면 역진자 기전(inverted pendulum mechanism)을 선보이면서 보다 더 효율적으로 걸을 수 있다(Ivanenko 등, 2007). 한 발로 서 있는 시간은 연습할수록 늘어나고, 두 발로 지지하고 서 있는 시간은 감소한다. 팔 흔들기와 발뒤꿈치 닿기는 두 살 아이에게 나타난다(Sutherland 등, 1988). 발가락 외향이 감소하고, 골반 회전과 이중 무릎 잠금 유형(double knee-lock pattern)이 나타난다. 이 유형은 보행 중에 무릎이 펴지는 두 시기를 일컫는데, 그중 하나는 발뒤꿈치가 닿기 직전이고, 나머지 하나는 발이 지면에 닿아 있을 때(입각기, stance phase) 몸이 발 위로 움직이는 시기이다. 이 사이에 발뒤꿈치가 지면에 닿는 순간에는 무릎을 굽히면서 체중의 충격을 흡수한다. 보폭(stride length)이 증가하면서 분속수(Cadence)이 감소한다. 보행 속도는 한 살과 일곱 살 사이에 거의 두 배로 증가하고, 골반폭 대 발목폭 비율(pelvic span to ankle spread span ratio)이 증가한다. 후자의 보행 실험실 측정치는 기저면이 시간이 지나면서 좁아진다는 것을 암시한다. 네 살이 되면 시공간적 보행 변수가 급격하게 변하고, 일곱 살까지는 변화가 천천히 일어나 보행이 운동 표준에 따라 성숙될 때 정상적인 보행이 이루어진다(Stout, 2001). 경험과 연습은 보행 발달에서 중요한 역할을 담당한다.

아동기 이후 움직임 유형들의 연령 관련 차이점

많은 발달론자들은 운동 능력과 기술을 습득하는 생애 초기 시기만 살펴보았다. 아동기에 성숙한 운동 행동을 습득한다는 믿음 때문에 연구 학자들은 신경계 성숙이 아닌 다른 요소들에 영향을 받아 움직임이 변할 수 있다는 사실을 간과했다. 신경계는 보통 열 살 때 성숙한다고 알려져 있지만 움직임 패턴의 변화는 사춘기와 성인기에 나타난다.

연구 결과 움직임 패턴의 발달 순서가 아동기에서 청소년기의 거쳐 성장하면서 대칭성이 증가하는 경향이 있다고 보고하였다(Sabourin, 1989; Vansant, 1988a). VanSant (1988b)는 성인이 일어서는 세 가지 유형을 알아냈다. 이러한 유형은 그림 그림 4-53에 나와 있다. 가장 흔한 유형은 상지를 뻗어서 대칭적으로 밀고 머리를 앞으로 내밀며, 목과 몸통을 굽히고, 대칭적으로 쪼그리고 앉는 것이다(그림 4-53A). 두

그림 4-53. 가장 흔한 형태의 일어서기 자세: 팔 요소, 대칭적 밀기; 축 요소(axial component), 대칭적; 다리 요소, 대칭적 쪼그려 앉기(VanSant AF의 ≪누운 자세에서 일어서기: 성인 움직임 묘사와 발달 가설(Rising from a supine position to erect stance: Description of adult movement and a developmental hypothesis)≫에서 재 인쇄함. Phys Ther 68:185-192, 198, APTA의 허가를 받음).

번째로 흔한 유형은 비대칭적으로 쪼그려 앉는 순간까지는 첫 번째 유형과 동일하다(그림 4-53B 참조). 다음으로 가장 흔한 유형은 비대칭적 밀기와 뻗기에 이어서 반 무릎 꿇기를 사용한다(그림 4-53C 참조). 20대에서 40대까지 성인을 별도로 연구한 결과에 따르면 나이가 들면서 비대칭성이 증가하는 경향이 나타났다(Ford-Smith와 Vansant, 1993). 40대 성인은 어린 아이들보다 비대칭성 움직임 유형을 보일 가능성이 훨씬 크다(Vansant, 1991). 노인 움직임의 비대칭성은 관절이 뻣뻣해지거나 근력이 약해지면서 몸통 회전이 줄어들었음을 의미할 수도 있다. 이렇게 되면 누워 있다가 앉을 때 똑바르게 앞으로 움직이기가 훨씬 더 힘들어진다.

Thomas와 동료들(1998)은 VanSant의 묘사적 접근법을 이용해서 누웠다가 일어서는 노인의 움직임을 연구했다. 평균 나이가 74.6세인 공동체 거주 노인 집단에서 70대와 80대 노인은 팔과 몸통 영역의 비대칭적 움직임 유형을 사용할 가능성이 훨씬 높았고, 70대 미만의 노인은 동일한 신체 부위의 대칭적 움직임을 더 많이 사용했다. 나아가서 연구 학자들은 나이가 어리고, 무릎 폄 근력이 더 강하며, 엉덩이와 발목 관절운동범위(굽힘, 발등쪽 굽힘)가 더 클수록 훨씬 더 빨리 일어선다는 사실을 발견했다. 그러나 힘과 유연성을 유지하고 있는 노인들은 그들보다 힘이 약하고 유연성이 약한 사람들보다 훨씬 빠르게 보다 더 대칭적으로 일어선다.

신체 구조는 사춘기가 끝날 무렵에 성숙하나 움직임 유형의 변화는 평생 동안 계속된다. 성숙한 움직임 유형들은 언제나 효율성과 대칭성과 관련되어 있다. 운동 발달 초기에는 움직임 유형들이 보다 더 동질적이고, 대부분 미리 정해진 발달 순서를 따르는 것 같다. 사람이 성숙함에 따라서 움직임 유형은 훨씬 대칭적으로 변한다. 그러나 노화가 진행되면서 움직임 유형들이 좀 더 비대칭적으로 변한다. 노인은 젊은이보다 더 다양한 방식으로 누웠다가 일어나는 방법이 다를 수 있으므로, 개인의 일상적인 움직임 유형과 일치하는 치료 중재를 가르쳐야 한다.

노화에 따른 자세와 균형, 보행의 변화

자세

직립 정렬 자세를 유지하는 능력은 나이가 들면서 감소한다. 그림 4-54는 전형적인 노화로 예상되는 자세의 차이를 보여준다. 유아기에 발달하는 이차굽이는 수정되기 시작한다. 목굽이는 감소한다. 허리굽이는 보통 납작해진다. 앉아서 생활을 하면서 연령 관련 자세 변화가 두드러질 수 있다. 등뼈(thoracic spine)에서 척추 뒤굽음이 더 심해진다. 노화는 척추사이 원반 내부 결합 조직의 속성과 상대적 양을 변화시킨다(Zhao 등, 2007). 척추 사이 원반에서 수분이 빠져나가고 처음에는 유연한 결합 조직이 뻣뻣해져서 노인은 척추의 유연성을 잃는다. 노화로 근력이 감소함에 따라 정상적인 자세정렬 또한 유지하기 어려워진다.

균형

노인은 균형과 넘어짐에 큰 문제가 있을 수 있다. 그러나 일어서고 걷는 동안 균형을 유지하는 능력이 노화로 인해 감소되는지는 아직까지 밝혀지지 않았다. 자세와 균형을 책임지는 세 감각계(시각계, 안뜰계, 몸감각계)의 감각 정보는 나이에 따라 변한다. 이러한 변화는 내부 환경과 외부 환경에서 변화에 신속하게 대응하는 노인의 능력을 손상시킬 수 있다. 이러한 감각 수용기들의 구조적 완전성이 감소하면 전달되는 정보의 질도 떨어진다. 수용기의 실제 수도 감소한다. 진동 지각 능력도 감소해서 가만히 서 있을 때 자세 동요가 증가한다. 시각계는 대비 민감도 감소로 윤곽과 깊이를 알려주는 신호를 예전만큼 잘 포착하지 못한다. 시각 활동과 깊이 인식, 주변 시야, 밝거나 어두운 환경에서 변화에 적응하는 능력이 노화로 인해 감소하면 균형이 무너져 위협을 감지하는 능력에 크게 영향을 줄 수 있다. 노인 대상으로 균형 테스트를 하면서 시각 정보를 제거하자 자세 동요가 증가했다(Lord 등, 1991). Scovil 등(2008)은 보행 반응(stepping reaction)을 계획하고 수행하기 위해서는 환경으로부터 저장된 시공간적 정보가 중요하다는 것을 발견했다. 전형적으로 가만히 서 있을 때 나

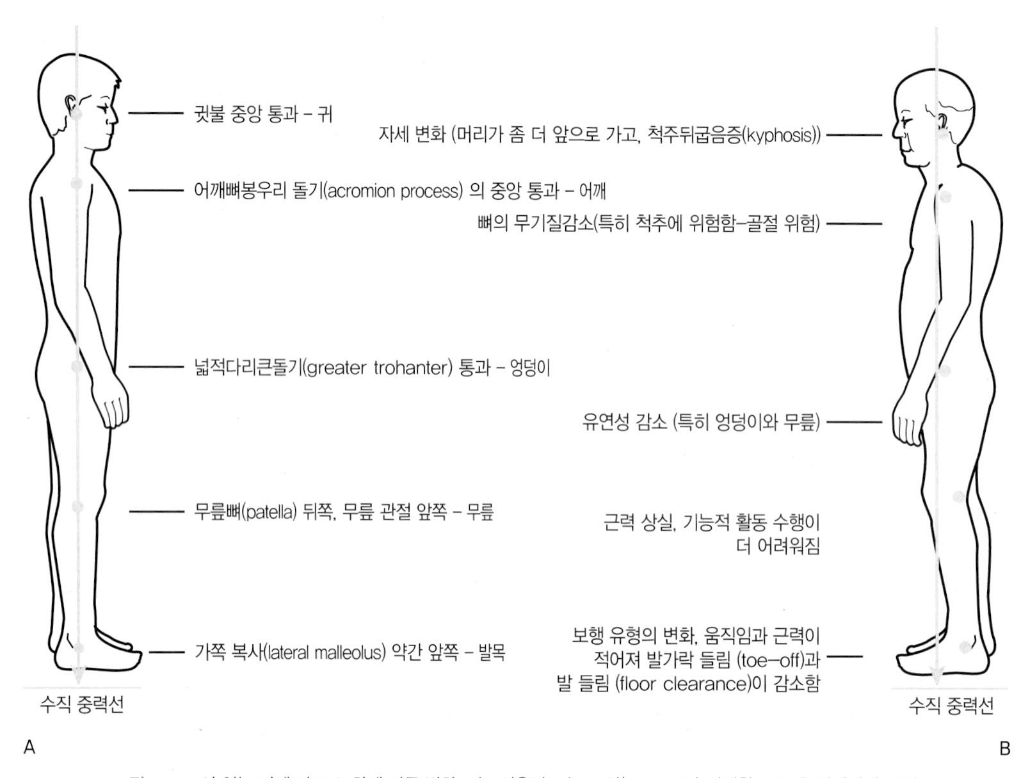

그림 4–54. 서 있는 자세 비교; 노화에 따른 변화. A는 젊은이, B는 노인(Lewis C가 편집한 ≪노화: 건강관리 문제(Aging: the health care challenge)≫ 2판에서 발췌 수정함. 필라델피아, 1990, FA 데이비스 출판사).

타나는 동요는 젊은 성인에 비해 노인에서 증가했다(Maki와 McIlroy, 1996; Sturnieks 등, 2008). 노인의 동요가 더 큰 이유는 하지의 힘과 감각 기능의 변화와 연관되어 있었지만 인과관계는 밝혀지지 않았다. 노인은 몸감각보다 시각에 의존하고, 시각정보를 잃으면 훨씬 더 비대칭적으로 서게 되거나 몸이 더 많이 흔들린다.

노인의 보행

노인은 보행의 많은 변화가 나타날 수 있다. 일반적으로 노인은 좀 더 조심스럽게 걷는다. 분속수와 보행속도가 감소하고, 보폭도 줄어든다. 더 나은 균형유지를 위해 기저면을 넓히려고 양발 너비를 증가시킨다. 기저면 증가와 보폭 감소는 노인이 젊은 성인보다 양발을 지지하는 시간이 길다는 것을 의미한다. 보폭이 감소하면서 걷는 속도도 느려지고, 양발 지지 시간이 증가한다. 양발 지지 시간은 양발을 얼마나 오랫동안 지면에 두고 있는지를 보여 주는 것이다. 체중을 앞쪽 발로 옮기는 시간이 길어지면서 첫 발걸음을 떼는 데 시간이 오래걸린다. 노인은 젊은 성인보다 지지된 사지에 체중을 이동시키는 보수적인 전략을 사용한다. 노인은 또한 다리 움직임에 따른 협응된 자세반응을 이끌어 내는데 문제가 있다(Hanke와 Martin, 2012).

연령에 따른 보행의 변화는 장애물 건너기와 계단 오르고 내리기와 같은 기능적 움직임 측면에서 어려움을 야기시킬 수 있다. Chen 등(1991)은 건강한 노인들이 건강한 젊은이들보다 장애물이 높아질수록 훨씬 큰 어려움을 느낀다는 사실을 발견했다. 최근 체계적 문헌고찰에서 Galna 등(2009)은 노인이 퇴행적인 장애물–넘기 전략(obstacle–crossing strategy)을 사용한다는 사실을 발견했다. 이 전략을 사용할 때는 먼저 넘어가는 팔다리와 뒤따라가는 팔다리가 흔들리는 동안 엉덩이 굽힘을 증가시킨다. 제한된 시간 내에 장애물을 넘어갈때 몸에 무리가 가면 노인들은 장애물에 부딪힐 위험이 증가했다. Harley 등(2009)은 이중 과제 환경에서 인지적 요구가 증가하면 안정성이 떨어지고, 장애물을 넘어갈 때 발 놓는 위치가 다양하게 변한다는 사실을 발견했다.

계단을 오르려면 한쪽다리가 다음 단계로 올려지는 동안 다른쪽 다리는 한다리 지지를 할 수 있어야 한다. 노화에 따라 보행의 변화를 감안하면, 노인이 좀 더 천천히 계단을 오르내린다는 사실은 전혀 놀랍지 않다. 어려운 보행 환경은 초기 평가에서 정상적인 속도로 걸었던 노인들의 보행속도가 1년 뒤 감소한다는 사실을 예측하기 위해 사용되었다(Brach 등, 2011).

치료에 관한 함축적 의미

노화에 따른 관절 운동범위와 근력, 균형감의 상실은 습관적인 신체 활동 부족으로 악화될 수 있고, 뇌졸중과 척수손상 혹은 외상성 뇌 손상으로 인한 신경성 결핍 때문에 심해질 수 있다. 그러나 근력과 지구력의 감소는 저항운동과 지구력 운동을 적절히 해줌으로써 부분적으로 되돌리는 것이 가능하다. 예방은 항상 치료적 개입의 수정이 필요한 다른 기존의 장애가 존재하는지를 고려하여야 한다. 물리치료사는 환자의 현재 능력 수준을 정확하게 기록해야 하고, 경감해 주는 상황들을 인지하여, 적절한 치료적 중재를 계획해야 한다. 또한 물리치료 보조사에게 치료 시에 환자의 운동 반응을 어떻게 감시해야하는지도 지시해야 한다. 물리치료 보조사가 그러한 정보를 제공받지 못하면 치료를 시작하기 전에 그 정보를 요청해야 한다.

신경 손상 환자가 폐 질환이나 심장 질환을 갖고 있다면 물리치료 보조사는 운동 중에 환자의 활력 징후를 주시해야 한다. 노화로 심폐 예비 용량이 감소하면 체력 감소와 건강의 악화가 나타날 수 있다. 병원에 입원한 사람은 상태가 극도로 악화되거나 나빠질 수 있다. 환자가 퇴원에 앞서 몸을 움직일 수 있고, 똑바로 일어설 수 있는 상황에서 생리적 예비량(physiologic reserve)의 감소는 정상적인 일상 활동을 할 수 있는 환자의 능력에 영향을 미칠 수 있다. 걷기에는 개인이 섭취한 산소의 최대 40%가 필요하다. 그러므로 노인은 얼마나 많은 산소를 섭취할 수 있는지에 따라 보행속도를 늦추어야 한다. 심박동수와 혈압, 호흡율 측정은 매우 중요하며, 감독하는 치료사에게 운동에 대한 환자 반응에 관한 정보를 제공해 준다. 감독 물리치료사는 산소 포화와 인지되는 격한 활동, 호흡 곤란 수준(호흡이 짧음)을 보다 더 확실하게 감시하라고 지시할 수도 있다. 그러나 그러한 방법들에 관한 보다 더 심층적인 논의는 이 책의 범위를 벗어난다. 환자 상태의 복잡성과 예민성 때문에 물리치료 보조사 투입이 제한될 수도 있다.

결론 요약

나이는 물론이고 각기 다른 신체 시스템의 구조와 기능이 연령에 따라 변하면 한 개인의 예상되는 기능적 움직임은 크게 달라질 수 있다. 기능적 과제는 개인의 연령에 따라 정의된다. 유아의 기능은 중력을 극복하고 일어서서 움직이는 법을 배우는 것이다. 걸음마를 배우는 아기는 똑바로 서서 세상을 탐색하고, 아동기에는 달리기와 한 발 뛰기, 두 발 뛰기 같은 기능적 움직임이 나타난다. 물체 조작 능력은 손가락으로 시리얼 먹기에서 글쓰기 학습에 이르기까지 지속된다. 자기 관리 기술은 아이가 학교에 들어갈 무렵에 완전히 익힌다. 스포츠 기술은 기본적인 운동 유형들을 토대로 익히며, 아동기와 청소년기에 중요하다. 청소년기 후기와 성인기에는 일과 여가 기술들이 가장 중요해진다. 평생 동안 각각의 시기에는 각기 다른 기능적 움직임을 나타낸다. 이러한 예상 움직임은 운동 수행자와 과제, 사회 환경과 물리적 환경에 의해 결정된다. ■

검토사항

1. 발달 이론이 전생애 접근법임을 확인시켜주는 특징은 무엇인가?
2. 개인이 충족시키려고 애쓰는 위계적 욕구의 피라미드를 묘사한 이론가는 누구인가?
3. 발달의 방향 개념을 보여주는 실례는 무엇인가?
4. 운동 발달의 세 가지 과정은 무엇인가?
5. 아이가 대단위 정교한 운동발달을 습득하는 일반적인 시기는 언제인가?
6. 생후 4개월 유아와 생후 6개월 유아의 전형적인 자세와 움직임은 어떠한가?
7. 기본적인 운동 유형들을 구성하는 운동 능력들은 무엇인가?
8. 운동 유형이 평생에 거쳐 변화는 이유는 무엇인가?
9. 활동의 감소가 노인의 자세에 어떤 영향을 미치는가?
10. 보행의 변화가 노인의 기능적 능력에 어떤 영향을 미치는가?

참고 문헌

Adolph K: Advances in research on infant motor development. Paper presented at APTA Combined Sections Meeting 2003, Tampa, FL.

American Academy of Pediatrics: Committee on injury and poison prevention: injuries associated with infant walkers, *Pediatrics* 129:e561, 2012.

Anderson DI, Campos JJ, Rivera M, et al. The consequences of independent locomotion for brain and psychological development. In Shepherd RB, editor: *Cerebral palsy in infancy*, New York, 2014, Churchill Livingstone, pp 199–224.

Andreatta R: *Lecture on dynamic and selectionist principles in perception-action*, Lexington, Kentucky, October 2006, University of Kentucky.

Arnett JJ: Emerging adulthood: a theory of development from the late teens through the twenties, *Am Psychol* 55:469–480, 2000.

Arnett JJ: *Emerging adulthood: the winding road from the late teens through the twenties*, New York, 2004, Oxford University Press.

Arnett JJ: Suffering, selfish, slackers? Myths and reality about emerging adults, *J Youth Adol* 36:23–29, 2007.

Atchley RC, Barusch: *Social forces and aging*, ed 10, Belmont, CA, 2004, Wadsworth.

Baltes PB: Theoretical propositions of life-span developmental psychology: on the dynamics between growth and decline, *Dev Psychol* 23:611–626, 1987.

Baltes PB, Lindenburger U, Staudinger UM: Life span theory in developmental psychology. In Damon W, Lerner RM, editors: *Handbook of child psychology*, ed 6, New York, 2006, Wiley & Sons, pp 569–664.

Barsalou LW: Grounded cognition: past, present, and future, *Top Cog Sci* 2:716–724, 2010.

Bayley N: *Bayley scales of infant and toddler development*, ed 3, San Antonio, TX, 2005, Pearson.

Bernhardt-Bainbridge D: Sports injuries in children. In Campbell SK, Vander Linden DW, Palisano RJ, editors: *Physical therapy for children*, ed 3, St. Louis, 2006, Saunders, pp 517–556.

Bly L: *Components of normal movement during the first year of life and abnormal development*, Chicago, 1983, Neurodevelopmental Treatment Association.

Brach JS, Perera S, VanSwearingen JM, Hiles ES, Wert DM, Studenski SA: Challenging gait conditions predict 1-year decline in gait speed in older adults with apparently normal gait, *Phys Ther* 91:1857–1864, 2011.

Campbell SK: Revolution in progress: a conceptual

framework for examination and intervention. Part II, *Neurol Rep* 24:42–46, 2000.

Capute AJ, Shapiro Bk, Palmer FB, et al. Normal gross motor development the influences of race, sex, and socio-economic status, *Dev Med Child Neurol* 27:635–643, 1985.

Carter B, McGoldrick M: *Expanded family life cycle: individual, family, and social perspectives*, ed 3, Boston, 2005, Allyn and Bacon.

Chen HC, Ashton-Miller JA, Alexander NB, et al. Stepping over obstacles gait patterns of healthy young and old adults, *J Gerontol* 46:M196–M203, 1991.

Chiarello LA: Family-centered care. In Effgen SK, editor: *Meeting the physical therapy needs of children*, ed 2, Philadelphia, 2013, FA Davis, pp 153–180.

Choudhury S, Charman T, Bird V, Blakemore S: Development of action representation during adolescence, *Neuropsychologia* 45:255–262, 2007.

Cratty BJ: *Perceptual and motor development in infants and children*, ed 2, Englewood Cliffs, NJ, 1979, Prentice Hall.

Diamond A: Close interrelation of motor development and cognitive development and of the cerebellum and the prefrontal cortex, *Child Dev* 71:44–56, 2000.

Duff SV: Prehension. In Cech D, Martin S, editors: *Functional movement development across the life span*, Philadelphia, 2002, WB Saunders, pp 313–353.

Duff SV: Prehension. In Cech D, Martin S, editors: *Functional movement development across the life span*, ed 3, Philadelphia, 2012, WB Saunders, pp 309–334.

Dusing SC, Harbourne RT: Variability in postural control during infancy: implications for development, assessment, and intervention, *Phys Ther* 90:1838–1849, 2010.

Edelman GM: *Neural darwinism*, New York, 1987, Basic Books.

Eishima K: The analysis of sucking behaviour in newborn infants, *Early Hum* Dev 27:163–173, 1991.

Erikson EH: *Identity, youth, and crisis*, New York, 1968, W.W. Norton.

Folio M, Fewell R: *Peabody developmental motor scales*, ed 2, Austin, TX, 2000, Pro-Ed.

Ford-Smith CD, VanSant AF: Age differences in movement patterns used to rise from a bed in the third through fifth decades of age, *Phys Ther* 73:300–307, 1993.

Gabbard C: Studying action representation in children via motor imagery, *Brain Cog* 71:234–239, 2009.

Gabbard C, Cacola P, Bobbio T: The ability to mentally represent action is associated with low motor ability in children: a preliminary investigation, *Child Care Health* Dev 38:390–393, 2012.

Galna B, Peters A, Murphy AT, Morris ME: Obstacle crossing deficits in older adults: a systematic review, *Gait Posture* 30:270–275, 2009.

Gesell A: *The first five years of life*, New York, 1940, Harper & Brothers.

Gesell A, Ames LB, et al. *Infant and child in the culture of today*, rev, New York, 1974, Harper & Row.

Gibson JJ: *The senses as perceptual systems*, Boston, 1966, Houghton-Mifflin.

Gibson EJ: *The ecological approach to visual perception*, Boston, 1979, Houghton-Mifflin.

Hack M, Faneroff AA: Outcomes of children of

extremely low birthweight and gestational age in the 1990s, *Semin Neonatal* 5:89–106, 2000.

Hadders-Algra M: Variation and variability: key words in human motor development, *Phys Ther* 90:1823–1837, 2010.

Hadders-Algra M, Brogren E, Forssberg H: Ontogeny of postural adjustments during sitting in infancy: variation, selection, and modulation, *J Physiol* 493:273–288, 1996.

Hanke T, Martin S: Posture and balance. In Cech D, Martin S, editors: *Functional movement across the life span*, ed 3, St. Louis, 2012, Elsevier, pp 263–287.

Harley C, Wilkie RM, Wann JP: Stepping over obstacles: attention demands and aging, *Gait Posture* 29:428–432, 2009.

Havinghurst RJ: *Developmental tasks and education*, ed 3, New York, 1972, David McKay.

Hedburg A, Carlberg EB, Forssberg H, Hadders-Algra M: Development of postural adjustments in sitting position during the first half year of life, *Dev Med Child Neurol* 47:312–320, 2005.

Ivanenko YP, Dominici N, Lacquaniti F: Development of independent walking in toddlers, *Exerc Sport Sci Rev* 35:67–73, 2007.

Levinson DJ: A conception of adult development, *Am Psychol* 41:3–13, 1986.

Lobo MA, Galloway JC: Enhanced handling and positioning in early infancy advances development throughout the first year, *Child Dev* 83:1290–1302, 2012.

Lobo MA, Harbourne RT, Dusing SC, McCoy SW: Grounding early intervention: physical therapy cannot be about motor skills anymore, *Phys Ther* 93:94–103, 2013.

Lord SR, Clark RD, Webster IW: Visual acuity and contrast sensitivity in relation to falls in an elderly population, *Age Ageing* 20:175–181, 1991.

Maki BE, McIlroy WE: Postural control in the older adult, *Clin Geriatr Med* 12:635–658, 1996.

Malina RM, Bouchard C, Bar-Or O: *Growth, maturation, and physical activity*, ed 2, Champaign, IL, 2004, Human Kinetics Books.

Martin T: Normal development of movement and function: neonate, infant, and toddler. In Scully RM, Barnes MR, editors: *Physical therapy*, Philadelphia, 1989, JB Lippincott, pp 63–82.

Maslow A: *Motivation and personality*, New York, 1954, Harper & Row.

Meyers AW, Whelan JP, Murphy SM: Cognitive behavioral strategies in athletic performance enhancement, *Prog Behav Modif* 30:137–164, 1996.

Molina M, Tijus C, Jouen F: The emergence of motor imagery in children, *J Exp Child Psych* 99:196–209, 2008.

Piaget J: *Origins of intelligence*, New York, 1952, International University Press.

Piek JP, Dawson L, Smith LM, Gasson N: The role of early and fine and gross motor development on later motor and cognitive ability, *Hum Mov Sci* 27:668–681, 2008.

Pitcher JB, Schneider LA, Drysdale JL, et al. Motor system development of the preterm and low birthweight infant, *Clin Perinatol* 38605–625, 2011.

Purtilo R, Haddad AM: *Health professional and patient interaction*, ed 7, St. Louis, 2007, Saunders.

Roberton M, Halverson L: The developing child: his changing movement. In Logsdon BJ, editor: *Physical education for children: a focus on the teaching process*, Philadelphia, 1977, Lea &

Febiger.

Rowe JW, Kahn RL: *Successful aging, Gerontologist* 37:433–440, 1997.

Sabourin P: *Rising from supine to standing: a study of adolescents*, unpublished masters' thesis, 1989, Virginia Commonwealth University.

Scovil CY, Zettel JL, Maki BDE: Stepping to recover balance in complex environments: is online visual control of the foot motion necessary or sufficient? *Neurosci Lett* 445:108–112, 2008.

Stout JL: Gait: development and analysis. In Campbell SK, Vander Linden DW, Palisano RJ, editors: *Physical therapy for children*, ed 2, Philadelphia, 2001, WB Saunders, pp 88–116.

Sturnieks DL, St George R, Lord SR: Balance disorders in the elderly, *Clin Neurophysiol* 38:467–478, 2008.

Sutherland DH, Olshen RA, Biden EN, Wyatt MP: *The development of mature walking*, London, 1988, MacKeith Press.

Thelen E: Rhythmical stereotypies in infants, *Anim Behav* 27:699–715, 1979.

Thelen E, Smith LB: *A dynamic systems approach to the development of cognition and action*, Cambridge, MA, 1994, MIT Press.

Thomas RL, Williams AK, Lundy-Ekman L: Supine to stand in elderly persons: relationship to age, activity level, strength, and range of motion, *Issues Aging* 21:9–18, 1998.

Vallaint GE: *Aging well*, New York, 2002, Little Brown.

VanSant AF: Age differences in movement patterns used by children to rise from a supine position to erect stance, *Phys Ther* 68:1130–1138, 1988a.

VanSant AF: Rising from a supine position to erect stance: description of adult movement and a developmental hypothesis, *Phys Ther* 68:185–192, 1988b.

VanSant AF: Life-span motor development. In Lister MJ, editor: *Contemporary management of motor control problems: proceedings of the II step conference*, Alexandria, VA, 1991, American Physical Therapy Association, pp 77–84.

Wang Y, Morgan WP: The effect of imagery perspectives on the psychophysiological responses to imagined exercise, *Behav Brain Res* 52:1667–1674, 1992.

Wellman BL: Motor achievements of preschool children. Child Educ 13:311–316, 1937. In Espanschade AS, Eckert HM, editors: *Motor development*, Columbus, OH, 1967, Charles E. Merrill.

Whitall J: A developmental study of the inter-limb coordination in running and galloping, *J Motor Behav* 21:409–428, 1989.

Wickstrom RL: *Fundamental movement patterns*, ed 2, Philadelphia, 1977, Lea & Febiger.

Wickstrom RL: *Fundamental movement patterns*, ed 3, Philadelphia, 1983, Lea & Febiger.

World Health Organization (WHO): Motor development study: windows of achievement for six gross motor milestones, *Acta Paediatr Suppl* 450:86–95, 2006.

Zhao CQ, Wang LM, Jiang LS, et al. The cell biology of the intervertebral disc aging and degeneration, *Ageing Res Rev* 6 (3):247–261, 2007.

SECTION

2 아동

CHAPTER

5 운동기능을 발달시키는 자세잡기와 핸들링

학습 목표 ***이 장을 학습한 후 학생들은 아래 사항에 대하여 이해하고 설명할 수 있다.***

1. 신경 손상 아동을 치료할 때 자세잡기와 핸들링를 중재로 사용하는 것이 얼마나 중요한지 이해한다.
2. 신경 손상 아동의 기능을 향상시키기 위해 자세잡기와 핸들링를 중재로 사용하는 방법을 설명한다.
3. 신경 손상 아동을 치료할 때 사용할 수 있는 핸들링 목록을 나열한다.
4. 신경 손상 아동을 치료할 때 사용하는 이행적 움직임을 설명한다.
5. 신경 손상 아동에게 적응 장비를 사용하는 목적을 나열한다.
6. 신경 손상 아동에게 놀이를 치료적으로 사용할 수 있는 방법을 설명한다.

서론

이 장의 목적은 신경기능장애가 있는 아동을 치료할 때 중재로 사용하는 가장 흔한 자세잡기와 핸들링 몇 가지를 상세하게 소개하는 것이다. 자세잡기와 같은 기본적인 중재를 사용해야 하는 이유는 매우 많다. 첫째는 머리 조절이나 몸통 조절 향상과 같은 일반적인 환자의 목표를 달성하고, 둘째는 부족한 근육 지지에 적응하고, 셋째는 적절한 자세 정렬을 제공하고, 넷째는 근긴장과 신장성을 관리하는 것이다. 핸들링 기법들은 아동의 움직임 이전과 도중에 자세 정렬을 증진시켜 앉기와 걷기, 팔뻗기와 같은 기능적 과제의 수행 능력을 향상시킬 때 사용할 수 있다. 근복(muscle belly) 두드리기와 촉각 단서, 혹은 압박과 같은 다른 감각 중재들은 아동의 손상에 맞춘 것들이다. 아동 손상으로는 움직임 시작을 위해 근육 수축을 만들기 힘든 상태나 정중앙 자세잡기에 필요한 골반 조절 부족, 혹은 자세 변화 도중에 특정 신체 분절 조절 불능이 있다. 모든 치료적 중재의 궁극적 목적은 기능적 움직임이다. 자세잡기와 핸들링는 신경 손상 아동의 연령에 적합한 놀이를 촉진할 때 사용할 수 있다.

신경 손상 아동

신경 손상 아동은 운동 발달의 지연, 근육 긴장도와 감각, 관절운동범위, 힘, 협응의 손상을 보일 수 있다. 이러한 아동은 근골격계 기형과 구축(contractures)의 위험을 안고 있고, 기능적 활동을 수행할 때 활동 제한을 받기 쉽다. 이러한 손상 때문에 이행과 보행, 사물 조작 시의 활동 제한과 자기 돌봄 및 놀이 시의 참여 제한이 발생할 수 있다. 물리치료 평가에서 가장 흔히 파악되는 신체 기능 · 구조 손상과 활동 제한 참여 제한 목록은 표 5-1에 나와 있다. 이러한 손상은 모든 신경 손상 아동에게 분명하게 나타날 수 있다. 활동 제한은 물리치료사가 초기 검사와 평가에서 기록한 손상들, 즉 힘과 관절운동범위, 협응 결함 같은 손상들과 관련되어 있을지도 모른다. 신경장애의 특정 병적 특징을 고려하면 자세 반응과 균형감, 운동 발달 지연도 예상할 수 있다. 척수수막탈출증과 다운 증후군 및 뇌성마비 아동처럼 운동장애가 있는 아

표 5-1 신경 손상 아동의 흔한 손상과 기능 제한

신체/구조 손상	활동/참여 제한
손상된 힘	
손상된 근긴장	이행 시 의존적
손상된 관절운동범위	이동 시 의존적
손상된 감각	일상적 활동 시 의존적
손상된 균형감과 협응	놀이 시 의존적
손상된 자세 반응	

동은 놀이의 지연이 나타난다(Martin, 2014, Pfeifer 등, 2011). 장애 아동은 잘 놀지 못하고, 또래보다 수준 낮은 놀이를 한다(Jennings 등, 1988). 자폐증 아동은 가상 놀이를 하는 능력이 없거나 가상 놀이를 설명하지 못한다(Charman과 Baron-Cohen, 1997; Jarrold, 2003). 사실상 어린 아동의 가장 놀이 부족은 자폐증 진단 과정의 일부이다(Rutherford 등, 2007). 구체적인 발달장애는 6장과 7장, 8장에서 좀 더 상세히 다루겠다.

일반적인 물리치료 목적

신경 손상 아동을 다루는 치료적 중재의 목적은 기능을 개선하는 것이다. 물리치료사와 물리치료 보조사 팀은 아동을 가능한 독립적으로 만들 수 있는 중재를 제공하려고 노력해야 한다. 구체적인 움직임 목표는 신경 손상의 유형에 따라 다양하다. 낮은 긴장에 관절 과운동을 보이는 아동은 안정시켜야 하고, 이와 반대로 높아진 긴장으로 인해 관절운동범위가 제한된 아동은 운동성이 필요하다. 관절과 근육 유연성도 제한될 수 있다. 아동은 조절 능력이 있어야 한 자세에서 다른 자세로 바꿀 수 있다. 이를 일컬어 이행적 움직임(transitional movement)이라고 한다. 중요한 움직임 이행으로는 누워 있다가 엎드리기, 누워 있거나 엎드려 있다가 앉기, 앉아 있다가 일어서기가 있다. 정상 발달 과정에서 주로 습득하는 추가적인 이행적 움직임은 엎드려 있다가 네발로 기기, 이어서 무릎으로 기기, 반 무릎으로 기기, 마지막으로 일어서기가 있다.

놀이와 스스로 먹기를 포함한 자기 돌봄에 참여하려면 움직임이 필요하다. 특정 자세(앉기)는 아동을 놀이에 참여시키기가 훨씬 쉽다. 그러나 아동이 충분한 머리 조절 능력을 지니고 있고, 한 팔로 체중을 지지하면서 다른 팔을 뻗을 수 있다면 옆으로 눕거나 엎드려서 노는 것도 가능하다. 놀이는 치료의 매개체로서만 사용되어서는 안되고, 그 자체가 목적이 되어야 한다. 신경성 결핍 아동은 돌봐 주는 사람과 상호 작용하고 환경을 탐구할 때 도움을 필요로 한다. 로보(Lobo) 등(2013)는 초기 지각-운동 행동들을 촉진시키면 전체적 발달이 증진된다고 말했다. 놀이는 확실한 조기 지각-운동 행동이며, 아동의 인생에서 참여 모티브를 높여줄 수 있는 즐거움 중의 하나이다(Rosenbaum과 Gorter, 2011).

운동 이상성이나 운동 실조성 뇌성마비 아동처럼 과도하고 무관한 움직임을 보이는 아동은 본능적으로 언제나 움직이려는 성향이 있기 때문에 중력에 저항해서 안정적인 자세를 유지하는 연습을 해야 한다. 근긴장이 변동적인 아동은 안정을 찾거나 한 자세를 유지하기 힘들어하고, 정중선에서 체중을 조금씩만 움직여도 쓰러지는 경우가 흔하다. 한 자세를 유지하면서 체중을 이동시키는 능력은 움직임 조절의 시작이다. 조절된 체중 이동을 성공하고 나면 자세를 안정적으로 바꿀 수 있다. 필요한 움직임 경험 유형과는 상관없이 모든 신경성 장애 아동은 가능한 많은 자세에서 기능할 수 있어야 한다. 몇몇 자세는 다른 자세보다 훨씬 더 기능적이고, 치료적 혜택과 참여 가능성을 제공할 수 있다.

자세와 관련된 기능

자세는 움직임과 기능의 기반이 된다. 자세를 취하거나 유지하는 데 있어서 자세 조절의 손상은 기능 제한을 초래할 수 있다. 유아가 손 지지 없이 앉아서 자세 조절을 유지할 수 없다면 장난감을 갖고 노는 능력이 제한된다. 자세 피라미드를 생각해 보자. 피라미드 바닥에는 똑바로 눕기와 엎드리기 자세가 있고, 그 위에는 앉기, 맨 꼭대기에는 똑바로 일어서기가 있다(그림

5-1). 아동이 조절 능력을 얻으면서 기저면이 점점 좁아진다. 부적절한 균형감이나 자세 조절을 지닌 아동은 종종 안정성 부족을 보완하기 위해서 기저면을 넓힌다. 자세 근육 활동이 감소한 아동이라도 두 다리를 똑바로 펴서 넓게 벌림시키면(벌림된 다리 뻗고 앉기) 팔 지지 없이도 앉을 수 있다. 두 다리를 모아서(다리 뻗고 앉기) 기저면이 좁아지면 아이가 흔들리다가 쓰러질 수도 있다. 아이의 몸통 근육이 아닌 앉기 자세가 안정성을 제공한다.

똑바로 눕기와 엎드리기

똑바로 눕기와 엎드리기는 아동이 기능할 수 있는 가장 낮은 수준의 자세이다. 똑바로 눕기는 지지 면에 등을 대고 누운 자세이다. 이 수준의 운동기능으로는 구르기와 팔 뻗기, 보기, 혹은 굽힌 다리로 몸을 밀어 올려서 나아가기가 있다. 엎드린 자세에는 배를 대고 납작하게 누워서 머리를 한쪽으로 돌리거나 올리기, 팔꿈치를 짚고 엎드리기, 혹은 양팔을 뻗고 엎드리기가 있다. 엎드리기는 구르기나 배밀이 같은 방법으로 운동성을 보일 수 있다. 많은 아동이 앞으로 나아가기 전에 엎드린 자세에서 몸을 뒤로 민다. 힘이 약하거나

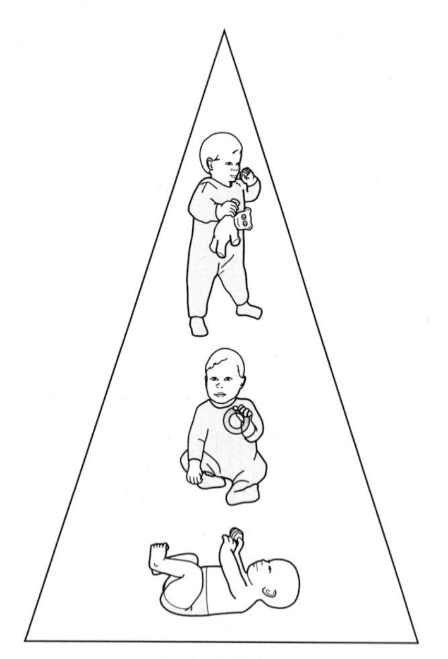

그림 5-1. 자세 피라미드

하지 협응이 이루어지지 않는 아동은 흔히 양팔만 사용해서 몸을 끌어당기는 '코만도 배밀이(commando crawl)'를 보여 준다. 이것은 또한 다리가 몸의 움직임에 전혀 도움이 되지 않고 몸이 당기는 팔 힘에 끌려갈 경우에 '끌어당기는 배밀이(drag crawling)'라고도 한다.

앉기

가장 높은 수준의 자세인 앉기 자세에서 아동은 머리와 몸통을 좀 더 똑바로 세우면서 팔다리를 움직일 수 있다. 이 자세에서 아동은 눈을 수직으로, 입을 수평으로 놓고서 적절하게 주변을 바라본다. 정상 발달 중인 아동은 생후 6개월경에 앉을 수 있다. 목과 몸통의 근육이 중력과 같은 방향에 위치하고, 중력의 힘을 계속해서 이겨내야 하는 똑바로 눕기 자세나 엎드리기 자세보다는 앉은 자세에서 머리-몸통 정렬을 유지하기가 훨씬 쉽다. 똑바로 앉은 아동은 휠체어를 타고 움직이는 법을 배우거나 자기 돌봄과 놀이를 하고 먹기 위해서 팔을 사용하는 법을 배울 수 있다. 팔의 기능적 사용을 위해서는 자세 근육 조절을 이용하든 앉은 자세와 기기를 사용하든 상관없이 몸통 조절이 필요하다. 앉아 있는 아동이 이용할 수 있는 대안적 운동성 유형으로는 손으로 몸을 지지하거나 지지하지 않은 채 엉덩이를 바닥에 대고 움직이는 엉덩이 끌기(scooting)나 엉덩이 밀기가 있다.

네발 자세

발달 자세로서 네발 자세(quadruped)는 독립적인 앉기와 똑바로 일어서기사이 단계에서 나타나 기기를 가능하게 해주는 자세이다. 일반적으로 발달 중인 아동이 네발 자세나 4점(four-point) 자세를 취하면 똑바로 일어서서 움직이는 법을 통달하기 전에 수정된 엎드린 자세에서 재빠른 움직임을 보일 수있게 해준다. 네발 자세는 의존적인 굽힘 자세로 간주된다. 그러므로 피라미드 자세에서 제외되었다. 이 시기의 아동은 주변을 바라보는 방향으로 머리를 정확히 정렬하지 못하고, 팔다리가 구부러져 있기 때문에 의존적이다. 아동은 팔다리를 번갈아 움직여 기는 법을 배

우기 힘들 수도 있다. 그렇기 때문에 이 자세는 흔히 치료적 목적으로는 사용하지 않는다. 소수의 유아들은 걷기 전에 기지 않는다(세계건강보건기구, 2006). 네발 자세는 아동이 어깨와 엉덩이를 이용해 체중을 지지할 수 있으므로 그 부위 관절들의 운동성을 개선할 수 있다. 이와 같은 체중지지 기회는 한 자세에서 다른 자세로 바꿀 때 필요한 몸쪽 관절의 조절을 준비하는 데 필수적이다. 네발 자세에서는 몸통을 중력에 최대한으로 저항해서 움직여야 하기 때문에 이 자세는 몸통 조절 발달에 기여한다. 몸통 근육을 핸들링 위해 사용할 수 있는 활동 중 팔다리로 체중을 전부 지지하고 엉덩이와 무릎을 굽힐 필요가 없는 활동도 있다. 아동이 네발 자세에서 기능하지 못하거나 그 자세를 과용해서 구축이 생길 잠재적 가능성이 높기 때문에 치료 시에는 발달 순서에서 벗어날 필요가 있다.

일어서기

마지막이자 가장 높은 기능 수준의 자세는 똑바로 일어서기다. 이 자세에서는 보행이 가능하다. 전형적인 발달 과정을 밟는 아동은 생후 9개월쯤에 가구를 잡고 똑바로 일어선다. 지지 서기 프로그램(Supported standing programs)은 소아 물리치료 현장에서 일상적으로 사용하는 것이다. 지지 서기로 무기질 밀도와 관절운동범위가 증가하고, 경직이 감소하며, 엉덩이 안정성이 향상될 수 있다는 증거가 있다(Paleg 등, 2013). 혼자서 똑바로 일어서지 못하거나 그 자세를 유지하지 못하는 아동의 지지 서기 프로그램은 도움이 될 수 있고, 환경에 적극적으로 참여하는 첫 걸음이 될 수 있다.

생후 12개월이 되면 대부분의 아동은 독립적으로 걷는다. 걸음마를 배우는 아이가 보행을 시작하면 주변 환경을 탐구하는 능력이 크게 증가한다. 막 걷기 시작한 아이를 따라잡고, 그 아이의 탐험에서 안전을 확보하는 일이 얼마나 어려운지를 그 아이의 부모에게 한번 물어보라. 가장 흔한 치료 목적 가운데 하나가 바로 걷도록 만든 것이다. 우리 사회에서 똑바로 서서 돌아다닐 수 있다는 것은 '정상'임을 보여 주는 중대한 징후이다. 아이가 전형적인 운동 기술을 구사하지 못한다는 사실을 깨달은 몇몇 부모들은 걷기라는 모표를 이루기 어렵다고 느끼거나 아이가 절대 할 수 없는 것이라고 생각할지도 모른다. 아이가 말을 하기보다는 걸을 수 있기를 바란다고 말하는 부모들이 있다. 어린 아동을 치료할 때 받는 가장 흔한 질문이 바로 "아이가 걸을 수 있을까요?"와 "아이가 언제 걸을 수 있을까요?"이다. 이러한 질문에는 답하기가 어렵다. 특정한 신경 손상 아동이 보행할 수 있는 잠재적 가능성은 6장과 7장, 8장에서 다루겠다. 물리치료 보조사는 환자 예후와 관련된 질문에 답하기 전에 감독 치료사와 상의를 해야 한다.

물리치료 중재

발달 중재는 자세잡기와 핸들링로 구성되고, 여기에는 유아와 어린 아동이 전형적 움직임 느낌을 즐길 수 있게 해주는 가이드된 움직임과 계획된 환경적 경험이 포함된다. 이러한 움직임 경험들은 유아나 아동이 가족과 집, 이후에는 학교라는 테두리 안에서 수행하는 역할 범주 안에서 일어나야 한다. 유아의 사회적 역할은 돌봐 주는 사람이나 환경과 상호 작용해서 자신과 세상에 대해 배우는 것이다. 피아제는 이러한 이유에서 생후 2년을 감각 운동기라고 했다. 지능(인지)은 유아가 환경 내에서 자신과 사람들, 물체들과 관계를 맺으면서 발달하기 시작한다. 이러한 연계는 환경 내에서 신체운동과 물체 움직임을 통해 이루어진다.

이 책의 목적은 물리치료사와 물리치료 보조사에게 발달 중재의 전반적인 특성을 이해하는 맥락에서 특정 중재의 다양한 사용을 보여주는 것이다. 처음으로 신경근육 문제를 지닌 아동을 다룰 때 그 아동은 발달 지연 '위험'에만 노출되어 있다고 진단받았을지도 모른다. 아동의 가족이 구체적인 발달 진단을 말해주지 않을 수도 있다. 물리치료사와 의사는 아동의 긴장되거나 느슨한 근육과 머리 조절 문제에 대해서만 상의할지도 모른다. '위험'에 노출된 아동의 가족들을 돕는 가장 중요한 방법 가운데 하나는 아동과 가족이 상호 작용하기 쉽도록 아동을 다루고(잡고 움직이게 하고), 아동의 자세를 잡아 주는 방법을 가족들에게 보여주는 것이다. 특정 자세를 취하면 유아가 머리를 훨씬 더 잘 안정시킬 수 있어서 먹기가 가능해지고, 눈이 움직이며, 돌봐 주는 사람을 바라볼 수 있다. 기저귀 갈기가 훨씬 쉬워지는 자세들도 있다. 어딘가로 옮겨질 때 아동은 머리와 몸통, 그리고 팔다리를 굽힌다. 이러한 핸들링 방법이 유아의 전형적인 자세와 유사하고, 유아와 돌봐 주는 사람 모두에게 안도감을 주기 때문이다.

유아의 다양한 자세 조절과 향상된 핸들링와 자세잡기의 효과에 대한 연구에서는 보호자에게 의미 있는 감각운동 경험을 일찍부터 제공하는 방법을 가르치는 것이 필요하다고 강조한다. 로보와 갤로웨이(Lobo와 Galloway,2012)는 향상된 핸들링와 자세잡기를 보호자에게 가르치는 3주 프로그램 덕분에 발달 과정이 향상되었다고 보고하였다. 이러한 경험은 머리 조절을 향상시키기 위해서 엎드려서 밀어올리기, 지지하고 앉아서 자세잡기, 서서 자세잡기를 촉진시키는 것으로 구성된다. 보호자은 유아가 매일 15분 동안 물건을 사용하지 않고 얼굴을 보면서 상호 작용하도록 해야 한다. 단기적, 장기적 효과가 보고된 바 있다. 이러한 연구 결과는 작고 다양한 움직임을 이용해서 향후의 자세 조절 능력을 형성시켜주는 방법을 뒷받침해 준다. 유아는 자세 조절 능력을 발달시키기 위해서 다수의 움직임 전략을 시도할 필요가 있다(Dusing과 Harbourne, 2010).

일상적 일과

많은 핸들링와 자세잡기 방법들은 아이를 돌보는 일상적인 일과에 통합될 수 있다. 아이를 안아 올렸다가 내려놓으면 혼자서 움직일 수 없는 아이에게 새로운 움직임 경험을 제공해 줄 수 있다. 목욕과 식사, 놀이에 최적인 자세는 똑바로 앉은 자세이며, 이 자세에서 아동은 충분히 머리를 조절할 수 있다. 유아의 머리 조절(생후 4개월)과 몸통 조절이 발달함에 따라서 좀 더 똑바른 자세를 취하도록 유아를 격려할 수 있다.

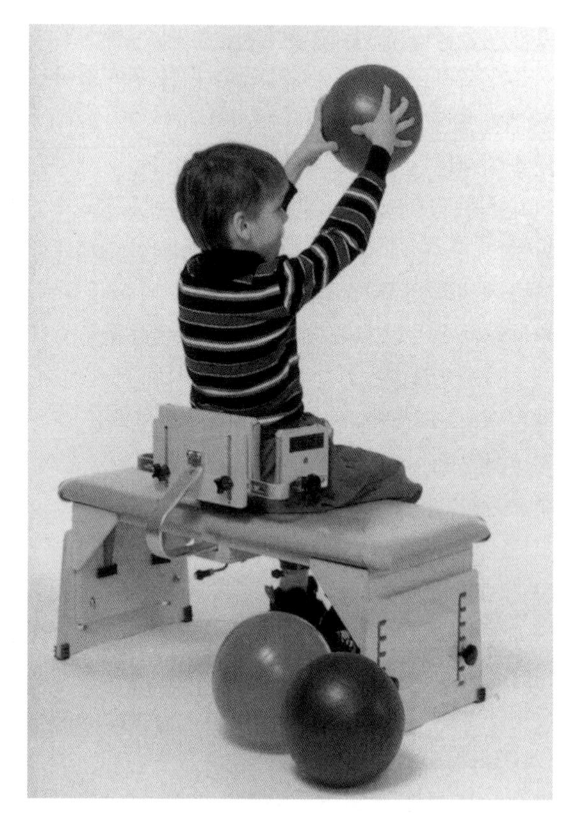

그림 5-2. 골반을 지지하고 벤치에 앉아 있는 아이(케이 프라덕츠 사의 허가를 받음, 힐스버러, NC).

아이가 적절한 발달 시기, 즉 생후 4개월에 몸을 살짝 지지하고 앉을 수 없다면 머리나 몸통을 지지해 주변 환경을 보다 더 똑바로 바라볼 수 있도록 유아 의자나 코너 의자 같은 보조 기구를 이용해야 한다.

수직 방향성(upright orientation)은 아이의 흥미를 일깨우고 사회적 참여를 이끌어 내는 데 매우 중요한 역할을 담당한다. 어떻게 하면 아이가 자동적으로 상호 작용하도록 이끌 수 있을지 생각해 보라. 당연히 아이를 들어 올려 아이의 얼굴을 당신에게로 돌려야 한다. 좀 더 큰 아동은 조금만 도와줘도 앉은 자세를 유지하면서 일상적인 활동을 수행할 수 있다. 예를 들면 벤치에 앉아서 옷을 입거나 의자에 앉아서 두 팔을 사용해 식사를 하거나 색칠을 한다. 몇몇 아동은 등 아래쪽만 지지해 줘도 몸통을 똑바로 세워 유지할 수 있다. 그림 5-2를 참조하기 바란다. 아이가 가족과 함께 식탁에 앉을 수 있다면 아침 식사하기나 숙제 검사 하기처럼 일상적인 일에 참여할 수 있다. 보조기구의 사용과 무관하게 아이가 일단 똑바로 앉으면 놀이를 하거나 일상적인 삶의 활동들을 수행하는 동안 사회적으로 상호 작용할 수 있는 적절한 방향성을 갖게 된다(그림 5-3).

가정 프로그램

자세잡기와 핸들링는 모든 가정 프로그램의 일부가 되어야 한다. 자세잡기와 핸들링를 일상적 일과의 일부로 볼 때 부모가 아동과 함께 그러한 활동을 더욱 많이 할 가능성이 높다. 부모가 시간을 투자해야 하는 모든 것들을 인지하고 부모에게 현실적인 요구를 해야 한다. 더 나아가서 아동의 일상적 일과에 통합해 넣을 수 있는 다양한 치료적 놀이 자세들을 제시하면 보호자이 아동의 특정 근육들을 신장시키는데많은 시간을 소비할 필요가 없어진다. 사진은 자세 인식을 좋게 만드는 좋은 멋진 도구이다. 아동의 바람직한 앉기 자세를 스냅 사진으로 찍어 보내 주면 모든 가족 구성원들, 특히 치료 시간에 참석하지 못한 가족들이 그 자세를 어렵지 않게 떠올릴 수 있다. 아동이 낮에 얼마 동안 코너 의자와 특정 적응 도구를 사용해야 한다면 보호자이 이러한 도구를 사용하기 가장 좋은 때와 장소를 결정할 수 있도록 도와줘야 한다. 좋은 계획이 평가 결과를 좋게 만든다.

그림 5-3. 수직 자세잡기는 사회적 상호 작용을 촉진시켜준다(리프톤 장비의 허가를 받음, 뉴욕, 리프톤).

자세잡기와 핸들링 중재

기능을 위한 자세잡기

물리치료 보조사가 배우는 기능적 기술 가운데 하나는 환자의 자세를 잡아주는 방법이다. 자세잡기의 원칙은 정렬과 편안함 그리고 지지가 있다. 추가적인 고려 사항은 기형 예방과 움직이기 위한 준비성이다. 환자의 신체나 신체 일부분의 자세를 잡아줄 때는 신체의 일부분이나 신체 전체의 정렬 상태를 고려해야 한다. 대부분의 신체 정렬은 자세잡기의 이유와 함께 고려해야 한다. 예를 들어 몸통 위쪽과 관련된 상지의 위치는 보통 옆구리 쪽이다. 그러나 환자가 팔을 움직일 수 없을 때는 어깨 주변 근육의 긴장을 예방하기 위해서 팔을 신체에서 멀리 떨어진 곳에 두는 것이 훨씬 좋을지도 모른다. 환자의 편안함도 고려해야 하는 중요한 사항이다. 앞서 경험했듯이 아무리 '좋은' 자세라도 불편하면 다른 자세로 바꾸기 때문이다. 적절한 신체 정렬을 잡아 주는 방법을 조절하는 기본적인 규칙은 아킬레스 힘줄 긴장과 엉덩이 탈구나 척추 굽이와 같은 잠재적 기형을 예방하기 위해서 필요하다.

지지를 위한 자세잡기도 안정성을 확보하기 위한 자세잡기로 생각할 수 있다. 아동과 성인은 안전하다고 느끼고 싶어서 특정한 위치나 자세를 잡는다. 예를 들어 편마비 환자는 보통 더 나은 감각 인식과 근육 조절, 균형감을 발휘하고 싶어서 건강한 신체 부위 쪽으로 방향을 틀거나 체중을 옮긴다. 이러한 자세잡기는 안정적일 수도 있지만 이 때문에 정상적인 부위의 근육이 짧아져서 기능적 움직임이 손상될 수도 있다. 자세 안정성을 제공하는 다른 자세들로는 W자 앉기와 다리를 넓게 벌림시켜 앉기, 두 팔을 뻗어 지지하고 앉기가 있다(그림 5-4). 이 모든 자세는 기저면이 넓어서 본래 안정적이다. W자 앉기는 아이가 자세 지지를 위해 몸통 근육을 사용할 필요가 없기 때문에 바람직하지 못하다. 이 자세 자체가 몸통의 안정성을 확보해 준다. 비대칭적 앉기나 체중을 한쪽으로 기울여서 앉기는 몸통 근육의 불균형적 발달을 유발할 수 있

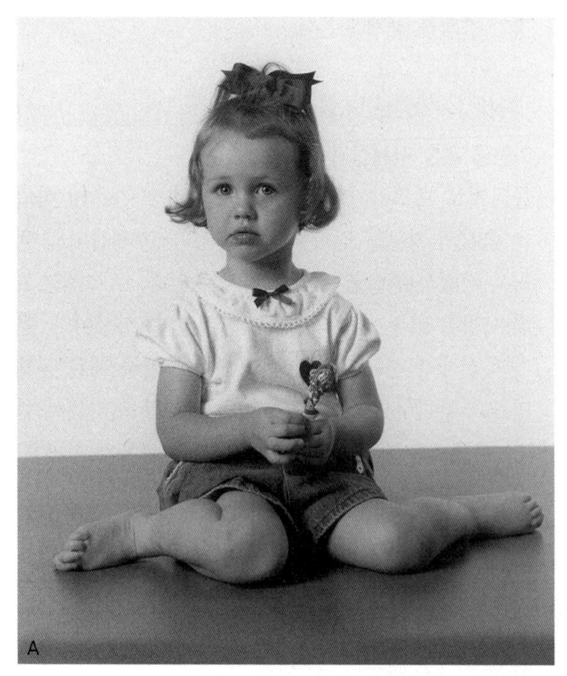

그림 5-4. 앉기 자세. A. 피해야 하는 W자 앉기. B. 다리를 쭉 펴고 넓게 벌림시켜 앉기. C. 다리를 벌림시키고 팔로 지지해서 앉기.

다. 비대칭의 흔한 예는 편마비성 뇌성마비 아동에게서 찾아볼 수 있다. 편마비성 뇌성마비 아동은 무릎 구부려 앉기(short sitting)나 다리 뻗고 앉기 같은 대칭적인 앉기 자세를 취할 때도 체중을 건강한 신체 부위 쪽으로 옮긴다.

신경 손상 아동을 다룰 때 치료사는 종종 일상생활 활동에 사용할 수 있는 안전하고 안정적인 자세를 결정해야 한다. 양손이 자유로워져서 놀 수 있기 때문에 W자로 앉는 아동에게는 그와 동일한 놀이 기회를 얻을 수 있는 대안적인 앉기 자세를 제시해 주어야 한

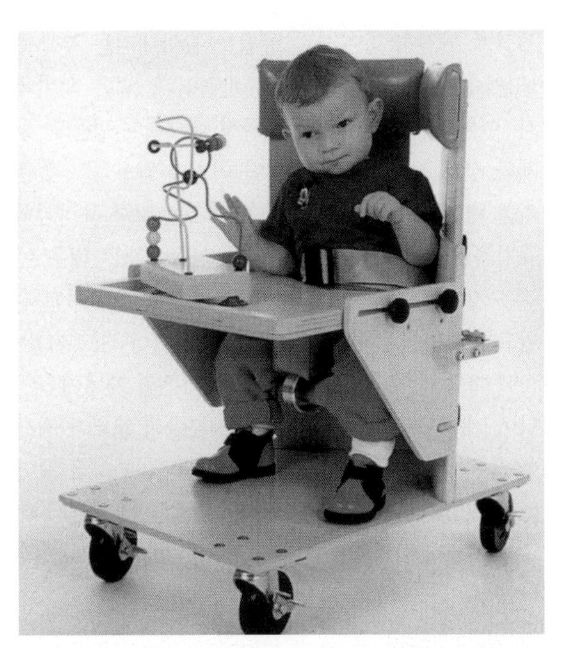

그림 5-5. 머리 지지가 가능한 코너 의자(케이 프라덕츠 사의 허가를 받음, 힐스버러, NC)

다. W자 앉기의 대안으로는 코너 의자와 바퀴 달린 의자 같은 몇몇 유형의 적응 의자를 사용하는 것이다. 간단한 해결책은 아이를 바닥에 앉히기보다 식탁 의자에 앉혀 놀게 하는 것이다.

자세잡기의 마지막 고려 사항은 위치가 움직임이 가능한 자세를 제공해 준다는 개념이다. 이러한 개념은 성인을 다루는 사람들에게는 익숙하지 않을 수도 있다. 성인은 이전의 경험 때문에 움직이고자 하는 동기가 훨씬 크다. 반면 아동은 움직임을 경험해 보지 않아서 조절할 수 없다는 이유로 움직이기 두려워할 수도 있다. 안전은 이러한 개념을 적용하는 데 중요한 변수가 된다. 아동은 안전한 자세를 취할 수 있어야 하고, 그래야 그 자세를 유지할 수 있으며, 그 자세에서 벗어나게 되면 보호 반응을 보일 수 있다. 아동은 한 팔이나 두 팔로 지지하기만 해도 앉은 자세를 유지할 수 있다. 이 아동이 팔로 몸을 지지하고도 자세를 유지할 수 없다면 몇 가지 유형의 도움을 제공해야 그 자세에서 안정성을 확보할 수 있다. 예를 들어 도구의 도움이나 사람의 도움을 받아야 한다. 원치 않는 척추 굽이를 예방하려면 반드시 몸통을 적절하게 정렬 시켜야한다. 그렇지 않으면 독립적인 앉기와 호흡 기능에 장애가 생길 수 있다.

아동의 자세를 잡아줄 때는 언제나 아동이 압력을 덜

중재 5-1 엎드렸다가 앉기

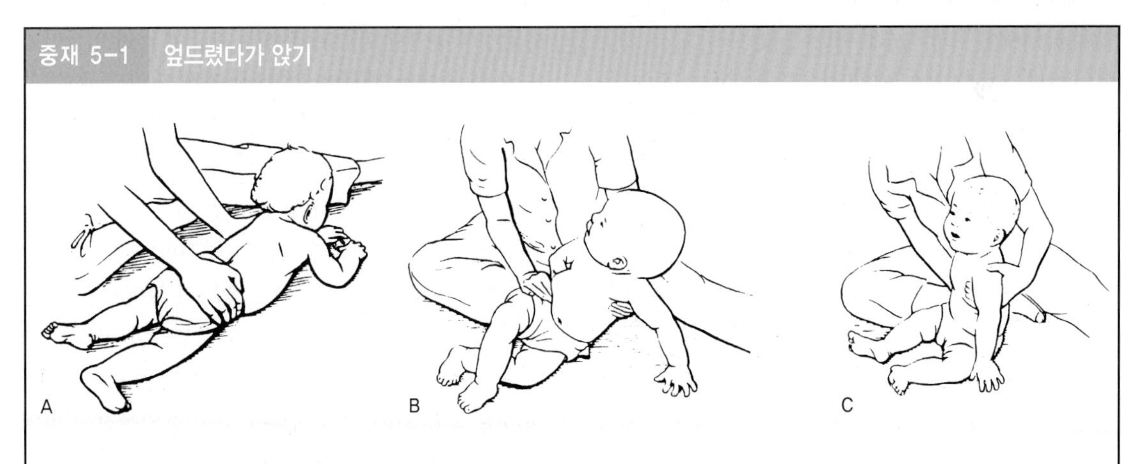

머리 조절이 가능한 아이를 엎드려 눕혔다가 앉히기.

A. 한 손을 옆에 놓인 아이의 팔 아래쪽에 넣고, 다른 손을 맞은편 엉덩이 부위에 올려놓는다.
B. 아이의 엉덩이를 돌리기 시작하고, 어깨 아래를 받쳐줘야 한다. 할 수 있다면 아이가 몸을 밀어 올리게 둔다.
C. 아이가 앉은 자세에서 필요하다면 아이를 도와 몸통을 지지할 수 있도록 이 활동을 천천히 수행한다.

(Jaeger DL의 ≪Home Program Instruction Sheets for Infants and Young Children≫에서 발췌, ©1987 Therapy Skill Builders, a Harcourt Health Sciences Company. 허가를 받아 재 제작함. 저작권 보호됨.

기 위해 그 자세 내에서 체중을 이동할 수 있는 기회도 제공해야 한다. 그런 후 처음 자세에서 다른 자세로 이행할 수 있는 움직임을 제공해야 한다. 많은 환자들이 연령과 상관없이 여러 가지 이유에서 한 자세에서 다른 자세로 이행하는 것을 힘들어한다. 우리는 자세가 운동성에 영향을 미치는 방법보다는 한 자세 내에서 확보할 수 있는 아동의 안정성에 신경을 훨씬 많이 쓰기 때문에 앞서와 같은 자세잡기의 원칙을 종종 잊어버린다. 아동을 다룰 때는 운동성과 안정성을 모두 고려해서 정적 균형과 동적 균형을 추구할 수 있는 치료적 자세를 선택해야 한다. 동적 자세(dynamic posture)는 조절된 운동성이 나타날 수 있는 자세이다. 다시 말해서 무게 중심을 기저면 내에 두고 체중을 옮기는 자세이다. 전형적 발달 과정에서 아동은 기기 단계로 이행하기 전에 오랜 기간 동안 네발 자세로 몸을 흔들거나 체중을 이동시킨다. 한 자세를 유지하면서 체중 이동을 조절하는 능력은 한 자세에서 다른 자세로 나아갈 준비가 됐음을 의미한다. 동적 균형은 또한 아동이 네발 자세에서 옆으로 앉기 자세를 취할 때도 나타난다. 이때는 아이가 앉아서 새로운 기저면을 확보할 때까지 무게 중심이 한쪽 엉덩이 위쪽에서 아래로 대각선 방향으로 움직인다.

아이가 특정 자세에서 취할 것으로 예상되는 활동 유형도 자세를 선택할 때 고려해야 한다. 예를 들어 보호자이 유아나 아동을 먹기에 적합한 자세로 앉히는 방법은 스스로 먹기나 바닥에서 놀기에 사용되는 아동의 자세와 상당히 다를 수도 있다. 아동의 자세는 하루 동안 자주 바꿔야 한다. 그러므로 부모나 보호자에게 한 가지 자세만 가르치는 것은 충분하지 못하다. 예를 들어 목욕하기와 먹기, 옷 입기, 놀기, 대소변 보기에 적합한 앉기 형태는 아동이 그 각각의 활동에서 필요로 하는 도움의 정도에 따라서 달라져야 한다. 머리 조절과 몸통 조절, 혹은 팔다리 사용과 관련된 치료 목표를 달성하려면 다른 자세들을 사용해야 할 수도 있다.

유아와 아동이 해야 하는 일은 단순하게 노는 것이다. 간단한 과제처럼 보일지도 모르지만 놀이는 아이를 세상에 완전히 참여시킬 방법을 찾아내려는 부모를 도울 수 있는 중요한 치료적 관점이다. 넓은 의미에서, 아이가 해야 하는 일은 환경 내에서 사람들과 물체와 상호 작용하고 이것들이 어떻게 작용하고 있는지를 배우는 것이다. 아동의 첫 과제는 보통 움직임의 규칙을 배우는 것인데 발달장애 아동에게는 매우 어려운 것이다. 아동이 놀면서 배우는 활동에 참여할 수 있도록 격려해 주어야 한다. 로젠바움과 고터(2011)는 ICF 아동 장애 모델에서 가져온 기존의 개념에 'F-단어' 개념을 통합해 넣었다. 로젠바움과 고터가 제시한 F-단어는 가족(family)과 신체 단련(fitness), 재미(fun), 미래(future)이다. 이러한 개념은 이 장에서 계속 소개될 것이다.

가정에서 핸들링

부모와 보호자은 아이의 자세를 바꿀 수 있는 가장 쉬운 방법을 배워야 한다. 예를 들어 중재 5-1은 머리 조절이 가능한 유아가 엎드려 있다가 옷을 입거나 먹을 수 있게 앉도록 도와주는 방법을 보여 준다. 몸을 굽히고 있는 아동을 안아 들어서 내려놓거나 앉히면 대부분의 아동에게 큰 도움이 된다. 보호자들은 모든 움직임에서 유아나 아동의 참여를 가능한 많이 이끌어낼 수 있는 방법을 배워야 한다. 아이가 머리 조절을 할 수 있지만 몸통 조절이 감소된 상태라면 아이를 옆으로 돌려서 아이가 팔꿈치나 한 팔을 내밀어 몸을 밀어 올려서 앉도록 도와준다(중재 5-2). 움직임 이행은 가정 프로그램에서 중요한 부분을 차지한다. 예를 들어 보호자은 아이가 누워 있거나, 엎드려 있다가 앉는 연습과 그 과정에서 몸을 양방향으로 번갈아 굴리는 연습을 통합할 수 있다. 이렇게 되면 이행은 보호자에게 버거운 짐이 되는 것이 아니라 아이의 일상적 일과의 일부가 될 수 있다. 앉은 자세에서 몸통 회전은 아이를 엎드리거나 눕힐 때 사용할 수도 있다. 이때는 머리 조절 능력이 필요하기 때문이다(중재 5-3).

아이가 머리 조절을 하지 못한다면 옆으로 누운 자세에서 몸통 회전을 하도록 시도해 보는 것이 좋다. 보호자은 옆으로 누워 있는 아이를 안아 올리기 전에 아이의 어깨 아래를 지지한다. 한 손으로는 아이의 머리를, 다른 손으로는 무릎 아래를 받쳐 든다.

안아 들고 옮기는 자세

중재 5-4는 머리나 몸통 조절이 가능한 아동인지, 긴장 항진이나 긴장 저하 아동인지에 따라 다양한 방법으로 지지하면서 아이를 옮기는 자세를 보여 준다. 중재 5-4A는 아이의 머리와 몸통, 골반을 지지해서 요람처럼 아이를 안는 자세이다. 팔다리 긴장이 항진된 아동의 경우에는 중재 5-4B처럼 양팔 아래쪽을 받쳐 들어서는 안된다. 다리가 뻣뻣해져서 늘어나고, 심지어는 '가위(SCISSOR)'처럼 교차될 수 있다. 긴장도가 낮은 아이를 이런 식으로 안아드는 것은 피해야 한다. 아이의 어깨이음뼈(shoulder girdle) 안정성이 충분하지 않아 보호자이 아이를 안전하게 안아들 수 없기 때문이다. 중재 5-4C와 E는 긴장 항진 아동을 안아드는 정확한 방법을 보여 준다. 이때는 아이의 팔다리가 구부러지고, 아이의 몸통과 다리는 지지해줘야 한다. 또한 몸통 회전을 유도한다. 중재 5-4E처럼 아이가 보호자의 엉덩이에 걸터앉게 두면 아이의 엉덩이 모음근이 늘어나고 몸통 상부가 바깥쪽으로 회전해 몸통 하부와 분리된다. 보호자은 하루 종일 아이를 자신의 양쪽 엉덩이에 번갈아 걸터앉히고 비대칭적 몸통 회전을 유도하지 않도록 해야 한다. 긴장 저하 아동은 안정감을 주기 위해서 가까이 끌어 앉아야 한다(중재 5-4D 참조). 많은 발달 지연 유아와 아동은 엎드린 자세를 불편하게 여기지만 보호자의 접촉과 움직임 자극을 통해 엎드린 자세로 안겨 옮겨지도록 만들

중재 5-2 누워 있는 아이를 옆으로 눕혀 앉히기

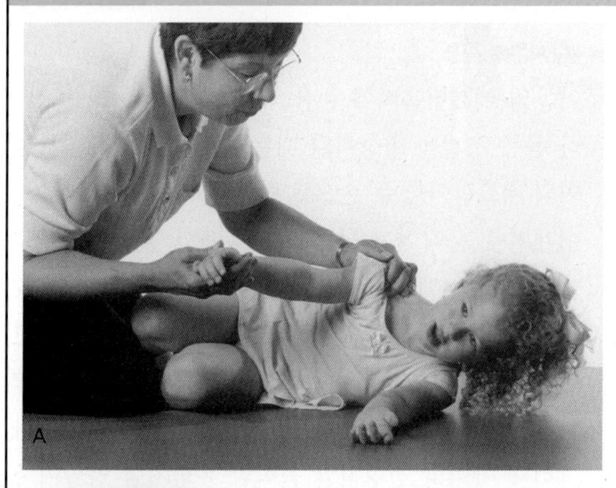
A

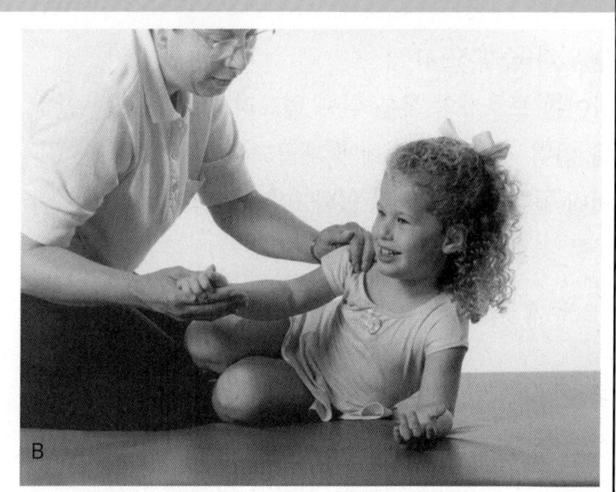
B

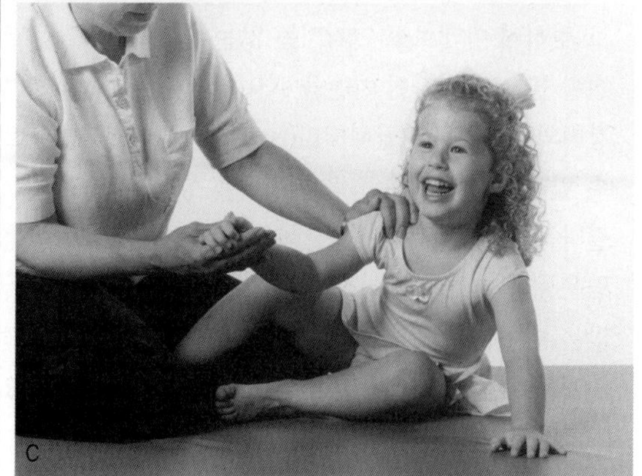
C

누워 있는 아이를 옆으로 눕혀서 앉도록 이행시키는 움직임 순서

A. 어깨를 위에서 아래로 눌러 아이가 옆으로 누운 상태에서 머리를 적절하게 들어 올리도록 유도한다.

B. 아이가 뻗은 팔로 몸을 밀어 올릴 때도 계속해서 아이의 어깨를 아래로 누른다.

C. 아이가 팔꿈치로 몸을 밀어 올린다.

중재 5-3 앉아 있다가 엎드리기

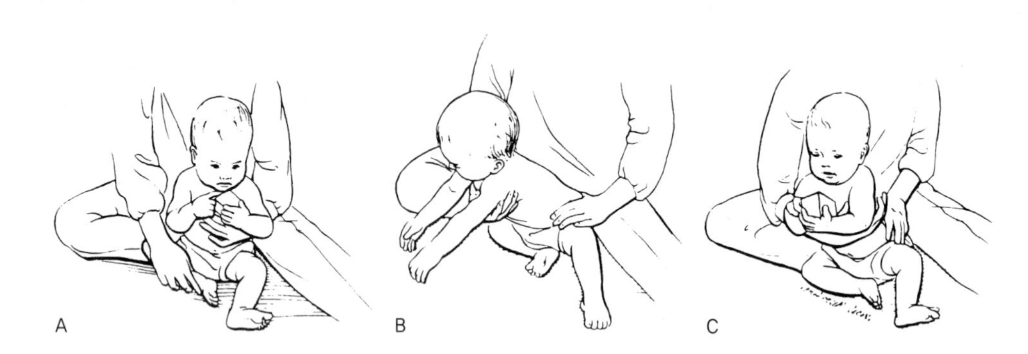

머리 조절이 가능한 아이를 앉은 자세에서 엎드려 눕히기
A. 아이가 앉아 있을 때 회전할 방향과 같은 쪽의 무릎을 구부린다.
B. 아이의 몸통 상부를 돌리기 시작한다.
C. 아이가 엎드릴 때까지 아이의 엉덩이가 그 움직임을 따라가도록 유도해서 회전을 끝낸다.

(Jaeger DL의 ≪Home Program Instruction Sheets for Infants and Young Children≫에서 발췌, ©1987 Therapy Skill Builders, a Harcourt Health Sciences Company. 허가를 받아 재 제작함. 저작권 보호됨.

수 있다(중재 5-4F).

아이를 보호자의 무릎 위에 엎드려 놓고 잡으면 안뜰계 입력 정보가 아이에게 제공되어 정중앙 지향이나 머리 들기를 강화할 수 있다. 머리 조절과 어느 정도의 몸통 조절이 가능한 유아들은 보호자의 무릎에 걸터앉아 엎드려서 긴장이 낮은 팔다리를 벌림시킬 수 있다.

움직임을 위한 핸들링 기법

장애 아동도 비슷한 문제를 안고 있기 때문에 머리조절을 촉진시킬 수 있도록 엎드린 상태에서 자세잡기와 같은 중재의 자세와 목표를 토대로 가능한 치료 중재를 목표에 근거하여 중재는 아동의 문제점과 일치해야 하고, 전반적인 기능적 목표를 염두에 두고 계획해야 한다. 아동의 신경성 손상의 심각도에 따라서 가장 낮은 수준의 발달 이정표가 달성할 수 있는 가장 높은 목표가 될 수도 있다. 예를 들어 심각한 뇌성마비 팔다리마비 아동의 치료 목표는 머리 조절 발달과 구축 예방이 될 수 있지만 팔다리마비 아동과 손상 정도가 중간인 아동의 경우에는 독립적인 앉기와 휠체어 이동을 치료 목표로 삼을 수 있다.

맨손 접촉 사용

아동의 어깨이음뼈에 손을 대서 아동의 머리 조절이나 몸통 조절을 향상시킬 때는 아이를 마주보면서 아이의 겨드랑이를 두 손으로 받쳐 든다. 그러면 아이가 어깨뼈를 움직이고 팔다리를 몸에서 멀리 떨어뜨려 들어 올리는 데 도움이 된다. 이때 아이의 어깨뼈와 양팔을 모두 조절하기 위해서 손가락을 쫙 펴야 한다. 이런 식으로 아이의 견갑골을 조절해서 아이의 머리와 몸통, 양팔, 양다리의 움직임을 향상시킬 수 있다. 그러나 아이의 전형적인 움직임 유형처럼 양팔이 뒤로 젖혀져 아래로 떨어지지는 않는다. 아이의 팔을 조절할 필요가 없다면 양손을 아이의 어깨 위에 놓고 빗장뼈와 어깨뼈, 위팔뼈머리(heads of humeri)를 감쌀 수 있다. 이 두 번째 전략은 정렬을 향상시킬 수 있고, 결과적으로 안정성을 높일 수 있으며, 특히 느린비틀림운동형(athetoid) 뇌성마비 아동처럼 움직임이 너무 많은 아동을 치료할 때 유용할 수 있다. 아동을 안정시키기 위해서 어깨를 통해 다양한 압력을 가할 수 있고, 각기 다른 방향에서 움직임을 결합할 수 있다.

치료사의 손이 닿는 곳이 어디든 아이는 그 부위를 조

중재 5-4 옮기는 자세

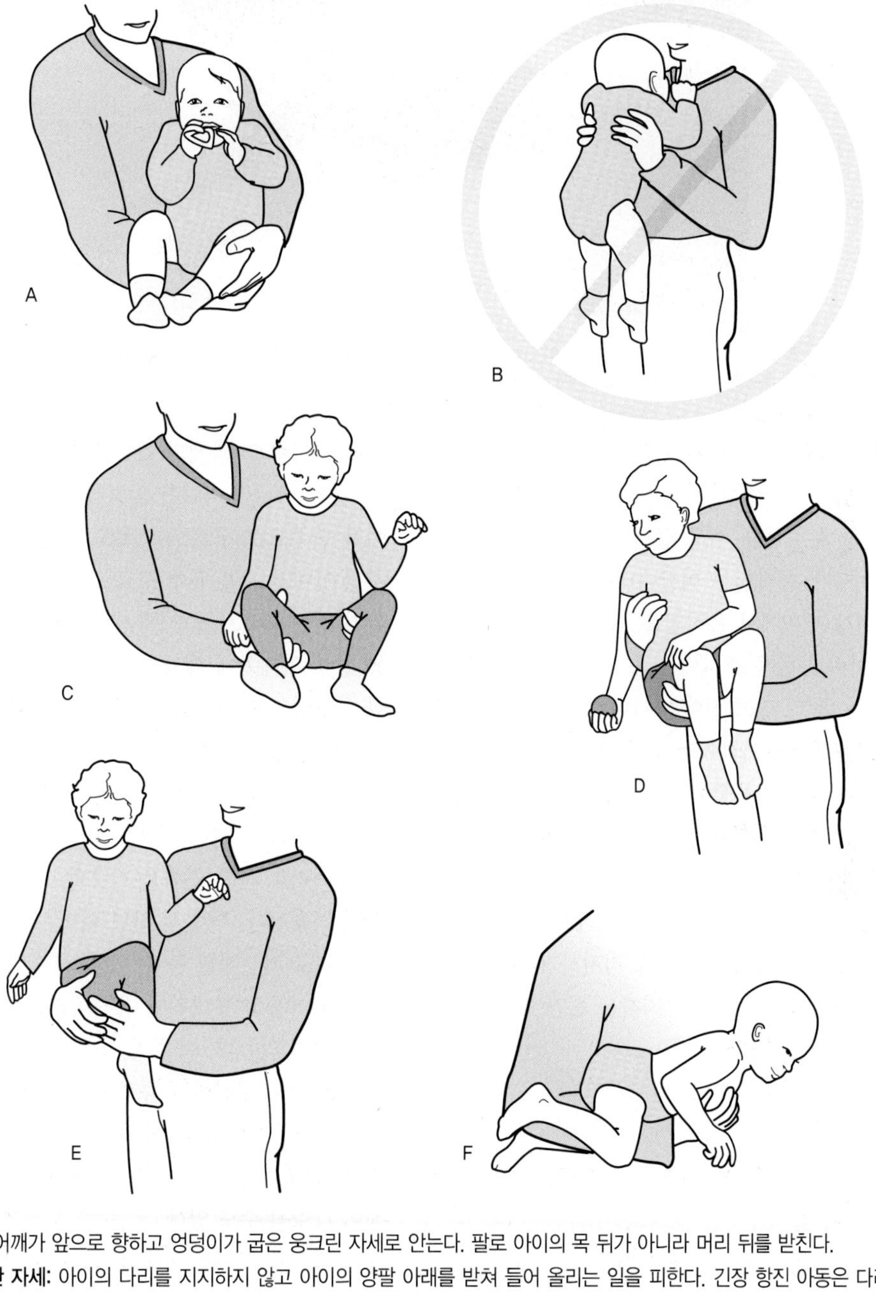

A

B

C

D

E

F

A. 아이를 어깨가 앞으로 향하고 엉덩이가 굽은 웅크린 자세로 안는다. 팔로 아이의 목 뒤가 아니라 머리 뒤를 받친다.
B. **부정확한 자세:** 아이의 다리를 지지하지 않고 아이의 양팔 아래를 받쳐 들어 올리는 일을 피한다. 긴장 항진 아동은 다리를 '가위' 처럼 교차시킬 수도 있다.
C. **정확한 자세:** 아이를 안아 올리기 전에 아이의 양다리를 구부린다. 몸통과 다리를 충분히 받쳐주면서 몸통 회전을 유도한다.
D. 긴장 저하된 아동을 가까이 안아 들어 안정감을 심어준다.
E. 긴장된 다리가 벌어지도록 아이를 엉덩이에 걸터앉힌다. 아이의 몸통이 앞으로 회전하고, 양팔이 자유롭게 되도록 한다.
F. 엎드린 자세

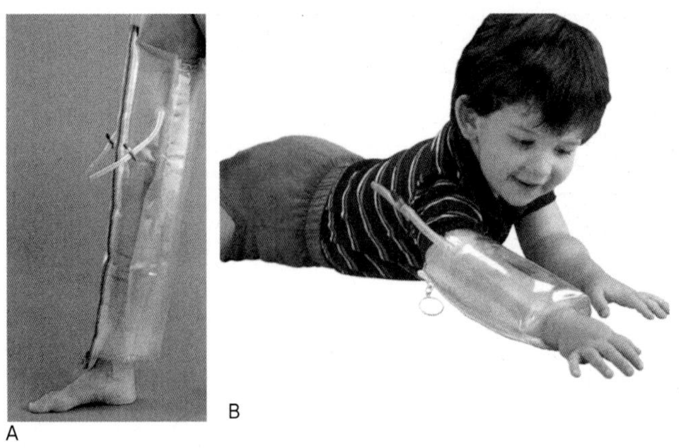

그림 5-6. A와 B. 소아과 공기 부목을 이용해 일어선 자세에서 무릎을 조절하고 엎드려 뻗는 자세에서 팔꿈치를 조절함(아덴 메디컬 회사의 허가를 받음)

절하지 못한다. 치료사가 그 부위를 조절하므로 아이는 움직임을 이끌어내기 위해 사용된 신체 부위를 조절하는 연습을 해야 한다. 예를 들어 치료사가 아이의 양 어깨를 이용해 움직임을 이끌어내려고 한다면 이때 아이는 어깨 부위에서 움직임을 조절하는 법을 배워야 한다. 아이가 몸쪽 조절력을 좀 더 많이 보여 준다면 치료사는 좀 더 멀리 떨어진 아이의 팔꿈치나 손을 접촉하여 움직임을 이끌어낼 수 있다. 안정성은 체중을 지지하는 자세나 체중이 실린 자세에서 팔다리의 위치를 잡아줌으로써 높일 수 있다. 조절 능력이 부족한 아동의 경우에는 소아용 공기 부목이나 천 부목을 이용해 팔다리 위치를 조절할 수 있고, 그렇게 하면 아동이 뻗은 무릎으로 체중을 지지하거나 체중을 지지하는 팔꿈치를 똑바로 유지하는 동안 다른 쪽 팔을 쭉 뻗을 수 있다(그림 5-6).

핸들링 팁

신경 손상 아동을 물리적으로 핸들링할 때는 아래 사항을 고려해야 한다.

1. 아동이 가능한 많은 움직임을 수행하도록 한다. 자신에게 맞는 속도를 지키고, 어쩌면 생각보다 더 천천히 나아가야 할지도 모른다. 예를 들어 누워 있는 아이를 앉힐 때는 아이를 천천히 한 쪽으로 굴려서 아이가 자기 손으로 몸을 밀어 올릴 수 있는 시간을 주어야 한다. 설령 아이가 팔꿈치로 몸을 밀어 올리는 것처럼 그 과제의 일부만 할 수 있더라도 말이다. 뿐만 아니라 아이를 앉히려고 시도하기 전에 아이가 한쪽으로 구르도록 유도한다. 장난감을 보여주면 아이가 손을 뻗어 구르도록 유도할 수도 있다. 앉기 전에 옆으로 눕기를 더 쉽게하려면 머리와 몸통 상부 아래쪽에 웨지처럼 높이가 있는 물체를 놓아서 중력의 효과를 줄일 수 있다.
2. 아이를 옮길 때는 아이가 머리 조절과 몸통 조절을 가능한 많이 하도록 유도한다. 아이가 이동 중에 중력에 저항해서 머리와 몸통을 똑바로 유지하기 위해서 머리와 몸통 근육을 사용할 수 있는 방식으로 아이를 옮긴다. 이렇게 하면 아이가 주변을 둘러보고 어디로 가는지를 볼 수 있다.
3. 경직된 아동의 팔다리를 움직이려고 할 때는 억지로 당기지 않는다. 아동의 어깨와 골반에서 몸쪽으로 시작해서 천천히 율동적으로 움직인다. 먼쪽 관절의 위치는 팔다리 전체의 위치에 영향을 미칠 수 있다. 몸쪽 관절의 위치를 바꾸면 팔다리 전체의 경직이 감소될 수도 있다.
4. 중증 병발을 보이는 아동과 운동 이상성 아동의 다수가 촉감과 소리, 빛에 과도하게 민감한 반응을 보인다. 이런 아동들은 쉽게 놀라고, 사람 손과 발, 입과의 접촉을 피하려고 할지도 모른다. 이런 아동이 머리를 신체 정중선에 두고, 두 손을 시야 범위에 두도록 유도한다. 이런 아동들에게는 손과 발로 체

중을 지지하는 것이 중요한 활동이다.

5. 자세 긴장도가 낮은 아동은 좀 더 활기차게 핸들링하여야 하나 이들은 훨씬 더 쉽게 지치므로 더 자주 쉬어야 한다. 이런 아동들은 폄근을 발달시키기 위해 엎드린 자세에서 중력에 저항해야 하기 때문에 눕혀 놓지 않는다. 이 아이들은 폄근이 매우 약해서 누워 있을 때 팔다리가 벌림되는 '개구리' 자세를 취한다. 비스듬히 누운 자세에서는 이런 아동의 복부근육을 강화할 수 있다. 이런 아동은 눈을 이용해 시각적으로 움직임을 쫓아서 머리와 몸통 움직임을 촉진시킬 수도 있다. 유아 의자는 긴장도가 낮아가 머리 지지가 필요한 어린 아이에게 적합하다. 그러나 개조된 코너 의자는 좀 더 나이가 있는 아동에게 더 적합하다.
6. 몸쪽 관절의 움직임을 촉진시킬 때는 치료사의 손이 닿는 곳이 어디든 아동은 그 부위를 조절하지 못한다는 사실을 명심하기 바란다. 치료사가 아이의 어깨를 조절한다면 아이는 머리와 몸통, 다시 말해서 치료사가 다루는 부위 위쪽과 아래쪽을 조절해야 한다. 움직임을 유도해 낼 때마다 이 점을 명심하기 바란다. 아이가 신체의 일부분이나 관절을 조절하기를 바란다면 그 부위를 잡아서는 안된다.
7. 궁극적인 목표는 아동이 스스로 움직임을 수행하기 시작하고 이끌어내도록 하는 것이다. 아동이 조절 능력을 더 많이 얻을수록 핸들링는 감소해야 한다. 치료사가 움직임을 유도하는 동안만 아이가 만족스러운 수준의 움직임을 보이고 스스로 동일한 움직임을 만들지 못한다면 운동 학습이 실제로 일어나고 있는지 의심해 보아야 한다. 아동은 움직이는 법을 배우기 위해서 움직임에 적극적으로 참여해야 한다. 움직임이 의미를 지니려면 물체 탐구나 보행과 같은 목표가 있어야 한다.

자세잡기와 핸들링를 개선하기 위해 감각 입력 정보 사용하기

촉감

유아는 촉감으로 자기 몸의 윤곽을 파악한다. 촉감은 유아가 음식을 찾고, 속상할 때 스스로를 진정시키는 최초의 방법이다. 유아 마사지는 부모가 편안하게 자식을 만질 수 있게 도와주는 방법이다. 유아가 스스로를 진정시킬 수 있게 준비시켜주려고 자기 몸을 만지게 유도할 수 있다(중재 5-5). 유아를 옆으로 눕히면 유아가 자기 몸을 만지고 자기 손과 발(중요한 요소)을 보기가 훨씬 쉬워진다. 신체의 정중선을 의식하는 것은 필수적인 지각 능력이다. 움직임이나 감각에 비대칭성이 존재한다면 아동을 움직이거나 아동

중재 5-5 스스로를 진정시키는 법 가르치기

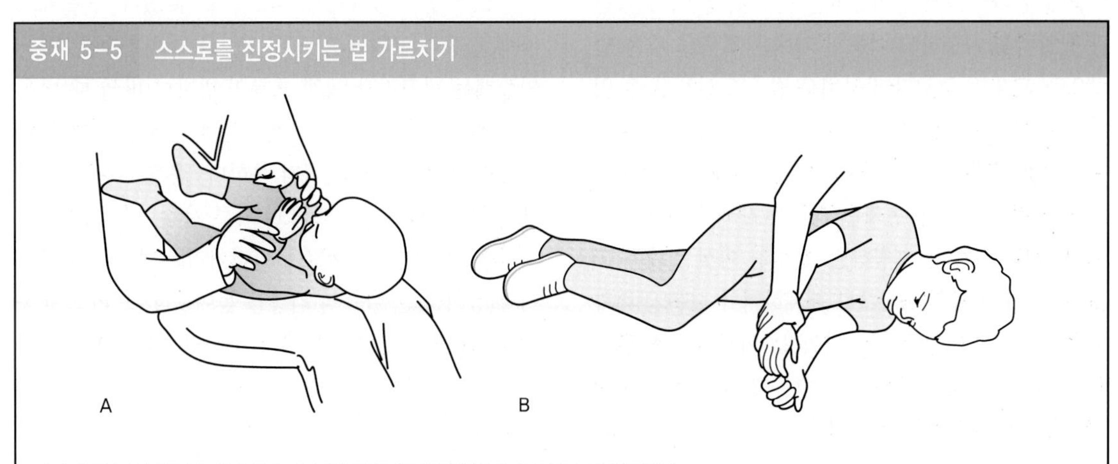

지지 받고 누운 자세와 옆으로 누운 자세에서 촉감을 이용해 스스로를 진정시킨다.
A. 유아가 스스로를 진정시킬 수 있게 준비시켜주려고 자기 몸을 만지게 유도할 수 있다.
B. 유아를 옆으로 눕혀두면 유아가 자기 몸을 만지고 자기 손과 발(중요한 참조 기준)을 보기가 훨씬 쉬워진다.

의 자세를 잡아줄 때 모든 노력을 다해서 아동이 신체의 양 측면을 동등하게 의식하도록 만들어야 한다. 추가적인 촉각 입력 정보는 신체의 한 쪽을 만지거나 그 쪽으로 체중을 지지하는 형태로 제공할 수 있다. 감각과 움직임의 비대칭성은 팔다리 길이의 차이를 낳을 수 있다. 앉은 자세에서 골반을 통해 체중지지가 균형적으로 이루어지지 않거나 근육의 편마비를 보상하기 위해서 몸통 근육이 짧아지는 경우도 있다. 몸통 근육 불균형은 척추 측만증을 낳을 수도 있다.

촉각과 움직임은 신체와 움직임 인식, 균형을 발달시키는 데 중요한 역할을 담당한다. 촉각에 과민하게 반응하는 아동은 감각을 둔화시켜야 한다. 지나치게 민감한 아동은 보통 가벼운 접촉보다 부드럽지만 단호한 압력을 훨씬 더 잘 견뎌낸다. 촉각 방어를 보이는 아동들은 가벼운 접촉에도 팔다리가 움츠러들고 얼굴이 돌아간다(Lane, 2002). 전형적인 발달 과정을 거치는 대부분의 아동은 거친 질감보다 부드러운 질감을 좋아한다. 그러나 촉각 입력 정보를 오해하는 것 같은 아동은 테리 직물 같은 거친 질감이 부드러운 질감보다 훨씬 낫다고 받아들일지도 모른다.

촉각 방어를 하는 아동에게 사용하는 촉각 자극에 관한 일반적인 지침은 쿠마르(Koomar)와 번디(Bundy)(2002)에 의해 설명되었다. 그 가운데 첫 번째 지침은 아동에게 촉각 자극을 적용하는 것이다. 두 번째는 단단한 압력을 사용하되 아동이 가벼운 접촉을 깊은 압력으로 인지할 수 있다면 가벼운 접촉도 사용할 수 있다. 세 번째는 얼굴보다 먼저 팔과 다리를 만지는 것이다. 네 번째는 머리카락이 자라는 방향으로 자극을 가하는 것이다. 다섯 번째는 자극을 가하기 위해 조용하고 밀폐된 공간을 제공하는 것이다. 여섯 번째는 고유수용감각을 촉각 자극으로 대체하거나 깊은 압력과 고유수용감각을 결합하는 것이다. 이론적으로 팔다리에 가하는 깊은 촉각이나 압력은 특정 신체 부위에 가해진다고 하더라도 중앙 억제 효과가 있다(Ayres, 1972). 이에 예상되는 결과는 아동이 촉각을 좀 더 잘 견딜 수 있고, 좀 더 집중을 잘 할 수 있으며, 더 나은 조직된 행동을 보일 수 있다. 아동 핸들링가 중재 효과의 일부라면 유아나 아동은 촉각을 견딜 수 있어야 한다.

얼굴에 가해지는 촉각에 방어적인 아동은 보통 입안에 가해지는 촉각에 한층 더 민감해진다. 이러한 아동은 질감이 있는 음식을 먹기 어려울 수도 있다. 구강 운동치료는 추가적인 교육이 필요한 전문 분야이다. 물리치료사와 작업치료사, 혹은 언어치료사는 구강 운동치료에 관한 교육을 받았을 수도 있다. 물리치료 보조사는 특정한 환경에서 특수한 아이에게 적용할 수 있는 특별한 중재를 치료사에게서 배울 수 있다. 그러나 그러한 중재는 이 책의 범주를 벗어나며, 일반적으로 참고하는 것이다.

안뜰계

안뜰계의 세반고리관은 액체로 가득 차 있다. 각각의 반고리관은 각기 다른 측면의 움직임에 반응한다. 옆으로 재주넘기와 공중제비, 회전하기는 각기 다른 반고리관의 움직임을 이끌어낸다. 아이가 엎드려 있거나 누워 있을 때 선형 움직임(신체와 방향이 일치하는 움직임)으로 머리 들기를 향상시킬 수 있다. 해먹에 아이를 엎드려 눕히거나 똑바로 눕혀 놓고 흔들면 선형 움직임을 이끌어낼 수 있고, 머리 들기를 증진시킬 수 있다(그림 5-7). 움직임 자극은 무기력하거나 근긴장도가 낮은 아이에게 자극을 줄 수 있다. 안뜰계가 자세 긴장과 균형에 강력한 영향을 미치기 때문이다. 안뜰계는 반고리관 액체 흐름의 방향이 바뀔 때 반응을 한다. 그러나 지속적인 움직임은 습관이 되거나 익숙해져 반응을 이끌어내지 못한다. 움직이는 지면 위에 앉는 것처럼 급작스럽고 빠른 움직임은 아이에게 자극을 줄 수 있다. 빠르게 덜컥거리는 움직임은 휴식기 긴장이 낮은 아동의 긴장을 높여준다. 느리고 율동적인 움직임은 높은 긴장을 감소시켜 준다.

압박

체중지지에서 관절을 통해 압력을 가하는 것은 압박이라고 한다. 손과 무릎을 짚고 몸 흔들기와 공 위에 앉아서 통통 튀도록 하면서 압박을 가하는 활동이 이에 해당한다. 신체 부위의 체중을 이용하여 수동적으로 추가 압력을 가할 수 있다. 정렬된 신체 부위의 긴축을 통해서 지속적인 압력을 수동적으로 가해 관절을 압박할 수 있다. 간헐적인 압력도 사용할 수 있다. 지속적인 압력과 간헐적인 압력은 모두 앉아 있을 때와 트램펄린 위에서 뛸 때처럼 신체를 지지하기 위해서 자세 근육을 각성시키는 고유 수용감각을 자극한다. 압박하는 힘의 속도와 지지면의 탄력성에 따라서 관절 압박의 정도가 달라진다. 움직임의 방향은 아이가 두 손과 양쪽 무릎으로 지지하고 몸을 흔드는 동안 달라질 수 있다. 척추 길이를 따라 압박을 가하는 것은 중력의 영향 때문에 가만히 앉아 있어도 가능그러나 통통 뛰어오르면 그러한 압박을 증대시킬 수 있다. 머리와 목을 통한 압박이나 압력은 다운증후군 아동에게 조심스럽게 사용해야 한다. 그러한 아동의 15%가 꼬리뼈와 고리중쇠관절(atlantoaxial) 불안정을 보이기 때문이다(Tassone과 Duey-Holtz, 2008). 아이가 누워 있을 때는 어깨를 눌러서 척추에 외부 압박을 가할 수도 있다. 혹은 아이가 네발 자세를 취할 때 아기 어깨나 엉덩이를 압박한다(중재 5-6). 아동의 신체 부위는 언제나 수동 압박을 받기 전에 정렬되어 있어야 하고, 아동의 내성에 따라서 압박의 등급을 나누어야 한다. 대부분의 경우 압박 감소는 훨씬 좋은 일이다. 압박 사용은 느린비틀림운동형 뇌성마비 아이와 관련된 다음 실례에서 찾아볼 수 있다. 아이가 일어서려고 할 때 치료사가 아이의 머리에 가볍고도 단호하게 손을 올려놓으면 아이는 그 자세를 좀 더 안정적으로 취할 수 있다. 그리고 나서 아이가 각각 크기가 다른 기저면에 적응해서 균형을 유지하는 법을 배울 수 있도록 다양한 발레 자세를 취하게 한다. 다음 치료 시간에는 치료사가 아이의 머리에 손을 올려서 안정을 찾도록 한다. 이러다 보면 점차적으로 치료사의 손

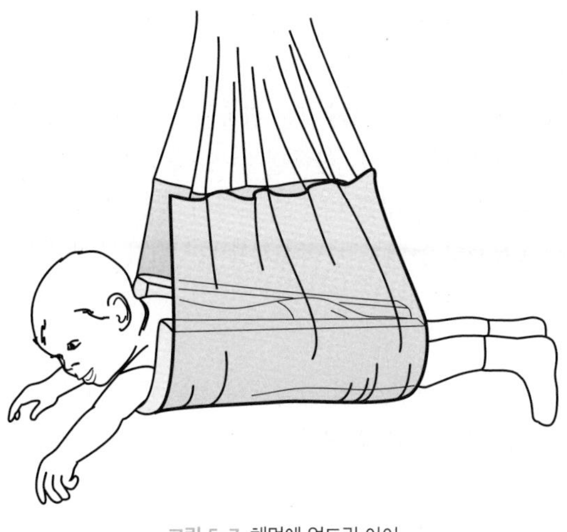

그림 5-7. 해먹에 엎드린 아이

중재 5-6 몸쪽 관절 압착

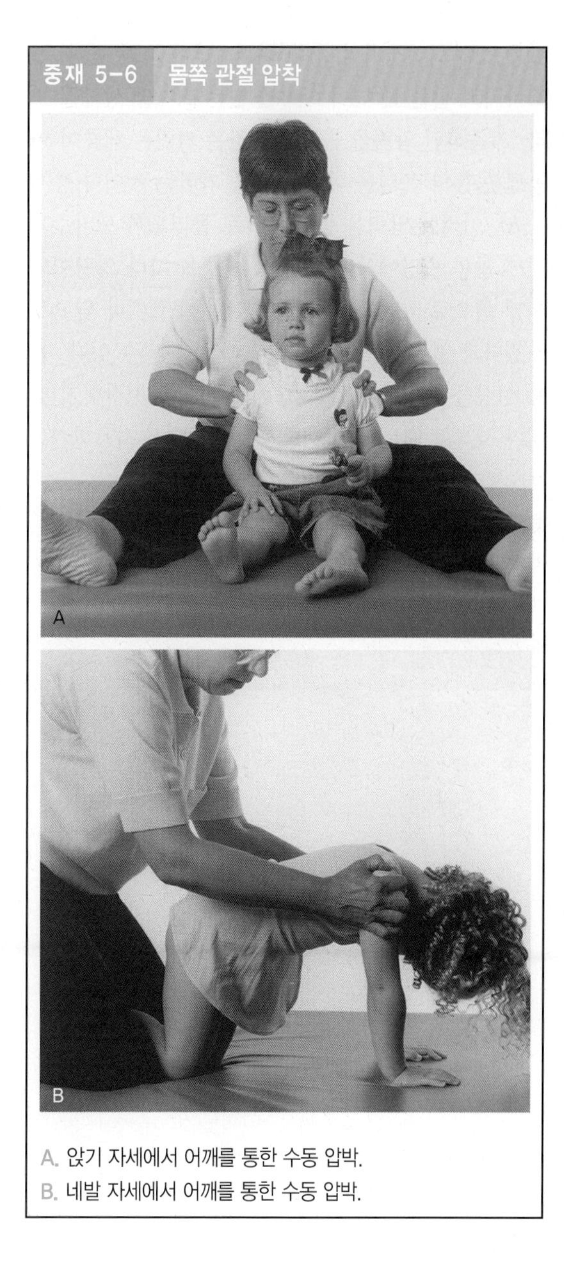

A. 앉기 자세에서 어깨를 통한 수동 압박.
B. 네발 자세에서 어깨를 통한 수동 압박.

으로 제공하는 외적 안정을 줄여 나갈 수 있다.

간헐적이거나 지속적인 압력은 보행 시에 다리에 체중을 싣기 전이나 몸통 측면으로 체중을 이동시키기 전에 다리나 몸통이 체중을 감당할 수 있도록 준비시키기 위해 사용할 수 있다. 아이가 지지하고 앉기처럼 한 팔로 체중을 지지하기 전에 팔꿈치를 굽히지 않고 쭉 편 손바닥 아랫부분을 통해 어깨에 압력을 가해서 아이가 그 팔로 체중을 감당할 수 있도록 준비 시킬 수 있다(중재 5-7). 이때 팔을 약 45도 각도로 바깥쪽으로 회전시키면 가장 좋다. 넘어질 때 몸을 보호하려고 팔을 쭉 뻗어 바닥을 짚는 위치를 생각해 보라. 지속적인 압력을 몸통에 가하는 기법은 체중이 이동될 몸통의 측면을 따라 압력을 가하는 것이다(중재 5-8). 이러한 압력은 몸을 옆으로 돌리도록 도와주기 전에 몸통 중앙에서 몸통 한쪽 측면을 따라 엉덩이와 어깨 쪽으로 가한다. 이러한 중재는 구르기나 옆으로 누웠다가 일어나기를 준비시킬 때 사용할 수 있다. 몸통 신장을 돕기 위해서 측면 체중 이동을 시작하기 전이나 시작할 때는 그러한 중재를 수정해서 사용한다.

시각

시각적 이미지는 아이가 환경을 탐험하도록 이끈다.

중재 5-7 팔 체중지지 준비

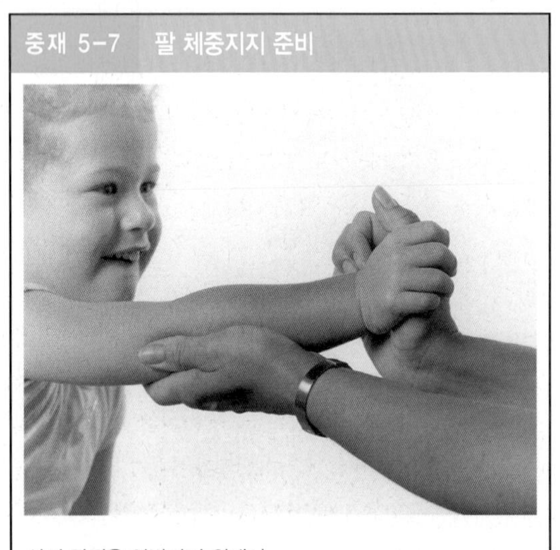

상지 관절을 압박하기 위해서
손바닥 아랫부분을 통해 압력을 가함.

시각은 또한 머리 조절과 균형 발달에 중요한 정보를 제공한다. 시선 고정(visual fixation)은 한동안 두 눈으로 한 곳을 바라보는 능력이다. 쳐다보기 능력을 키우려면 아이가 얼굴을 선호하는지 아니면 물체를 선호하는지를 알아내야 한다. 유아의 관심을 사로잡으려면 검은 물체와 하얀 물체 같은 일정한 양식을 따르는 얼굴 그림부터 시작해서 빨강과 노랑 같은 색깔을 더한다. 유아의 머리는 대체로 한쪽으로 돌려져 있기 때문에 유아의 주변에서 다가가는 것이 가장 좋다. 다음으로, 유아가 정중선까지 물체를 쫓아갔다가 정중선을 넘어가도록 유도해야 한다. 유아가 머리를 정중선에 놓고 유지할 수 있기 전에는 주변에서 정중선 쪽으로 가다가 점점 더 넓게 호를 그리며 시선을 돌린다. 방향성 있는 추적 능력은 수직과 수평, 대각선 방향으로 발전하고, 나중에는 회전방향으로(시계 방향과 반시계 방향) 발달한다.

아이가 두 눈을 함께 사용하기 어려워하거나 눈동자가 안쪽이나 바깥쪽으로 향한다면 감독 물리치료사에게 알린다. 이때 감독 물리치료사는 아이를 검안사나 안과의사에게 데려가라고 제안할 수 있다. 눈 이상을 초기에 교정 받은 아동은 머리 조절 능력과 물체를 향해 손을 뻗는 능력을 훨씬 더 쉽게 발달시킬 수 있다. 영구적인 시력 손상을 입은 아동이 움직이도록 유도하려면 환경 내에서 청각 신호에 의존해야 한다. 장난감을 이용해 아이의 시선을 잡으려고 하는 것처럼 딸랑이나 다른 소리가 나는 물건을 이용해서 아이가 소리 나는 곳으로 머리를 돌리고 손을 뻗고 굴러 오게 한다. 아동은 구르기와 같은 활동들을 적절히 하기 전에 소리가 나는 곳을 찾아낼 수 있어야 한다. 일반적으로 시각이 손상된 아동은 시각이 정상적으로 발달한 아동보다 늦게 운동 이정표를 달성한다.

청각

청각은 자세와 움직임 발달에서 특별히 중요한 역할을 수행하지 않지만 청각을 감지하는 청각신경이 손상되면 안뜰신경도 손상될 수 있다. 안뜰신경이나 안뜰계의 어느 한 부위라도 손상되면 머리 움직임에서

중재 5-8 체중 수용 준비

체중 수용을 준비시키기 위해 몸통을 단단하게 쓰다듬기.
A. 시작 시 손 위치
B. 종료 시 손 위치

나오는 정보가 자세 반응을 알려주는 신호로 전환되지 않기 때문에 균형 부족을 유발할 수 있다. 게다가 눈과 머리 움직임의 긴밀한 협응이 손상될 수 있다. 청각이 손상된 취학 전 아동을 다룰 때 치료사들은 균형 문제를 발견한다. 연구 결과에 따르면 청각 손상 아동은 동적 균형 감각과 정적 균형 감각의 손상을 보이고, 운동 결핍을 드러낸다(DeSousa 등, 2012; Livingstone과 McPhilips, 2011). 청각 신호는 움직임을 촉진시키는 데 사용할 수 있고, 시각이 손상된 아동의 움직임을 유도하는 대안이 될 수 있다.

움직임 준비

자세 준비성

자세 준비성은 일반적인 움직임 준비이다. 움직임을 지지하기 위해서 휴식 동안 긴장을 보여 주는 근육 능력을 의미하기도 한다. 충분한 휴식 시 긴장은 움직임 과제를 수행하기 전후와 수행 중에 신체의 적절한 자세 정렬을 유지하는 아동의 능력으로 분명히 알 수 있다. 신경 손상 아동의 움직임에 좋은 자세가 있는 반면, 비정상적으로 강한 긴장성 반사를 증진시키는 자세도 있다(표 5-2). 누워 있는 아동은 긴장성 미로반사로 인해 폄근 긴장이 높아지고, 굴러서 엎드리거나 쉽게 앉기 어려울 수 있다. 긴장이 너무 높거나 너무 낮으면, 혹은 신체가 적절하게 정렬되어 있지 않으면 움직임이 훨씬 힘들어지고 효과가 떨어지며 성공할 가능성도 줄어든다.

자세 정렬

몸통 정렬은 움직임을 유도하기 전에 필요한 것이다. 일어서기 전에 의자에 구부정하게 앉아 있는 것은 효율적인 움직임을 시작하는데 도움이 되지 않는다. 골반이 너무 앞쪽이나 뒤쪽으로 기울 때 몸통은 체중 이동 시에 적절한 바로잡기 반응을 보이지 못한다. 환자가 비대칭적으로 눕거나 앉아 있다면 적절한 자세 정렬을 통해 환자의 자세를 바로잡아야 한다. 손이나 발의 체중지지를 개선하려면 팔다리의 위치를 주의 깊게 살펴야 한다. 팔다리의 과도한 회전은 근육의 자세 유지에 도움이 되기보다 역학적으로 한 자세에 고정되는 결과를 낳을 수 있다. 과도한 회전의 실례는 긴장도가 낮은 아동이 네발 자세를 유지하려고 하거나 일어서서 무릎을 과도하게 신장할 때 아동의 팔꿈치에서 찾아볼 수 있다. 각각 다른 자세들의 장점과 단점은 과도한 뇌성마비 아동한테서 두드러지는 긴장 반사의 효과를 설명하는 6장에서 다시 소개하겠다.

표 5-2 다양한 자세의 장점과 단점

자세	장점	단점
똑바로 눕기	무릎을 굽히고 발을 지지면에 납작하게 대면 다리를 통해 일찍부터 체중지지를 시작할 수 있다. 머리와 몸통 상부를 앞으로 굽혀주면 STLR 효과를 감소시킬 수 있다. 놀이나 물체 탐구로 팔의 사용을 증진시킬 수 있다. 둥근 롤이나 공, 볼스터 위에 다리를 올려서 굽힐 수 있다.	STLR 효과가 너무 강해서 쉽게 극복할 수 없을 수도 있다. 눕기는 잠자기와 관련되어 있기 때문에 방향성을 잃을 수도 있다. 이 자세에서는 각성 수준이 낮아서 아이를 의미 있는 활동에 참여시키기가 훨씬 더 어려울 수도 있다.
옆으로 눕기	머리의 중립적 위치 때문에 긴장 반사 효과를 약화시키기에 아주 좋은 자세이다. 어깨와 골반의 앞으로 내밀기(protraction, 전인)가 가능하고, 몸통 상부와 하부가 분리된다. 또한 몸통이 아래쪽으로 신장되며, 신체의 왼쪽과 오른쪽이 분리되고, 몸통 상부와 하부를 분리시키면서 몸통 안정성이 개선된다. 구르기와 앉기, 혹은 앉았다가 눕기나 앉았다가 엎드리기 같은 기능적 움직임을 향상시키기에 아주 좋은 자세다.	외부의 지지를 받거나 옆으로 눕는 자세모듈(sidelyer) 같은 특별한 장비의 도움을 받지 않으면 이 자세를 유지하기가 훨씬 어려울 수 있다. 아동이 항상 같은 방향으로 누워 있으면 몸통 위쪽 근육이 짧아질 수도 있다.
엎드리기	팔을 통해 체중지지를 개선한다(팔꿈치로 짚고 엎드리기나 양팔을 뻗어 체중지지하기). 엉덩이와 무릎 굽힘근이 늘어나고, 목과 몸통 상부의 활동적인 신장 발달이 촉진된다. 어린 아이나 발달 장애가 심한 아동의 경우에는, 머리 조절 발달을 촉진시키고, 눈–손 관계를 개선할 수 있는 자세이다. 움직이는 지면 위에서는 팔의 보호반응을 이끌어낼 수 있다.	PTLR의 영향을 받아 굽힘 자세(flexor posturing)가 증가할 수 있다. 몇몇 아동은 가로막 억제(inhibition of diaphragm)로 인해 호흡이 더 어려워질 수 있지만 환기(ventilation)는 훨씬 더 잘 될 수 있다. 영아 돌발 사고 증후군 발생률이 증가하고 있어서 어린 아이를 엎드려 재우는 것은 좋지 않다.
앉기	능동적인 머리 조절과 몸통 조절을 개선한다. 팔과 다리를 통해 체중지지를 할 수 있다. 양팔이 자유로워져서 놀이를 할 수 있다. 먹기에 도움이 될 뿐만 아니라 시각과 안뜰 입력 정보를 정상화하는 데 도움이 되는 자세이다. 쭉 뻗은 몸통이 굽은 다리와 분리된다. 머리와 몸통 바로잡기 반응과 몸통 평형 반응, 팔 보호 폄(upper extremity protective extension)을 촉진시키기 좋은 자세이다. 한 팔이나 두 팔이 몸통에서 분리될 수 있다. 옆으로 앉기는 몸통 신장과 회전을 향상시켜 준다.	앉기는 굽힘 자세이다. 아이는 힘이 부족하거나 굽힘근긴장이 너무 높아서 몸통 신장을 유지할 수 없을 수도 있다. 90–90–90도 각도로 앉는 최적의 자세를 잡기 어려울 수 있고, 외부의 지지가 필요할 수도 있다. 양반다리 앉기와 W자 앉기 같은 바닥에 앉기 자세는 근육 긴장을 높이고, 하지 구축을 일으킬 수 있다.
네발로 엎드리기	몸통을 중력에 저항하는 위치에 두고 팔다리로 체중을 지지하는 자세다. 팔다리의 분리와 상반적 움직임에 상당히 좋고, 몸통 회전이 가능하다면 옆으로 앉기로 이행할 수 있는 자세이다.	이러한 굽힘 자세는 보행의 한 형태인 토끼 걸음(bunny hop)을 유도할 수 있는 STNR의 영향을 받기 때문에 유지하기가 어렵다. 몸통 회전이 부족하면 흔히 W자로 앉게 된다.
무릎 서기	무릎 서기는 분리된 자세이다. 몸통과 엉덩이를 펴는 동안 무릎은 구부러진다. 엉덩이 굽힘근이 늘어난다. 엉덩이와 골반 조절이 발달할 수 있고, 옆으로 앉기 전후의 이행 자세가 되거나 반 무릎 서기와 서기로 이행하는 자세가 될 수 있다.	무릎 서기는 조절하기 어려울 수 있고, 아동은 종종 STNR의 영향을 받아서 엉덩이를 완전히 펴하기 못할 수 있다.
서기	다리로 체중을 지지하고, 엉덩이와 무릎 굽힘근, 발바닥굽힘근(ankle plantar flexor)이 늘어난다. 능동적인 머리와 몸통 조절을 향상시킬 수 있고, 시각 정보 입력을 정상화할 수 있다.	상당한 외부 지지가 필요할 수도 있다. 아이가 장기적으로 취할 수 있는 자세는 아닐 수도 있다.

PTLR(엎드린 자세의 긴장성 미로 반사); STLR(누운 자세의 긴장성 미로 반사); STNR(대칭적 긴장목반사).
(Lemkuhl LD과 Krawczyk L의 ≪Physical therapy management of the minimally–responsive patient following traumatic brain injury: coma stimulation. Neurol Rep≫ 17:10–17에서 수정한 내용, 1993)

중재 5-9 몸통 회전

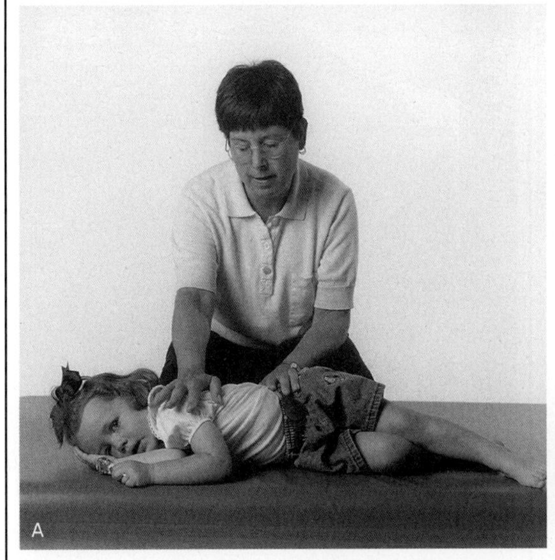

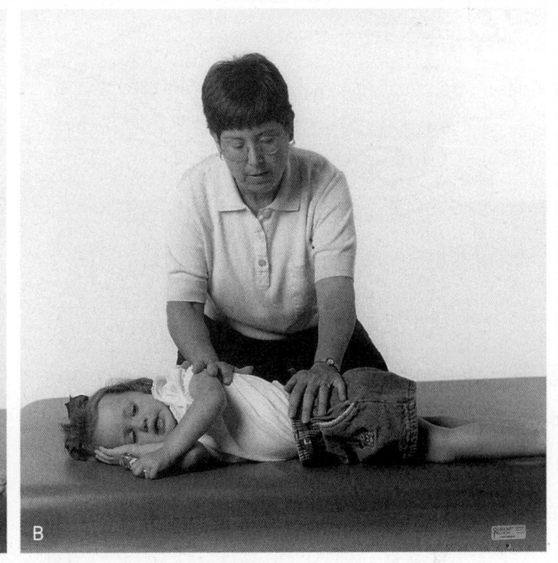

근긴장을 줄이고 호흡을 개선하기 위해서 옆으로 눕혀 몸통을 천천히 율동적으로 돌림시키는 중재

맨손 접촉

움직임을 유도하거나 자세를 강화할 대 몸쪽 관절에 맨손 접촉을 한다. 자세를 바꾸는 움직임을 유도할 때 양어깨와 엉덩이를 함께 하거나 따로 이용하는 경우가 가장 흔하다. 맨손 접촉을 선택하는 것은 움직임 준비의 일부다. 맨손 접촉이 몸쪽에서 일어날수록 아동의 움직임을 훨씬 많이 조절할 수 있다. 팔꿈치나 무릎, 손이나 발까지 맨손 접촉을 점점 더 먼쪽으로 옮기면 아동 스스로가 자기 몸을 좀 더 많이 조절한다. 이러한 맨손 접촉의 사용은 자세잡기와 핸들링에 관한 단락에 나와 있다.

회전

몸통과 팔다리의 느리고 율동적인 움직임은 근육 경직을 감소시키는 데 효과적이다(중재 5-9). 이러한 준비 없이는 자세를 조금이라도 바꾸려는 시도조차 할 수 없는 아이들이 있다. 느리고 율동적인 움직임을 사용할 때는 몸쪽 관절부터 움직이기 시작해야 한다. 예를 들어 상지의 긴장이 두드러지면 가슴앞벽(anterior chest wall)을 천천히 교대로 압박하고, 이어서 어깨뼈를 앞으로 밀어주고, 보통 올라가 있는 어깨를 아래로 내려줄 수 있다. 아동의 팔이 몸 바깥쪽으로 벌림되어 올라갈 때 천천히 율동적으로 바깥쪽으로 회전된다. 팔의 벌림과 올림은 몸통 폄을 가능하게 해주고, 이러한 자세는 구르기 전이나 앉거나 서서 체중을 이동하기 전에 매우 유익할 수 있다. 항상 몸쪽 관절에서 움직임을 시작해야 성공할 가능성이 훨씬 높아진다. 팔을 움직일 때는 다양한 손 쥐기를 사용할 수 있다. 악수 쥐기(handshake grasp)는 엄지와 엄지두덩으로 움켜쥐는 것으로 가장 흔한 쥐기 방법이다(그림 5-8). 엄지의 손목손허리관절(carpometacarpal joint)을 쭉 펴면 팔다리의 긴장이 감소한다. 아동이 아직도 손바닥 쥐기 반사를 보인다면 손바닥에 압력을 가하지 않도록 조심해야 한다. 먼저 팔 전체의 자세를 바꾸려고 하지 않고 꽉 쥔 손 안에 갇힌 엄지를 풀어내려고 하지 말아야 한다.

아동이 다리 근육의 긴장도를 높이면 골반(전상장골극, anterior superior iliac spine)에 교대로 압력을 가하기 시작하라. 골반 한쪽부터 시작해서 이어서 다른 쪽에 압력을 가한다(중재 5-10). 아동의 골반을 천천

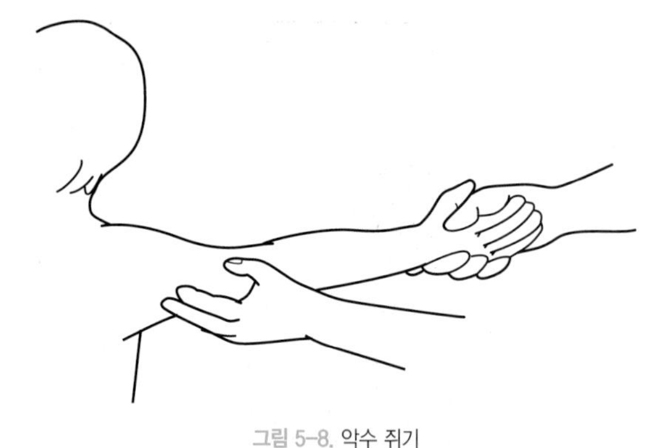

그림 5-8. 악수 쥐기

히 부드럽게 계속해서 흔들 때 몸쪽 허벅지에서 엉덩이를 바깥쪽으로 회전시킨다. 긴장이 감소하면 아동의 다리를 들어 올려 굽힌다. 이때 엉덩이와 무릎을 굽혀서 펴지려는 편향적 성향을 크게 감소시킬 수 있다. 아이의 무릎을 구부린 채 한쪽이나 양쪽 다리를 천천히 율동적으로 계속 회전시키다가 양 무릎을 굽혀 세운다(hook-lying). 엉덩이와 무릎이 많이 굽을수록 폄 정도를 줄일 수 있고, 팔다리의 긴장이 증가한 경우에는 양 무릎을 구부려 몸통을 가로질러서 천천히 회전시키면서 가슴까지 끌어올릴 수 있다. 누워 있는 아이의 머리와 상체를 좀 더 굽혀주면 아이의 다리를 좀 더 쉽게 굽힐 수도 있다. 누워 있는 아이의 상체를 지지할 때는 웨지와 볼스터(bolster), 또는 베개를 사용한다. 보호자은 아이의 머리와 상체를 굽히지 않은 채 아이를 눕히는 일을 피해야 한다. 누운 자세에서는 긴장성 미로반사 때문에 양다리가 뻣뻣하게 펴질 수도 있기 때문이다. 아이의 한쪽이나 양쪽 다리 움직임과 함께 시작되는 몸통 하부 회전은 누워 있다가 굴러서 엎드리기처럼 자세를 바꾸기 전에 준비 활동으로 이용할 수 있다(중재 5-11). 아이의 엉덩이와 무릎이 너무 심하게 굽어서 모음되면 양 무릎 안쪽에서 바깥쪽으로, 양 무릎에서 엉덩이까지 아래로 압력을 가해서 양다리를 벌림시키면서 아이의 골반을 부드럽게 흔들어 준다. 그러면 아이의 양다리가 천천히 뻗으면서 벌림될 수 있다(중재 5-12). 일반적인 긴장 항진이 나타날 때는 팔다리마비 아동(quadriplegic cerebral palsy)의 경우처럼 아이를 공 위에 눕혀 천천히 흔들면 긴장이 충분히 줄어들어서 옆으로 구르기나 엎드려서 머리 들기 같은 움직임 이행이 나타나기 시작할 수 있다(중재 5-13).

중재 5-10 교대로 골반 압박하기

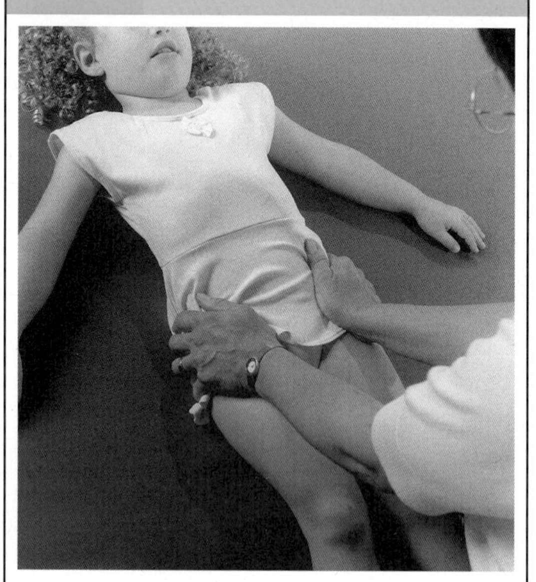

두 손으로 골반 양쪽을 교대로 압박하면 근긴장을 줄이고, 골반과 다리 운동을 촉진시킬 수 있다.

머리와 몸통 조절을 증진키시는 중재

다음의 자세잡기와 핸들링 중재들은 다양한 장애가 있는 아동에게 사용할 수 있다. 아동은 꼿꼿한 자세에서 몸통을 조절할 수 있기 전에 어느 정도의 머리 조절 능력을 갖추어야 한다. 그렇기 때문에 다음의 중재를 발달 순서대로 정렬하였다. 머리와 몸통 조절은 앉기와 서기 둘 모두에 반드시 필요한 요소들이다.

머리 조절

엎드린 자세와 누운 자세, 지지하고 앉아 몸을 꼿꼿이 세운 자세에서 자세잡기를 통해 머리의 조절 능력을 키우는 몇 가지 다양한 방법들을 소개하겠다. 이러한 중재들은 적절한 조절 능력을 보이지 못하는 아동의 머리 조절 발달을 증진시킬 때 사용할 수 있다. 많은 중재들은 치료 시나 가정 프로그램의 일환으로 사

중재 5-11 몸통 아래 회전과 누웠다가 굴러서 엎드리기

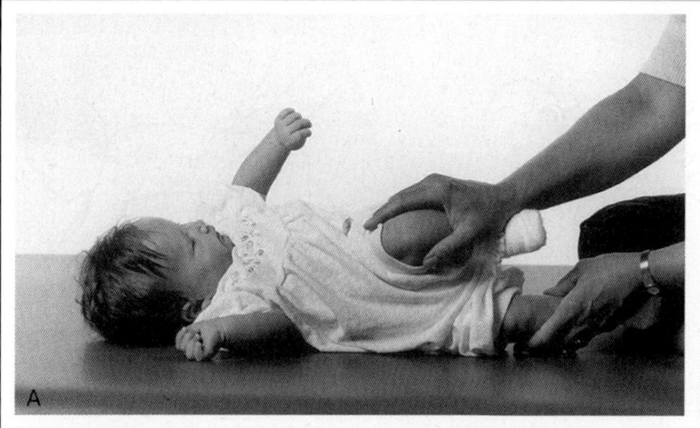

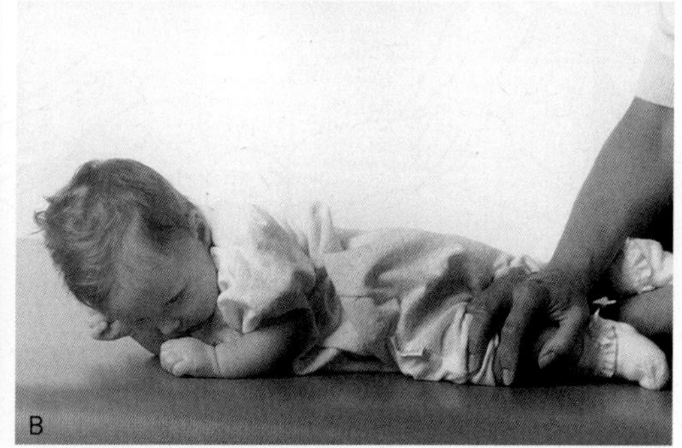

한쪽 다리를 다른 쪽 다리 위로 굽혀서 몸통 아래를 회전시키고, 누웠다가 굴러서 엎드리기 자세를 유도한다.

중재 5-12 몸통 아래 회전과 골반 흔들기

모음 근긴장이 증가한 상태에서 다리의 벌림을 돕기 위해서 몸통 아래를 회전시키고, 골반을 흔든다.

용할 수 있다. 어떤 중재를 사용할지는 물리치료사의 철저한 검사를 바탕으로 결정해야 하고, 아동 관리 계획에 치료 목적을 요약해 놓아야 한다.

머리 조절 증진 자세잡기

볼스터와 웨지, 하프 롤 위에 엎드리기. 엎드리기는 보통 갓난아기가 처음으로 머리를 들 수 있는 자세이다. 그러므로 머리 조절 발달 증진에 사용하는 첫 자세이기도 한다. 유아가 작은 롤이나 볼스터 위에 있을 때는 가슴이 지면에서 들리고, 이 덕분에 머리 무게에 대한 부담을 줄일 수 있다. 이 자세에서 유아의 팔은 롤 앞에 놓을 수 있어서 머리를 들어 올릴 수 있는 역학적 이점이 커진다. 아이의 양쪽 팔꿈치는 어깨 아래에 놓여서 돌림근띠 근육의 지지 반응을 이끌어내는 체중지지 입력 정보를 제공해야 한다. 거울과 밝은 색의 장난감, 혹은 소리 내는 물건 같은 시청각 자극은 아이의 머리 들기를 유도해낼 때 사용할 수 있다. 머리 들기에 성공하면 어떤 자세에서도 머리를 정중앙에 놓고 몇 초 동안 유지할 수 있게 된다. 유아의 몸 전체를 지지하고 두 팔을 앞으로 내밀게 할 때는 웨지를 사용할 수도 있다. 하프 롤의 장점은 롤이 움직이지 않기 때문에 유아가 롤에서 굴러 떨어질 가능성이 적다는 것이다. 아동이 하프 롤이나 아동의 팔 길이와 같은 높이의 웨지 위에 있을 때는 팔 지지가 훨씬 쉬워질 수 있다(중재 5-14A).

웨지나 하프 폴 위에 눕기. 균형 잡힌 머리 조절에는 항중력 목굽힘이 필요하다. 대부분의 아동은 생후 5개월경에 항중력 목굽힘을 보이지만 장애 아동에게는 목폄보다 항중력 목굽힘 발달이 훨씬 더 어렵다. 특히 근본적으로 폄근긴장을 보이는 아동은 더더욱 그러하다. 웨지나 하프 롤 위에 누워서 준비 자세를 취하면 머리를 들기 위해서 중력에 저항하는 자세를 잡기가 훨씬 쉬워진다(중재 5-14B). 아이가 누워서 머리를 정중앙에 두고 유지할 수 있도록 격려해야 한다. 수건을 돌돌 말아 아치를 만들어 이용하거나 시각 초점을

중재 5-13 긴장 감퇴와 머리 들기를 위한 공 사용

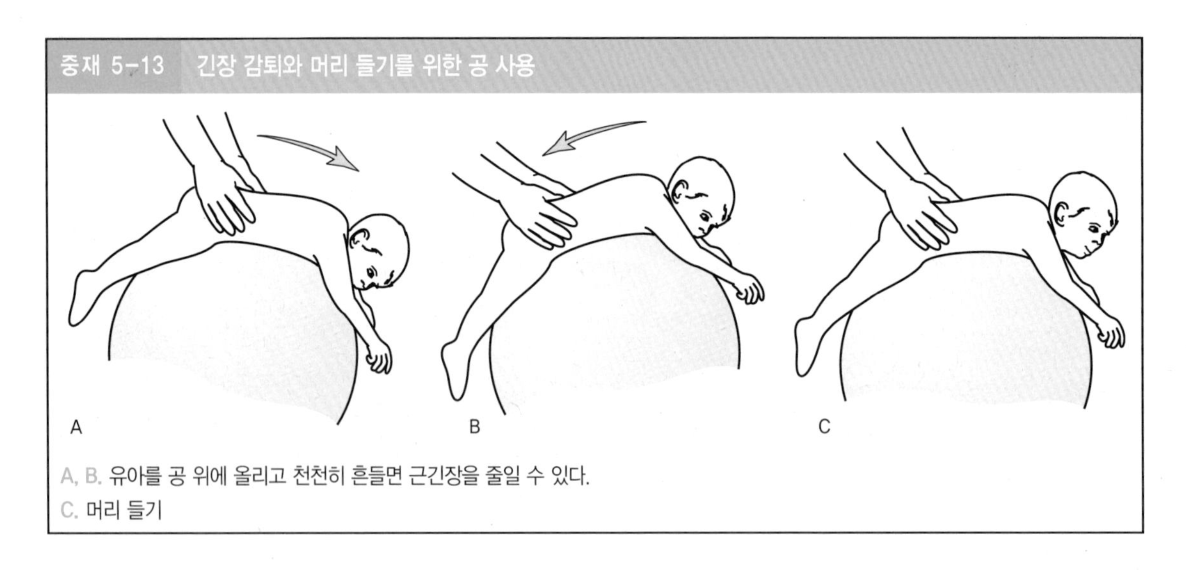

A, B. 유아를 공 위에 올리고 천천히 흔들면 근긴장을 줄일 수 있다.
C. 머리 들기

제시해서 정중앙 유지 자세를 장려할 수 있다. 장난감이나 물체를 막대기나 모빌 같은 틀에 붙여 아이 앞에 두면 아이가 양팔을 뻗도록 유도할 수 있다. 아이가 머리를 앞으로 움직일 수 없다면 누워 있기보다는 꼿꼿이 서 있는 자세에 더 가깝게 아이의 몸을 좀 더 기울이는 것이 효과적일 수 있다. 이때 유아 의자나 의자 바닥에 벨크로가 있어서 다양한 각도 조절이 가능한 유아 식탁 의자를 사용할 수도 있다(중재 5-14C).

머리 조절 증진 중재

끌어당겨 앉히기 변형 자세. 시작 자세는 누워 있기이다. 아동을 끌어당겨 앉힐 때 아이의 머리가 중력의 힘과 수식선 상에 놓이는 첫 부분에서 아이의 머리를 조절하기가 가장 힘들다(그림 5-9). 이때 아이는 그러한 움직임을 시작할 수 있는 힘을 충분히 가지고 있어야 한다. 장애 아동을 끌어당겨 앉힐 때는 아이의 머리가 심하게 뒤로 젖혀질 수도 있다. 그러므로 장애 아동을 보다 더 쉽게 끌어당겨 앉히려면 방법을 바꿀 필요가 있다. 물리치료사가 아이의 어깨를 지지해주고, 아이를 자신 쪽으로 돌려서 대각선 방향으로 아이를 앉히기 시작해야 한다(중재 5-15). 이때 아이가 머리와 상체를 앞으로 움직여 앉을 때까지 기다려야 할 필요가 있다. 이 아이는 수직 자세를 취했을 때 이 변형 동작의 마지막 부문에서만 자발적인 움직임을 보일 지도 모른다. 아이가 어깨를 올려서 그 움직임을 강화하려고 한다면 물리치료사는 집게손가락으로 아이의 어깨를 눌러서 대상 작용(substitution)을 막을 수 있다. 머리 조절 개선 상태는 다양한 자세에서 머리를 정중앙에 유지하는 능력이나 목 바로잡기 반응, 혹은 끌어당겨 앉히기 변형 동작을 취하는 과정에서 좀 더 일찍부터 나타나는 자발적인 움직임으로 측정할 수 있다. 아이의 머리 조절 능력이 개선되면 최대한 중력에 저항하기 위해서 목 근육에 힘을 주고 몸통 회전을 사용하는 일이 줄어든다. 팔꿈치와 손과 같은 먼쪽 부위와 접촉해서 끌어당겨 앉히기 자세를 시작할 수 있다(중재 5-2). 관절이 과도하게 이완된 아동에게는 이러한 먼쪽 맨손 접촉이 바람직하지 못하다.

지지하고 앉기 자세에서 상체 세우기. 아이와 중력의 관계에 있어서 상체를 세워서 지지해주는 앉기 자세(상자 5-1)는 머리의 방향이 중력의 힘과 일치하기 때문에 머리 조절을 유지하기가 훨씬 쉬운 자세일 것이다. 이때는 아이의 머리 위치와 중력의 힘이 평행선상에 있지만(그림 5-9) 아이가 누워 있거나 엎드려 있을 때는 머리 들기 시작 시점에서 머리의 위치가 중력의 힘과 수직을 이룬다. 이러한 관계 때문에 아이는 수직으로 세워진 자세나 지지를 받아 꼿꼿이 앉혀진 자세에서 머리를 유지하기보다는 눕거나 엎드린 자세에서 머리 들기가 더 어렵다. 그렇기 때문에 갓난아이

중재 5-14 머리 조절 촉진 자세

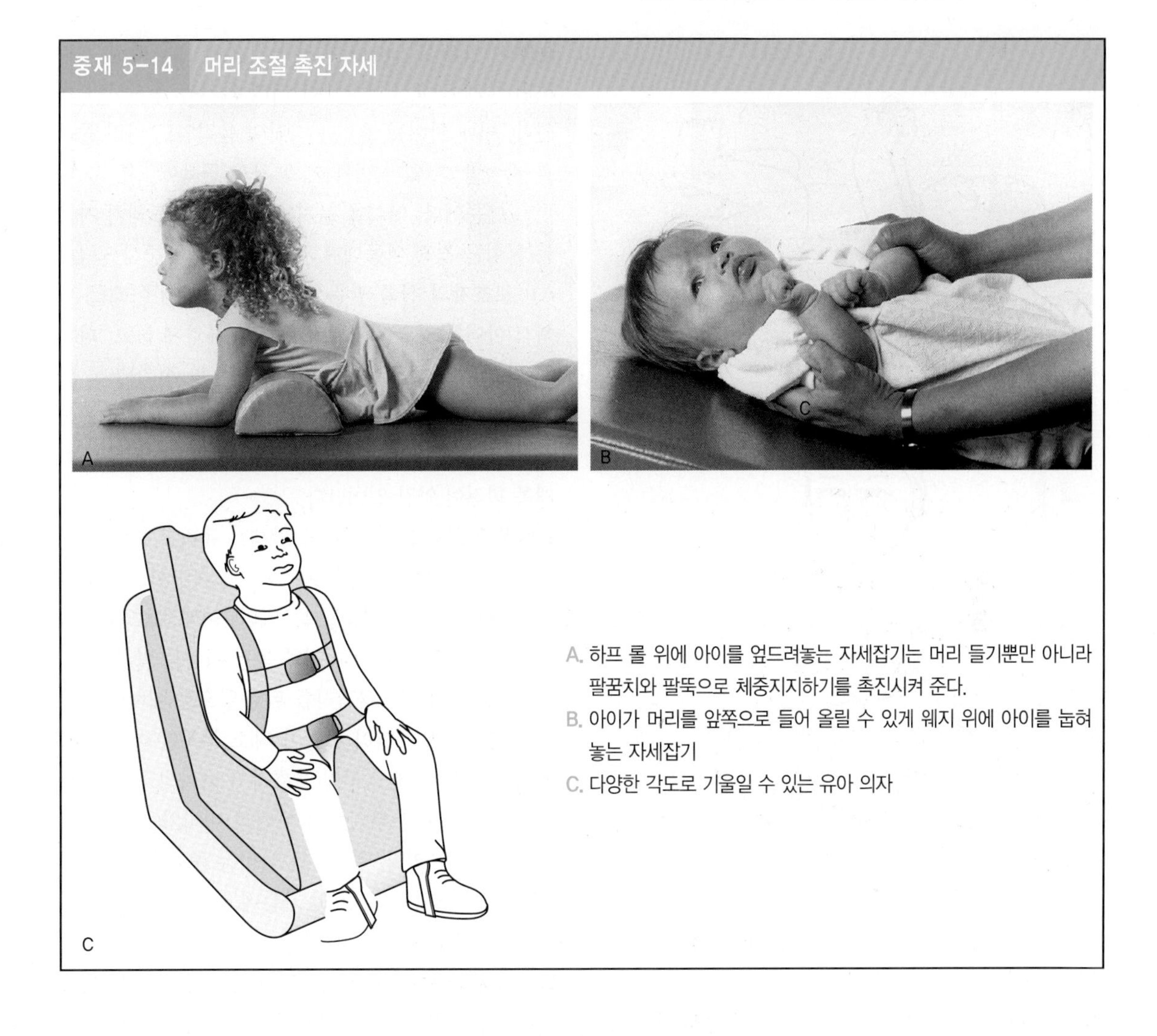

A. 하프 롤 위에 아이를 엎드려놓는 자세잡기는 머리 들기뿐만 아니라 팔꿈치와 팔뚝으로 체중지지하기를 촉진시켜 준다.
B. 아이가 머리를 앞쪽으로 들어 올릴 수 있게 웨지 위에 아이를 눕혀 놓는 자세잡기
C. 다양한 각도로 기울일 수 있는 유아 의자

를 끌어당겨 앉히려고 할 때 아이의 머리가 완전히 뒤로 젖혀지는 것이다. 그러나 아이가 앉기 시작하면 머리가 좀 더 안정적으로 어깨 위에 놓이는 것 같다. 눕거나 엎드린 아이는 목 굽힘근만 사용하거나 폄근만 사용해서 머리를 들어올린다. 똑바로 앉은 자세에서 머리 조절을 유지하려면 굽힘근과 폄근의 균형이 필요하다. 지지를 받아 꼿꼿이 앉혀진 자세가 수직으로 곧게 세워진 자세와 다른 유일한 차이점은 몸통이 지지를 받아서 척추와 골반이 근접해져 고유수용 정보를 어느 정도 제공받을 수 있다는 것이다. 어깨 아래나 주변을 맨손으로 접촉하면 머리를 지지할 수 있다(그림 5-10). 아이와 시선을 마주치는 것도 아이의 머리 안정성에 도움이 된다. 시선 접촉으로 똑바른 자세의 방향을 잡아주는 안정적인 시각 입력 정보가 아이에게 전달되기 때문이다. 아이를 유아 의자나 유아 식탁의자에 앉혀두면 머리 조절 능력이 한층 더 촉진시킬 수 있다. 그러나 이러한 의자에 유아를 앉힐 때는 항상 안전에 신경을 써야 한다. 아이가 앞으로 쓰러지지 않도록 막아주는 안전벨트나 어깨 하네스(shoulder harness)를 채우지 않고 유아 시트나 다른 보조 장비에 아이 혼자 앉혀서는 안된다. 아이를 지속적으로 감시하고 있는 상태가 아니라면 그런 보조 장비를 탁자 위에 절대 올려놓지 않는다.

지지하고 똑바로 앉기 자세에서 체중 이동하기. 이 자

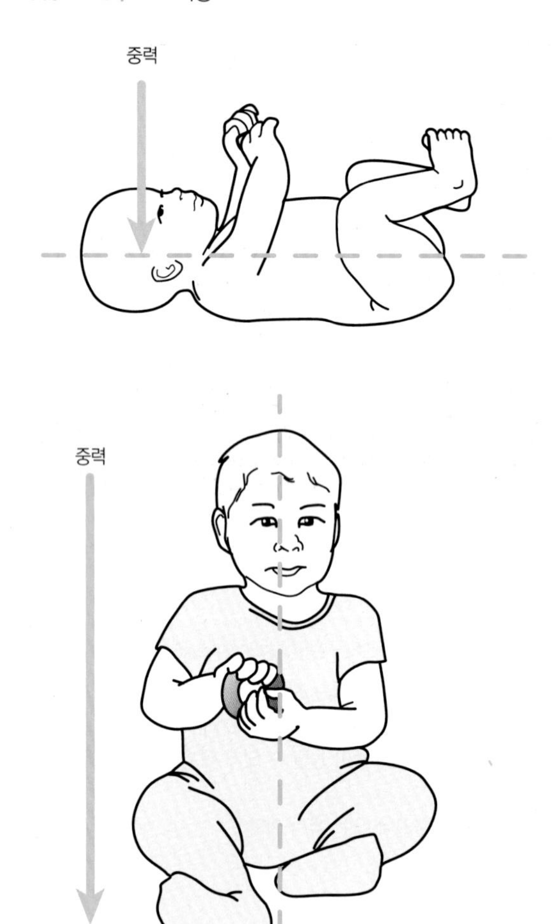

그림 5-9. 지지하고 눕기와 지지하고 앉기 자세에서 머리와 중력의 관계

세의 시작점은 아이가 보조원이나 보호자의 무릎에 앉아서 양팔 아래나 어깨 주변을 지지받는 상태이다. 이때 아이가 조금의 불편함도 없이 몸통 위쪽 안정성을 어느 정도 확보할 수 있도록 단단하게 아이를 지지해 줘야 한다. 본래부터 아이의 머리는 이 자세에서 안정되어 있기 때문에 정중선에서 조금씩 체중을 이동시키면 아이는 머리를 정중선에 두고 유지하려고 한다. 가능하다면 시각적으로 아이의 관심을 끌기만 해도 아이가 체중 이동 시에 머리를 유지하거나 바로잡도록 도울 수 있다. 아이가 그러한 도전을 받아들일 수 있게 되면 더 큰 체중 이동을 시도해 볼 수 있다.

엎드린 자세로 옮기기. 아이의 시작 자세는 엎드리기이다. 엎드리기는 머리를 들기 가장 쉬운 자세이기 때문에 아이를 엎드려 놓고 몸통의 정중선을 따라 지지하면 중재 5-4, F에서처럼 머리 들기를 촉진시킬 수 있다. 이때 아이를 옮기는 사람의 움직임도 머리 들기를 자극할 수 있다. 안뜰계가 자세 근육에 영향을 미치기 때문이다. 아이를 옮기는 또 다른 엎드리기 자세는 굽힘근 경직 아동에게 사용할 수 있다(중재 5-16, A). 보호자의 한쪽 팔뚝으로 아이의 어깨 아래를 받쳐서 아이의 양팔이 앞으로 쭉 뻗어나가게 하고, 다른 쪽 팔뚝은 아이의 한쪽 허벅지를 쭉 펼 수 있도록 아이의 허벅지 받친다. 이때 아이의 골반이 아래로 떨어져 흔들리는 다리의 무게 때문에 뒤틀리면서 몸통 아래쪽 회전이 약간 일어난다.

똑바로 앉혀서 옮기기. 시작 자세는 똑바로 앉기이다. 머리 조절 발달에서 목 근육 사용을 촉진시키려면 아이를 똑바로 앉혀서 옮길 수 있다. 이때 보호자은 자신의 가슴으로 아이의 머리와 몸통 뒤쪽을 받칠 수 있다(중재 5-16, B). 아기띠를 뒤나 앞으로 매서 아이를 옮길 수도 있다. 머리 조절이 다소 부족한 아동의 경우에는 중재 5-4, A처럼 보호자이 아이의 올라간 팔꿈치가 구부러진 부위에서 아이의 머리와 어깨 뒤쪽을 받쳐줄 수 있다. 좀 더 큰 아이는 중재 5-16 그림에서처럼 머리를 보호자의 가슴에 기대기보다는 상체를 좀 더 꼿꼿이 세워야 한다.

해먹이나 평판그네에 엎드리기. 시작 자세는 엎드리기이다. 해먹이나 평판그네를 이용해서 움직임을 자극하면 안뜰계 입력 정보를 제공해서 엎드려 있는 아이의 머리 조절을 촉진시킬 수 있다. 그물 해먹을 사용할 때는 해먹에 베개를 놓아두고, 그 베개 위에 아이를 올려놓아야 한다. 아이가 정중선에서 머리를 들어올릴 수 없을 때는 아이의 머리를 지지해야 한다(그림 5-7참조). 머리 조절이 개선되면 머리 지지를 점차적으로 줄여 나갈 수 있다. 안뜰계 자극을 사용할 때는 지속적인 리듬이 아니라 움직임 방향의 변화를 감지해서 자극의 양과 강도를 다양화해야 한다. 얼굴이 붉어진다거나 땀이 흐른다거나 구토가 나오는 것 같은 과도한 자극의 징후가 나타나는지 항상 살펴봐야 한다. 안뜰계 자극은 발작을 일으키기 쉬운 아이에게도

중재 5-15 끌어당겨 앉히기 변형 자세

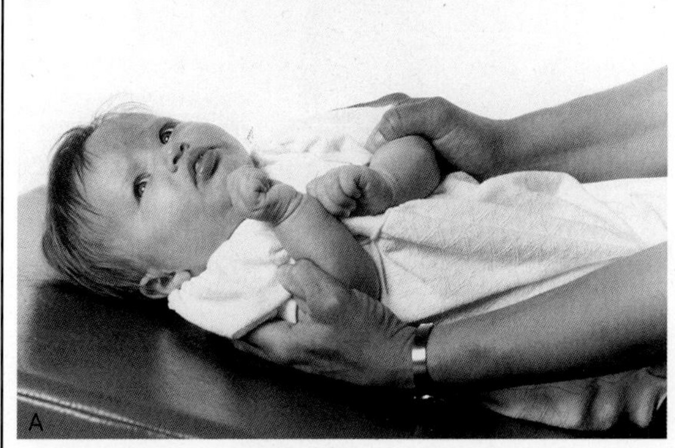

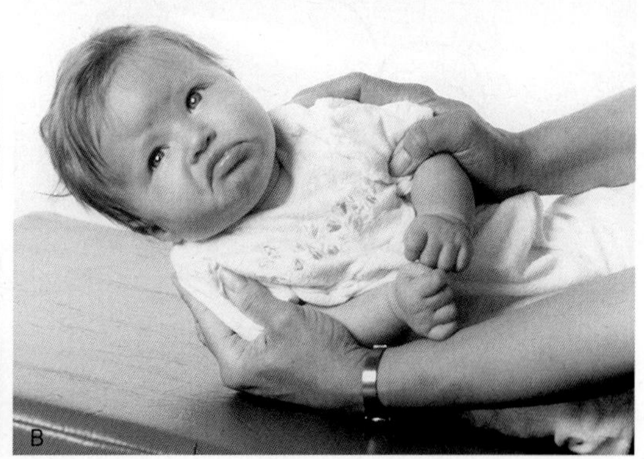

A. 아이가 머리를 앞쪽으로 들어 올릴 수 있게 기울어진 표면에 아이를 눕혀놓는 자세.
B. 아이의 어깨를 지지하고, 아이를 자신 쪽으로 회전시켜서 대각선 방향으로 앉히기 시작.

상자 5-1. 지지하고 앉기 진행 과정

1. 소파 모서리에 앉기
2. 코너 의자나 빈 백 의자에 앉기
3. 볼스터나 하프 롤 위에서 한 팔로 몸을 지지하고 옆으로 앉기
4. 베개나 공 같은 물체에 기대어 양팔을 앞으로 뻗고 앉기
5. 높은 유아 의자에 앉기

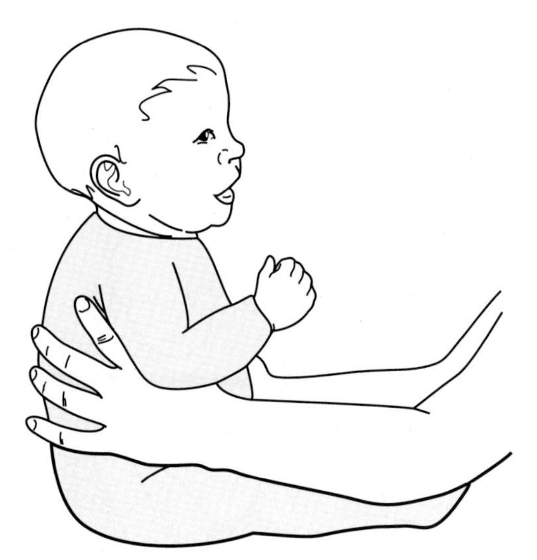

그림 5-10. 지지하고 앉기 자세에서 머리 조절이 일찍 나타나는 경우.

사용할 수 있다. 그러나 아이가 시각적 입력 정보에 반응해서 발작을 일으킨다면 시각 자극을 피해야 한다. 이런 아동은 눈가리개를 해주거나 야구 모자를 눈 쪽으로 푹 눌러 씌워줘서 시각 자극을 피할 수 있게 해 준다.

몸통 조절

독립적인 앉기를 위한 자세잡기

앞서 설명했듯이 앉기는 팔 기능을 위한 자세이다. 먹기와 옷 입기, 목욕하기와 같은 자기 돌봄 활동들을 하려면 물건을 가지고 놀 때처럼 상지가 필요하기 때문이다. 독립적인 앉기를 위한 자세잡기는 일어서기보다 아이의 종합적인 기능 수준에 보다 더 결정적인 요소일지도 모른다. 특히 아이의 잠재적인 보행 능력이 의심된다면 더욱 그렇다. 독립적인 앉기는 많은 방법으로 습득할 수 있다. 지지하고 앉기도 독립적이라고 할 수 있다. 그러나 한 손이나 두 손을 자유롭게 사용해서 의미 있는 활동을 하지 않는 한 기능적인 자세가 될 수 없다. 난이도에 따른 앉기의 진행 과정은 상자 5-2에 나와 있다.

양팔 앞으로 뻗어 지지하고 앉기. 시작 자세는 아이가 양팔을 뻗어서 체중을 지지하고 앉은 자세이다. 다리를 벌림시켜 뻗고 앉기나 고리 모양으로 앉기, 양반

중재 5-16 머리 조절 증진 옮기기 자세

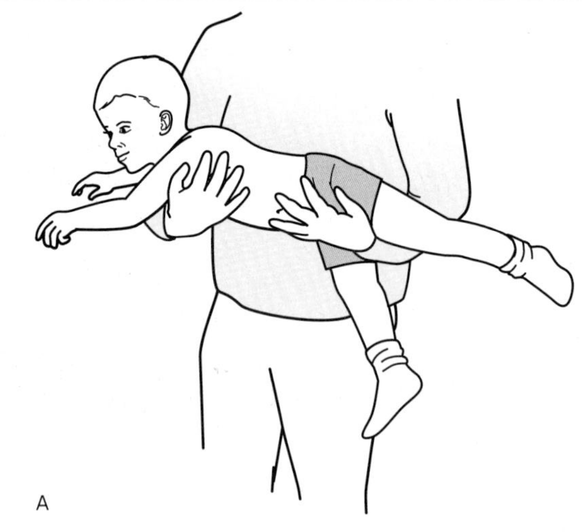

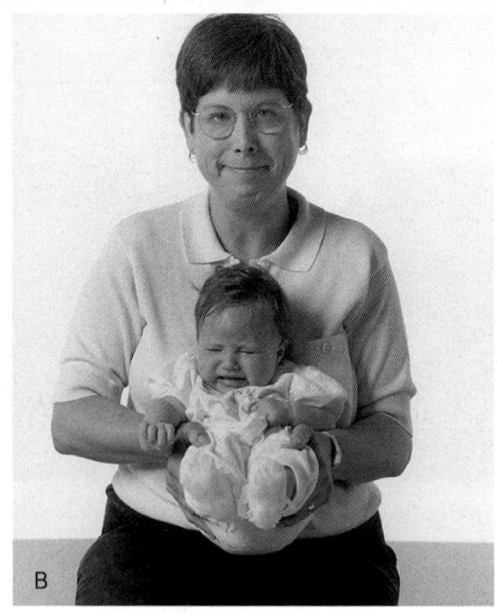

A. 굽힘근 경직 아동의 경우에는 보호자이 아이의 어깨 아래에 한쪽 팔뚝을 넣어 아이의 양팔을 앞으로 뻗게 하고, 다른 쪽 팔뚝은 아이의 허벅지 사이에 넣어 아이의 한쪽 엉덩이를 펴준다.
B. 아이를 똑바로 앉혀서 옮길 때 보호자이 가슴으로 아이의 머리를 지지해 준다.

다리 앉기(tailor sitting) 같은 다양한 앉기 자세를 이용할 수 있다. 아이가 양팔로 체중을 어느 정도 지지할 수 있어야 한다. 준비 활동으로는 전방 보호 신장(forward protective extension)이나 엎드려서 팔꿈치로 밀어올리기가 있을 수 있다. 어깨를 지나서 손으로 부드럽게 눌러 주면 이 자세를 강화시킬 수 있다. 체중지지는 그 자세를 유지하기 위해서 어깨대와 팔 근육의 지지 반응을 촉진시킨다.

한 팔 앞으로 뻗어 지지하고 앉기. 시작 자세는 앞 단락에서 설명했듯이 앉기이다. 양쪽 지지가 가능할 때 이 자세에서 체중을 이동시키면 체중을 실지 않은 한쪽 팔을 뻗거나 그 팔로 지시하는 동작을 촉진시킬 수 있고, 한 팔로 체중을 지지할 수도 있다.

한 팔 옆으로 뻗어 지지하고 앉기. 아이가 한 팔을 옆으로 뻗어서 자신의 모든 체중을 지지할 수 없다면 아이의 옆구리와 지지하는 팔 사이에 볼스터를 놓아 체중의 일부를 떠받칠 수 있다(그림 5-11). 아이가 지지하는 손 쪽으로 다른 손을 뻗게 유도하면 더 큰 체중 수용을 연습시킬 수 있다. 손을 뻗어 잡을 수 있는 물건

상자 5-2. 난이도에 따른 앉기 자세 진행과정

1. 양팔 앞으로 뻗어 지지하고 앉기
2. 한 팔 앞으로 뻗어 지지하고 앉기
3. 양팔 옆으로 뻗어 지지하고 앉기
4. 한 팔 옆으로 뻗어 지지하고 앉기
5. 손 지지 없이 앉기
6. 손으로 지지하고 옆으로 앉기
7. 손 지지 없이 옆으로 앉기

그림 5-11. 한 팔 옆으로 뻗어 볼스터 위에 놓고 앉기

의 위치를 다양하게 바꾸면 체중이 이동되고, 아이가 앉기 자세를 바꾸려고 시도할 수도 있다.

손 지지 없이 앉기. 체중을 이동시켜 지지하는 손에 체중이 덜 실리도록 만들고 지지하는 손을 뻗도록 유도하면 한 팔 지지에서 나아가 손 지지 없이 앉도록 촉진할 수 있다. 물건에 기대어 앉고 궁극적으로는 자기 몸에 기대어 앉는 자세는 체중의 중심을 앉기 기반 너머에 둘 때 사용할 수 있다. 박수치기나 풍선치기를 촉구하면 아이에게 지지하는 팔을 자유롭게 사용할 수 있는 기회를 줄 수 있다. 발로 지지하는 무릎 구부려 앉기는 손 지지하고 앉기에서 한 손 지지 앉기나 손 지지 없이 앉기로 나아가는 방법으로 사용할 수 있다.

한 팔로 지지하고 옆으로 앉기. 옆으로 앉기는 놀이 하기가 훨씬 어려운 앉기 자세이다. 그 자세를 유지하면서 양손을 자유롭게 움직여 놀이를 하려면 몸통 회전이 필요하기 때문이다. 어떤 아이들은 한 팔로 지지해도 이 자세를 취하고 유지할 수 있다. 이 자세에서는 한 손만 자유로워져서 양손 활동을 하지 못한다. 이번에도 볼스터를 사용하면 지지하고 옆으로 앉기 자세를 유지하기가 훨씬 쉬워질 수 있다. 비대칭적 옆으로 앉기는 반신마비 아동처럼 체중지지를 피해야 하는 아동이 엉덩이로 체중을 지지하도록 개선해줄 때 사용할 수 있다. 이때 다리의 위치는 비대칭적이다. 아래쪽 다리가 바깥쪽으로 회전해서 벌림되는 동안 위쪽 다리는 안쪽으로 회전해 모음된다.

손 지지 없이 옆으로 앉기. 독립적인 옆으로 앉기 자세는 상기 단락에서 설명한 것과 동일한 방법으로 촉구할 수 있다.

몸통 회전과 몸통 조절을 증진해 주는 움직임 이행

아이가 한 자세를 비교적 안정적으로 유지하면 즉각적으로 동적 조절을 발달시켜 나갈 필요가 있다. 제일 먼저 할 일은 한 자세를 유지하면서 사방으로 체중을 이동시키는 것이다. 특히 이행을 하거나 자세를 바꾸는 방향으로 체중을 이동시킨다. 기능적 활동에 흔히 사용하는 움직임 이행들을 아래에 소개하겠다. 이러한 이행들은 치료 시에 사용할 수 있고, 모든 가정 프로그램의 중요한 일부가 될 수도 있다.

누운 자세에서 하지를 이용해 굴러서 엎드리기. 시작 자세는 눕기이다. 이 이행은 중재 5-17에 나와 있다. 치료사가 오른 손으로 아이의 오른쪽 다리의 발목 위쪽을 잡아서 아이의 무릎을 부드럽게 가슴 쪽으로 밀어 올린다. 아이의 오른쪽 다리를 계속해서 몸 너머로 움직여 아이가 옆으로 눕거나 엎드릴 때까지 구르기 동작을 시킨다. 양방향을 번갈아가면 아이를 회전시킨다. 처음에는 아이가 통나무나 하나의 완전한 단위인 것처럼 구른다. 그러나 아이가 성숙하면서 분절 회전이나 분절 구르기를 보여 준다. 이 움직임을 시작할 때 하지를 사용한다면 골반과 몸통 하부가 몸통 상부와 어깨보다 먼저 회전한다. 아이가 이 움직임을 많이 연습할수록 치료사가 도와주는 일이 점점 줄어들고, 급기야는 청각 신호나 시각 신호만 줘도 아이의 구르기를 유도해낼 수 있다. 혹은 아이가 한 팔을 뻗어 혼자서 구르기를 할 수 있다.

누운 자세에서 앉기. 시작 자세는 눕기이다. 이때 치료사는 아이의 옆에 자리를 잡는 아이의 몸 건너편으로 손을 뻗어 가장 멀리 떨어져 있는 손을 잡는다. 이어서 아이의 팔을 몸 건너편으로 당겨 와서 아이가 옆으로 누워 다른 쪽 팔로 체중을 지지하게 한다. 아이의 하지를 안정시켜서 몸통이 회전하고 다리 회전과 분리되도록 한다.

엎드린 자세에서 앉기. 시작 자세는 엎드리기이다. 아이를 회전시킬 방향 쪽의 신체를 늘여 준다. 아이를 계속 굴려서 옆으로 눕히고, 이어서 다음 단락의 옆으로 누운 자세에서 앉기와 똑같이 진행한다.

옆으로 누운 자세에서 앉기. 시작 자세는 아이가 치료사를 등지고 머리를 한쪽으로 돌려놓은 채 옆으로 누워 있는 자세이다. 이때 아이의 다리는 구부러져 있어야 한다. 다리 분리가 바람직하다면 아이의 다리는 구부러져 있어야 하고, 위쪽 다리는 쭉 펴져 있어야 한다. 아이 어깨의 가장 윗부분을 부드럽게 눌러서 아래쪽과 측면으로 쓸어내린다. 아이가 한쪽 팔꿈치로 지지하는 자세를 취하기 힘들어한다면 한 손으로 아이

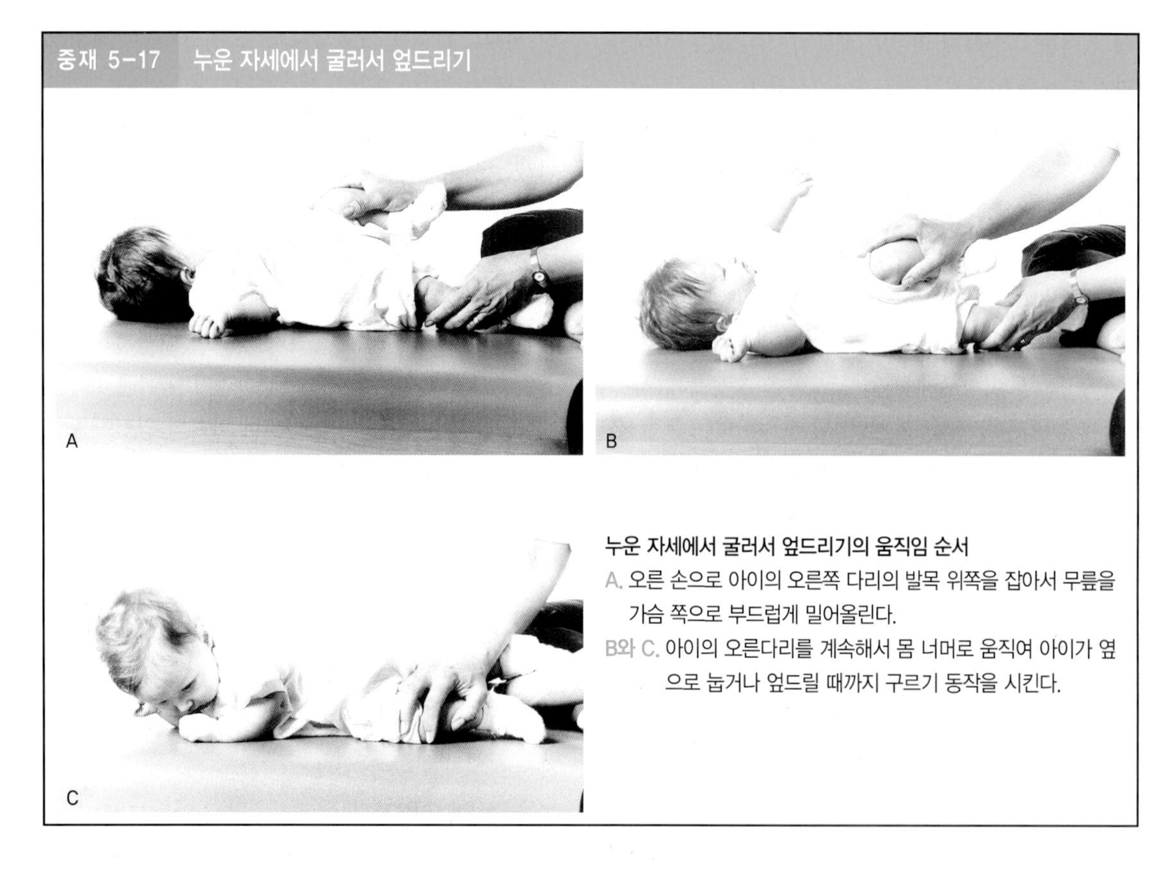

중재 5-17 누운 자세에서 굴러서 엎드리기

누운 자세에서 굴러서 엎드리기의 움직임 순서

A. 오른 손으로 아이의 오른쪽 다리의 발목 위쪽을 잡아서 무릎을 가슴 쪽으로 부드럽게 밀어올린다.

B와 C. 아이의 오른다리를 계속해서 몸 너머로 움직여 아이가 옆으로 눕거나 엎드릴 때까지 구르기 동작을 시킨다.

의 아래쪽 팔을 잡아 적절한 자세를 잡아준다. 이때 치료사는 굽어진 엉덩이 부분 너머 대각선 방향으로 체중을 이동시키기 위해서 위쪽 손으로 엉덩이 윗부분을 움직일 수 있고, 아래쪽 손으로는 아이가 아래로 뻗은 팔로 몸을 밀어 올리도록 도와줄 수 있다. 이러한 움직임 진행의 일부분은 중재 5-2에 나와 있다.

이런 아이의 움직임은 특정한 범위 내의 조절을 개선시키거나 움직임의 특정한 부분을 증진시키기 위해서라면 언제든지 도중에 중지시킬 수 있다. 이 아이는 손으로 지지하거나 지지하지 않고 앉게 되고, 이 자세를 종료하기 위해 지지가 더 필요하다면 볼스터나 하프 롤 위에 팔을 놓아 몸을 지지할 수 있다. 이러한 아동의 앉기 자세는 다리를 벌림시켜 뻗고 앉기에서 한쪽 팔이나 양쪽 팔을 앞으로 뻗어 지지하고 앉기, 반고리 모양으로 앉기, 혹은 지지 없이 앉기까지 다양하게 나타날 수 있다. 아이가 이러한 자세들을 유지할 수 있다면 지지 없이도 유지할 수 있다.

앉아 있다가 엎드리기. 이러한 이행은 앉아서 놀다가 바닥으로 돌아갈 때 사용한다. 옆으로 누워 있다가 앉기의 반대라고 볼 수 있다. 다시 말하면 아이가 체중을 한쪽 측면으로 이동시키고, 처음에는 한 팔을 뻗은 후, 이어서 팔꿈치로 체중을 지지한다. 마지막으로 지지하던 팔을 뒤집어서 엎드리는 자세를 취한다. 몇몇 다운 증후군 아동은 두 다리를 넓게 벌림시켜서 몸을 낮춰 엎드린다. 두 다리를 흔들어 몸 뒤쪽으로 멀리 보내면서 쫙 뻗은 두 팔에 몸을 기댄다. 반신마비가 있는 아동은 건측을 이용해 몸을 움직이거나 앉은 자세에서 엎드리기로 이행하기 쉽다. 그렇기 때문에 체중을 환측으로 이동시켜 환측으로 움직이고, 가능한 환측 상지에 많은 체중을 싣도록 유도해야 한다. 양다리마비가 있는 아동은 신체의 양측 모두를 움직이는 연습을 해야 한다.

엎드려 있다가 네발 기기. 시작 자세는 엎드리기이다. 엎드려 있다가 네발 기기를 촉진하는 가장 쉬운 방법은 중재 5-18에서처럼 어깨자극(cue)에 이어서 엉덩이의 자극을 결합해서 사용하는 것이다. 처음에는 아이의 등 위쪽으로 손을 뻗어서 등 위쪽을 부드럽게 들어 올린다. 이 움직임을 시작할 때 아이의 양팔은 상체 옆에 구부러져 있어야 한다. 양어깨가 올라가면서 아이는 양팔뚝을 몸 아래쪽에 끌어당겨 놓고 팔꿈치로 지지하고 엎드리거나 강아지 자세를 취할 수 있다. 아이가 양팔을 쭉 펴서 상체를 밀어 올릴 때까지 아이를 계속 들어 올려준다. 쭉 뻗은 양팔로 체중을 지지하는 것은 네발기기 자세를 취하는 전제 조건이다. 아이가 양팔을 뻗는 자세 유지를 위해서 도움이 필요하다면 보호자이 아이의 팔꿈치를 받쳐주거나 소아용 공기 부목을 사용할 수 있다. 다음에는 아이의 엉덩이를 들어 올려 네발 자세를 취할 수 있을 만큼만 발쪽으로 당긴다. 아이의 복부 아래를 추가로 지지해 줘야 한다면 볼스터나 작은 스툴, 아니면 베개를 사용해서 그 자세를 유지할 수 있도록 도울 수 있다. 네발 자세는 아이가 무릎 서기나 앉기로 이행하기 위해서 사용하는 자세에 불과하다는 사실을 명심하기 바란다. 정상적인 발달을 보이는 아동이 네발로 기는 법을 배우지는 않는다. 근긴장의 우세 유형에 따라 엎드린 자세에서 대체로 굽힘근긴장을 보여주는 몇몇 아동은 기기를 배우기 어려워할 수도 있다. 발달 지연과 최소한의 비정상적인 자세 긴장을 보이는 아동은 기기를 배울 수 있다.

네발 자세에서 옆으로 앉기. 시작 자세는 네발 자세이다. 아이가 네발 자세를 유지할 수 있게 되자마자 옆으로 앉기를 시도한다. 이러한 이행에는 아이가 회전된 위치에서 몸통을 낮추는 조절 능력이 작용한다. 몸통 하부 움직임과 몸통 위쪽의 움직임을 분리하는 것도 연습할 수 있다. 전제 조건은 아이가 넘어지지 않고 대각선 체중 이동을 조절하거나 견딜 수 있어야 한다는 것이다. 대각선으로 체중을 이동시키는 것은 불가능하나 앞쪽과 뒤쪽으로는 체중 이동을 상당히 많이 할 수 있다. 대각선 체중 이동이 불가능한 아동은 흔히 발꿈치를 깔고 앉거나 엉덩이를 두 발 사이에 두고 앉는다. 후자는 다리 뼈와 관절의 발달에 큰 영향을 미칠 수 있는 자세다. 아이가 옆으로 앉기 자세를 어느 정도까지 수행할 수 있는가는 네발 자세에서 바로 바닥에 옆으로 앉기 자세를 취할 수 있는지, 아니면 베개나 낮은 스툴에 기대어 옆으로 앉은 자세로 끝나는 지로 결정할 수 있다. 움직이기 어려운 방향이 있다면 그 반대 방향으로 움직이는 연습을 먼저 해야 한다.

네발 자세에서 무릎 서기. 시작 자세는 네발 자세이다. 무릎 서기는 네발 자세에서 체중을 뒤로 이동시키고 이어서 엉덩이 폄을 통해 신체의 나머지 부분을 엉덩이 위로 끌어올려서 취하는 자세이다(중재 5-18, E 참조). 몇몇 뇌성마비 아동은 머리 폄을 이용해 이러한 움직임을 시작하려고 한다. 폄은 엉덩이에서 시작되어야 하고, 머리쪽으로 진행되어야 한다. 아동이 높이 조절 벤치에 양팔을 뻗어 올려서 체중을 엉덩이 쪽으로 이동시킬 수 있도록 도와주면 서기(upright position)나 양 무릎 서기 자세(tall-kneeling)를 취하는데 도움이 된다. 이렇게 해서 아동은 전체 범위로 나아가기 전에 보다 더 작은 범위 내에서 엉덩이 폄을 연습할 수 있다.

무릎 서기에서 옆으로 앉기. 시작 자세는 무릎 서기이다. 무릎 서기는 아동의 등을 곧게 세우고 엉덩이 폄을 함께 유지해야 하기 때문에 펴진 자세이다. 뿐만 아니라 엉덩이가 폄 동안 무릎이 구부러지고, 발바닥쪽 굽힘이 수동적으로 일어나서 기저면이 넓어지고 지레팔(lever arm)이 더 길어지기 때문에 분리된 자세이기도 한다. 무릎 서기 자세에서 몸을 낮추려면 넙다리네갈래근 편심성 조절(eccentric control)이 필요하다. 이때 몸을 일직선으로 낮추면 아이가 발을 깔고 앉게 된다. 한편 몸통을 회전시키면 아이가 옆으로 앉기 자세를 취할 수 있다.

무릎 서기에서 반 무릎 서기. 시작 자세는 무릎 서기이다. 반 무릎 서기로의 이행은 가장 어려운 수행 과제 가운데 하나이다. 정상적으로 발달하는 아동은 상지 지지를 이용해 이 자세를 취한다. 무릎 서기에서 반 무릎 서기로 이행할 때는 한쪽 다리에서 체중을 싣지 않아야 한다. 그러기 위해서 보통 체중을 옆으로

중재 5-18 엎드리기 자세에서 무릎 서기로의 진행 촉진

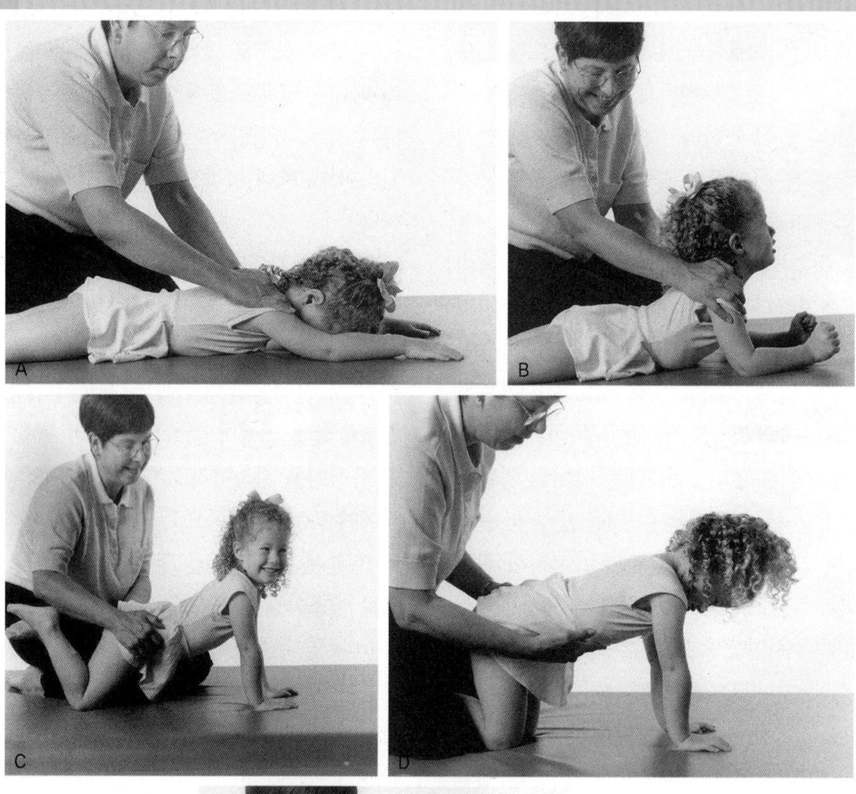

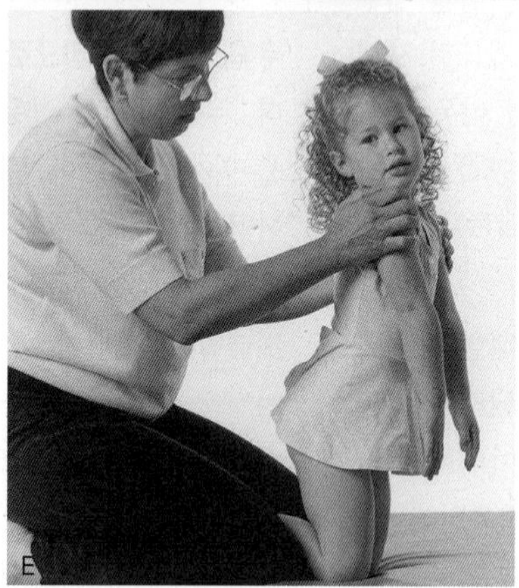

엉덩이와 어깨를 핵심 조절점(key points of control)으로 이용해서 엎드린 자세에서 팔꿈치 짚고 엎드리기, 네발 자세로 이어지는 움직임 진행 촉진하기

A. 시작 전에 아이의 양팔이 몸통 옆에 구부러져 있어야 한다. 아이의 등 위쪽으로 손을 뻗어 아이의 어깨를 부드럽게 들어올린다.

B. 아이는 어깨가 올라갈 때 팔을 몸 아래로 넣어 팔꿈치 짚고 엎드리기 자세나 강아지 자세를 취할 수 있다. 아이가 뻗은 양팔로 몸을 밀어 올릴 수 있을 때까지 아이의 어깨를 계속 들어 올린다.

C, D. 이어서 아이가 네발 자세를 취할 수 있을 만큼만 아이의 엉덩이를 들어 올려 발쪽으로 당긴다.

E. 아이의 어깨를 이용해서 네발 자세에서 무릎 서기 자세로의 움직임을 향상시킨다. 아이는 머리를 엉덩이 앞쪽으로 뻗어 내민다. 엉덩이를 핵심점으로 사용해 머리가 펴지기 전에 엉덩이를 보다 더 완벽하게 펼 수 있다.

중재 5-19 무릎 서기에서 반 무릎 서기

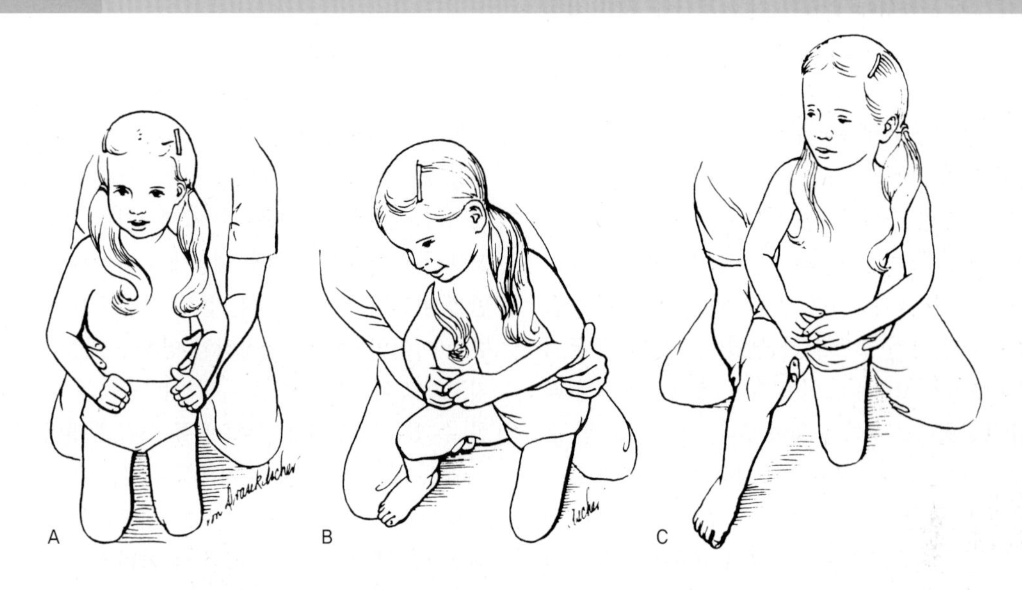

A. 아이 뒤쪽에 무릎을 꿇고 앉아서 아이의 엉덩이에 손을 올려놓는다.
B. 아이의 체중을 옆으로 이동시키되, 위 그림처럼 아이가 반대쪽으로 넘어지지 않도록 한다. 체중을 지지하는 측면의 몸통이 늘어나야 하고, 아이는 약간의 몸통 회전을 통해 반대쪽 다리를 앞으로 내밀 수 있다.
C. 아이가 반대쪽 다리를 앞으로 내밀지 못하면 상기의 그림처럼 도와준다.

(Jaeger DL의 ≪Home Program Instruction Sheets for Infants and Young Children≫에서 발췌, ©1987 Therapy Skill Builders, a Harcourt Health Sciences Company. 허가를 받아 재 제작함. 저작권 보호됨.)

옮긴다. 이때 체중이 실린 쪽의 몸통은 늘어나고, 반대쪽 몸통은 바로잡기 반응을 보이며 짧아진다. 또한 몸통이 체중이 실린 쪽의 반대쪽으로 돌아가야 체중이 실리지 않은 하지의 움직임을 도와줄 수 있다(중재 5-19). 체중이 실리지 않은 다리는 앞으로 나가고, 발은 지면에 놓인다. 이렇게 해서 앞쪽으로 나간 다리의 모든 관절이 구부러지고, 체중이 실린 다리의 무릎이 구부러진 동시에 엉덩이와 발목이 펴지는(발바닥은 굽히는) 분리된 자세가 나타난다.

서기. 시작 자세는 앉기이다. 서기는 가장 기능적인 움직임 이행 가운데 하나일 것이다. 치료사들은 모든 연령대 사람들의 이러한 움직임 이행을 연구하는 데 상당히 많은 시간을 투자했다. 아동은 처음에 굴러서 엎드려야 하고, 이어서 네발기기 자세를 취하고, 사람이나 물체에게 기어가며, 반 무릎 서기를 통해 일어서려고 해야 한다. 발달 순서에서 다음 진행 과정은 네발 기기에서 쪼그려 앉기로 이행하는 것과 사람이나 사물을 잡고 일어서는 것이다. 마지막으로 생후 18개월 아이는 보통 도움을 받지 않고 쪼그려 앉아 있다가 일어설 수 있다(그림 5-12). 복부 근육이 점점 더 강해지면서 누워 있는 아이가 한쪽으로 몸을 살짝 돌려서 한 팔로 몸을 밀어 올려 앉고, 이어서 쪼그려 앉았다가 일어선다. 가장 성숙한 유형은 누워 있다가 몸통 회전 없이 앉고, 이어서 쪼그려 앉았다가 일어서는 것이다. 엎드린 자세에서 가장 성숙한 진행 과정은 네발기기 자세에서 무릎 서기, 반 무릎 서기, 서기로 이행하는 것이다. 독립적인 반 무릎 서기는 기저면의 형태와 서로 분리되는 신체 일부분들의 수 때문에 취하기 어려운 자세다.

자세잡기와 운동성 적응 기구

자세잡기와 운동성에 필요한 적응 기구에 관한 결정은 유아나 아동을 다루는 팀의 정보를 토대로 결정해야 한다. 적응 기구로는 볼스터와 웨지, 워커(walker), 바퀴 달린 이동 기구들이 있다. 그러나 어떤 적응 기구를 사용할지는 궁극적으로 환자에게 달려 있다. 적응 기구 사용의 장벽으로는 건축학적 제약과 재정적, 미적, 행동적 제약이 있지만 여기에 국한되지는 않다. 치료사가 가장 효과적이라고 생각하는 기구를 아이들이 좋아하지 않는 경우가 가끔 있다. 어떤 기구든지 구매하지 전에 시험해 보아야 한다. 휠체어를 고를 때는 팀 접근법을 사용하는 것이 좋다. 보조 기술 팀 구성원으로는 물리치료사와 작업치료사, 언어 치료사, 학급 교사, 재활 공학자, 의료기기 판매자가 있다. 아이와 가족도 적응 기구를 사용하기 때문에 팀의 일원이 되어야 한다. 물리치료 보조사는 물리치료사를 도와서 아이가 기구를 얼마나 잘 사용할 수 있는지에 관한 피드백을 제공할 뿐만 아니라 휠체어나 적응 기구 필요성에 관한 정보를 모을 수 있다. 보조 기술에 관한 더 많은 정보를 알고 싶다면 오쉬(O'Shea)와 본피글리오(Bonfiglio, 2012), 존스(Jones)와 퍼데풋(Puddefoot, 2014)을 참조하기 바란다.

앉기 정렬의 90-90-90 규칙도 지켜야 한다. 다시 말해서 발과 무릎, 엉덩이가 거의 90도 각도로 구부러져야 한다. 이러한 굽힘 각도에서는 체중을 골반의 궁둥뼈결절뿐만 아니라 허벅지 뒤쪽에 실을 수 있다. 앉아서 정상적인 척추 만곡을 유지할 수 없는 사람은 허리 지지를 받아야 한다. 의자는 허벅지의 8분의 7만 지지할 정도로 충분히 깊어야 한다(Wilson, 2001). 허벅지의 8분의 7이상을 지지하면 무릎 뒤쪽 구조에 과도한 입력이 가하지고, 반면에 그 이하로 지지하면 그 손실을 메우기 위해 아동에게 척주뒤굽음증이 나타날지도 모른다. 이밖에도 아동이 몸통을 오랫동안 펴고 있을 수 없다면 목 폄과 어깨뼈 들임(scapular retraction), 어리뼈 앞굽음증 같은 잠재적인 문제들이 발생할 수 있다. 이런 경우에, 아동은 앞으로 넘어지는 것 같은 느낌을 받을 수 있다. 척추옆굽음증을 유발할 수 있는 몸통 비대칭을 조절하려면 외측 몸통 지지가 필요하다.

적응 기구 사용 목표

적응 기구 사용 목표는 상자 5-3에 나열되어 있다. 이러한 목표에는 자세잡기로 기대하는 바가 담겨있다. 적응 기구는 적절한 자세를 강화하기 위해 사용하는 것이기 때문이다. 예를 들어 자세잡기는 정상적 움직임에 필요한 자세 정렬을 제공해서 아이에게 자세 기반을 마련해 주어야 한다. 몸통 정렬을 바꾸면 손을 뻗는 아이의 능력에 긍정적인 영향을 미칠 수 있다. 지지하고 앉기는 기형을 유발하는 중력의 힘에 대응할 수 있는 자세이다. 특히 몸통 조절 능력이 부족해서 몸통을 똑바로 세우는 자세를 유지할 수 없는 아동에게는 더더욱 그러하다. 간단하게 아이의 발을 지지해주기만 해도 의자에 앉았을 때 골반에 대한 체중지지 부담을 상당히 덜어줄 수 있다. 적응 기구를 이용한 아동의 앉기 자세는 가능하다면 모든 척추 만곡을 유지해서 정상적으로 발달하는 아동의 자세에 근접해야 한다. 눕기와 엎드리기, 앉기, 옆으로 눕기, 서기 자세에서 자세잡기 시에 일반적으로 고려해야 하는 사항은 다음과 같다.

눕기와 엎드리기 자세잡기

아이를 볼스터나 하프 롤, 또는 웨지 위에 엎드려놓는 자세잡기는 아이가 팔과 팔꿈치, 심지어는 뻗은 양팔로 체중을 지지하게 할 때 뿐만 아니라 머리를 들도록 부추길 때 흔히 사용된다. 이러한 자세들은 중재 5-20에 나와 있다. 눕기 자세잡기는 아이 머리 위치의 대칭성을 증진시키고, 아이가 공간 내에서 손을 앞으로 뻗도록 격려하기 위해 사용할 수 있다. 웨지와 하프 롤은 굽혀져 있는 이이의 머리와 몸통 상부를 지지하기 위해 사용할 수 있다. 롤은 아이의 무릎 아래에 놓아서 굽힘을 증진할 수 있다.

앉기 자세잡기

다양한 앉기 자세는 쉽게 움직이고 자세를 쉽게 바꾸는 정상 아동이 취할 수 있다. 그러나 장애 아동도 각

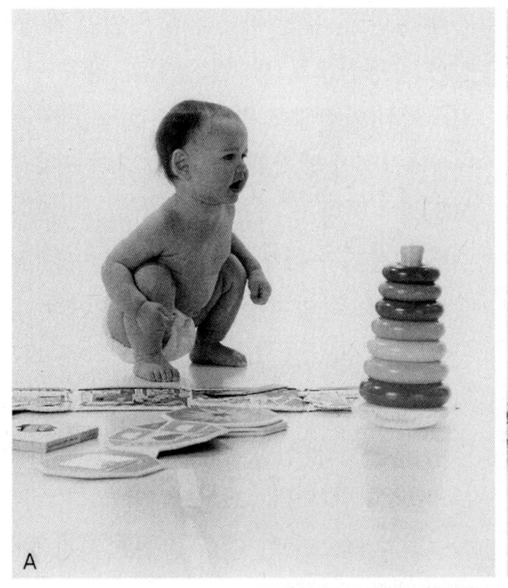

그림 5-12. A에서 C, 쪼그리고 앉은 자세에서 일어서려면 충분한 팔다리의 힘과 균형감이 필요하다.

각의 자세에 필요한 관절 범위와 근육 폄, 머리와 몸통 조절 정도에 따라서 몇몇 앉기 자세는 골라서 취할 수 있다. 아동은 보통 많은 다양한 앉기 자세를 시험적으로 취해 본다. 그 중에는 훨씬 더 습득하고 유지하기 어려운 자세들이 몇몇 있다. 두 다리를 쭉 펴고 바닥에 앉는 자세는 다리 뻗고 앉기라고 한다. 다리 뻗고 앉기를 하려면 넙다리뒤근육이 충분히 길어야 한다(그림 5-13, A). 골반이 뒤로 기울어져서 엉치뼈를 대고 앉는 경향이 있는 뇌성마비 아동은 종종 이 자세를 취하기 어려워한다(그림 5-14). 바닥에 고리 모양으로 앉아 있는 동안에는 양발바닥이 맞닿고, 무릎이 벌림되며, 엉덩이가 가쪽돌림되어 두 다리가 고리 모양을 만든다. 고리 모양 앉기는 훨씬 넓은 기저면을 제공하기 때문에 안정적인 앉기 대체 자세이다. 그러나 이 자세를 과도하게 취하면 실제로 넙다리뒤근육이 짧아진다(그림 5-13, B 참조). 양반다리 앉기 또한 넙다리뒤근육에 가해지는 압력을 덜어줄 수 있고, 몇몇 아동은 양반다리 앉기를 통해서 처음으로 궁둥뼈결절을 바닥에 대고 앉을 수 있다(그림 5-13C). 아동이 이 앉기 자세만 취하면 넙다리뒤근육은 짧아진다. 다리 근긴장 항진이 있을 때, 특히 넙다리뒤근육과 장딴지-가자미근(gastrocnemius-soleus) 근긴장이 항진되어 있을 때는 양반다리 자세의 사용 여부를 조심스럽게 평가해야 한다. 뿐만 아니라 많은 앉기 자세에서 아동의 발은 수동적으로 발바닥굽힘과 안쪽 번짐(invert)을 일으켜서 아킬레스 힘줄(heel cords) 긴장을 증진시킨다. 독립적인 앉기가 불가능하다면 적응 좌석 사용을 고려해야 한다.

취하고 풀기가 가장 어려운 자세는 옆으로 앉기인 것 같다. 옆으로 앉기는 회전된 자세이며, 한쪽 다리의 안쪽돌림(internal rotation)과 다른 쪽 다리의 가쪽돌림이 필요하다(그림 5-15A). 몸통 하부는 구부러진 다리 때문에 한쪽 방향으로 회전된다. 이때 몸통 상부는 반대쪽 방향으로 회전되어야 한다. 몸통이 충분히 회전되지 않으면 한 팔로 체중을 지지해야 옆으로 앉기 자세를 유지할 수 있다(그림 5-15, B). 어떤 아동들은 하지의 관절운동범위 제한 때문에 한쪽 옆으로는 앉을 수 있지만 다른 쪽 옆으로는 앉을 수 없다. 옆으로 앉기 자세에서 체중을 지지하는 쪽의 몸통은 무

상자 5-3. 적응기구를 사용하는 예상 목표

- 전형적인 움직임 습득이나 강화
- 적절한 자세 정렬 달성
- 구축과 기형 예방
- 사회적 상호 작용과 교육적 상호 작용 기회 증진
- 운동성 제공과 탐험 격려
- 일상생활활동 시의 독립성과 자립 기술 증진
- 생리적 기능 개선 돕기
- 안락함 증진

(윌슨(Wilson J)의 ≪Selection and use of adaptive equipment≫에서 발췌. In 코놀리(Connolly BH)와 몽고메리(Montgomery P)가 편집한 ≪Therapeutic Exercise in Developmental Disabilities≫ 2판 pp. 167-182에서 발췌. Thorofare, NJ, 2001, Slack)

중재 5-14 엎드리기 자세 지지물을 이용해서 머리 들기와 상지 체중지지 증진

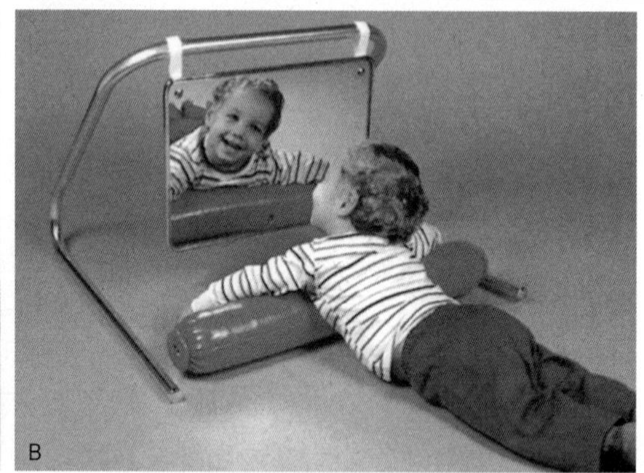

누운 자세에서 굴러서 엎드리기의 움직임 순서

A. 아이를 하프 롤 위에 엎드려놓는 자세잡기는 머리 들기와 팔꿈치 및 팔뚝 지지를 촉진한다.

B. 아이를 볼스터 위에 엎드려 놓는 자세잡기는 머리 들기와 어깨 조절을 촉진한다.

C. 아이를 웨지 위에 엎드려 놓는 자세잡기는 상지 체중지지와 상지 기능을 개선해 준다.

(B, 케이 프로덕츠의 허가를 받음, 힐스버러, NC)

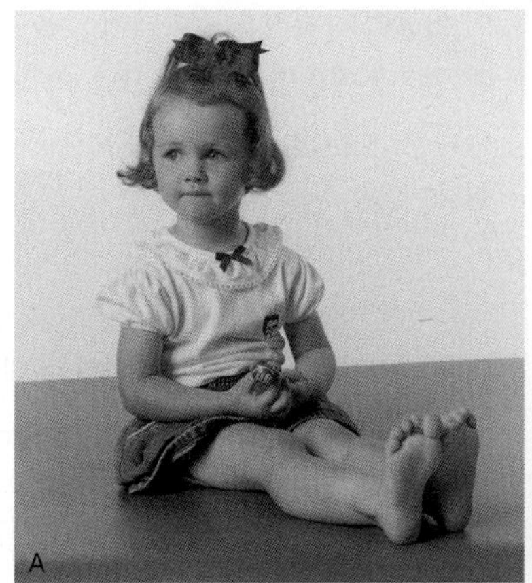

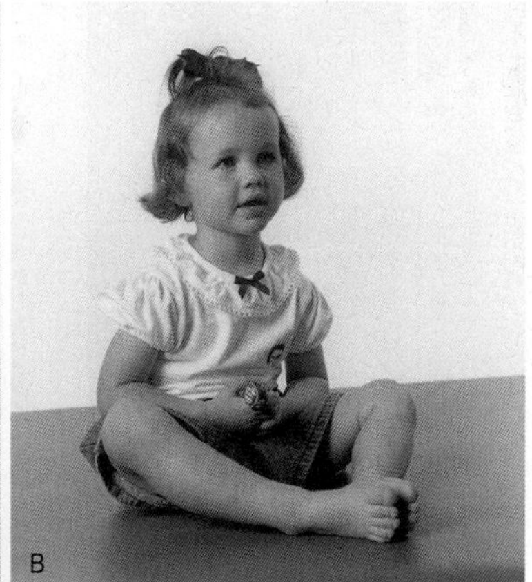

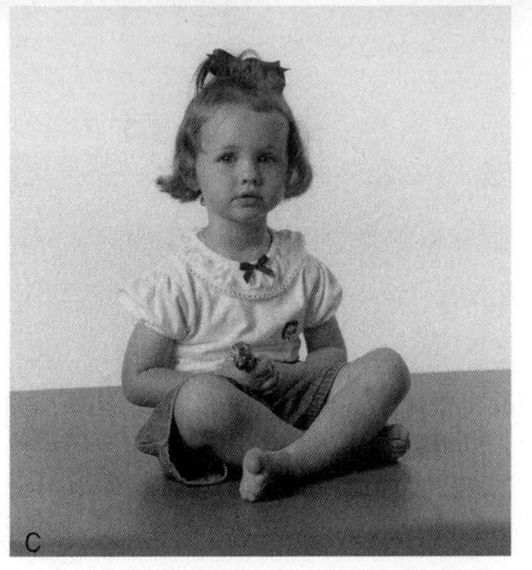

그림 5-13. 앉기 자세. A. 다리 뻗고 앉기. B. 고리 모양으로 앉기. C. 양반다리 앉기.

게중심을 기저면 내에 두기 위해서 늘어난다. 반신마비 아동은 몸통을 늘이거나 회전할 수 없어서 환측으로는 옆으로 앉기를 할 수 없을 수도 있다. 환측 팔로 지지할 수 있을 때만 환측으로 옆으로 앉기를 할 수 있지만 보통은 불가능한 동작이다. 환측으로 체중을 지지하는 것이 반신마비 환자의 일반적인 목표이기 때문에 옆으로 앉기는 그 목표를 달성하기에 좋은 자세이다(중재 5-21). 네발기기 자세나 양무릎 서기 자세에서 능동적으로 옆으로 앉기로 이행하는 것은 치료에 큰 도움이 된다. 많은 움직임 이행이 통제된 몸통 회전과 관련되기 때문이다. 이러한 이행을 연습하기 위해서 네발기기 자세를 이용하면 양팔에 다소 체중이 실리고 다리 조절의 필요성이 적어진다는 이점이 있다. 몸통 조절이 개선되면 아이가 양무릎 서기에서 뒤꿈치 앉기(heel sitting)로, 그리고 양무릎 서기에서 양쪽 번갈아 가며 옆으로 앉기로 이행하도록 도울 수 있다. 양무릎 서기 자세에서 기저면은 여전히 서기 자세에서보다 훨씬 더 크고, 필요하다면 두 팔로 체중을 지지할 수 있다.

장애 아동에게는 흔히 선호하는 앉기 방법이 있고, 그 앉기 자세가 다리 발달과 몸통 조절 능력을 습득하는 데 방해가 될 수 있다. 예를 들어 W자 앉기 자세에서는 엉덩이가 극심하게 안쪽돌림되고, 골반이 앞쪽으로 기울어져 척추가 늘어날 수 있다(그림 5-4, A). 이 자세에서는 정강이뼈(tibias)가 비틀림 요소에 영향을 받기 때문에 이 자세를 계속 유지하면 영구적인 구조 변화가 일어날 수 있다. 자세 긴장이 낮은 아동은 몸을 뒤로 밀다가 무릎 사이로 들어가서 우연히 이 자세를 취할 수 있다. 이런 아동이 더 이상 양손으로 체중을 지지할 필요가 없다는 사실을 알게 되면 그 자

그림 5-14. 엉치뼈 대고 앉기(Burns YR와 MacDonald J의 ≪Physiotherapy and the growing child≫에서 발췌, London, WB Saunders Company Ltd., 1996.)

세를 취하지 못하도록 막기가 어려워진다. 엉덩이 모음 근육의 긴장이 항진된 아동도 이 자세를 자주 취할 수 있다. 엎드렸다가 옆으로 앉을 때 필요한 몸통 회전이 부족하기 때문이다. 행동 수정은 보통 아동의 W자 앉기를 바꾸려고 할 때 사용한다. '예쁘게 앉아라'라는 말에 반응하는 아동도 있지만 흔히 부모가 아동의 자세를 바로잡아 주도록 요구하여 앉기 자세를 바꾼다. 대부분의 습관들과 마찬가지로 아동이 W자 앉기 자세를 애초에 알지 못하게 막을 수 있다면 그것이 가장 좋은 방법이다. 그게 아니면 잠재적으로 기형을 유발하는 자세를 다른 자세로 대체해야 한다. 예를 들어 아동이 독립적으로 바닥에 앉을 수 있는 자세가 W자 앉기뿐이라면 아이를 코너 의자에 앉히거나 다른 다리 자세를 요구하는 자세잡기 기구를 사용하여 앉힌다.

적응 좌석

많은 자세들은 움직임을 촉진하는 데 사용할 수 있다. 그러나 일상생활에 가장 좋은 자세는 똑바로 앉기이다. 똑바로 앉기 자세를 유지하려면 보호자의 도움을 받거나 자세잡기 적응 기구가 필요하다. 아동은 앉아 있을 때 세상을 보다 더 쉽게 바라볼 수 있고, 환경 내에서 사람, 사물의 상호 작용하는 데 보다 더 큰 관심을 가질 수 있다. 아동이 앉기 자세를 취할 때 안정감을 유지하면서 독립성을 가능한 많이 발휘할 수 있다. 적응 좌석은 이 두 기준을 모두 충족시키기 위해서 필요할지도 모른다. 좌석 기구의 몇몇 실례들은 그림 5-16에 나와 있다. 적응 기구를 사용하기가 쉬울수록 보호자이 아동에게 적응 기구를 사용할 가능성도 높아진다.

머리 조절이 뛰어난 아동은 종종 앉기에 충분한 몸통 조절 능력을 갖고 있지 않은 경우가 있다. 혼자서 몸통을 안정시키면 머리를 정중선에 유지하는 능력이 개선될 수 있다. 게다가 두 팔을 앞으로 내밀어 무릎 받침대에 올려놓고 체중을 지지할 수 있다. 아이의 머

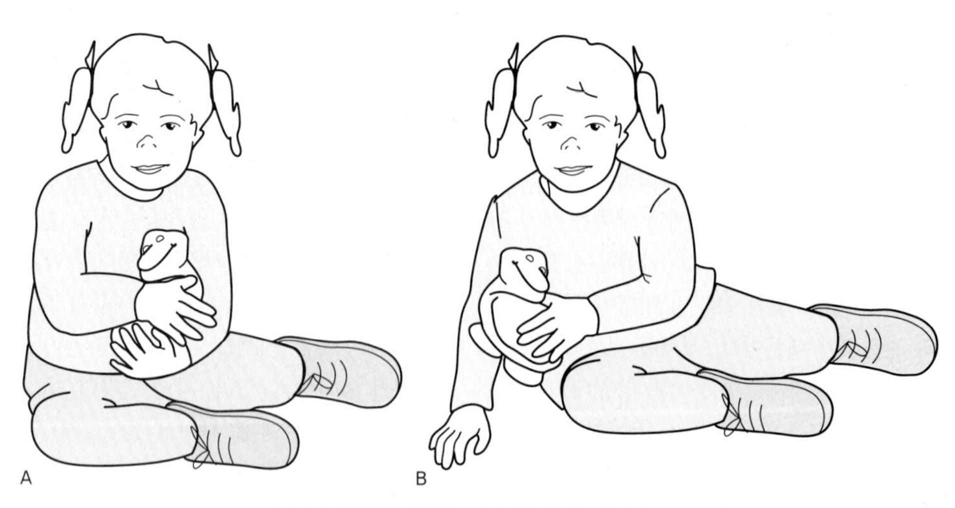

그림 5-15. 옆으로 앉기. A. 지지 없음. B. 한 팔 지지.

중재 5-21 마비된 엉덩이로 체중지지 유도하기

아이를 마비된 쪽으로 옆으로 앉힌다.
마비된 팔을 올리면 몸통 가쪽돌림과 몸통 신장을 증진할 수 있다.

리 조절 능력이 부족하다면 머리를 지지해 주는 기구와 좌석 기구를 합쳐야 한다(그림 5-5 참조). 머리 조절과 몸통 조절이 부족한 아이를 앉힐 때는 척추가 앞으로 굽게 만드는 중력의 힘으로부터 아이의 등을 보호해야 한다. 아동이 몸통 조절 능력을 키우려면 똑바로 앉은 자세에서 중력에 노출되어야 하나 근육 조절 능력이 충분하지 않다면 자세 변위가 빠르게 일어날 수 있다.

긴장이 낮은 아동은 가슴 우리를 고정시키는 몸통 근육이 충분히 발달하지 않아서 종종 호흡을 강화시키기 위해 갈비뼈 돌출을 보인다(그림 5-17). 척수형성이상(myelodysplasia)으로 이차적인 몸통 근육마비를 보이는 아동에게는 앉아 있는 동안 몸통을 지지해 주는 교정 기구가 필요하다. 교정 기구는 척추측만을을 예방하는데 도움이 되지만 본질적으로 근육 불균형이 있기 때문에 척추 측만증을 완전히 막지는 못한다. 이 교정 기구는 처음에 다리 버팀대에 부착되어 있을 수도 있고 아닐 수도 있다.

적응 좌석은 그 효과를 증명해주는 연구가 많지 않음에도 장애 아동에게 널리 사용되고 있다. 뇌성마비 아

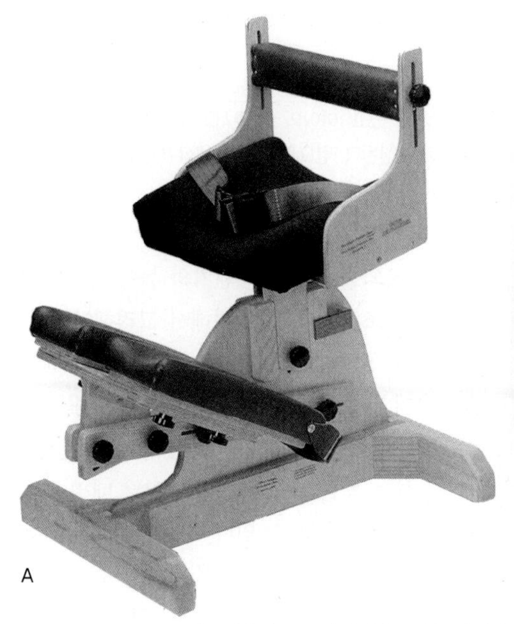

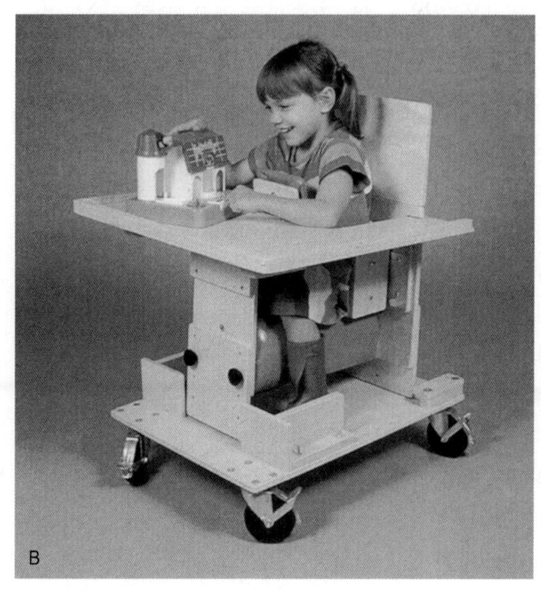

그림 5-16. 적응 좌석 기구. A. 자세 의자. B. 볼스터 의자. A. (TherAdapt 프로덕츠 사의 허가를 받음, 일리노이 주 벤센빌). B. (케이 프로덕츠의 허가를 받음, 힐스버러, NC)

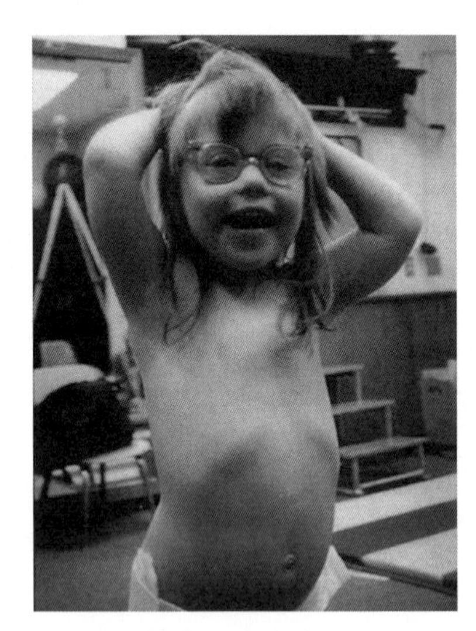

그림 5-17. 갈비뼈 돌출(Moerchen VA의 ≪Respiration and motor development: A systems perspective≫ Neurol Rep 18:9에서 발췌, 1994. APTA 신경학 부문의 허가를 받아 신경학 리포트에서 재인쇄함.).

동에게 사용하는 적응 좌석의 효과를 평가한 최근의 체계적 고찰연구에서는 그 작가들은 이용할 수 있는 질 높은 연구가 부족하다고 결론 내렸다(Chung 등, 2008). 이러한 결과에도 불구하고, 적응 좌석이 참여와 놀이, 가족생활에 미치는 다소 긍정적인 효과가 보고되고 있다(Rigby 등, 2009; Ryan 등, 2009). 볼스터 의자는 그림 5-16, B에 나와 있고, 그림 5-16, A에서처럼 좌석이 앞쪽으로 기울어진 의자에 아이를 앉히면 몸통 신장을 개선시킬 수 있었다(Miedaner, 1990; Scochaniwskyz 등, 1991). 또 다른 사람들(Dilger와 Ling, 1986)은 뇌성마비 아동을 뒤쪽으로 기울어진 웨지에 앉히면 척추뒤굽음증이 완화된다는 사실을 발견했다(중재 5-22). 좌석이 앞쪽이나 뒤쪽으로 기울어져야 한다고 뒷받침 해 주는 확실한 증거는 없다(Chang 등, 2008). 치료 목적에 따라서 좌석 필요 여부는 개별적으로 평가해야 한다. 아동은 수행하는 과제의 자세잡기 요구 조건에 따라서 몇 가지 다양한 앉기 유형을 취함으로써 혜택을 볼 수 있다.

높이 조절이 가능한 벤치는 빨리 자라는 취학전 아동들에게 매우 훌륭한 치료 도구다. 이 도구는 옷을 갈아입고 놀이를 하는 아이에게 안정적인 앉기 기반을 제공할 수 있을 뿐만 아니라 아이가 앉았다가 일어서는 것을 도와줄 수 있다. 벤치의 높이는 아이에게 필요한 몸통 조절 정도와 관련해서 고려해야 하는 중요한 요소다. 아이의 골반 지지 필요에 따라 벤치에 앉히면 아이가 놀이를 하는 동안 몸통 근육을 이용해서 몸통을 똑바로 세워 유지할 수 있다. 옷을 갈아입거나 놀이를 하는 동안 체중 이동이 일어날 때 머리와 몸통 자세 반응을 연습할 수 있다. 그림 5-2에서처럼 몇몇 치료용 벤치에는 골반 지지물을 추가할 수 있다. 이러한 벤치는 잡고 일어서기와 잡고 서서 옆으로 걷기를 촉진시킬 때 사용할 수 있다.

중재 5-22 몸통 펌 촉진

뒤쪽으로 기운 웨지에 앉으면 몸통 신장을 촉진시킬 수 있다.

중재 5-23 옆으로 누운 자세모듈 이용하기

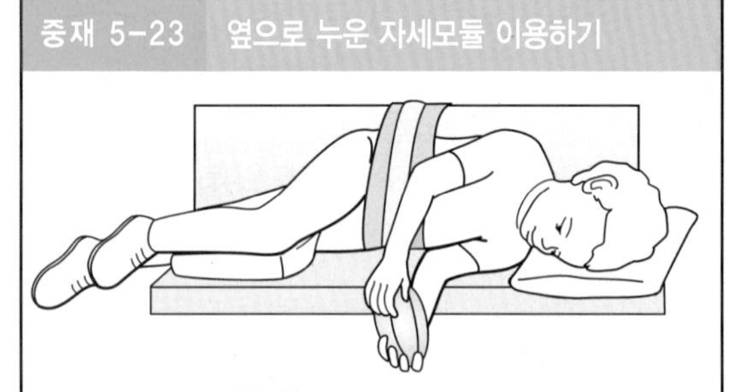

옆으로 누운 자세모듈을 이용하면 아이가 옆으로 눕기 자세를 경험할 수 있고, 아이의 손 주시와 정중선 놀이, 혹은 정중선 지향이 개선된다. 옆으로 눕기 자세잡기는 대부분의 긴장성 반사 효과를 약화시키는 데 효과적이다.

옆으로 눕기 자세

옆으로 눕기 자세는 보통 아이의 몸을 정중선에 가까이 두기 위해서 사용한다. 특히 심각한 병변을 보이거나 눕기나 엎드리기에서 비대칭적인 자세를 취하는 아동에게 사용한다. 병변이 심각하지 않은 아동의 경우에는 아이가 신체의 같은 쪽 굽힘근과 폄근 조절 능력을 키울 수 있도록 돕기 위해 옆으로 눕기를 사용할 수 있다. 옆으로 눕기는 종종 잠자기 좋은 자세가 된다. 보호자이 매일 밤 아이가 옆으로 누워 잠자는 방향을 바꿀 수 있기 때문이다. 아이가 잠자는 동안 옆으로 눕기 자세를 유지할 수 있도록 아이만큼 긴 베개를 아이의 등 뒤에 놓을 수 있다. 이때 베개의 한쪽 끝을 아이의 두 다리 사이에 넣어 다리를 붙지 않게 하고, 베개의 다른 쪽 끝을 아이의 목이나 머리 아래에 넣어 정중선 지향을 유지할 수 있다. 아이가 좀 더 펴진 자세를 취하는 경향이 있다면 다리를 구부려야 한다. 교실에서는 상업용 옆으로 눕히기 모듈이나 돌돌 말아 놓은 이불(중재 5-23)을 이용해서 손 주시와 정중선 놀이, 정중선 지향을 증진시킬 수 있다.

서기 자세잡기

서기 자세잡기는 흔히 다리의 긴 뼈 성장을 포함한 긍정적인 생리적 효과를 위해 사용한다. 또한 서기는 알림 행동(altering behavior)과 또래 상호 작용, 다리를 이용한 놀이와 자기 돌봄을 촉진시킬 수도 있다. 팔은 더 이상 자세 지지에 필요가 없기 때문에 체중을 지지할 수도 있고, 자유롭게 움직일 수 있다. 직립 지향은 아이가 지각하도록 많은 기회를 줄 수 있다. 똑바로 서기 자세를 증진해 주는 기구로는 프론 스탠더(prone stander)와 슈파인 스탠더(supine stander), 수직 스탠더, 기립 보조기(standing frame), 스탠딩 박스(standing boxes)가 있다. 서기 프로그램은 골밀도와 엉덩이 발달, 관절운동범위, 경직을 감소시키는데 도움이 된다(Paleg 등, 2014).

서기 기구는 금기 사항이 없는 한, 보행불능 아동이나 최소 보행 가능 아동, 혹은 서기 자세를 적극적으로 취하지 못하는 아동에게 적절하다. 엉덩이 건강을 위해서 서기 자세는 생후 9개월에서 10월 사이 아동에게 사용해야 한다. 자세 관리 프로그램에는 프론·슈파인 스탠더나 수직 스탠더 기구를 사용하는 수동적 요소와 움직이고 진동하며 앉은 자세에서 선 자세로 바뀌거나 사용자가 조정하는 스탠더의 동적 요소도 포함되어야 한다(Paleg 등, 2013)(그림 5-18).

프론 스탠더는 가슴 앞면과 엉덩이, 다리 앞면을 지지해 준다. 프론 스탠더의 각도는 다리와 발이 견뎌낼 수 있는 하중에 따라 결정된다. 각도가 90도 보다 적으면 다리와 발로 체중을 지지하는 것이 가장 좋다(Aubert, 2008). 아이가 프론 스탠더에서 목 과다폄을 보이거나 양팔을 하이 가드 위치로 들어 올린다면 물리치료사가 이 기구의 계속적인 사용을 재검토해야 한다. 프론 스탠더는 생리적인 체중지지나 양손 자유롭게 사용하기라는 목적을 추구할 때 사용한다.

슈파인 스탠더는 몇몇 아이들에게 프론 스탠더 대신 사용된다. 슈파인 스탠더는 기울어진 식탁과 비슷하고, 그 기울기는 다리와 발이 견딜 수 있는 하중에 따라 결정된다. 프로 스탠더에서 과다한 폄 반응을 보이는 아동에게는 슈파인 스탠더가 훌륭한 대안이 될 수 있다. 그러나 슈파인 스탠더를 사용하는 몇몇 아이들

그림 5-18. 식탁이 부착된 프론 스탠더(리프톤 장비의 허가를 받음, 뉴욕주 리프톤(Rifton)).

중재 5-24 수직 스탠더

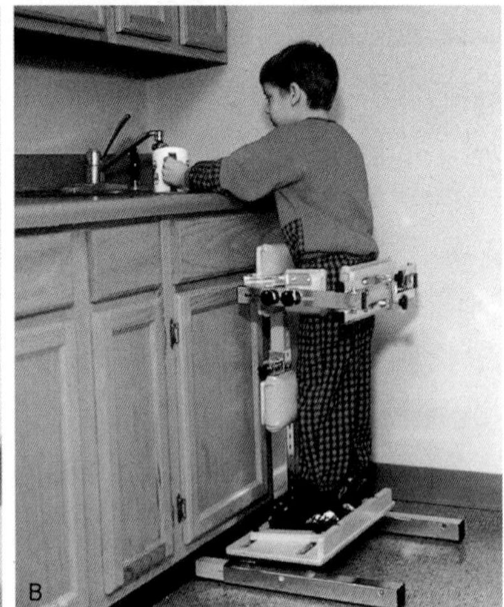

A B

수직 스탠더는 엉덩이와 무릎 폄 상태에서 아동의 다리를 지지해 주고, 기울기 각도에 따라 다양한 수준의 체중지지를 가능하게 해 준다. 아동의 양손은 칠판에 쓰기와 장난감 가지고 놀기(A), 혹은 부엌에서 일하기(B)와 같은 팔 과제를 자유롭게 수행할 수 있다.

(케이 프라덕츠 사의 허가를 받음, 힐스버러, NC)

은 자세 보상을 보인다. 이러한 보상에는 뒤쪽으로 기울어지는 신체 상태를 극복하려다 나타나는 척추뒤굽음증이 있다. 슈파인 스탠더는 또한 눕기 자세잡기를 지속시키기 때문에 비대칭적 목 자세나 모로 반응이 강화될 수 있다. 이러한 상황에서 슈파인 스탠더를 사용하는 것은 금기가 될 수 있다.

수직 스탠더는 엉덩이와 무릎 폄 상태에서 다리를 지지해 주고, 완벽한 체중지지를 가능하게 해준다(중재 5-24). 이때 아동은 몸통을 조절한다. 서기에 필요한 적응 기구를 고를 때는 다양한 환경에서 기능 에 필요한 것이 무엇인지도 고려해야 한다. 교실에서는 흔히 앉기 대안으로 스탠더를 사용한다. 스탠더는 조절 가능한 기구이기 때문에 한 명 이상의 아동이 그 기구를 사용해서 혜택을 누릴 수 있다. 모든 스탠더 유형에 대한 아이의 반응을 지속적으로 주시하는 일도 물리치료사의 주기적인 아동 재검사에 포함되어야 한다. 물리치료 보조사는 적응 기구를 사용하여 아동의 자세와 능력을 바꿀 수 있을 것이다.

서기 프로그램의 사용량은 최근에 팔레그 등(2013, 2014)이 제시했고, 표 5-3에 나와 있다.

표 5-3 소아과 지지를 받는 서기 프로그램의 추천 최적 사용량

결과	사용량	증거 수준
골밀도	매일 60–90분	2–4 수준
엉덩이 생체역학	매일 60분/30–60도 각도로 총체적인 양쪽 엉덩이 벌림	2–5 수준
관절운동범위	매일 45–60분	2 수준
경직	매일 30–45분	2 수준

Source: Paleg, Smith and Glickman, 2014.

똑바로 서있는 자세는 이동성, 특히 보행에 중요하다. 정형외과 보조 장치와 보행기는 골수이형성증이 있는 어린 아동들에게 일상적으로 사용된다. 혼자서 독립적으로 균형을 잡지 못하는 뇌성마비 아동에게는 보행 보조기가 중요할 수 있다. 두 가지 유형의 보행기가 운동 부족 아동에게 가장 많이 사용된다. 표준 보행기 아동의 앞에서 사용되며, 역방향 자세 조절 보행기는 아동의 뒤에서 사용된다. 이 보행기들은 정면에 두 개의 바퀴가 있다. 전통적 보행기는 바퀴보행기

(rollator)라고 한다. 표준 보행기의 어려움은 보행 동안 몸통이 앞쪽으로 기울어진다는 것이다. 아동의 중력 선은 굴곡에 있는 엉덩이와 함께 발 앞쪽에 있게 된다. 아동이 역방향 보행기를 앞으로 밀면 워커 바가 아동의 둔부 근육에 접촉되어 엉덩이를 펴도록 자극한다. 보행 보조기가 아동의 뒤에 있기 때문에 보행기는 아동보다 너무 멀리 이동할 수 없다. 후방 보행 보조기는 2개 또는 4개의 바퀴를 가질 수 있다. 뇌성마비 아동을 대상으로 한 연구에서, 역방향 보행기(그림 5-19)의 사용은 보행과 직립 자세에서 긍정적인 변화를 가져오는 것으로 보고되었다(Levangie 외, 1989). 각 아동에게 필요한 보행 보조 장치를 결정하기 위해 물리치료사는 개별적으로 아동을 평가해야 한다. 이 장치는 안정성 및 에너지 효율적인 보행 패턴을 제공해야 한다.

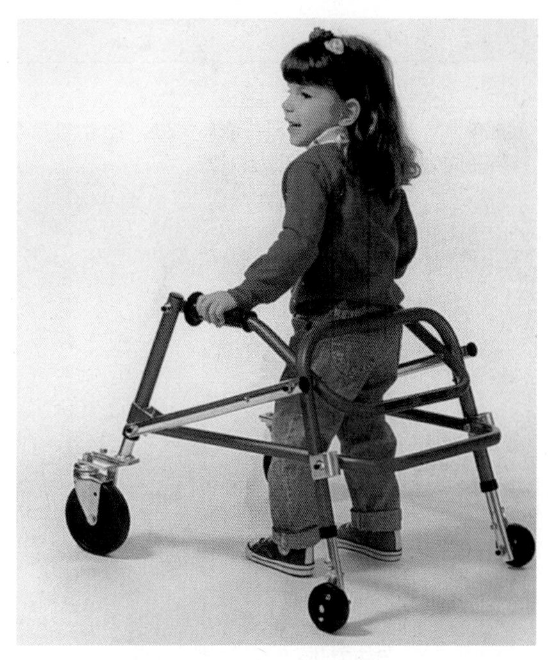

그림 5-19. 후방 워커(케이 프라덕츠 사의 허가를 받음, 힐스버러, NC)

아동 세계의 맥락 내에서 나타나는 기능적인 움직임

치료사가 유도하는 모든 움직임은 기능적인 의미를 지니고 있어야 한다. 이러한 의미는 움직임 순서의 일부, 한 자세에서 다른 자세로 이행하는 움직임의 일부, 혹은 장난감을 만지거나 사물을 탐구하는 과제 달성의 일부로서 나타날 수 있다. 놀이는 아이의 일이자 움직임 규칙을 배워가는 가장 흔한 방법이다. 물리치료는 놀이를 치료적 목표 달성의 수단으로 통합한다. 치료가 이루어지는 환경을 조직하고, 아이가 갖고 놀 장난감을 결정하는 것은 모두 치료의 일부분이다. 아이가 새로운 방식으로 움직일 수 있도록 상황을 조성하는 것은 대부분의 아이들에게 동기를 불러일으킨다. 린더(Linder, 2008)와 래틀리프(Ratliffe, 1998)가 제시한 다양한 연령의 아동에게 사용하는 장난감과 전략은 표 5-4에서 찾아볼 수 있다.

놀이는 모든 운동장애 아동에게 치료 목적이 될 수 있고, 그렇게 되어야 한다. 놀이는 아동에게 움직이고

표 5-4 다양한 자세의 장점과 단점

연령	장난감	중재 전략
유아	딸랑이, 플라스틱 열쇠 봉제 동물 인형 모빌 놀이상자 블록 거울 밀고, 타는 장난감 플라스틱 컵과 접시	미소 짓기, 옹알이 하기, 얼굴 맞대고 간질이기 흥미로운 장남감 제시 까꿍 놀이, '크다' 표현 놀이 만지면 소리가 나는 장난감 매달아 주기 밀고, 찌르고, 당기고, 돌리기 손 뻗기와 장난감 움직여 자세 바꾸기 유도하기, 물건을 맞부딪히는 것을 보여 주고 물건 두드리기로 나아가기 아이를 엎드려 놓고 상체 힘 길러 주기 물건을 '움직이는' 법 보여 주기 마시고 먹는 척 하기, 차례대로 하기

표 5-4 계속

연령	장난감	중재 전략
걸음마 배우는 아이	쌓아올리거나 끼워 넣을 수 있는 장난감, 블록	쌓아 올리는 법 보여 주기, 사물을 끼워 넣는 다양한 크기의 용기 사용하기
	농장 세트와 장난감 동물	유혹적인 환경과 이야기 구성하기
	카트와 가짜 음식	물건을 쏟는 척하고 아기 인형에게 음식 먹이기
	인형	잠자러 가기와 같은 다단계 일상에 인형을 참여시키도록 유도하기
	덤프트럭	덤프트럭을 채우고 비우는 척 하기
	물놀이 장난감	목욕 시간에 가지고 놀기
	튀어나오는 장난감	사물을 '움직이기'
	밀고 타는 장난감	사물을 '움직이는' 법 보여 주기
	책	읽고 표사하고, 페이지 넘기기
미취학 연령	공, 플라스틱 방망이, 블록	대근육 운동, 몸싸움
	베게, 이불, 판지 상자	요소 짓기, 소꿉놀이
	장애물 코스	사물 찾기
	플레이 도우, 찰흙	위와 아래, 주위, 안이라는 공간적 개념 이해하기
	모래 상자	모양 만들기
	책	파고, 붓고, 묻힌 물건 찾기 촉진하기
	퍼즐, 원기둥 끼우기, 구슬 끼우기	아동이 이야기를 설명하도록 유도하기
	블록 같은 쌓기 장난감	필요할 때만 격려하고 도와주기
	인형 옷, 의상	실물이나 가상의 물건 만들기
	음악 장난감, 악기	상황을 설정해 주거나 아이가 상황을 설정하도록 격려하고 아이가 상황을 주도하게 한다.
	놀이터 기구	악기와 의상을 가지고 노는 놀이에 음악과 춤을 끼워 넣는다.
		공차기나 수건돌리기 놀이
취학 연령	놀이터 기구	상상 게임(해적 놀이, 발레 놀이, 체조)
	자전거	자전거 타고 동네를 돌아다니며 보물찾기 놀이
	인형, 캐릭터 인형	또래 놀이와 스포츠 장려하기
	구슬 꿰기	놀이의 기반이 되는 대본 만들기
	블록	큰 것부터 시작해서 점점 더 작은 구슬 이용하기
	미술 도구	디자인 모방하기
	보드 게임	환상 만들기
	롤러스케이트, 아이스 스케이트	아이에게 성공감 심어 주기
	쌓기 도구	육체적 놀이, 지구력
	컴퓨터 게임	건설 놀이
		필요할 경우에는 적응 스위치 사용하기

Linder T의 ≪Transdisciplinary play-based intervention,≫ 2판에서 수정한 내용, 볼티보아, 브룩스 출판사, 2008; Ratliffe KT의 ≪Clinical pediatrics physical therapy: a guide for the physical therapy team≫ pp. 65-66, 세인트 루이스, CV 모스비 출판사, 1998

자 하는 동기를 제공해 줄 뿐만 아니라 아동의 언어와 인지 능력을 키워 준다. 부모는 아동과 의미 있는 방식으로 놀아주는 법을 배워야 한다. 놀이는 아동의 모든 영역에서 발달을 지원해 주는 자발적 감각운동 경험을 촉진시킨다. 발달 위계에 따른 놀이는 표 5-5에 나와 있다. 놀이는 연령이 증가하면서 더욱 복잡해진다. 초기에 놀이는 감각 운동 수준에 머문다. 피아제는 지적 발달의 첫 단계를 감각 운동기라고 했다. 이때 아동은 돌봐주는 사람과 사회적 유대를 맺으면서 자기 세계의 감각적 측면과 운동적 측면을 탐구한다.

표 5-5 놀이의 발달

나이	놀이의 유형	목적/아동 행동
0-6 개월	감각 운동 : 사회적 탐험 놀이	보호자과의 애착 형성
6-12 개월	감각 운동 : 사회적 탐험 놀이	세계를 탐험하기 원인과 결과를 배우기
12-24 개월	기능적 / 관계형 놀이	사물의 기능적 사용법을 배우고 또래에 대한 동향 파악하기
18-24 개월	흉내 내기 놀이	현실감 넘치는 장난감으로 기능적으로 놀기 하나의 객체가 다른 객체를 상징적으로 나타내는 흉내 내기
2-5 세	가상 놀이	척 인형과 동물은 진짜이다.
	건설적인 놀이	놀이의 기초로 스크립트를 개발하기
	육체적 놀이	그리기와 퍼즐 맞추기 수행하기 공중제비 놀이, 뛰어 오르기, 쫓기, 흔들기, 미끄러지기 등의 거친 놀이하기
6-10 세	규칙이 있는 게임	문제 해결, 추상적으로 생각하기 규칙 협상하기 친구와 게임하기

첫 해가 끝날 무렵에는 감각운동 놀이가 기능적 놀이로 발전한다. 이때 유아는 사물의 기능적 사용을 이해하기 시작한다. 그래서 실물 같은 장난감들을 가지고 기능적으로 놀이를 한다. 예를 들어 머리를 빗거나 컵을 들고 마시는 흉내를 낸다. 이것은 기능적 놀이(functional play)의 시작이다. 물론 이것을 가장하는 기능적 놀이 범주에 포함시키는 사람들도 있다. 아이는 점점 자라면서 사물을 이용해서 현재 자리에 없는 다른 물건을 표현한다. 예를 들어 바나나를 전화기로 사용하거나 막대기를 마법 지팡이로 삼는다. 기능적 놀이는 중요한 놀이 형태 가운데 하나이다. 기능적 놀이를 하기 위해서는 물체의 정신적 표상을 마음 속으로 떠올릴 수 있어야 하기 때문이다.

미취학 아동은 기능적 놀이를 통해 점점 더 풍부한 상상력을 발휘할 수 있고, 기능적 놀이는 사회극 놀이로 설명할 수 있다. 기능적 놀이를 하는 아동은 사회성이 뛰어나다고 볼 수 있다(Howes와 Matheson, 1992). 신경 손상 아동이 복잡한 놀이를 할 수 있게 하는 것은 모든 물리치료 관리 계획의 목표로 삼아야 한다. 게다가 미취학 연령에서는 구성 놀이(constructive play)와 육체적 놀이라는 두 가지 형태의 놀이가 나타난다. 구성 놀이에는 그리기와 퍼즐 맞추기, 블록과 판지 상자, 손에 닿는 다른 물건으로 사물 만들기가 있다. 육체적 놀이는 게임과 스포츠의 전제 조건이 되는 근본적인 운동 기술을 발달시켜 주기 때문에 이 시기에 매우 중요하다. 놀이의 마지막 단계는 규칙 있는 게임이다. 육체적 놀이는 재미 추구뿐만 아니라 평생 체력의 기반을 닦기 위해서 장려되어야 한다.

결론 요약

신경 손상 아동은 그 원인에 상관없이 움직이고 놀이를 해야 한다. 세상을 탐구하는 아동의 움직임을 키워주는 것이 모든 부모의 역할이다. 아동이 우수한 탐구자가 되려면 세상의 사물과 사람들이 접촉해야 한다. 치료사는 아동의 움직임과 놀이를 돕는 방법을 아동의 가족들에게 가르쳐서 아동이 삶에 완전히 참여할 수 있도록 장려할 수 있다. 아동이 스스로 지지할 수 없는 신체 부위를 지지해 주면 눈과 손, 발과 같은 다른 신체 부위의 기능적 움직임도 사물 탐구에 동원할 수 있다. 한 사람이 세상에 다가갈 수 없다면 세상을 그 사람에게 가져다 주라는 격언은 진리이다. 신경 손상 아동을 다루는 물리치료사와 물리치료 보조사에게 가장 힘든 과제는 머리와 몸통 조절이 제한되거나 운동성이 제한된 아동에게 어떻게 세상을 가져다줄지 결정하는 것이다. 치료사들은 기능과 가족, 재미, 친구, 체력을 삶에 참여하는 수단으로 발전시켜야 한다(Rosenbaum과 Gorter, 2011). 이러한 아동들의 문제를 해결해 줄 단 하나의 답은 없지만 많은 가능성이 존재한다. 전형적인 발달 순서는 언제나 자세잡기와 핸들링에 좋은 아이디어를 제공해주는 원천이 된다. 아이가 놀이에 보이는 관심과 호기심, 치료사와 가족의 상상력에서도 추가적인 아이디어를 얻을 수 있다. ■

검토사항

1. 항상 치료적 중재의 일부가 되어야 하는 두 활동은 무엇인가?
2. 자세잡기의 목적은 무엇인가?
3. 신체와 움직임 의식 발달에 도움이 되는 감각적 입력 정보는 무엇인가?
4. 가장 중요한 핸들링 팁 두 개를 말해본다.
5. 치료 시에 놀이 복잡성을 어떻게 증진시킬 수 있는가?
6. 적응 기구를 사용하는 이유 세 가지는 무엇인가?
7. 가장 기능적인 자세(이행 자세) 두 가지는 무엇인가?
8. 네발 기기 자세의 단점은 무엇인가?
9. 옆으로 앉기 자세가 어려운 이유는 무엇인가?
10. 서기가 왜 그렇게 중요한 활동인가?

사례 연구 자세잡기와 핸들링 치료 평가: 조쉬(Josh)와 앤지(Angie), 켈리(Kelly)

여기 나열된 각각의 사례에 적절한 들어올리기, 옮기기, 먹기, 입히기 방법들을 알아본다. 아이의 기능적 활동을 위한 자세잡기를 도와줄 수 있는 적응 기구를 알아본다. 부모가 아이와 놀아주는 방법의 실례를 제시한다.

사례 1

생후 6개월 된 조쉬는 머리 조절을 거의 못해서 근긴장저하 영아로 진단받았다. 엎드리는 자세를 좋아하지 않지만 엎드렸을 때 머리를 들어 올려 좌우로 돌릴 수 있다. 그러나 팔꿈치로 체중을 지지하지는 못한다. 조쉬는 음식을 천천히 잘 먹지만 쉽게 지친다.

사례 2

생후 9개월 된 앤지는 머리조절과 몸통 조절을 상당히 잘한다. 몸통 근긴장은 낮고, 다리(넙다리뒤근육, 모음근, 장딴지–가자미근 복합근육) 근긴장은 항진되어 있다. 앤지의 엄마가 앤지의 두 팔 아래를 받쳐 들어 올리면 앤지는 두 다리를 교차하고, 발가락을 펴서 발끝을 세운다. 보행기를 착용할 때는 몸을 뒤로 민다. 앤지의 엄마는 앤지가 높은 유아 의자에서 옆으로 빠져나와 손으로 음식을 먹여 주기가 힘들다고 말한다.

사례 3

3살 아이 켈리는 중력에 저항하는 모든 자세를 유지하기 어려워한다. 머리 조절과 몸통 조절이 일치하지 않는다. 켈리는 누가 두 팔의 위치를 잡아줄 때만 양팔로 체중을 지지할 수 있다. 양반다리로 앉혀 주면 짧은 시간 동안 바닥에 앉아 있을 수 있다. 깜짝 놀랐을 때는 두 팔을 공중으로 들어올리고(모로 반사) 넘어진다. 켈리는 옷을 입고 벗을 때 도움을 받고 싶어 한다.

(계속)

사례 연구 자세잡기와 핸들링 치료 평가: 조쉬(Josh)와 앤지(Angie), 켈리(Kelly)

실행 가능한 제안

사례 1

들어올리기/옮기기: 최대한의 머리와 몸통 지지를 사용하고, 옆으로 구르기를 촉진시키며, 아이를 들어올리기 전에 구부린 자세를 잡아준다. 엎드린 자세로 아이를 옮겨서 엎드리기 자세와 그 움직임 경험을 보다 더 잘 견딜 수 있도록 해 준다.

먹이기: 유아 의자를 사용한다.

기능적 활동을 위한 자세잡기: 아이에게 눈을 가늘게 뜨고 반쯤 잠긴 채로 엎드리기 자세잡기를 유도한다.

놀이를 위한 자세잡기: 아이를 엎드려 놓고 그 앞에 누워서 눈을 마주치고 소리를 내며 아이가 머리를 들고 양팔로 몸을 밀어 올리도록 유도한다. 아이가 구두 놀이와 입 게임(간질이기와 거품 만들기)에 참여하도록 이끈다. 보호자은 바닥에 누워 아이와 얼굴을 마주보아야 하고, 그와 동시에 그림 5-20에서처럼 아이가 엎드려서 몸을 밀어 올리도록 유도하고 돕는다.

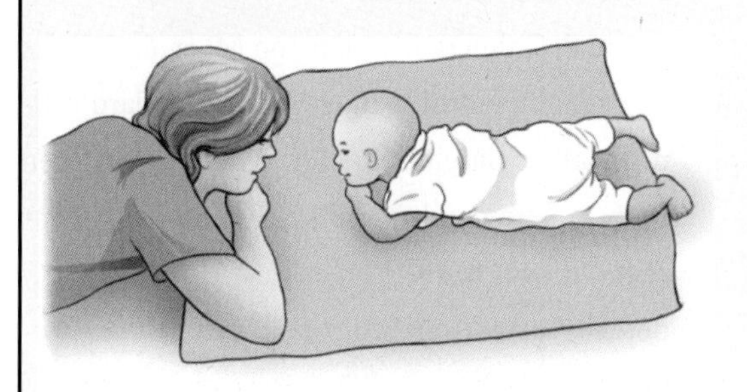

그림 5-20. 유아가 엎드려서 몸을 밀어 올리도록 유도하는 보호자

사례 2

들어올리기/옮기기: 아이를 앉아 있는 자세에서 들어올리고, 가능하다면 하지가 구부러지고 분리되도록 한다. 보호자은 아이를 옮길 때 자신의 엉덩이에 걸터앉혀 아이의 몸통과 양팔을 자신한테서 멀리 떨어진 방향으로 회전시킨다.

먹이기: 높은 유아 의자에 안전벨트를 부착한다. 아이의 발을 지지해서 무릎이 엉덩이보다 높아지게 한다. 돌돌 말아 놓은 수건을 이용해서 아이의 무릎을 벌림시킨다. 둥글게 만 작은 수건을 등 하부에 대서 골반 중립을 유도한다.

운동성: 보행기 사용 여부를 감독 치료사와 상의한다.

기능적 활동을 위한 자세잡기: 아이를 볼스터 위에 걸터앉혀 식탁에 놀이를 하게 한다. 식판이 달린 볼스터 의자도 사용할 수 있다. 볼스터나 보호자의 다리를 이용해서 아이의 옷을 입히고 벗길 수 있다. 이때 아이는 옷을 집으려고 손을 아래로 뻗고 똑바로 앉으려고 하면서 몸통 근육을 이용할 수 있다.

놀이를 위한 자세잡기: 아이를 벤치에 앉히고, 아이 앞쪽의 작은 탁자에 불룩 같은 물체를 놓아둔다. 발꿈치를 바닥에 디딜 수 있도록 두 발로 일어서는 연습을 충분히 한다. 아이가 일어서도록 도와주고, 낮은 탁자에서 장난감이나 물건을 가지고 놀도록 도와준다. 이 아이는 또한 볼스터 위에 걸터앉을 수 있고, 놀이를 하려고 일어설 수 있다. 손을 뻗어서 물건을 잡을 때 뿐만 아니라 볼스터를 오르락내리락하면서 재미를 느낀다. 천 아래에 물건의 일부를 숨겨서 아이가 숨겨진 물건을 찾도록 유도하는 방법도 고려해 본다. 일어서서 밀고 당길 수 있는 장난감을 소개해 준다. 플라스틱 접시와 컵으로 티파티를 여는 시늉을 한다.

사례 3

들어올리기/옮기기: 아이의 안정성을 위해 체중을 지지하는 다리를 이용해서 앉도록 도와준다. 구부러진 자세로 아이를 들어올리고, 아이를 바퀴 달린 코너 의자나 유모차에 앉혀 옮긴다.

옷 입히기: 아이의 한쪽 팔을 안정시키고, 아이가 자유로운 한 팔로 옷을 입도록 유도한다. 또 다른 방법은 아이를 나지막한 옷 입기용 의자에 앉혀 아이의 등을 벽에 기대놓고, 옷 입는 자세를 손으로 하나하나 다 잡아 주는 것이다.

기능적 활동을 위한 자세잡기: 코너 바닥 의자를 이용해서 최대한의 지지 기반을 제공한다. 아이는 양팔과 양다리로 체중을 지지하고 의자에 앉아 있을 수 있다. 또한 가슴 높이의 탁자에 지지하고 앉을 수 있고, 한 팔로 탁자 가장자리를 잡고 앉아서 다른 팔로 장난감이나 물체를 가지고 놀 수 있다.

놀이를 위한 자세잡기: 양팔과 양발을 바닥에 대고 의자에 앉아서 크고 무거운 공을 부모에게 밀어 보낼 수 있다. 벤치에서 한 팔을 뻗어 체중을 지지한 채 양 무릎 서기로 놀이를 하면서 퍼즐 조각을 맞춘다. 퍼즐과 관련된 이야기에 아이를 참여시킨다. 아이에게 자기 일상의 한 가지 사건을 극적으로 꾸며서 이야기해 보라고 한다. 정적인 유지가 필요하고 움직임 이행을 조절하는 활동에 노래와 책을 통합해 넣는다.

참고 문헌

Aubert EK: Adaptive equipment and environmental aids for children with disabilities. In Tecklin JS, editor: *Pediatric physical therapy*, ed 4, Philadelphia, 2008, JB Lippincott, pp 389–414.

Ayres AJ: *Sensory integration and learning disorders*, Los Angeles, 1972, Western Psychological Services.

Charman T, Baron-Cohen S: Brief report: prompted pretend play in autism, *J Autism Dev Disord* 27:325–332, 1997.

Chung J, Evans J, Lee C, et al.: Effectiveness of adaptive seating on sitting posture and postural control in children with cerebral palsy, *Pediatr Phys Ther* 20:303–317, 2008.

de Sousa AM, de Franca Barros J, de Sousa Neto BM: Postural control in children with typical development and children with profound hearing loss, *Int J Gen Med* 5:433–439, 2012.

Dilger NJ, Ling W: The influence of inclined wedge sitting on infantile postural kyphosis, *Dev Med Child Neurol* 28:23, 1986.

Dusing SC, Harbourne RT: Variability in postural control during infancy: implications for development, assessment, and intervention, *Phys Ther* 90:1838–1849, 2010.

Howes C, Matheson CC: Sequences in the development of competent play with peers: social and social pretend play, *Dev Psychol* 28:961–974, 1992.

Jarrold C: A review of research into pretend play in autism, *Autism* 7:379–390, 2003.

Jennings KD, Connors RE, Stegman CE: Does a physical handicap alter the development of mastery motivation during the preschool years? *J Am Acad Child Adolesc Psychiatry* 27:312–317, 1988.

Jones M, Puddefoot T: Assistive technology: positioning and mobility. In Effgen SK, editor: *Meeting the physical therapy needs of children*, ed 2, Philadelphia, 2014, FA Davis, pp 599–619.

Koomar JA, Bundy CA: Creating direct intervention from theory. In Bundy AC, Lane SJ, Murray EA, editors: *Sensory integration: theory and practice*, ed 2, Philadelphia, 2002, FA Davis, pp 261–308.

Lane SJ: Sensory modulation. In Bundy AC, Lane SJ, Murray EA, editors: *Sensory integration: theory and practice*, ed 2, Philadelphia, 2002, FA Davis, pp 101–122.

Levangie P, Chimera M, Johnston M, et al.: Effects of posture control walker versus standard rolling walker on gait characteristics of children with spastic cerebral palsy, *Phys Occup Ther Pediatr* 9:1–18, 1989.

Linder T: *Transdisciplinary play-based intervention*, ed 2, Baltimore, 2008, Brooks.

Livingstone N, McPhillips M: Motor skill deficits in children with partial hearing, *Dev Med Child Neurol* 53(9):836–842, 2011.

Lobo MA, Galloway JC: Enhanced handling and positioning in early infancy advances development throughout the first year, *Child Dev* 83:1290–1302, 2012.

Lobo MA, Harbourne RT, Dusing SC, McCoy SW: Grounding early intervention: physical therapy cannot just be about motor skills anymore, *Phys Ther* 93:94–103, 2013.

Martin SC: *Pretend play in children with motor disabilities (unpublished doctoral dissertation)*, Lexington, Kentucky, 2014, University of Kentucky.

Miedaner JA: The effects of sitting positions on trunk extension for children with motor impairment, *Pediatr Phys Ther* 2:11–14, 1990.

O'Shea RK, Bonfiglio BS: Assistive technology. In Campbell SK, Palisano RJ, Orlin MN, editors: *Physical therapy for children*, ed 4, St Louis, 2012, Saunders.

Paleg G, Smith B, Glickman L: Systematic review and evidence-based clinical recommendations for dosing of pediatric-supported standing programs, *Pediatr Phys Ther* 25:232–247, 2013.

Paleg G, Smith B, Glickman L: Evidence-based clinical recommendations for dosing of pediatric supported standing programs. Presented at the APTA Combined Sections Meeting, Feb 4, 2014, Las Vegas, NV.

Pfeifer LI, Pacciulio AM, dos Santos CA, dos Santos JL, Stagnitti KE: Pretend play of children with cerebral palsy, *Am J Occup Ther* 31:390–402, 2011.

Ratliffe KT: *Clinical pediatric physical therapy*, St Louis, 1998, CV Mosby.

Rigby PJ, Ryan SE, Campbell KA: Effect of adaptive seating devices on the activity performance of children with cerebral palsy, *Arch Phys Med Rehabil* 90:1389–1395, 2009.

Rosenbaum P, Gorter JW: The `F-words' in childhood disability: I swear this is how we should think! *Child Care Health Dev* 38 (4):457–463, 2011.

Rutherford MD, Young GS, Hepburn S, Rogers SJ: A longitudinal study of pretend play in autism. *J Autism Dev Disord* 37:1024–1039, 2007.

Ryan SE, Campbell KA, Rigby PJ, et al.: The impact of adaptive seating devices on the lives of young children with cerebral palsy and their families, *Arch Phys Med Rehabil* 90:27–33, 2009.

Sochaniwskyz A, Koheil R, Bablich K, et al.: Dynamic monitoring of sitting posture for children with spastic cerebral palsy, *Clin Biomech* 6:161–167, 1991.

Tassone JC, Duey-Holtz A: Spine concerns in the Special Olympian with Down syndrome, *Sports Med Arthrosc* 16(1):55–60, 2008.

Wilson JM: Selection and use of adaptive equipment. In Connolly BH, Montgomery PC, editors: *Therapeutic exercise in developmental disabilities*, ed 2, Thorofare, NJ, 2001, Slack, pp 167–182.

World Health Organization: Motor development study: windows of achievement for six gross motor milestones, *Acta Paediatr Suppl* 450:86–95, 2006.

CHAPTER

6 뇌성마비

학습 목표 ***이 장을 학습한 후 학생들은 아래 사항에 대하여 이해하고 설명할 수 있다.***

1. 뇌성마비(CP) 발병과 병인, 분류를 설명한다.
2. CP 아동한테서 평생 동안 나타날 수 있는 임상적 증상과 관련된 결핍 증상을 설명한다.
3. CP 아동의 평생 물리치료 관리에 관해 토의한다.
4. CP 아동의 의료적 관리와 수술적 관리에 관해 토의한다.
5. CP 아동의 치료에서 물리치료 보조사가 맡은 역할을 설명한다.
6. CP 아동의 평생 활동과 참여의 중요성에 대해 토의한다.

서론

뇌성마비(CP)는 태아나 유아의 발달 중, 뇌 손상에 의해 이차적으로 자세와 운동 이상을 보이는 질환이다. 이러한 손상은 정적이고, 뇌의 구조나 기능에 문제가 발생하기 때문에 정적 뇌병증(static encephalopathy)이라고 한다. 일단 뇌의 한 영역이 손상되어도 그 손상이 뇌종양이나 척수근육위축증 같은 진행성 신경장애처럼 두뇌의 다른 영역으로 퍼지지는 않는다. 하지만 두뇌는 신경계의 많은 다른 영역들과 연결되어 있기 때문에 손상된 원래 영역의 기능 결핍은 다른 영역들의 기능 수행을 방해할 수 있다. CP의 정적인 뇌 손상에도 불구하고, 이 장애의 임상적 증상은 아이의 성장과 함께 변하는 것처럼 보인다. 연령 변화와 함께 움직임 요구도 증가하지만 CP 아동의 운동 능력은 그러한 요구를 충족시킬 만큼 빠르게 변하지 못할 수도 있다. 이러한 운동 결핍뿐만 아니라 소통과 인지, 감각, 지각, 행동의 손상이 두드러지게 나타날 수 있다. CP의 특징은 기능 감소와 활동 제한, 운동 발달 지연, 근긴장 손상, 움직임 유형 손상이다. 중추신경계 손상의 증상은 뇌 손상을 입은 시기와 손상의 중증도 및 규모에 따라 달라진다. CP에서 뇌가 발달 과정 초기에 손상되면 자발적인 움직임이 사라진다. 출생 이전이나 출산 도중에 뇌 손상이 일어나면 선천성 뇌성마비라고 한다. CP의 80%가 출생 전 원인에 영향을 받아 발생한다(longo와 Hankins, 2009). 출생 전 발달 초기에 신체 계통이 손상되면 손상 정도가 심각할 가능성이 훨씬 크다. 유아의 신경계는 자궁 내에서 발달하는 초기 3개월 동안 극히 취약한 상태이므로, 임신 초기의 두뇌 손상은 전신에 심각한 침범(팔다리마비)을 일으킬 가능성이 훨씬 크다. 반면 임신 후기의 뇌 손상은 주로 다리의 운동계 침범(양측마비)으로 이어질 수 있다. 출생 후에 뇌 손상이 일어나면 후천성 뇌성마비라고 한다. 후천성 뇌성마비는 전체 뇌성마비의 거의 20%를 차지한다(longo와 Hankins, 2009).

발병

전체 인구에서 보고된 CP 발병률(incidence)은 1,000명 출생 당 약 2.1명이다(Oskoui 외 다수, 2013). 미국에서 CP 유병률(prevalence), 또는 전체 인구 중에서 CP 장애 환자의 수는 1996년 이래로 비교적 동일했고, 1,000명 당 3.1에서 3.6명으로 보고되었다(Christensen 외 다수, 2014). 실제로 저체중아와 조산아의 생존율이 증가하면서 뇌성마비 유병률도 증가했다(Vincer 외 다수, 2006; Wilson-Costello 외 다수, 2005). 조산아가 작을수록 중증 CP 발병 확률이 높아진다. CP 발병 위험은 미숙도와 저체중 증가에 비례해서 점점 더 커지기 때문이다(Hintz 외 다수, 2011).

표 6-1 뇌성마비와 관련된 위험 원인

출생 전 원인	출생 중 원인	출생 후 원인
모체 감염	미성숙	신생아 감염
■ 풍진	조산 합병증	또한 자궁 내
■ 단순 포진	■ 분만외상	출혈
■ 톡소플라스마증	■ 쌍둥이 출산이나 다태 출산	
■ 거대세포바이러스		
태반 비정상	저체중아	
Rh 부적합		
임신 중독증		
두뇌 기형		

(Glanzman A의 ≪Cerebral palsy≫에서 수정한 내용. Goodman C과 Fuller KS가 편집한 ≪Pathology: implications for the physical therapist≫ 3판 p. 1518에서 수록됨. Philadelphia, 2009, WB Saunders)

병인

CP의 원인은 다양할 수 있고, 그중 몇 가지는 특정한 시기와 관련되어 있을 수 있다. CP의 모든 원인이 명확하게 밝혀진 것은 아니다. CP의 전형적인 원인뿐만 아니라 이러한 원인이 출생 전과 출생 전후(perinatal), 출생 후 발병 시기와 갖는 관계는 표 6-1에 나와 있다. 산소 결핍과 출혈, 혹은 뇌 손상을 일으키는 모든 질환은 뇌성마비로 이어질 수 있지만 뇌성마비의 원인은 보통 단 하나가 아니라 다수에 이른다. 뇌성마비에 대한 취약성은 재태 기간과 뇌성마비의 하부유형에 따라 달라진다(Nelson, 2008). 미성숙과 자궁 내 성장 제약은 뇌성마비의 위험 요소로 밝혀졌다.

출생 전 원인

CP의 원인은 보통 자궁 내 발달 중 나타난 문제와 관련이 있다. 풍진과 단순 포진, 거대세포바이러스(cytomegalovirus), 톡소플라스마증(toxoplasmosis) 같은 모체의 감염에 노출된 태아는 임신 초기에 두뇌의 운동 중추(motor centers)에 손상을 입을 수 있다. 모체에서 태아에게 영양과 산소를 공급하는 태반이 임신 기간 내내 자궁벽에 부착되어 있지 않으면 태아는 산소와 다른 필수적인 영양분이 결핍될 수 있다. 태반에는 염증이나 혈전이 생길 수 있고, 이 두 경우 모두 태아의 성장을 해칠 수 있다. 뇌성마비의 원인을 검토하고 싶은 독자는 넬슨(2008)의 저서를 참고하기 바란다. 경직형 뇌성마비 아동의 44%는 출생 시에 성장 장애를 보인다고 한다(Blair와 Stanley, 1992). 최근의 연구 결과는 CP를 저체중과 비만도 뿐만 아니라 출생 시 키와 머리 둘레와 관련지었다(Dahlseng 외 다수, 2014). 비만도는 체중의 세제곱과 키의 비율을 말하며, 체질량이나 유아의 통통함 정도를 알려주는 지표다. Rh 인자는 전체 인구 80%의 적혈구에서 나타난다. 수혈이나 교차시험(crossmatching)을 위해 혈액형을 입력할 때는 ABO 분류와 Rh 상태가 모두 결정된다. Rh 마이너스 혈액형의 엄마가 Rh 플러스 혈액형의 아이를 출산할 때는 Rh 부적합(incompatibility)이 일어난다. 이때 엄마는 아이의 혈액에 민감해지고, RhoGAM(Rh 면역 글로블린) 약물 주사를 맞지 않으면 항체를 형성하기 시작한다. 모체의 항체가 발달하면 Rh 플러스 혈액형의 아기는 CP의 특징적인 증후군인 핵황달(kernicterus)과 고빈도 청각손상, 시각적 문제, 치아 변색에 노출되기 쉽다. 첫 출산 이후에 RhoGAM 항체 주사를 맞으면 이후 출생 유아의 핵황달 발발을 예방할 수 있다.

유아에게 신경 손상의 위험을 가할 수 있는 또 다른 모체의 문제점으로 당뇨와 임신 중독증이 있다. 당뇨에 걸린 모체의 신진대사 결핍은 태아의 왜소 성장과 조직 성숙 지연을 유발할 수 있다. 모체가 임신 중독증에 걸리면 모체의 혈압이 너무 높아져서 태아가 충분한 혈액을 공급받지 못해 산소 부족의 위험에 노출된다.

두뇌와 다른 장기의 발육불량은 CP 아동한테서 흔히 발견된다(Himmelmann과 Uvebrant, 2011). 유전적 장애가 있고, 기형 발생 물질에 노출될 경우에는 두뇌 기형이 발생할 수 있다. 기형 발생 물질(teratogen)은 태아에 결손을 유발하는 물질이나 질환을 말한다. 예를 들면 방사능과 약물, 감염, 만성 질병이 있다. 항생제 사용과 비뇨생식기 감염은 CP 발병 위험 증가와 연관되어 있다(Miller 외 다수, 2013). 기형 발생물질에 많이 노출될수록 심각한 기형이 발생할 확률이 높아진다. 중추신경계 기형은 뇌출혈과 무산소증(anoxic lesion)의 발병에 기여할 수 있다(Horstmann과 Bleck, 2007).

출생 중 원인

유아는 진통과 분만 중에 무산소증(산소 결핍)으로 질식할 수도 있다. 볼기 분만(breech presentation, 엉덩이가 먼저 나옴)이나 탯줄 탈출 때문에 진통이 심하거나 길어져도 태아의 질식을 유발할 수 있다. 출산 과정에서 두뇌가 압출되거나 두뇌의 혈관이 파열될 수도 있다. 일반적으로 질식은 CP의 심각한 원인으로 받아들여지지만 출산 중 질식으로 CP에 걸린 아동의 수는 소수에 불과하다(Nelson, 2008). 다행스럽게도 이러한 질환은 흔하지 않다.

최근에는 영상법(imaging)의 등장으로 출생전 중 허혈성 뇌졸중이 뇌성마비의 주요한 원인으로 인지되고 있다. 반신마비 뇌성마비는 정상 출산아에서 가장 흔하게 나타나는 유형이다. 뇌졸중은 출생시 뿐만 아니라 출생 전에도 나타날 수 있다. 위험 인자들은 모체와 유아, 태반의 장애와 관련되어 있을 수 있다. 염증과 감염은 혈전증을 유발해 뇌경색으로 이어질 수 있다.

극소 조산아(very preterm infant)의 경우에는 심실 주변의 동맥 분수계 영역에서 백색질이 괴사하는 백색질연화증(periventricular leukomalacia, PVL)에 걸릴 위험이 있다. 다리로 이어지는 피질척수로의 섬유조직이 특히 취약하다. 이 영역의 혈류가 감소하면서 (그림 6-1) 경직형 양측 뇌성마비가 발생할 수 있다. PVL 발병은 역으로 재태 기간과 관련되어 있다. 임신 23주에서 32주 사이에 태어나는 조산아는 중추신경계(CNS)의 혈류 자기조절 기능 때문에 특히 이러한 질환에 걸린 위험이 있다(Glanzman, 2009).

CP의 가장 큰 위험 요인 두 가지는 미성숙과 저체중이다. 뇌성마비 아동의 4분의 1이 조산아이고, 1,500 g(3.3파운드) 이하로 태어났다. 반면 뇌성마비 아동의 절반 정도는 2,500 g(5.5파운드) 이하의 조산아이다.

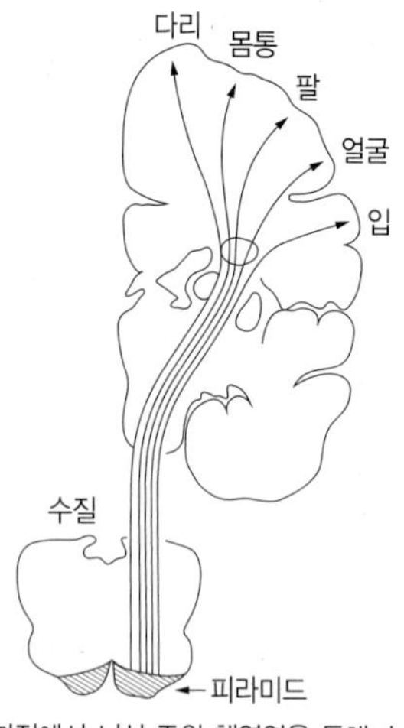

그림 6-1. 운동 피질에서 뇌실 주위 핵영역을 통해 수질의 피라미드로 들어가는 피질척수로 섬유조직의 개략적 도해. 하지에서 나오는 섬유 조직은 경직형 양측마비 뇌성마비를 유발할 수 있는 백질연화증에 취약하다(Volpe JJ의 ≪Hypoxic ischemic encephalopathy: Neuropathology and pathogenesis≫에서 수정한 내용. Vope JJ의 ≪Neurology of the neonate≫에 수록됨. Philadelphia, 1995, WB Saunders.).

37주 이하의 재태 기간과 재태 기간에 비해 작은 유아의 크기는 신경학적 손상을 유발하는 복합적 위험 인자이다. 하지만 1,500 g 이하의 출생 시 체중은 재태 기간과 상관없이 CP를 유발하는 강력한 위험 인자가 된다. 그러므로 1,500 g 이하의 만삭 출산아도 모두 CP에 걸린 위험이 있다. CP는 조산아와 관련되어 있을 가능성이 훨씬 크지만 CP 아동의 25%에서 40%는 그 원인이 밝혀지지 않았다(Russman과 Gage, 1989). CP 아동의 70%에서 90%가 중대한 진단적 결과를 보여줄 것이므로 신경영상(neuroimaging)은 매우 유용하다.

출생 후 원인

유아나 걸음마를 배우는 아이는 뇌일혈과 외상(trauma), 감염 또는 산소 결핍 때문에 부차적으로 두뇌 손상을 입을 수 있다. 이러한 질환들은 자동차 사고와 흔들린아이증후군 형태의 아동 학대, 익수(near-drowning), 납 노출과 관련이 있을 수 있다. 수막염과 뇌염(뇌의 염증 장애)은 후천성 CP 원인의 60%를 차지한다(Horstmann과 Bleck, 2007).

출생 후 원인

'뇌성마비'라는 명칭만 봐서는 운동기능 장애의 유형이나 중증도에 관한 구체적인 정보를 그다지 많이 추측해낼 수가 없다. CP는 최소 세 가지 다른 방식으로 분류할 수 있다. 첫 번째는 침범 분포에 따라서 분류하고, 두 번째는 이상 근긴장과 움직임 유형으로, 세 번째는 경증과 중등증, 중증이라는 용어를 사용하기보다 대운동기능분류시스템(GMFCS)에 따라 가장 잘 설명된 중증도에 따라 분류하는 것이다(Palisano 외 다수, 2008).

침범 분포

사지 전체, 또는 그 중 둘이나 하나, 혹은 신체 절반이 마비되거나 약해지는 질환을 명명할 때 '마비'라는 용어를 붙여서 사용한다. 팔다리마비 CP는 아동의 몸 전체에 침범하는데, 일반적으로 팔이 다리보다 훨씬 심각한 영향을 받는다(그림 6-2, A). 이러한 아동은 머리와 몸통 조절을 발달시키기 어렵고, 보행할 수도 있고 못할 수도 있다. 만약 걷기를 배운다면 아동기 중기에서나 가능할 것이다. 팔다리마비와 양측마비 아동은 양쪽 두뇌가 모두 손상된 상태이다. 양측마비 아동의 경우에는 주로 다리에 침범하지만 몸통도 어느 정도 영향을 받는다(그림 6-2, B). 양측마비의 몇몇 정의에 따르면 양측마비는 팔다리 모두에 침범하는데 팔보다 다리에 더 심하게 침범한다. 양측마비는 종종 조산아, 특히 임신 32주 경이나 두 달 일찍 태어난 조산아와 관련이 있다. 이러한 이유로, 경직형 양측마비는 미숙아 CP라고 불린다. 반신마비 CP 아동의 경우에는 뇌졸중 이후의 성인한테서 찾아볼 수 있듯이 신체 한쪽이 침범 당한다(그림 6-2, C). 반신마비 아동은 주로 한쪽 두뇌가 손상된다. 이러한 명칭들은 침범된 팔다리의 개수나 신체 측면에 초점을 맞추는 것처럼 보이지만 팔다리는 몸통과 연관되어 있다. CP 아동의 몸통은 어느 정도까지 영향을 받는다. 반신마비와 팔다리마비 아동의 경우에 몸통은 주로 이상 긴장에 영향을 받거나 양측마비 아동의 경우에서처럼 침범된 다리의 통제된 움직임을 보상하려고 할 때 부가적으로 영향을 받는다.

이상 근긴장과 움직임

CP는 보통 아동의 이상 근긴장 유형과 중증도에 따라 분류된다. 긴장 이상은 무긴장에서 과도한 긴장까지 그 종류가 다양하다. 무긴장성(atonic) CP 아동은 근긴장 저하 영아로 나타난다(그림 6-3). 실제로 이런 아동의 자세 긴장은 저하되거나 정상 이하이다. 유아가 긴장 저하를 나타낼 때 긴장의 궁극적 손상 여부

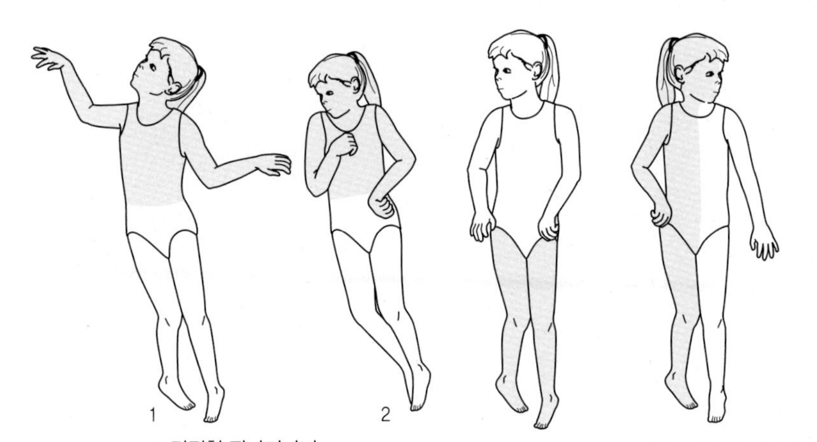

그림 6-2. A에서 C, 뇌성마비의 침범 분포

는 아직 확실하지 않다. 유아가 중력에 저항하는 움직임을 시도하면서 긴장은 시간의 흐름에 따라 변할 수 있기 때문이다. 긴장은 낮을 수도 있고, 정상 수준까지 증가할 수도 있으며, 정상 수준을 넘어서서 과도한 긴장 수준에 이를 수도 있다. 혹은 과도한 긴장과 긴장저하, 정상 수준을 오락가락할 수도 있다. 유아의 긴장이 지속적으로 낮으면 머리와 몸통 조절 발달, 성숙한 호흡 유형의 발달에 지장이 생긴다. 긴장 변동은 운동장애성(dyskinetic) CP 아동이나 무정위운동(athetoid) CP 아동한테서 특징적으로 나타난다. 이상 긴장은 쉽게 인지할 수 있지만 이상 긴장과 움직임 이상의 관계는 그다지 분명하게 드러나지 않는다.

CP 아동의 이상 긴장은 손상의 직접적 결과라기보다는 초기 두뇌 손상에 대한 신경계의 반응일 수 있다. 신경계는 마비측 신체 부위에서 생겨나는 되먹임 부족을 보상하려고 할지도 모른다. 아동의 신체 위치가 중력에 비례해서 변할 때 이상 근긴장의 분포도 달라질 수 있다. 누워 있을 때 몸통과 팔다리가 펴지는 아동은 앉아 있을 때 머리와 몸통이 완전히 구부러질 수 있다(그림 6-4). 아이와 중력의 관계가 변하기 때문이다. 긴장 차이는 각기 다른 신체들 부위들에서도 분명하게 드러날 수 있다. 경직형 양측마비 아동은 다리 근육의 과도한 긴장과 몸통 근육의 긴장 저하를 보일 수 있다. 이러한 긴장 유형은 모든 신체 자세에서 일관적으로 나타나거나 중력과의 관계가 새롭게 변할 때마다 달라질 수도 있다. 이상 긴장의 수준이나 크기는 수동적 움직임에 대한 저항 수준과 비교해서 판단한다. 기초적인 평가는 중력에 저항하는 움직임을 시작하는 아동의 능력을 토대로 한다. 일반적으로 수동적 움직임에 대한 저항이 클수록 아동이 움직이려고 시도하기가 점점 더 어려워진다.

경직형(rigidity)

CP 아동의 가장 흔한 이상 긴장 유형은 경직형이다. 경직형은 속도 의존적 근긴장 증가가 나타나는 것이다. 과긴장증(Hypertonus)은 움직임의 속도에 영향을 받지 않을 수도 있는 수동적 움직임에 대한 저항이 증가하는 것이다. 임상적으로 이러한 두 용어는 교대로 사용된다. 정상치를 넘어서는 긴장의 크기는 주관적으로 분류하고 구분하며, 경증에서 중등증, 중증까지 이어지는 연속체로 나타난다. 경증과 중등증은 보통 이용할 수 있는 최소한의 관절 가동 범위를 이용해 활동적으로 움직이는 능력을 지니는 사람을 일컫는다. 중증 과긴장증과 경직형은 관절 가동 범위를 완전히 이용할 수 없어서 몸을 움직이기가 극히 어려움을 의미한다. 후자의 경우에 아동은 억제(inhibitory) 기법을 사용하지 않고서는 움직임을 시작하기조차 어려울 수 있다. 긴장 과도가 오래 지속되면 대부분의 경우에

그림 6-3. 긴장 저하 유아

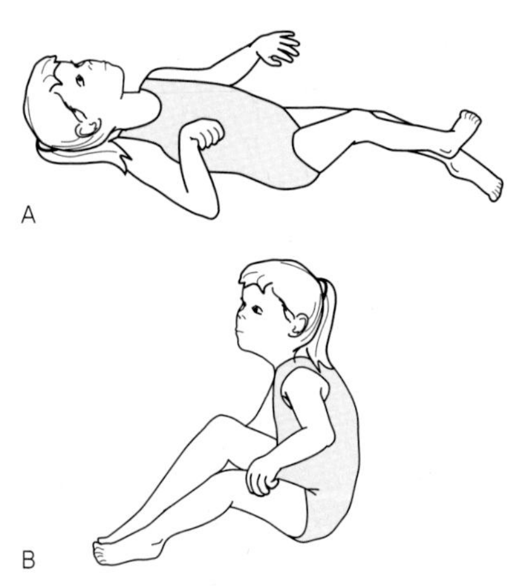

그림 6-4. A. 누운 자세에서 폄 상태가 되는 아동. B. 구부리고 앉은 자세를 취하는 동일 아동.

대항근(antagonist muscle)이 경직된 근육의 당김에 적절하게 대항할 수 없기 때문에 구축과 기형이 발생하기 쉽다.

과긴장이 대항근, 특히 팔 굽힘근과 다리 굽힘근, 다리 폄근에서 나타나기 쉽다. 특히 어깨 당김근(scapular retractors)과 팔꿉관절과 아래팔, 손목, 손가락 굽힘근이 심각한 침범에 노출되기 쉬운 팔 근육이다. 양측마비 아동과 팔다리마비, 반신마비 아동은 동일한 다리 근육에 손상을 입는다. 예컨대 엉덩 굽힘근과 모음근, 무릎 굽힘근 중에서도 안쪽 뒤넙다리근(medial hamstring), 발목 발바닥 굽힘근에 이상이 생긴다. 이러한 근육들의 침범 수준은 다양하고, 추가적으로 다른 근육들도 영향을 받을 수 있다. 몸통 근육조직에서도 과긴장이 나타날 수 있다. 몸통 근육의 과긴장은 들숨과 날숨을 쉬는 동안 가로막과 가슴벽의 정상적인 운동을 방해해서 소리를 낼 때 필요한 호흡 조절을 손상시킬 수 있다. 앞서 설명했듯이 경직형은 출생 초기에는 나타나지 않을 수도 있지만 아이가 중력에 저항해 움직이려고 하면서 점차적으로 근긴장 저하가 나타날 수 있다. CP에서 경직형은 뇌에 기원을 두고 있다. 다시 말해서 뇌실내출혈(intraventricular hemorrhage)과 같은 촉진 사건(aprecipitating event) 때문에 중추신경계에 손상을 입어 발생한다. 경직형 마비는 전형적인 위운동신경세포병변(upper motor neuron leison)에서 생겨난다. 영향을 받는 근육들은 팔다리마비와 양측마비, 혹은 반신마비 같은 CP유형에 따라 달라진다. 그림 6-2는 이러한 경직형 CP 유형들의 전형적인 침범을 보여 준다.

일과성 근긴장 이상(Transient Dystonia)

이것은 모든 저체중 조산아의 60%에서, 심지어는 만삭 출산아 중 일부한테서도 나타나는 일시적인 상태다. 생후 1년 동안 나타나는 이러한 특징들은 일시적일 수도 있지만 몇몇 연구에 따르면 노년기의 행동 결핍과 연관되어 있다. 이러한 특징들은 초기 CP의 임상적 징조들과 구분하기 어려울 정도로 유사하기 때문에 물리치료사들에게는 고민거리가 된다. 이러한 특징으로는 목 폄근의 과긴장, 저긴장, 과민성, 신생아 시기의 졸음증, 팔다리근육의 과긴장, 몸통 근육의 저긴장, 어깨 뒤당김(scapular retraction), 생후 4개월에 나타나는 지속적인 비대칭성 긴장목반사(ATNR)와 지속적인 양성 지지 반사+(support reflex)와 동반되는 어깨뼈 모음, 최소 몸통 돌림을 동반하는 미성숙한 자세 반응, 지속되는 몸통 긴장 저하, 생후 6개월에서 8개월 사이의 팔다리 과긴장(hypertonicity)이 있다.

경축형(rigidity)

경축형은 CP 아동한테서 흔치 않은 긴장 유형이다. 경축형은 두뇌 피질보다는 보다 더 깊숙한 두뇌 영역에 심각한 손상이 생겼음을 암시한다. 자세가 굳어 버리고 모든 방향으로의 움직임이 방해받을 정도로 심각하게 근긴장이 증가한다.

운동이상증(Dyskinesia)

운동이상증은 움직임 이상을 의미한다. 가장 흔한 운동이상 증후군인 무정위운동증의 특징은 팔다리의 움직임 이상, 특히 각각의 중간 범위 내에서 이상이 나타나는 것이다. 중간 범위의 움직임은 움직임을 안정화시키는 자세 안정성이 부족하면 매우 어렵다. 팔다리가 신체에서 멀리 떨어져 나가면 운동조절이 감소한다. 불수의적 움직임은 자세와 움직임을 조절하려는 아동의 시도에서 나온다. 이러한 불수의적 움직임은 아이의 팔다리 전체, 즉 원위적으로는 손과 발, 근위적으로는 입과 얼굴에서 찾아볼 수 있다. 무정위운동증 아동은 외부의 지지에 의존해야 움직임의 정확성과 효율성을 개선할 수 있다. 침범 부위가 구강 근육이라면 식사와 발음이 어려워질 수 있다. 발음 능력은 보통 발달되지만 이런 아동의 말은 쉽게 알아듣기 어려울 수도 있다. 무정위운동 CP의 특징은 정적 자세 안정성과 동적 자세 안정성의 감소이다. 운동이상증 아동은 기능적 과제를 완수하기 위해 목적성 있는 움직임을 조절하는 데 필요한 자세 안정성이 부족하다(그림 6-5). 근긴장은 낮았다가 높았다가 정상치에 머물다가 다시 높아지는 식으로 오락가락해서 이런 아동은 가장 확실하게 지지되는 자세를 제외한 거의 모든 자세에서 자세 정렬을 유지하기 어려워한다. 또한 불수의적인 움직임을 천천히 반복한다.

운동실조(Ataxia)

운동실조는 전통적으로 소뇌의 손상에서 비롯되는 협응 상실로 정의된다. 운동실조 CP 아동은 협응 상실과 자세긴장 저하를 보인다. 이들은 보통 양측마비 분포를 보이며, 몸통과 다리가 가장 크게 영향을 받는다. 이러한 유형의 긴장저하 아동은 어떤 자세를 취하든 머리와 몸통을 정중선에 안정적으로 두고 유지하기가 어렵다. 운동실조 움직임은 변덕스럽고 불규칙적이다. 운동실조 CP 아동은 궁극적으로 똑바로 서기를 습득하지만 이 자세를 유지하려면 정적 자세 조절 결핍을 메우기 위해서 기저 면을 넓게 확보하고 일어서야 한다(그림 6-6). 모든 자세에서 자세 반응이 느리게 발달하고, 보행 중에 가장 중요한 균형 손상이 나타난다.

운동실조성 아동은 균형을 유지하려고 몸통을 가쪽으로 크게 이탈시킨 채 걷는다. 이러한 보행은 안정성 결핍과 잘못된 자세 교정 때문에 몸통이 크게 이탈하기 때문에 보통 '비틀(staggering) 걸음'이라고 한다. 이러한 손상은 균형 잡기에 큰 어려움이 될 것처럼 보이지만 운동실조 아동은 무게중심에서 크게 벗어나는 자세에 적응하는 연습을 해서 넘어지지 않고 걸을 수 있다. 중심 이탈 자세와 느린 균형 반응은 넓은 기저 면으로 상쇄시킨다. 팔 움직임은 전형적으로 몸통의 과도한 체중 이동에 대응하는 보상 전략으로 사용한다. 이러한 아동이 불안정해 보이는 걸음으로 독립적으로 걷도록 이끌어 주는 것은 치료사에게 가장 힘든 과제이다. 언제나 적절한 안전 예방 조치를 취해야 하고, 개인적인 안전을 위해 헬멧을 써야 하는 아동도 있다. 보조기구는 무게가 적절하지 않으면 보행에 도움이 되지 않고, 오히려 지장을 줄 수도 있다.

기능 분류

세계보건기구의 국제기능장애건강분류체계(ICF)에 따라서 CP와 같은 장애를 분류하는 가장 좋은 방법은 기능에 미치는 영향을 살펴보는 것이다. 대운동기능분류체계(GMFCS, Palisano 외 다수, 2008)는 CP 아동의 운동성을 분류할 때 많이 사용하는 방법이고, 사물조작능력 분류체계(MACS, Eliasson 외 다수,

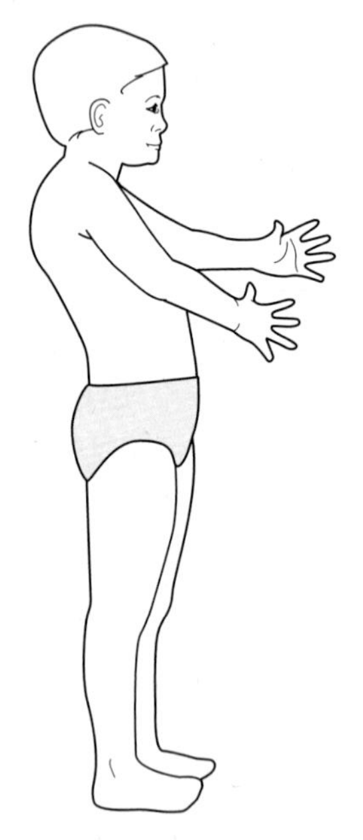

그림 6-5. 무정위운동증 뇌성마비 아동의 서기 자세

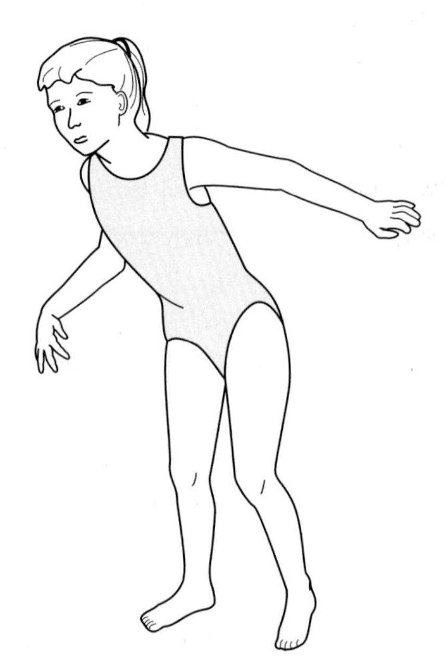

그림 6-6. 운동실조 뇌성마비

2006)는 CP 아동이 일상적인 활동을 하면서 손을 사용하는 방법을 분류할 때 선호하는 방법이다. 의사소통기능 분류체계(CFCS, Hidecker 외 다수, 2011)도 CP 아동에게 사용한다. 전문직 간 의사소통은 표준화된 용어와 계층화된 기능 단계를 제공해 주는 상기의 도구들을 이용해 향상시킬 수 있다. 분류 체계를 사용하면 아이의 기능 단계와 장기적 결과를 논의하는 부모와 전문가들의 의사소통을 향상시킬 수 있다. 상기의 세 가지 분류 체계를 모두 사용하면 아동의 기능 프로필을 작성할 수 있다(Effgen 외 다수, 2014). 각 분류 체계의 5단계는 표 6-2에 개략적으로 나와 있다. 여기서는 GMFCS에 관해서만 보다 더 자세하게 살펴보겠다.

GMFCS (Palisano 외 다수, 2008)는 운동장애 아동의 운동 단계를 결정지어 주는 5단계 체계다. 1단계는 제한 없이 걷기, 2단계는 제한적으로 걷기, 3단계는 손으로 잡는 운동 보조기구를 이용해 걷기이다. 4단계는 제한된 자가 이동이 가능하며 전동 운동 기구를 사용할 수 있다. 5단계는 가장 심각한 제한이 있어서 수동 휠체어를 타고 이동한다. 연령층에 따른 이 단계들 보다 더 세부적인 설명은 두 살 생일이 지나지 않은 아동에게 사용하고, 두 살에서 네 살 생일 사이의 아동과 네 살 생일에서 여섯 살 생일 사이의 아동, 여섯 살 생일에서 열두 살 생일 사이의 아동에게도 사용한다. GMFCS는 아이가 최상의 상태에서 할 수 있는 능력보다는 평소에 하는 수행 능력을 바탕으로 삼는다. 높은 연령층은 기능에 미치는 환경의 잠재적 영향과 운동성에 관한 개인적 선호를 드러낸다. 높은 연령층에 대한 기대치는 그림 6-7에 요약되어 있다. 모든 단계의 설명은 CanChild 웹사이트 www.canchild.ca에서 찾아볼 수 있다.

진단

많은 아이들이 생후 6개월이 지나기 전에는 공식적으로 CP에 걸렸다고 진단받지 않는다. 팔다리마비 아동처럼 신경계가 심각하게 손상된 아동의 경우에는 조기 진단이 손쉬울 수도 있다. 하지만 중등도 반신마비나 양측마비 아동의 경우에는 생후 9개월 경에 잡고 일어서기 어려워하는 증상을 보이기 전까지는 문제가 있음을 밝혀내기가 쉽지 않다. 이처럼 조기 발견이 어려워서 조기 중재의 혜택도 제공하기가 어렵다. 근긴장저하는 무정위운동증의 전조 증상이 될 수도 있고, 중력에 저항하는 아동의 움직임에서도 찾아볼 수 있다(Senesacm, 2013). 소아과 의사들과 소아물리치료사들이 생후 4개월에서 6개월 사이 아동의 뇌성마비를 발견할 수 있게 도와주는 민감한 평가 도구들을 개

표 6-2 뇌성마비 분류체계

운동성	대운동기능분류체계(GMFCS) 1단계: 제한 없이 걷기 2단계: 제한적으로 걷기 3단계: 손으로 잡는 이동기구를 이용해 걷기 4단계: 제한적으로 자가 이동하기, 전동이동기구 사용 가능 5단계: 수동휠체어를 타고 이동하기
손 사용	사물조작능력 분류체계(MACS) 1단계: 사물을 쉽게 성공적으로 다룬다. 2단계: 대부분의 사물을 다루지만 그 속도나 질이 다소 감소한다. 3단계: 사물을 잘 다루지 못해서 활동 준비나 변경을 할 수 있도록 도와주어야 한다. 4단계: 쉽게 다룰 수 있는 사물을 제한적으로 선택해서 제한된 상황에서 다룬다. 5단계: 사물을 전혀 다루지 못하고, 간단한 행동을 수행하는 데도 심각한 제한을 받는다.
의사소통	의사소통기능 분류체계(CFCS) 1단계: 친숙한 상대와 친숙하지 않은 상대와 효과적으로 소통하는 발신자와 수신자 2단계: 친숙한 상대와 친숙하지 않은 상대와 효과적이지만 느리게 소통하는 발신자나 수신자 3단계: 친숙한 상대와 효과적으로 소통하는 발신자와 수신자 4단계: 친숙한 상대와 이따금씩 효과적으로 소통하는 발신자나 수신자 5단계: 친숙한 상대와 좀처럼 효과적으로 소통하지 못하는 발신자와 수신자

출처: Eliasson 외 다수(2006)와 Hidecker 외 다수(2011), Palisano 외 다수에서 발췌

발하기 위해서 오랜 세월동안 연구가 진행되었으며, 앞으로도 지속적인 연구가 필요하다. 특정한 항중력 자세들에서 나타나는 아동의 움직임을 관찰하면 반사 검사를 하거나 발달 이정표를 평가할 때보다 훨씬 더 많은 사실이 밝혀질지도 모른다(Pathways Awareness Foundation, 1992).

병태 생리학

경직형 양측마비와 팔다리마비, 반신마비는 경증에서 중증에 이르기까지 다양한 뇌실내출혈로 발병할 수 있다(표 6-3). 피질척수로의 어떤 섬유가 관련되어 있는지, 양쪽 아니면 한쪽이 손상되었는지에 따라서 팔다리마비와 양측마비, 혹은 반신마비라는 신경학적 손상이 나타난다. 경직형 팔다리마비는 대부분 조산아의 3단계 뇌실내출혈과 관련이 있다. 4단계 뇌출혈로 분류되는 것은 현재 뇌실주위 출혈성 경색(PHI, periventricular hemorrhagic infarction)이라고 한다. 저체중에 PHI를 보이는 조산아는 신경성 문제에 노

생일 기준으로 6세에서 12세 사이 아동의 GMFCS E와 R 설명과 삽화

GMFCS 1단계
가정과 학교, 실외, 지역 사회에서 걸어 다닌다.
난간을 잡지 않고 계단을 올라갈 수 있다.
달리기와 뜀뛰기 같은 대운동 기술을 수행하지만 속도와 균형, 협응은 제한되어 있다.

GMFCS 2단계
대부분의 환경에서 걸어 다니고, 난간을 잡고 계단을 올라간다.
먼 거리를 걸어가기 힘들어 할 수 있고, 울퉁불퉁한 곳과 경사진 곳, 복잡한 곳이나 제한된 공간에서 균형을 잡기 어려워 할 수 있다.
손으로 잡는 바퀴 달린 이동기구를 사용해서 물리적 도움을 받아 먼 거리를 걸어 다닐 수 있다. 달리기와 뜀뛰기 같은 대운동 기술을 수행할 수 있는 최소한의 능력만 지니고 있다.

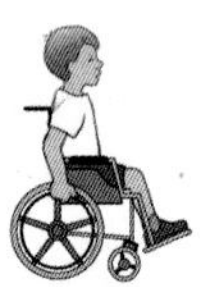

GMFCS 3단계
대부분의 환경에서 손으로 잡는 이동기구를 이용해 걸어 다닌다.
감독이나 도움을 받아서 난간을 잡고 계단을 오를 수 있다.
먼 거리를 여행할 때는 바퀴 달린 이동기구를 이용하고, 보다 더 짧은 거리를 이동할 때는 이동기구를 스스로 움직여 나아갈 수 있다.

GMFCS 4단계
대부분의 환경에서 물리적 도움이 필요한 이동 방법을 사용하거나 전동 이동기구를 이용한다. 가정에서는 물리적 도움을 받거나 전동 이동기구를 이용하거나, 혹은 신체 지지 워커에 의지해서 짧은 거리를 이동할 수 있다. 학교와 실내, 지역 사회에서는 수동 휠체어나 전동 이동기구를 이용해 아동을 이동시킨다.

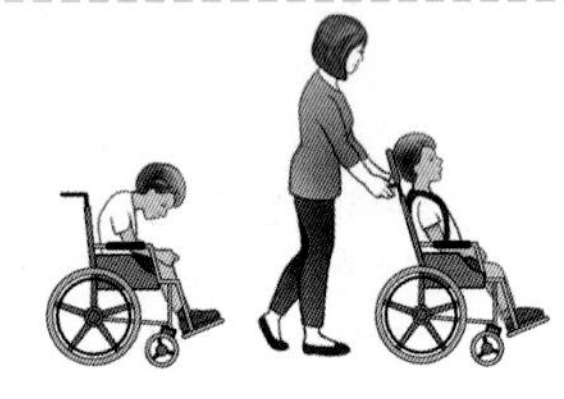

GMFCS 5단계
모든 환경에서 수동 휠체어를 이용해 아동을 이동시킨다.
항중력 머리 및 몸통 자세를 유지하는 능력과 팔다리 움직임을 조절하는 능력이 제한된다.

그림 6-7. 대운동기능분류체계

(계속)

생일 기준으로 6세에서 12세 사이 아동의 GMFCS E와 R 설명과 삽화

GMFCS 1단계
가정과 학교, 실외, 지역 사회에서 걸어 다닌다.
물리적 도움 없이, 난간을 잡지 않고 계단을 오를 수 있다.
달리기와 뜀뛰기 같은 대운동 기술을 수행하지만 속도와 균형, 협응은 제한되어 있다.

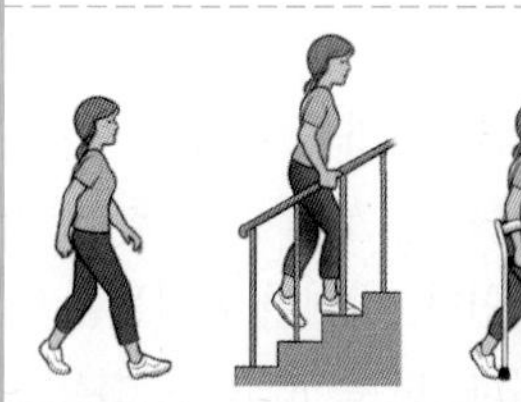

GMFCS 2단계
대부분의 환경에서 걸어 다니지만 환경적 요인과 개인적 선택에 따라 이동기구가 달라진다. 학교나 직장에서 안전상 손으로 잡는 이동기구가 필요할 수도 있고, 난간을 잡고 계단을 올라간다.
실외와 지역 사회에서 먼 거리를 이동할 때는 바퀴 달린 이동기구를 사용할 수 있다.

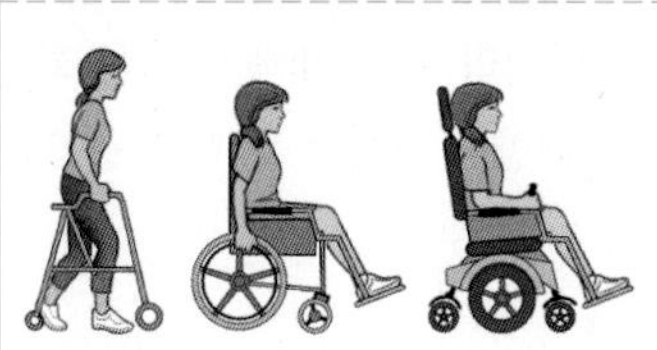

GMFCS 3단계
손으로 잡는 이동기구를 이용할 수 있다.
감독이나 도움을 받아서 난간을 잡고 계단을 오를 수 있다.
학교에서는 수동 휠체어를 직접 움직여 이동하거나 전동 이동기구를 사용할 수 있다. 실외와 지역 사회에서는 휠체어나 전동 이동기구를 이용해서 아동을 이동시킨다.

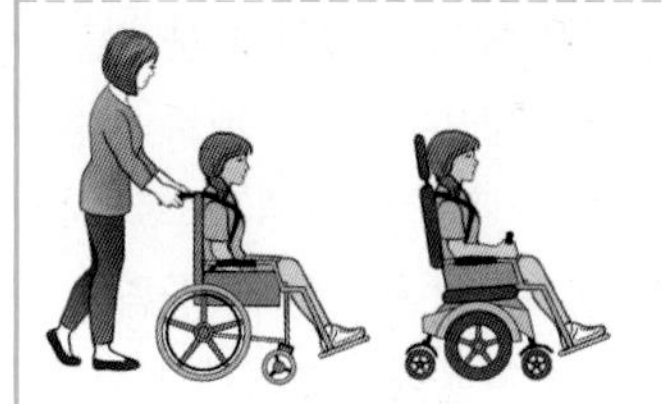

GMFCS 4단계
대부분의 환경에서 바퀴 달린 이동기구를 이용한다.
한 두 사람의 물리적 도움을 받아야 이동할 수 있다.
실내에서는 물리적 도움을 받아 짧은 거리를 이동할 수 있고, 바퀴 달린 이동기구를 이용하거나 신체 지지 워커에 의지해서 이동할 수 있다.

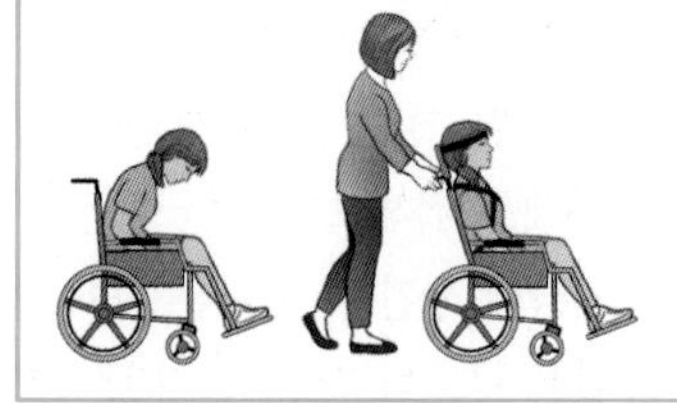

GMFCS 5단계
모든 환경에서 수동 휠체어를 이용해 아동을 이동시킨다.
항중력 머리 및 몸통 자세를 유지하는 능력과 팔다리 움직임을 조절하는 능력이 제한된다. 보조 기술을 이용해도 자가 이동이 극히 제한된다.

그림 6-7. 계속

출될 가능성이 매우 크다. 32주에 태어난 조산아는 특히 저산소증(hypoxia)과 허혈로 심실 주변의 백색질이 손상될 위험이 크다. PVL은 경직형 양측마비의 가장 흔한 원인이다. 대체로 다리로 가는 피질척수로의 섬유들이 손상되기 때문이다. 가장 흔한 CP 유형인 경직형 반신마비는 조산아의 PHI 침범에 부차적으로 한쪽 두뇌가 손상되면서 발생할 수 있다. 정상 출산아의 경우에는 동정맥 기형(arteriovenous malformation)과 뇌내출혈(intracerebral hemorrhage), 뇌경색(cerebral infarct) 같은 뇌 기형으로 뇌성마비가 발생할 가능성이 훨씬 더 크다(Fenichel, 2009). 무정위운동증은 기저핵 손상과 태아적모구증(erythroblastosis fetalis), 무산소증, 호흡곤란(respiratory distress)과 연관이 있다. 적혈구가 파괴되는 태아적모구증은 모체-태아 혈액 그룹의 Rh 부적합이 일어날 때 갓난아기한테서 발생한다. 실조(ataxia)는 소뇌의 손상과 관련이 있다.

표 6-3 뇌성마비 병태 생리학

원인	결손
뇌실주위백질연화증	경직형 양측마비
자궁내 질환	경직형 팔다리마비
저산소증-허혈 손상	경직형 팔다리마비
뇌실주위내출혈(조산아)	경직형 반신마비
뇌 기형, 뇌경색, 뇌내출혈	경직형 반신마비
(정상 출산아)	실조증
소뇌의 선택적 신경세포 괴사	무정위운동증
대리석증(기저핵 내 과수초화)	

Fenichel GM의 ≪Clinical pediatric neurology: a signs and symptoms approach≫ 개정 6판에서 발췌. Philadelphia, 2009, Saunders; Goodman CG와 Fuller KS의 ≪Pathology: implications for the physical therapist≫개정 3판에서 발췌. Philadelphia, 2009, Saunders; Umphred DA가 편집한 ≪Neurological rehabilitation≫ 개정 6판에서 발췌. St Louis, 2013, Mosby.

관련 결손

CP와 관련된 결손은 CP 아동한테서 두드러지게 나타나는 순서대로 소개하겠다(상자 6-1). 유아 운동장애의 조기 징조는 먹기와 호흡 문제로 나타난다.

상자 6-1. 뇌성마비와 관련된 결손

먹기와 말하기 손상
호흡 비효율성
시각 손상
청각 손상
지적 장애
발작

먹기와 말하기 손상

빨기-삼키기 반사 결핍, 빨기와 호흡의 불협응은 갓난아기의 CNS 손상을 보여 주는 명백한 증상일 수 있다. 먹이찾기반사나 빨기-삼키기 반사 같은 유아의 구강 반사가 지속되거나 긴장성 물기 반사, 혀 내밀기 반사와 같은 정상적인 반사가 과도하게 나타나는 것은 구강 운동 발달에 이상이 있다는 징후일 수도 있다. 입 주변과 입 안의 촉각 반응이 과도하게 나타나거나 저하될 수도 있다. 과민성은 경직형 반신마비나 팔다리마비 아동한테서 나타날 수 있지만 민감저하는 긴장 저하 CP 아동한테서 분명하게 드러날 수 있다.

먹기는 말하기의 전조로 간주된다. 그렇기 때문에 먹기 문제가 있는 아동은 누구나 알아들을 수 있는 소리를 내기 어려워할 수도 있다. 빨기 도중에 모유 손실을 막으려면 입술로 유두 주변을 꽉 물어야 한다. '프'나 '브', '므' 소리를 낼 때도 입술 닫기(lip closure)가 필요하다. 유아가 긴장 문제 때문에 입술을 오므리지 못하면 먹기와 소리 내기에 지장이 생긴다. 혀는 빨기와 삼키기, 나중에는 씹기 도중에 입 안에서 다양한 방식으로 움직인다. 이러한 유형들은 구강 운동 발달에 따라 달라진다. 혀 움직임의 변화는 음식을 먹고 삼킬 때뿐만 아니라 구강 내에서 혀를 특정한 위치에 두어야 하며, 다양한 소리를 낼 때도 중요하다.

호흡의 비효율

호흡 비효율성은 먹기와 말하기 문제를 악화시킬 수 있다. 정상 발달 중인 유아는 배로 숨을 쉬고, 시간이 지남에 따라서 흉곽을 효과적으로 사용하는 능력이 발달하여 흡기양이 증가한다. 중력은 흉곽 배열에 있어서 가로막을 효율적인 호흡에 보다 더 유리한 위치에 놓도록 발달적 변화를 증진시켜 준다. 하지만 머리와 몸통 조절 같은 연령에 적합한 운동 능력이 결핍해서 똑바로 자세를 취해보지 못한 아동은 그러한 발달적 변화에 지장이 생긴다. 똑바른 자세 발달 부족은 갈비뼈 팽창 같은 구조적 기형, 소리 내기에 부적절한 호흡 조절 부족과 호흡 길이 단축 같은 기능적 제한을 유발할 수 있다. 몸통 근긴장이 비정상적으로 증가하면 숨을 짧게 뱉어 낼 수밖에 없어서 스타카토 말하기(staccato speech)가 나타날 수 있다. 근긴장 저하 아동은 복부 근육 발달이 미흡해서 흉곽 팽창을 보이기 쉽다. 지적 장애와 청각 손상, 중추 언어처리 손상은 CP 아동의 효과적인 구강의 기능적 운동 발달을 더욱 더 저해할 수 있다.

지적 장애

CP 아동은 정상적 발달과 관련이 있고 그에 영향을

미치기도 하는 신경계 손상과 관련된 많은 문제를 갖고 있다. 그 중에서 가장 흔한 문제들은 시각과 청각 손상, 먹기와 말하기 어려움, 발작, 지적 장애이다. 지적 장애의 분류는 8장에 나오기 때문에 이 장에서는 다루지 않는다. 운동계 침범의 심각성과 지적 장애 사이에는 직접적인 연관성이 없지만 지적 장애가 있는 CP 아동은 25%에서 45% 사이에 이른다(Fenichel, 2009; Yin Foo 외 다수, 2013). 인지 테스트에는 구두 반응이나 운동 반응이 필요한데 CP 아동의 경우에는 그 둘 중 하나가 손상되어 있을 수 있다. 뇌성마비 아동의 평균 인지 점수는 재태 기간과 출산 시 체중과 관련되어 있다(Accardo, 2008). 지적 장애 발생 위험은 유아가 32주에서 36주 사이에 태어날 때 1.4배 증가하고, 32주 전에 태어난다면 7배 증가한다. 정상 지능의 CP 아동도 학습 장애나 다른 인지적 혹은 신경 행동적 손상에 노출될 위험이 있다고 한다. 일반적으로 경직형 반신마비나 양측마비, 혹은 무정위운동증이나 운동실조증 아동은 정상 지능이나 그보다 높은 지능을 지니고 있을 가능성이 훨씬 크다. 반면 경직형 팔다리마비나 강직형, 혹은 복합 유형의 아동은 지적 장애를 보일 가능성이 훨씬 크다(Hoon과 Tolley, 2013). 하지만 모든 일반화가 그렇듯이 예외는 언제나 존재한다. 인푸(YinFoo 외 다수, 2013)는 임상적 추론 도구를 이용해서 CP에게 적절한 IQ 평가를 선택하라고 제안했다. 운동계 침범의 심각성만 토대로 삼아서 아동의 지적 상태를 판단하지 않는 것이 매우 중요하다.

발작

CP 아동의 두뇌 손상 부위는 이상 전기 활동의 중심부가 되어 발작을 일으킬 수 있다. 간질(Epilepsy)의 특징은 반복적인 발작이다. CP 아동의 약 40%가 약물로 다스려야 하는 발작을 경험한다(Nordmark 외 다수, 2001). 소수의 CP 아동은 고열과 관련된 일회성 발작 삽화(episode)나 머릿속압력 증가(intracranial pressure)를 경험할 수 있다. CP 아동이나 지적 장애 아동은 정상 발달 중인 아동보다 발작을 일으킬 가능성이 훨씬 더 크다. 발작은 전신 발작과 부분발작, 미분류 발작으로 분류되고, 이러한 분류는 표 6-4에 나와 있다. 전신 발작(Generalized seizures)은 사람의 운동 활동 유형을 보고 붙인 명칭이다. 초점 발작(Focal seizures)은 부분 발작이라고 하며, 아동의 의식 상실 경험 여부에 따라서 단순하거나 복잡하다. 미분류 발작(Unclassified seizures)은 다른 어떤 범주에도 들어가지 않는다. 간질 증후군은 흔한 징후와 증상을 보이고, EEG 특징과 특성, 동일한 유전적 기원이나 발병을 보인다.

표 6-4 발작 분류

발작의 국제적 분류	발작의 표상
전신 발작	신체 전체에 퍼져나가는 발작 언제나 의식 상실이 동반됨
긴장성-간대성 발작	신체의 긴장성 수축(뻣뻣해짐)으로 시작해 신체의 간대성 움직임(급격한 움직임)으로 변함
긴장성 발작	신체 전체가 뻣뻣해짐
간대성 발작	근간대성(myoclonic) 급격한 움직임이 시작됐다가 갑자기 멈춤
무긴장 발작	갑작스러운 근긴장 감소
실신발작	의식을 상실하는 비경련 발작 눈 깜박임, 응시하기 혹은 몇 초 동안 지속되는 작은 움직임들
근간대성 발작	하나의 근육이나 근육 그룹의 불규칙적, 불수의적 수축
초점 발작	신체 전체로 퍼져나가지 않는 발이 유형의 발작에는 다양한 감각 혹은 운동 증상이 동반됨. 부분 발작과 차이가 없음(Berg 외 다수, 2010).
증후군	Berg 외 다수(2010) 참조
미분류 발작	상기의 범주에 포함되지 않는 발작들

Ratliffe KT의 ≪Clinical pediatric physical therapy≫ p. 410에서 수정함. St Louis, 1998, Mosby; Berg 외 다수(2010)

CP 아동과 가벼운 지적 장애 아동은 모든 경직형 CP 아동이 그렇듯이 초점 발작을 보이는 경향이 있다(Carlsson 외 다수, 2003). CNS 감염과 CNS 기형,

표 6-5 **경직형 아동의 손상과 활동 제한, 참여 제한, 치료 초점**

신체 구조/기능	활동 제한	참여 제한	치료 초점
근긴장/신장성	대운동과 소근육 운동 기술	사회적 참여	가족에게 CP에 관해서 교육하기
선택적 운동조절	구강 운동 기술 지연	놀이	부모의 안정성 다루기
■ 운동 동원			
■ 협력수축			
근력	앉기/서기/걷기	자기 돌봄	중력에 저항해서 자세 바꾸기
자세 조절	자세 지연		자세 근육 활성화 움직임 이행 연습하기
감각 처리	옷 입기/놀기		감각운동 경험 최적화 놀이 복잡성 증가
통증			앉기에서 서기/걷기 훈련 강화

회백질 손상으로 CP에 걸린 아동은 백질 손상으로 CP에 걸린 아동이나 원인 불명의 CP 아동보다 발작을 일으킬 가능성이 더 크다(Carlsson 외 다수, 2003). 발작 활동의 시작 연령은 뇌성마비 유형과 관련이 있는 것 같다. 팔다리마비 아동은 반신마비 아동보다 일찍 발작을 시작한다. 반신마비 아동의 조기 발작 시작은 인지에 중요한 영향을 미친다. 반신마비 CP 아동의 50%가 간질을 일으킨다(Fenichel, 2009). 치료사는 아동을 다룰 때 아동의 발작 활동 이력에 관해서 부모와 간병인에게 물어봐야 한다. 물리치료 보조사는 언제나 아동의 발작 활동을 기록해야 한다. 그 기록에는 발작 시작 시기와 지속 시간, 의식상실, 운동과 감각 표상, 발작 후 아동의 상태가 포함된다.

시각 손상

시각은 생후 3년 동안의 균형 발달에 매우 중요하다(Shumway-Cook과 Woollacott, 2012). 모든 시각적 장애는 보통 CP 진단과 함께 나타나는 내재적인 신경운동 문제를 악화시킬 수 있다. 눈 근육 조절은 이상 긴장에 부정적인 영향을 받을 수 있고, 결과적으로 양쪽 눈이나 한쪽 눈이 안쪽을 향하거나(내사시) 바깥쪽을 향할 수 있다(외사시). 사시(Strabismus)는 눈이 교차되는 이상 상태를 일컫는 일반적인 용어다. 사시 마비(paralytic strabismus)는 눈 근육이 손상되는 것이다. 사시는 CP 아동한테서 많이 나타나고(Batshaw 외 다수, 2013), 팔다리마비와 양측마비 아동한테서 가장 많이 나타난다(Styer-Acevedo, 1999).

눈떨림(Nystagmus)은 실조성 아동한테서 가장 자주 나타난다. 눈떨림은 눈이 수직과 수평 방향, 혹은 원형으로 빠르게 왔다 갔다 하는 것이다. 정상적으로는 안뜰계 자극에 반응해서 눈떨림이 나타나고, 이는 머리 움직임과 시각이 밀접하게 관련되어 있음을 암시한다. 눈떨림은 머리나 몸통의 균형을 잡는 과제를 어렵게 만들 수 있다. 어떤 아동들은 눈떨림을 보상하기 위해서 머리를 기울여 늘인다. 이러한 움직임은 목 수축과 폄근 이상 긴장으로 착각할 수 있다. 머리가 뒤쪽으로 기울어지면 아동은 가장 안정적인 시각 입력을 얻을 수 있다. 일반적인 목 수축은 피할 수 있지만 눈떨림을 보상하기 위해 펴지는 목 자세는 피할 수 없을 수도 있다. 시각 결손은 반신마비 CP 아동에게 흔한 증상이다(Ashwal 외 다수, 2004). 이러한 결손에는 같은 쪽 반맹(homonymous hemianopia) 혹은 반쪽 시계의 시각 상실이 포함될 수 있다. 모든 반신마비 아동은 세세한 시각 평가를 받아야 한다.

시각 손상 아동은 머리와 몸통 조절을 발달시키고 주변 환경을 탐구하기가 훨씬 어려울 수 있다. 머리 조절이 쉽게 발달하지 않거나 물체를 잡으려고 손을 뻗기 어려워하는 모든 유아나 아동은 시각 기능 평가를 받아야 한다. 임상적으로 이런 아동은 눈으로 친숙한 얼굴을 따라가거나 새로운 얼굴을 찾아 시선을 돌리지 못할 수도 있다. 아이에게 시각적 문제가 있다는 의심이 든다면 감독 물리치료사에게 알린다.

청각과 말하기, 언어 손상

CP 아동의 거의 3분의 1이 청각과 말하기, 언어 문제를 지니고 있다. 앞서 살펴봤듯이 몇몇 말하기 문제는 구강 근육의 운동조절 부족이나 호흡장애에 부차적으로 나타날 수 있다. CP를 유발한 초기 손상이 말을 이해하거나 언어를 생성하는 두뇌 영역에도 영향을 미칠 때는 표현이나 수용 언어상실증(aphasia)의 형태로 언어 문제가 나타날 수 있다. 오른손잡이의 경우에는 대부분 언어 중추가 좌반구에 있다. 임상적으로 이런 아동은 소리 나는 곳을 돌아볼 수 없거나 친숙한 목소리가 들리는 곳을 찾지 못한다. 청각 상실은 모든 CP 유형에서 나타날 수 있지만 팔다리마비 아동한테서 나타날 확률이 훨씬 더 높다. 이러한 아동들의 경우에는 증폭이 확실하게 되는지를 청력학자가 평가해 봐야 한다.

물리치료 검사

물리치료사는 CP 아동의 병력과 관찰, 특정한 표준 발달 테스트 시행을 포함하는 철저한 검사와 평가를 실시한다. 테스트를 선택할 때는 선별(screening)과 정보 수집, 치료 계획 세우기, 적격 여부 결정, 혹은 결과 측정이라는 평가 이유를 고려한다. 발달 평가에 관한 토의는 이 책의 범위를 벗어난다. 그러므로 구체적인 평가 도구에 관한 정보를 얻고 싶다면 에프겐(Effgen, 2013)을 참조하기 바란다. 하지만 CP 아동의 대운동 기능을 평가할 때 가장 흔히 사용하는 것은 대운동기능측정(GMFM)이다(Russell 외 다수, 2002). 물리치료 보조사는 검사 목적을 이해하고, 특정한 치료 환경에서 흔히 시행하는 도구들과 사용하는 과정을 인지하고 있어야 한다. 예컨대 원형 평가(arena assessment)는 어린 아동이나 놀이 기반 평가를 할 때 사용할 수 있다. 반면 일대일 평가는 학교 체계에서 사용할 수 있다.

물리치료 보조사는 물리치료사가 아동을 검사해서 보고한 정보를 잘 알고 있어야 한다. 그러한 정보로는 아동의 사회적 이력과 병력, 운동 범위, 근긴장, 힘, 규모 또는 크기(bulk), 반사와 자세 반응, 운동성 기술, 이동(transfer), 일상적 활동(ADLs), 레크리에이션, 놀이, 여가, 적응 기구가 있다. 물리치료 보조사는 물리치료사가 아동 관리 계획에 관한 결정을 내릴 때 토대로 삼는 것을 인지하고 있어야 한다. 물리치료사는 치료 계획을 실행하기 위해 사용하는 치료의 목적과 전략을 물리치료 보조사가 철저하게 파악하도록 해야 한다.

신경근육 손상, 활동 제한, 참여 제한

물리치료 검사를 하면 CP 아동의 신경근육 손상과 현재 혹은 향후의 기능적 제한을 파악해야 한다. 관절 가동 범위가 너무 크거나 작은 경우, 혹은 근육 신장성 같은 물리적 손상들은 긴장 유형과 긴장 분포, 중증도와 관련이 있다. 근육 활성과 운동조절 손상은 일상적인 활동을 수행하는 능력에 영향을 미칠 수 있다. 앉기와 서기, 혹은 사지 사용과 같은 활동 제한이 그러한 손상으로 생겨날 수 있다. 활동 제한은 참여 제한으로 이어진다. 경직형 CP 유형에서 손상은 범위와 움직임 부족, 근육 경직과 과도한 근긴장과 관련되어 있다. 무정위운동증이나 실조증 CP 아동은 몇 가지 동일한 기능적 제한을 보일 수 있지만 그러한 손상은 과도한 이동성과 과소한 안정성과 관련되어 있다. 긴장저하 CP 아동의 손상과 활동 제한은 다운 증후군 아동의 그것과 유사하다. 그러므로 중재 전략에 관해서는 8장을 참조하기 바란다.

경직형 뇌성마비 아동

경직형 아동은 천천히 힘들게 움직인다. 움직임은 매번 거의 변화 없이 동일하게 예측 가능한 전형적인 유형으로 나타난다. 이런 경직형 아동은 머리와 몸통 조절, 움직임 수행, 보행, 균형잡기와 손 뻗기에 사지 사용하기, ADL에서 활동 제한을 받을 수 있다(표 6-5).

머리 조절. 경직형 아동은 과긴장과 지속적인 원시반사, 과장된 긴장성 반사, 혹은 감각입력 결핍이나 손상 때문에 머리 조절 발달에 어려움이 있을 수 있다. 이런 아동은 자세를 유지하거나 움직이는 데 필요한 근력이 충분하지 않아서 대체 움직임과 보상적 움직임을 사용한다. 예컨대 똑바로 앉거나 지지하고 앉아서 머리를 조절할 수 없는 유아는 어깨를 올려 어느 정도의 목 안정성을 확보할 수 있다.

몸통 조절. 몸통 돌림 부족과 폄근이나 굽힘근 긴장 우세는 아동의 구르기 능력을 손상시킬 수 있다. 몸통 조절이 부적절하면 독립적으로 앉지 못한다. 다리 문제가 있는 아동의 경우에 엉덩이 신장 능력이 부족하면 정렬된 앉기 자세를 취하지 못할 수 있다. 이런 아동은 등 상부를 둥글게 구부려서 앉기 자세를 취한다(그림 6-4). 몸통 돌림 부재나 손상은 몸통 폄근과 굽힘근의 균형 잡힌 발달 부족에 이어 부가적으로 나타날 수 있다. 이러한 균형을 잡지 못하면 통제된 가쪽 굽힘이 불가능하고, 회전도 하지 못한다. 몸통 돌림 부재 시에는 이동적 움직임(한 자세에서 다른 자세로 바꾸기)을 취하기가 극히 어려워진다. 경직형 아동은 수동적으로 구부러지고 모아진 양다리 위쪽으로 몸을 밀어 올려서 W자 앉기 자세(그림 6-8)를 취할 수 있다는 사실을 발견할 수 있다. 이 자세는 몸통 조절 발달과 하지 분리를 저해할 수 있기 때문에 피해야 한다.

긴장성 반사의 영향. 긴장성 반사는 경직형 CP 아동에게 의무적인 반사이다. 의무적인 반사는 아동의 자세를 지배한다. 의무적인 긴장성 반사는 근긴장 과도와 적응적 움직임을 저해할 수 있는 자세를 유발한다. 전형적인 발달 과정에서 의무적 긴장성 반사가 일어날 때는 아동의 움직이는 능력을 저해하지 않는다. 이러한 반사가 지속되고 과도하게 표현되면 머리와 목 바로잡기 반응과 보호 폄(protective extension)을 위한 팔다리 사용과 같은 자세 반응 획득에 지장이 생기는 것 같다. 이러한 긴장성 반사는 CP와 관련된 운동 조절 발달 부족 때문에 지속되는 것 같다. 긴장성 반사는 긴장성 미로반사(TLR)와 비대칭성 긴장 목반사(ATNR), 대칭성 긴장 목반사(STNR)로 구성된다. 이 모든 반사는 그림 6-8에 나와 있다.

TLR은 머리와 중력의 관계에 관련된 긴장에 영향을 미친다. 이런 아동이 누워 있을 때는 TLR 때문에 폄근 긴장이 증가하고, 엎드려 있을 때는 굽힘근 긴장이 증가한다(그림 6-9, A, B). 전형적으로 이러한 반사는 출생 시에 나타났다가 생후 6개월에 통합된다. 출생 시에는 생리적 굽힘근 긴장 우세에 맞서기 위해서 굽은 유아의 폄을 어느 정도 감당할 수 있는 것으로 추정된다. 하지만 이러한 반사가 지속되면 항중력 움직임을 발달시키는(누워서 중력에 저항하여 몸을 굽히고, 엎드려서 중력에 저항해 몸을 펴는) 유아의 능력이 손상될 수 있다. 과도한 TLR은 신체 전체에 영향을 미칠 수 있고, 아이가 누워서 양팔을 뻗지 못하게 막거나 엎드려서 양팔로 몸을 밀어 올려 앉지 못하게 막을 수 있다. 뿐만 아니라 머리와 중력의 관계에 자극을 받아서 아동의 앉기 자세에 영향을 미칠 수 있다. 아이가 앉아 있을 때 뒤쪽으로 머리를 조절하지 못하면 미로반사가 아이가 누워 있다고 감지하고, 폄근 긴장이 생겨서 아이가 뒤로 넘어지고 의자에서 미끄러져 빠져나올 수 있다. 머리가 굽혀질 때 구부정한 자세를 취하는 아동은 엎드린 자세의 TLR에 영향을

그림 6-8. W자 앉기

그림 6-9. 긴장 반사신경

받는다고 볼 수 있다.

ATNR은 얼굴 쪽의 연관된 상지 폄과 두개골 쪽의 상지 굽힘을 일으킨다(그림 6-8 참고). 예컨대 머리를 오른쪽으로 돌리면 오른팔이 뻗어나가고 왼팔이 구부러진다. 이러한 반사는 보통 정상 발달 중인 아동의 상지에서만 나타난다. 하지만 CP 아동의 다리도 이러한 반사에 영향을 받을 수 있다. ATNR은 일반적으로 출생 시에서 생후 4개월, 또는 생후 6개월 사이에 나타난다. 이러한 반사가 지속되고 의무적이 되면 아동은 구르기를 못하거나 뻗은 팔을 입에 대지 못하게 된다. 비대칭성은 몸통에 영향을 미칠 수 있고, 척추 측만증을 유발하기 쉽다. 극단적인 경우에는 우세한 ATNR 때문에 구부러진 쪽의 엉덩관절 탈구가 일어날 수도 있다. STNR은 머리 위치에 따라서 팔다리 굽힘이나 폄을 일으킨다(그림 6-9, D 참고). 이러한 아동의 머리가 굽으면 두 팔이 굽고 두 다리가 펴진다. 머리가 펴지면 그 반대 현상이 일어난다. 이러한 반사는 정상 발달 유아가 네발기기를 할 수 있도록 도와준다. 하지만 이러한 반사가 지속되면 상반적 교대기기가 일어나지 않아 네발기기에서 토끼 걸음을 이동 수단으로 취하게 된다. STNR이 의무적이 되면 팔다리가 머리 움직임을 모방하거나 그러한 움직임과 모순되게 된다. 이런 아동은 발꿈치를 깔고 앉거나 몸을 앞으로 민다. 네발기기 자세를 유지하기가 어렵고,

표 6-6 긴장성 반사가 기능적 움직임에 미치는 영향

긴장성 반사	손상	기능적 움직임 제한
누운 자세의 TLR	구축 안뜰계 입력 이상 제한된 시야	누워 있다가 굴러서 엎드리기 누워서 손 뻗기 앉기로 자세 바꾸기 앉기
엎드린 자세의 TLR	구축 안뜰계 입력 이상 제한된 시야	엎드려 있다가 굴러서 눕기 앉기로 자세 바꾸기 앉기
ATNR	구축 엉덩이 탈구 몸통 비대칭 척추 측만증	분할 구르기 손 뻗기 손을 입에 가져가기 앉기
STNR	구축 팔과 다리 분리 부족 몸통 돌림 부족	기기 무릎 서기 걷기

ATNR, 비대칭성 긴장성 목반사, STNR, 대칭성 긴장성 목반사, TLR, 긴장성 미로 반사

이와 마찬가지로 기기에 필요한 팔다리의 분리된 움직임도 어렵다. 긴장성 반사 과도와 이로 인한 손상으로 기능적 움직임을 저해하는 방식은 표 6-6에 나와 있다.

움직임 이행. 경직형 아동은 대개 무게 중심의 이동을 적절하게 조절하거나 그에 적절하게 반응하여 일반적인 바로잡기 반응과 균형 반응, 보호 반응을 이끌어 내는 능력이 부족하다. 이러한 아동은 정적 균형과 동적 균형이 불안정해서 두려워하고 흔히 안전하다고 느끼지 못한다. 뿐만 아니라 자세 안정성 부족을 의식하고 있어서 이전 경험을 토대로 넘어질 거라고 예상할 수 있다. 이런 아동은 본래도 정적 균형을 유지하는 데 필요한 자세근육의 충분한 근육 활동을 만들어 내지 못하는데 신체 움직임에 반응해 달라지는 자세 변화를 예측하기가 어렵기 때문에 그 상태가 더욱 악화된다. 이러한 특징들 때문에 엎드려 있다가 앉기나, 앉아 있다가 엎드리기 같은 움직임 이행이 더욱 어려워진다.

이동성과 보행. 다리 분리가 손상되면 기기와 걷기에 필요한 상반적 다리 움직임에 문제가 생긴다. 그래서 두 다리를 함께 모으는 '토끼 걸음'으로 바닥에 기어 앞으로 움직이는 법을 배우는 아동도 있다. 경직형 아동이 시도하는 다른 걷기 방법으로는 '코만도 배밀이'가 있다. 코만도 배밀이는 양팔을 가슴 아래로 당기는 동시에 뻣뻣한 두 다리를 끌면서 앞으로 나아가는 것이다. 이렇게 양팔의 노력이 추가되면 폄근 그룹에서 하지 근긴장이 증가하고, 잡고 일어서기와 잡고 서서 가구 주변 걷기에 지장이 생길 수도 있다. 이런 아동은 발끝으로만 일어설 수 있고, 두 다리가 교차된다(그림 6-10). 바깥쪽으로 향하는 다리 분리가 부족해서 잡고 옆으로 걸을 수 없을 수도 있다. 정중면에서 분리가 일어나지 않아 걷기도 제한된다. 적절한 몸통 조절이 부족해서 지지발에 안정적인 기반을 제공하지 못하고, 힘 생성이 적절하지 못해서 흔들리는 다리의 통제된 움직임이 일어나지 못한다. 몸통 돌림 결손으로 다리의 체중을 이동하기 시작하거나 다리 움직임 부족을 대체할 때 종종 팔 동작을 사용한다. 양팔을 하이가드 위치로 올려서 쭉 뻗은 자세를 유지하고 팔 동요의 시작을 지연시켜 약한 몸통 근육을 강화한다.

팔다리 사용. 팔다리로 체중을 유지하지 못하거나 팔

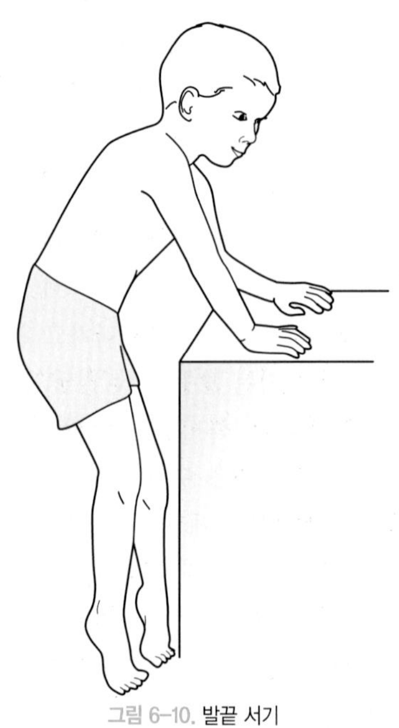

그림 6-10. 발끝 서기

표 6-7 무정위운동증 아동의 손상과 활동 제한, 참여 제한, 치료 초점

신체 구조/기능	활동 제한	참여 제한	치료 초점
근긴장	대운동과 소근육 기술 지연	스스로 먹기	부모 교육하기
선택적 운동조절	구강 운동 기술 지연	일상적 활동과 다른 과제를 수행하는 시간 증가	부모의 안정성 다루기
■ **안정성 부족**			
■ **협력 수축 부족**	느린 걸음		
■ **협응 저하**			
느린 자세 반응	자세 불안정성 균형		자세의 정중선 유지 증가
단계적 움직임 부족		놀이 감소 여가 감소	보다 더 안정한 움직임 이행을 위해 양팔로 체중지지 저항과 더불어 움직임을 조절하고 유도하기. 상반적 움직임에 저항하기

다리 한쪽에 체중을 이동시키지 못하고 적절한 균형 반응을 보이지 못하기 때문에 모든 자세에서 손 뻗기에 제한이 생길 수 있다. 다른 균형 반응들이 실패할 때는 팔로 체중을 유지해야 지지하고 앉기와 보호 폄 반응을 보일 수 있다. 다리 체중지지는 독립적인 보행에 결정적인 요소다.

경직형 아동은 근육과 관절 경직, 긴장과도로 인한 근육 불균형에 부차적으로 구축과 기형에 노출될 위험이 있다. 경직형은 팔다리 근육에서만 나타나고, 몸통은 근긴장 저하를 보일 수 있다. 이런 아동은 중력을 극복하기 위해서 복부 근육을 이용해 누워 있다가 앉으려고 한다. 과도한 노력은 전체적인 과긴장이 이어질 수 있고, 다리 폄이 나타나고 관련 반응들을 거쳐 두 다리가 가위처럼 꼬일 수 있다(엉덩이 모음).

무정위운동증이나 실조증 아동

무정위운동증이나 실조증 아동의 가장 심각한 손상과 활동 제약은 자세 안정성 부족과 연관되어 있다. 그 내용은 표 6-7에 나열되어 있다. 자세를 유지하지 못하는 능력은 지속적인 머리와 몸통 조절 부족에서 명확하게 드러난다. 이런 아동은 신체의 긴 축이나 팔다리를 중심으로 보상되지 않은 큰 움직임을 보여 준다. 움직임이 부족한 경직형 아동과는 반대로 자세 안정성이 부족하다. 이러한 불안정성 때문에 지휘봉을 사용하거나 조이스틱을 미는 것 같은 기능적인 움직임에 필요한 안정성을 추가하기 위해 비대칭성 긴장성 목 자세와 같은 이상 움직임을 취할 수 있다. CP 아동이 이러한 자세를 자주 행하다 보면 척추 측만증이나 엉덩관절 탈구(subluxation)가 발생할 수 있다.

물리치료 중재

CP 아동은 평생동안 손상과 기능적 제한, 움직임 이상을 보인다. 4단계 관리는 유아기에서 성인기에 이르는 CP 아동의 연속적인 물리치료 관리를 설명할 때 사용한다. 물리치료 목적과 치료는 조기 중재와 취학 전 연령, 취학 연령과 청소년기, 성인기라는 4단계로 나눠서 제시된다.

두뇌 손상이 발달 중인 운동 시스템 내에서 일어나기 때문에 물리치료 중재는 일차적으로 운동 발달 촉진과 기능적 운동 기술 학습을 강조한다. 아동이 처음으로 움직이는 법을 배울 때는 자신의 움직임을 통해 학습 과정에 필요한 감각 되먹임을 제공받는다. 되먹임이 부정확하다고 인식되면 움직임도 부정확하게 배울 수 있다. CP 아동은 중력에 저항해서 움직임을 통제하기 어려워하기 때문에 전형적인 움직임 유형을 발달시키기기 쉽다. 이러한 전형적인 유형들은 기능적인 운동 기술 발달을 방해한다. 부정확한 운동 학습이 CP에서 발생하는 것 같다. 이런 아동은 부정확하게 움직이고, 부정확하게 움직이는 법을 배우며, 계속해서 부정확하게 움직인다. 결과적으로 점점 더 이상한 움직임 순환이 생겨난다. 치료사는 아동이 좀 더 기능적이고 정상적인 움직임을 경험하도록 도와줌으로써 기능적 움직임을 개선하고, 아동이 자기 환경에서 좀 더 독립적으로 활동할 수 있게 해 준다.

운동 이정표와 차후 기술들을 습득했다는 것은 아동이 가장 높은 수준의 독립적 기능을 향상시킨 것으로 보아야 한다. 발달 순서는 치료 목적을 세우는 기준이자 치료 활동의 근원이 될 수 있지만 그 순서만 지켜서는 안된다. 전형적인 발달 순서에서 한 가지 기술이 다른 기술보다 앞서 나타난다고 해서 다음 기술의 전제조건이 되는 것은 아니다. 이러한 개념의 좋은 실례는 기기 기술에서 찾아볼 수 있다. 기기는 걷기에 반드시 필요한 전제 조건이 아니다. 실제로 기기는 팔다리의 체중 이동과 협응이 필요하기 때문에 아이가 배우기 훨씬 어려운 자세이다. 맹목적으로 발달 순서만 따라가서는 아무것도 얻지 못한다. 사실 그렇게 하다가는 아동이 똑바로 서기 자세에 도달하기가 훨씬 더 어려워질 수 있다.

물리치료사는 관리 계획을 세우고 이끌어 나갈 책임이 있다. 물리치료 보조사는 치료목적을 달성하기 위해서 관리 계획에 요약된 대로 치료사를 도와 아동에게 중재를 시행한다. 치료적 중재로는 자세잡기와 발달 활동, 인지적으로나 사회적으로 적절한 기능적 과제 내에서 자세 조절 연습하기가 있다. 물리치료 보조사는 놀이를 통해 운동 발달을 촉진시킬 수 있고, 지각 운동 경험을 스스로 창출하는 아동의 능력을 확장시키기 위해 놀이를 사용할 수 있다. 또한 간병인을 위해서 긍정적인 사회적 상호 작용을 보여줄 수 있고, 가족 교육을 제공할 수 있다.

일반적인 치료 아이디어

경직형 아동

경직형 아동의 치료는 모든 가능한 자세들과 그 자세들 간의 이동성 동작에 중점을 둔다. 관절 가동 범위와 자세잡기, 활동적인 움직임 발달로 구축 발생 성향을 억제해야 한다. 경직되기 쉬운 부분들로는 팔다리마비 침범 아동에서는 어깨 모음근과 팔꿈치, 손목, 손가락 굽힘근이 있다. 반면 양측마비 침범 아동의 경우에는 엉덩이 굽힘근과 모음근, 무릎 굽힘근, 발목 발바닥 쪽 굽힘근이 침범당할 가능성이 훨씬 높다. 팔다리마비 아동은 다리 경직도 보일 수 있다. 또한 반신마비 아동에서는 이와 동일한 관절에 한쪽으로 침범될 수 있다. 경직형을 억제하는 유용한 기법들로는 체중지지와 체중 이동, 느리고 리드미컬한 흔들기, 리드미컬한 몸통 돌림과 신체 분절이 있다. 적극적인 몸통 돌림과 신체 분절 분리, 고립된 관절 움직임도 치료 활동과 가정 프로그램에 포함시켜야 한다. 적절한 다루기는 아동이 운동 학습에 필요한 보다 더 정확한 감각 되먹임을 수용할 수 있는 가능성을 높여줄 수 있다.

다양한 자세들의 장점과 단점. 긴장성 반사가 기능적 움직임에 미치는 영향은 이 장의 앞부분에서 설명했다. 이제부터는 치료 시에 다양한 자세를 사용하는 장점에 관해 알아보겠다. 장점과 단점 모두는 앞장의 표 5-2에서 찾아볼 수 있다. 뿐만 아니라 자세들 간의 움직임 이행을 촉진하는 법에 관한 설명은 5장을 참조하기 바란다.

눕기 자세. 아이가 누워서 무릎을 구부리고 발을 지지면에 납작하게 댈 때 조기 체중지지가 가능해진다. TLR의 총체적 폄 영향력에 대응하려면 아이의 몸통을 웨지(wedge) 위에, 다리를 볼스터(roll) 위에 올려서 아이의 몸을 구부릴 수 있어야 한다. 머리와 몸통 상부의 굽힘은 눕기 자세에서 TLR의 영향력을 줄일 수 있다. 아이의 눈높이에서 물체를 제시하거나 흔들면 아이가 놀이를 하거나 물체를 탐구하기 위해 양팔을 사용하도록 촉진할 수 있다.

옆으로 눕기 자세. 이 자세는 머리의 중립 위치 때문에 대부분의 긴장성 반사 효과를 약화시키기에 가장 좋다. 머리 아래쪽 받침 지지물이 너무 두꺼워서 가쪽 굽힘이 일어나지 않도록 주의한다. 이 자세에서는 또한 구르기와 앉기에 대비해 몸통 돌림을 습득하기 쉬울 뿐만 아니라 어깨와 골반 내밀기를 배우기가 비교적 쉽다. 아이가 옆으로 누운 쪽은 체중을 지지하고 신장되어야 한다. 이러한 조치는 아이를 옆으로 눕히기 전에 수동적으로 취해 줄 수 있다(중재 5–8 참고). 아이의 자세가 바뀔 때 가쪽 체중 이동으로 이러한 자세가 나타날 수도 있다.

엎드리기 자세. 엎드리기 자세는 엉덩이와 무릎 굽힘근을 다소 늘여줄 뿐만 아니라 팔을 통한 체중지지를 개선해 준다. 머리와 몸통 조절은 눈–머리 관계를 향상시켜 줄 뿐만 아니라 적극적인 폄 발달로 촉진될 수 있다. 아이가 팔꿈치나 뻗은 양팔로 짚고 엎드려 있을 때의 움직임은 팔의 체중지지와 체중 이동을 향상시킬 수 있다.

앉기 자세. 앉기보다 더 기능적인 자세는 거의 없다. 앉기 자세에서는 팔다리를 이용해 체중을 지지할 수 있고, 활동적인 머리와 몸통 조절이 개선된다. 쭉 뻗은 몸통은 구부러진 다리와 분리된다. 바로잡기와 균형 반응을 촉진할 수도 있다. 먹기와 옷 입기, 목욕하기, 움직임 동작과 같은 ADL도 장려할 수 있다.

네발기기 자세. 네발기기 자세의 장점은 팔다리가 모두 체중을 지지하고, 몸통이 중력에 직접적으로 저항해야 한다는 것이다. 이 자세에서는 팔다리의 움직임과 몸통의 움직임, 몸통 상부와 하부의 움직임을 분리할 수 있는 크나큰 기회가 생긴다.

무릎 서기 자세. 분리된 자세인 무릎 서기 자세에서 아동은 무릎을 구부리면서 몸통과 엉덩이를 펴는 연습을 할 수 있다. 엉덩이 굽힘근이 늘어날 수 있고, 모든 팔다리 관절을 조절하지 않고도 균형 반응을 연습할 수 있다. 무릎 서기 자세에서 놀이를 하는 것은 발달상 적절하며, 이 자세에서 지지를 받으면 반 무릎 서기 자세로 이행하는 연습도 할 수 있다.

서기. 서기의 장점은 근골격적 관점에서 매우 명백하게 드러난다. 다리를 통한 체중지지는 긴 뼈 성장에 매우 중요하다. 체중지지는 아킬레스건과 무릎 굽힘근을 늘여줄 수 있고, 활동적인 머리와 몸통 조절을 향상시킬 수 있다. 또한 똑바로 서기는 또래들과 사회적 상호 작용을 하는 데 필요한 적절한 시각적 입력을 제공해 준다.

무정위운동증이나 실조증 아동

무정위운동증 아동의 치료는 체중지지의 안정성과 몸통이나 팔다리 지지를 제공하는 발달 자세의 사용에 중점을 둔다. 유용한 기법으로는 압축과 체중지지, 작은 관절가동 범위 내에서 허용되는 한 저항을 주면서 움직이기가 있다. 물리치료 보조사는 관절과 자세 정렬에 관한 정보를 아동에게 제공해 주는 감각 신호를 이용할 수 있다. 다시 말해서 거울과 중량 조끼, 어느 정도 저항을 제공하지만 움직임을 억제하지 않는 좀 더 무거운 장난감 같은 것들을 이용하는 것이다. 불안정성이 가장 큰 중간 범위 내의 조절된 움직임(grading movement)은 이 아동에게 가장 어려운 것이다. 유익할 수 있는 활동들로는 '무궁화 꽃이 피었습니다' 놀이와 발레 자세 유지하기, 한발 서기, 그 밖에 다른 고정된 자세 유지하기가 있다. 앉기나 무릎 서기, 서기 자세에서 손 지지를 사용하면 아동의 안정성을 개선할 수 있다. 하나의 표적에 시선을 고정하는 것도 유익할 수 있다. 아이가 점점 커가면서 물리치료 보조사는 아이가 습관적으로 ADL을 하면서 안전한 움직임 전략을 키워 나가도록 도와줘야 한다. 가능하다면 아이는 자신의 특정한 장애물들을 극복하는 방법을 찾는 일에 적극적으로 관여해야 한다.

가치 있는 인생의 결과

지안그레코(Giangreco 외 다수, 2011)는 모든 아동, 심지어는 심각한 장애가 있는 아동들에게 꼭 평가해야 하는 다섯 가지 가치있는 인생의 결과를 밝혀냈다.

1. 신체적으로나 감정적으로 안전하고 건강한 상태인가?
2. 지금부터 미래까지 살 수 있는 안전하고 안정적인 집이 있는 상태인가?
3. 의미 있는 개인적 관계를 맺고 있는 상태인가?

4. 연령과 문화를 토대로 조절과 선택을 하는 상태인가?
5. 지역 사회의 다양한 장소에서 의미 있는 활동에 참여하는 상태인가?

이러한 결과들은 장애 아동이 평생 동안 목표를 향해 나아가도록 이끌어 줄 때 사용할 수 있다. 지안그레코 외 다수(2011)는 교육적 교과과정을 개인적으로 결정한 인생의 결과와 연계하는 것을 지속적으로 지지한다. 뿐만 아니라 어린 아동들에게는 협력적이고 가족 중심적인 교육 계획, 취학연령 아동에게는 인생의 결과에 토대를 둔 교육 계획의 길잡이를 제공한다. 학교 기반의 중재는 아동의 교육적 욕구에 중점을 두어야 한다(Effgen, 2013). 이러한 아동들의 삶이 어떠해야 할지 생각해 본다면 보다 더 미래 지향적인 계획을 세울 수 있고, 그러한 아동과 가족을 지지할 수 있다. 이러한 접근법은 장애 아동의 활동과 참여에 중점을 두는 ICF와 확실하게 일맥상통한다. 장애 아동이 자라면 장애 성인이 된다는 사실을 언제나 명심해야 한다.

물리치료 중재 1단계: 조기 중재(출생 시부터 생후 3년까지)

이론적으로 조기 중재는 신경계 발달과 손상 회복에 긍정적인 영향을 미칠 수 있다. 손상과 발달에 반응해서 유연해지는 신경계의 능력을 가소성이라고 한다. 신경계 문제에 노출될 위험이 있는 유아는 신경계 가소성의 이점을 볼 수 있는 조기 물리치료 중재의 후보자가 될 수 있다.

물리치료 중재를 어떤 단계(빈도와 지속 기간)에서 시작할지 결정할 때는 물리치료 검사와 가족의 우려에서 나타난 유아의 신경운동 수행 능력을 토대로 삼는다. 물리치료사가 고안한 여러 가지 평가 도구들은 병원에서 가능한 빨리 CP 아동을 발견하려고 할 때 사용한다. 소아 물리치료사들은 그런 도구들에 관한 최신 내용을 지속적으로 갱신해야 한다. 앞서 설명했듯이 이러한 도구들에 관한 논의는 이 책의 범위에서 벗어난다. 물리치료 보조사들은 아동의 운동 상태를 평가하지 않기 때문이다. 하지만 물리치료사들이 에프겐(2013)이나 켐벨 외 다수(2012)의 저서를 읽으면 그러한 도구들에 친숙해질 수 있다. 이 시기에 물리치료 검사를 받다가 흔히 나타나는 전형적인 문제로는 머리 조절 부족과 시각적 추적 불가능, 엎드리기 자세 과오, 야단법석(fussiness), 긴장성과 반사에 부차적으로 생겨나는 비대칭성 자세, 긴장 이상, 먹기와 호흡하기에 어려움이 있다. 조기 중재는 보통 생후 3년까지 진행된다. 이 시기에 정상 발달 중인 유아는 간병인과 신뢰를 형성하고, 자신의 환경 내에서 안전하게 움직이는 법을 배운다. 부모는 아이를 돌보고, 아이가 안전하게 세상을 탐구하도록 이끌어 주면서 자기효능감을 키워나간다. 장애 아동을 돌보는 것은 가족에게 큰 부담이 된다. 물리치료사와 물리치료 보조사는 가족에게 장애 아동에 관한 교육을 시키고, 장애 아동을 먹이고 입히고 옮기는 법뿐만 아니라 장애 아동의 자세를 잡아주는 방법을 가르쳐서 가족 중심의 중재를 시행한다. 물리치료 팀은 아동의 욕구에만 중점을 두기보다 아동과 관련된 가족의 욕구를 인지해야 한다.

장애를 가지고 있거나 장애에 노출될 위험이 있는 아동은 출생 시부터 생후 3년까지 연방 기금의 지원을 받아 선별과 중재를 받을 수 있다. 이러한 아동의 가족 또한 그러한 혜택을 받아야 한다.

집에 방문한 소아 물리치료사의 소아과적 평가만 있어도 유아의 발달을 감시하고 부모 교육을 제공하는 데 충분할 것이다. 갓난아기에게 집중 관리를 제공하는 병원들은 흔히 아동을 정기적으로 검사하는 후속 병동을 갖추고 있다. 이 병동에 배치된 물리치료사가 특정한 다루기와 자세잡기 기법들을 비롯한 가정 관리 지침을 지시한다. 물리치료는 일상에 깊이 뿌리박힌 활동 기반의 중재를 제공하고, 개인별 가족 서비스 계획(IFSP)에 요약된 대로 가족의 목표를 충족시킨다. 생후 3년 된 아동은 서비스를 계속 받기 위해 공립학교에서 조기 아동 프로그램으로 이전될 가능성이 크다.

가족의 역할

가족은 CP 유아의 조기 관리에서 중요한 요소이다.

소아과 물리치료에서는 가족 중심의 관리를 시행하는 것이 가장 좋다(Chiarello, 2013). 밤과 로젠바움(2008)은 도입된 지 40년이 넘은 가족 중심 관리의 기원과 발달, 시행을 살펴보았다.

아동 건강 논문에서 가장 자주 기술되는 가족 중심 관리의 개념은 아래와 같다.

1. 가족을 아동의 삶에서 불변하는 요소이자 아동에게 힘과 지지를 제공해 주는 일차적 원천으로 인지한다.
2. 아동과 가족의 다양성과 독특함을 인정한다.
3. 부모가 전문 지식을 제공한다는 사실을 인정한다.
4. 가족 중심 관리가 효율성을 높여준다는 사실을 인지한다.
5. 가족과 의료서비스 공급자의 협력과 파트너십을 장려한다.
6. 가족 대 가족 지지와 네트워킹을 촉진한다(Mckean 외 다수, 2005).

가족과 전문가는 서로 다른 중요한 문제들을 우선시한다. 가족은 소통과 유용성, 접근성을 가장 중요한 문제로 보는 반면 전문가들은 교육과 정보, 상담을 가장 중요하게 여긴다. 밤과 로젠바움(2008)은 가족 중심 관리 시행의 네 가지 장애물과 지원을 밝혔다. 가족 중심 관리의 시행에 부정적이거나 긍정적인 영향을 미칠 수 있다고 보는 태도적 요소와 개념적, 재정적, 정치적 요소가 그것이다. 이러한 요소들과 상관없이 가족 중심 관리는 모든 환경에서 선호하는 물리치료 서비스 배달 철학이며, 평생 동안 이용할 수 있다(Chiarello, 2013).

물리치료 보조사의 역할

유아에게 진행 중인 치료 제공 시 물리치료 보조사의 역할은 감독 물리치료사가 결정한다. 신생아 집중치료실은 물리치료 보조사나 미숙한 물리치료사가 연습할 수 있는 적절한 환경이 아니다. 극히 위중한 유아는 민감하고 불안정하기 때문이다. 이처럼 특수한 환경에서 안전하게 시술하려면 특정 수준의 능숙도가 필요하다. 그러한 능숙도를 갖추려면 보통 추가 수업을 들어야 하고, 감독 하에 일한 업무 경험이 필요하다. 이러한 능숙도는 물리치료사협회 소아분과에서 밝혀 놓은 것을 이용할 수 있다.

CP 아동을 다루는 물리치료 보조사의 역할은 건강관리 팀 구성원의 역할과 동일하다. 이러한 팀의 구성은 아동의 연령에 따라 달라진다. 유아기 아동의 경우에는 유아와 부모, 의사, 치료사만으로 팀을 구성한다. 아동이 세 살이 되면 아동의 의료 관리에 관여하는 의사들을 비롯해서 청각 학자와 작업치료사, 언어 병리학자, 교사, 보조 교사와 같은 다른 전문가들이 추가되어 재활 팀이 구성될 수 있다. 물리치료 보조사는 기능적 환경 내에서 운동 능력과 움직임 이행을 촉진시켜주는 자세잡기와 다루기 기법, 적응 기구, 손상된 긴장 관리, 발달 상의 활동에 관한 지식을 제공하는 등, 특정한 기술들을 팀과 아동에게 제공한다. 물리치료 보조사는 가정이나 학교에서 아동에게 서비스를 제공할 수 있기 때문에 추가적인 문제나 부모의 우려를 가장 먼저 포착할 수 있다. 이러한 우려 사항들은 시기적절하게 감독 치료사에게 알려야 한다.

조기 중재 시 물리치료의 일반적인 목표는 아래와 같다.

1. 유아-부모 상호 작용 증진
2. 기능적 기술과 놀이 발달 증진
3. 감각운동 발달 증진
4. 머리와 몸통 조절 확립
5. 직립 방향을 취하고 유지하기

다루기와 자세잡기

눕기나 '마주보기' 자세에서 다루기와 자세잡기는 머리의 정중앙 지향과 팔다리의 대칭성을 증진한다. 굽힌 자세는 양어깨가 앞으로 그리고 양손을 정중앙에 가져오기 쉽기 때문에 선호된다. 물체를 유아의 손이 미치는 곳에 두면 손 뻗기를 유도할 수 있다. 누워 있는 유아에게 시각적으로 흥미로운 장난감을 제시한다면 유아가 손을 뻗도록 자극할 수 있다. 엎드린 유아의 자세잡기는 매우 중요하다. 유아가 엎드린 자세를 취할 때 처음으로 폄 상태를 보이기 때문이다. 상당히 밝은 장난감이나 소리 나는 장난감을 이용하면 엎드린 유아의 활동적인 머리 들기를 유도할 수 있다. 어떤 유아들은 엎드린 자세를 좋아하지 않는다. 이때는 간병인이 유아를 보다 더 오랫동안 엎드려 놓을 수 있도록 장려해야 한다. 유아를 엎드린 자세로 옮기면 유아가 그 자세를 좀 더 잘 견딜 수 있도록 도와줄 수 있다. 하지만 이런 유아를 엎드려 재워서는 안된다. 엎드려서 잠든 유아의 경우에는 영아돌발사고 증후군에 걸릴 가능성이 높기 때문이다(미국 소아과 협회, 1992). 아이를 옮기는 자세는 유아의 힘을 강조해야 하고, 가능한 이상 자세잡기를 피해야 한다. 이런 유아는 외부의 지지를 받기 전에 자신의 신체를 가능한 오랫동안, 가능한 많이 조절할 수 있도록 유도해야 한다. 그림 6-11은 아이를 어떻게 들어야 아이가 엎드린 자세를 보다 더 잘 견뎌낼 수 있고, 아이에게 부드러운 움직임을 제공할 수 있는지를 보여 준다. 다른 옮기는 자세는 5장을 참조하기 바란다. 그림 6-11은 아이가 움직임과 놀이에 참여할 수 있도록 유도하는 방법을 보여 주기도 한다.

대부분의 다루기와 자세잡기 기법들은 보바스 치료법으로 대중화된 CP 아동 관리 시 발달 순서 이용을 대표적으로 보여 준다. 이러한 신경 발달적 접근법이 사용되고 있기는 하지만 활동성 기반의 다른 접근법들보다 효과가 있다는 연구 결과는 아주 적다. 독자들도 이미 알아차렸겠지만 신경 발달은 아동의 근골격계와 인지 시스템 성숙과 동시에 일어난다. 운동 행동의 영구적인 변화가 일어난다면 운동 학습이 이루어져야 한다. 유아에게 감각운동 경험을 스스로 만들어낼 수 있는 기회를 주는 것은 운동 탐구와 사회적 놀이를 증진시키는 훌륭한 방법이다. 이러한 운동 가변성이 적응할 수 있는 신경계의 대표적인 특징임을 명심하기 바란다.

먹기와 호흡

고정된 자세는 아동과 간병인 간의 상호 작용과 먹기를 촉진한다. 아이가 좀 더 똑바른 자세를 취할수록 목과 머리의 고정된 자세를 증진하기가 훨씬 쉬워진다. 물리치료 보조사가 심각한 먹기 장애를 안고 있는 유아에게 구강 운동 치료를 제공하는 것은 적절하지 않지만 치료사가 감독하는 먹기 치료 시에 유아의 자세잡기를 도와줄 수는 있다. 마주보기 자세는 몸통 지지가 필요한 아동에게 사용할 수 있다. 이때 목 뒤쪽의 롤이 미끄러지지 않도록 주의하고, 폄 상태를 유도한다. 아이가 들숨을 쉬기 전에 목구멍과 복부를 가볍게 압박하면 먹기 이전이나 다른 때 보다 더 깊은 호흡을 장려할 수 있다. 이러한 조치는 중재 6-1에서처럼 아이가 옆으로 누워 있을 때 양손을 이용해 취할 수 있다. 기울어진 웨지는 아이가 가슴벽을 확장할 뿐만 아니라 가로막을 이용해서 보다 더 깊은 호흡을 하

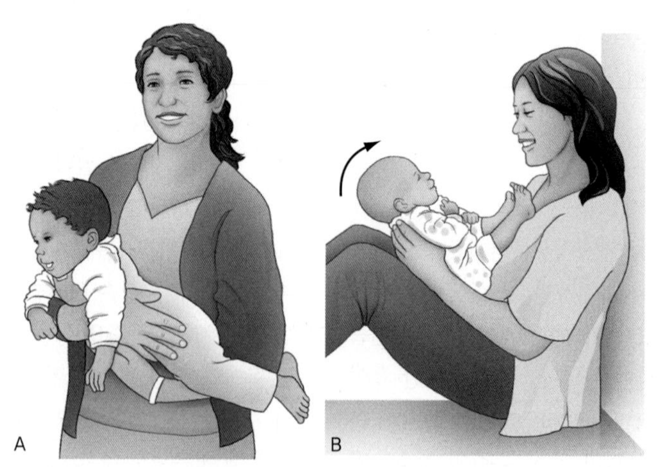

그림 6-11. 중력에 저항해서 머리와 몸통을 조절하는 방법으로 사용하는 들기와 움직이기, 놀기(Shepherd RB의 ≪Cerebral palsy in infancy≫ 247쪽에서 수정한 내용, 엘제비어, 2014)

중재 6-1 보다 더 깊은 호흡 촉진

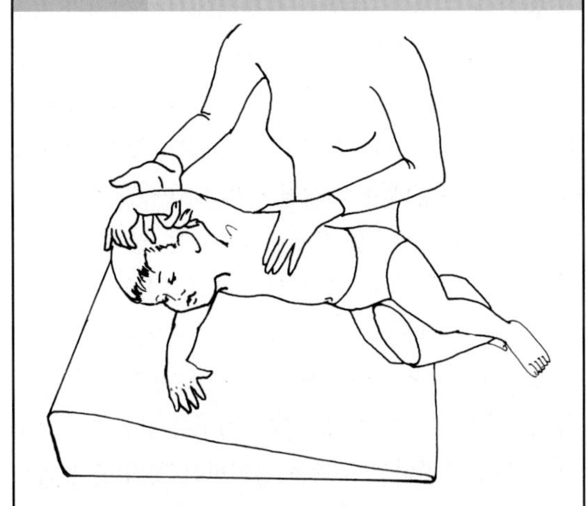

옆으로 누워 있는 아이의 목구멍 가쪽을 가볍게 압박해 보다 더 깊은 들숨을 촉진한다.

(Reprinted by permission of the publisher from Connor FP, Williamson GG, Siepp JM, editors: Program guide for infants and toddlers with neuromotor and other developmental disabilities, New York, 1978, Teachers College Press, p. 199.)

기 쉽도록 만들어 준다.

치료적 운동

유아가 정중앙으로 손을 뻗기 힘들어하고 아킬레스건이 긴장되거나 기저귀를 갈 때 아이의 다리 분리가 잘 안된다면 아이를 부드럽게 관절 가동 범위 운동을 하도록 한다. 유아는 보통 다리의 관절 가동 범위 운동이 완벽하지 못하기 때문에 성인 수준의 완벽한 엉덩이 모음이나 폄을 강요하지 말아야 한다. 부모는 기저귀 갈기와 목욕시키기, 옷 입히기 같은 일상적인 활동을 할 때 관절 가동 범위 운동을 포함시킬 수 있도록 배울 수 있다. 독자 여러분은 관절 가동 범위 유지에 사용하는 가정 프로그램의 실례들을 잘 보여 주는 재거(Jaeger, 1987)의 사용설명서를 참조하기 바란다.

운동 기술 습득

연령별 놀이에 필요한 기술은 다양하다. 아기들은 처음에는 누운 자세에서, 다음에는 엎드린 자세에서 주위를 둘러보고 손을 뻗는다. 그리고 나서 주위를 돌아다니기 시작한다. 아이가 중력에 저항해 신체를 움직이도록 유도하려면 바닥에서 충분히 놀아야 한다. 똑바로 앉고 서는 자세를 취하려면 중력을 극복해야 한다. 놀이 시 신체 움직임은 신체 인식에 중대한 영향을 미친다. 환경 내에서의 움직임은 외적 세계로의 공간적 지향에 필수적이다. 바닥에서 노는 시간은 중력에 저항해 움직이는 법을 배우는 데 매우 중요하고 결정적인 요소지만 누워서 보내는 시간과 엎드려서 보내는 시간은 직립 지향 자세의 이점을 고려해서 균형을 맞추어야 한다. 모든 아동은 부모의 무릎 위에 똑바로 세워진 자세를 취할 수 있어야 하고, 어깨 너머로 다양한 자세를 가능한 많이 경험해야 한다. 머리와 몸통 조절, 상지 사용, 이행적 움직임을 장려하는 구체적인 기법들은 5장을 참조하기 바란다.

억제유도 움직임 치료(CIMT)

한쪽 팔다리가 침범된 생후 18개월에서 생후 3년 사이의 뇌성마비 아동은 CIMT를 하기 좋은 대상자이다. 반신편마비 아동이 정상적인 팔다리를 이용하지 않도록 침범되지 않은 팔에 짧은 팔 석고붕대를 대서 침범 받은 팔을 사용하도록 이끌어 낸다. 3세에서 6세 사이의 아동도 병원이나 가정에서 이러한 중재를 이용해 치료할 수 있다. 하지만 아이가 학교에 가면서 아이의 확실한 협조를 받아 내기가 훨씬 어려워질 수 있다. CIMT는 반신편마비 CP 아동에게 사용하는 중재 가운데서 가장 많이 연구된 중재이다(Case-Smith, 2014; Charles 외 다수, 2006; DeLuca 외 다수, 2003, 2012). 이러한 중재의 완벽한 설명은 이 책에서 다루지 않는다. 물리치료와 작업 치료는 보통 운동 학습을 위한 집중 반복에 중점을 두는 프로토콜의 일부다. 그 결과는 팔 기능 향상(DeLuca 외 다수, 2003; Eliasson 외 다수, 2005)과 보행 향상(Coker 외 다수, 2010)을 포함해 매우 긍정적이다.

기능적 자세

인간에게 가장 기능적인 자세는 앉기와 서기다. 이 두

자세에서는 직립 지향이 가능하기 때문이다. 몇몇 CP 아동들은 운동 침범이 심각하기 때문에 서기 자세에서 기능적으로 활동할 수 없지만 거의 모든 아동이 똑바로 앉을 수 있다. 앉기 자세에서는 적절한 보조 도구와 삽입물, 지지물로 기능을 증진시킬 수 있다. 예컨대 그림 6-12에서처럼 경직형 양측마비 아동은 넙다리뒤인대 경직으로 엉덩이를 굽히지 못해 바닥에 앉아서 놀기가 힘들다. 이런 아동을 그림 6-12, B에서처럼 등받이 없는 의자에 앉혀 발을 바닥에 대게 하면 보다 더 똑바른 자세로 앉아서 팔을 더욱 더 잘 이용해 놀 수 있다. 그림 6-12, C에서 아동을 등받이 없는 낮은 의자에 앉히면 장난감을 잡기 위해서 신체를 정중앙에서 더욱 더 멀리 움직이는 연습을 시킬 수 있다. 넓게 벌려 바닥에 앉은 자세에서는 이러한 움직임이 불가능하다.

독립적인 서기에 필요한 운동조절이 충분하지 않을 때는 서기 프로그램을 이용할 수 있다. 똑바로 서기 자세는 원위 조절에 필요한 다른 보조기들과 함께 슈파인 스탠더나 프론 스탠더를 이용해서 취할 수 있다. 스탠더는 아이의 몸통을 지지해 주면서 다리로 체중을 지지할 수 있도록 해 준다. 프론 스탠더에서는 머리 조절을 할 수 있고, 팔로 체중을 지지하거나 놀이에 참여할 수 있다. 슈파인 스탠더에서는 머리가 지지된 상태라서 양손을 자유롭게 뻗거나 양손으로 조작을 할 수 있다. 이때 몸통과 다리는 해부학적으로 정확한 정렬 상태를 유지해야 한다. 서기 프로그램은 보통 생후 12개월에서 16개월 사이 아동에게 사용하기 시작한다. 스튜버그(Stuberg, 1992)는 일주일에 4번에서 5번, 최소 60분 동안 서기 프로그램을 실시하라는 일반적인 지침을 권고했다. 현재 제시된 서기 권장 시기는 생후 9개월에서 10개월 사이로 빨라졌다(Paleg 외 다수, 2013). 이 프로그램의 목적은 골밀도와 엉덩이 발달을 증진하고 구축을 관리하는 것이다. 팔레그 외 다수(2013)는 골 광물 밀도에 긍정적인 영향을 가하기 위해서 5일 동안 매일 60분에서 90분씩 서기 프로그램을 시행하라고 권고했다. 엉덩이 건강을 위해서는 지지된 스탠더에서 양측 엉덩이를 30도에서 60도까지 벌려서 하루에 60분 동안 다리로 체중을 지지하라고 권고한다. 다리의 관절 가동 범위와 경직형에 영향을 가하기 위한 권고 시간은 45분에서 60분 사이이다.

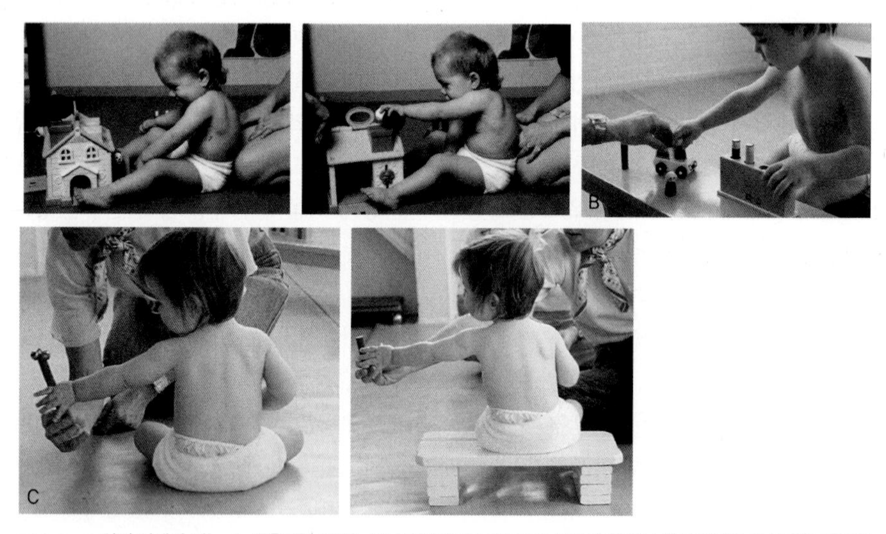

그림 6-12. 앉기 자세의 기능. A. 양측마비 유아는 넙다리뒤인대근 경직으로 바닥에 똑바로 앉기에 필요한 적절한 엉덩이 굽힘이 불가능해서 바닥에서 놀기가 힘들다. B. 등받이 없는 의자에 앉아 발을 바닥에 대고 놀 수 있다. C. 넓게 벌려 바닥에 앉은 자세에서는 정중앙에서 바깥쪽으로 멀리 움직이지 못해서 손 뻗기가 제한된다. 등받이 없는 의자에 앉아 발을 바닥에 대면 신체를 바깥쪽으로 움직일 때도 균형을 잡을 수 있다(Shepherd RB의 ≪Cerebral palsy in infancy≫ 247쪽에서 수정한 내용. 엘제비어, 2014).

중재 6-2 쪼그려 앉기와 구부리기

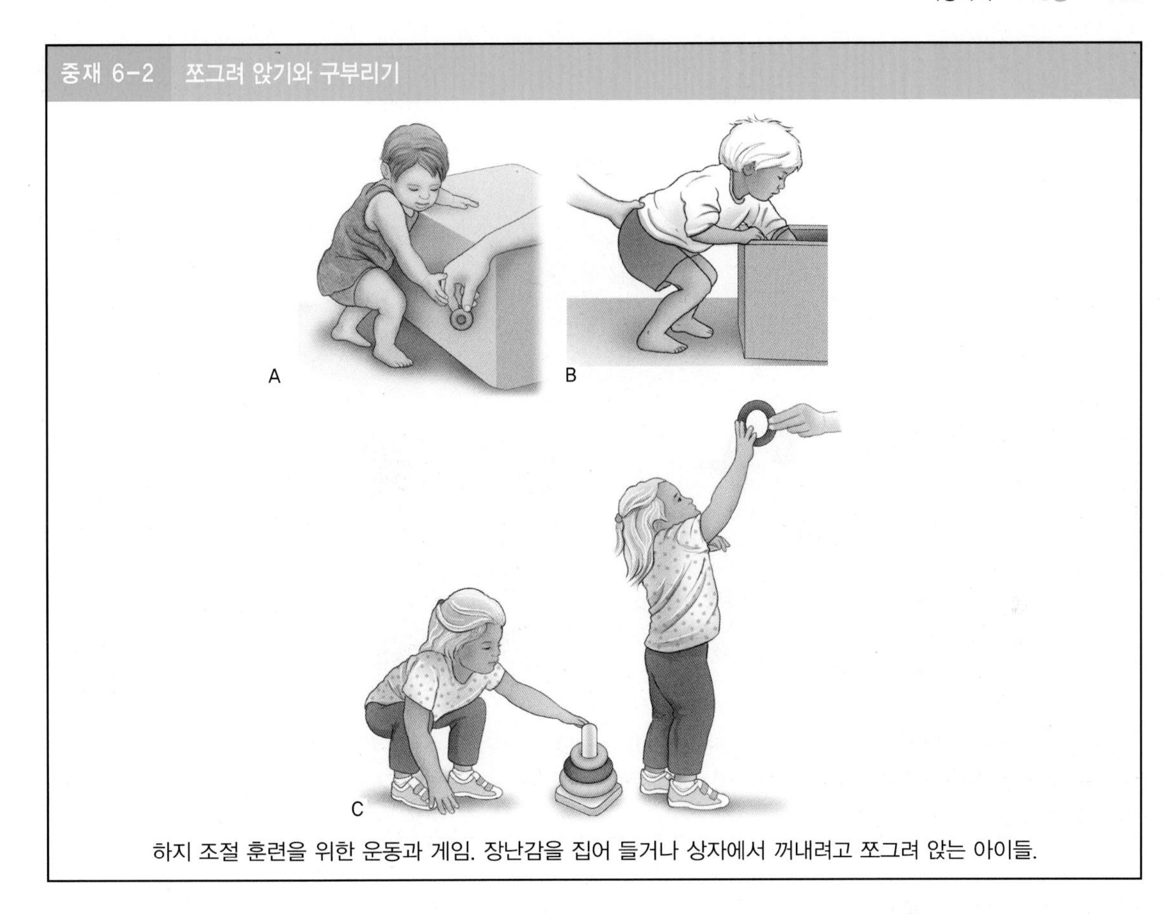

하지 조절 훈련을 위한 운동과 게임. 장난감을 집어 들거나 상자에서 꺼내려고 쪼그려 앉는 아이들.

독립적인 이동성

이동성은 여러 방식으로 확보할 수 있다. 구르기는 독립적인 이동성의 한 형태지만 특정한 환경을 제외하면 그다지 실용적이지 않을 수 있다. 앉기와 엉덩이 밀기(다리의 도움을 받거나 받지 못한 상태에서 엉덩이 움직이기)는 이동성의 또 다른 수단이며, 좀 더 어린 아동에게 적합할 수 있다. 네발기기는 기능적일 수 있지만 가장 좋은 이동 수단은 여전히 직립 보행 자세이다. 직립 보행 자세에서는 습관적으로 예상되는 방향으로 세상을 바라볼 수 있기 때문이다. 체중지지 도구 사용은 CP 아동의 보행 훈련의 한 방법이라고 할 수 있다. CP 아동에게 유익한 몇몇 조기 중재는 셰퍼드(2014)가 제안했다. 셰퍼드는 전형적인 유아가 유아기 동안 다리를 사용하는 방법들을 강조했다. 예컨대 발차기, 쪼그린 자세나 구부린 자세(crouching)에서 발을 고정시켜 신체를 위아래로 움직이기, 앉았다 일어섰다 앉기, 오르내리기, 걷기가 있다. 중재 6-2는 구부렸다 일어서기, 쪼그려 앉기와 구부리기를 보여 준다. 중재 6-3은 앉았다 일어서기와 일어섰다 앉기를 보여 준다. 어린 나이에 발로 체중을 지지하면 장딴지근과 가자미근을 늘일 수 있다. 장딴지근과 가자미근은 시간이 지나면서 뻣뻣해지기 때문에 수술이 필요할 정도의 구축이 생길 수 있다. 중재 6-4는 오르내리기를 보여 준다. 이러한 중재들은 이 단계의 물리치료 관리에서 계속 사용할 수 있다.

보행 예측인자

보행 가능성은 운동 이정표 획득뿐만 아니라 움직임 장애의 유형과 분포를 토대로 예측할 수 있다(표 6-8). 신체 침범 정도가 적을수록 보행 가능성이 높아진다. 경직형 팔다리마비 아동은 보행 가능성의 최대 가변성을 보여 준다. 12세까지 독립적인 앉기나 엉

중재 6-3 앉았다 일어서기와 일어섰다 앉기

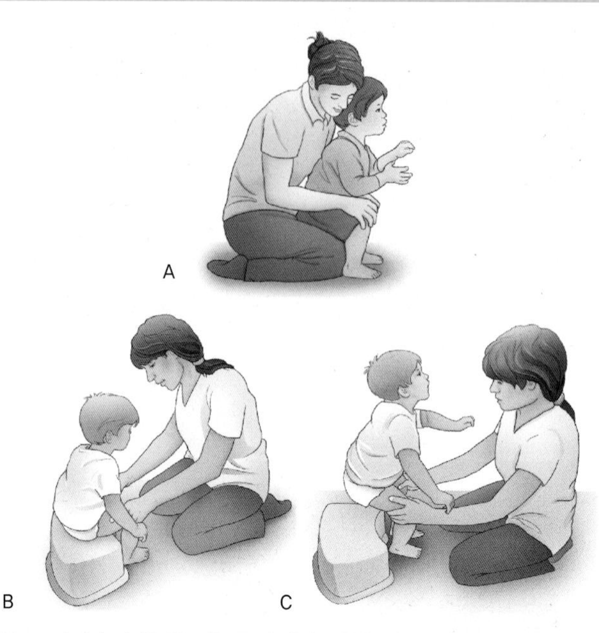

앉았다 일어섰다 앉기 운동. **A.** 아이가 이 활동을 하는 동안 아직 균형을 잡지 못하기 때문에 치료사가 아이를 안정시켜 준다. **B.** 아이에게 무엇을 해야 하는지 보여 주기 위해서 치료사가 아이의 무릎(무게중심)을 앞으로 움직인다. **C.** 앉기에 필요한 무릎 굽을 시작할 수 있도록 이 작은 아이를 도와줘야 한다.

덩이로 밀고 바닥을 돌아다니기가 가능하다면 걸을 수 있는 가능성이 상당히 크다(Watte 외 다수, 1989). CP 아동은 보조 기구의 도움을 받거나 받지 않고 독립적인 보행을 할 수 있을지도 모른다. 경직형 반신마비 아동은 정상 범위에 있지만 늦게는 생후 18개월에 걸을 수 있는 가능성이 더 많다. 몇몇 조사 학자들은 그 시기가 생후 21개월까지 늦어질 수 있다고 보고했다(Horstmann과 Bleck, 2007). 일반적인 보행 연령은 경직형 양측마비 아동의 경우에, 대체로 생후 24개월에서 36개월 사이이다. 생후 48개월까지도 걷지 못하는 아동은 목발과 지팡이, 또는 워커 같은 보조기구가 필요하다. 다른 조사관들은 침범 수준과 상관없이 모든 아동이 걸을 수 있다면 그 시기는 보통 8세라고 보고했다(Glanzman, 2009).

대부분의 아이들은 추가적으로 격려하지 않아도 보행할 수 있지만 도움이 필요하고, 다리에 동등하게 체중을 싣는 연습이 필요하며, 상반적인 팔다리 움직임을 시작하고, 균형을 잡는 연습도 해야 한다. 몸통과 관련된 자세 반응은 팔다리 보호 반응과 마찬가지로 지연된다. 앉았다가 일어서는 움직임 손상은 독립성을 저해할 수 있다. 반신마비 CP 아동은 마비측으로 움직이는 것을 피하고, 사실상 비마비측을 이용해서 모든 서기와 걷기를 할 수 있다.

체중지지 트레이드밀 훈련(BWSTT)

BWSTT은 CP 아동의 걷기 수행 능력을 개선할 때 수용할 수 있는 재활 전략으로 활용된다. 하네스(harness)는 그림 6-13에서처럼 아동이 안전하게 걷기를 배울 수 있도록 할 때나 다른 활동에 참여할 때 사용할 수 있다. 트레이드밀에서 보행 훈련을 하는 동안 아동의 체중을 부분적으로 지지해 주는 하네스 기구 사용에 관한 자료에 따르면 GMFCS 3단계와 4단계에서 아동의 대운동 수행능력과 걷기 속도가 크게 향상되었다(Willoughby) 외 다수, 2009). 특정한 과제의 조기

중재 6-4 오르내리기

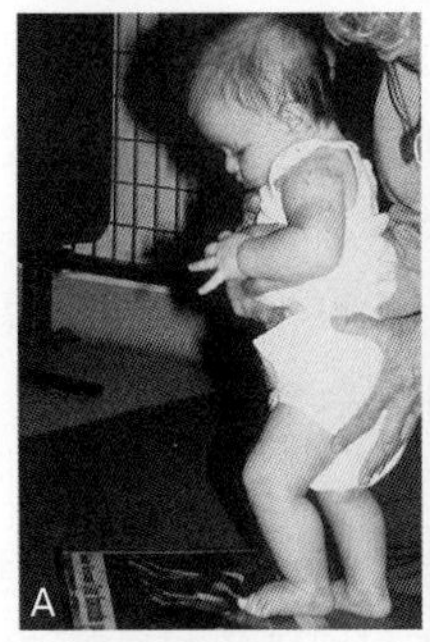

앉았다 일어섰다 앉기 운동. **A.** 아이가 이 활동을 하는 동안 아직 균형을 잡지 못하기 때문에 치료사가 아이를 안정시켜 준다. **B.** 아이에게 무엇을 해야 하는지 보여 주기 위해서 치료사가 아이의 무릎(무게중심)을 앞으로 움직인다. **C.** 앉기에 필요한 무릎 굽을 시작할 수 있도록 이 작은 아이를 도와줘야 한다.

(From Shepherd RB: Physiotherapy in Paediatrics, ed 3, Oxford, 1995, Butterworth–Heinemann.)

표 6-8 뇌성마비 아동의 보행 예측인자

예측인자	보행 가능성
진단별:	
단일마비	100%
반신마비	100%*
실조증	100%
양측마비	60–90%
경직형 팔다리마비	0–70%
운동기능별:	
2세까지 독립적인 앉기	좋음[†]
3–4세까지 독립적인 앉기	50% 지역 사회 보행
2세 이후에 원시 반응 존재	나쁨
2세 이후에 자세 반응 부재	나쁨
2세 반에서 3세까지 비대칭적으로나 상반적으로 독립적인 기기	100%

*From Pallas Alonso CR, de la Cruz B, Lopez MC, et al: Cerebral palsy and age of sitting and walking in very low birth weight infants. An Esp Pediatr 53:48 – 52, 2000.
[†]From da Paz Junior, Burnett SM, Braga LW: Walking prognosis in cerebral palsy: A 22–year retrospective analysis. Dev Med Child Neurol 36:130 – 134, 1994.
Source: Glanzman A: Cerebral palsy. In Goodman C, Fuller KS, editors: Pathology: implications for the physical therapist, St. Louis, Saunders, 2015, p. 1524.

연습은 보행 능력 습득에 유익하다. 리처드 외 다수(1997)는 CP 아동 네 명에게 조기 보행연습 시스템을 사용해서 연구한 결과, 생후 19개월 아동을 훈련시킬 수 있다고 결론 내렸다. 그보다 더 나이가 많은 아동을 연구했을 때는 운동 테스트 점수와 몇몇 아동의 이동 능력에서 긍정적인 변화가 포착되었다(Schindl 외 다수, 2000). 일주일에 이틀씩 12주 동안 프로그램을 시행하자 CP 아동의 걷기 능력이 향상되었다(Kurz 외 다수, 2011). 오르내리기 운동학의 변화는 보폭과 걷기 속도, GMFM 점수와 밀접하게 연관되어 있다. 추가적인 연구에 따르면 BWSTT는 CP 아동의 걸음걸이를 개선해 준다(Cherng 외 다수, 2007; Dodd와 Foley, 2007; Mattern–Baxter 외 다수, 2009).

트레이드밀 훈련과 땅 위의 걷기 효과를 비교한 조사 결과는 명확하지 않다. 윌로그비 외 다수(2010)는 두 그룹의 걷기 속도나 학교에서의 걷기가 별 차이가 없다는 사실을 발견했다. 그레코 외 다수(2013)는 트레이드밀 훈련 그룹이 땅에서 걷기 훈련 그룹보다 훨씬 더 좋은 성적을 보인다는 사실을 발견했다. 치료와 후속 치료 이후에는 그 차이가 상당히 커졌다. 윌로그비 외 다수의 연구에서 주목해야 할 점은 트레이드밀 훈련 시에 부분 체중지지를 사용했고, 참여자들이 GMFCS 3단계나 4단계에 해당했다는 사실이다. 반면 그레코 외 다수의 연구에서는 부분 체중지지 없이 트레이드밀 훈련을 했고, 참여자들은 GMFCS 1단계에서 3단계 사이의 사람들이었다. 부분 체중지지와 상관없

그림 6-13. 체중지지 트레이드밀 사용(Treadmill with harness, with permission from LiteGait, Mobility Research, Tempe, AZ; From Shepherd RB: Cerebral palsy in infancy, Elsevier, 2014, p. 7.).

이 트레이드밀 사용은 각기 다른 GMFCS 단계 아동들을 위한 적절한 프로토콜을 만들기 위해서 반드시 더 많이 연구해야 한다.

전동 이동성

환경 내에서의 이동은 아동이 독립적으로 움직일 수 있을 때까지 지연되는 공간 개념 발달에 매우 중요하다. 전동 이동은 어린 아이에게도 사용할 수 있는 선택 방법이 될 수 있다. 생후 17개월에서 20개월 사이의 장애 아동들은 전동 휠체어를 조작하는 법을 배운다(Butler, 1986, 1991). 아동이 전동 이동을 배운다고 해서 독립적인 보행이 불가능해지는 것은 아니다. 아동의 가족에게 이 점을 강조해야 한다. 전동 이동의 조기 사용은 독립적으로 움직이지 못하는 어린 아이에게 긍정적인 영향을 미친다(Guerette 외 다수 2013). 최근에 리빙스톤과 팔레그(2014)에서 출판된 전동 이동에 관한 최초의 국제적 합의를 참조하기 바란다. 임상적 연습 제안에 따르면 능력과 욕구, 연령이 다른 아동들에게 전동 이동을 권한다. 움직이지 못하지만 생후 12개월 아동의 인지 기술을 지닌 CP 아동은 전동 이동성으로 평가해야 한다. 운동과 인지의 불일치는 부정적인 발달 결과를 이끌어낼 가능성이 있다(Anderson 외 다수, 2014). 다른 대체 이동기구로는 프론 스쿠터(prone scooter), 개조한 세 발 자전거, 배터리로 구동되는 타는 장난감, 수동 휠체어가 있다. 이렇게 독립적으로 움직이기 시작하면 아이가 환경에 지배당하기보다 환경을 조절할 수 있다는 사실을 배울 수 있다.

물리치료 중재 2단계: 취학 전 단계

취학 전 단계에서 강조할 점은 CP 아동의 운동성과 기능적 독립성 증진이다. 침범의 분포와 정도에 따라서 CP 아동은 생후 3년 동안 서기나 앉기 자세에서 중력과 수직을 이루는 방향을 유지할 수 있을 수도 있고 없을 수도 있다. 취학 전까지는 아동 대부분의 사회적 영역이 확대되어 어린이집 선생님과 베이비시터, 프리스쿨 직원들, 놀이 친구가 포함된다. 그래서 자기 조절뿐만 아니라 물체 상호 작용을 위해서도 이동성이 중요해진다. 이동성이 사회적 필수품이 되는 것이다. 이런 아동의 정신적, 운동적, 사회 감정적 측면은 기능적 독립성을 달성하기 위해서 모두 다 취학 전에 동시에 발달한다.

취학 전 단계의 물리치료 목적은 아래와 같다.

1. 독립적 이동 수단의 확립
2. 기능적 움직임 증진
3. 몸단장과 옷 입기 같은 ADL 수행 능력 개선
4. 또래와의 사회적 상호 작용 개선

물리치료 보조사는 유아 중재 프로그램의 아동보다 취학 전 아동을 다룰 가능성이 훨씬 크다. 프리스쿨 환경에서 물리치료 보조사는 물리치료사가 세워놓은 치료 계획의 특정한 부분들을 시행한다. 그러한 활동들로는 머리와 몸통 조절을 개선하는 자세 반응 증진과 앉았다가 일어서기 같은 이행 가르치기, 기능에 필요한 적절한 근육 길이를 유지해 주는 스트레칭, 기능과 건강 증진을 위한 운동 강화와 견디기, 아동의 일상적인 가정 활동이나 교실 활동의 일부인 자기 돌봄 연습이 있다.

중재 6-5 볼스터 위로 일어서기

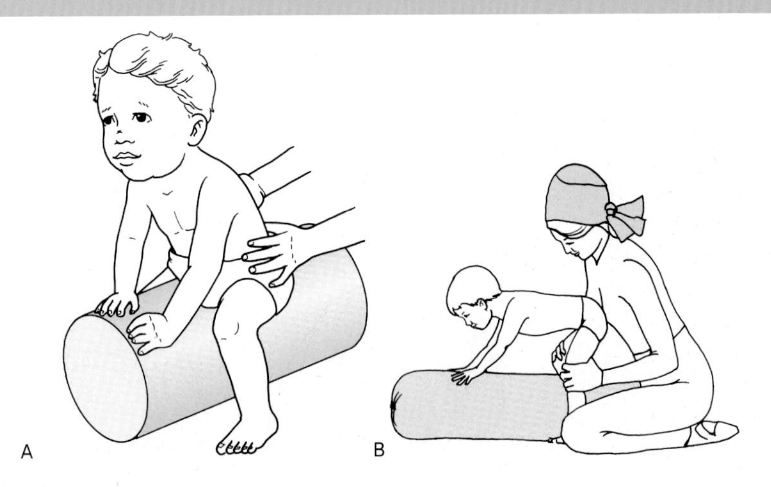

A. 볼스터 위로 일어서기 연습을 하면 하지 모음을 막고 다리 강화와 체중지지를 할 수 있다.
B. 아동이 서기 자세에서나 앉았다 일어서는 이행 시에 체중을 모두 지지할 수 없다면 일어서는 연습을 할 때나 일어선 자세에서, 혹은 일어서서 체중을 이동시킬 때 양팔을 뻗어 체중의 일부를 지지하도록 한다.

(A, From Campbell SK, editor: Physical therapy for children, ed 4. St. Louis, 2012, WB Saunders.; B, Reprinted by permission of the publisher from Connor FP, Williamson GG, Siepp JM, editors: Program guide for infants and toddlers with neuromotor and other developmental disabilities, New York, 1978, Teachers College Press, p. 163. ©1978 Teachers College, Columbia University.)

독립적인 이동성

CP 아동이 조기 중재 기간 동안 직립 방향과 이동성을 어느 정도도 습득하지 못한다면 모두가 합심해서 아동이 그렇게 할 수 있도록 노력해야 한다. 보조기구와 보조기를 사용하거나, 사용하지 않고 보행하는 아동의 경우에는 그 기구의 지속적인 필요성을 살펴보고 재검토한다. 이전까지는 도움이 전혀 필요 없었던 아동들이 근골격 상태와 체중, 발작 상태, 혹은 안전의식이 달라지면서 이 시기부터 보조기구의 혜택을 볼 수 있을지도 모른다. 이전까지는 몸이 작아서 운동조절 능력이 충분했을지도 모르지만 성장하면서 조절능력을 잃을 수도 있다. 물리치료 보조사는 아동이 이전에 문제없이 수행했던 과제를 어려워한다는 사실을 발견하자마자 감독 물리치료사에게 알려야 한다. 물리치료사가 정기적으로 재검사를 하지만 아동을 다루는 물리치료 보조사는 아동의 운동 수행 능력에서 부정적인 변화를 감지하자마자 재검사를 요청해야 한다. 긍정적인 변화도 관리 계획 업데이트에 반드시 필요하기 때문에 철저하게 기록하고 보고해야 한다.

보행. 경직형 팔다리마비 아동의 운동 침범이 너무 심각하지 않다면 보행이 가능할 수 있다. 이 과제를 달성하는 시간이 길어질수록 기능적인 보행이 불가능해질 수 있다. 아동이 그 활동의 일부 혹은 모든 요소들을 수행할 때 도움과 감독을 필요로 하기 때문이다. 그러므로 보행은 치료법으로만 이용해야 한다. 다시 말해서 치료 시에 행하는 운동의 또 다른 형태로 간주해야 한다.

경직형 양측마비 아동한테서 찾아볼 수 있는 특정한 보행 난점으로는 다리 분리 부족과 한 다리 지지 시간 감소, 두 다리 지지 시간 증가, 체중 이동 시 자세 반응 제한이 있다. 경직형 양측마비 아동은 한 다리와 다른 다리를 분리하고, 다리 움직임과 몸통 움직임을 분리하는 데 문제가 있다. 이들은 종종 다리 운동 시작에 필요한 똑바른 자세의 몸통 안정성 부족을 대체하기 위해서 엉덩이 모음근으로 몸을 고정(안정)시킨다. 볼스터 위로 일어서는 연습을 하면 다리 모음을

중재 6-6 볼스터 위로 균형 반응

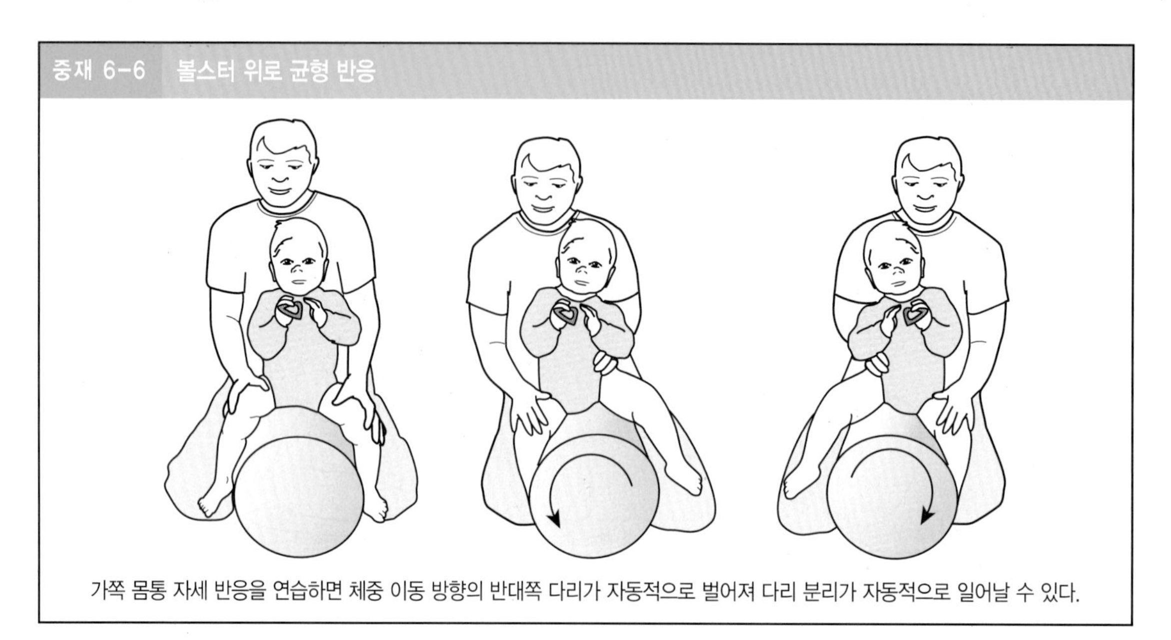

가쪽 몸통 자세 반응을 연습하면 체중 이동 방향의 반대쪽 다리가 자동적으로 벌어져 다리 분리가 자동적으로 일어날 수 있다.

막을 수 있고, 근육 강화와 체중지지를 할 수 있다(중재 6-5, A). 이런 아동이 서기 자세에서나 앉았다 일어서는 동작 시에 체중을 모두 지지할 수 없다면 일어서는 이행 연습을 할 때나 일어선 자세에서, 혹은 일어서서 체중을 이동시킬 때 양팔을 뻗어 체중의 일부를 지지하도록 한다(중재 6-5, B).

가쪽 몸통 자세 반응을 연습하면 체중 이동 방향의 반대쪽 다리가 자동적으로 벌어져 다리 분리가 자동적으로 일어날 수 있다(중재 6-6). 가쪽 바로잡기에 대응해서 몸통 돌림이 추가되면 반대쪽 다리의 바깥쪽 돌림이 일어날 수도 있다. 스탭 스탠스(step stance)자세에서 장난감을 밀고 체중을 이동하는 것도 다리 분리 연습에 유용한 활동이다. 아이가 적절한 보폭으로 한 발을 내딛어 두 다리 지지 시간을 줄이면 물체를 넘어가거나 한 계단을 오르내릴 수 있다. 바닥 사다리를 이용하거나 발을 높이 들어 올리게 하면 한 다리 지지로 균형을 잡기가 어려워질 수 있다. 아이가 수직봉을 잡게 하면 지지 정도를 줄이고 몸통 상부 폄을 촉진할 수 있다(그림 6-14). 많은 아동들이 보행 훈련 시 후방지지 워커 같은 보조기구를 이용해서 혜택을 볼 수 있다(그림 6-16). 보조기도 보행을 향상시킬 때 필요할 수 있다.

보조기. 보행 가능한 CP 아동에게 가장 흔히 사용하는 보조기는 발목-발 보조기(AFO) 유형이다. 표준 AFO는 폴리프로필렌 한 조각으로 본을 뜬 것이다. 이 보조기는 종아리뼈 머리까지 10에서 15밀리미터까지 늘어난다. 이 보조기는 아동의 무릎 뒤쪽에 끼어서는 안된다. 모든 AFO와 발 보조기(FO)는 발을 지지해야 하고, 목말밑관절(subtalar joint)을 중립 위치에 유지시켜야 한다. 경첩이 달린 AFO를 사용하면 보다 더 정상적이고 효과적인 보행이 가능하다(Middleton 외 다수, 1988). 모리스(Morris, 2002)가 살펴본 바에 따르면 발바닥 쪽 굽힘 방지로 보행의 효율성을 향상시킬 수 있었다. 몇몇 치료사들은 경직형 CP 아동의 구부정한 걸음걸이에서 나타나는 무릎 굽힘을 감소시키기 위해 지면 반발력 AFO를 추천했다(그림 6-17). 다른 치료사들은 경직형 양측마비 아동의 긴장 과다 때문에 구부정한 자세가 나온다면 이런 유형의 보조기가 그다지 효과적이지 못하다고 말한다(Ratliffe, 1988). 너트슨(Knutson)과 클라크(Clark, 1991)는 발 보조기가 발목을 안정시킬 필요가 없는 아동의 엎침을 조절하는데 유용할 수 있다는 사실을 발견했다. 동적 AFO는 맞춤 제작한 밑판이 있어서 발 앞부분과 뒷부분을 정렬해 준다. GMFCS 1단계에서 3단계에

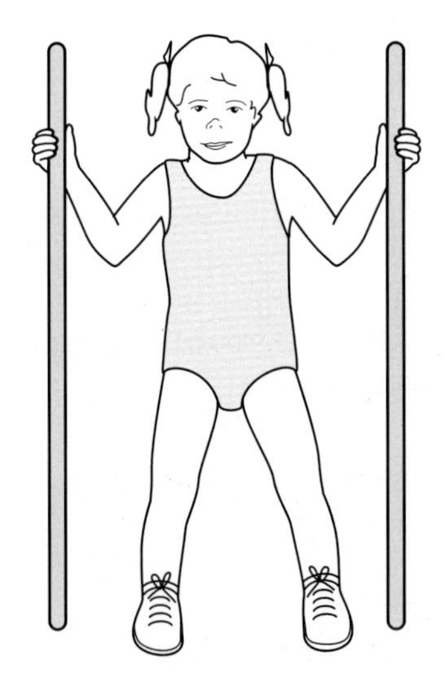

그림 6-14. 폴 잡고 서기

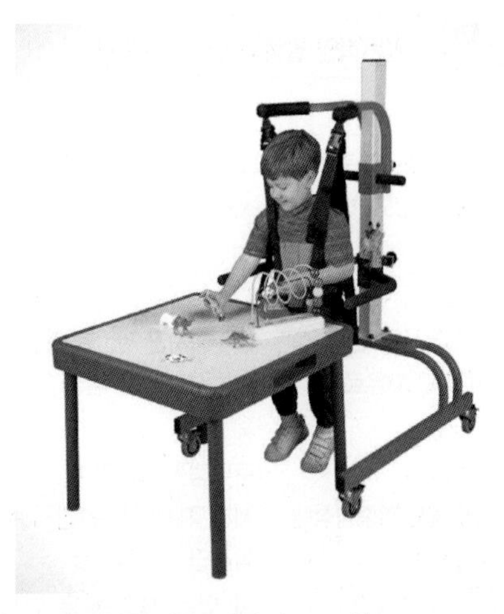

그림 6-15. 보행 가능한 라이트게이트(LiteGait)(With permission from LiteGait, Mobility Research, Tempe, AZ; From Shepherd RB: Cerebral palsy in infancy, Elsevier, 2014, p. 7.)

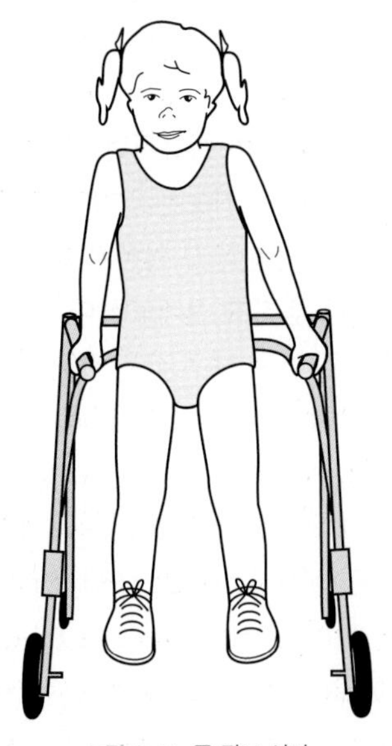

그림 6-14. 폴 잡고 서기

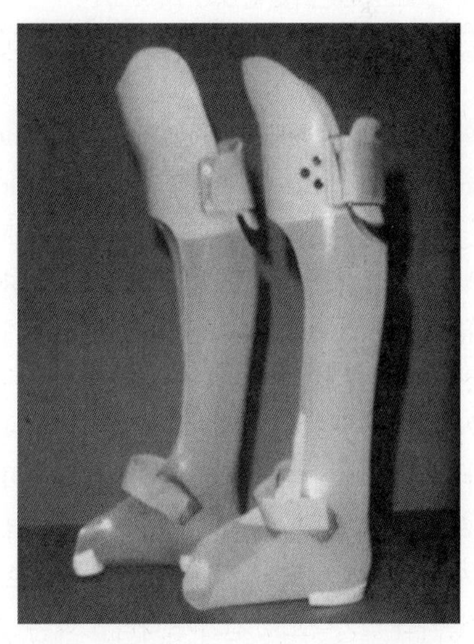

그림 6-17. 지면 반발력 AFO(From Campbell SK, editor: Physical therapy for children, ed 4, St. Louis, 2012, WB Saunders.)

이르는 CP 아동에게 두 단계 모두의 보행 시 발목과 발을 조절해 주는 AFO를 사용하면 보행 효율성이 향상된다는 증거가 상당히 많다(Morris 외 다수, 2011). AFO는 수술 이후나 근힘줄 길이의 연장을 유지하기 위해 석고붕대를 하고 난 이후에도 사용하라고 지시할 수 있다. 이 보조기는 밤낮으로 계속 착용할 수 있다. 그러므로 피부 손상이나 과도한 압력의 징후가 없는지를 정기적으로 살펴봐야 한다. 물리치료사는 아동의 보조기 착용 일정을 수립해야 한다. 보조기를 뺀 이후에 20분 이상 붉은 자국이 남으면 감독 물리치료사에게 보고해야 한다.

발목이 불안정해서 내외측 안정성이 필요한 아동은 과상 보조기(SMO)를 사용하는 것이 이로울 수 있다. 이 보조기를 착용하면 내외측 움직임을 제한하면서 자유롭게 발등굽힘과 발바닥쪽 굽힘을 할 수 있다. SMO나 FO는 가벼운 긴장 과도나 발 엎침을 보

표 6-9 **일반적인 발목과 발 부목 지침**

부목	상태	응용
발목고정형 보조기. 중립에서 자유도(DF) 3도까지	보행 불가능한 사람. 서기 시작하는 초보자	1. DF 3도 이하 2. 발목 DF 감소 및 약화와 연관된 젖힌 무릎(genu recurvatum) 3. 내외측 안정성 필요 4. Nighttime/자세 스트레칭
90도 각도에서 후방 멈춤 AFO. 자유도 자유로움(경첩형 보조기)	약간이지만 제한된 기능성 이동성을 갖춘 환자	보행과 쪼그려 앉기, 발 내딛기, 앉았다 일어서기 같은 움직임 수행 시 1-4 이상 활용하지만 좀 더 수동적인 DF 필요함.
지면 반발 AFO (서기 자세에서 체중심성에 따라 DF 설정)	구부정한 걸음걸이 서기 자세에서 완전히 수동적인 무릎펴	보행 시 무릎 폄을 유지하는 능력이 감소한 환자들에게 사용
SMO	서 있는 사람/발목 엎침 상태에서 일어서는 사람/보행하는 사람	1. 내외측 발목 안정성 필요 2. 능동적인 발바닥쪽 굽힘을 사용할 기회를 좋아함 3. 보행 시 감소한 DF가 문제되지 않음

AFO, 발목-발 보조기; DF, 발등굽힘; SMO, 과상보조기
From Glanzman A: Cerebral palsy. In Goodman CC, Fuller K, editors: Pathology: implications for the physical therapist, ed 3. St. Louis, Saunders, 2015, p. 1529.Table 6-10 Oral Medications for Spasticity

이는 아동에게 사용하도록 지시할 수 있다(Knutson과 Clark, 1991; Buccieri, 2003; George와 Elchert, 2007). 긴장 감퇴나 무정위운동 CP 아동에게 SMO나 FO를 사용하면 아이가 테니스화를 신고 충분히 안정성을 유지할 수 있어 보행이 가능해진다. 보조기 사용에 관한 일반적인 지침은 표 6-9에서 찾아볼 수 있다.

보조 기구. 몇몇 보조기구들은 CP 아동에게 사용하지 말아야 한다. 예컨대 머리와 몸통을 가능한 많이 조절할 필요가 없는 워커는 수동적이고, 장기적으로 사용해서 거의 이득이 없을 수도 있다. 워커 사용으로 하지 폄 증가와 발가락으로 걷기가 나타날 때는 보행을 향상시키는 보다 더 적절한 수단을 찾아봐야 한다. 사우서(Saucer)는 워커만큼 위험할 수도 있다. 다리 근긴장 과도 아동에게는 점퍼도 사용하지 말아야 한다. 아이가 3세 이전에 독립적이고 기능적인 보행을 못한다면 이 시기에는 대안적인 이동기구의 사용을 고려해야 봐야 한다. 개조한 세발자전거와 수동 휠체어, 이동 스탠더, 배터리를 장착한 스쿠터, 전동 휠체어는 모두 다 사용 가능하다. 전동 이동기구들은 좀 더 어린 아동에게도 사용할 수 있다. 아동이 땅 위에서 걷지 못할 때만 전동 이동기구를 사용해야 하는 것은 아니다.

전동 이동성. 팔다리마비 아동처럼 침범이 훨씬 더 심각한 아동은 적절한 팔 기능은 말할 것도 없고 머리나 몸통 조절 능력이 충분하지 않아서 보조기구를 사용해도 독립적으로 걷기가 불가능하다. 이런 아동에게는 휠체어나 다른 전동 기구 같은 전동 이동기구 형태가 해결책이 될 수 있다. 다른 아동들은 보행 훈련기처럼 좀 더 조절 가능한 기구를 사용해서 몸통을 충분히 지지받아 교대적 다리 움직임을 훈련해 훈련기를 끌고 다닐 수 있다(그림 6-18). M.O.V.E(교육을 통한 이동성 기회, 1300 17th Street, City Centre, Bakersfield, CA, 93301-4533)는 특수교육 교사가 걷기와 서기를 힘들어 하는 아동들, 특히 심각한 신체적 장애가 있는 아동들의 독립적 이동성을 증진하기 위해서 만든 프로그램이다. 조기 장비 사용은 모든 아동의 운동성을 증진하는 교과 과정과 국제 조직까지 확대되었다. 이러한 장비 중 상당수는 리프톤 장비(P.O. Box 901, Rifton, NY 12471-1901)에서 구할 수 있다. 이미 전동 기구를 사용하고 있는 아동들에 대해서 연구한 결과에 따르면 학교에서는 대체로 지속적인 휠체어 사용이 이루어지고 있다. 전동 기구를 사용하는 부모와 간병인들과 인터뷰한 결과에 따르면 접근

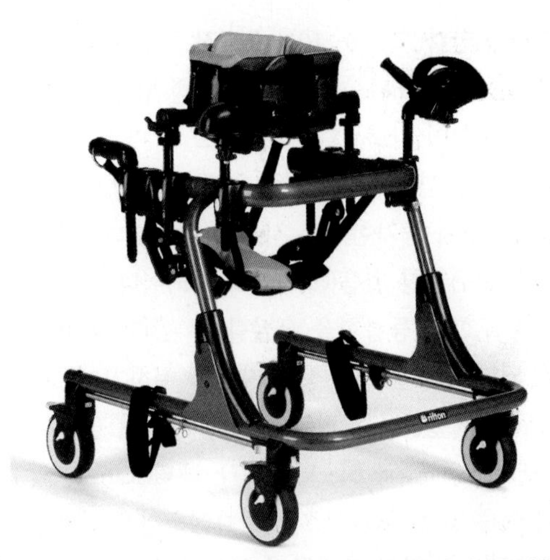

그림 6-18. 리프톤 보행훈련기(뉴욕 리프톤의 리프톤 장비의 허가를 받음)

성과 독립성이라는 두 가지 문제가 등한시되고 있어서 크게 우려가 되었다. 휠체어는 의존적인 아동의 독립성을 증진해 주는 수단이었지만 대부분의 간병인들은 가정이나 다른 지역 환경에서 접근성의 어려움이 다소 있었다고 말했다. 전동 휠체어 사용의 이점을 증진시키려면 휠체어 사용 환경의 접근성을 높이고, 간병인의 요구를 고려해야 하며, 아동은 휠체어 운전 기술을 적절한 수준까지 익혀야 한다(Berry 외 다수, 1996). 리빙스톤과 팔레그(2014)는 전동 이동 기구가 운전 실력이 뛰어나지 않는 아동에게도 사용하기 적절하다는 사실을 주목했다.

의료적 치료

여기서는 CP 아동의 의료적 치료와 수술적 치료에 관해서 기술한다. 이 시기의 아동은 경직형이나 근골격계 변형으로 어느 한쪽 형태의 중재를 필요로 할 가능성이 크기 때문이다.

약물. 경직형 관리에 가장 흔히 사용하는 경구용 약물로는 벤조디아제핀과 다이아제팜(발륨), 클로나제팜(클로노핀), 알파$_2$작용제, 티자니딘(자나플렉스), 바클로펜(리오레살), 단트롤렌(탄트리움)이 있다(Accardo, 2008; Tilton, 2009). 작용 기전과 잠재적 부작용은 표 6-10에 나와 있다. 진정제 투여와 피로, 일반적인 약화가 아동의 기능에 부정적인 영향을 미칠 수 있는 흔한 부작용이다. 침이 많이 흘러서 먹기와 발음에 지장이 생긴다고 보고된 바가 있다(Erkin 외 다수, 2010; Batshaw 외 다수, 2013). 경구용 약물의 유용성은 다양한 부작용 때문에 제한될 수 있다. 펌프로 바클로펜을 척추에 직접 주입하는 방법이 점점 더 많이 사용되고 있다. 적은 약물로도 더 큰 효과를 볼 수 있기 때문이다. 이러한 방법을 사용할 수 있는 최소 연령은 3세이다. 6개월은 지나야 기능적인 개선 효과가 나타난다. 이 절차는 비용이 많이 들고, 그 이점은 아직 연구 중이다. 펌프 이식은 신경외과적 절차라서 그에 관해 기술할 때 보다 더 자세하게 소개하겠다.

보툴리눔독소. 전통적으로 경직형 성인의 경우에도 알코올이나 페놀 같은 화학작용제를 주사해서 경직된 근육으로 가는 신경전달물질을 차단한다. 이러한 절차는 통증과 불편을 유발하기 때문에 아동에게는 일상적으로 사용하지 않지만 새로운 대안으로 사용되고 있다. 보툴리눔 박테리아는 강력한 독소를 만들어 경직된 근육을 억제할 수 있다. 경직된 근육 그룹에 소량을 주사하면 3개월에서 6개월 내에 경직의 약화와 쇠퇴가 나타날 수 있다. 이러한 효과가 나타나면 아동은 자세를 취하기가 훨씬 쉬워지고, 보조기 착용도 한층 수월해지며, 기능도 향상된다. 또는 적절한 근육 연장에 관한 정보도 얻을 수 있다. 하나 이상의 근육 그룹에도 주사할 수 있다. 그다지 불편하지 않고 시술하기 쉽다는 점이 알코올이나 페놀을 이용하는 운동점차단술보다 확실하게 좋은 점이다(Gormley, 2001).

수술적 치료

정형외과는 종종 CP 아동의 삶에서 피할 수 없는 존재다. 수술의 목적은 (1) 통증을 줄이고, (2) 기형을 교정하거나 예방하며, (3) 기능을 향상시키는 것이다. 수술 여부는 의사와 가족, 아동, 의료팀과 교육팀이 서로 의논하여 결정한다. CP 아동은 동적인 문제들을 지니고 있고, 수술적 치료는 정적인 해결책만을 제시할 수도 있다. 그러므로 아동의 기능을 모든 영역에서 고려해야 한다. 치료사는 수술 절차의 유형과 수술후 석고붕대 등으로 인하여 움직이지 못하는 예상 기간에 따라서 아동의 치료 계획을 수정해야 한다. 이때 아동의 착석과 이동성 요구도 고려하고, 모든 사람들에게 가정과 학교에서 아동을 안전하게 이동시키고, 아동의 자세를 안전하게 잡아 주는 법을 지시해야 한다.

부드러운 조직들을 길게 늘이는 수술적 절차들은 CP 아동에게 가장 흔히 사용하는 방법이며, 그 종류로는 힘줄 연장과 경직된 근육 그룹 이완이 있다. 긴장된 모음근이나 넙다리뒤인대를 늘이는 수술적 절차들은 최상의 자세 정렬을 지속적으로 취하거나 보행 상태를 유지하기 위해서 아동에게 권장할 수 있다. 힘줄절단 수술에서는 힘줄을 완전히 절단한다. 부분적 힘줄 이완에는 힘줄이나 근섬유의 부분 절단이나 힘줄부착 이동이 있다. 신경절제술은 경직된 근육으로 이어지는 신경을 절단해서 신경차단을 하는 것이다. 이런 아동은 보통 수술 부위를 움직이지 않도록 6주에서 8주 동안 팔에 석고붕대를 하거나 양쪽 다리에 석고붕대를 한다.

3주 동안 석고붕대를 하는 것이 종아리세갈레근(triceps surae)에 좋다고 한다(Tardieu 외 다수, 1982, 1988). 아킬레스 건이 긴장되어 전통적인 스트레칭이나 석고붕대에 반응하지 못하는 아동은 평발(발바닥 전체로 걷기)을 만들기 위해서 수술적 치료를 받아야 할지도 모른다. 걷기를 향상시킬 때 아킬레스 건을 늘이는 수술을 한다(그림 6-19). 수술적 치료의 결과는 발목의 발등굽힘(ankle dorsiflexion) 범위가 증가하고, 발바닥 굽힘이 약화된다. 데이비드 외 다수(2011)는 아킬레스 건 연장 수술 이후, 유각기에 CP 아동 발목의 발등굽힘이 증가한다는 사실을 발견했다. 과도한 신장은 발뒤꿈치 걸음(calcaneal gait)이나 입각기에 너무 과도한 발등굽힘을 유발할 수 있다. 이러한 상태가 되면 아동은 구부정한 자세를 취하기 쉽고, 넙다리뒤인대 발달과 엉덩관절 굽힘 구축이 일어나기 쉽다(Horstmann과 Bleck, 2007). 래티(Rattey) 외 다수(1993)는 6세나 그 이후에 아킬레스건을 신장한 아동한테서는 경직이 재발하지 않았다고 보고했다. 데이비스 외 다수(2011)는 맨손 스트레칭과 연속적인 석고붕대, 근력 훈련 같은 비수술적 치료에 반응하지 않는 고정형 근육 구축을 교정할 때만 수술적 연장을 고려해야 한다고 덧붙여 말했다(Damiano 외 다수, 1995a, b; Damiano 외 다수, 1999).

일회성 다단계 수술(SEML)은 CP 아동에게 일반적인 것이 되었다. SEML은 '한 번의 수술 절차 시에 해부학적 수준에서 두 개나 그 이상의 부드러운 조직이나 뼈를 수술하는 절차로, 입원 한 번과 한 번의 재활

표 6-10 경직형의 경구용 약물

부목	작용기전	부작용
벤조디아제핀 (발륨), (콜로노핀)	흥분성 신경전달물질 분비 억제	진정제 투여, 실조, 신체적 의존
알파2작용제 (자나플렉스)	흥분성 신경전달물질 분비 억제	진정제 투여, 긴장저하, 욕지기, 구토
단트롤렌 (탄트리움)	근세포질그물에서 칼슘 분비 억제	약화, 욕지기, 구토, 감염
바클로펜	척수에서 흥분성 신경전달물질 분비 억제	진정제 투여, 실조, 약화, 긴장저하

Adapted from Theroux MC, DiCindio S: Major surgical procedures in children with cerebral palsy. Anesthesiology Clin 32:63-81, 2014

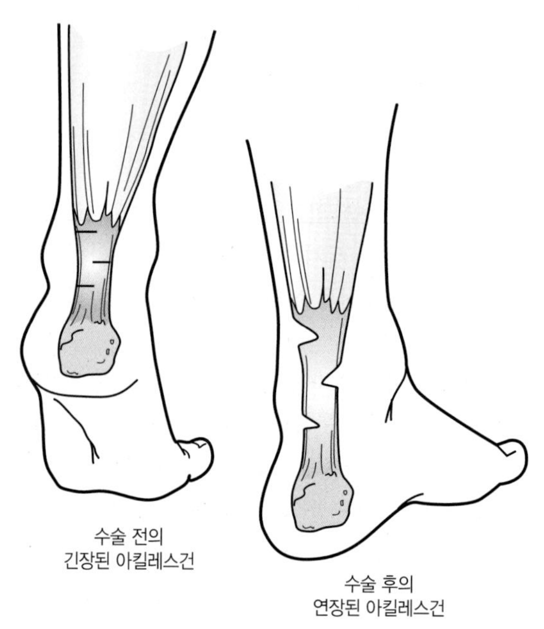

그림 6-19. 아킬레스 건 연장

기간만 필요한' 것으로 정의된다(McGinley 외 다수, 2012, 117쪽). 보다 더 복잡한 정형외과 수술 절차들은 엉덩관절 불완전 탈구나 탈구가 발생할 경우에 시행할 수 있다. 엉덩관절 불완전 탈구는 의무적 ATNR에서 기인한 근육 불균형에 부차적으로 나타날 수 있다. 이때 골두 쪽 다리는 구부러져서 모아진다. 보수적인 치료법으로는 전형적으로 ATNR의 영향력을 감소시키는 적절한 자세잡기와 긴장된 근육 그룹을 수동적으로 스트레칭 하기, 밤에 벌림 부목을 사용하는 방법이 있다(Styer-Acevedo, 2008). 엉덩관절이 탈구되어 통증과 비대칭이 발생하면 수술적 치료를 해야 한다. 이러한 문제는 그 심각성과 민감성에 따라서 여러 가지 수술적 방법으로 다룰 수 있다. 최소 수준의 중재로는 모음근과 엉덩허리근(iliopsoas)의 근위, 넙다리뒤인대(proximal hamstrings)의 부드러운 조직 이완이 있다. 그 다음 수준에는 넙다리뼈를 절단해서 각도를 바꾸고 역회전(derotating)시켜 안쪽에 고정해야 한다. 각도를 바꾸어 넙다리뼈 머리를 볼기뼈절구(acetabulu)에 밀어 넣는다. 볼기뼈절구는 이따금씩 절골술과 더불어 개조해야 한다. 엉덩관절 교환이나 관절유합술도 선택할 수 있다. 뼈수술절차는 훨씬 더 복잡하고, 고정 기간과 재활 기간이 훨씬 길어진다.

보행 실험실에서 보행 분석을 하면 보행을 시각적으로 평가하기는 것보다 훨씬 더 명확한 근거를 토대로 수술 여부를 결정할 수 있다. CP 아동의 보행 편위(gait deviation)에 관한 양적인 정보는 모든 각도에서 아이의 걸음을 관찰하고, 보행 주기 동안 근육 활동(muscle output)과 사지 관절 가동 범위에 관한 자료를 모아서 수집한다. 비디오 분석과 표면 근전도 검사(surface electromyography)를 하면 정형외과 수술에 관한 추가적인 귀중한 정보를 얻을 수 있다. 이러한 정보는 가능한 수술적 중재의 효과를 확인하기 위해서 일시적인 신경차단이나 보툴리눔독소 주입으로 증대할 수 있다. 마르코니(Marconi) 외 다수(2014)의 최근 연구는 SEML이 CP 아동의 보행 변수에 미치는 영향을 평가했다. GMFCS 1단계에서 3단계에 속한 9세에서 16세 아동이 이 연구에 참여했다. 이 연구 결과에 따르면 기계적 효율성의 향상 때문이라기보다는 자세를 유지하는 근육 작용의 에너지 소비 감소 때문에 걷기의 에너지 소모가 상당히 감소했다. 맥긴리 외 다수(2012)의 체계적 고찰에 따르면 SEML로 보행의 긍정적 변화가 나타나는 추세이다.

신경외과 수술. 선택적 척수신경근 절단술(SDR)은 특정한 CP 아동의 경직형을 치료하는 공인된 치료법이 되었다. 피콕(Peacock) 외 다수(1987)는 근전도검사 반응으로 척수의 등쪽 뿌리를 찾아내는 이 절차의 사용을 옹호하기 시작했다(그림 6-20). 척수 내의 구심성 시냅스 활동을 감소시키기 위해서 등쪽 뿌리를 선택적으로 자르면 경직성이 감소한다. 이때 신중하게 선택해서 촉각과 고유 감각을 건드리지 않는다. 이러한 절차의 이상적인 대상자는 경직형 양측마비 아동이나 중등증 운동조절 능력을 갖춘 반신마비 아동, IQ가 70이나 그 이상인 아동이다(Cole 외 다수, 2007; Gormley, 2001). 물리치료는 연간 일주일에 1회에서 2회로 줄일 수 있다. 경직성이 사라지자마자 약화와

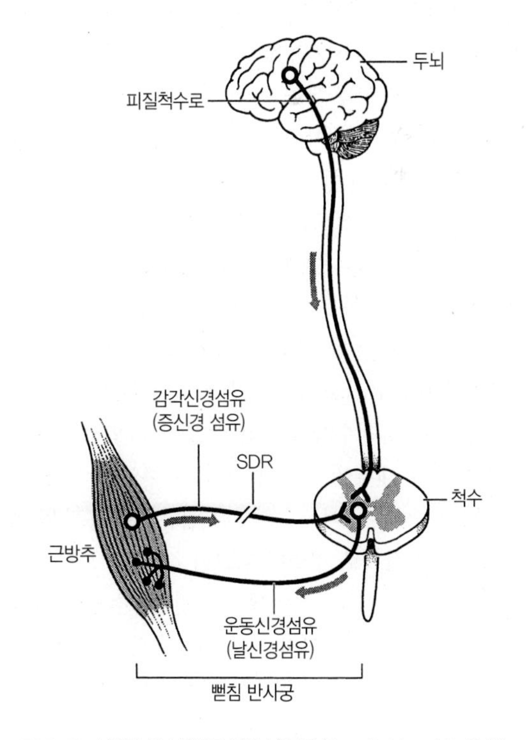

그림 6-20. 선택적 척수신경근 절단술(SDR) (From Batshaw ML: Children with developmental disabilities, ed 4, Baltimore, 1997, Paul H. Brookes.)

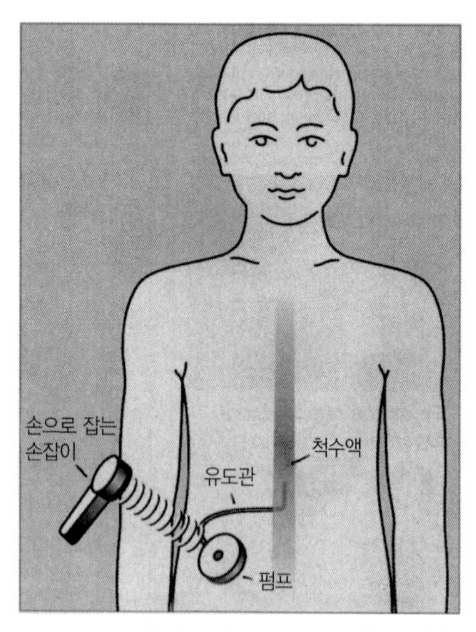

그림 6-21. 바클로펜 펌프(Medtronic 사의 허가를 받음)

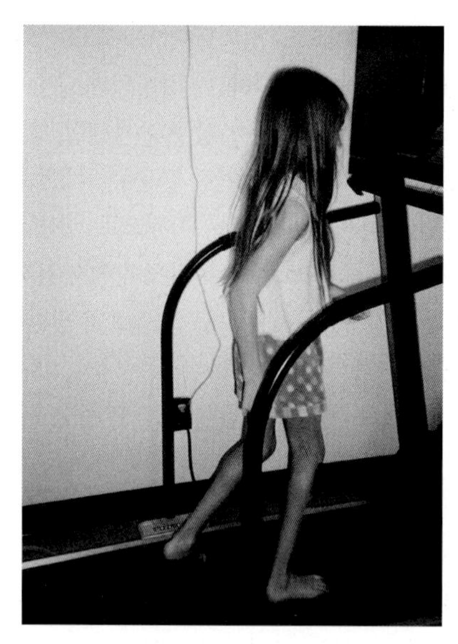
그림 6-22. 트레이드밀

불협응이 널리 퍼져 나간다. 정형외과 수술 절차가 아직 필요하더라도 재활 기간이 지난 이후에나 시행해야 한다. 아이가 신경외과 수술을 받는다면 6개월에서 12개월 이후에나 다른 정형외과 수술을 받을 수 있다(Styer-Acevedo, 1999). 콜 외 다수(2007)는 모든 종류의 다단계 수술을 받은 아동은 제외시켰다. 허비츠(Hurvitz) 외 다수(2010)는 아동과 마찬가지로 SDR을 받은 성인도 조사했다. 그중 대다수의 삶의 질이 향상되었고, 단지 10%만 삶의 질이 저하됐다.

바콜로펜 펌프 이식은 신경외과적 절차이다. 하키 퍽만 한 이 펌프는 복부 피부 아래쪽에 이식하고, 그 아래에서 유도관을 뒤쪽까지 연결해 요추를 통과시켜 수막강내(intrathecal space)로 삽입한다. 이러한 이식으로 약물을 척수액에 직접 주입할 수 있다. 이 약물은 디스크 내부에 저장되고, 피부 주입을 통해 다시 채워 넣을 수 있다. 이 약물은 컴퓨터로 용량을 조절해서 지속적으로 주입한다(그림 6-21). 브로차드(Brochard) 외 다수(2009)에 따르면 이 수술의 가장 큰 이점은 용량 조절이며, 그 결과로 경직이 실질적으로 감소하고, SDR의 영구성과는 달리 원형 복원이 가능하다. 또한 이 약물은 작용점에 직접 주입되기 때문에 훨씬 적은 양을 주입할 수 있고 조직의 합병증이 훨씬 적다. 수막강내 바클로펜 치료(ITB)는 대체로 팔다리마비 아동에게 사용한다. 브로차드 외 다수(2009)는 ITB 치료가 CP 아동에게 미치는 영향에 대한 연구에서 경직성이 감소했고, 질레트 기능 평가 설문지로 측정한 보행 능력이 상당히 증가했다는 사실을 발견했다.

기능적 움직임

근력과 지구력이 결합하면서 중력에 저항하는 기능적 움직임이 나오고 그러한 움직임은 일상적인 하루 동안 지속적으로 반복될 수 있다. 공차기, 다양한 무게의 물건 옮기기, 옷을 입거나 벗으려고 머리 위로 손 뻗기, 볼일을 보기 위해 바지를 내리고 올리기, 계단과 경사로를 기어 올라가기나 걸어서 올라가기는 근력과 지구력, 협응을 향상시키기 위해 이용할 수 있다. 지구력은 보행할 수 있는 아이에게 트레이드밀 훈련을 시키거나(그림 6-22) 춤추기, 쉬는 동안 술래잡기하기를 시켜서 증진시킬 수 있다. 취학 전은 평생의 습관이 될 신체 활동의 가치를 높이기 좋은 시기이다.

자세잡기를 사용하면 정적인 뻗침(static stretch)을 늘일 수 있다. 구축이 일어날 가능성이 높은 근육들을 맨손으로 늘이는 것은 아동의 기능적 과제에 통합해 넣어야 한다. 옷 입기, 먹기, 잠자기 활동 시에 사용하는 자세잡기는 치료 팀의 일원이 아동의 부모와 함께 정기적으로 검토해야 한다. 스트레칭은 부모가 시행하는 가정 프로그램의 일환이자 치료 프로그램의 일환이 되어야 한다. 근육의 길이를 바꾸려면 6시간 동안의 신장이 필요하다는 증거가 있다(Tardieu 외 다수, 1988). 취학 전 아동에게 가장 중요한 자세잡기는 서기, 눕기, 의자나 바닥에 앉아서 놀기이다. 교사들은 하루 동안 아이의 자세를 다양하게 잡아 주는 것이 중요하다는 사실을 인지해야 한다. 취학 전 아동이 독립적으로 서지 못한다면 교실과 가정에서 서기 프로그램을 아동의 일상생활에 통합해 넣어야 한다. 이런 서기 프로그램은 아동이 더 어렸을 때부터 시작했던 프로그램에서 이어지는 것일 수도 있다. 서기 기구들은 5장에 잘 나와 있다.

일상적인 활동과 또래 상호 작용

취학 전 아동의 ADL 수행 능력은 중요한 문제처럼 보이지 않을지도 모른다. 하지만 CP 아동이 볼일을 보는 시간이 또래보다 두 배나 더 걸린다면 간식 시간과 놀이터에서 일어나는 사회적 상호 작용을 놓치게 된다. 사회적 감정 발달은 비밀 공유와 가장 놀이, 게임 학습과 같은 또래와의 상호 작용에 좌우된다. CP 아동에게 그러한 기회를 주는 것이 물리치료로 할 수 있는 가장 중요한 일일지도 모른다. 아동은 그러한 상호 작용을 통해 자아상과 사회적 능력을 키워 나가기 때문이다. 비이동성과 느린 운동 수행력은 사회적 고립을 초래할 수 있다. 치료에 통합해 넣을 게임이나 활동을 고를 때는 아동의 인지 능력 수준을 고려해야 한다. 치료가 외래환자 환경에서 일어난다면 치료사는 아동의 흥미를 유지시킬 수 있고, 예정된 움직임 목표도 달성할 수 있는 계획을 세워야 한다. 치료를 교실 환경에 통합해 넣을 때는 교사가 아동이 수행할 활동을 미리 선택해 놓아야 하고, 교육적 요구도 고려해야 한다. 보조사는 교실 활동에서 아동의 수행 능력 개선을 돕는 대안적 위치를 이용해서 창의적이 되어야 한다. 자유놀이 시간이나 이야기 시간 같은 몇몇 교실 활동 시간은 치료적 중재에 적합하게 변형하기가 훨씬 더 쉬울 수 있다. 교실 환경에서 제공하는 물리치료 서비스는 교육적으로 연관성을 지녀야 하고, 학생 개인의 교육 계획 목표를 고려해야 한다.

이동성이 제한된 어린 CP 아동들은 가정과 학교, 지역 사회에서 참여 빈도가 훨씬 낮다(Chiarello 외 다수, 2012). 이런 아동의 참여 빈도는 신체 능력과 적응 행동 때문에 훨씬 낮다. 그중에서도 적응 행동이 가장 결정적인 요인이다. 이러한 조사결과는 개인-환경 상호 작용을 아동 참여의 중요한 결정 요인이라고 주장하는 다른 조사 학자들의 의견과 일치한다(Majnemer 외 다수, 2008; Palisano 외 다수, 2011). CP 아동이 참여하는 활동 목록은 표 6-11에서 찾아볼 수 있다. 치아렐로 외 다수(2014)는 연령과 대운동 능력이 생후 18개월에서 60개월 사이 CP 아동의 참여 빈도와 즐거움에 영향을 미친다고 확인해 주었다.

앉기 자세에서의 기능은 소통 도구와 환경적 통제와 같은 보조 기술을 이용해서 증진할 수 있다. 이런 아동은 눈과 머리, 혹은 손으로 가리켜 의사소통을 하거나 다른 전자 기구들을 작동시킬 수 있다. 신경운동 장애 아동도 사회적 상호 작용 증진에 도움이 되

표 6-11 어린 CP 아동의 참여율 최고 활동과 최저 활동

활동	활동의 실례	참여율
놀이 활동	장난감 갖고 놀기	95%
	텔레비전이나 비디오 시청	94%
기술 발달	이야기 듣기	99%
	그리고 색칠하기	91%
	책 읽거나 보기	91%
	수영 수업 듣기	11%
	지역 조직에 참여하기	11%
	춤 배우기	9%
	체조하기	7%
	음악 수업 듣기	0%
활동적인 신체 반응	팀 스포츠 하기	1%
사회적 활동	음악 듣기	91%

Adapted from Chiarello et al: Understanding participation of preschool-age children with cerebral palsy. J Early Intervention 34(1):3-19, 2012

는 직립 지향을 유지할 수 있어야 한다. 맥이웬(McEwen, 1992)은 장애 학생과 교사의 상호 작용을 연구해서 장애 학생이 바닥보다는 의자에 앉는 것처럼 좀 더 똑바른 자세를 취할 때 상호 작용 수준이 높아진다는 사실을 발견했다.

물리치료 3단계: 취학 연령과 청소년기

향후의 중요한 물리치료 중재 3단계와 4단계에서는 이전 단계의 이점을 보호하는 데 중점을 둔다. 말이야 참으로 쉬워 보인다. 취학 연령의 아동은 물리치료를 받을 때보다 학교 환경과 친구들에게 보다 많은 관심을 갖는 것이 당연하고 적절하기 때문이다. 로젠바움과 고터(2011)는 기능과 가족, 재미, 신체 단련, 친구(function, family, fun, fitness and friends)라는 다섯 가지 F 단어를 인지하기 위해서 CP 아동 전문가들의 욕구를 다루었다. 취학 연령 아동은 놀이를 하고, 재미를 느끼고, 체력을 단련하고, 가족의 일상에 참여해야 한다. 취학 연령 아동이 참여하고 싶어 하는 활동에 중점을 두고 아동이 적극적으로 참여할 수 있도록 과제나 환경을 조정해서 아동의 기능과 체력을 증진시킬 수 있다.

자기책임과 동기부여

취학 연령 아동은 치료 프로그램에서 어느 정도까지는 자기 책임을 질 줄도 알아야 한다. 달력에 운동 일정을 기록해 두면 아동이 더 많이 규칙적인 운동을 하도록 자극할 수 있다. 걷기 프로그램은 지구력과 심혈관 건강을 증진시키는 데 사용할 수 있다. 학생이 수행 능력을 키울 수 있게 자극하는 활동은 장애물 코스 달리기에 제한 시간을 두고, 트레이드밀에서 달리는 시간을 늘리고, 반복 횟수를 늘리는 것처럼 간단한 방법으로 찾을 수 있다. 학생이 달성하고 싶어 하는 중요한 운동 과제가 무엇인지 알아내자. 아동이 카페에서 쟁반을 들어 나를 수 있는가(그림 6-23)? 아이가 농구공으로 드리블을 할 수 있기를 바라는가? 아니면 자전거를 탈 수 있기를 바라는가? 아이가 하고 싶어 하는 활동인지를 반드시 확인하기 바란다.

그림 6-23. 쟁반 나르기

청소년은 어른의 지시를 무시하기로 악명 높다. 그래서 이 시기에는 특히 치료에 대한 관심 부족이 난제로 등장할 수 있다. 하지만 청소년이 외모에 많은 관심을 가지면서 보행 편위를 고치거나 잠재적 구축 가능성을 줄여 나가려고 열심히 노력한다면 물리치료를 순순히 받을 수 있다. 몇몇 십대들은 중학교에서 요구하는 좀 더 먼 거리를 걸어 다니기가 훨씬 더 어려워진다는 사실을 깨닫거나 책을 들고 다닐 힘이 없고, 사물함을 수차례 왔다 갔다 할 수는 없지만 그래도 여전히 교실에서 수업에 집중할 수 있는 에너지가 있음을 깨달을지도 모른다. 일상적인 자기 돌봄과 개인적인 위생 기능 수행에 있어서 지구력이 부족하면 십대가 여전히 신체적인 도움을 필요로 하면서도 사생활을 좀 더 갖고 싶어 하고 개인적인 독립을 추구할 때 문제가 생길 수 있다. 치료사는 창의적으로 십대가 지역사회에서 레크리에이션 기회를 찾아낼 수 있도록 도와주고, 십대 개개인의 욕구를 충족시킬 수 있도록 목표를 조정할 수 있다.

어린 CP 아동에게 순환 훈련(circuit training)을 시키면 보행 속도와 근력이 향상되었고, 이러한 개선 상태는 이 훈련을 중단한 이후에도 유지되었다. 네덜란드에서 실시한 순환 훈련 프로그램(Gorter 외 다수,

2009)에서는 8세에서 13세 사이 아동(GMFCS 1단계나 3단계 아동)이 30분 훈련을 일주일에 두 번씩 9주 동안 진행하자 유산소 운동 지구력이 향상되었다. 가정 기반의 쌍방향 비디오 중재(Bilde 외 다수, 2011)는 지구력뿐만 아니라 앉았다 일어서기와 정면과 정중면에서 계단 오르기에서 아이의 긍정적인 변화를 이끌어 냈다. 롬베르그(Romberg) 검사 결과, 균형의 변화는 없었지만 시각적 지각 능력은 크게 향상되었다. 이런 아동(GMFCS 1단계나 2단계 아동)은 6세에서 13세까지였고, 인터넷을 통해 전달받은 새로운 시스템으로 하루에 약 30분 동안 훈련을 했다. 도이치(Deutsch) 외 다수(2008)는 처음으로 출간된 연구에서 GMFCS 3단계 경직형 양측마비 11세 아동에게 위 게임을 사용할 수 있다고 보고했다. 자세 조절과 기능적 이동성, 시각-지각 처리에서 긍정적인 변화가 나타났다. 이 프로그램은 여름학교에서 시행되었다.

생리적 변화

독립적 운동 수행 지속에 큰 위험이 되는 다른 잠재 요인은 청소년기의 신체 변화와 생리적 변화다. 이 시기에는 몸통과 상체에 비해 다리가 더 많이 성장하면서 보행의 안정성이 감소한다. 근육 길이가 뼈 길이의 변화를 따라잡지 못하는 성장 급등으로 정적 균형과 동적 균형에 문제가 생길 수 있다.

급속한 성장 시기에는 뼈 길이가 뼈에 부착된 근육을 늘이는 능력을 능가하면서 구축이 발생할 가능성이 있다. 그와 같은 구축 발달은 독립적인 이동성 상실이나 움직임의 효율성 상실을 가져올 수도 있다. 다시 말해서 이 시기의 학생은 움직이기 위해서 더 열심히 노력해야 할지도 모른다. 몇몇 십대들은 더 자주 넘어질 수도 있다. 다른 십대들은 기능을 살리거나 학교 관련 과제와 학습에 쏟을 에너지를 절약하기 위해서 걷는 거리를 제한할 수도 있다. 기능적 보행 능력의 변화는 하나도 빠짐없이 감독 물리치료사에게 보고해야 한다. 그래야 감독 물리치료사가 학생의 치료 계획을 바꿀 필요가 있는지를 평가할 수 있다. 이때 학생은 보조 기구나 보조기 변화로 혜택을 볼 수도 있다. 몇몇 경우에는 기능적 직립 보행 상실이 실제로 일어날 수 있고, 휠체어 평가가 보장되어야 할 수도 있다.

이 시기에 발생할 수 있는 또 다른 어려움은 청소년기 성장에 부차적으로 일어나는 신체 질량 변화와 관계가 있다. CP 청소년의 불균형적으로 더 작은 근육량에 비해서 증가하는 체중은 기능적 독립성 지속에 심각한 위협이 될 수 있다.

취학 시기와 청소년기 동안의 물리치료 목표는 아래와 같다.

1. 독립적 이동성 지속하기
2. 독립적인 ADL과 도구적인 ADL 기술 발달시키기
3. 체력과 긍정적인 자아상 발달을 촉진하기
4. 지역 사회 통합 촉진하기
5. 직업 관련 계획 세우기
6. 또래와의 사회적 상호 작용 촉진하기

독립성

근력. 연구 결과에 따르면 CP 청소년들은 등운동 저항 훈련 프로그램에 참가해서 근력을 키울 수 있다(MacPhail, 1995). 근력 강화는 취학 연령의 CP 아동과 CP 청소년의 보행과 운동 기술 향상으로 나타날 수 있다(Van den BergEmons 외 다수, 1998; Dodd 외 다수, 2002). 이 프로그램은 중재의 빈도와 전반적인 지속 시간에 따라 다양하다. 4세에서 8세 아동을 일주일에 두 번씩 순환 훈련을 시키는 단기(4주) 프로그램 실시 이후에 이점이 나타났다(Blundell 외 다수, 2003). 도드 외 다수(2003)는 무작위 임상 시험을 실시해서 6주 훈련으로 무릎 폄근과 발목 발바닥쪽 굽힘근이 강화되었다는 사실을 밝혀냈다. 더 좋은 소식은 그 상태가 3개월 동안 유지되었다는 것이다. 그러한 근력 이점은 달리기와 뜀뛰기, 걷기뿐만 아니라 계단 오르기에도 반영되었다고 한다. 전통적인 전기 자극이나 기능적 전기 자극(FES)도 긍정적인 결과를 가져왔다고 논문에 기록되어 있었다(Carmick, 1995, 1997; Van der Linden, 2008). 치료적 전기 자극은 CP 아동의 근육량 향상에 장려되지만 솜머펠트(Sommerfelt) 외 다수(2001)는 그러한 전기 자극이 경직형 양측마

비 아동의 보행이나 운동 기능에 중요한 영향을 미치지 않는다고 결론 내렸다. 반 데르 린덴(2008)은 발등 굽힘 증가가 보행 운동학에 상당히 큰 영향을 미친다는 사실을 발견했다. 근력 강화는 CP 아동 물리치료 프로그램의 한 요소가 되어야 한다. CP 아동은 근력이 약할 뿐만 아니라 근지구력도 약하다고 알려져 있다(Damiano, 2003).

체력 단련. CP와 같은 신체장애가 있는 학생들은 종종 체육 시간에 적극적으로 참여하지 못한다. 체육 교사가 장애 아동을 위한 조정 일과를 알고 있다면 이 학생은 몇 가지 심혈관 이득을 취할 수 있을지도 모른다. 신경근육 결손은 CP 아동의 운동 수행 능력에 영향을 미친다. CP 아동은 일상적인 활동에 더 높은 에너지를 소비한다. 캐나다와 스칸디나비아에서 실시한 연구에 따르면 학생들이 운동 프로그램에 참여했을 때 걷기 속도와 다른 운동 기술이 향상되었다(Bar-Or, 1990). 드레센(Dresen 외 다수, 1985)은 10주 훈련 프로그램 이후에 최대 활동의 산소 소비가 감소했다고 했다. 보다 더 최근에는 프로보스트(Provost 외 다수, 2007)가 부분 체중지지를 사용한 집중 트레이드밀 훈련 이후에 CP 아동의 걷기 속도와 에너지 소모가 통계적으로 크게 향상되었다고 보고했다. 이러한 아동들은 보행 불가능한 아동들을 연구한 이전의 많은 연구들과 비교했을 때 이미 보행 가능한 상태였다(Bodkin 외 다수, 2003; Richards 외 다수, 1997). 다미아노(Damiano, 2003)는 CP 아동과 청소년의 근지구력을 향상시키기 위해 FES-사이클링 기계를 사용하라고 권장했다. 크루츠 외 다수(2012)는 BWSTT 프로그램을 한 주에 2회 실시했더니 CP 아동의 계단 오르기가 향상되었지만 6분 걷기 테스트 결과로 봤을 때는 지구력이 향상되지 않았다고 보고했다. 모든 장애 아동의 체력 단련은 전반적 건강과 삶의 질을 향상시키기 위해서 물리치료의 일환으로 촉진해야 한다.

적절하고 접근 가능한 오락과 여가 활동은 과거보다 훨씬 더 이용하기 쉬워졌다. 신체적으로 활동적인 상태를 유지하고, 건강과 관련된 체력 단련을 어느 정도까지 달성하는 일은 정상 아동 못지않게 장애 아동에게도 중요하다. 사실 상 유산소 운동 체력 단련은 성인기의 보행 쇠퇴를 예방하는 수단이라서 CP 환자에게 더더욱 중요할지도 모른다. 스포츠 관련 여부와 상관없이 오락과 여가 활동은 모든 청소년의 자유 시간에 포함되어야 한다. YMCA의 수영 프로그램과 지역 피트니스 클럽, 혹은 그 밖의 다른 시설들은 사람들과 어울리고, 심혈관 건강을 발달시키고 향상시키며, 체중을 조절하고, 관절과 근육의 통합성(integrity)을 유지할 수 있는 멋진 기회를 제공해 준다. 최근에는 CP 아동과 청소년이 움직임 개선을 위해서 수중 훈련과 격투기에 참여하도록 장려하는 데 관심이 집중되고 있다. 휠체어 육상경기는 주니어 휠체어 스포츠 프로그램과 더불어 취학 연령 아동이나 청소년에게 좋은 선택 방법이다.

지역 사회 통합. 접근성은 이동에 있어서 중요한 문제이며, 장애 아동에게 지역 건물을 쉽게 드나들 수 있게 해주는 중요한 요소다. 접근성은 종종 CP 때문에 운전을 할 수 없는 십대에게 도전적인 과제가 된다. 그러므로 십대 청소년이 자동차를 운전할 수 있는 능력을 키울 수 있도록 모든 노력을 다 기울여야 한다. 그러한 유형의 이동성으로 얻을 수 있는 자유는 사회적 상호 작용과 직업 찾기에 매우 중요하기 때문이다.

물리치료 중재 4단계: 성인기

성인기의 물리치료 목적은 아래와 같다.

1. 이동성과 ADL 수행의 독립성 증진
2. 건강한 생활 방식 증진
3. 지역 사회 참여 증진
4. 독립적인 생활 증진
5. 직업 활동 증진

이 각각의 다섯 가지 목표는 재활 단계에서 확인된 것이지만 성인의 인생 전체에서 한 부분을 차지하기도 한다. 사회는 성인이 스스로의 힘으로 생활하고, 자기가 살고 일하는 지역 사회에 참여하기를 바란다. CP 환자나 평생 동안 장애를 안고 살아야 하는 사람에게는 이것이 궁극적인 도전과제가 될 수 있다. 몇몇 공동체에서는 다양한 수준의 생활 보조를 제공하는 시설들을 이용할 수 있다. CP 성인은 그룹 홈과 시설,

혹은 요양원에서 스스로의 힘으로 생활할 수 있다. 어떤 사람들은 노부모나 나이 많은 형제자매와 함께 가정에서 계속 생활한다. 국가종단적 전환 연구(National longitudinal trasition Study)(Wagner 외 다수, 2006)의 고용 수치에 따르면 어릴 때부터 장애를 안고 살아온 젊은 성인의 40%만이 고등학교를 졸업하고 나서 2년 동안 직장 생활을 했고, 이 수치는 장애가 없는 또래 성인의 수치보다 20% 낮다. CP 청소년을 위한 전환서비스가 강조되고 있지만 고용은 CP 성인에게 중요한 목표가 아니다. CP 성인이 독립적으로 살고 일할 수 있는 능력을 결정짓는 요소들은 인지 상태와 기능적 제한 정도, 사회적 및 재정적 지지의 적절성이다. 가족과 교육자들은 CP 아동과 청소년에게 직장 생활을 할 수 있다는 기대감을 심어주는 데 중요한 역할을 담당한다. 임상의들은 CP 청소년이 직업 재활 서비스를 인식하고 이용해서 성인기로 진행할 수 있도록 도와줘야 한다(Huang 외 다수, 2013). 직업 재활 시설에서 제공하는 구체적인 서비스들은 고용으로부터 (1) 재활 보조 기술 사용과 (2) 직장 내 지원, (3) 직업 알선 보조, (4) 직장 내 교육, (5) 기본적인 생활 지원 서비스라는 것으로 예측했다. 치료사와 직업 상담사의 조기 사전 계획은 노년 고용의 기반을 제공해 줄 수 있다(Vogtle, 2013).

향후 방향

기능성 자기공명영상(FMRI)을 이용한 두 연구는 트레이드밀 훈련과 관련된 두뇌의 변화를 기록했다. 쿠르츠 외 다수(2012)는 뇌파검사기(MEG)를 이용해서 BWSTT로 CP 아동의 발을 대신하는 감각운동 피질의 뇌파 활동을 바꿀 수 있는지를 연구했다. 그리하여 발을 대신하는 뇌파 반응이 BSWSTT 6주 훈련 이후에 약해졌다는 사실을 발견했다. 이들의 연구는 운동이 감각운동 피질의 활성화를 어떻게 바꿔놓는지 살펴보는 겨우 두 번째 연구였다. 필립스 외 다수(2007)는 집중 트레이드밀 훈련 이후에 발목 발등굽힘에 변화가 생겼음을 증명해 보였다. 감각운동 경험은 뇌의 재조직을 통해서 운동 행동을 유도한다고 이론화되어 있다(Anderson 외 다수, 2014.) 활동 중심 중재는 CP 아동에게서 근골격계 손상을 예방하고 신체 기능을 최대화하는 것 이상의 변화를 이끌어낼 수 있는 잠재력을 지니고 있다. 활동은 신경 구조와 경로에 영향을 미칠 수 있다(Damiano, 2006).

결론 요약

CP 아동은 물리치료사와 물리치료 보조사에게 의미 있는 기능적 목표 달성을 도와줄 수 있는 기회를 평생 동안 제공한다. 이러한 목표들은 몇몇 유형의 이동성 확보와 환경 지배를 중심으로 뻗어 나가고, 물체 조직 능력과 소통 능력, 신체와 인지, 사회적 기능에서 가능한 많은 독립성을 보여주는 것이 그에 포함된다. CP 아동과 그 가족의 욕구는 아동의 성숙과 함께 달라지고, 언제나 가족의 우선 순위를 반영한다. 물리치료는 아동이 받는 많은 치료들 가운데 하나일 수도 있다. 물리치료사와 물리치료 보조사는 가족과 학교, 지역 사회라는 환경에서 아동에게 최상의 돌봄을 제공하려고 일하는 팀의 일부이다. 물리치료 관리 단계와 상관없이 가족들은 정보를 제공받은 의사 결정의 필수적인 일부가 되어야 한다. 목표는 의미 있는 것이어야 하고, 아동이 의미 있게 참여하는 삶을 살기 위해서 배워야 하는 것들을 토대로 삼아야 한다. 체력을 증진시켜 주는 활동들도 CP 청소년과 성인들을 위한 물리치료 중재의 일부가 되어야 한다. 장기적 목표는 언제나 움직임을 최적화하고, 환자-유아와 부모-아동 관계를 증진하고, 인지를 뒷받침해 주는 감각운동과 지각 경험을 확대하며, 성인 인생의 모든 측면에 완전히 참여할 수 있는 계획을 세우는 것이어야 한다. 모든 CP 아동은 최적의 삶의 질을 누릴 권리가 있다. ■

검토사항

1. 병리적 특징들이 정적인데도 왜 CP의 임상적 표상들이 연령 증가와 함께 악화되는 것처럼 보일 수 있는가?
2. CP의 가장 큰 위험인자 두 개를 말해 보자.
3. CP 아동한테서 가장 흔히 나타나는 이상 긴장 유형은 무엇인가?
4. 이상 긴장 반사가 어떻게 CP 아동의 움직임 습득을 방해하는가?
5. 경직형 CP 아동과 무정위운동증 CP 아동의 물리치료 중재 시 중점 사항을 비교하고 대조해 보자.
6. 취학 전 CP 아동을 다루는 물리치료 보조사의 역할은 무엇

인가?
7. 걸을 수 있는 CP 아동에게 가장 흔히 사용하는 보조기 유형은 무엇인가?
8. CP 아동은 몇 살부터 치료 프로그램에 대한 책임을 어느 정도 지기 시작해야 하는가?
9. CP 아동의 경직성을 치료하는 약물은 무엇인가?
10. 장애 아동의 목표 설정 지침으로 삼아야 하는 예상되는 삶의 결과들은 무엇인가?

사례 연구 **재활 시설 초기 검사와 평가: JC**

이력

의무기록 검토

JC는 중등증 경직형 양측마비 CP(GMFCS 3단계)를 앓고 있는 6세 여아다. 임신 28주에 태어나 기계환기기가 필요했고 좌뇌실 내 출혈 상태였다. JC는 유아 중재 프로그램의 일환으로 물리치료를 받았다. 생후 18개월에 앉을 수 있었고, 3세에는 학교 기반 프리스쿨 프로그램으로 전환했다. 아킬레스건 이전과 엉덩이 모음근 이완을 위한 수술 절차를 두 차례 받았다. 지금은 1학년 정규반으로 전환하려고 하고 있다. JC에게는 어린 여동생이 한 명 있다. 양부모 모두 일을 하고, 아버지가 JC를 매주 외래환자 치료소로 데려간다. JC는 방과 후에 어린이집이나 할머니집으로 간다.

주관적

JC의 부모는 학교 환경에서 아이가 독립성을 보일 수 있는지 우려하고 있다.

객관적

체계적 고찰

소통/인지: JC는 쉽고 적절하게 소통한다. 지능은 정상 범위에 들어간다.

심혈관/폐: 연령에 맞는 정상값

피부: 온전함

근골격: 팔의 AROM과 근력은 온전하지만 몸통과 다리의 AROM과 근력은 손상된 상태

신경근육: 팔에서는 기능 제한 하에 협응이 이루어지지만 다리에서는 손상된 상태

테스트와 측정

인체 측정: 키 116.8 cm, 체중 20.4 kg, BMI 15(20–24가 정상)

운동 기능: JC는 어느 쪽 방향으로도 구를 수 있고, 옆으로 누워서 몸을 밀어 올려 앉을 수 있다. 엎드려 있다가 네발기기 자세를 취할 수 있고, 무릎 서기 자세를 취할 수 있다. 팔을 지지하고 반무릎 서기를 했다가 일어선다. 손 지지 없이 등받이 있는 의자에 앉아 있다가 일어설 수 있지만 양 무릎을 모아서 두 다리를 안정시킨다.

신경발달 상태: 피바디 발달 운동척도(PDMS)의 발달 운동 지수(DMQ)가 생후 12개월 아동의 지수와 동일한 69이다. 소근육 운동 발달은 평균 수준이다(PDMS DMQ =90).

	능동적		수동적	
관절 가동 범위	R	L	R	L
엉덩이				
굽힘	0°–100°	0°–90°	0°–105°	0°–120°
모음	0°–15°	0°–12°	0°–5°	0°–12°
벌림	0°–30°	0°–40°	0°–30°	0°–40°
안쪽 돌림	0°–25°	0°–78°	0°–83°	0°–84°
바깥쪽 돌림	0°–26°	0°–30°	0°–26°	0°–40°
무릎				
굽힘	0°–80°	0°–80°	0°–120°	0°–120°
폄	–15°	–15°	중립	중립
발목				
발등굽힘	중립	중립	0°–20°	0°–20°
발바닥쪽 굽힘	0°–8°	0°–40°	0°–30°	0°–40°
안쪽들림	0°–5°	0°–12°	0°–5°	0°–20°
가쪽들림	0°–30°	0°–30°	0°–50°	0°–40°

반사 통합성: 무릎 반사는 3+, 아킬레스건 반사 3+, 바빈스키 징

(계속)

사례 연구 재활 시설 초기 검사와 평가: JC

후가 양방향에서 나타남. 넙다리뒤인대와 모음근, 발바닥쪽 굽힘근에서 양방향으로 긴장이 적당히 증가함.

자세: JC는 오른쪽으로 불룩한 기능적인 척추 측만증 증세를 보인다. 서기 자세에서 완벽한 가슴 폄이 부족하다. 골반은 왼쪽으로 돌아간다. 다리 길이는 전상잘골극(ASIS)에서 족관절 내과(medial malleolus)까지 측정해서 양쪽으로 59.7 cm다.

근육 수행: JC가 양팔을 중력에 저항해서 움직일 수 있고 중간 정도의 저항을 받을 수 있기 때문에 팔 근력이 기능제한(WFL)을 받는 것 같다. 과긴장 상태라서 다리 근력을 결정하기는 어렵지만 일반적으로 보통 이하이며, 왼쪽이 오른쪽보다 더 강한 것 같다.

걸음걸이, 보행, 균형: JC는 발목고정형 플리프로필렌 AFO를 착용하고 후방 지지 워커를 이용해 15피트까지 독립적으로 걷는다. 외부 지지에 의존해서 균형을 잡기 전에 기구 없이 독립적으로 다섯 발자국을 내딛을 수 있다. 난간을 잡고 발을 바꿔서 계단을 오르내린다. 보조자와 나란히 서서 경사로와 연석 위로 워커를 움직일 수 있다. 교실에서 워커를 몰고 다니고, 책상에서 오르내릴 때 JC를 도와줄 사람이 대기해 있어야 한다. 앉기 자세에서 조금이라도 자세가 불완전한 몸통 바로잡기가 나타난다. 앉기 자세에서 가측 이탈 시에는 몸통 돌림이 나타나지 않는다. 앉기에서 모든 방향으로 팔 보호 반응이 나타난다. JC는 매번 시도할 때마다 3분에서 4분 동안 혼자 서 있을 수 있다. 서기 자세에서 균형을 잃을 때 보호 발 딛기(protextive stepping)가 나타나지 않는다.

감각 통합성: 온전함

자기 돌봄: JC는 독립적으로 먹고 가로대를 잡고 독립적으로 볼일을 본다. 균형잡기에 추가적으로 옷을 입을 때 중간 수준의 도움이 필요하다.

놀이: JC는 주니 B. 존스 책들을 읽기 좋아하고, 인형을 가지고 논다.

평가/감정

JC는 중등증 경직형 양측마비 CP를 앓고 있는 6세 여아다. 후방 지지 워커와 AFO를 이용해 편편한 지면에서 짧은 거리를 독립적으로 걸어 다닌다. JC는 GMFCS 3단계에 머물러 있다. 1학년 정규반에 다니고 일주일에 한 번 40분 동안 외래 환자용 물리치료를 받는다.

문제 항목

1. 보조기구 없는 상태에서 보행 의존성
2. 연령에 적절한 운동 활동을 수행하는 데 필요한 근력과 지구력 손상
3. 동적 앉기와 서서 균형 잡기 손상
4. 옷입기 의존성

진단

JC는 CNS의 비진행성 장애와 더불어 운동기능 손상을 보인다. 이것은 선천적인 질환이며, 가이드 유형(guide pattern) 5C에 해당한다. 이 유형에는 CP가 포함된다.

예후

JC는 학교 환경에서 기능적 독립성과 기능적 기술을 향상 시켜나갈 것이다. 아래 목표를 달성할 재활 가능성이 좋은 편이다.

단기 목표(학기 중간 평가까지 습득할 행동)

1. 교실에서 독립적으로 걷기
2. 공을 던지고 잡는 동안 서서 체중 이동하기
3. 10분 동안 팔로 지지하고 트레이드밀에서 걷기
4. 하루에 세 번 보조기구 없이 25피트 걷기
5. AFO와 신발, 양말을 독립적으로 신고 벗기

장기 목표(학년 말)

1. 편편한 표면에서 보조기구 없이 독립적으로 걷기
2. 난간을 잡지 않고 세 계단을 한 발씩 번갈아 가며 오르내리기
3. 휴식 없이 20분 동안 지속적으로 걷기
4. 학교에 가서 위해서 15분 내에 옷 입기

계획

협응, 소통, 기록

물리치료사와 물리치료 보조사는 JC의 가족과 교사와 JC의 물리치료 프로그램에 관해서 자주 소통할 것이다. 중재의 결과는 주 단위로 기록한다.

환자 · 고객 지시

JC와 JC의 부모는 JC가 전날 밤에 옷을 미리 꺼내 놓고, 학교에 가기 전에 옷을 다 입을 수 있도록 아침에 일찍 일어나기 같은, 가정에서의 일을 보다 더 독립적으로 수행하게 도와주라는 제안을 받을 것이다. JC와 그녀의 가족은 스트레칭과 근력 강화로 구성되

(계속)

사례 연구 **재활 시설 초기 검사와 평가: JC**

는 가정 운동 프로그램을 배울 것이다. 달력에 표기를 해두면 일주일에 네 번 운동을 해야 한다는 사실을 기억하기가 한층 쉬워진다.

절차적 중재

체중을 이동시키고 모든 방향으로의 반응을 촉진하기 위해서 움직이는 표면을 이용해 동적인 몸통 자세 반응을 증진시킨다.

1. 볼스터 위에 걸터앉아 일어서는 연습을 한다. 볼스터 한쪽 끝을 높이가 다양한 등받이 없는 의자에 올려놓아서 앉았다 일어서는 데 필요한 거리를 줄일 수 있다. 처음에는 손으로 체중을 지지하다가 나중에는 점차적으로 손을 뗀다.
2. 나지막한 물체를 넘어가는 연습을 한다. 처음에는 팔로 지지를 하다가 점차적으로 지지를 줄여 나간다. 다음에는 난간을 잡지 않고 엉덩이를 맨손으로 지지하고 한 계단을 오르내린다.
3. 5분 동안 손으로 체중을 지지하며 트레이드밀에서 느리게 걷는다. 점차적으로 시간을 늘려 나간다. 15분 동안 견딜 수 있게 되자마자 속도를 높이기 시작한다.
4. 걷기와 물체 넘어가기, 물체를 피해 돌아가기, 계단 오르내리기, 공과 콩주머니 던지기를 비롯한 장애물 코스 완주에 시간 제약을 둔다. 개인 최고 기록을 살펴보고 기록한다. JC가 과제를 완수하는 효율성을 고려해서 관련 과제의 복잡성을 다양화한다.

후속조치

JC는 이제 열두 살이다. 특히 다리와 광범위한 엉덩이와 무릎 굽힘 구축에서 급속한 성장이 일어나는 것과는 부차적으로 바퀴 달린 후방 지지 워커를 이용해 다시 걸어 다니고 있다. 독립적으로 5초 동안 서 있을 수도 있고, 넘어지거나 외부의 지지를 받기 전에 13 걸음을 내딛을 수 있다. JC는 외과적 절개술(surgical release)을 위해 평가를 받았지만 보행 연구에 따르면 다리가 상당히 약화되었고, 보행 시 그러한 근육의 구축이 증가했다. 정형외과 의사는 JC가 수술 이후에 걸을 수 있을 만큼 근력이 충분하지 않다고 생각한다. 물리치료 목표는 엉덩이와 무릎 관절 가동범위를 증가시키고, 큰볼기근과 넙다리네갈래근, 발목 근력을 키우며, 보조기구 없이 독립적으로 보행할 수 있는 능력을 다시 얻는 것이다. 이러한 기능적 목표를 달성하려면 어떤 치료 중재를 사용해야 할까?

고려 사항

- 어떤 중재가 JC의 가정 운동 프로그램의 일부가 될 수 있을까?
- 체력 단련을 어떻게 JC의 물리치료 프로그램에 통합해 넣을 수 있을까?

참고 문헌

Accardo PJ, editor: *Capute & Accardo's neurodevelopmental disabilities in infancy and childhood*, vol 1, ed 3, Baltimore, 2008, Paul H. Brookes.

Accardo J, Kammann H, Hoon AH: Neuroimaging in cerebral palsy, *J Pediatrics* 145:S19–S27, 2004.

American Academy of Pediatrics AAP Task Force on Infant Positioning and SIDS. Positioning and SIDS, *Pediatrics* 90:264, 1992.

Ancel PV, Livinec F, Larroque B, et al.: Cerebral palsy among very preterm children in relation to gestational age and neonatal ultrasound abnormalities: the EPIPAGE cohort study, *Pediatrics* 117(3):828–835, 2006.

Anderson DI, Campos JJ, Rivera M, et al.: The consequences of independent locomotion for brain and psychological development. In Shepherd RB, editor: *Cerebral palsy in infancy*, London, 2014, Churchill Livingstone.

Ashwal S, Russman BS, Blasco PA, et al.: Practice parameter. Diagnostic assessment of the child with cerebral palsy: report of the Quality Standards Subcommittee of the American Academy of Neurology and the Practice Committee of the Child Neurology Society, *Neurology* 62(6):851–863, 2004.

Bamm EL, Rosenbaum P: Family-centered theory: origins, development, barriers, and supports to implementation in rehabilitation medicine, *Arch Phys Med Rehabil* 89:1618–1624, 2008.

Bar-Or O: Disease-specific benefits of training in the child with a chronic disease: what is the evidence? *Pediatr Exerc Sci* 2:384–394, 1990.

Batshaw ML, Roizen NJ, Lotrecchiano GR: *Children with disabilities*, ed 7, Baltimore, MD, 2013, Paul H Brooks.

Berg AT, Berkovic SF, Brodie MJ, et al.: Revised terminology and concepts for organization of seizures and epilepsies: report of the ILAE Commission on Classification and Terminology, 2005–2009, *Epilepsia* 51(4):676–685, 2010.

Berry ET, McLaurin SE, Sparling JW: Parent/caregiver perspectives on the use of power wheelchairs, *Pediatr Phys Ther* 8:146–150, 1996.

Bilde PE, Kliim-Due M, Rasmussen B, et al.: Individualized, home-based interactive training of cerebral palsy children delivered through the internet, *BMC Neurol* 11:32, 2011.

Blair E, Stanley F: Intrauterine growth and spastic cerebral palsy. II: the association with morphology at birth, *Early Hum Dev* 28:91–203, 1992.

Blundell SW, Shepherd RB, Dean CM, et al.: Functional strength training in cerebral palsy: a pilot study of group circuit training class for children aged 4–8 years, *Clin Rehabil* 17(1):48–57, 2003.

Bodkin AW, Baxter RS, Heriza CB: Treadmill training for an infant born preterm with a grade III intraventricular hemorrhage, *Phys Ther* 83:1107–1118, 2003.

Brochard S, Remy-Neris O, Filipetti P, Bussel B: Intrathecal baclofen infusion for ambulant children with cerebral palsy, *Pediatr Neurol* 40:265–270, 2009.

Buccieri KM: Use of orthoses and early intervention physical therapy to minimize hyperpronation and promote functional skills in a child with gross motor delays: a case report, *Phys Occup Ther Pediatr* 23(1):5–20, 2003.

Butler C: Effects of powered mobility on self-initiated behaviors of very young children with locomotor disability, *Dev Med Child Neurol* 28:325–332, 1986.

Butler C: Augmentative mobility: why do it? *Phys Med Rehabil Clin North Am* 2:801–815, 1991.

Campbell SK, Palisano RJ, Orlin MN: *Physical therapy for children*, ed 4, St Louis, 2012, Saunders.

Carlsson M, Hagberg G, Olsson I: Clinical and aetiological aspects of epilepsy in children with cerebral palsy, *Dev Med Child Neurol* 43:371–376, 2003.

Carmick J: Managing equinus in children with cerebral palsy: electrical stimulation to strengthen the triceps surae muscle, *Dev Med Child Neurol* 37:965–975, 1995.

Carmick J: The use of neuromuscular electrical stimulation and a dorsal wrist splint to improve the hand function of a child with spastic hemiparesis, *Phys Ther* 77:661–671, 1997.

Case-Smith J: Using evidence-based clinical guidelines to improve your practice. In PREPaRE conference, Lexington, KY, March, 22, 2014, University of Kentucky.

Charles JR, Wolf SL, Schneider JA, Gordon AM: Efficacy of a child-friendly form of constraint-induced movement therapy in hemiplegic cerebral palsy: a randomized control trial, *Dev Med Child Neurol* 48:635–642, 2006.

Cherng RF, Liu CF, Lau TW, Hong RB: Effect of treadmill training with body weight support on gait and gross motor function in children with spastic cerebral palsy, *Am J Phys Med Rehab* 86:548–555, 2007.

Chiarello LA: Family-centered care. In Effgen SK, editor: *Meeting the physical therapy needs of children*, ed 2, Philadelphia, 2013, FA Davis.

Chiarello LA, Palisano RJ, Orlin MN, et al.: Understanding participation of preschool-age children with cerebral palsy, *J Early Inter* 34(1):3–19, 2012.

Chiarello LA, Palisano RJ, McCoy SW, et al.: Child engagement in daily life: a measure of participation for young children with cerebral palsy, *Disabil Rehabil* 36:1804–1816, 2014.

Christensen D, Van Naarden Braun K, Doernberg NS, et al.: Prevalence of cerebral palsy, cooccurring autism spectrum disorders, and motor functioning: Autism and Developmental Disabilities Monitoring Network USA, 2008, *Dev Med Child Neurol* 56(1):59–65, 2014.

Coker P, Karakostas T, Dodds C, Hsiang S: Gait characteristics of children with hemiplegic cerebral palsy before and after modified constraint-induced movement therapy, *Disabil Rehabil* 32(5):402–408, 2010.

Cole GF, Farmer SE, Roberts A, Stewart C, Patrick JH: Selective dorsal rhizotomy for children with cerebral palsy: the Oswestry experience, *Arch Dis Child* 92:781–785, 2007.

Dahlseng ML, Andersen GL, Irgens LM, Skranes J, Vik T: Risk of cerebral palsy in term-born singletons according to growth status at birth, *Dev Med Child Neurol* 56:53–58, 2014.

Damiano DL: Strength, endurance, and fitness in cerebral palsy, *Dev Med Child Neurol Suppl* 94:8–10, 2003.

Damiano DL: Activity, activity, activity: rethinking our physical therapy approach to cerebral palsy, *Phys Ther* 86:1534–1540, 2006.

Damiano DL, Kelly LE, Vaughn CL: Effects of quadriceps femoris muscle strengthening on crouch gait in children with spastic diplegia, *Phys Ther* 75:658–671, 1995a.

Damiano DL, Vaughan CL, Abel MF: Muscle response to heavy resistance exercise in children with spastic cerebral palsy, *Dev Med Child Neurol* 37:731–739, 1995b.

Damiano DL, Abel MF, Pannunzio M, Romano JP: Interrelationships of strength and gait before and after hamstrings lengthening, *J Pediatr Orthop* 19:352–358, 1999.

Davids JR, Rogozinski BM, Hardin JW, Davis RB: Ankle dorsiflexor function after plantar flexor surgery in children with cerebral palsy, *J Bone Joint Surg Am* 93(e138):1–7, 2011.

DeLuca SC, Echols K, Ramey SL, Taub E: Pediatric constraint-induced movement therapy for a young child with cerebral palsy: two episodes of care, *Phys Ther* 83:1003–1013, 2003.

DeLuca SC, Case-Smith J, Stevenson R, Ramey SL: Constraint-induced movement therapy (CIMT) for young children with cerebral palsy: effects of therapeutic dosage, *J Pediatr Rehabil Med* 5(2):133–142, 2012.

Deutsch JE, Borbely M, Filler J, Huhn K, Guarrera-Bowlby P: Use of a low-cost commercially available gaming console (Wii) for rehabilitation of an adolescent with cerebral palsy, *Phys Ther* 88:1196–1207, 2008.

Dodd KJ, Foley S: Partial body-weight–supported treadmill training can improve walking in children with cerebral palsy: a clinical controlled trial, *Dev Med Child Neurol* 49:101–105, 2007.

Dodd KJ, Taylor NF, Damiano DL: Systematic review of strengthening for individuals with cerebral palsy, *Arch Phys Med Rehabil* 83:207–209, 2002.

Dodd KJ, Taylor NF, Graham HK: A randomized clinical trial of strength training in young people with cerebral palsy, *Dev Med Child Neurol* 45:652–657, 2003.

Dresen MH, de Groot G, Mesa Menor JR, et al.: Aerobic energy expenditure of handicapped children after training, *Arch Phys Med Rehabil* 66:302–306, 1985.

Effgen SK: *Meeting the physical therapy needs of children*, ed 2, Philadelphia, 2013, FA Davis.

Effgen SK, Myers C, Kleinert J: Use of classification systems to facilitate interprofessional communication. In *5th annual PREPaRE conference*, Lexington, KY, March 22, 2014, University of Kentucky.

Eliasson AC, Krumlinde-Sundholm L, Shaw K, Wang C: Effects of constraint-induced movement therapy in young children with hemiplegic cerebral palsy: an adapted model, *Dev Med Child Neurol* 47:266–275, 2005.

Eliasson AC, Krumlinde-Sundholm L, Rosblad B, et al.: The Manual Ability Classification System (MACS) for children with cerebral palsy: scale development and evidence of validity and reliability, *Dev Med Child Neurol* 48:549–554, 2006.

Erkin G, Culha C, Ozel S, Kirbiyik EG: Feeding and gastrointestinal problems in children with cerebral palsy, *Int J Rehabil Res* 33(3):218–224, 2010.

Fenichel GM: *Clinical pediatric neurology: a signs and symptoms approach*, ed 6, St Louis, 2009, Saunders.

George DA, Elchert L: The influence of foot orthoses on the function of a child with developmental delay, *Pediatr Phys Ther* 19 (4):332–336, 2007.

Giangreco MF, Cloninger CJ, Iverson VS: *Choosing options and accommodations for children (COACH): a guide to educational planning for students with disabilities*, ed 3, Baltimore, MD, 2011, Paul H. Brookes.

Glanzman A: Cerebral palsy. In Goodman C, Fuller KS, editors: *Pathology: implications for the physical therapist*, Philadelphia, 2009, WB Saunders, pp 1517–1531.

Gormley ME: Treatment of neuromuscular and musculoskeletal problems in cerebral palsy, *Pediatr Rehabil* 4(1):5–16, 2001.

Gorter H, Holty L, Rameckers E, Elvers H, Oostendorp R: Changes in endurance and walking ability through functional physical training in children with cerebral palsy, *Pediatr Phys Ther* 21:31–37, 2009.

Grecco L, de Freita T, Satie J, et al.: Treadmill training following orthopedic surgery in lower limbs of children with cerebral palsy, *Pediatr Phys Ther* 25:187–192, 2013.

Guerette P, Furumasu J, Tefft D: The positive effects of early powered mobility on children's psychosocial and play skills, *Assist Technol* 25:39–48, 2013.

Hidecker M, Paneth N, Rosenbaum P, et al.: Developing and validating the Communication Function Classification System (CFCS) for individuals with cerebral palsy, *Dev Med Child Neurol*

53(8):704–710, 2011.

Himmelmann K, Uvebrant P: Function and neuro-imaging in cerebral palsy: a population-based study, *Dev Med Child Neurol* 53 (6):516–521, 2011.

Hintz SR, Kendrick DE, Wilson-Costello DE, et al.: Early-childhood neurodevelopmental outcomes are not improving for infants born at<25weeks' gestational age, *Pediatrics* 127(1):62–70, 2011.

Hoon AH, Tolley F: Cerebral palsy. In Batshaw ML, Roizen NJ, Lotrecchiano GR, editors: *Children with disabilities*, ed 7, Baltimore, MD, 2013, Paul H. Brookes, pp 423–450.

Horstmann HM, Bleck EE: *Orthopaedic management in cerebral palsy*, ed 2, London, 2007, Mac Keith Press.

Huang IC, Holzbauer JJ, Lee EJ, et al.: Vocational rehabilitation services and employment outcomes for adults with cerebral palsy in the United States, *Dev Med Child Neurol* 55:1000–1008, 2013.

Hurvitz EA, Fox MA, Haapala HJ, et al.: Adults with cerebral palsy who had a rhizotomy as a child: long-term follow-up, *PM & R* 2(9S):S3, 2010.

Jaeger L: *Home program instruction sheets for infants and young children*, , Available from Therapy Skill Builders, 3830 East Bellevue, PO Box 42050, Tuscon, AZ 85733.

Knutson LM, Clark DE: Orthotic devices for ambulation in children with cerebral palsy and myelomeningocele, *Phys Ther* 71:947–960, 1991.

Kurz MJ, Stuberg W, DeJong SL: Body weight–supported treadmill training improves the regularity of the stepping kinematics in children with cerebral palsy, *Dev Neuro Rehabil* 14(2):87–93, 2011.

Kurz MJ, Wilson TW, Corr B, Volkma KG: Neuromagnetic activity of the somatosensory cortices associated with body weight–supported treadmill training in children with cerebral palsy, *J Neurol Phys Ther* 36(4):166–172, 2012.

Livingstone R, Paleg G: Practice considerations for the introduction and use of power mobility for children, *Dev Med Child Neurol* 56:210–222, 2014.

Longo M, Hankins GDV: Defining cerebral palsy: pathogenesis, pathophysiology, and new intervention, *Minerva Ginecol* 61:421–429, 2009.

MacPhail H: The effect of isokinetic strength training on functional mobility and walking efficiency in adolescents with cerebral palsy, *Dev Med Child Neurol* 37:763–776, 1995.

Majnemer A, Shevell M, Law M, et al.: Participation and enjoyment of leisure activities in school-aged children with cerebral palsy, *Dev Med Child Neurol* 50:751–758, 2008.

Marconi V, Hachez H, Renders A, Docquier PL, Detrembleur C: Mechanical work and energy consumption in children with cerebral palsy after single-event multilevel surgery, *Gait Posture* 40:633–639, 2014.

Mattern-Baxter K, Bellamy S, Mansoor JK: Effects of intensive locomotor treadmill training on young children with cerebral palsy, *Pediatr Phys Ther* 21:308–318, 2009.

McEwen IR: Assistive positioning as a control parameter of social-communicative interactions between students with profound multiple disabilities and classroom staff, *Phys Ther* 72:534–647, 1992.

McGinley JL, Dobson F, Ganeshalingham R, et al.: Single-event multilevel surgery for children with cerebral palsy: a systematic review, *Dev Med Child Neurol* 54(2):117–128, 2012.

McKean GL, Thurston WE, Scott CM: Bridging the divide between families and health professionals' perspectives on family- centered care, *Health Expect* 8:74–85, 2005.

Middleton EA, Hurley GR, McIlwain JS: The role of rigid and hinged polypropylene ankle-foot orthoses in the management of cerebral palsy: a case study, *Prosthet Orthot Int* 12:129–135, 1988.

Miller JE, Pedersen LH, Streja E, et al.: Maternal infections during pregnancy and cerebral palsy: a population-based cohort study, *Paediatr Perinat Epidemiol* 27(6):542–552, 2013.

Morris C: A review of the efficacy of lower limb orthoses used for cerebral palsy, *Dev Med Child Neurol* 44:205–211, 2002.

Morris C, Bowers R, Ross K, Steven P, Phillips D: Orthotic management of cerebral palsy: recommendations from a consensus conference, *Neuro Rehabil* 28:37–46, 2011.

Nelson KB: Causative factors in cerebral palsy, *Clin Obstet Gynecol* 51:749–762, 2008.

Nordmark E, Hagglund G, Lagergren J: Cerebral palsy in southern Sweden, II: gross motor function and disabilities, *Acta Paediatr* 90(11):1277–1282, 2001.

Oskoui M, Coutinho F, Dykeman J, Jette N, Pringsheim T: An update on the prevalence of cerebral palsy: a systematic review and meta-analysis, *Dev Med Child Neurol* 55(6):509–519, 2013.

Paleg G, Smith B, Blickman L: Systematic review and evidence-based clinical recommendations for dosing of pediatric-supported standing programs, *Pediatr Phys Ther* 25(3):232–247, 2013.

Palisano RJ, Rosenbaum P, Bartlett D, Livingston MH: Content validity of the expanded and revised Gross Motor Function Classification System, *Dev Med Child Neurol* 50:744–750, 2008.

Palisano RJ, Chiarello LA, Orlin M, et al.: Determinants of intensity of participation in leisure and recreational activities by children with cerebral palsy, *Dev Med Child Neurol* 53:142–149, 2011.

Pathways Awareness Foundation: *Early infant assessment redefined*, (Video presentation), Chicago, 1992, Pathways Awareness Foundation (Video available from Pathways Awareness Foundation, 123 North Wacker Drive, Chicago, IL 60606.).

Peacock WJ, Arens LF, Berman B: Cerebral palsy spasticity: selective dorsal rhizotomy, *Pediatr Neurosci* 13:61–66, 1987.

Phillips JP, Sullivan KF, Burtner PA, et al.: Ankle dorsiflexion fMRI in children with cerebral palsy undergoing intensive body- weight-supported treadmill training: a pilot study, *Dev Med Child Neurol* 49:39–44, 2007.

Provost B, Dieruf K, Burtner PA, et al.: Endurance and gait in children with cerebral palsy after intensive body weight–supported treadmill training, *Pediatr Phys Ther* 19:2–10, 2007.

Ratliffe KT: *Clinical pediatric physical therapy*, St Louis, 1998, Mosby.

Rattey TE, Leahey L, Hyndman J, et al.: Recurrence after Achilles tendon lengthening in cerebral palsy, *J Pediatr Orthop* 134:184–147, 1993.

Richards CL, Malouin F, Dumas F, et al.: Early and intensive treadmill locomotor training for young children with cerebral palsy: a feasibility study, *Pediatr Phys Ther* 9:158–165, 1997.

Rosenbaum P, Gorter JW: The `F-word' in childhood disability: I swear this is how we should think!, *Child Care Health Dev* 38 (4):457–463, 2011.

Russell D, Rosenbaum P, Avery LM: *Gross motor function measure (GMFM-66 & GMFM-88) user's manual*, London, 2002, Mac Keith Press.

Russman BS, Gage JR: Cerebral palsy, *Curr Probl Pediatr* 19:65–111, 1989.

Schindl MR, Forstner C, Kern H, Hesse S: Treadmill training with partial body weight support in nonambulatory patients with cerebral palsy, *Arch Phys Med Rehabil* 81:301–306, 2000.

Senesac CR: Management of clinical problems of children with cerebral palsy. In Umphred DA, Lazaro RT, Roller ML, Burton GU, editors: *Neurologic rehabilitation*, ed 6, St Louis, 2013, Mosby, pp 317–343.

Shepherd RB, editor: *Cerebral palsy in infancy*, London, 2014, Churchill Livingstone.

Shumway-Cook A, Woollacott MH: Development of postural control. In Shumway-Cook A, Woollacott MH, editors: *Motor control: theory and practical applications*, ed 4, Baltimore, MD, 2012, Lippincott Williams & Wilkins, pp 195–222.

Sommerfelt K, Markestad T, Berg K, Saetesdal I: Therapeutic electrical stimulation in cerebral palsy: a randomized, controlled, crossover trial, *Dev Med Child Neurol* 43(9):609–613, 2001.

Stuberg WA: Considerations related to weight-bearing programs in children with developmental disabilities, *Phys Ther* 72:35–40, 1992.

Styer-Acevedo J: Physical therapy for the child with cerebral palsy. In Tecklin JS, editor: *Pediatric physical therapy*, ed 3, Philadelphia, 1999, JB Lippincott Williams & Wilkins, pp 107–162.

Styer-Acevedo J: The infant and child with cerebral palsy. In Tecklin JS, editor: *Pediatric physical therapy*, ed 4, Philadelphia, 2008, JB Lippincott Williams & Wilkins, pp 179–230.

Tardieu G, Tardieu C, Colbeau-Justin P, et al.: Muscle hypoextensibility in children with cerebral palsy. II: therapeutic implications, *Arch Phys Med Rehabil* 63:103–107, 1982.

Tardieu C, Lespargot A, Tabary C, Bret MD: For how long must the soleus muscle be stretched each day to prevent contracture? *Dev Med Child Neurol* 30:3–10, 1988.

Tilton A: Management of spasticity in children with cerebral palsy, *Semin Pediatr Neurol* 16:82–89, 2009.

Van den Berg-Emons RJ, Van Baak MA, Speth L, Saris WH: Physical training of school children with spastic cerebral palsy effects on daily activity, fat mass, and fitness, *Int J Rehabil Res* 21(2):174–194, 1998.

van der Linden ML, Hazlewood ME, Hillman SF, Robb JE: Functional electrical stimulation to the dorsiflexors and quadriceps in children with cerebral palsy, *Pediatr Phys Ther* 21:23–29, 2008.

Vincer MJ, Allen AC, Joseph KS, et al.: Increasing prevalence of cerebral palsy among very preterm infants: a population-based study, *Pediatrics* 118(6):e1621–e1626, 2006.

Vogtle LK: Employment outcomes for adults with cerebral palsy: an issue that needs to be addressed, *Dev Med Child Neurol* 55:973, 2013.

Wagner M, Newman L, Cameto R, et al: An overview of finding from Wave 2 of the National Longitudinal Transition Study-2 (NLTS2). National Center for Special Education Research, Menlo Park, CA, 2006, SRI International.

Watt JM, Roberston CM, Grace MG: Early prognosis for ambulation of neonatal intensive care survivors with cerebral palsy, *Dev Med Child Neurol* 31:766–773, 1989.

Willoughby KL, Dodd KJ, Shields N: A systematic review of the effectiveness of treadmill training for children with cerebral palsy, *Disabil Rehabil* 31(24):1971–1979, 2009.

Willoughby KL, Dodd KJ, Shields N, Foley S: Efficacy of partial body weight–supported treadmill training compared with overground walking practice for children with cerebral palsy: a randomized clinical trial, *Arch Phys Med Rehabil* 91:333–339, 2010.

Wilson-Costello DE, Friedman H, Minich N, Fanaroff AA, Hack M: Improved survival rates with increased neurodevelopmental disability for extremely low birth weight infants in the 1990s, *Pediatrics* 115(4):997–1003, 2005.

Yin Foo R, Guppy M, Johnston LM: Intelligence assessments for children with cerebral palsy: a systematic review, *Dev Med Child Neurol* 55(10):911–918, 2013.

CHAPTER

7 척수수막탈출증

학습 목표 *이 장을 학습한 후 학생들은 아래 사항에 대하여 이해하고 설명할 수 있다.*

1. 척수수막탈출증의 발병과 보급, 병인, 임상적 표상을 기술한다.
2. 척수수막탈출증 아동한테서 흔히 나타나는 합병증을 기술한다.
3. 척수수막탈출증 아동의 의료적 치료와 수술적 치료에 관해 토의한다.
4. 척수수막탈출증 아동의 치료에서 물리치료 보조사가 맡는 역할을 명확하게 설명한다.
5. 척수수막탈출증 아동에게 적절한 중재를 기술한다.
6. 척수수막탈출증 아동의 평생에 걸친 기능적 훈련의 중요성을 인식한다.

서론

척수수막탈출증(MMC)은 복합적이고 선천적인 이상이다. 이 질환은 주로 신경계에 영향을 미치지만 이차적으로 근골격계와 비뇨기계도 관련이 있다. MMC는 척수형성이상증의 특수한 형태로 척수, 특히 하부 분절의 잘못된 발생학적 발달로 생겨난다. 신경관이나 원시 척수 끝부분이 재태 28주 전에 닫히지 못한다(그림 7-1A). 기본적인 척수형성이상 결함의 정의는 표 7-1에서 찾아볼 수 있다. 척수형성이상(이상 조직 성장)에는 척추뼈 갈림증(spina bifida)으로 알려진 뼈 결함이 동반된다. 이러한 척추뼈 갈림증은 뒤쪽 척추뼈활이 중앙에서 닫혀 가시돌기를 형성할 때 생겨난다(그림 7-1C에서 E). 출생 시 정상 척추는 그림 7-1B에 나와 있다. 척추뼈 갈림증이라는 용어는 뼈 결함과 다양한 형태의 척수형성이상증을 모두 일컫는다. 갈라진 척추가 고립되어 척추나 뇌척수막과 연결되지 않을 때는 숨은척추갈림증(spina bifida occulta)이라고 한다(그림 7-1 C). 숨은척추갈림증이 있는 사람한테는 보통 신경 손상이 일어나지 않는다. 이러한 결함이 있는 곳의 피부는 움푹 들어가 있거나 털이 나 있을 수 있고, 눈에 띄지 않을 수도 있다. 낭성척추갈림증(spina bifida cystica) 환자는 뼈 결함으로 생긴 구멍에서 낭종이 눈에 띄게 튀어나와 있다. 이러한 낭종이 피부나 뇌척수막(meninges)으로 덮여 있을 수 있다. 이러한 상태는 드러난 척추갈림증(spina bifida aperta)이라고 하며, 열려 있거나 눈에 잘 보인다는 뜻이다. 낭종에 뇌척수액(CSF)과 뇌척수막만 포함되어 있다면 낭종(cele)이 뇌척수막에 덮여 있기 때문에 수막탈출(meningocele)이라고 한다(그림 7-1D). 기형 척수가 낭종 내부에 있을 경우에는 척수수막탈출증이라고 한다(그림 7-1E). MMC에서 낭종은 뇌척수막이나 피부로만 덮여 있을 수 있다. 운동마비와 감각상실은 MMC 수준 아래쪽에서 일어난다. MMC의 가장 흔한 위치는 요추 영역이다.

발병

MMC 발병은 지난 10년 동안 영양상태 개선과 선별검사 증가로 감소했다. MMC는 가장 흔한 신경관결함(NTD)이다. 미국에서는 연간 약 1,500명이 MMC를 안고 태어난다. MMC 발병은 정상 출산아 1000명당 3.4명으로 안정되는 것 같다(Boulet 외 다수, 2008). 형제자매가 이미 MMC를 갖고 태어났다면 가족 중 재발 위험이 2%에서 3%에 이른다. 모든 NTD의 세계적 발생률은 정상 출산아 1,000명 당 0.17명에서 6.39명이다(Bowman 외 다수, 2009a). 이러한 수치들은 가슴과 요추, 엉치 영역뿐만 아니라 머리끝에서 나타나는 신경관 폐쇄 결점을 포함한 것이다. 중국의 한 지방에서는 NTD 유병률이 굉장히 높았다(Li

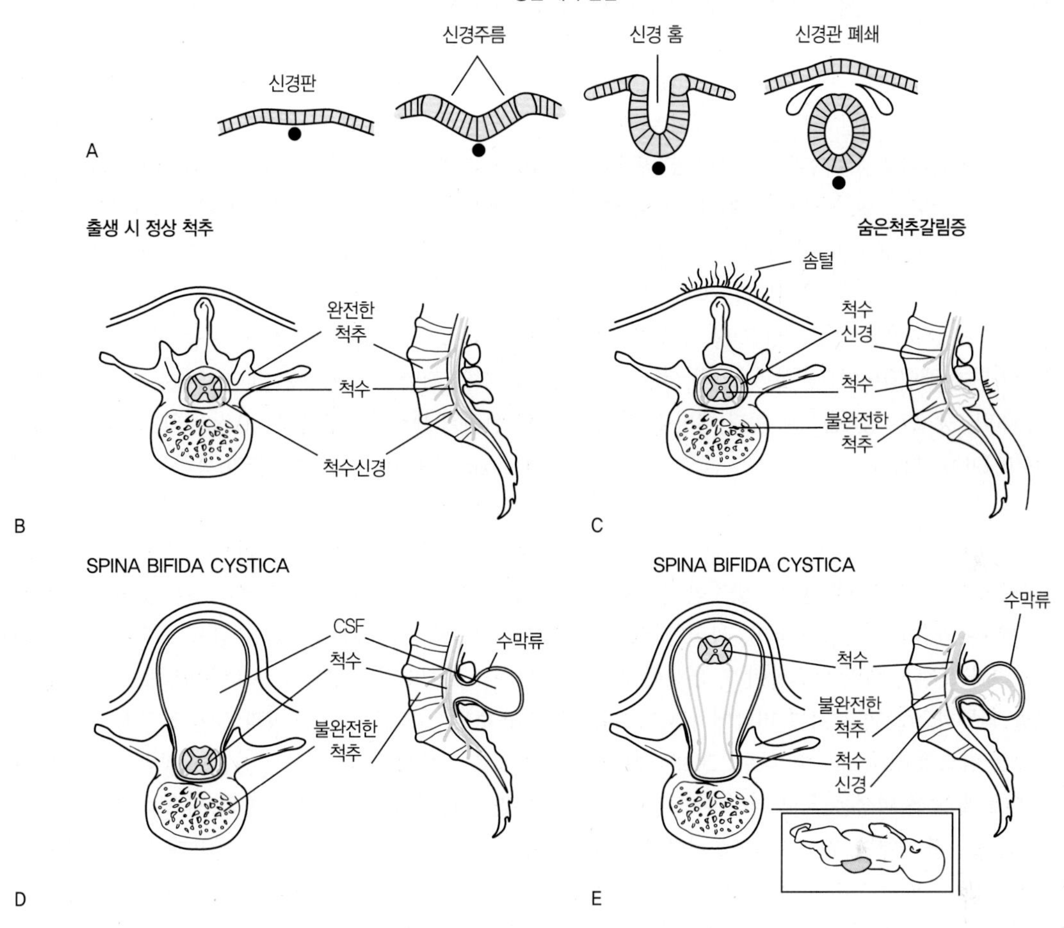

그림 7-1. 척추 갈림증 유형. **A.** 임신 1개월 동안 신경관의 정상 형성 **B.** 좌측 횡단면과 우측 종단면에서 정상 발달로 더불어 일어나는 완벽한 폐쇄. **C.** 솜털로 표시되는 낭종 없는 불완전한 척추 폐쇄. **D.** 뇌척수막과 뇌척수액(CSF)의 낭종이 있는 불완전한 척추 폐쇄, 수막류. **E.** 기형 척수를 포함한 낭종 있는 불완전한 척추 폐쇄, 척수수막탈출증.

표 7-1 골수형성이상 결함의 기본적 정의

결함	정의
숨은척추갈림증	척추 활의 뒤쪽 요소들이 닫히지 않는 척추 결함, 낭(sac) 없음. 대체로 척수 이상과 연관이 없는 척추 결함
낭성척추갈림증	뇌척수막이나 척수와 뇌척수막의 낭종이 튀어나온 척추 결함
수막류	낭종이 뇌척수액과 뇌척수막을 포함하고 있고, 보통 상피로 뒤덮여 있음, 임상적 징후가 다양함
척수수막탈출증	낭종이 뇌척수액과 뇌척수막, 척수를 포함하고 있고, 신경뿌리도 포함하고 있을 수 있음, 불완전하게 형성되거나 기형이 된 다발, 요추 영역에서 가장 흔히 나타남, 더욱 많은 결함이 나타남.

Adapted from Ryan KD, Ploski C, Emans JB: Myelodysplasia: The musculoskeletal problem: Habilitation from infancy to adulthood. *Phys Ther* 71:935–946, 1991. With permission of the American Physical Therapy Association.

외 다수, 2006). 유병률은 인구 내 장애 환자의 수를 말한다.

머리 방향의 닫힘 결손은 무뇌증(anencephaly)이나 뇌줄기 너머로 두뇌가 발달하지 못하는 상태로 이어진다. 이러한 유아는 출생 이후에 영구적으로 생존할 가능성이 거의 없다. 두뇌 조직이 두개골에서 튀어나올 때 뇌탈출(encephalocele)이 생긴다. 뇌탈출증은 주로 후두에서 시각 손상으로 생겨난다. NTD 유병률은 라틴계 인구에서 가장 높고(10,000명 당 4.17명), 이어서 비라틴계 백인(10,000명 당 3.22명), 비라틴계 흑인(10,000명 당 2.64명) 순으로 높다(질병 조절 및 예방 센터(CDD), 2010).

병인

척추갈림증과 MMC의 발병 원인은 많지만 확실하게 밝혀진 원인은 없다(Fenichel, 2009). 확실한 원인은 환경적 요인과 유전적 요인의 결합이다. 엽산이 함유된 음식을 의무적으로 먹고 나면 미국에서 MMC 유병율이 31% 감소했다(Boulet 외 다수, 2008). NTD가 있는 아동을 낳은 여성은 최소 임신 한 달 전부터 임신 후 3개월까지 하루에 엽산 4 mg을 복용하는 것이 좋다(Fenichel, 2009). MMC에 영향을 미칠 수 있는 추가적인 요소들로는 알코올 노출(Main과 Mennuti, 1986)과 발작이나 여드름 약(Ornoy, 2006), 비만이 있다. 13번 삼염색체증과 18번 삼염색체증 같은 유전적 장애들은 MMC와 연관이 있고(Luthy 외 다수, 1991), 몇몇 유전자들은 MMC에 영향을 미치는 것으로 확인되었다(Copp and Greene, 2010).

산전 진단

신경관결함은 알파태아단백질 수치를 테스트해서 산전에 진단할 수 있다. 이 단백질 수치가 너무 높으면 태아가 개방형 신경관결함을 지니고 있다는 뜻일 수 있다. 이러한 의혹은 고해상도 초음파검사로 척추뼈 결함을 확인해볼 수 있다. 개방형 NTD가 감지되면 중추신경계 감염 위험을 줄이고 분만과정에서 척수 외상을 최소화하기 위해서 진통이 시작되기 전에 제왕절개를 해야 한다. 이렇게 하면 외상이 감소한다(Hinderer 외 다수, 2012). 양수에서 아세틸콜린에스테레이스 수치를 측정하는 것이 알파태아단백질을 검사하는 것보다 훨씬 더 정확하다. 폐쇄형 NTD를 감지할 수 있기 때문이다. 양수 내 세포의 염색체를 검사 하면 연관된 염색체 이상이 있는지 확인할 수 있고, 임신 중절 수술을 고려하고 있는 부모에게 더욱 많은 정보를 제공할 수 있다. MMC 아이를 낳을 가능성이 감소하고 있음에도 MMC는 증가했다.

MMC의 결함을 교정하는 태아 수술은 2003년 이래로 선별된 센터에서 수행했다(Walsh와 Adzick, 2003; Tulipan, 2003). 자궁 내 수술의 목적은 주로 MMC의 폐쇄 이후에 발생하는 물뇌증을 위해 션트(shunt)를 삽입할 필요성을 줄이고, 다리 기능을 향상시키는 것이다. 산전 교정 대 산후 교정을 실시한 최근의 무작위 통제 실험에서 태아 수술은 임신 26주 전에 실시했다(Adzick 외 다수, 2011). 척수수막탈출증 연구 관리(MOMS)는 표준 산후 교정과 산전 교정의 효과와 안정성을 비교했다. 이 연구는 산전 교정의 효능이 증명되면서 중단되었다. 션트수술의 필요성이 감소했고, 산전 교정 수술을 한 그룹에서 30개월 이후에 운동 결과가 향상되었다. 모체와 태아가 위험해질 가능성이 있음에도 그 결과는 산전 교정을 지지해 준다.

임상적 특성

신경 결함과 손상

MMC 아동은 척수 기형의 결과로 운동과 감각 손상을 보인다. 이러한 손상의 범위는 낭종의 수준과 척수 결함의 수준과 직접적으로 연관되어 있다. 완전한 척수손상에서는 뼈 척추(bony vertebra) 침범과 그 아래 다발(cord)이 비교적 직접적으로 연관되어 있지만 이와는 달리 MMC 아동의 경우에는 명백한 관계가 존재하지 않는다. 몇몇 뼈 결함은 하나 이상의 척추 수준을 침범할 수 있다. 이때 척수는 부분적으로 형성되거나 기형이 될 수 있다. 혹은 척수의 일부가 침범된 수준들 가운데 하나에서 온전한 상태를 유지하고, MMC 아래쪽의 근육을 신경지배할 지도 모른다. 이런 신경뿌리들이 손상되거나 다발이 이형성되면 아이는 감각 결핍으로 이완성 운동마비(flaccid type of motor paralysis)를 보일 수 있다. 이것은 전형적으로 아래운동신경세포에서 나타난다. 하지만 MMC 아래쪽의 척수 일부가 온전하고 근육들을 신경지배할 수 있다면 경직형 운동마비가 나타날 가능성이 있다. 몇몇 경우에는 이런 아동이 실제로 MMC 수준에서는 이완 영역을 보여주고, 이완된 근육 아래쪽에서는 경직형이 나타난다. 어느 쪽이든 간에 운동마비가 나타나면 관절 가동 범위를 관리하고, 보행에 필요한 보조기를 사용하는 데 있어서 선천적인 어려움이 생긴다.

수준과 관련된 기능적 움직임

일반적으로 이 병변의 수준이 높을수록 근육 손상의 정도가 더 크고, 아동이 기능적으로 보행할 가능성이 줄어든다. T12에서 가슴 침범을 보이는 아동은 넙다리네모근을 신경지배하고, 복부 근육을 완벽하게 신경지배하기 때문에 골반을 어느 정도 조절한다. 큰볼기근은 L5에서 S1까지 신경지배되기 때문에 활성화되지 않는다. 높은 요추 수준의 병변(L1에서 L2)은 다리에 영향을 가하지만 엉덩 굽힘근과 모음근이 신경지배당한다. L3에서 요추 중앙 수준의 병변이 나타난다는 것은 아동이 엉덩관절을 굽히고 무릎을 펼 수 있지만 발목이나 발가락을 움직이지 못한다는 뜻이다. L4나 L5에서 낮은 요추 수준의 마비가 나타나면 아동은 무릎을 굽히고 발목 발등굽힘을 할 수 있을 뿐만 아니라 약하게나마 엉덩관절을 펼 수 있다. S1에서 엉치 수준의 마비를 보이는 아동은 몸을 밀어 올리고 엉덩관절를 크게 벌리는 데 필요한 발바닥쪽굽힘이 약하다. S2나 S3 수준의 병변으로 분류되려면 맨손 근력검사 척도에서 아동의 발바닥쪽굽힘근은 최소 3/5 등급, 볼기근은 4/5 등급이 되어야 한다(Hinderer 외 다수, 2012). 이 병변은 아동의 창자와 방관 기능이 정상이고, 다리 근육의 길이가 정상일 때 '손실 없음'으로 간주된다.

근골격계 손상

근육마비는 몸통과 다리의 수의적 움직임 손상으로 생겨난다. 전형적으로 아래운동신경세포에서 이완성 마비가 나타나는 아동은 다리 움직임을 보이지 않고, 두 다리는 중력에 이끌려 개구리의 다리처럼 오므려진다. 수의적 움직임 부족으로 다리는 편안한 자세를 취한다. 다시 말해서 엉덩관절 벌림과 바깥쪽 돌림, 무릎 굽힘, 발목 발바닥쪽굽힘이 나타나는 자세가 된다. 표 7-2는 특정한 병변 수준에서 근육 불균형으로 생겨나는 전형적인 기형 목록을 제시한다. 이 표를 암기하기보다는 적절한 해부학과 신체 운동학을 검토하는 것이 훨씬 낫고, 특정한 근육들이 신경지배를 받는다면 팔다리를 어느 방향으로 당길지 결정하는 것이 좋다. 예컨대 장딴지근이나 뒤정강근의 마주 당김 없이 앞정강근(L4 운동 수준)만 신경지배를 받는다면 발은 어떻게 될까? 발등굽힘과 안쪽번짐(inversion)이 나타나고, 결과적으로 내반구족(calcaneovarus)이 생긴다. 이런 상황에서는 어떤 근육이 짧아질 가능성이 가장 큰가? 이것은 앞정강근이 휴지 시 길이를 유지하기 위해서 늘어날 필요가 있는 그런 상황 가운데 하나일 것이다.

MMC 아동은 근육 불균형 때문에 추가적인 기형이 생길 위험에 노출되어 있을 뿐만 아니라 선천적으로 다리 기형을 안고 태어난다. 이러한 기형으로는 엉덩관절 탈구와 엉덩관절 형성 이상, 엉덩관절 불완전 탈구, 안굽이무릎(genu varum), 밖굽이무릎(genu valgus)이 있다. MMC와 관련된 선천적 발 기형은 내반첨족(talipes equinovarus)이나 선천적인 휜발, 첨족(pes equinus)이나 내반족(clubfoot), 볼록한 외반족(convex pes valgus)이나 수직 거골의 호상족(rocket-bottom foot)이 있다. 이러한 기형은 그림 7-2에 나와 있다. 내반족은 L4나 L5 수준에서 MMC가 나타난 아동한테서 가장 흔한 발 기형이다(Tappit-Emas, 2008). 물리치료사는 이러한 발 문제를 조기에 관리할 때 두드리기(tapping)와 부드러운 도수 치료(manipulation)를 시행할 수 있다. 물리치료 보조사는 부드럽게 교정한 관절 가동 범위를 제공할 때 관여하거

표 7-2 병변 수준과 관련된 기능

병변 수준	근육 기능	잠재적 기형
가슴	몸통 약화 T7–T9 상부 복부 T9–T12 하부 복부 T12가 약한 허리네모근을 가짐	개구리 다리 자세에 부차적으로 관절과 무릎, 발목의 자세 기형
높은 요추(L1–L2)	저항이 없는 unopposed 관절 굽힘근과 몇몇 모음근	엉덩관절 굽힘, 모음 엉덩관절 탈구 허리척주앞굽음 무릎 굽힘과 발바닥쪽굽힘
중간 요추(L3)	강한 엉덩관절 굽힘근과 모음근 약한 엉덩관절 돌림근 항중력 무릎 폄	엉덩관절 탈구와 불완전 탈구 젖힌무릎
낮은 요추(L4)	강한 넙다리네갈래근과 항중력 안쪽 무릎 굽힘근, 약함 발목 폄과 벌림	내반첨족과 내반구족, 혹은 종요족
낮은 요추(L5)	약한 엉덩관절 폄과 벌림 양호한 항중력 무릎 굽힘	내반첨족과 내반구족, 혹은 종요족
엉치(S1)	양호한 엉덩관절 벌림근, 약한 발바닥쪽굽힘근	–
엉치(S2–S3)	양호한 엉덩관절 폄근과 발목 발바닥쪽굽힘근	–

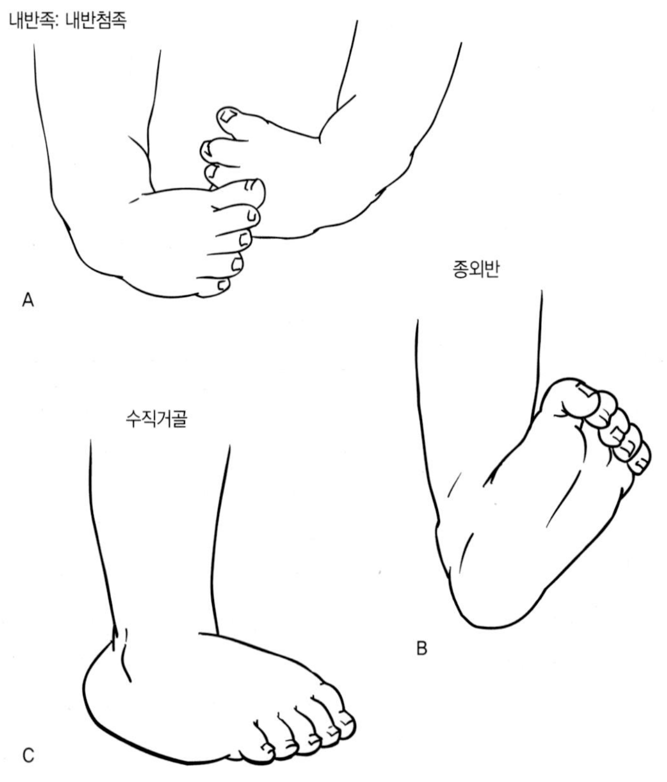

그림 7-2. 흔한 다리 기형

나 관여하지 않을 수 있다. 부목은 뼈로 된 부위를 압박하기 때문에 지속적 석고붕대 교정 대신 권장되고 있다. 발 기형의 수술적 교정은 가장 경미한 경우를 제외한 모든 경우에서 권고된다.

대부분의 MMC 아동은 한 살에서 두 살 사이에 걷기 시작한다. 척행성 발은 납작해서 지면과 닿을 수 있고, 보행을 확실하게 보장하는 데 필수적인 요소다. 뿐만 아니라 척행성 발에서는 발가락 들림을 위해 10도 발등굽힘이 나타날 수 있어야 한다. 하지만 능동적 가동 범위 운동이 되어야 할 필요는 없다.

아동이 경직형 운동마비를 보인다면 근육 경련으로 팔다리의 움직임이 나타날 수 있지만 그러한 움직임은 아동의 수의적 통제 하에 나타나는 것이 아니다. 어떤 근육이 경련을 일으키느냐에 따라서 팔다리의 위치가 다양해질 수 있다. 경직성이 존재하면 기형을 초래하는 힘이 더욱 강해진다. 예컨대 L1이나 L2 운동 수준의 아동은 엉덩관절을 탈구시키는 과긴장도 때문에 엉덩관절 굽힘근과 모음근이 매우 강하게 당겨질 수 있다. 신경지배 수준 때문에 생겨나는 근육 불균형은 증가된 긴장으로 인해 악화될 수 있다.

골다공증

척수가 손상된 성인의 경우와 마찬가지로 근육수축 능력 상실은 수의적 움직임에 치명적인 영향을 미친다. 하지만 골격계의 진행 중인 발달과 기능에도 영향을 미친다. 긴 뼈와 몸통뼈대(axial skeleton)를 포함한 골격계는 근육 당김과 체중지지에 의존해서 구조적 통합성을 유지하고, 정상적인 뼈 손실과 새로운 뼈 생성의 균형을 맞추도록 도와준다. 아이들도 척수 손상 성인과 마찬가지로 뼈엉성증에 걸릴 위험이 있다(Hinderer 외 다수, 2012). 뼈엉성증에 걸리면 뼈가 골절되는 경향이 있으므로 MMC 아동의 경우에는 근력 상실과 무기력으로 인해 이차적으로 골절이 나타날 위험성이 훨씬 더 크다(Dosa 외 다수, 2007). 조사학자들은 가정과 지역 사회에서 걸어 다니는 아동이 치료 시에만 걸어 다니는 아동보다 골 기질 밀도가 훨씬 높다는 사실을 발견했다. 보행의 다양한 수준을 정의한 내용을 살펴보고 싶은 독자는 12장을 참조하기 바란다. 걷기 능력은 MMC 아동의 뼈밀도를 결정짓는 중요한 인자이다(Ausili 외 다수, 2008). 최근의 고찰에 따르면 저골 광물 밀도와 골절 위험은 높은 신경계 수준과 무기력, 이전의 자연적인 골절, 걷지 않음, 구축과 관련이 있었다(Marrieos 외 다수, 2012). 나이가 들면서 샤르코관절(Charcot joint)이 발생할 위험이 있다(Nagarkatti 외 다수, 2000). 샤르코관절은 척수와 관련된 질환으로 생겨나는 관절기형이다. 이러한 관절은 통증을 유발하고 불안정하다.

신경병성 골절

MMC 아동의 20%는 신경병성 골절이 나타남 가능성이 있다(Lock와 Aronson, 1989). 신경병성 골절은 근본적인 신경학적 손상과 관련이 있다. 마비된 근육은 긴 뼈를 통해 힘을 생성할 수 없기 때문에 근본적으로 체중지지가 불가능하고 골다공증이 생겨난다. 골다공증에 걸리면 뼈가 훨씬 더 잘 골절된다. 나이에 비해 골밀도가 낮은 것은 골절 위험과 깊은 관련이 있다(Sxaly와 Cheema, 2011). 이 인구 내에서 신경병성 골절이 일어나는 잠재 원인으로는 지나치게 공격적인 치료적 운동과 이동 시 안정성 부족이다(Garber, 1991). 수술 이후 움직이지 못하는 시간이 늘어나면 병적 골절이 생기기 쉽다. 적절한 영양공급은 언제나 중요하고, 아동이 비타민 D와 칼슘의 물질대사를 방해하는 발작 약물을 복용한다면 더더욱 중요해진다.

아래의 임상적 실례들은 신경병적 골절과 관련된 또 다른 가능한 상황을 보여 준다. MMC 아동이 다리에 교정기를 부착했을 때 임상의는 아동의 정강뼈 능선(tibial crest)을 따라 올라오는 따뜻한 열기를 감지했다. 이 아동은 혼혈아라서 붉은 자국이 선명하게 보이지는 않았지만 정강뼈를 따라서 갈라진 부분이 명확하게 드러났다. 이 아동은 통증이나 고통을 호소하지 않았다. 나중에 아이의 어머니가 전날 아이에게 교정기를 끼우기가 매우 어려웠다고 말했다. 방사선 사진을 촬영하자 아이가 골절일지도 모른다는 치료사의 의혹이 사실로 드러났다. 이후 골절이 완치될 때까지 아이의 팔다리에 석고붕대를 했다. 이 아동이 석고붕대를 착용하고 있는 동안 팔 강화와 몸통 균형을 강조하는 치료가 계속되었다. 골절을 보호하는 석고붕대는 보통 MMC 아동의 활동을 제한시키기 위해 권고하는 것이 아니다. 실제로는 재활 팀의 창의성을 자극해서 아동이 팔다리를 움직일 수 없을 때 자세 불안정과 항중력 근력의 상실에 대처하는 방법들을 떠올릴 수 있도록 도와준다.

척추 기형

MMC 아동은 선천성이나 후천성 척추 측만증을 보일 수 있다. 선천성 척추 측만증은 보통 갈라진 척추와 더불어 나타나는 반척추뼈증과 같은 척추뼈 기형과 관련되어 있다. 이러한 유형의 척추 측만증은 경직되어 있다. 후천성 척추 측만증은 몸통의 근육 불균형으로 나타나 유연하다. 척추 측만증은 계류척수(tethered cord)나 물척수증(hydromyelia)이라는 질환에 의해 이차적으로 급속하게 나타날 수 있다. 이러한 질환들은 나중에 다시 설명하겠다. 물리치료 보조사는 MMC 아동을 다룰 때 모든 자세 변화를 관찰해야 한다. 후천성 척추 측만증은 기구를 이용한 척추 고정이 적절해질 때까지 몇 가지 유형의 보조기를 이용해 다루어야 한다. MMC 아동은 정상 발달 아동보다 훨씬 일찍 사춘기를 겪기 때문에 아동의 성숙한 상체 길이의 변동 없이 조기에 척수 수술을 할 수 있다. 척주뒤굽음과 척주앞굽음 같은 다른 척추 기형도 이러한 아동들한테서 찾아볼 수 있다. 척주뒤굽음은 가슴 영역에서 나타나거나 아기의 경우처럼 척추 전체에서 나타날 수 있다. 요추에서는 척주앞굽음이 심하게 나타나거나 거꾸로 나타날 수 있다. 모든 종류의 척추 기형은 높은 수준의 병변을 보이는 아동한테서 나타날 가능성이 훨씬 크다.

척추 정렬과 기형 가능성은 앉기와 서기 같은 발달 상 적절한 자세들을 사용할 때 항상 고려해야 한다. 아동이 몸통 정렬을 근육 상으로 유지할 수 없다면 몇 가지 유형의 보조기를 사용하는 것이 좋을 수도 있다. 이런 아동의 앉기 자세는 치료 시에 기록해 두어야 하고, 가정에서 사용하는 앉기 자세도 파악해야 한다. 척추 기형을 언제나 예방할 수 있는 것은 아니지만 발달 상 취약한 자세에서 영향을 잘 받는 척추에 미치는 중력의영향을 주시해야 한다.

아놀드-키아리 기형

이러한 신경근육 문제를 안고 있는 대부분의 아동은 MMC의 척수 결함 이외에도 아놀드-키아리 유형 2 기형을 보인다. 아놀드-키아리 기형은 소뇌와 수질, 척수의 목 부분과 관련이 있다(그림 7-3). 소뇌가 완전히 발달하지 않아서 후뇌가 큰구멍을 통과해 아래

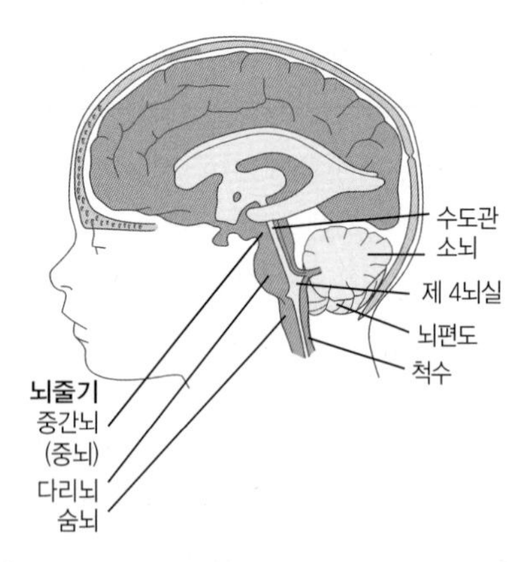

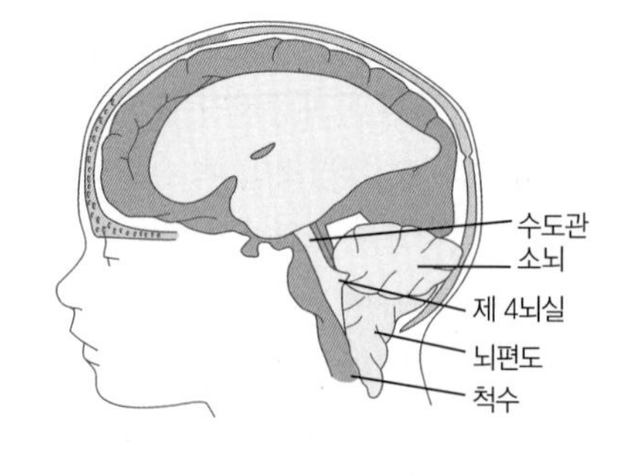

그림 7-3. **A.** 개방적 뇌척수액 순환이 이루어지는 정상 뇌. **B.** 뇌실이 확장된 아놀드-키아리 유형 2 기형으로 척수막류 아동의 물뇌증을 유발하기 쉬운 질환. 뇌줄기와 제 4뇌실, 소뇌의 일부, 뇌편도가 큰 구멍을 통해 아래로 이동되어 있어 CSF 흐름이 막힌다. 추가적으로 뇌신경이 들어 있는 뇌줄기에 압력이 가해져서 신경마비가 일어날 수 있다(From Goodman CC, Boissonnault WG, Fuller KS: Pathology: implications for the physical therapist, St. Louis, 2015, WB Saunders).

쪽으로 이동된다. 뇌척수액(CSF)의 흐름이 막히면 뇌척수액이 뇌실 안에 고인다. CSF의 이상 축척은 그림 7-3에서처럼 물뇌증을 유발한다. 척추갈림증과 MMC, 아놀드 키아리 유형 2 기형 아동은 물뇌증에 걸릴 확률이 90% 이상이다. 아놀드-키아리 유형 2 기형은 뇌실 시스템 내부의 CSF 축척으로 그 영역에 가해지는 압력 때문에 뇌신경과 뇌줄기 기능에 영향을 미칠 수 있다. 임상적으로 이러한 침범은 삼키기 장애로 나타날 수 있다.

물뇌증

물뇌증은 아놀드-아키리 기형 유무와 상관없이 MMC 아동한테서 나타날 수 있다. 이 질환은 뇌실복강션트를 이식해서 과도하게 많은 CSF를 복막강으로 빼내는 신경 외과술로 치료할 수 있다(그림 7-4). 션트가 쇄골과 가슴벽 아래로 지나갈 때 목 부분에서 션트를 만질 수 있다. 모든 션트 시스템은 한 방향으로만 흘러서 뇌실에서 빠져나온 뇌척수액이 역류하지 않는다. 아동의 움직임은 보통 의사가 지시하지 않은 한 제한되지 않는다. 하지만 이런 아동은 거꾸로 매달리기처럼 오랜 시간 동안 머리가 아래로 내려가는 자세를 피해야 한다. 그런 자세에서는 밸브(valve) 기능에 이상이 생기거나 뇌척수액 흐름에 지장이 생길 수 있다(Williamson, 1987). 션트기능 장애를 알려주는 징후들은 MMC 아동을 다룰 때 매우 중요하다. "새로운 션트 가운데 약 40%가 일 년 내에 고장나고, 80%가 10년 내에 고장난다(Sandler, 2010, 890쪽)." 션트는 막히거나 감염될 수 있기 때문에 치료사는 션트기능 장애를 암시해 주는 징후들을 분명히 인식하고 있어야 한다. 이러한 징후들은 표 7-3에 나와 있다. 션트를 이식한 아동의 95%가 적어도 한 번은 션트를 수리한다(Bowman 외 다수, 2001). 과민성과 발작, 구토, 무기력 같은 많은 증상과 징후들은 아동의 연령과 상관없이 나타난다. 특정 연령의 아동에게만 나타나는 징후들도 있다. 유아의 경우에는 머릿속 압력 증가에 이차적으로 숫구멍이 튀어나올 수 있다. 유아가 시선을 아래로 내려서 홍채가 부분적으로만 보이는 증

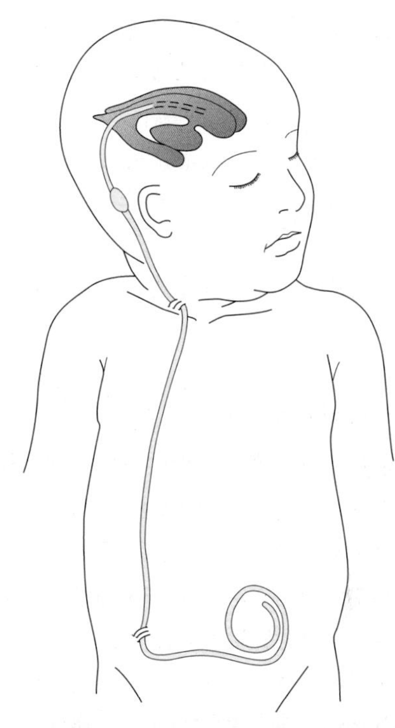

그림 7-4. 뇌실복강션트는 뇌척수액을 뇌실에서 일차적으로 빼내어 주로 가슴이나 복강, 혹은 복막강이라는 머리 밖(extracranial) 구획으로 보낸다. 추가적인 배관(tubing)이 머리 밖 구획에 남아 있어서 아이가 성장함에 따라서 길게 풀려 나온다. 단일 방향의 밸브는 설정된 뇌실 내 압력에 도달할 때 열리고, 뇌실 내 압력이 뇌척수액의 역류를 막는 수준 이하로 떨어질 때 닫힌다(From Goodman CC, Boissonnault WG, Fuller KS: Pathology: implications for the physical therapist, St. Louis, 2015, WB Saunders.).

표 7-3 션트기능 장애의 징후와 증상

징후나 증상	유아	영아	취학 연령 아동
숫구멍 튀어나옴	×		
눈 내려뜨기	×		
머리둘레의 과도한 성장률	×		
두피 얇아짐	×		
과민성	×	×	×
발작	×	×	×
구토	×	×	×
무기력	×	×	×
두통	×	×	
부종, 션트 이식 부위 붉어짐	×	×	×
성격 변화			×
기억 변화			×

상도 나타날 수 있다. 더 나이가 많은 아동의 경우에는 성격이나 기억이 변할 수도 있다. 션트기능 장애는 이식 이후 몇 년이 지나서 아무런 징후도 없이 나타날 수도 있다(Tomlinson과 Sugarman, 1995).

중추신경계 퇴화

치료사는 성장하는 아동의 션트기능 장애를 주의 깊게 살펴봐야 할 뿐만 아니라 운동 상태와 감각 상태, 혹은 기능적 능력들의 변화를 조사해야 한다. 그와 같은 징후들은 신경계 퇴화를 암시할 수 있기 때문이다. 이러한 퇴화의 흔한 원인으로는 물척수증과 계류척수가 있다. 이런 아동의 모든 기능 영역, 즉 이동성과 일상적 활동(ADL), 학업수행 같은 것들은 모두 상기의 두 가지 질환 가운데 하나에 영향을 받을 수 있다.

그림 7-4 뇌실복강션트는 뇌척수액을 뇌실에서 일차적으로 빼내어 주로 가슴이나 복강, 혹은 복막강이라는 머리 밖(extracranial) 구획으로 보낸다. 추가적인 배관(tubing)이 머리 밖 구획에 남아 있어서 아이가 성장함에 따라서 길게 풀려 나온다. 단일 방향의 밸브는 설정된 뇌실 내 압력에 도달할 때 열리고, 뇌실 내 압력이 뇌척수액의 역류를 막는 수준 이하로 떨어질 때 닫힌다(From Goodman CC, Boissonnault WG, Fuller KS: Pathology: implications for the physical therapist, St. Louis, 2015, WB Saunders.).

물척수증

물척수증은 척수의 중심관에 CSF가 축척되는 것이 특징이다. 이러한 상태는 급속한 척추 측만증 진행과 다리 약화, 긴장과도를 유발할 수 있다(Long과 Toscano, 2001). 다른 조사 학자들은 감각 변화(Ryan 외 다수, 1991)와 다리의 운동 상실 증가(Krosschell과 Pesavento, 2013)가 나타난다고 보고했다. MMC 아동의 물척수증 발병률은 20%에서 80% 사이이다(Bryd 외 다수, 1991). 아동의 척추 측만증이 급속도로 진행된다면 즉시 감독 치료사에게 알려야 한다. 이러한 보고를 받은 감독 치료사는 아동의 의사에게 그 사실을 알려서 증상의 원인을 조사해 빨리 치료할 수 있도록 한다. 이러한 장애가 있는 상태에서 척추 측만증이 나타난다는 것은 흔히 신경성 문제가 진행되고 있다는 뜻이다.

계류척수

척수와 척추의 관계는 보통 나이에 따라 달라진다. 출생 시에는 척수 끝이 L3 수준에 이르렀다가 골격이 성장하면서 성인기에는 L1까지 올라간다. 등 병변을 수술로 치료하고 나서 흉터가 생기면 유착이 나타날 수 있고, 병변 부위에서 척수가 고정될 수 있다. 이러한 척수는 견인되어(tethered) 아동의 성장에 발맞추어 척추관 내에서 위쪽으로 자유롭게 이동하지 못한다. 운동기능과 감각기능 쇠퇴, 통증, 창자와 방광 조절 능력 상실 같은 진행형 신경 기능 장애가 나타날 수 있다. 이밖에 다른 징후로는 급속한 진행형 척추 측만증과 다리의 과긴장, 걸음걸이 유형 변화가 있다. 임상적 징후들은 대체로 6세와 12세 사이에 흔히 나타난다(Sandler, 2010). 즉각적인 수술적 교정은 보통 영구적인 신경 손상을 막고, 통증을 완화시켜줄 수 있다(Schonmakers 외 다수, 2003; Bowman 외 다수, 2009b). 아동의 기준에서 신경근 수행력이나 비뇨기 수행력이 조금이라도 퇴화되거나 척추 측만증이 급속도로 빠르게 나타나기 시작한다면 즉각 감독 물리치료사에게 보고해야 한다.

감각 손상

MMC 아동의 감각 손상은 척수손상 성인의 경우처럼 간단하지 않다. 이러한 아동의 감각상실은 마비라는 운동 수준과 일치할 가능성이 적다. 피절의 한 부분이 온전하다고 해서 전체 피절이 온전하게 감각을 감지할 수 있다고 생각해서는 안된다. 신경지배를 받는 피절 내에서 감각을 전혀 감지하지 못하는 '건너뛴 곳(skip area)'이 나타날 수 있다(Hinderer 외 다수, 2012). MMC 아동은 보통 두 가지 감각을 구분할 수 없기 때문에 치료사는 흔히 가볍게 만지기나 바늘로 찌르기 같은 테스트만 한다. 치료사가 진동 테스트를 하면 가볍게 만지거나 바늘로 찔러도 감각을 느끼지 못하는 부위 아래쪽에서 온전한 감각 영역이 나타날 수도 있다(Hinderer와 Hindererm 1990).

감각상실의 기능적 영향력은 엄청나다. 극한의 온도와 정상적 압력에 이차적으로 피부와 하부 조직이 손상될 가능성이 증가한다. MMC 아동은 너무 오랫동안 앉아 있을 때 엉덩관절에 과도하게 가해지는 압력을 느끼지 못한다. 이러한 감각상실은 압력 궤양으로 이어질 수 있다. 압력 궤양으로 학교에서 보내는 시간과 놀이, 독립적인 기능을 상실하면 헤아릴 수 없을 정도로 엄청난 결과가 나타날 수 있다. 관리 계획에는 압력 해소 기법뿐만 아니라 피부 안정성과 점검 교육이 포함되어야 한다. 이러한 기법들은 합병증을 일차적으로 예방하는 데 필수적인 요소들이다. 시트 쿠션과 다른 관절 보호 기구들도 사용하는 것이 좋다. 아동이 돌아다니며 환경에 탐험하는 법을 배울 때는 둔감한 피부를 보호해야 한다. 아동의 가족은 정기적인 피부 검사를 일상적인 활동의 일부로 삼는 것이 얼마나 중요한지를 인식하고 있어야 한다. 아이가 성장해서 신발과 교정기를 사용하면서 모든 보조기구의 착용 일정을 정하기 시작할 때 피부 통합성을 최우선 순위로 고려해야 한다.

창자와 방광기능장애

대부분의 MMC 아동은 창자와 방광기능장애를 어느 정도 지니고 있다. 척수의 엉치 수준인 S2에서 S4까지는 방광을 신경지배하고, 배뇨와 배설 반사를 책임진다. 아동이 운동기능과 감각기능을 상실하면 방광이 꽉 찬 느낌과 축축한 느낌을 감지하지 못한다. 반사배뇨와 배뇨 억제는 문제가 될 수 있다. 방광벽의 긴장이 증가하면 방광이 전형적인 소변 양을 저장할 수 없고, 반사적으로 배뇨하지도 못한다. 방광기능장애를 잘못 관리하면 신장이 손상될 수 있기 때문에 방광기능장애 치료에 특별한 관심을 기울여야 한다. 3세나 4세 아동은 대부분 청결간헐도뇨(SIC)를 사용해서 소변을 참기 시작한다. 6세 아동은 독립적으로 자가간헐도뇨(SIC)를 할 수 있어야 한다. 이러한 기술의 기능적 전제조건은 손 지지 없이 앉아서 균형을 잡고 화장실로 이동하는 능력이다. 이러한 기능적 활동들은 물리치료 관리의 초기와 중기 단계에 통합되어야 한다.

라텍스 알레르기

MMC 아동의 50%가 라텍스에 알레르기가 있다고 추정된다(Cremer 외 다수, 2002; Sandler, 2010). 그 이유는 MMC 유아가 라텍스 상품에 반복적으로 노출되기 때문인지도 모른다. 라텍스 노출은 생명을 위협할 수 있는 과민성 반응을 유발할 수 있고, 아이가 성장하면서 그 위험성은 증가한다(Dormans 외 다수, 1995). 카테터와 수술 장갑, 세라밴드를 포함한 모든 라텍스 상품과의 접촉은 시작부터 전적으로 피해야 한다. 모든 수술은 라텍스 없는 환경에서 해야 한다. 고무공과 풍선처럼 라텍스가 함유된 장난감들은 피해야 한다. 모든 라텍스를 피하려는 집중적인 노력 덕분에 최근에 태어난 아동들은 라텍스 과민성에 걸릴 확률이 훨씬 낮아졌다(Blumchen 외 다수, 2010).

물리치료 중재

관리의 3단계는 척수형성이상증 아동의 물리치료 관리 연속체를 묘사할 때 사용한다. 척수손상 성인과 선천성 신경척수 결손 아동은 서로 비슷하지만 고유의 차이점도 존재한다. 가장 큰 차이점은 아동의 경우에는 신체와 신체 시스템 발달 도중에 기형이 발생한다는 것이다. 그러므로 물리치료 관리 계획의 주요한 중점 가운데 하나는 뼈 기형의 영향력과 진행 중인 발달, 자세 변화, 이상 긴장을 최소화하는 것이어야 한다. 발달 최적화는 운동 발달뿐만 아니라 인지 발달과 사회 감정 발달도 포괄한다. 다른 치료적 고려 사항은 척수손상 성인의 고려 사항과 동일하다. 예컨대 팔의 근력 강화와 앉기와 서기 자세 균형 발달, 보행 촉진, 자기돌봄 개선, 안정성과 개인적 위생 증진, 자가 수행 운동범위와 압력 이완 가르치기가 있다.

물리치료 중재 1단계

이 단계에는 유아가 출생 후부터 보행하는 시기까지 받는 급성 관리(acute care)가 포함된다. MMC 아동의 출산 이후, 부모는 저마다 유아의 건강에 기여하는 다수의 의사들을 대해야 한다. 신경외과 의사는 유아의 출생 후 24시간 내에 감염 위험을 최소화하기 위해서 MMC를 제거하고 폐쇄하는 수술을 시행한다. 물뇌증을 완화하기 위한 션트 이식은 출생과 동시에, 혹은 생후 1주일 내에 실시할 수 있다. 정형외과 의사는 유아의 관절과 근육 상태를 평가한다. 비뇨기과 의사는 아동의 콩팥 상태를 평가하고, 창자와 방광 기능을 감시한다. 결함을 덮기 위해 필요한 스킨 커버리지(skin coverage)의 양에 따라서 성형외과 의사가 관여할 수도 있다. 등 병변(back lenion)을 치료하고 션트를 이식하자마자 유아는 의료적으로 안정되어 퇴원할 준비를 한다. 환자와 유아를 다루는 모든 팀원들 간의 소통은 매우 중요하다. 유아의 현 기능 수준에 관한 정보는 유아를 평가하고 다루는 모든 직원들이 공유해야 한다. 물리치료사는 기능의 운동 수준과 감각 수준을 확립하고, 근긴장과 머리와 몸통 조절 정도, 관절 가동 범위 제한을 평가하고, 근골격 기형이 있는지를 빠짐없이 확인한다. 이 일단계 관리의 일반적인 물리치료 목표는 아래와 같다.

1. 이차적 합병증 예방(구축과 기형, 피부 손상)
2. 연령에 적합한 감각운동 발달 증진
3. 아동이 보행할 수 있도록 준비시키기
4. 아동의 상태를 관리하는 적절한 전략을 가족들에게 가르치기

물리치료 보조사가 유아의 이 관리 단계에 관여한다면 건강을 촉진하고, 부모와 유아의 적절한 상호 작용을 증진하는 데 있어서 배려하는 긍정적인 태도가 가장 중요하다는 것을 배울 수 있다. 부모에게 가르쳐야 하는 가장 중요하는 것은 아이와 상호 작용하는 방법이다. 부모는 유아가 급성 관리 시설에서 퇴원하기 전에 많은 것들을 배워야 한다. 예컨대 자세잡기와 감각 예방 조치, 관절 가동 범위, 치료적 다루기가 있다. 부모는 다루기 기법을 수월하게 사용해서 정상적인 감각운동 발달, 특히 머리와 몸통 조절을 증진시킬 수 있어야 한다. 부모에게 아이를 관리할 수 있다는 자신감을 심어주는 것은 모두의 일이며, 부모가 그러한 자신감을 가지면 가정에서도 의사의 지시를 확실하게 수행할 수 있다.

기형 예방: 수술 후 자세잡기

등 병변의 수술적 치료 후 자세잡기는 수술한 부위가 완치될 때가지 그 부위에 압력을 가하지 않도록 유의해야 한다. 그러므로 처음에는 유아가 엎드리고 옆으로 눕기 자세만 제한적으로 취할 수 있다. 아이의 부모에게는 아이를 무릎에 엎드려 놓고 부드럽게 흔들어 달래며 머리 들기를 자극하는 법을 보여줄 수 있다. 아이의 양팔 아래를 받쳐서 아이를 높이 들어 올리면 아동의 머리 조절을 촉진할 수 있고, MMC 유아는 이 자세에서 머리를 안정적으로 유지하기가 가장 쉬울 수 있다. 다루기와 옮기기 전략은 물리치료사가 권고하고, 물리치료사가 먼저 시행해 본 다음에 아동의 부모에게 시범적으로 보여줄 수 있다. 부모는 당연히 장애 아동을 다룰 때 불안해 한다. 그러한 부모를 부드럽게 격려해 주고, 손 위치가 조금이라도 잘못되면 주저하지 말고 교정해 준다. 유아를 들어 올렸다가 내려놓을 때는 유아의 머리를 받쳐야 한다. 아동의 머리 조절이 개선되면 점차적으로 지지를 줄여나갈 수 있다. 등이 치료되면 유아는 짧은 시간 동안 누워 있을 수 있고, 상처 치료에 아무런 지장 없이 지지를 받아 똑바로 앉을 수 있다. 션트를 삽입하고 나면 의사의 지시에 따라서 항상 자세잡기 예방 조치를 취해야 한다.

엎드리기 자세잡기

엎드리기 자세잡기는 잠재적으로 기형이 될 수 있는 엉덩관절와 무릎의 굽힘 구축 발달을 예방하는 데 중요하다. 엎드리기는 또한 유아가 머리 조절을 발달시킬 수 있는 자세이다. 아동의 운동마비 수준과 목과 몸통의 근긴장 저하에 따라서 유아는 지지를 받고 곧게 선 자세보다 엎드린 자세에서 머리를 지지 면 위로 들어 올리는 법을 훨씬 더 배우기 어려워할 수 있다. 유아를 간병인의 무릎에 올려놓거나 유아를 엎드려 놓고 옮길 때처럼 엎드린 자세에서 유아의 움직임

은 머리를 들어 올려 펴도록 유도해 머리 조절을 자극할 수도 있다.

중력의 영향

유아가 똑바로 누워 있을 때 마비된 다리는 중력의 영향 때문에 엉덩관절 벌림과 바깥쪽 돌림 같은 편안한 자세를 취하는 경향이 있다. 다리가 부분 신경지배를 받는 아동의 경우에는 엉덩관절 굽힘과 모음으로 엉덩관절 굽힘 구축이 발생할 수 있고, 엉덩관절 폄근이나 벌림근에서 근육 당김이 부족해 엉덩관절 탈구가 일어날 수 있다. 상자 7-1에 나열된 특정한 자세들은 피해야 한다. 젖힌 무릎은 넙다리네갈래근이 무릎-폄 자세의 균형을 유지하기 위해서 동일하게 강력한 넙다리뒤인대 당김으로 방해를 받지 않을 때 나타난다. 앞정강근 기능만 나타날 때는 내반구족이 생긴다. 이러한 발 기형들은 표 7-2에 나와 있다.

다리 자세잡기용 보조기

기형을 예방하기 위해 조기에 보조기를 사용하거나 간병인이 엉덩관절와 무릎, 발목의 중립적 위치를 유지할 수 있도록 돕기 위해서 돌돌 만 수건이나 작은 베개로 간단하게 아이의 자세를 잡아주어야 할 수도 있다. 간단한 다리 부목의 실례는 그림 7-5에 나와 있다. 조기에는 엉덩관절 관절이 불완전하게 형성되어 있고, 중립을 넘어 모아지면 엉덩관절 부분탈구나 완전탈구가 일어날 수 있기 때문에 다리 부목은 엉덩관절 모음을 방해한다. 발의 중립 정렬을 유지하는 것은 이후의 발바닥 걷기 시 체중지지에 결정적인 요소로 작용한다. 높은 수준을 병변을 지닌 아동은 초기에 전신 부목의 도움을 받을 수 있고, 잠잘 때도 전신 부목을 착용한다(그림 7-6). 많은 치료사들은 그러한 이유로 야간 부목을 권장을 한다. 모든 보조기는 아동의 피부감각 부족 때문에 점진적으로 사용해야 하고, 피부 손상이 있는지를 면밀하게 주시해야 한다.

상자 7-1. 척수수막탈출증 아동이 피해야 할 자세

엎드려서 똑바로 누워서 개구리 다리하기
W자 앉기
고리 모양으로 앉기
뒤꿈치 앉기
다리 꼬고 앉기

(From Hinderer KA, Hinderer SR, Shurtleff DB: Myelodysplasia. In Campbell SK, Palisano RJ, Orlin MN, editors: *Physical therapy for children*, ed 4. Philadelphia, 2012, Saunders, pp. 703-755.)

피부 손상 예방

압력을 잘 의식하지 못하는 유아는 너무 오랫동안 한 자세를 취할 수 있다. 특히 오랫동안 앉아 있을 수 있다. 하지만 누워 있는 자세는 궁둥뼈결절과 엉치뼈, 발꿈치뼈 위쪽 피부의 손상을 일으킬 위험이 훨씬 크다. 옆으로 눕기 자세는 큰돌기에 과도한 압력을 가하기 때문에 위험할 수 있다. MMC 아동은 감각이 부족하고 한 자세를 너무 오랫동안 취할 때 지나치게 가해지는 압력을 잘 의식하지 못하기 때문에 이런 아동의 피부에 붉은 자국이 생기는지를 면밀하게 살펴보아야 한다. 유아들은 자주 자세를 바꾸어야 한다. 특히 뼈가 튀어나온 곳(bony prominences) 위쪽에 붉어진 곳이 있는지, 보조기 착용 이후에 붉어진 곳이 있는지를 살펴본다. 붉은 자국이 20분 이상 사라지지 않으면 보조기를 조정해야 한다(Tappit-Emas, 2008).

감각 예방 조치

부모는 아이가 손상 수준 이하를 감지하는 능력이 부족하다는 사실을 깨닫기 힘들다는 사실을 알아차린다. 부모가 아이와 함께 놀고 아이의 각기 다른 신체 부위를 간질이도록 격려하면 아이가 감각을 느끼는 부위를 알아내는 데 도움이 된다. 핀으로 유아의 피부를 쓰다듬어서 감각이 부족한 곳을 찾아내는 것은 적절하지 않다. 물론 치료사는 정식 감각 테스트에서 이 기법을 사용할 수 있다. 일반 양말이나 유아 양말을 발에 신겨서 유아가 자신의 발을 인지하는 생후 6개월에 발을 깨물 때 발을 보호할 수 있다. 유아가 배밀이를 하거나 네 발로 길 때 피부를 보호하기 위해서 다리를 감싸주는 방법을 부모에게 가르친다. 우발적 사고를 유발할 수 있는 작은 물체가 바닥이나 양탄자 위에 없는지 반드시 확인해야 한다. 천으로 피부를 보호하면 손상된 체온 조절에도 도움이 된다. 무감각한 피부에서는 땀이 흐르지 않고, 열이 보존되거나 방출될 수도 없다. 그러므로 이러한 피부를 보호해야 한다. 유아는 화상을 입기 쉽기 때문에 유아를 욕조에 앉힐 때는 부모가 항상 물 온도를 확인해야 한다. 압박 부위와 긁힌 부위를 보호하려면 반드시 적절한 신발이 필요하다. MMC 아동의 발은 언제까지나 통통한 아기 발 같을 수도 있다. 그러므로 볼이 넉넉한 신발이 필요하다.

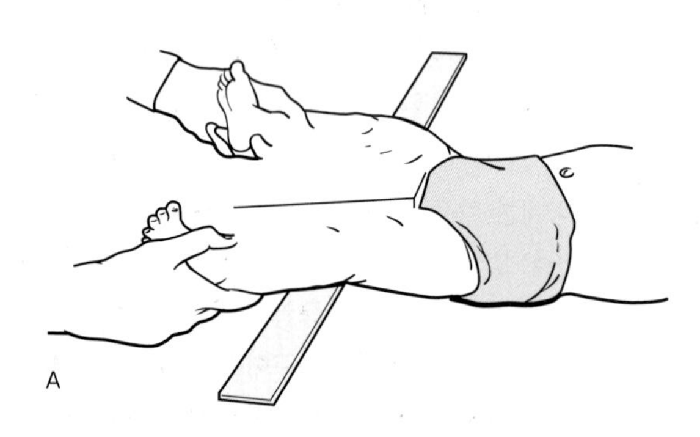

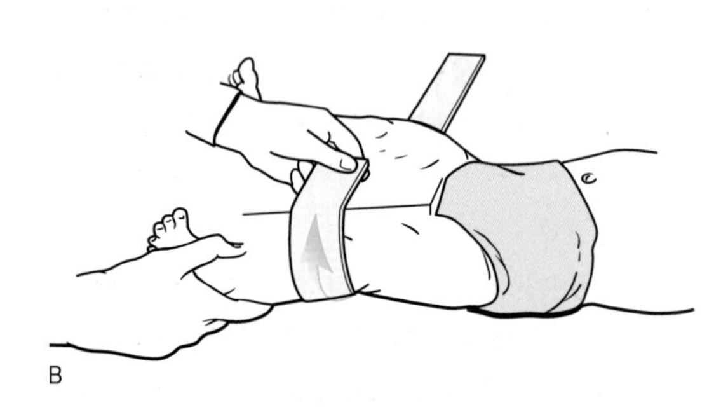

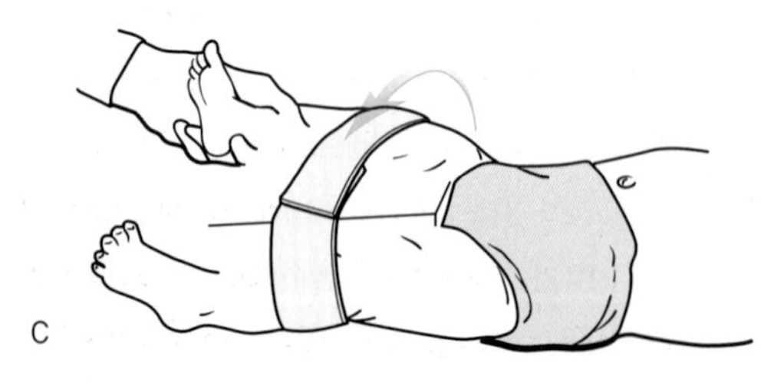

그림 7-5. 간단한 벌림 부목. **A.** 패드는 아동의 다리 사이에, 끈은 아동의 다리 아래에 놓는다. **B.** 끈으로 아동의 두 다리를 감싸 벨크로로 고정한다. **C.** 아동의 두 다리를 잡아 중립적인 엉덩관절 돌림을 유도한다.

구축 예방: 관절 가동 범위 운동

MMC 아동은 수동적 관절 가동 범위 운동을 하루에 두세 차례 해야 한다. 가정 프로그램에서는 운동 횟수를 줄이기 위해서 엉덩관절와 무릎 같은 특정 관절 운동들을 통합할 수 있다. 예컨대 한쪽 엉덩관절와 무릎 굽힘은 유아가 누워 있을 때 다른 쪽 엉덩관절와 무릎 폄과 결합할 수 있다. 엉덩관절 벌림은 안쪽 돌림과 바깥쪽 돌림처럼 양측에서 일어날 수 있다. 유아가 엎드려 있을 때 이러한 움직임을 수행하면 엉덩관절 굽힘근을 쫙 펼 수 있다.

발과 발목의 관절 가동 범위 운동은 개별적으로 해야 한다. 발목발등굽힘 범위 운동을 할 때는 목말밑관절이 항상 중립 위치에 있어야 한다. 그래서 그러한 움직임이 정확한 관절에서 일어난다. 아킬레스건이 팽팽하게 당겨져 있을 때 발이 내반이나 외반이면 스트레칭으로 일어나는 움직임이 발 뒤쪽이 아니라 발 중앙에서 일어난다. 이러한 동작은 잘못된 위치에서 일어나면 호상족이 나타날 수 있다. 감독 물리치료사는

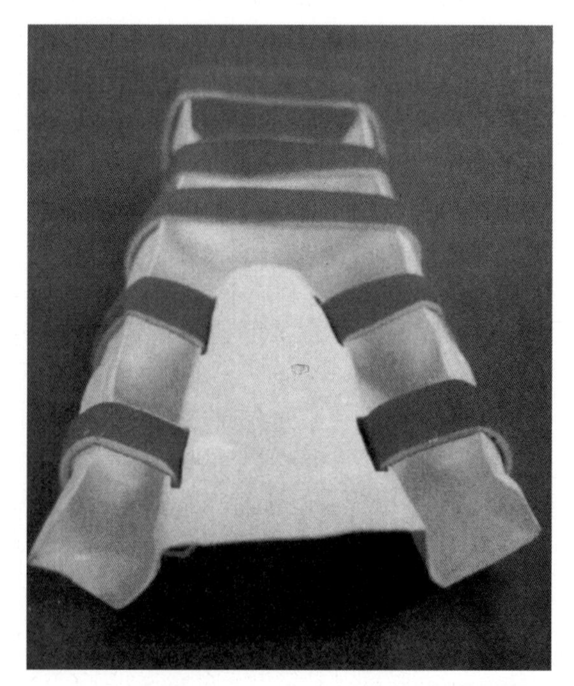

그림 7-6. 전신부목(From Schneider JW, Pesavento MJ: Spina bifida: A congenital spinal cord injury. In Umphred DA, Lazaro RT, Roller ML, Burton GU, editors: *Umphred's neurological rehabilitation*, ed 6. St Louis, 2013, CV Mosby.)

목말밑관절 중립을 유지하면서 아킬레스건을 늘이는 교정 기법을 시범적으로 보여 주어야 한다.

관절 가동 범위 운동은 짧은 지레팔을 제공하기 위해서 아동의 관절 가까이에 양손을 놓고 부드럽게 실시해야 한다. 가능한 범위 끝 부분에서 가볍게 동작을 멈춘다. 구축이 있을 때도 과도한 스트레칭은 권장되지 않는다. 수동 관절 가동 범위 운동을 꾸준히 해도 관절 가동 범위가 개선되지 않는다면 연속적 석고붕대 교정을 해야 할 수도 있다. 이 영역의 모든 문제는 언제나 감독 물리치료사에게 알려야 한다. 유아가 보다 더 활동적으로 움직이기 시작하면 관절 가동 범위 운동을 잊어버리기 쉽지만 이러한 간단한 운동들은 유아 프로그램에서 아주 중요한 부분을 차지한다. 유아에게 능력이 생기면 유아 스스로가 일상적인 관절 가동 범위 운동을 책임지고 할 수 있어야 한다.

연령에 적합한 감각운동 발달 증진

치료적 다루기: 머리 조절 발달. 5장에 기술된 모든 머리 조절 증진 기법들은 MMC 아동에게 사용할 수 있다. 몇 가지 조기에 주의할 것은 등의 손상 부위 위쪽 피부가 잘 치료되었는지 확인하는 것과 유아가 머리 들기에 좋은 자세를 취했을 때 다리나 몸통에 가해질 전단력(shearing forces)을 사전에 차단하는 조치가 취해졌는지 확인하는 것이다. 이뿐만 아니라 간병인은 물뇌증에 이차적으로 유아의 머리가 정상보다 크다면 추가적인 지지를 제공해야 한다. 이런 유아는 갓난아기를 다룰 때처럼 간병인의 어깨에 올려 옮길 수도 있다. 이렇게 하면 몸이 흔들리는 동안 유아가 머리를 들도록 촉진할 수 있다. 간병인은 또한 유아를 옮기거나 무릎 위에 올려놓고 부드럽게 흔들 때 안뜰계 입력을 이용한 머리 조절이 증진되도록 엎드린 자세를 잡아줄 수 있다. 유아가 엎드려 있을 때는 유아의 턱이나 이마를 받쳐서 머리를 추가적으로 지지해줄 수 있다(중재 7-1).

유아의 머리 조절은 보통 엎드린 자세에서 제일 먼저 발달하지만 척수형성이상 유아는 물뇌증과 목과 몸통 근육 긴장저하 때문에 이 자세에서 머리 들기를 훨씬 더 힘들어할 수도 있다. 볼스터나 작은 하프롤을 가슴 아래에 받치면 팔을 상체 아래쪽으로 넣어 팔꿈치 짚고 엎드리기 자세를 취할 때뿐만 아니라 약간의 체중을 몸통 아래쪽으로 옮기는 데 도움이 된다(그림 7-7). 필요하다면 유아의 이마 아래쪽을 추가적으로 지지해서 유아가 이 자세를 경험하도록 도와줄 수 있다. 하프롤로 머리를 지지한 채 누워 있다가 굴러서 옆으로 누우면 유아는 신체의 긴 축을 중심으로 도는 동안 머리를 신체와 일직선으로 유지하는 연습을 할 수 있다. 누워 있는 자세에서는 축 폄(axial extension) 발달과 축 굽힘(axial flexion)의 균형을 이루기 위해서 머리 조절이 필요하다. 유아가 웨지로 지지하고 똑바로 누운 자세를 잡으면 턱을 안으로 당겨 넣거나 머리를 앞으로 들어 올려 굽히는 동작을 더욱 더 잘할 수 있다. 유아를 들어올릴 때마다 간병인은 아이의 능동적인 머리와 몸통 움직임을 이끌어 내야 한다. 아이 옮

중재 7-2 엎드려 옮기기

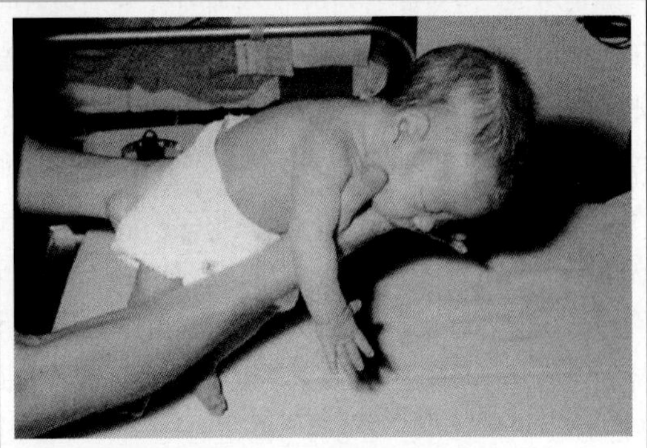

턱이나 이마를 추가적으로 지지해서 엎드려 옮기기

(From Burns YR, MacDonald J: Physiotherapy and the growing child, London, 1996, WB Saunders.)

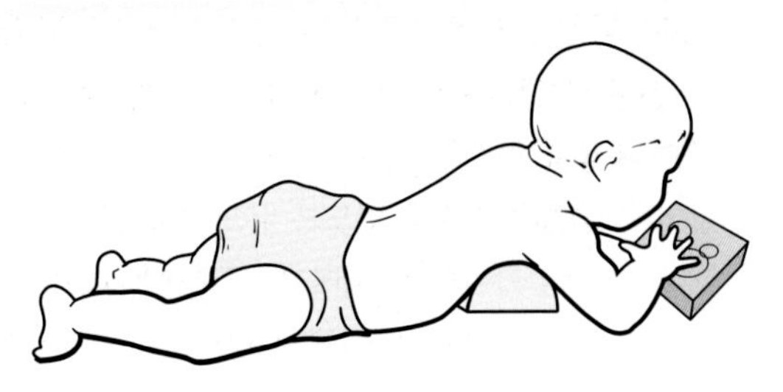

그림 7-7. 하프로 위에 엎드리기

기기도 간병인의 수동적인 행동이라기보다는 자세 조절을 증진시켜주는 치료적 활동으로 볼 수 있다. 임상의나 간병인은 MMC 아동과 션트 이식 아동들을 다루고 그들과 상호 작용하면서 의료적 합병증을 암시하는 징후를 유심히 살펴봐야 한다. 션트 장애 징후들로는 해거름징후(setting-sun sign)와 다리나 팔의 근긴장과도가 있다.

치료적 다루기: 바로잡기 반응과 균형 반응 발달. 유아가 머리 조절 대신 어깨를 너무 많이 올리면 머리와 몸통의 바로잡기 반응 발달이 훨씬 더 어려워진다. 그러므로 유아가 어깨를 올리기보다 목 근육을 이용해 안정성을 확보하기가 훨씬 쉽도록 자세를 수정해 준다. 이뿐만 아니라 머리를 다룰 수 있는 안정적인 기반을 제공하기 위해 아이의 몸통에서 가까운 쪽을 더욱 많이 지지해 준다. 이런 유아는 양팔을 안쪽으로 돌리고 어깨뼈를 내밀어 지지하고 앉은 자세에서 양어깨를 올릴 수 있다. 이런 자세가 위치 상으로는 안정적이기는 하지만 이 자세에서는 유아가 조절력을 발휘해서 한 자세를 유지하는 상태에서 움직이거나 자세를 이탈해 움직이지 못하기 때문에 앉아서 손을 뻗거나 체중을 옮기기가 힘들다.

MMC 유아가 엎드리고 똑바로 눕고, 옆으로 누운 자세에서 머리 조절을 발달시킬 때 바로잡기 반응은 몸통에서 나타나야 한다. 머리와 몸통 바로잡기는 엎드려 있는 유아의 체중을 한쪽으로 가볍게 이동시켜서 반대쪽이 짧아지는지를 살펴보면서 증진시킬 수 있다. 몸통 바로잡기는 신경지배를 받는 근육들처럼 신체 저 아래쪽에서만 일어난다. 임상의는 몸통의 모든 비대칭을 주시해야 한다. 척추 측만증을 유발하기 쉬운 곧게 선 자세의 활동을 계획할 때 고려해야 하는 요소이기 때문이다. 유아가 지지 면에서 머리를 들어 올릴 수 있다면 몸통 폄이 등 아래쪽으로 발달해 나간다. 유아의 등과 양팔의 폄은 유아가 엎드린 자세에서 한 팔이나 양팔을 앞으로 뻗도록 유도해서 증진시켜야 한다. 유아의 힘이 점점 세지고, 몸통의 얼마나 많은 근육이 신경지배를 받는지에 따라서 머리 들기와 양팔 및 몸통 상부 펴기를 장려할 때 앞쪽 몸통 지지를 점점 줄여 나갈 수 있다(란다우 반사에서 볼 수 있듯이 아동이 날게 하는 것이 목적이다). 유아를 작은 공이나 작은 볼스터 위에 올려놓고 체중을 앞으로 이동시키면 머리와 몸통 들기(중재 7-2, A), 양팔 뻗기(중재 7-2, B), 혹은 한 팔 뻗어 바닥을 짚고 다른 팔 뻗기(중재 7-2, C)를 유도할 수 있다. 유아를 빠르게 움직이면 팔의 보호 폄을 이끌어 낼 수 있다. 하부 수준 병변과 엉덩관절 신경지배를 보이는 유아의 경우에는 엎드린 자세에서 엉덩관절 폄을 증진시켜야 한다.

누웠다가 굴러서 엎드리기와 옆으로 누웠다가 앉기처럼 유아가 자세를 바꾸도록 지지해 주려면 몸통 회전을 증진시켜야 한다. 앉은 자세에서 몸통을 회전하면 무게중심을 기저 면 내로 옮기는 균형 반응의 발달을 촉진할 수 있다. 균형 반응은 발달 상의 자세에서 나타나는 몸통 반응이다. 엎드리고 똑바로 누운 자세에서 몸통 굽음과 팔다리 벌림은 체중의 측면 이동으로 나타난다. 또한 몸통은 신경지배를 받는 정도에만 반응하기 때문에 모든 방향으로의 회전을 장려해야 한다. 몸통 회전은 또한 균형을 잃었을 때 나타나는 팔의 보호 반응으로 사용되기도 한다.

다루기: 앉은 자세에서 몸통 조절 발달시키기. 곧게 앉기 자세에 순응(acclimation)하는 것은 발달 상으로 적절한 시기(생후 6개월에서 8개월)에 최대한 가까워졌을 때 시작된다. 이상적으로는 유아가 머리조절 능력과 양팔을 뻗어 체중을 지지하는 능력을 충분히 지니고 있어야 한다. 지지하고 앉기는 독립적인 앉기를 발달시켜 나가는 전형적인 방법이다. 좋은 자세의 등 정렬은 유아가 앉아 있을 때 유지되어야 한다. 척주뒤굽음증 아동의 경우에는 아동의 등을 지지해 주는 적응 기구인 플로어 시터(floor sitter)를 사용할 수 있다. 몇몇 플로어 시터에는 폄 기능이 있어서 머리 조절이 일관적이지 않을 때는 머리를 지지해 줄 수 있다. 머리 지지가 되는 플로어 시터를 사용하면 머리조절 능력이 빈약한 아동도 바닥에 앉아 놀 수 있다. 머리 조절 능력이 좋은 아동의 경우에는 아동의 기저 면과 손 지지 정도를 다양하게 바꿔서 앉아서 균형 잡기를 훈

중재 7-2 공운동

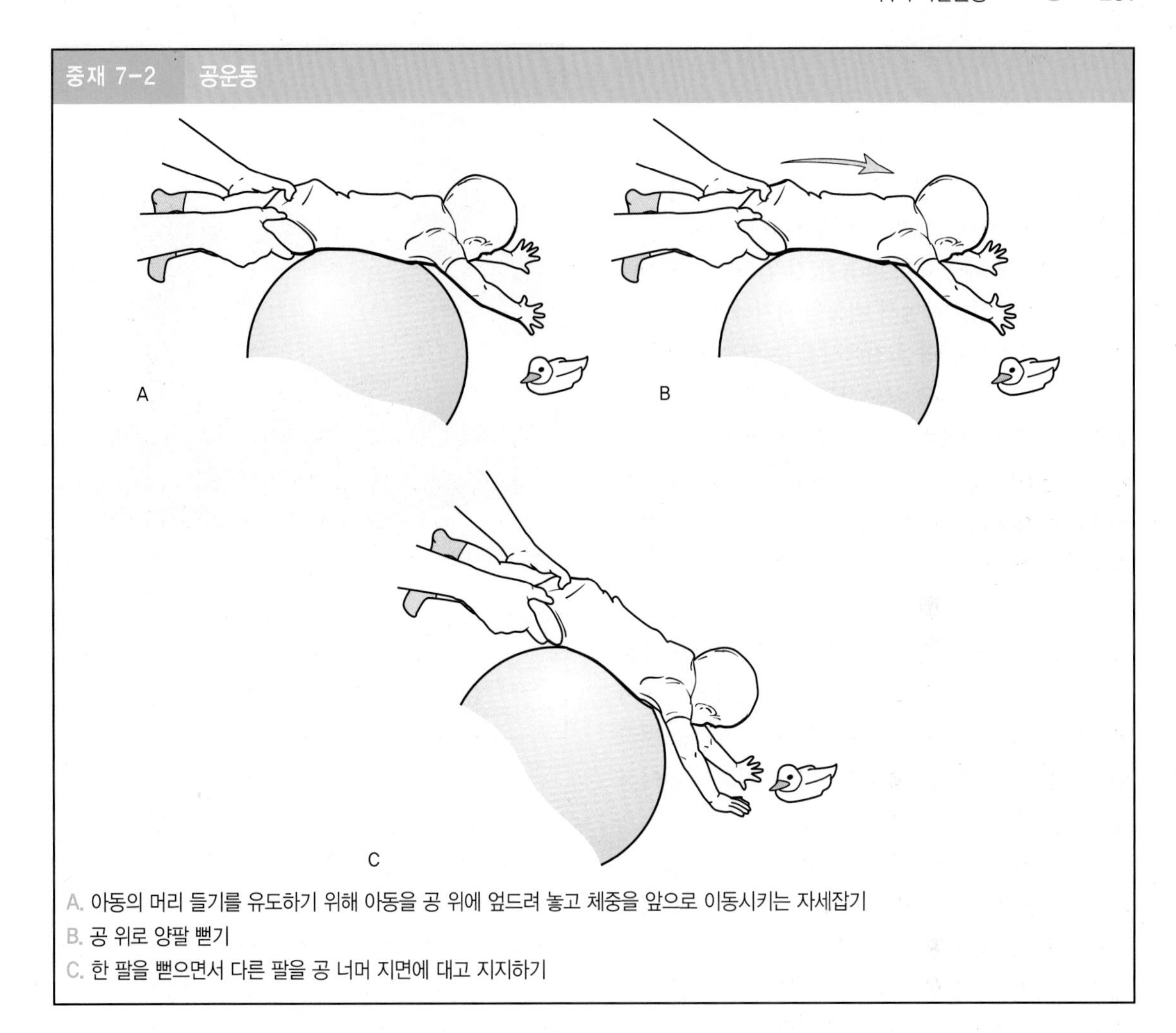

A. 아동의 머리 들기를 유도하기 위해 아동을 공 위에 엎드려 놓고 체중을 앞으로 이동시키는 자세잡기
B. 공 위로 양팔 뻗기
C. 한 팔을 뻗으면서 다른 팔을 공 너머 지면에 대고 지지하기

련시킬 수 있다. 아이 앞쪽에 벤치나 쟁반을 놓아두면 유아가 새로운 자세에서 놀이를 하는 동안 자신감이 생기기 때문에 추가적인 지지와 안정성을 제공할 수 있다. 특정한 앉기 자세들은 기형을 유발하는 잠재적인 힘이 있기 때문에 피해야 한다. 그러한 자세들은 상자 7-1에 나와 있다.

지지하고 앉기에 성공하자마자 손 지지가 점차적이지만 체계적으로 감소한다. 한 팔로 지지하고 물체를 향해 손을 뻗는 것은 중심선에서 시작되고, 균형감이 개선되면서 그 범위가 넓어질 수 있다. 앉아 있을 때 골반 부위에서 체중을 이동시키는 것은 머리와 몸통 바로잡기 반응과 팔 보호 반응을 이끌어 낼 때 사용할 수 있다. 몸통 회전은 폄과 함께 뒤쪽 방향으로 자신을 보호하는 능력을 증진시킬 때 사용할 수 있다. 나중에는 아동이 손 지지 없이 중심선에서 물체를 옮길 수 있고, 이는 궁극적인 균형 테스트에 속한다. 앉아서 체중을 지지하는 아동의 등과 피부를 보호해야 한다는 사실을 항상 명심하기 바란다. 피부 검사는 짧은 시간 동안 앉기를 한 이후에 해야 한다. 아동이 근육상으로 몸통을 곧게 편 상태를 유지할 수 없다면 앉기 자세의 정렬과 척추 측만증 예방을 위해 보조기를 사용해야 할 수도 있다.

보행 준비: 곧게 선 자세와 체중지지에 순응하기. 곧게 선 자세와 체중지지에 순응하는 것은 머리와 몸통 조절 발달을 증진시키면서 시작되고, 감각 부족에도 불구하고 다리에 가해지는 감각 입력을 포함한다. 하루

에 짧은 시간 동안 다리를 적절하게 정렬해서 체중을 지지하도록 장려해야 한다. 그 시간 동안 지지하고 선 자세를 유지해야 하고, 그 횟수를 늘려야 한다. 유아에게 대칭적 자세를 잡아주는 것은 신체 위치와 감각 입력에 대한 인식을 높이는 데 중요하다. 다루기는 대칭성과 동등한 체중지지, 동등한 감각 입력을 개선해야 한다. 곧게 선 자세에서 체중을 지지하면 인지적으로 적절한 놀이에 아동을 참여시킬 수 있는 완벽한 기회가 생긴다. 물리치료 보조사는 아동의 환경 내에서 소리를 내고, 이야기하고, 물체와 동작을 설명해서 발화에 필요한 발성 모델이 될 수 있다. 아동과 상호 작용하면서 적절한 행동을 간병인에게 모범적으로 보여 줄 수도 있다.

팔 근력 강화. 초기 발달 과정에서 팔을 밀고 당기는 것은 팔의 근력을 증강시키는 훌륭한 방법이다. 팔꿈치를 짚고 엎드려서 몸을 밀어 올렸다가 양팔을 뻗어 짚고 엎드리고, 이어서 양손과 무릎으로 체중을 지지하면 양팔을 이용해서 체중을 지지할 기회가 많아진다. 유아가 몸을 돌려서 밀어 올려 앉기 전에 두 손으로 유아를 잡아 당겨 앉혀줄 수 있다. 다양한 tates-free 세라밴드를 잡아당기는 것은 아동의 치료 계획에 팔의 근력 강화 운동을 통합시켜 넣는 재미있는 방법이 될 수 있다. 긴 봉(dowel rod)이나 지팡이 같은 다른 물체들을 잡아당길 수도 있다. 스쿠터 보드(scooter board)에 앉아 당기는 운동도 훌륭한 저항 훈련이 될 수 있다.

매트 이동성. 눕고 엎드린 자세로 움직이는 것은 환경 탐구와 자기 돌봄 활동에 중요하지만 매트 이동성은 곧게 앉은 자세에서의 움직임을 포함한다. 매트 이동성은 아동이 지지하고 앉은 자세에서 몸통 균형을 잡기 시작하자마자 증진시켜야 한다. 이때 아동은 다른 사람의 도움을 받거나 침대 끝에 묶어 놓은 끈, 혹은 머리 위쪽의 공중그네를 이용해서 일어나 앉으려고 노력할 수 있다. 아동은 푸시업 블록(pushup blocks)이나 다른 기구들을 이용해서 팔의 근력을 키울 수 있고, 마땅히 그렇게 해야 한다(중재 7-3). 아동이 독립적으로 이동하려면 넙다리네갈래근과 넓은등근, 어깨

중재 7-3 푸시업 블록으로 팔 근력 강화

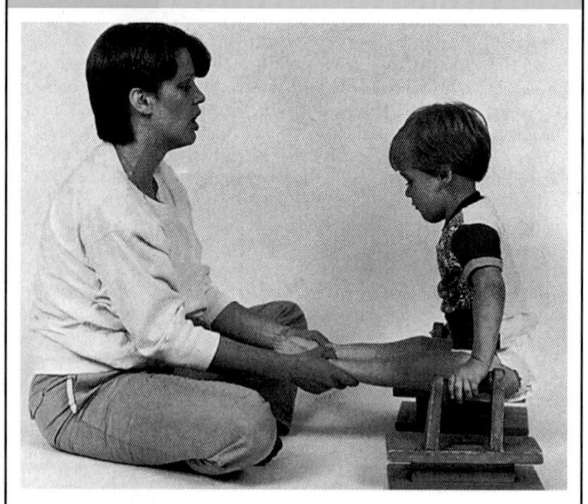

견갑골 근육을 강화하기 위해 나무 블록 위에서 팔 굽혀 펴기 하기.
팔 굽혀 펴기는 이동과 압력 해소를 위한 준비 운동이다.

(From Williamson GG: Children with spina bifida: early intervention and preschool programming, Baltimore, 1987, Paul H. Brookes.)

내림근이 강해야 한다. 매트나 바닥 위에서 움직이는 것은 곧게 서서 움직이거나 휠체어를 타고 팔굽혀펴기를 하는 데 좋은 준비 운동이 된다. 팔 동작과 이동성을 결합하면 좀 더 발전된 이동과 자기 돌봄 움직임에 좋은 기반을 좀 더 일찍 마련해 줄 수 있다.

스탠딩 프레임. 체중을 지지하기 위해 스탠딩 프레임을 사용하는 것은 아동이 충분한 머리 조절 능력을 갖추고 있고, 곧게 서는 자세를 취하는 데 관심을 보일 때 시작할 수 있다. 정상적으로 유아는 생후 9개월 경에 도움을 받아 일어서기 시작한다. 생후 1년이 되면 L3이나 그 이상의 운동 수준을 지닌 모든 아동이 스탠딩 프레임이나 발보조기(parapodiem)를 착용해 조기에 체중지지를 시작할 수 있다. 토론토 에이 프레임(Tronto A-frame)은 대부분의 MMC 아동이 보행 전에 선택하는 보조기다(그림 7-8). 스탠딩 프레임은 보통 발보조기보다 훨씬 저렴하고 착용하기가 훨씬 더 쉽다(Ryan 외 다수, 1991). 이러한 튜브 프레임은 몸통과 엉덩관절, 무릎을 지지해주고 양손을 자유롭게 해 준다. L4나 더 낮은 하위 병변을 지닌 몇몇 아동은

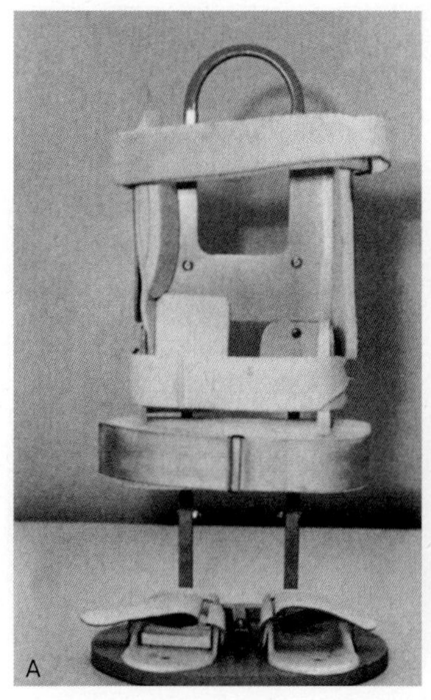

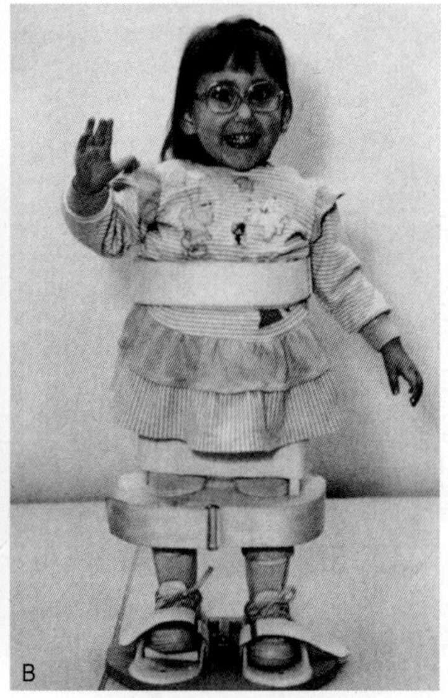

그림 7-8. 스탠딩 프레임 A. 앞면 B. 이 프레임은 아동이 다리 길이 차이와 오른쪽으로 기우는 성향에 적응하기 위해 사용한다(From Ryan KD, Ploski C, Emans JB: Myelodysplasia: The musculoskeletal problem: Habilitation from infancy to adulthood. Phys Ther 71:935-946, 1991. With permission of the American Physical Therapy Association).

걷기 준비 자세로 서기 시작하기 위해서 엉덩관절-무릎-발목-발 보조기(HKAFO) 유형 몇 가지를 착용할 수 있다. 그림 7-9에 나오는 보조기구는 가슴을 지지해 준다. 대부분의 부모는 아동이 하루에 네다섯 번씩 20분에서 30분 동안 서 있도록 지도할 수 있다(Tappit-Emas, 2008). 스탠딩 프레임에 관한 보다 더 자세한 설명은 이 장 후반부에서 제시하겠다.

가족 교육

환자의 가족은 감각 예방책과 션트기능 장애 징후, 관절 가동 범위 운동, 다루기, 자세잡기를 배워야 한다. 이러한 활동들은 대부분 특별히 어렵지 않다. 하지만 부모들이 취해야 하는 그 모든 일들에 압도당하지 않으려고 하다보면 어려움이 찾아온다. 신체장애 아동의 부모들은 부모가 되는 권한을 부여받아야 하고 자기 아이들을 옹호해야 한다. 부모가 치료사를 대신해서는 안되고, 그렇게 해야 한다고 생각해서도 안된다. 도움이 되는 유용한 문헌은 척추갈림증 미국 연합에서 이용할 수 있다. 가능한 많은 예방 조치들과 관절 가동 범위 운동, 발달 상의 활동들이 가족의 일상적 활동의 일부가 되어야 한다. 관절 가동 범위 운동들과 발달 상의 활동들은 배우자들끼리 공유할 수 있고, 서서 지내는 시간과 서기 일정도 요약할 수 있다. 형제자매들은 종종 발달 상으로 적절한 놀이를 하도록 부추기는 최상의 파트너가 된다.

물리치료 중재 2단계

보행 단계는 유아가 아장아장 걷기 시작해서 학교에 들어갈 때까지 이어진다. 이 2단계의 일반적인 물리치료 목적은 다음과 같다.

1. 보행과 독립적인 이동성
2. 유연성과 근력, 지구력의 지속적인 개선
3. 압력 해소와 자기 돌봄, ADL에서 독립성 확보
4. 진행형 인지발달과 사회 감정 발달의 개선
5. 학습에 지장을 줄 수 있는 인식 문제 파악
6. 총체적 관리를 위한 가족과 학교, 의료서비스 제공자의 협력

상자 7-2는 물리치료 프로그램의 필수 요소를 나열하였다.

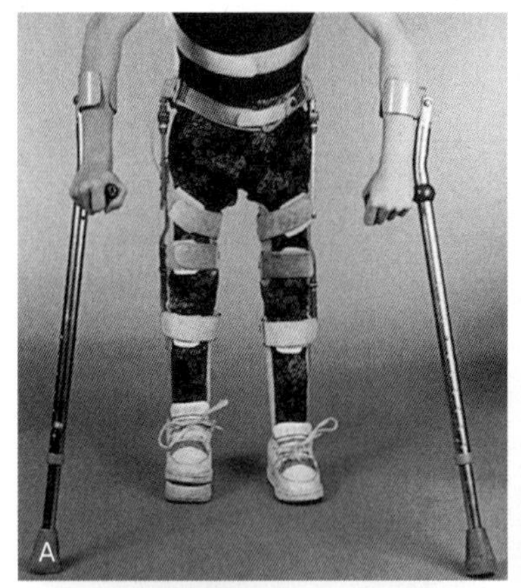

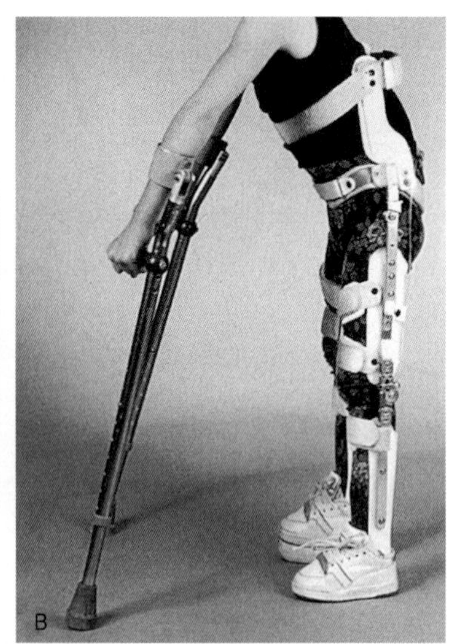

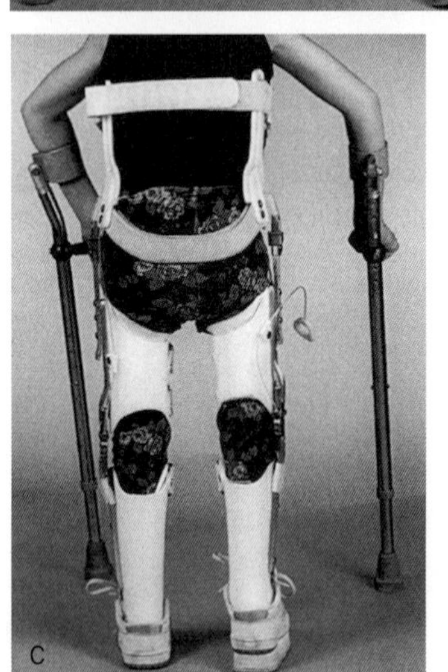

그림 7-9. 가슴 끈이 달린 엉덩관절-무릎-발목-발 보조기 **A.** 앞면 **B.** 옆면 **C.** 뒷면(From Nawoczenski DA, Epler ME: Orthotics in functional rehabilitation of the lower limb, Philadelphia, 1997, WB Saunders.)

보조기 관리

의료서비스 제공자의 보조기 사용 철학은 누가 언제 어떤 보조기 유형을 받을지 결정지을 수 있다. 몇몇 임상의들은 가슴이나 상부 요추(L1 혹은 L2) 병변처럼 마비 수준이 높은 아동이 보조기 처방을 받아야 한다고 생각하지 않는다. 연구 결과에 따르면 이러한 아이들은 청소년기까지 휠체어로 이동하고 걷기를 일차적인 이동 수단으로 사용하지 않기 때문이다. 또 다른 사람들은 모든 아동이 병변의 수준과 상관없이 곧게 서서 보행하는 경험을 누릴 권리가 있다고 생각한다. 비록 나중에는 그러한 이동 수단을 사용하지 않더라도 말이다.

보조기 선택. 물리치료사는 정형외과의사와 교정전문가와 연합해서 MMC 아동의 보조기 사용을 결정짓는 문제에 가족과 함께 관여한다. 일어서서 걷기 시작하는 아이에게 적합한 보조기를 고를 때는 병변 수준과 연령, 중추신경계 상태, 신체 비율, 구축, 팔 기능, 인지를 비롯한 많은 요소들을 고려해야 한다. 재정적 고려도 보조기 초기 유형을 결정짓는 데 영향을 미친다. 아동의 발달 진행에 지장을 주지 않기 위해서 충분한 시간을 두고 숙고해서 보조기 사용을 승인해야 한다. 보조기를 선택하는 것이 물리치료 보조사가 책임질 일이 아니더라도 그러한 결정에 영향을 미치는 요소를 의식하고 있어야 한다.

상자 7-2. 물리치료 프로그램의 필수 요소

앉기와 잠자기에 적절한 자세잡기
스트레칭
근력강화
압력 해소와 관절 보호
근거리와 원거리 이동성
이동과 일상적인 활동
피부 검사
자기 돌봄
놀이
레크리에이션과 신체 체력 단련

(Modified from Hinderer KA, Hinderer SR, Shurtleff DB: Myelodysplasia. In Campbell SK, Palisano RJ, Orlin MN, editors: Physical therapy for children, ed 4. Philadelphia, 2012, WB Saunders, pp. 703-755.)

표 7-4 척주갈림증 아동의 예상 보행

운동 수준	보조기/보조기구	장기 진단/지역 사회 이동성
가슴	어린 아이의 지지하고 서기에 THKAFO나 HKAFO 사용가능	W/C
L1-L2	가정에서의 어린 아이 단거리 이동에 워커나 목발과 함께 KAFO나 RGO 사용	W/C
L3	가정과 지역 사회에서 단거리 이동에 워커나 목발과 함께 KAFO 사용	W/C
L4	지역 사회에서 AFO와 목발 사용	지역 사회, 장거리에 W/C
L5	지역 사회에서는 AFO와 FO, 장거리에는 목발을 사용하거나 사용하지 않음	지역 사회, 스포츠에 W/C
엉치	지역 사회에서 FO 사용하거나 사용하지 않음	지역 사회

AFO, Ankle-foot orthosis; *FO*, foot orthosis; *HKAFO*, hip-knee-ankle-foot orthosis; *KAFO*, knee-ankle-foot orthosis; *RGO*, reciprocating gait orthosis; *THKAFO*, trunk-hip-knee-ankle-foot orthosis; *W/C*, wheelchair.
Sources: Data from Ratliffe, 1998; Drnach, 2008; Krosschell and Pesavento, 2013.

병변 수준. 아장아장 걷는 아기가 보여주는 운동기능 수준이 항상 병변 수준과 일치하는 것은 아니다. 신경뿌리 신경지배에서 개인적인 차이가 존재하기 때문이다. 물리치료사는 보조기를 추천하기 전에 철저한 검사를 완벽하게 해야 한다. 아동의 운동 수준에 따라서 고려할 수 있는 보조기 차트는 표 7-4에 나와 있다. 각 보조기의 추천 연령은 각기 다른 제조업체들에 따라서 상당히 다양하고, 종종 특정한 시설이나 병원에서 지지하는 보조기 관리 철학과 연관되어 있다. 구축이 생기면 보조기가 아동에게 딱 맞지 않을 수 있다. 이런 아동은 엉덩관절나 무릎 굽힘 구축의 양이 그다지 많지 않을 수 있고, 척행성 발을 갖고 있을 것이 분명하다. 다시 말해서 발목이 중립 위치를 유지하거나 90도 각도로 꺾여야 걷기와 보행에 필요한 보조기구를 착용할 수 있다. 스탠더는 MMC 아동의 엉덩관절 굽힘근 경직에 대처하기 위해서 사용할 수 있다. 장딴지근의 수동적 뻗기를 증진하기 위해서 스탠더와 연계해서 15도 각도 웨지를 추가적으로 사용할 수 있다 (Paleg 외 다수, 2014).

연령. MMC 아동이 사용하는 보조기 유형은 연령에 따라 달라질 수 있다. 생후 1년이 안된 어린 아이는 다리의 적절한 정렬을 유지하기 위해 야간 부목을 사용하는 것이 적합할 수 있다. 생후 1년까지는 모든 아동이 조기 체중지지를 증진하기 위해서 스탠딩 프레임이나 발보조기에 익숙해져야 한다. 대부분의 아동은 생후 9개월 경에 짚고 일어서려고 하며, 치료사와 치료 보조사는 그러한 아이의 바람을 예측하고, 일어서려는 아동의 준비 상태를 이용하기 위해 보조기 사용 준비를 해두어야 한다. MMC 아동이 발달 상의 지연을 보일 때는 발달 상 연령이 생후 9개월에 다다를 무렵에 아동에게 스탠딩 기구를 사용해야 한다. 하지만 이런 아동이 생후 20개월에서 24개월까지도 생후 9개월 경의 발달 수준에 도달하지 못한다면 생리적 이득을 위해 스탠딩 기구를 사용하기 시작해야 한다. 발보조기는 이런 상황에서 선택하는 보조기이다(그림 7-10).

MMC 수준은 아동의 연령과 상호 관련되어 보조기구의 적합한 유형을 결정짓는다. 가슴이나 요추(L1, 2)

의 높은 수준에서 운동을 하는 아동에게는 가슴 지지대가 달린 HKAFO(그림 7-9)가 필요하다. 이런 아동은 종종 보조기를 착용하고 보행 훈련을 시작하고, 더 나아가 상반보행보조기(RGO)를 착용한다(그림 7-11). 가정에서 제한된 보행은 가능할 수 있지만 매우 많은 에너지가 소모될 수 있다. 높은 수준의 운동을 하는 아동은 이동과 팔의 근력 증진 같은 휠체어 추진의 준비 과정인 활동들을 해야 한다. 요추(L3나 L4)중간 수준의 운동을 하는 아동은 발보조기를 사용하기 시작할 수 있고, 넙다리네갈래근 근력에 따라서 표준 무릎-발목-발 보조기(KAFO)나 발목-발-보조기(AFO)를 사용할 수 있다(그림 7-12와 7-13, A). L4에서 L5 혹은 S2처럼 낮은 수준의 운동을 하는 아동은 도구없이 서기를 시작할 수 있다. 요추의 낮은 수준에서 운동을 하는 아동이 보행을 배울 때는 AFO나 과상보조기(SMO)의 도움을 받아 발목과 발을 지지한다(그림 7-13, A, B). L5 수준의 운동을 하는 아동은 엉덩관절 폄과 발목 뒤짐힘을 보이고, 보행 시에 가벼운 AFO만 필요로 할 수도 있다. S2 수준의 운동을 보이는 아동은 보조기 없이도 걷기 시작할 수 있지만 추후에는 발보조기를 착용할 수 있다(그림 7-13, C).

보조기 유형. 발보조기와 RGO, 스위블 워커(swivel walker)는 모두 특별하게 디자인된 HKAFO다. 이 보조기들은 아동의 엉덩관절와 무릎, 발목, 발을 감싸고 조절한다. 전통적인 HKAFO는 골반 밴드와 바깥 엉덩관절(external hip joint), 양쪽 긴 다리 보조기(bilateral long-leg braces, KAFO)로 구성된다. 추가적인 몸통 요소들은 아동이 최소한의 몸통 조절 능력을 지니고 있거나 척추 기형을 조절할 필요가 있을 때 HKAFO에 부착할 수 있다. 보조기 범위가 넓을수록 아동이 성장하면서 계속해서 보행할 가능성이 줄어든다. 무거운 보조기를 착용하고 보행하는 데는 많은 에너지가 소모된다. 아이가 어리더라도 곧게 서서 걸어 다니고자 하는 의욕이 높을 수도 있다. 시간이 흐를수록 또래 그룹을 따라잡는 것이 보다 더 중요해질 수 있고, 아동은 더 빠르고 덜 무거운 대체적인 이동 수단을 선호할 수 있다.

발보조기. 발보조기(그림 7-10)는 주로 서기와 보행에 가장 먼저 사용하는 보조기구다. 넓은 기저 면이 서기 자세를 지지해주고, 아동은 양팔을 자유롭게 뻗어 놀면서 곧게 선 자세에 순응할 수 있다. 이런 아동의 무릎과 엉덩관절는 식탁이나 벤치에 앉을 수 있도록 잠겨 있지 않다. 이것은 아동이 간식 시간과 서클 활동 시간 같은 전형적인 프리스쿨 활동에 참여할 수 있게 해주는 특징이다. 토론토 발보조기에는 엉덩관절와 무릎에 잠금장치가 하나 있지만 로체스터 발보조기에는 각각의 관절마다 잠금장치가 따로 달려 있다.

상반보행보조기. RGO는 발보조기를 착용하고 걷기 시작하는 아동을 앞으로 움직여주는 보조기이다. 또한 전통적인 HKAFO보다 훨씬 더 에너지 효율적이다. 케이블 시스템을 이용해 흔들리는 발쪽에서 엉덩관절 굽힘이 일어날 때 지지하고 선 발쪽의 상반적인 엉덩관절 폄을 유도하기 때문이다. 힌더러 외 다수(2012)의 의견에 따르면 표준 ROG를 착용하고 케이블 시스템을 작동시키려면 최소한 약한 엉덩관절 굽힘근이 필요하다. 등중심(isocentric) ROG를 사용한다면 가쪽과 뒤쪽 체중 이동으로 무게가 실리지 않은 다리가 앞으로 나아가도록 할 수 있다(Tappit-Emas, 2008). RGO는 L1에서 L3 수준의 개인에게 사용하고, 몇몇 시설에서는 가슴 병변이 있는 개인에게도 사용한다. 이러한 유형의 보행 유형은 다리의 능동적인 움직임을 필요로 하지 않는다. RGO를 사용할 때는 보조 도구와 역워커, 롤링 워커, 로프스트랜드 목발, 혹은 지팡이가 필요하다. 개인적인 에너지 소모를 고려해야 하고, 가슴에서 L3 수준의 아동이 휠체어를 이용해서 지역 사회 보행을 한다는 인식도 고려해야 한다.

스위블 워커. 이 기구는 발보조기와 비슷하지만 기저면과 발판 조립으로 스위블 운동을 가능하게 한다. 보조기 조사 및 보행 평가 기구(ORLAU) 스위블 워커는 그림 7-14에 나와 있다. 몸통 지지가 필요한 높은 수준의 MMC 아동이 이 기구를 사용한다. 이런 아동은 체중을 좌우로 옮기면서 목발없이 보행할 수 있

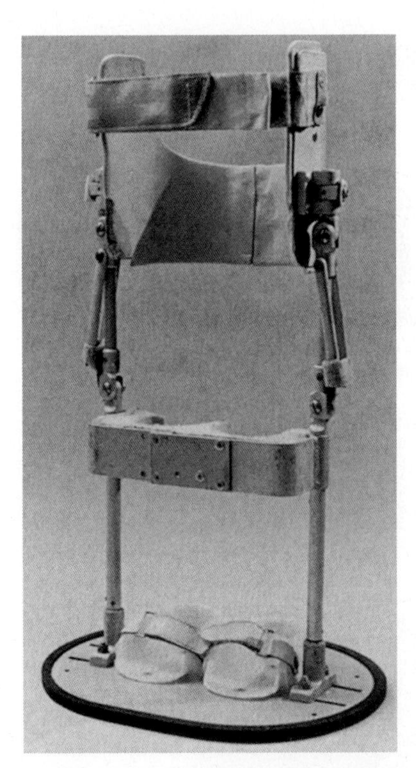

그림 7-10. 토론토 발보조기 앞면(From Knutson LM, Clark DE: Orthotic devices for ambulation in children with cerebral palsy and myelomeningocele. *Phys Ther* 71:947-960, 1991. With permission of the American Physical Therapy Association.)

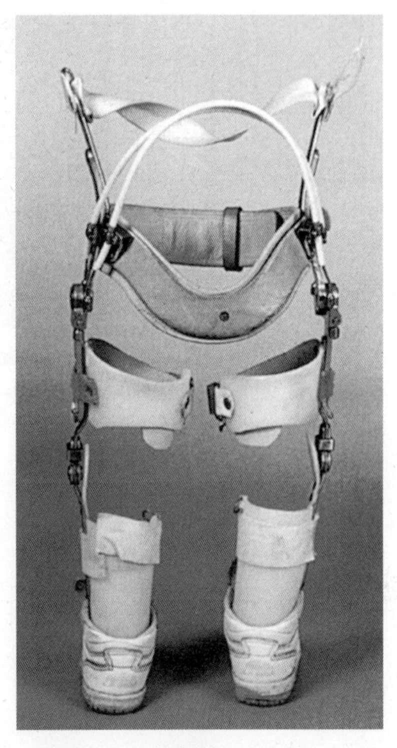

그림 7-11. 가슴 끈이 달린 상반보행보조기 뒷면(From Nawoczenski DA, Epler ME: *Orthotics in functional rehabilitation of the lower limb*, Philadelphia, 1997, WB Saunders.)

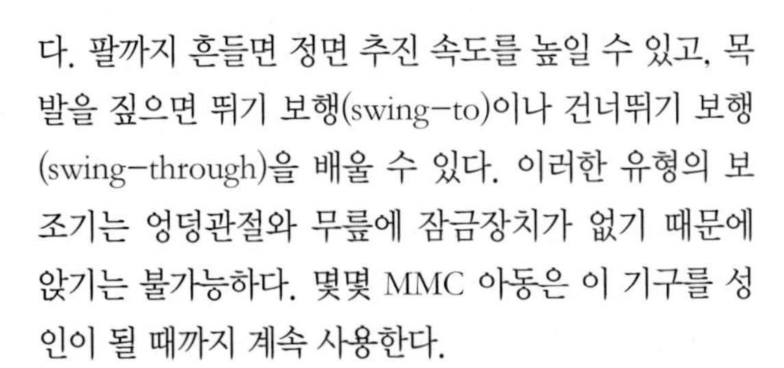

다. 팔까지 흔들면 정면 추진 속도를 높일 수 있고, 목발을 짚으면 뛰기 보행(swing-to)이나 건너뛰기 보행(swing-through)을 배울 수 있다. 이러한 유형의 보조기는 엉덩관절와 무릎에 잠금장치가 없기 때문에 앉기는 불가능하다. 몇몇 MMC 아동은 이 기구를 성인이 될 때까지 계속 사용한다.

보조기 착용하고 벗기. 보조기와 보조기구를 착용하고 걸으려면 보조기를 착용하기 위해 도움을 받아야 한다. 아이가 누워 있거나 앉아 있을 때 보조기를 착용하고 벗는 법을 가르칠 수 있다. 이런 아동은 엎드려 있다가 굴러서 누우면서 보조기 속으로 굴러들어갈 수 있다. 아이가 보조기 안으로 몸을 밀어 넣을 수 있다면 앉기도 보조기를 독립적으로 착용하기에 좋은 자세다. 그러고 나면 아이가 무릎 부위가 잠기지 않은 보조기 신발에 양팔을 넣고 끈을 묶거나 발판을 닫은 다음, 무릎을 잠그고 혹시라도 허벅지 밴드나 허리 벨

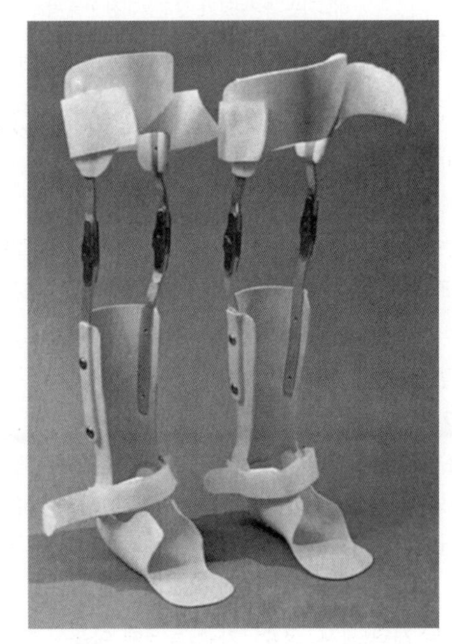

그림 7-12. 적다리 앞쪽 밴드가 달린 무릎-발목-발 보조기의 경사영상(From Knutson LM, Clark DE: Orthotic devices for ambulation in children with cerebral palsy and myelomeningocele. *Phys Ther* 71:947-960, 1991. With permission of the American Physical Therapy Association.)

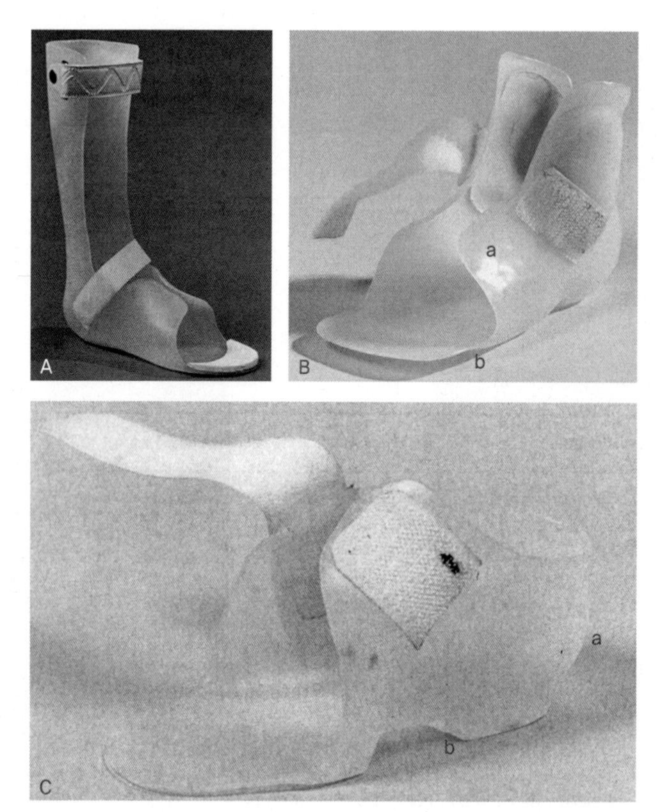

그림 7-13. **A.** 발꿈치를 억누르기 위해 발목 끈이 달린 고정형 발목-발보조기. 발허리뼈 머리(metatarsal heads)에 실린 체중을 덜기 위한 바깥쪽 발가락 융기(extrinsic toe elevation)는 선택적임. **B.** 복사(malleoli)까지 근위로 뻗어나가는 과상보조기. 잘 만들어진 안쪽 벽과 가쪽 벽이 발 등(a)을 감싸고 있어 발목뼈 중간관절을 조절하는 데 도움이 되고, 발꿈치의 자리를 잡아준다. 등판도 압력을 분산시키고 발의 민감성을 줄여줄 수 있다. 안쪽 발가락 융기(intrinsic toe elevation)(b)는 발바닥 쪽 굽힘 반사를 자극하는 것을 막아줄 수 있다. **C.** 발꿈치뼈를 단단하게 잡으려고(a) 힐 컵을 만들고, 발꿈치를 안쪽으로 밀어넣거나 배치시켜서(b) 엎침을 견제하는 발보조기(From Knutson LM, Clark DE: Orthotic devices for ambulation in children with cerebral palsy and myelomeningocele. Phys Ther 71:947-960, 1991. With permission of the American Physical Therapy Association.).

트가 하나 있다면 묶는다. 무릎까지 오는 면양말이나 타이즈를 보조기 안에 신어서 땀을 흡수하고, 피부 손상을 줄여야 한다. 아이가 보조기를 독립적으로 착용하려면 많은 연습이 필요하다.

보조기 착용 시간. 간병인은 착용 시간의 점진적 증가를 포함하여 보조기 착용 시간을 주시하고 잠재적인 피부 손상 부위를 주기적으로 점검해야 한다. 아이는 처음 며칠 동안 1시간 또는 2시간 동안 보조기를 착용하기 시작하여 차츰 착용 시간을 늘릴 수 있다. 차트는 모든 사람(교사, 조수, 가족)들에게 아동이 보조기를 얼마나 오랫동안 착용하고 있는지와 아동의 피부 통합성 검사를 책임지고 있는 사람이 누구인지 알려주므로 유용하다. 아이가 보조기를 착용한 이후에 적색 표시를 확인하고 이 표시가 사라지는 데 걸리는 시간을 주시한다. 20~30분 후에 적색 표시가 사라지지 않으면 교정전문가에게 조정을 요청한다. 교정전문가가 보조기를 검사할 때까지는 보조기를 다시 착용해서는 안된다.

팔의 기능

MMC 아동의 3분의 2는 소뇌 기형(cerebellar dysmorphology)과 관련이 있는 팔 기능 장애를 보인다(Dennis외 다수, 2009). 협응이 어려운 것은 팔 움직임의 타이밍과 원활한 조절과 관련이 있는 것 같다.

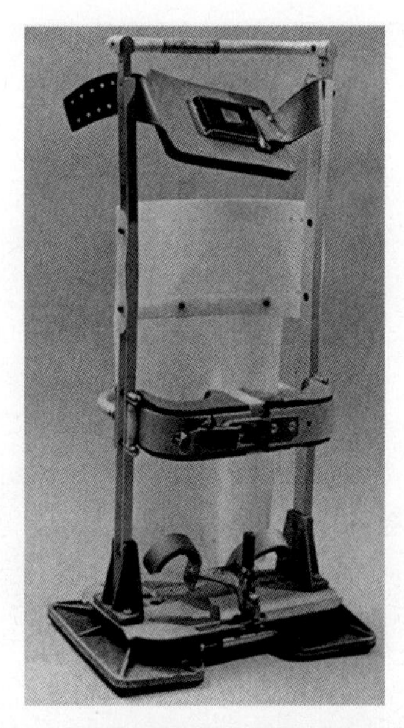

그림 7-14. 보조기 조사 밍 보행 평가 기구(ORLAU) 스위블 워커(From Knutson LM, Clark DE: Orthotic devices for ambulation in children with cerebral palsy and myelomeningocele. Phys Ther 71:947-960, 1991. With permission of the American Physical Therapy Association.)

이런 아동들은 시간 제한이 있는 테스트에서 좋은 결과를 보이지 못하고, 주로 사용하는 손이 늦게 정해지거나 양손을 혼합해서 사용한다(Dennis 외 다수, 2009). MM 아동은 손이 약하고(Effgen과 Brown, 1992), 손 기능이 부족하며(Grimm, 1976), 운동감각의식이 손상되어 있다(Hwang 외 다수, 2002). 소근육 운동 과제와 눈-손 협응과 관련된 어려움은 문헌에 기록되어있다. 일부 저자들은 지각적 어려움을 진정한 지각적 결핍이 아니라 팔 협응 장애와 관련 짓는다(Hinderer 외 다수, 2012). 운동 계획과 타이밍 문제는 기록되어있다(Peny-Dahlstrand 외 다수, 2009; Jewell 외 다수, 2010). 협응 문제 이외에도 이런 아동들의 목과 몸통에서 종종 낮은 근긴장이 나타날 수 있다. MMC 아동은 워커와 같은 보조기구를 사용할 수 있도록 충분한 팔 조절 능력을 갖추어야 하고, 독립적 보행을 위해 워커를 사용하는 순서를 학습하는 능력을 갖추어야 한다. 소근육 운동 활동을 연습하면 문제해결에 도움이 되고, 기능적 과제 수행으로 넘어갈 수 있다(Fay 외 다수, 1986). 작업치료사도 이런 아동들의 치료에 관여한다.

인지

이런 아동은 또한 보조기와 보조기구를 착용하고 능숙하게 직립보행을 하기 위해서 수행해야 할 과제를 이해해야 한다. MMC 아동의 인지 기능은 신경계 침범과 물뇌증의 정도에 따라 달라질 수 있다. 지능검사 결과는 정상 범위에서 낮은 수준에 머물지만 모집단 평균보다 낮다(Tappit-Emas, 2008). 이것은 IQ가 70을 초과한다는 뜻이다(Barf 외 다수, 2004). 나머지 25%는 55에서 70사이의 IQ를 가진 가벼운 지능 장애에 속한다. MMC 아동은 종종 비언어 학습장애라는 것을 포함해서 수많은 발달장애 위험에 처해 있다. 이들은 수학보다 독서를 더 잘 할 수 있고, 문제 해결과 과제 수행 지속, 동작 순서화(sequencing action)와 같은 집행 기능장애를 보인다. MMC 아동의 몇 가지 부족한 수행능력은 집중 장애와 운동반응의 느린 속도, 소뇌 발생장애(cerebellar dysgenesis)의 이차적 결과인 기억력 결핍과 관련이 있을 수 있다.

시각과 시각적 인지. MMC 아동의 20%는 사시를 수술해서 교정할 필요가 있다(Verhoef 외 다수, 2004). MMC 아동은 얼굴을 바라보는 것이 지연되고(Landry 외 다수, 2003), 나이가 들수록 외부 자극에 적응하는 데 어려움을 겪으며, 일단 참여했다하면 쉽게 집중력을 흐트러뜨릴 수 없다(Dennis 외 다수, 2005). 시각적 지각 과제에서 MMC 아동은 물체 기반이 아닌 동작 기반의 과제를 수행하기가 훨씬 어렵다는 사실을 발견한다. 이들은 "어디" 신경 경로보다 좀 더 발전된 "어떤" 신경 경로를 갖고 있을지도 모른다. 공간인식은 일반적으로 환경 내에서의 이동에 달려 있는데, 이는 MMC 아동한테서 지연될 수 있다. 얀센-오스만(Jansen-Osmann 외 다수, 2008)은 MMC 아동이 공간의 상황 모델을 구성하는 데 어려움을 겪었고, 이는 전경-배경 인식(figure-ground) 부족과 관련있을 수 있음을 발견했다.

칵테일파티 연설. 정식 테스트를 했을 때 언어 면에서 실제보다 훨씬 똑똑해 보이는 아이가 있을 수 있다. "칵테일 파티 음성"은 인지 기능 장애와 관련된 행동 표상인 "칵테일파티 성격"을 뜻할 수 있다. 물리치료 보조사는 MMC 아동의 인지 능력을 보다 더 발달시키기 위해서 장황한 연설을 잘못 이해하지 않도록 조심해야 한다. 이런 아이들은 종종 먼저 구두 대화를 기반으로 생각하는 아이보다 훨씬 더 심각한 손상을 입는다. 또한 환경 내에서 일상적 과제 수행과 같은 주제에 관해서 면밀한 질문을 받았을 때 세부적인 대답을 하지 못하거나 문제를 해결하지 못하고, 새로운 상황으로 과제를 일반화 할 수 없다.

보행훈련 원칙

일반적인 치료 원칙들은 보조기 사용 시기와 유형에 상관없이 2단계 혹은 중간 관리 단계에서 논의할 수 있다. 보행훈련은 서기 자세에서 체중 이동을 수행하고 조절하는 법을 배우면서 시작된다. 걸음마 배우는 아이가 곧게 서서 지내는 경험이 제한적일 경우, 서기 프로그램을 체중 이동 연습과 동시에 시작할 수 있다. 걸음마 배우는 아이가 이미 서기 자세와 스탠딩 프레임에 익숙하다면, 스탠딩 프레임을 착용한 아이의 균형을 흐트러뜨릴 수 있다. 물리치료 보조사는 스탠딩 프레임을 착용한 아이를 움직여서 아이의 머리와 몸통 반응을 이끌어낸다(중재 7-4). 이것은 모든 서기 훈련의 좋은 출발점이 될 수 있다. 부모는 이와 유사하게 가정에서 자녀의 균형을 흐트러뜨리는 법을 배워야 한다. 아이가 스스로 과도하게 몸을 움직이다가 넘어질 수 있으므로 스탠딩 프레임을 착용한 아이를 항상 주시해야 한다. 적당한 높이의 표면에 아이를 내려놓으면 아이는 블록으로 탑 쌓기, 물건 분류, 카드 꿰기, 또는 퍼즐 맞추기 같은 소근육 활동에 참여할 수 있다.

중등도 이상의 중추신경계 결손 및 머리와 팔의 발달이 지연된 아이는 스탠딩 프레임을 3세나 4세까지, 스탠딩 프레임이 몸에 맞지 않게 될 때까지 계속 사용할 수 있다(Tappit-Emas, 2008). 이 경우에는 ORLAU 스위블 워커를 보행 보조기로 사용하고, 나아가서 흉부 받침대가 있는 RGO와 롤레이터 워커(rollator walker)를 사용한다.

중재 7-4 서서 체중 이동하기

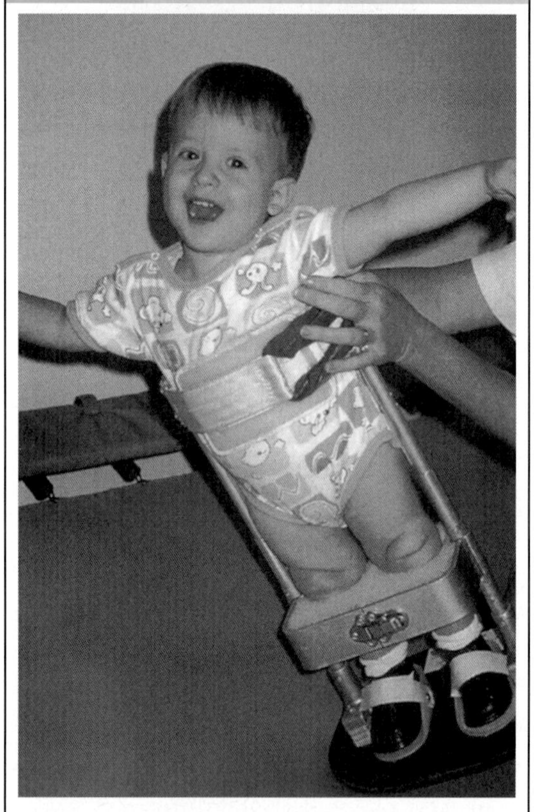

스탠딩 프레임을 착용한 아이의 체중을 이동시키면 머리와 몸통 바로 잡기 반응을 증진시킬 수 있다. 이러한 움직임들은 훗날 아이가 보행 중에 체중을 이동시킬 수 있도록 준비해둔다.

(From Burns YR, MacDonald J: Physiotherapy and the growing child, London, 1996, WB Saunders.)

물리치료 보조사는 새로운 보조기, 대부분 발보조기를 착용하고 보행하도록 MMC 아동을 가르침으로써 물리치료 관리 2단계에서 중요한 역할을 할 수 있다. 이런 아동은 먼저 체중을 가쪽으로 이동시켜 발보조기의 한쪽 기저 면에 싣고, 무게가 실리지 않은 쪽을 앞으로 돌리는 법을 배운다. 이것은 스위블 보행 유형이라고 한다. 아이들은 적당히 높은 평행봉이나 워커를 이용해 이 동작을 배울 수 있다. 하지만 평행봉을 사용하면 아이가 밀기보다는 당기도록 권장할 수 있고, 워커를 사용하기는 훨씬 더 어려워질 수 있다. 물리치료 보조사는 어린이 앞에서 바퀴 달린 등받이 없는 의자에 앉아 아이의 두 손을 잡고 체중 이동을 유도할 수 있다.

아동이 새로운 보조기로 보행을 마스터하면 보조기구의 유형 변경을 고려할 수 있다. 발보조기를 착용한 아동의 보행 유형은 스위블 유형에서 워커가 필요한 뛰기 유형으로 진행된다. 태피트-에마스(Tappit-Emas, 2008)는 MMC 아동의 보행 훈련에 필요한 초기 보조기구로 롤레이터 워커를 사용하라고 권장한다. 이 유형의 워커는 기저 면이 넓어서 안정성을 제공하고, 바퀴가 두 개 달려 있다. 그러므로 아이는 빠르게 움직이지 않아도 워커를 이용해 앞으로 나아갈 수 있다. "L4 또는 L5 운동 수준의 아이는 롤레이터 워커로 1~2회 보행 훈련을 한 후 보행을 시작할 수 있다(Tappit-Emas, 2008)." 아동은 한 가지 유형의 보조기와 보조기구를 독립적으로 사용할 수 있어야 다른 유형의 보조기 또는 다른 기구를 사용할 수 있다. 워커를 사용해서 뛰기 보행을 성공적으로 해내고 나면 로프스트랜드 목발을 이용해 동일한 유형의 보행을 할 수 있다.

일단 아이가 발보조기와 워커를 이용해 보행 진행을 마스터하면 에너지 효율이 좀 더 좋은 보조기나 덜 제한적인 보조기구를 사용할 수 있지만 동시에는 사용할 수 없다. 건너뛰기 보행 유형이 가장 효율적이지만, 팔뚝 목발이나 로프스트랜드 목발을 이용해야한다. 로프스트랜드 목발을 이해하고 사용할 수 있는 가장 어린 나이는 3세이다. 태피트-에마스(2008)는 로프스트랜드 목발 사용이 복잡하기 때문에 4세 또는 5세까지 기다리라고 권한다. 좀 더 시간적 여유를 두면 아이가 자신감을 갖고 곧게 선 자세에서 추가적인 기술들을 완벽하게 수행할 수 있다고 생각하기 때문이다. 로프스트랜드 목발은 워커보다 훨씬 뛰어난 기동성을 제공하므로 가능할 때마다 아이는 워커를 사용하다가 팔뚝 목발로 바꿔야 한다.

발보조기 다음에 사용할 보조기로는 HKAFO/RGO 또는 KAFO가 있다. RGO의 가장 큰 장점은 에너지 효율성이다. 엉덩관절 굽힘만 가능한 아이는 기존의 KAFO나 발보조기를 사용하기보다 RGO를 사용할 때 더 빨리 걸을 수 있고 덜 피곤하다. 워커는 앞으로 이동하는 아이를 충분히 지지해주는 보조기구가 될 것이다. 너트슨과 클라크(1991)에 따르면, 발달 연령이 생후 30개월에서 36개월이 되기 전에는 RGO 사용을 권장하지 않는다. L3 운동 수준의 아동처럼 무릎 근육계가 신경지배당하는 아동은 KAFO를 착용하고 보행해서 무릎을 보호할 수 있다. 장기적 목표는 무릎 부위를 열어놓고 걷는 것이고, 넙다리네갈래근의 힘이 충분히 증가하면 KAFO를 벗고 AFO를 사용할 수 있다. 아동이 다리를 개별적으로 움직일 수 있다면, 4점 혹은 2점 보행 유형을 배울 수 있다. 보행 지시는 평지에서 평평하지 않은 곳으로, 경계석과 경사로, 계단과 같은 상승된 표면으로 진행된다.

보행 수준

세 가지 보행 수준이 있다(Hoffer et al., 1973). 치료적 보행과 가정 보행, 지역 사회 보행이 그것이다. 각 수준의 명칭은 보행 유형과 보행이 일어나는 위치를 말해준다. 이는 12장에서 다시 정의하겠다.

MMC 아동의 기능적 보행 수준은 운동 수준과 관련이 있다. 표 7-4는 병변의 수준을 아동의 장기적인 보행 가능성과 관련시킨다. 흉부 수준이 침범된 아동은 일찍부터 치료의 일환으로 걸어 다닐 수 있다. 하지만 높은 흉부가 침범된(T10 이상) 아동은 십대 때까지도 거의 걷지 않고, 또래들을 따라 잡을 수 있게 휠체어를 타고 독립적으로 움직이는 것을 선호한다. 상부 요추를 신경지배받는(L1 또는 L2) 아동은 대개 가정이나 교실 내에서 이동할 수 있지만 장기간의 예후는 휠체어를 타고 움직이는 지역 사회 보행이다. L3 수준에서 넙다리네갈래근의 근력은 이 그룹의 기능적 보행 수준을 결정한다. 보행 초기에는 가정에서, 지역 사회에서 단거리를 이동하지만 독립적인 휠체어 사용이 장기적인 예후다. L4나 신경지배 수준 이하의 아동은 지역 사회 보행을 하고, 성인기까지 그 수준의 독립성을 유지할 수 있어야한다. L4, L5 및 엉치 수준의 사람들은 장거리 이동 또는 스포츠 참여를 위해 휠체어를 사용할 수도 있다.

보행은 초기 아동기의 주요 목표이며, MMC 아동 대

부분이 보행에 성공한다. 그럼에도 불구하고, 많은 아동들은 그들의 환경에 대한 완벽한 접근을 위해 휠체어가 필요하다. 연구에 따르면 바퀴가 달린 이동 기구의 초기 도입이 직립 보행에 지장을 주지 않는다. 실제로 휠체어를 사용하면 아동의 자신감이 높아질 수 있다. 또한 아동은 다른 사람이 물건을 가지고 오기를 수동적으로 기다리지 않고 물건을 가져오거나 주의를 끌기 위해 독립적으로 움직여서 자신의 환경을 조절할 수 있다. 공간적인 환경에서 움직이는 것은 지각적 인지발달에 결정적인 요소다. 이동성은 시각적 공간 신호에 어려움을 겪을 수 있는 MMC 아동에게 중요하며, 발달 상태에 따라서 몇 가지 선택권을 이용할 수 있어야 한다. 상자 7-3은 이동성 선택 목록을 보여준다.

유아나 미취학 아동을 위한 휠체어 훈련은 상자 7-4와 7-5에 나오는 예비 훈련과 실제 훈련 활동으로 구성되어야 한다. 아이는 팔을 사용해서 휠체어를 밀거나 전기 스위치를 누를 수 있도록 앉기 자세에서 충분한 균형을 유지해야 한다. 팔 근력은 수동 휠체어를 밀고, 슬라이딩 보드의 유무에 관계없이 가쪽으로 이동하는 데 필요하다. 훈련은 가정과 교실 내의 평평한 표면에서 시작한다. 안전이 항상 최우선 순위이므로 아동은 휠체어에 앉을 때 안전벨트를 착용해야 한다.

상자 7-3. 척수막탈출증 아동을 위한 이동성 선택권

캐스터 카트
프론 스쿠터
워커
이동형 버티칼 스탠더
수동 휠체어
전자 휠체어
개조한 세 발 자전거
사이클론

상자 7-4. 휠체어 이동성을 위한 준비 활동

앉아서 균형잡기
팔 근력
이동 능력
휠체어 추진이나 전자 스위치 혹은 조이스틱 조작

상자 7-5. 걸음마 배우는 아기와 미취학 아동을 위한 휠체어 훈련

이동 능력
평평한 표면에서의 이동성
가정과 교실 탐구
안정성

(From Hinderer KA, Hinderer SR, Shurtleff DB: Myelodysplasia. In Campbell SK, Palisano RJ, Orlin MN, editors: Physical therapy for children, ed 4. Philadelphia, 2012, Saunders, pp. 702–755.)

독립적인 압력 완화

아동의 보조기 착용 여부와 상관없이 압력 완화와 이동성을 주시해야 한다. 아이가 보조기를 착용하고도 압력 완화를 위해 팔 굽혀 펴기를 할 수 있는가? 현재 사용하는 착석 기구나 휠체어가 보조기의 추가적인 폭 때문에 과도한 압력을 받지 않고도 앉을 수 있을 만큼 넓은가? 아니면 보조기가 휠체어에서 너무 많은 공간을 차지하는가? 아이는 압력을 완화하는 다른 방법들을 얼마나 많이 알고 있는가? 아이가 이용할 수 있는 방법이 많을수록 과제를 성취 할 가능성이 높아진다. 확실한 방법은 팔굽혀 펴기지만, 아이가 학교에서 일반 의자에 앉는다면 그 의자에는 팔걸이가 없을 수도 있다. 아이가 휠체어를 타고 책상에 앉으면 팔굽혀 펴기하기 전에 휠체어를 잠가야 한다. 앞으로 기울이기는 앉은 자세에서 할 수도 있다. 무릎 꿇기와 서기, 옆으로 엎드리기 자세에서의 대안적인 자세잡기도 휴식과 놀이 기간에 사용할 수 있다. 창의력을 발휘하라!

독립적인 자기 돌봄과 일상적인 활동

피부관리는 MMC 아동의 최우선 순위가 되어야 한다. 특히 학교에서 앉아서 보내는 시간이 늘어날 때 더더욱 그러해야 한다. 피부 검사는 손거울로 하루에 두 번씩 해야 한다. 옷은 제한이 없지만 날카로운 물건과 휠체어 부품 및 보조기에 피부가 다치지 않게 피부를 보호 할 수 있도록 충분히 두터워야 한다. 아동이 휠체어에 앉아있는 동안 적절한 시트 쿠션을 사용하여 압력을 분산시켜야 한다. 감압 시트 쿠션을 사용한다고 해서 압력 완화 활동의 필요성이 감소하지는 않는다.

MMC 아동은 일반적으로 발달 중인 아동과 동일한 나이에 자기 돌봄을 수행하지 않고(Okamoto 외 다수, 1984; Sousa 외 다수, 1983; Tsai 외 다수, 2002), 일상적인 일을 독립적으로 하지 못한다(Peny –Dahlstrand 외 다수, 2009). MMC 아동은 "잘 알려진 일상적인 활동을 스스로 선택해서 쉽고 효율적이고 안전하며 독립적인 방법으로 수행할 수 없다(Peny–Dahlstrand 외 다수, 2009, 1677)." 일상적인 자기 돌봄에는 옷 입기와 옷 벗기, 먹이기, 목욕, 장 및 방광 관리가 있다. 이러한 자료를 해석해보면 수행 기대치가 낮아서 지연이 일어난다고 짐작할 수 있다. 부모는 자녀를 일반적으로 발달 중인 아이들과 비교했을 때 유능하지 않다고 생각하기 때문에 그만큼 기대도 많이 하지 않는다. 부모는 MMC 아동의 독립을 기대해야 한다. 페니–달스트랜드 외 다수(2009)는 MMC 아동은 과제를 수행하는 방법을 배우기 위해 도움을 받아야 하고, 그 과제를 끈기 있게 완수하도록 격려를 받아야 한다고 했다.

아이가 프리스쿨에 들어갈 무렵에는 자신의 용변 능력이 다른 아이들과 다르다는 사실을 깨닫게 된다(Williamson, 1987). 대장 및 방광 관리는 일반적으로 가능한 경우 학교 간호사가 감독하지만 MMC 아동을 다루는 모든 사람들은 그러한 기술의 중요성을 인식해야 한다. 일상적 관례와 사생활, 안전의 일관성은 항상 어린 아동을 위한 모든 장 및 방광 프로그램의 일부가 되어야 한다. 책임 있는 용변 행동을 가르치면서 긍정적인 자아상을 유지하도록 도와주는 것은 특히 까다롭다. 아이는 자기 돌봄을 가능한 많이 책임져야한다. 아이가 아직 기저귀를 차고 있더라도, 기저귀 교환 후에는 싱크대에서 자기 손을 스스로 씻어야 한다. 윌리엄슨(1987)은 아이가 참여할 수 있도록 돕는 다음과 같은 방법을 제시했다.

1. 아이가 기저귀를 교환해 달라고 요구한다.
2. 필요하다면 아이가 바지 내리기와 보조기구 벗기를 돕는다.
3. 아이가 더러운 기저귀를 풀어낸다.
4. 아이가 깨끗한 기저귀를 다시 채운다.
5. 필요한 경우 아이가 보조기 착용을 돕고, 바지 올리기를 돕는다.
6. 아이가 손을 씻는다.

윌리엄슨(1987)은 미취학 MMC 아동의 자기 돌봄 기술을 촉진하는 많은 훌륭한 제안을 하고 있다. 자세한 내용을 보려면 이 작가의 글을 참조하기 바란다. ADL 기술에는 이동 능력이 포함된다. 흔히 매트에서 휠체어로, 휠체어에서 매트로 이동하는 것을 궁극적인 목표로 생각하지만 아이가 가능한 독립적이 되려면 침대와 드레싱 벤치, 혹은 일반 의자, 변기, 의자, 바닥, 욕조나 샤워기로 왔다 갔다 하는 모든 ADL과 관련된 이동을 모두 수행할 수 있어야 한다.

인지 성장과 사회 감정 성장 증진

미취학 아동은 자신의 환경을 탐색하기 위해 이동성을 필요로 하는 호기심 많은 아이다. 주변의 것들을 눈으로 관찰할 뿐만 아니라 직접 이동해서 공간을 탐험하는 것이 좋다. 스쿠터 보드는 아이가 안뜰 입력을 받으면서 양팔로 체중을 옮기도록 도울 때 사용할 수 있다. 팔로 움직이는 개조한 세 발 자전거를 타면 공간을 가로질러 움직일 수 있고, 휠체어를 탔을 때와 달리 놀이터에 갈 수 있다. 이동이 어려워지면 스스로 시작한 탐사에 지장이 생기고 독립성 대신 의존성이 커질 수 있다. 또래 상호 작용을 제한할 수 있는 다른 장벽들이나 요인들은 상자 7–6에 나열되어 있다.

상자 7–6. 또래 상호 작용의 제한

이동성
일상적 활동들, 특히 이동
추가적인 장비
장과 방광 관리의 독립성
위생
접근성

MMC 아이가 있는 것은 가족에게 스트레스가 될 수 있다(Holmbeck와 Devine, 2010; Vermaes 외 다수, 2008). 간병인은 MMC가 없는 아동과 비교하면 MMC 아동이 처음으로 새롭거나 신선한 자극에 반응할 때는 적응력이 떨어지고 훨씬 더 부정적이며, 과제를 완수할 때는 끈기가 떨어지고, 좀 더 산만하다고 묘사한다(Vachha와 Adams, 2005). 부모들은 MMC를 앓는 자기 아이들이 정상 발달아보다 육체적으로나 인지적으로 떨어진다고 생각한다(Landry 외 다수, 1993). 치료사는 부모가 자녀의 신호를 해석하고 적절하게 반응할 수 있도록 지침을 제공할 수 있다.

많은 MMC 아동은 건강한 정서 발달을 경험하고(Williamson, 1987), 높은 회복력을 보여 준다(Holmbeck와 Devine, 2010). 에릭슨에 따르면 유아기의 과제는 기본적인 욕구가 충족될 것이라는 신뢰를 형성하는 것이다. 부모와 주 간병인, 의료서비스 제공자는 그러한 정서적 요구가 충족되도록 해야 한다. 유아가 세상을 적대적으로 인식한다면, 위축(withdrawal)이나 이상언행반복증(perseveration) 같은 대처 기제를 보일 수 있다. 아동이 환경을 탐구하도록 장려하고 육체적인 장애를 극복하도록 이끌어준다면 세상을 극복할 수 없는 장애가 아니라 일련의 도전 과제로 가득 찬 곳으로 인식하게 될 것이다. MMC 아동이 가장 어려워하는 운동능력은 운동 계획, 적응과 관련된 것이다. 부모는 MMC 자녀가 일상생활에서 자율성을 키워 나가도록 도와줘야 한다.

지각 문제 파악

취학 연령의 MMC 아동이 다른 아동과 동일한 수준까지 학문을 배우고 실천하도록 동기를 부여한다. 이 시기에 지각 문제가 분명하게 드러날 수 있다. MMC 아동은 시각적인 분석과 합성에 장애가 있다(Vinck 외 다수, 2006; Vinck 외 다수, 2010). MMC 아동의 시각 지각은 실제로 지각적 결손이 있는지 결정하기 위해서 시각 운동능력과 별도로 평가해야 한다(Hinderer 외 다수, 2012). 예컨대 모양을 따라 그리는 운동 기술을 잘 수행하지 못하는 것은 따라 그릴 모양을 시각적으로 정확하게 인지하지 못하는 것이 아니라 팔의 운동조절 능력이 부족한 것과 더 밀접하게 관련되어 있을 수 있다. 지각과 인식은 움직임과 관련이 있다. MMC 아동은 움직임 장애가 있기 때문에 시각적 공간 지각과 공간인지가 발달할 수 있다. 예컨대 MMC 아동은 전경-배경 인식(숨겨진 모양 찾기)과 미로의 길찾기에 문제가 있는 것으로 밝혀졌다(Dennis 외 다수, 2002; Jansen-Osmann 외 다수, 2008).

총체적 관리를 위한 협동

미취학 MMC 아동과 그 이후의 1학년 MMC 아동 관리에는 그 아동과 접촉하는 모든 사람들을 포함한다. 버스 운전기사에서 선생님, 교실 도우미에 이르기까지 모두가 아동이 무엇을 할 수 있는지, 어떤 분야에서 도움이 필요한지, 아동을 위해서 무엇을 해야 하는지를 알아야 한다. 기능적으로 독립적인 아동, 신체 건강한 또래의 심리 · 사회적 발달과 동등한 수준에 이르고 청소년기와 성인기의 과제와 문제를 처리할 준비가 된 아동의 발달을 지원하기 위해서는 아동학 및 교육적 목표를 중첩시켜야 한다.

물리치료 중재 3단계

3단계 관리는 취학 연령에서 청소년기, 성인기로 이행하는 시기를 포함하고 있다. 이 마지막 단계의 점진적 물리치료 목적은 다음과 같다.

1. 보행 잠재력 재평가
2. 가정과 학교, 지역 사회에서의 이동성
3. 유연성과 근력, 지구력의 지속적 개선
4. ADL에서 독립성 확보
5. 체력과 레크레이션 활동 참여

보행 잠재력 재평가

지속적 보행의 가능성은 학생이 특히 청소년기에 들어갈 때 학기 중에 물리치료사가 재평가해야 한다. MMC 아동은 신체 건강한 동료보다 일찍 사춘기를 겪는다. 뼈대계 발달에 좌우되는 수술 절차도 이 시기에 수행할 수 있다. 학생들의 신체적 성숙도가 정점에

달하면서 이 시기에 장기간의 기능적 이동성 수준을 결정할 수 있다. 학생을 다루는 물리치료 보조사는 직립 보행을 일차적 이동 수단으로 사용하는 시간에 관한 중요한 데이터를 제공할 수 있다. 보행이 안전하지 않거나 보행 기술이 기능적으로 제한되는 학생은 감독을 받지 않을 때는 보행을 중단해야 한다. 이 기간의 물리치료 목표는 가능하다면 청소년의 현재 기능 수준을 유지하고, 이차적인 합병증을 예방하고, 독립성을 촉진하고, 지각 운동 문제를 해결하고, 필요한 적응 기구를 제공하며, 자부심을 키우고, 사회적-성적 적응을 촉진하는 것이다(Krosschell과 Pesavento, 2013).

MMC 청소년의 이동성 상실에 기여할 수 있는 발달상의 변화는 다음과 같다.

1. 뼈대계이 근육 성장을 앞지르는 것과 같은 긴 뼈 길이의 변화
2. 움직임의 생체역학을 바꿔놓는 신체 구성의 변화
3. 신경학적 손상 진행
4. 피부 손상이나 정형외과 수술 같은 이차적 문제의 치료로 움직이지 못하는 상태
5. 척추 기형의 진행
6. 관절 통증이나 인대 이완

이 단계의 물리치료는 보다 더 많은 학업과 운동 또는 사회 활동에 필요한 에너지를 절약하기 위해 이동이 필요한 경우에 바퀴 달린 이동 기구로 원활하게 전환하는 데 중점을 둔다. 흉부, 상위 요추(L1 또는 L2), 중간 요추(L3 또는 L4) 병변을 가진 개인은 장기적인 기능적 이동을 위해 휠체어가 필요하다. 이들은 이미 휠체어를 이용해서 등교하거나 견학을 가고 있을 수도 있다. 취학 연령 아동은 계류척수 때문에 기능을 상실할 수 있으므로 급속 성장기에 신경 상태 변화의 징후가 있는지 면밀히 살펴야 한다. 중추 병변을 가진 청소년은 집이나 교실에서 독립적으로 보행할 수 있지만 지역 사회에서 기능을 발휘하려면 도움이 필요하다. 개인이 휠체어를 사용하면 장거리 이동성이 훨씬 더 에너지 효율적이 된다. 더 낮은 수준의 병변(L5 이하)을 가진 사람은 체중이 너무 많이 증가해서 휠체어를 사용해야 하는 상태가 되지 않는 한, 평생 동안 보행할 수 있어야 한다. 힌더러 외 다수(1988)는 낮은 수준의 병변이 있는 청소년한테서도 점진적인 신경학적 손상으로 인한 이동성의 잠재적 감소를 발견했다. 그렇기 때문에 MMC 청소년의 신경학적 손상 진행 가능성을 주시해야 한다(Rowe와 Jadhav, 2008). 체중 증가는 청소년의 보행 능력을 심각하게 손상시킬 수 있다. MMC 청소년들은 20대 후반까지 지속적으로 건강에 해로운 행동을 한다(Soe 외 다수, 2012). 건강에 좋지 않은 행동으로는 그다지 건강하지 않은 식이요법, 앉아서 하는 활동, 국가 추정치에 비해 적은 운동량이 있다. 우울증 증상은 음주와 관련이 있다.

휠체어 이동성. MMC 청소년이 휠체어를 계속해서 사용할 때는 직립 보행의 상실에 얽매이지 말고 바퀴 달린 이동 기구를 얻을 수 있는 긍정적인 이익에 중점을 두어야 한다. 대부분의 경우, 휠체어 사용으로의 이행이 자연스럽게 정상적으로 이루어지면 개인이 보다 더 쉽게 받아들일 수 있다. 휠체어는 "보조기구"의 또 다른 형태로만 제시되어야 부정적인 의미를 감소시킬 수 있다. 완화 요소는 항상 에너지 비용이다. MMC 학생은 교실 내에서 이동할 수는 있지만 교실에서 교실로 효율적으로 이동하고 또래들을 따라 잡으려면 휠체어가 필요할 수 있다. "이동성 제한은 아동이 학교를 다니기 시작하면 지역 사회에서의 이동 거리와 필요한 기술이 증가하기 때문에 확대된다(Hinderer 외 다수, 2000)." 아이가 학교에 들어가면 여행 거리가 늘어나고 새로운 환경에서 움직이는 데 필요한 기술이 더 복잡해지기 때문에 그러한 요구 사항은 중요한 문제가 된다. 휠체어는 중학교 때부터나 이동 수업이 시작될 때, 사물함에서 책을 꺼내야 하고, 짧은 시간에 다음 교실로 가야 할 때 필요하다. 모든 운동 수준이 가장 낮은 학생의 경우 바퀴 달린 이동 기구는 효율적인 기능을 유지하기 위한 필수 요소다. 존슨 외 다수(2007)는 젊은 MMC 성인의 57-65%가 수동 및 보조 동력장치 경량 휠체어를 사용한다는 사실을 발견했다.

환경 접근성

MMC 환자는 집과 학교, 지역 사회를 비롯한 모든 환경에 접근해서 기능할 수 있어야 한다. 미국 장애인 법은 모든 공공건물과 공공 프로그램 및 공동 서비스를 일반인이 이용할 수 있도록 하기 위해 노력했다. 이 법에 따라서 장애인도 공교육과 공공 시설에 접근할 수 있도록 합당한 시설을 마련해야 한다. 예컨대 대중교통과 도서관, 식료품 가게는 모든 사람이 접근할 수 있어야한다. 보조 기술은 MMC 청소년의 접근 및 독립성을 향상시키는 데 중요한 역할을 할 수 있다. 타이머와 휴대 전화, 컴퓨터는 개인 관리 일정과 조직 기술을 지원하는 데 사용할 수 있다(Johnson 외 다수, 2007).

운전자 교육

운전사 교육은 16세 십대 청소년과 마찬가지로 MMC 환자에게도 중요하며, 심지어는 훨씬 더 중요하다. 일부 주에는 장애가 있는 운전자의 능력을 평가하는 프로그램이 있으며, 그 후에 수정 제어 장치와 차량 유형 같은 적절한 장치를 사용할 것을 권장한다. 자동차 이동에 대한 검토는 자립 생활과 직업을 준비하는 다른 활동과 더불어 청소년을 위한 치료의 일환이 되어야 한다. 휠체어를 차량 안팎으로 움직일 수 있는 능력 또한 독립적인 기능에 필수적이다.

유연성, 근력, 지구력

골격 성장으로 근육이 현저하게 단축되기 때문에 급속히 성장하는 청소년기에는 구축 예방에 적극적으로 나서야 한다. 학생에게 문제 영역이 있을 경우에는 집에서 정기적으로 스트레칭을 할 뿐만 아니라 학교에서도 해야 한다. 허리 폄근, 엉덩관절 굽힘근, 넙다리 뒤인대, 팔이음뼈를 목표 영역으로 삼아야 한다. 엉덩관절와 무릎의 굽힘근을 느슨하게 유지하고 엉덩관절에 가해지는 압력을 완화하는 데 중요한 엎드리기 자세를 일상적으로 사용하면서 앉기와 잠자기에 적절한 자세잡기를 검토해야 한다. 체중이 증가하고, 압력 이완 절차가 잘 지켜지지 않으며, 엉덩관절 주변에서 땀이 흘러나오는 성인의 유형이 발달하면서 MMC 청소년에게 욕창궤양이 더 많이 발생한다.

근력 강화 운동과 활동은 체육 자유 시간에 통합해 넣을 수 있다. 운동은 가정과 지역 체육에서 수행할 수 있도록 학생을 위해 계획할 수 있다. 윈드 스프린트 휠체어 경기와 수영, 휠체어 트랙 경기, 농구, 테니스와 같은 지구력 활동은 학생이 사교 활동을 하는 동안 근육과 심혈관 지구력을 유지하는 적절한 방법이다. 휠체어 스포츠는 할 수 있다면 재미와 건강을 위해 근력 강화와 지구력 활동을 결합하는 훌륭한 방법이다. 지역 사회에서 이용할 수 있는 휠체어 스포츠에 관한 정보는 지역 공원 및 레크리에이션 부서에 확인해보기 바란다.

위생

땀을 흘리거나 장과 방광에 실금증이 있는 성인 유형, 월경을 시작하는 성인 유형은 모두 MMC 청소년에게 잠재적인 위생 문제를 안겨줄 수 있다. 자부심을 손상시킬 수 있는 실금과 냄새 및 피부 자극을 피하기 위해서는 좋은 장과 방광 프로그램이 필수적이다. 청소년은 자기 신체를 극도로 의식하고 있으며, 장과 방광기능장애를 다루는 데서 더해지는 스트레스와 소녀들의 경우에는 월경에 대한 스트레스가 특히 부담스러워질 수 있다. 패드와 탐폰을 적절히 다루는 것과 씻는 것을 포함해서 계획적인 용변 보기와 목욕, 세심한 자기 관리를 하면 개인위생을 적절히 유지 관리 할 수 있다.

사회화

청소년들은 자신의 신체 이미지에 유난히 신경을 많이 쓰기 때문에 정상 체중을 유지하고 대장과 방광 프로그램에 특별한 주의를 기울인다. 또한 성은 청소년에게 커다란 관심사이다. 신경지배 수준을 바탕에 둔 기능 제한은 12장에서 논의한다. 절제와 안전한 성관계, 임신 예방을 위한 피임약 사용, 성병의 위험에 대한 지식은 모두 MMC 없는 십대와 마찬가지로 MMC 십대와도 대화해야 하는 주제이다. 치료사는 항상 청년에게 가능한 정확한 정보를 제공해야 한다.

사회적 고립은 이 집단의 정서적 · 사회적 발전에 부

정적인 영향을 미칠 수 있다(Holmbeck 외 다수, 2003). 사회화는 학교와 지역 사회에서 일어나는 모든 사회적 상황에 접근할 수 있어야 가능하다. 사춘기의 또래 상호 작용은 상자 7-6에 나열된 바와 같이 생애 초기 상호 작용의 잠재적 제한과 동일한 것으로 제한될 수 있다. 개인 정체성과 성생활, 또래 관계와 같은 사춘기 문제와 양족 보행 상실에 대한 우려가 해결되지 않으면 MMC 청소년에게 추가적인 어려움이 발생할 수 있다. 성인 초기에 이러한 문제들을 헤쳐 나가야하기 때문에 성인 발달이 지체된다(Friedrich와 Shaffer, 1986; Shaffer와 Friedrich, 1986).

독립적인 생활

기본 ADL(BADL)은 보행과 먹기, 목욕, 단장, 자제(continence) 유지, 대소변 보기(Cech와 Martin, 2012)과 같은 개인위생에 필요한 활동이다. 도구적 ADL(IADL)은 난로, 세탁기 또는 진공청소기와 같은 장비를 사용해야 하는 기술이며, 가정과 지역 사회 내에서 관리하는 것과 관련이 있다. 음식이나 옷을 구입할 수 있고 식사를 준비할 수 있다는 것이 IADL의 실례다. 혼자 힘으로 살아가려면 BADL과 IADL 기술 모두를 숙달해야 한다. MMC 환자가 물체를 들어 올리고 옮기기 힘들어할 때 BADL과 IADL 모두에 영향을 줄 수 있는 기능적 제한이 분명하게 드러날 수 있다. 직업 상담과 계획은 고등학교나 중학교 때 시작해야 한다. 학생은 고등학교를 졸업한 이후에 가능하며 대학교 생활 경험의 일환으로나 직업 훈련 도중에 혼자 힘으로 살아가도록 권장해야 한다.

젊은 MMC 성인의 "발진(launching)"은 문헌에 나와 있다. 발진은 "후기 청소년이 자립 생활을 시작하기 위해 외부 세계로 발진해 나아가는(Friedrich과 Shaffer, 1986)" 가족 생활 주기의 마지막 이행 단계다. 이 시기의 도전 과제로는 지속적인 보호가 필요할 경우의 후견인에 관한 토론과 배치 계획, 부모와 MMC 청년의 역할 재정의가 있다. MMC 성인 25%만 고용되어 있다고 헌트(Hunt, 1990)가 보고했고, 이 보고서에 기술된 사람 중 소수만이 결혼했거나 자녀가 있었다. 브란(Buran 외 다수, 2004)는 MMC 청소년이 장애를 희망적이고 긍정적인 태도로 바라본다고 한다. 하지만 청소년들이 성인의 역할 수행을 준비하기 위해서 충분한 의사 결정과 자기 관리에 참여하지 않고 있다는 사실도 발견했다. 이러한 준비 부족은 많은 MMC 환자들이 고용되지 못하고, 젊은 성인으로서 독립적으로 생활하지 못하는 이유가 될 수 있다(Buran 외 다수, 2004). 수명은 MMC 아동이 있는 가족에게 또 다른 도전을 안겨준다. 상자 7-7은 MMC 아동 관리의 평생에 걸친 책임과 도전 과제를 보여 준다. 최근의 연구에 비추어 볼 때 청소년기의 의사 결

상자 7-7. **척수수막탈출증 아동 관리의 평생에 걸린 책임과 도전**

유아기(출생에서 2세)
초기 위기: 슬픔, 수술을 포함한 집중 치료, 결속bonding 과정에 지장이 될 수 있는 입원
후속 위기: 치료 서비스 조달; 보행과 장이나 방광 훈련 지연

프리스쿨(3-5세)
지속적인 의료적 모니터링, 추가적인 신체 관리가 필요한 아동의 의존성 연장
CSF 션트 교정과 정형외과 수술을 위한 재입원

취학 연령 (6-12세)
학교 프로그래밍, 아동 발달에 대한 지속적인 평가
가족 역할 확립: 형제자매의 능력 불일치에 대처하기, 부모의 과제 제한된 또래 참여 가능성
CSF 션트 교정과 정형외과 수술을 위한 재입원

청소년기 (13-20세)
장애의 "영속성" 수용
개인 정체성
치료에 영향을 미치는 아동의 커진 몸집
적응 기구의 필요성 증가
성생활과 또래 관계
이족 보행 기술의 잠재적 손실에 관한 문제
CSF 션트 교정과 정형외과 수술을 위한 재입원

발진(21세 이상)
젊은 성인의 지속적인 관리와 관련된 후견인 문제 논의
젊은 성인을 위한 배치 계획
부모는 젊은 성인과 자신에 관한 역할을 재정의 한다.

(Friedrich W, Shaffer J: 가족 조정 및 기부에서 발췌. Shurtleff DB가 편집한 골수 이상 형성 및 외전: 중요성, 예방 및 치료에서 발췌. Orlando, FL, 1986, Grune & Stratton, pp. 399-410.)

정에 보다 더 중점을 둘 필요가 있다.

삶의 질

보행 잠재력은 MMC 환자의 삶의 질에 영향을 미친다. 렌델리(Rendeli 외 다수, 2002)는 MMC 아동이 보행 상태에 따라 크게 다른 인지 성과를 보인다는 사실을 발견했다. 보조기구 유무에 관계없이 걸어 다니는 사람들은 보행하지 않은 사람들보다 높은 IQ를 보였다. 이 두 집단의 총 IQ는 차이가 없었다. 스스로 하는 보행은 공간인지 발전을 촉진한다고 한다. 다른 사람들은 독립적인 보행 상태가 건강과 관련된 삶의 질(HRQOL)을 결정하는 가장 중요한 요소라는 사실을 발견했다(Schoenmakers 외 다수, 2005; Danielsson 외 다수, 2008). HRQOL은 일반적으로 신체 및 정신 건강에 대한 자가보고 척도(NBDPN, 2012)를 포함하는 광범위한 다차원 개념이다. MMC 아동은 만성 질환이 있는 다른 아동보다 HRQOL이 낮았다(Oddson 외 다수, 2006). MMC 청소년 및 청년층의 72%는 구조화된 활동에 참여하는 비율이 감소했고, 이동성에 도움이 되는 보조 기술을 필요로 했다(Johnson 외 다수, 2007). 엉덩관절와 무릎 주위 근육의 경련, 넙다리네갈래근 근력 약화, 병변의 정도, 신경 증상의 중증도는 보행 능력과 기능적 능력에 영향을 주었고, 그 때문에 HRQOL이 감소했다(Danielsson 외 다수, 2008). 플레나겐(Flanagan) 외 다수(2011)는 부모가 인식하는 MMC 아동의 HRQOL이 아동 운동 수준에 따라서 달라졌다는 사실을 발견했다. L2와 그 위쪽의 운동 수준을 가진 아이들은 L3에서 L5의 운동 수준을 가진 아이들에 비해 HRQOL 점수가 감소했다. 플레나겐 외 다수는 소아과 삶의 질(Peds QL)과 소아과 결과 데이터 수집 도구 2.0버전(PODCI)으로 HRQOL을 측정했다. 점수 차이가 있는 범주로는 스포츠와 신체 기능, 이동, 기본적 이동성, 건강, 전반적 기능이 있다.

이와는 대조적으로 켈리(Kelley 외 다수, 2011)는 MMC 아동의 참여가 운동 수준과 보행 상태, 혹은 장과 방광 문제에 따라 달라지지 않는다는 사실을 발견했다. 이들은 대상을 2~5세, 6~12세, 13~18세라는 연령별 집단으로 나누었다. 기술 기반 활동(신체 활동과 레크리에이션 활동)의 참여 점수에서 집단별로 차이가 있었는데 어린 아이들은 기술 기반 활동과 신체 활동에 더 많이 참여했고, 중년 집단은 노인 집단보다 레크리에이션 활동에 더 많이 참여했다. 6세에서 12세 아동은 장과 방광 문제로 사회활동과 신체 활동 참여가 제한되었다. 켈리 외 다수(2011)는 플레나겐 외 다수와는 다른 측정 단위를 사용해서 참여도를 분석했다. 켈리 외 다수 연구에서는 L3 운동 수준의 아동 비율이 훨씬 더 높았고, 플레나겐 외 다수의 연구에 따르면 이러한 아동은 HRQOL이 더 높다. 그럼에도 불구하고 신체 기능은 MMC 환자의 삶의 질에 영향을 미친다. 치료사는 참여를 가로막는 지역 사회 장벽을 허물고, 최적의 이동성과 건강을 증진시켜 MMC 아동이 독립적인 성인으로 성장하도록 뒷받침해 주는 데 더욱 전력을 다해야 한다.

결론 요약

MMC 환자의 관리는 복잡하고, 다차원 중재와 지속적인 모니터링이 필요하다. 초기에 최상의 결과를 얻고 유아와 어린이에게 가능한 발달 상의 최고 출발점을 제공하기 위해서는 집중적 중재 기간이 필요하다. 물리치료 중재는 주로 신경성 손상의 경계 내에서 머리와 몸통 조절의 운동 이정표를 달성하는 데 중점을 둔다. 독립적인 보행의 성취는 MMC 환자 대부분의 어린 시절에 기대할 수 있는 성과지만, 이러한 기대는 아동의 운동 수준과 기능적 보행의 장기적 잠재력을 바탕으로 조절해야 한다. 인지와 사회 감정적 성숙도 동시에 촉진해야 한다. MMC 아동은 자기 돌봄 능력이 떨어지고 운동기능이 손상된 상태라도 사회적 능력을 개발할 수 있다. 물리치료사는 학기 내내 학생의 운동 진행 상태를 주시하고, 학생이 새로운 환경으로 이행하는 동안 중재를 한다. 각각의 새로운 환경에서는 기능적 기술 요구가 증가하거나 달라질 수 있다. 학교에서 학생을 주시하는 것에는 학교에서 최적의 기능을 발휘하지 못하게 하거나 지역 사회 접근을 방해할 수 있는 신경성이나 근골격 상태의 악화 증거를 찾는 것이 있다. 적절한 중재 시기의 실례로는 학생이 일차 이동성을 확보하기 위해 휠체어를 사용하고 휠체어 출입을 위해 작업 장을 평가하는 것처럼 다른 수준의 기능으로 전환하는 데 도움이 필요한 경우다. 물리치료 보조사는 기능성 운동 능력을 키우거나 보조기 또는 보조기구, 이동 및 ADL 사용과 관련된 기능적 기술을 가르치기 위해 MMC 아동에게 치료를 제공할 수 있다. 물리치료 보조사는 출생부터 성인기까지 MMC 환자의 요구를 가장 효율적으로 관리하기 위해서 기능에 관한 지속적인 정보를 제공할 뿐만 아니라 연례 검사 도중에도 치료사에게 가치 있는 데이터를 제공할 수 있다. ■

검토사항

1. MMC 아동한테서 예상할 수 있는 유형의 마비는 무엇인가?
2. 골격 성장과 관련되어 있을지도 모르는 MMC 아동의 합병증은 무엇인가?
3. MMC 아동의 션트기능 장애 징후는 무엇인가?
4. MMC 아동의 엉덩관절와 무릎 굽힘 구축을 예방할 때 이용하는 중요한 자세는 무엇인가?
5. MMC 아동의 피부 통합성을 보호하기 위해 부모는 어떤 예방 조치를 취해야하나?
6. MMC 아동이 사용하는 보조기 유형을 결정하는 것은 무엇인가?
7. MMC 아동의 보행 수준과 운동 수준의 관계는 어떠한가?
8. MMC 환자의 기능적인 이동성 수준은 언제 결정되나?
9. 어떤 발달 변화가 MMC 청소년의 이동성 상실에 기여할 수 있나?
10. MMC 환자에게 중재 치료를 제공하는 가장 중요한 시기는 언제인가?

사례 연구 재활 단체 초기 시험 및 평가: PL

이력

차트 검토

PL는 수다스럽고 성격이 좋은 3세 소년이다. 부모님 모두가 일하기 때문에 하루 동안 할머니가 PL을 돌본다. PL은 두 아이 중 막내이며, 낮은 요추(L2)에 이완성 마비가 있는 MMC 증상을 보인다. 병력을 나열하자면 임신 32주에 조기 출산, 양측 엉덩관절 탈구, 양측 내반족(1세에 수술로 교정), 척추 측만증, 다발성 반척추뼈증, 물뇌증으로 션트(뇌실복강션트(VP)) 삽입이 있다.

주관적

어머니는 PL의 이전 물리치료가 하지를 위한 수동적 관절 가동 범위 운동과 능동적 관절 가동 범위 운동, 워커와 보조기를 사용해 걷는 법 배우기로 구성되었다고 했다. 지금은 아이가 프리스쿨에 다닐 예정이라서 지속적인 이동성을 우려하고 있다.

목표

체계적 고찰

소통/인지: PL은 5~6개의 단어로 의사소통을 한다. 폴의 IQ는 90이다.

심장 혈관/폐: 연령의 일반적인 수치

피부: 허리의 7 cm의 흉터를 치료했고, L2 아래에는 붉은 부분이 없다.

근골격: 팔의 기능적 한계 내에서의 AROM과 근력. AROM 제한이 신경근육 약화에 이차적으로 발생함.

신경근육: 팔는 극도로 협응되고, 하지는 마비됨.

테스트와 측정

인체 측정: 신장 36 인치, 체중 35 파운드, 체질량 지수 19 (20-24 정상)

순환: L2 이하를 만지면 피부가 따뜻하고, 족배 맥박이 양측에서 잡히며 요골 맥박이 강하게 잡힌다.

피부: 궤양이나 부종이 없다. 오른쪽 귀 뒤쪽에 션트가 만져짐.

운동기능: PL의 팔 운동 기술이 협응된다. PL은 블록 여덟 개를 쌓아올릴 수 있다. 독립적으로 앉고, 독립적으로 앉았다가 일어서고 일어섰다 앉았다 할 수 있다. 욕조 안으로 들어가거나 밖으로 나갈 수는 없다.

신경발달 상태: 피바디 발달 운동 척도(PDMS)의 발달 운동 지수(DMQ)가 생후 12개월 아동의 지수와 동일한 69다. 소근육 발달은 평균 연령 수준이다(PDMS DMQ = 90).

반사 통합성: 슬개골 반사 1+, 아킬레스 건 양측 반사 0. 팔의 이상 긴장 없음. 몸통의 긴장이 저하되고, 다리가 이완됨.

관절 가동 범위운동: 능동적 운동은 팔와 엉덩관절 굽힘과 모음을 위한 기능적 한계(WFL) 내에서 이루어진다. 능동적인 무릎 폄은 옆으로 누운 자세에서 이루어진다. 수동적 운동은 다리의 나머지

(계속)

사례 연구 계속

관절을 위해 WFL에서 이루어진다.

근육 기능: 기능적 근육 테스트를 이용한다. 아이가 중력에 대항하여 팔다리를 움직일 수 있고 조금이라도 저항할 수 있다면 근육 등급은 3+이다. 중력이 제거된 자세에서만 팔다리를 전체 관절 가동 범위까지 움직일 수 있다면 근육 등급은 2이다.

	오른쪽	왼쪽
복부	부분적으로 대칭되어 웅크려짐	
엉덩관절		
엉덩허리근	3+	3+
큰볼기근	0	0
모음근	3	3
벌림근	0	0
무릎	2	2
넙다리네갈래근	0	0
넙다리뒤인대	0	0
발목과 발		

반사 통합성: L2를 바늘로 찔렀을 때 온전한 감각이 느껴짐. 그 아래는 무감각.

자세: PL은 오른쪽 가슴–왼쪽 요추에서 가벼운 척추 측만증을 보인다.

보행과 균형: PL은 독립적으로 앉고, 전방 지지 워커와 양측 HKAFO를 착용하고 일어선다. 워커와 HKAFO를 착용하고 보행하면서 약 10 피트까지 상반적 보행 유형을 보일 수 있지만 건너뛰기 유형을 선호한다. 뛰기 유형을 사용하여 휴식을 취하기 전에 25 피트를 걸을 수 있다. 상반적으로 기어 다니지만 드레그 배밀이를 선호한다. 도움을 받아 계단을 오를 수 있으며, 배를 대고 머리부터 먼저 내려온다. 머리와 몸통 바로잡기는 앉은 자세에서 나타나고, 팔 보호 폄 반응은 양쪽 모두에서 모든 방향으로 나타난다. 앉은 자세에서 가쪽으로 기울어지면 최소한의 몸통 회전이 나타난다.

자기 돌봄: PL은 옷 입고 벗기를 돕고, 목욕하고 옷 입는 활동을 하는 동안 독립적으로 앉아서 균형을 잡는다. 스스로 먹기는 가능하지만 장과 방광 관리는 의존적이다(기저귀 착용).

놀이/프리스쿨: PL은 협동적 놀이와 기능적 놀이를 하지만 가장 놀이는 지연된다. 현재 일주일에 3일 동안 프리스쿨 오전 반에 다니고, 1개월 내에는 매일 갈 예정이다.

평가/감정

PL은 VP 션트를 이식해 L2 MMC를 치료한 3세 남아로, 현재 전방지지 워커와 HKAFO를 착용하고 걷는다. 지금은 프리스쿨 프로그램으로 전환하고 있다. 물리치료는 일주일에 한 번, 30분 동안 받는다.

문제 항목

1. 로프스트랜드 목발을 사용해서 걸을 수 없다.
2. 근력과 지구력 감소
3. 자기 돌봄과 이동이 의존적이다.
4. 압력 이완에 대한 지식 부족

진단: PL은 선천적인 비진행성 중추신경계 장애와 관련된 운동기능 손상과 감각 통합성 손상을 보이고, 가이드 패턴 5C에 해당한다.

예후: PL은 프리스쿨에서 기능적 독립성 및 기능적 기술을 향상시킬 것이다. 이번 학년에 다음과 목표를 성취할 탁월한 잠재력을 지니고 있다.

단기 목표(학기 중간까지 성취할 활동)

1. 프론 스쿠터를 타고 15분 동안 프리스쿨 복도를 왔다 갔다 한다.
2. 매일 놀이터에서 보내는 자유 시간에 20회 연속 턱걸이를 한다.
3. 매일 4–5회 시도해서 5~10 피트까지 축구공을 찬다.
4. 대소변을 본 후 손을 씻고 닦는다.
5. 독립적으로 압력을 이완시킨다.

장기적인 기능 목표(프리스쿨 1학년 말까지)

1. 매일 상반적 보행 유형과 로프스트랜드 목발을 사용해 체육관과 식당을 오간다.
2. 일주일에 3번 이야기 시간에 구두로 참여해 가장 놀이를 보여준다.
3. 대소변을 보는 동안 옷을 입고 벗고 청결간헐도뇨를 할 때 스스로를 돕는다.

(계속)

사례 연구 **계속**

계획

협응, 소통, 문서화

치료사와 물리치료 보조사는 PL의 어머니와 교사와 정기적으로 의사소통을 한다. 중재의 결과는 매주 문서로 기록한다.

환자 · 고객 지시

PL과 가족의 가정 운동 프로그램으로 권장되는 것은 팔 및 몸통 근력 강화 운동, 앉기와 서기 자세에서 몸통 바로잡아 균형 반응 연습하기, 옷 입기, 이동, 서 있는 시간 늘이기, 선호하는 유형으로 보행하기이다.

절차적 중재

1. 엎드려 팔 굽혀 펴기와 두 손으로 걷기(wheelbarrow walking), 엎드렸다가 다리 뻗고 앉고 다시 엎드리기, 푸시업 블록을 이용해 앉아서 팔 굽혀 펴기, 압력 완화 기술을 포함하는 매트 활동.
2. 공처럼 움직이는 표면을 이용하여 능동적인 몸통 회전을 촉진하기 위해 측면 균형 반응을 개선한다.
3. 라텍스 없는 세라밴드나 커프 웨이트(cuff weight)를 이용해 팔과 하지의 저항 운동.
4. 하지의 상반 운동과 몸통 조절을 개선하기 위해 저항하며 기기(resisted creeping).
5. 2주 동안 처음에는 워커, 나중에는 로스트스트랜드 목발을 이용해 5피트까지 상반보행 유형으로 걸어서 보행 거리를 늘인다.
6. 로프스트랜드 목발을 사용하는 동안 서 있는 시간과 체중 이동을 늘인다.
7. 이동 훈련

고려 사항

- 이러한 목표를 달성하기 위해 어떤 추가적인 중재를 할 수 있는가?
- 이러한 목표는 교육적으로 관련이 있는가?
- 어떤 활동이 가정 운동 프로그램의 일부가 되어야 하는가?
- PL의 물리치료 프로그램에 체력 단련을 어떻게 통합해 넣을 수 있는가?
- PL이 학교에 갈 때 필요할 수 있는 중재를 파악한다.

참고 문헌

Adzick NS, Thom EA, Spong CY, et al.: A randomized trial of prenatal versus postnatal repair of myeloeningocele, *N Engl J Med* 364:993–1004, 2011.

Ausili E, Focarelli B, Tabacco F, et al.: Bone mineral density and body composition in a myelomeningocele children population: effects of walking ability and sport activity, *Eur Rev Med Pharmacol Sci* 12(6):349–354, 2008.

Barf HA, Verhoef M, Post MW, et al.: Educational career and predictors of type of education in young adults with spina bifida, *Int J Rehabil Res* 27(1):45–52, 2004.

Blumchen K, Bayer P, Buck D, et al.: Effects of latex avoidance on latex sensitization, atopy, and allergic diseases in patients with spina bifida, *Allergy* 65(12):1585–1593, 2010.

Boulet SL, Yang Q, Mai C, et al.: National Birth Defects Prevention Network: Trends in the postfortification prevalence of spina bifida and anencephaly in the United States, *Birth Defects Res A Clin Mol Teratol* 82(7):527–532, 2008.

Bowman RM, McLone DG, Grant JA, et al.: Spina bifida outcome: a 25-year prospective, *Pediatr Neurosurg* 34(3):114–120, 2001.

Bowman RM, Boshnjaku V, McLone DG: The changing incidence of myelomeningocele and its impact on pediatric neurosurgery: a review from the Children's Memorial Hospital, *Childs Nerv Syst* 25:801–806, 2009a.

Bowman RM, Mohan A, Ito J, et al.: Tethered cord release: a long-term study in 114 patients, J

Neurosurg Pediatr 3:181–187, 2009b.

Bruner JP, Tulipan N, Paschall RL, et al.: Fetal surgery for myelomeningocele and the incidence of shunt dependent hydrocephalus, *JAMA* 282(19):1819–1825, 1999.

Buran CF, Sawin KJ, Brei TJ, Fastenau PS: Adolescents with myelomenincocele: activities, beliefs, expectations, and perceptions, *Dev Med Child Neurol* 46:244–252, 2004.

Byrd SE, Darling CF, McLone DG, et al.: Developmental disorders of the pediatric spine, *Radiol Clin North Am* 29:711–752, 1991.

Cech D, Martin S: *Functional movement across the life span*, ed 3, St Louis, 2012, Elsevier.

Copp AF, Greene ND: Genetics and development of neural tube defects, *J Pathol* 220:217–230, 2010.

Cremer R, Kleine-Diepenbruck U, Hering F, Holschneider AM: Reduction of latex sensitization in spina bifida patients by a primary prophylaxis programme (five-year experience), *Eur J Pediatr Surg* 12(Suppl 1):S19–S21, 2002.

Danielsson AJ, Bartonek A, Levey E, et al.: Associations between orthopaedic findings, ambulation, and health-related quality of life in children with myelomeningocele, *J Child Orthop* 2:45–54, 2008.

Dennis M, Fletcher JM, Rogers T, et al.: Object-based and action-based visual perception in children with spina bifida and hydrocephalus, *J Int Neuropscyhol Soc* 8:95–106, 2002.

Dennis M, Edelstein K, Copeland K, et al.: Covert orienting to exogenous and endogenous cues children with spina bifida, *Neuropsychologia* 43:976–987, 2005.

Dennis M, Salman S, Jewell D, et al.: Upper limb motor function in young adults with spina bifida and hydrocephalus, *Childs Nerv Syst* 25:1447–1453, 2009.

Dormans JP, Templeton J, Schreiner MS, et al.: Intraoperative latex anaphylaxis in children: early detection, treatment, and prevention, *Contemp Orthop* 30:342–347, 1995.

Dosa NP, Eckric M, Katz DA, et al.: Incidence, prevalence, and characteristics of fractures in children, adolescents, and adults with spina bifida, *J Spinal Cord Med* 30(Suppl 1):S5–S9, 2007.

Drnach M: *The clinical practice of pediatric physical therapy*, Baltimore, 2008, Lippincott Williams & Wilkins.

Effgen SK, Brown DA: Long-term stability of hand-held dynamometric measurements in children who have myelomeningocele, *Phys Ther* 72:458–465, 1992.

Erikson EH: *Identity, youth, and crisis*, New York, 1968, WW Norton.

Fay G, Shurtleff DB, Shurtleff H, Wolf L: Approaches to facilitate independent self-care and academic success. In Shurtleff DB, editor: *Myelodysplasias and exstrophies: significance, prevention, and treatment*, Orlando, FL, 1986, Grune & Stratton, pp 373–398.

Fenichel GM: *Clinical pediatric neurology: a signs and symptoms approach*, 6 ed., St Louis, 2009, Saunders.

Flanagan A, Gorzkowski M, Altiok H, Hassani S, Ahn KW: Activity level, functional health, and quality of life of children with myelomeningocele as perceived by parents, *Clin Orthop Relat Res* 469:1230–1235, 2011.

Friedrich W, Shaffer J: Family adjustments and contributions. In Shurtleff DB, editor: *Myelodysplasias and exstrophies: significance, prevention, and treatment*, Orlando, FL, 1986, Grune & Stratton, pp 399–410.

Garber JB: Myelodysplasia. In Campbell SK, editor: *Pediatric neurologic physical therapy*, ed 2, New York, 1991, Churchill Livingstone, pp 169–212.

Grief L, Stalmasek V: Tethered cord syndrome: a pediatric case study, *J Neurosci Nurs* 21:86–91, 1989.

Grimm RA: Hand function and tactile perception in a sample of children with myelomeningocele, *Am J Occup Ther* 30:234–240, 1976.

Hinderer SR, Hinderer KA: Sensory examination of individuals with myelodysplasia (abstract), *Arch Phys Med Rehabil* 71:769–770, 1990.

Hinderer SR, Hinderer KA, Dunne K, et al.: Medical and functional status of adults with spina bifida (abstract), *Dev Med Child Neurol* 30(Suppl 57):28, 1988.

Hinderer KA, Hinderer SR, Shurtleff DB: Myelodysplasia. In Campbell SK, Palisano RJ, Vander Linden DW, editors: *Physical therapy for children*, ed 2, Philadelphia, 2000, Saunders, pp 621–670.

Hinderer KA, Hinderer SR, Shurtleff DB: Myelodysplasia. In Campbell SK, Palisano RJ, Orlin MN, editors: *Physical therapy for children*, ed 3, Philadelphia, 2012, Saunders, pp 703–755.

Hoffer MM, Feiwell E, Perry R, et al.: Functional ambulation in patients with myelomeningocele, *J Bone Joint Surg Am* 55:137–148, 1973.

Holmbeck GM, Devine KA: Psychosocial and family functioning in spina bifida, *Dev Disabil Res Rev* 16:40–46, 2010.

Holmbeck GN, Westhoven VC, Philips WS, et al.: A multimethod, multi-informant, and multidimensional perspective on psychosocial adjustment in preadolescents with spina bifida, *J Consult Clin Psychol* 71:782–795, 2003.

Hunt GM: Open spina bifida: outcome for a complete cohort treated unselectively and followed into adulthood, *Dev Med Child Neurol* 32:108–118, 1990.

Hwang R, Kentish M, Burns Y: Hand positioning sense in children with spina bifida myelomeningocele, *Aus J Physiother* 48:17–22, 2002.

Jansen-Osmann P, Wiedenbauer G, Heil M: Spatial cognition and motor development: a study of children with spina bifida, *Percept Mot Skills* 106(2):436–446, 2008.

Jewell D, Fletcher JM, Mahy CEV, et al.: Upper limb cerebellar motor function in children with spina bifida, *Childs Nerv Syst* 26:67–73, 2010.

Johnson KL, Dudgeon B, Kuehn C, Walker W: Assistive technology use among adolescents and young adults with spina bifida, *Am J Public Health* 97:330–336, 2007.

Kelley EH, Altiok H, Gorzkowski JA, Abrams JR, Vogel LC: How does participation of youth with spina bifida vary by age? *Clin Orthop Relat Res* 469:1236–1245, 2011.

Knutson LM, Clark DE: Orthotic devices for ambulation in children with cerebral palsy and myelomeningocele, *Phys Ther* 71:947–960, 1991.

Krosschell KJ, Pesavento MJ: Spina bifida: a congenital spinal cord injury. In Umphred DA, Lazaro RT, Roller ML, Burton GU, editors: *Umphred's neurological rehabilitation*, ed 6, St Louis, 2013, Elsevier, pp 419–458.

Landry SH, Robinson SS, Copeland D, Garner PW: Goal-directed behavior and perception of self-competence in children with spina bifida, *J Pediatr Psychol* 18:389–396, 1993.

Landry SH, Lomax-Bream L, Barnes M: The importance of early motor and visual functioning for later cognitive skills in preschoolers with and without spina bifida, *J Int Neuropsychol Soc* 9:175, 2003.

Li ZW, Ren AG, Zhang L, et al.: Extremely high prevalence of neural tube defects in a 4-county area in Shanxi Province, China, *Birth Defects Res A Clin Mol Teratol* 76(4):237–240, 2006.

Lock TR, Aronson DD: Fractures in patients who have myelomeningocele, *J Bone Joint Surg Am* 71:1153–1157, 1989.

Long T, Toscano K: *Handbook of pediatric physical therapy*, ed 2, Baltimore, 2001, Williams & Wilkins.

Luthy DA, Wardinsky T, Shurtleff DB, et al.: Cesarean section before the onset of labor and subsequent motor function in infants with myelomeningocele diagnosed antenatally, *N Engl J Med* 324:662–666, 1991.

Main DM, Mennuti MT: Neural tube defects: issues in prenatal diagnosis and counseling, *Obstet Gynecol* 67:1–16, 1986.

Marrieos H, Loff C, Calado E: Osteoporosis in paediatric patients with spina bifida, *J Spin Cord Med* 35(1):9–21, 2012.

Mazon A, Nieto A, Linana JJ, et al.: Latex sensitization in children with spina bifida: follow-up comparative study after two years, *Ann Allergy Asthma Immunol* 84:207–210, 2000.

Nagarkatti DG, Banta JV, Thomson JD: Charcot arthropathy in spina bifida, *J Pediatr Orthop* 20(1):82–87, 2000.

National Birth Defects Prevention Network (NBDPN, 2012). www.nbdpn.org/docs/NTfactsheet07-12.

Noetzel MJ: Myelomeningocele: current concepts of management, *Clin Perinatol* 16:311–329, 1989.

Oddson BE, Clancey CA, McGrath PJ: The role of pain in reduced quality of life and depressive symptomatology in children with spina bifida, *Clin J Pain* 22:784–789, 2006.

Okamoto GA, Sousa J, Telzrow RW, et al.: Toileting skills in children with myelomeningocele: rates of learning, *Arch Phys Med Rehabil* 65:182–185, 1984.

Ornoy A: Neuroteratogens in man: an overview with special emphasis on the teratogenicity of antiepileptic drugs in pregnancy, *Reprod Toxicol* 22(2):214–226, 2006.

Paleg G, Glickman LB, Smith BA: Evidence-based clinical recommendations for dosing of pediatric supported standing programs. *Presented at combined sections meeting of the American Physical Therapy Association*, Las Vegas, Feb. 4, 2014, Nevada.

Peny-Dahlstrand M, Ahlander AC, Krumlinde-Sunholm L, Gosman-Hedstrom G: Quality of performance of everyday activities in children with spina bifida: a population-based study, *Acta Paediatr* 98:1674–1679, 2009.

Rendeli C, Salvaggio E, Cannizzaro GS, et al.: Does locomotion improve the cognitive profile of children with myelomeningocele? *Child Nerv Sys* 18:231–234, 2002.

Rosenstein BD, Greene WB, Herrington RT, et al.: Bone density in myelomeningocele: the effects of ambulatory status and other factors, *Dev Med Child Neurol* 29:486–494, 1987.

Rowe DE, Jadhav AL: Care of the adolescent with spina bifida, *Pediatr Clin North Am* 55:1359–1374, 2008.

Ryan KD, Ploski C, Emans JB: Myelodysplasia—

the musculoskeletal problem: habilitation from infancy to adulthood, *Phys Ther* 71:935–946, 1991.

Salvaggio E, Mauti G, Ranieri P, et al.: Ability in walking is a predictor of bone mineral density and body composition in prepubertal children with myelomeningocele. In Matsumoto S, Sato H, editors: *Spina bifida*, New York, 1999, Springer Verlag, pp 298–301.

Sandler AD: Children with spina bifida: key clinical issues, *Pediatr Clin North Am* 57:879–892, 2010.

Schoenmakers MA, Gooskens RH, Gulmans VA, et al.: Long-term outcome of neurosurgical untethering on neurosegmental motor and ambulation levels, *Dev Med Child Neurol* 45:551–555, 2003.

Schoenmakers MA, Uiterwaal CS, Gulmans VA, Gooskens RH, Helders PJ: Determinants of functional independence and quality of life in children with spina bifida, *Clin Rehabil* 19:677–685, 2005.

Shaffer J, Friedrich W: Young adult psychosocial adjustment. In Shurtleff DB, editor: *Myelodysplasias and exstrophies: significance, prevention, and treatment*, Orlando, FL, 1986, Grune & Stratton, pp 421–430.

Shaw GM, Quach T, Nelson V, et al.: Neural tube defects associated with maternal periconceptional dietary intake of simple sugars and glycemic index, *Am J Clin Nutr* 78:972–978, 2003.

Soe MM, Swanson ME, Bolen SJ, et al.: Health risk behaviors among young adults with spina bifida, *Dev Med Child Neurol* 54:1057–1064, 2012.

Sousa JC, Telzrow RW, Holm RA, et al.: Developmental guidelines for children with myelodysplasia, *Phys Ther* 63:21–29, 1983.

Szalay EA, Cheema A: Children with spina bifida are at risk for low bone density, *Clin Orthop Relat Res* 469:1253–1257, 2011.

Tappit-Emas E: Spina bifida. In Tecklin JS, editor: *Pediatric physical therapy*, ed 4, Philadelphia, 2008, JB Lippincott, pp 231–279.

Tomlinson P, Sugarman ID: Complications with shunts in adults with spina bifida, *BMJ* 311(7000):286–287, 1995.

Tsai PY, Yang TF, Chan RC, Huang PH, Wong TT: Functional investigation in children with spina bifida, measured by the Pediatric Evaluation of Disability Inventory (PEDI), *Child Nerv Sys* 18:48–53, 2002.

Tulipan N: Intrauterine myelomeningocele repair, *Clin Perinatol* 30(3):521–530,2003.

Vachha B, Adams R: Pediatrics 115:e58-e63. Epub Dec 3, 2004. www.pediatrics.org/cgi/doi/10.1542/peds.2004-0797

Verhoef M, Barf HA, Post MW, et al.: Secondary impairment in young adults with spina bifida, *Dev Med Child Neurol* 46(6):420–427,2004.

Vermaes IPR, Janssens JMAM, Mullaart RA, Vinck A, Gerris JRM: Parent's personality and parenting stress in families of children with spina bifida, *Child Care Health Dev* 34(5):665–674, 2008.

Vinck A, Maassen B, Mullaart RA, Rottevell J: Arnold-Chiari-II malformation and cognitive functioning in spina bifida, *J Neurol Neurosurg Psychiatr* 77(9):1083–1086, 2006.

Vinck A, Nijhuis-van der Sanden M, Roeleveld N, et al.: Motor profile and cognitive function in children with spina bifida, *Eur J Paediatr Neurol* 14:86–92, 2010.

Walsh DS, Adzick NS: Foetal surgery for spina bi-

fida, *Semin Neonatal* 8(3):197–205, 2003.
Williamson GG: *Children with spina bifida: early intervention and preschool programming*, Baltimore, 1987, Paul H Brookes.

CHAPTER

8 유전질환

학습 목표 ***이 장을 학습한 후 학생들은 아래 사항에 대하여 이해하고 설명할 수 있다.***

1. 저마다 다른 유전적 전달 방식을 설명한다.
2. 특정한 유전질환의 발생과 병인, 임상적 특징을 비교하고 대조한다.
3. 유전질환 아동의 의료적 관리와 수술적 관리를 설명한다.
4. 유전질환 아동 관리에서 물리치료사가 맡는 역할을 정확하게 파악한다.
5. 유전질환 아동에게 사용하는 적절한 물리치료 중재를 설명한다.
6. 유전질환 아동을 평생 동안 따라 다니는 기능적 활동 훈련의 중요성에 관해 논의한다.

서론

현재까지 6,000가지 이상의 유전질환이 확인되었다. 일부는 출생 시에 분명하게 드러나지만 다른 경우는 나중에 나타난다. 대부분의 유전질환은 어린 시절에 발생한다. 어린이 병원, 외래환자 재활센터 또는 교육기관에서 일하는 물리치료사는 유전질환 아동을 위한 물리치료 제공에 참여할 수 있다. 이 장에서 논의하는 유전질환으로는 다운증후군(DS)과 취약X증후군(FXS), 레트 증후군, 낭포성 섬유증(CF), 뒤센근디스트로피(DMD), 불완전골생성증(OI), 자폐 스펙트럼 장애(ASD)가 있다. 먼저 유전적 전달의 유형에 관한 일반적인 논의 후, 병리 생리학 및 임상적 특징을 요약하고 물리치료 중재를 간략하게 설명한다. 이 장 마지막 부분에서는 다운증후군 아동에 대한 사례 연구를 제시해서 긴장저하 아동의 물리치료 중재를 설명한다. 진행형 유전질환 아동의 물리치료 중재를 설명하기 위해 뒤센근디스트로피 아동에 관한 두 번째 사례 연구도 제시한다.

아동의 유전질환은 주로 근육과 골격, 호흡기 또는 신경계와 같은 하나의 신체 시스템만 침범하고, 다른 시스템에 이차적으로 영향을 미친다고 대부분 생각한다. 그러나 유전질환은 전형적으로 하나 이상의 신체 시스템에 영향을 미친다. 특히 이런 시스템들이 신경계와 피부계처럼 원시조직에서 나와 배아적으로 연결되어 있을 때는 더욱 그렇다. 예를 들어 신경섬유종증을 앓고 있는 사람은 신경계 종양 이외에 카페오레 반점 형태의 피부 결함을 가지고 있다. 근육 퇴행위축(muscular dystrophies)과 같이 한 시스템에 주로 영향을 미치는 유전질환은 결국 심장과 폐 같은 다른 신체 시스템에 영향을 미치거나 스트레스를 가한다. 신경계는 유전질환에 가장 많이 관여되기 때문에, 많은 수의 어린이가 비슷한 임상적 특징을 보인다.

많은 유전적 증후군을 구성하는 임상 징후들과 더불어, 유전질환이 있는 아동은 행동 표현형(behavioral phenotype)이라는 것을 종종 나타낸다. 이 용어는 유전학에서 꽤 오랫동안 사용되어 왔지만 물리치료사에게는 익숙하지 않을 수 있다. "... 행동 표현형은 특정 조건이나 증후군을 가진 많은 개인에게서 볼 수 있는 전반적인 패턴의 구성 요소를 나타내는 행동과 인지 또는 성격의 프로파일이다(Baty 등, 2011)." 다운증후군이나 취약X증후군 아동의 얼굴 특징이 다를 수 있는 것처럼 다른 유전적 증후군과 관련된 행동적 및 인지적 차이도 있을 수 있다. 이러한 내용은 문헌을 통해 소개되고 있다.

유전적 전달

유전자는 신체 시스템이 어떻게 결합되어 있는지, 성장과 발달 과정에서 신체가 어떻게 변하는지, 신체가 매일 어떻게 작용하는지에 관한 청사진을 가지고 있다. 눈과 머리 색깔은 유전적으로 결정된다. 갈색 머리색은 금발과 같은 색보다 더 우세하다. 우성으로 전해지는 소질이 표현되는 한편, 열성 소질은 특정 상황에서만 표현된다. 신체의 모든 세포는 염색체에서 유전 물질을 운반한다. 체세포의 염색체는 보통염색체(autosomes)라고 한다. 누구에게나 22쌍의 보통염색체가 있기 때문에 신체의 모든 세포에는 44개의 염색체와 2개의 성염색체가 있다. 생식 세포에는 23개의 염색체가 있는데 그중 22개는 보통염색체이고, 나머지 하나는 X나 Y염색체 중 하나다. 난자와 정자가 만나 수정이 되면 유전물질은 감수분열(meiosis) 도중에 결합되어 한 쌍의 성염색체가 아동의 성별을 결정한다. X염색체가 두 개면 여성이 되고, X와 Y염색체가 결합하면 남성이 된다. 아이는 아버지와 어머니한테서 각각의 유전자를 물려받는다. 대립 유전자(alleles)는 H나 h같은 유전자의 대체 형태다. 누군가가 HH나 hh같은 동일한 대립 유전자를 가지고 있다면 그 사람은 동형접합(homozygous)이라고 한다. Hh나 hH같은 다른 대립 유전자를 가지고 있는 사람은 이형접합(heterozygous)이라고 한다.

범주

유전질환의 두 가지 주요 범주는 염색체 이상과 특정 유전자 결합이다. 염색체 이상은 비분리와 결손, 전위라는 세 가지 메커니즘 가운데 하나 때문에 발생한다. 세포가 불균등하게 분열되면 비분리라고 한다. 비분리로 다운증후군이 발생할 수 있다. 염색체의 일부 또는 전부가 소실되면 이를 결손이라고 한다. 한 염색체의 일부가 분리되어 완전히 다른 염색체에 다시 부착되면 전위라고 한다. 염색체 이상에는 일반적인 염색체 2개에 특수한 염색체 하나가 더 나타나는 삼염색체, 성염색체 하나가 없거나 추가되는 염색체 이상, 부분 결손이 있다. 가장 널리 알려진 삼염색체는 다운증후군 또는 21번 삼염색체다. 터너 증후군과 클라인펠터 증후군은 성염색체 이상의 한 예이다. 그러나 이 장에서는 다루지 않는다. 여기서 논의하는 부분 결손 증후군으로는 고양이울음(cri-du-chat) 증후군과 프라더-윌리 증후군(Prader-Willi Syndrome, PWS)이 있다.

특정 유전자 결합은 보통염색체 우성소질과 보통염색체 열성소질, 성에 관련된 소질이라는 세 가지 다른 방식으로 유전된다. 보통염색체 우성유전은 한 부모가 그 유전자에 영향받거나 유전자가 자발적으로 변이해야 한다. 후자의 경우 양 부모가 모두 장애가 없지만 아이에게 전해진 유전자가 자발적으로 변이하거나 변한다. 한 부모가 보통염색체 우성 장애를 앓고 있을 때, 태어난 각각의 아동이 동일한 장애를 가질 확률은 2분의 1이다. 보통염색체 우성 장애의 실례로는 골격계에 영향을 가해 취약한 뼈에 발생하는 불완전골생성증과 피부와 신경계에 영향을 미치는 신경섬유종증이 있다.

보통염색체 열성 유전은 부모 중 한쪽이 질환 보균자일 때 일어난다. 보균자는 질환 유전자를 가지고 있지만 질환 유전자가 표현되지 않은 사람이다. 이런 사람한테서는 그 질환이 분명하게 나타나지 않는다. 보균자는 질환을 앓고 있지 않은 상태에서나 자신이 보균자임을 모르는 상태에서 질환 유전자를 옮길 수 있다. 이런 경우의 보균자 부모가 가진 이상 유전자를 이형접합이라고 하며, 이들의 아이가 보균자가 될 확률은 각각 4분의 1이다. 이형접합 부모는 특정한 소질이 다른 대립유전자를 가지고 있다. 두 부모 모두가 보균자인 경우에는 각 부모의 이상 유전자가 이형접합이며, 이들의 아이가 보균자가 될 확률은 4분의 1이다. 또한 이들의 장애 아동이 동형접합이 될 가능성이 커진다. 동형접합이란 정해진 소질의 동일한 대립유전자를 가지고 있다는 뜻이다. 이 장에서 논의하는 보통염색체 열성 질환의 실례로 낭포성 섬유증과 페닐 케톤뇨증, 세 종류의 척수근위축증(SMA)이 있다.

성 관련 유전은 이상 유전자가 X염색체에 있다는 뜻이다. 보통염색체가 우성과 열성 표현을 가질 수 있는 것처럼 성염색체도 마찬가지다. X관련 열성 유전에서 이상 대립유전자를 하나만 가진 여성은 질환 보균자지만 정상적인 X염색체 하나를 가지고 있기 때문에 보통 아무런 증상도 나타나지 않는다. 보균자 엄마가 낳은 아이가 보균자가 될 확률은 2분의 1이며, 아들은 질환을 앓을 확률이 2분의 1이다. X관련 열성 질환의 가장 흔한 실례는 뒤센근디스트로피와 혈우병, 혈액응고장애이다. 취약X증후군은 남성의 지적 장애를 유발하는 가장 흔한 X관련 질환이다. 레트 증후군 또한 X관련 질환이며 여성한테서 두드러지게 나타난다. 유전적으로 전달된 질환에 관한 논의는 염색체 이상에서 시작해 특정 유전자 결함으로 넘어가겠다.

다운증후군

다운증후군은 지적 장애의 주요한 염색체 원인이며 가장 흔하게 보고된 출생 결함이다(CDC, 2006; Gardiner 등, 2010). 모와 부의 연령 증가는 위험 요인이다. 다운증후군은 출산아 700명 당 한 명 꼴로 나타나고, 유전적 불균형으로 유발되어 모든 신체 세포나 대부분의 신체세포에 21번 염색체가 하나 더 생기거나 21번 삼염색체가 생긴다. 다운증후군 사례의 95%는 21번 염색체가 난자나 정자(비분리) 형성 중에 완전히 분리되지 않아 발생한다. 생식세포는 성숙한 남성이나 여성의 생식세포(정자 또는 난자)이다. 이상 생식세포가 정상 생식세포와 결합하면 21번 염색체가 세 개가 된다. 아동의 5% 미만은 다른 염색체에 부착된 세 번째 21번 염색체를 가지고 있다. 이 유형의 다운증후군은 전이 때문에 발생한다. 다운증후군의 가장 보편적인 유형은 몸의 세포 중 일부가 21번 염색체 세 개를 갖고, 다른 일부가 정상적인 염색체 보체(complement)를 갖는 모자이크 유형이다. 증후군의 중증도는 정상 세포와 이상 세포의 비율과 관련이 있다.

임상적 특징

다운증후군 아동의 임상적 특징은 긴장 저하와 관절 과운동성, 위쪽으로 비스듬히 기운 눈구석주름, 평평한 콧등, 평평한 얼굴 모양이다(그림 8–1). 또한 이런 아이는 구강이 작아서 때때로 혀가 튀어나와 있는 것처럼 보인다. 발달 과정상 발견되는 것은 발달지연과 운동조절 손상이다. 먹기 문제는 출생 시에 분명히 나타날 수 있고, 중재가 필요할 수 있다. 다운증후군 아

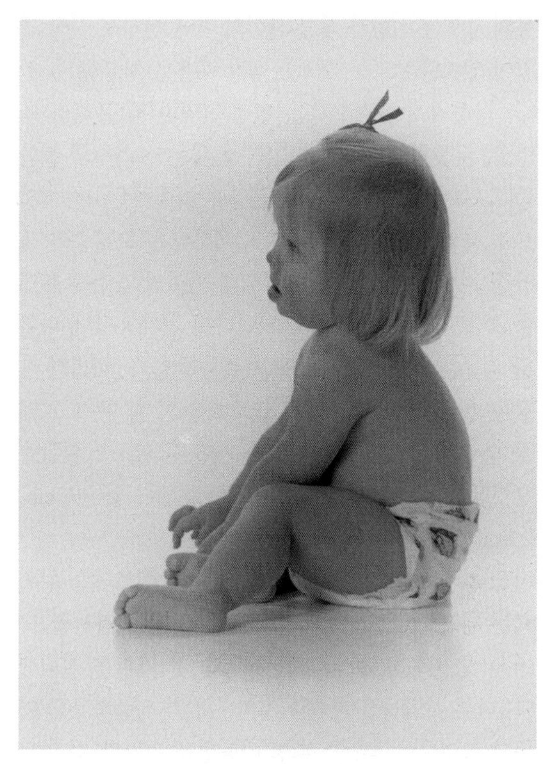

그림 8–1. 다운증후군 아동

상자 8–1. 고리중쇠 불안증의 징후

- 반사항진
- 클로누스
- 바빈스키 징후
- 기운목
- 근력 상실 증가
- 감각 변화
- 장이나 방광 조절 상실
- 운동 기술 감소

(Source: Glanzman A: Genetic and developmental disorders. In Goodman CC, Fuller KS, editors: Pathology: implications for the physical therapist, ed 2. Philadelphia, 2003, WB Saunders, pp. 1161–1210.)

동의 50%는 심방과 심실 사이의 벽에 선천성 심장 결함이 있지만(Vis 등, 2009) 심장 수술로 치료할 수 있다. 근골격계 표상으로는 편평족(평발)과 등허리 측만증, 무릎뼈 탈구, 발병 가능성 있는 고리중쇠 불안증(AAI)이 있다. 고리중쇠 불안증 발병률은 10%에서 15% 사이다(Mik 등, 2008). 2세부터는 고리중쇠 불안증 존재 여부를 알아보기 위해 아이의 경추를 촬영할 수 있다. 불안정성이 나타난다면 상자 8-1에 나열된 가능한 증상을 가족에게 가르쳐야 한다. 이러한 아동은 다이빙과 체조, 접촉 스포츠를 할 때 목에 가해질 수 있는 스트레스나 긴장을 피할 수 있도록 활동을 수정해야 한다. 대부분의 경우는 증상이 없다(Glanzman, 2014).

미국 소아 아카데미의 스포츠 의학 및 피트니스 위원회는 다운증후군 아동의 고리중쇠 불안증 검사를 10년 이상 지원한 후, 1995년에 그러한 지지를 철회했다. 다른 사람들은 가족과 지역 사회가 다운증후군 아동의 고리중쇠 불안증 발병 가능성을 인지할 수 있도록 지원해야 한다고 권고한다(Cassidy와 Allanson, 2001; Glanzman, 2014; Pueschel, 1998). 다운증후군 아동의 가족과 함께 일하는 물리치료사는 그러한 교육을 제공하고 고리중쇠 불안증 검사를 권고할 책임이 있다.

다운증후군 아동의 청력 및 시력 같은 주요 감각 시스템도 손상될 수 있다. 시각 장애로는 근시(myopia)와 백내장, 내사시(esotropia), 안진, 난시가 있다. 경증에서 중등증 난청은 드물지 않다. 8번째 뇌신경이 손상된 감각 신경 손실이나 중이에 액이 과하게 차서 생기는 전도성 손실로 언어 발달이 지연될 수 있다. 이러한 문제는 조기 진단해서 적극적으로 관리해야 보호자, 환경과 상호 작용할 수 있고 적절한 언어 기술을 발달시킬 수 있다.

지능

앞에서 설명한 것처럼 다운증후군은 아동의 지적 장애를 일으키는 주요 원인이다. 이 인구 집단 내의 지능 지수(IQ)는 25-50이며, 이들 중 대다수가 경증에서 중등증 지적 장애를 앓고 있다(Ratliffe, 1998). 지적 장애로 진단 받으려면 아이의 IQ가 70-75 이하여야 한다. 지적 발달장애 협회(Association for Intellectual Developmental Disabilities)는 IQ 점수에 기초한 지능 장애 정의에서 벗어나려고 애썼다. 이들의 지능 장애 정의는 지능과 적응 기술이 제한되는 것이다. 적응 기술은 의사소통과 자기 돌봄, 사회적 역할 수행 능력을 포함하지만 이에 국한되지는 않는다.

프리스쿨에서 효과적인 조기 중재 프로그램을 계획하고 사용한다면 다운증후군 아동의 후속 교육 진행이 크게 변경될 수 있다. "교육 가능한" 사람은 독서 및 수학과 같은 기본적인 기술을 배울 수 있고 자기 돌봄과 독립적인 생활이 가능한 사람이다(경증 지적 장애가 있는 사람은 일반적으로 교육 가능한 것으로 간주된다). 훈련 가능한 사람(중증 지적 장애자)은 교육적 성취가 매우 제한적이지만 자기 돌봄과 직업 훈련을 위한 간단한 훈련의 혜택을 누릴 수 있다(Bellenir, 2004).

발달

운동 발달이 느려지고, 중재가 없으면 기술 습득률이 감소한다. 운동 기술을 습득하기 어렵다는 것은 항상 자세 긴장 부족과 관련되어 있고, 어느 정도는 관절 과운동성과도 연관이 있다. 관절 과운동성으로 이어지는 인대성 이완(ligamentous laxity)은 콜라겐 결손 때문에 생겨난다고 한다. 근긴장 저하는 소뇌의 구조적 변화뿐 아니라 다른 중추신경계 구조와 과정의 변화와 관련이 있다. 이러한 변화는 다운증후군에서 신경 성숙이 누락되거나 지연된다는 뜻이다. 긴장이 낮고 관절이 이완되면 다운증후군 아동은 머리와 몸통 조절력을 얻기 어렵다. 팔다리로 체중을 지지하는 것은 보통 팔꿈치와 무릎 같은 말단 관절을 잠그면 가능해진다. 이런 아이들은 자세 내에서의 체중 이동에 몸통 근육을 동적으로 움직여 대응하기보다는 W자 앉기 자세를 취할 때처럼 근육 안정성을 자세 안정성으로 대체한다. 다운증후군 아동은 종종 몸통 근육 회전을 피하고, 엎드려 있다가 다리를 넓게 벌려 앉기를 선호한다(그림 8-2). 표 8-1은 다운증후군 아동과

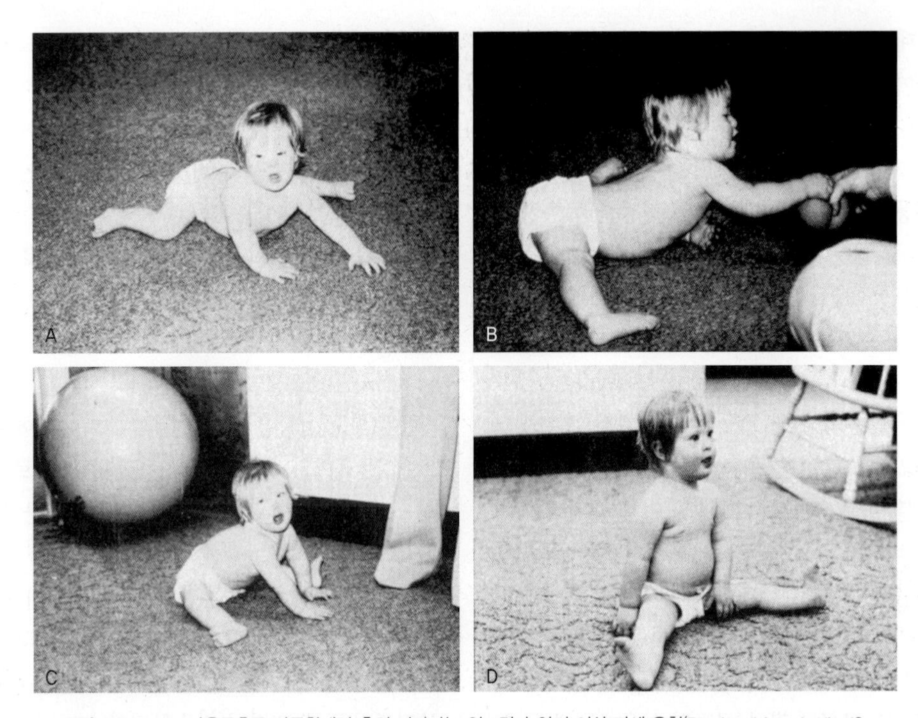

그림 8-2. **A-D.** 다운증후군 아동한테서 흔히 나타나는 엎드렸다 앉기 이상 자세 유형(Reprinted from Lydic JS, Steele C: Assessment of the quality of sitting and gait patterns in children with Down syndrome. Phys Ther 59:1489-1494, 1979. With permission of the APTA.)

전형적으로 발달 중인 아동이 몇 세에 어떤 운동 과제를 수행할 수 있는지를 비교한 것이다. 유아 중재는 이러한 아동의 운동 기술과 전반적인 기능을 발전시키는 데 긍정적인 영향을 미치는 것으로 나타났다(Connolly 등, 1993; Hines와 Bennett, 1996; Ulrich 등, 2001, Ulrich 등, 2008).

표 8-1 논리성 퇴보 기반 DS 아동의 이정표 획득 예상 가능성(%)

기술	연령(개월 수) 6	12	18	24	30	36	48	60	72
구르기	51	64	74	83	100	100	100	100	100
앉기	8	78	99	100	100	100	100	100	100
기기	10	19	34	53	71	84	96	99	100
서기	4	14	40	73	91	98	100	100	100
걷기	1	4	14	40	74	92	99	100	100
달리기	1	2	3	5	8	12	25	45	67
계단오르기	0	0	1	1	3	5	18	46	77

From Palisano RJ, Walter SD, Russell DJ, et al: Gross motor function of children with Down syndrome: Creation of motor growth curves. *Arch Phys Med Rehabil* 82:494-500, 2001.

다운증후군 환자는 독립과 자립을 촉진하는 집단 지역 사회에서 살 수 있다. 일부 다운증후군 환자는 중소 규모의 사무실에서 사무원으로 일하거나 호텔과 레스토랑에서 일한다. 배트쇼(Batshaw 등, 2013)는 다운증후군 성인이 직업을 얻고 유지할 수 있도록 해서 1980년대에 지원 고용에 기여했다고 평가받고 있다. 지원 고용에서는 직업 코치를 붙여 준다. 개인의 직업 성공에 결정적인 요소는 긍정적인 자아상과 건강한 자부심의 조기 발달과 유지, 가족과 떨어져 일하고 개인 레크리에이션 활동에 참여할 수 있는 능력이다.

다운증후군 환자의 경우에는 체력이 감소한다. 디치터(Dichter 등, 1993)는 장애가 없는 연령대 대조군에 비해 다운증후군 집단 아동의 폐 기능과 체력이 감소했다는 사실을 발견했다. 다른 연구자들은 다운증후군 아동이 덜 활동적이며, 25%가 과체중이 된다는 사실을 발견했다(Pueschel, 1990, Sharav와 Bowman,

1992). 심폐 지구력 부족과 복부 근육 약화는 체력 감소와 관련이 있다(Shields 등, 2009). 수명이 늘어나면서 장애를 가진 모든 사람의 체력을 물리치료 중재의 또 다른 잠재적 영역으로 탐구해야 한다. 다운증후군 환자의 운동 제한은 조력자 부족과 적절한 수준의 상호 작용 부족 때문이다. 물리치료를 배우는 학생들이 다운증후군 청소년들에게 운동법에 대한 조언으로 장애인을 대하는 그들의 태도가 크게 향상되었다는 연구가 있다(Heller 등, 2002, Menear, 2007).

다운증후군 환자의 기대 수명은 60년으로 증가했다(Bittles 등, 2006). 이 인구 집단에서 다른 심각한 질병이 생길 확률이 더 높아졌음에도 기대 수명 증가가 일어났다. 다운증후군 아동의 처음 3년 동안 백혈병에 걸릴 확률은 15~20% 더 높다. 다시 말하자면 치료율이 높다. 이런 아동들을 위협하는 가장 주요한 건강 위험은 알츠하이머다. 다운증후군 환자가 40세를 넘기면 아밀로이드 판과 신경원 섬유매듭 같은 알츠하이머의 병리학적 징후를 보인다. 단백질을 생산하는 유전자가 21번째 염색체에 위치하기 때문에 다운증후군 환자는 판(plaqued)을 구성하는 β-아밀로이드를 더 많이 생산한다(Head와 Lott, 2004). 50세가 넘은 다운증후군 성인은 다운증후군이 지적 장애 성인보다 적응 행동이 후퇴될 가능성이 더 크다(Zigman 등, 1996). 다운증후군 환자는 뇌에 활성산소(free radicals)가 풍부해서 나타나는 산화 스트레스에 대항할 수 없기 때문이다(Pagano와 Castello, 2012). 65세가 넘는 성인의 4분의 3은 치매의 징후를 보인다(Lott와 Dierssen, 2010).

아동의 손상과 중재

물리치료사의 다운증후군 검사 및 평가는 보통 물리치료 중재를 위하여 다음과 같은 손상을 확인한다.

1. 정신 운동 발달 지연
2. 긴장저하
3. 관절 과다폄과 인대성 이완
4. 호흡 기능 손상
5. 운동 지구력 손상

조기 물리치료는 다운증후군 아동에게 중요하다. 다운증후군 아동에 관한 사례 연구는 긴장 저하 아동의 일반적 중재를 보여 주기 위해 이 장 마지막에 소개한다. 이러한 아동들은 서로 비슷한 손상을 보인다. 이러한 중재는 고양이울음증후군과 프라더-윌리 증후군, 척수근위축증과 같은 유전질환에 이차적으로 긴장 저하와 근력 약화를 보이는 아동에게 사용할 수 있다.

체중지지 트레이드밀 훈련

다운증후군 아동은 18개월에서 3년 사이에 독립적으로 걷는다(Palisano 등, 2001). 연구에 따르면 체중지지 트레이드밀 훈련을 시작한 다운증후군 아동이 전형적으로 발달하는 다운증후군 아동보다 일찍 걷는다. 전자와 같은 보행훈련은 언어와 인지 같은 다른 분야의 발달을 지원하는데 유리하다. 울리치(Ulrich 등, 2001)는 트레이드밀 훈련으로 다운증후군 아동의 독립적인 보행 발달이 가속화되었다고 처음으로 보여주었다. 일주일에 5번씩 8분만 훈련해도 변화가 생겼다. 더 높은 강도와 낮은 강도를 비교했을 때, 강도가 더 높은 집단의 아동들이 강도가 낮은 집단의 아동들보다 3개월 일찍 보행하였다(Ulrich et al., 2008).

보조기

다운증후군 아동은 긴장 저하와 관절 과운동성을 가지고 있다. 다리의 불안정성 때문에 이런 아동은 서 있거나 걸을 때 기저면이 안정되는 경험을 하지 못한다. 마틴(2004)은 보조기 사용이 독립적인 보행에 미치는 영향을 알기 위해 다운증후군 아동의 과상보조기 사용을 연구했다. 과상보조기 초기 착용과 7주 착용 이후에 대근육운동기능 측정에서 서기, 걷기, 달리기, 뜀뛰기가 크게 향상되었다. 그리고 7주가 끝날 무렵에는 균형잡기도 개선되었다.

루퍼(Looper)와 울리치(Ulrich, 2010)는 과상보조기를 너무 일찍 사용하면 트레이드밀 훈련을 하는 아동의 보행 시작이 늦어진다는 사실을 발견했다. 그러나 이런 아동에게 보조기를 사용하기 위해서 아이를 일으켜 세울 수 있을 때까지는 트레이드밀 훈련을 시작하지 않았다. 다운증후군 아동에게 지지하고 서기는 지연된 이정표다. 보다 최근에는 루퍼 등(2012)가 두 가지 종류의 보조기가 다운증후군 아동의 보행에 미치는 영향을 비교했다. 이들은 발 보조기(FO)와 과상 보조기를 비교했다. 그중 어느 한쪽을 선호하는 경향이 있는 것은 아니었다. 각 보조기의 사용과 특정한 보행 변수는 밀접한 상관관계를 맺고 있다고 한다.

체중지지 트레이드밀 훈련은 조기 보행 성취에 긍정적인 영향을 미친다. 그러나 트레이드밀 훈련 중 보조기 사용은 권장하지 않을 수 있다. 독립적인 보행을 달성 한 후에 발각도와 보행 속도, 입각기의 엎침 정도(Selby-Silverstein 등, 2001)와 같은 보행 편위를 처리하기 위해 보조기가 필요할 수 있다. 네빅과 로버츠(Nervik과 Roberts, 2012)가 지적한 바와 같이, 최상의 결정을 내리기 위해 다양한 보조기의 사용과 적용을 권고한다.

고양이울음증후군

5번 염색체의 짧은 팔 부분이 없어지면 고양이울음증후군이 나타난다. 염색체 이상은 주로 신경계에 영향을 미치고 지적 장애를 유발한다. 발병률은 출생아 20,000~50,000명 당 한 명이다(남성의 온라인 멘델 유전[OMIM], 2014). 보호시설에서 생활하는 지적 장애 환자의 1%가 이 증후군을 가질 수 있다(Carlin, 1995). 특징적인 임상 양상으로는 고양이 소리 같은 외침, 소두증, 간격이 넓게 벌어진 눈, 심각한 지적 장애가 있다. 외침은 일반적으로 유아기에만 나타나며 후두부 기형의 결과로 어린이가 성장함에 따라 감소한다. 이런 아동은 일반적으로 만삭 출산으로 태어나지만 임신 나이에 비해서 몸집이 작기 때문에 자궁 내 성장 지연이 나타난다. 소두증은 머리 둘레가 세 번째 백분위 수보다 작은 상태이다. 이러한 특징들이 합쳐져서 고양이울음증후군이 되지만 이러한 징후의 일부 또는 전부는 다른 선천적 유전질환에서도 나타날 수 있다.

아동의 손상과 중재

물리치료사가 고양이울음증후군 아동을 검사하고 평가할 때 물리치료 중재로 다루는 다음과 같은 손상이나 잠재적인 문제를 주로 확인한다.

1. 정신 운동 발달 지연
2. 긴장 저하
3. 자세 반응 발달 지연
4. 관절 과운동성
5. 구축과 골격 기형
6. 호흡 기능 손상

고양이울음증후군과 관련된 근골격계 문제로는 편평족과 엉덩이 탈구, 관절 과운동성, 척추옆굽음증 등이 있다. 근육 긴장이 낮으면 근골격계 정렬과 관련된 문제가 생기기 쉽다. 또한 운동 지연은 운동 기술을 익히는 데 필요한 인지 능력이 부족해서 나타난다. 긴장 저하와 신경계 미성숙으로 인해 자세 조절이 어려워진다. 육체적으로 아이의 움직임은 힘이 들고 일관성이 없다. 중력은 긴장 저하 아동에게 진정한 적(enemy)이다. 선천성 심장병도 흔하고, 심한 호흡기 질환이 나타날 수 있다(Bellamy와 Shen, 2013). 기대 수명은 의료 관리 향상으로 거의 정상 수준으로 개선되었다(Chen, 2013).

프라더-윌리 증후군과 엔젤만 증후군

프라더-윌리 증후군은 염색체 부분 결손으로 나타나는 증후군의 다른 실례이다. 이 경우에는 15번 염색체 긴 팔 부분의 미세결손이 나타난다. 프라더 등가 1956년에 기술한 이 증후군의 발병률은 10,000명 중 한 명에서 30,000명 중 1명이다(Batshaw 등, 2013). 이 장애는 고양이울음증후군보다 훨씬 더 흔하다. 실제로 이것은 유전 클리닉에서 볼 수 있는 가장 흔한 미세결손 중 하나이다(Dykens 등, 2011). 진단은 대개 아동의 행동 및 신체적 특징에 기초하여 이루어지며 유전자 검사로 확인된다. 특징으로는 비만, 불완전하게 발달한 생식샘, 작은 신장, 긴장 저하, 경증에서 중등도 지적 장애가 있다. 이런 아동은 두 살쯤에 음식에 집착해서 과식증(지나치게 먹음)을 보인다. 이 시기

전에는 긴장 저하에 이차적으로 먹기 장애를 겪고, 체중이 천천히 늘어나고, 잘 크지 못한다고 진단받을 수 있다. 프라더-윌리 증후군 아동은 생후 2년 동안 운동 이정표 달성이 매우 지연되고, 12개월까지 앉지 못하며 24개월까지 걷지 못한다(Dykens 등, 2011). 비만은 호흡장애와 청색증이 있는 호흡기 손상을 유발할 수 있다. 프라더-윌리 증후군은 비만의 가장 일반적인 유전적 형태이다. 부적응 행동은 이런 유전질환 행동 표현형의 일부이며, 그 실례로 분노와 강박장애, 자해, 불안정성이 있다.

아이가 아버지한테서 결손을 물려받으면 프라더-윌리 증후군에 걸리지만 어머니한테서 결손을 물려받으면 엔젤만 증후군에 걸린다. 부모의 성별에 좌우되는 이러한 표현의 다양성은 유전체각인이라고 한다. 이 현상은 동일한 염색체를 가진 유전자의 감별 활성화(differential activation)로 나타난다. 엔젤만 증후군(AS)은 발달과 지적 장애, 운동 실조, 심한 언어 발달장애, 진행형 소두증을 특징으로 한다. 6~12개월 전까지는 지연이 분명하게 나타나지 않는다. 아동의 20~80%에서 빨기와 삼키기, 침흘림, 혀 내밀기 장애가 있을 수 있다(Bellamy와 Shen, 2013). 이들은 행복한 표정을 짓고, 손을 퍼덕거리는 행동을 보인다.

아동의 손상과 중재

물리치료사의 프라더-윌리 증후군 검사 및 평가는 대개 물리치료 중재로 다루는 다음과 같은 손상이나 잠재적 문제를 확인한다.

1. 먹기 손상(2세 이전)
2. 긴장저하
3. 정신 운동 발달 지연
4. 비만(2세 이후)
5. 호흡 기능 손상

중재는 아동의 연령별 요구와 일치해야 한다. 이런 유아는 스스로 먹는 능력을 향상시키기 위해 구강 운동 치료를 받아야 한다. 먹기와 옮기기를 하려면 지지와 정렬을 위한 자세잡기가 필요하다. 머리와 몸통 조절을 촉진하는 기법들을 보호자에게 가르쳐야 한다. 아이의 식욕이 증가함에 따라 체중 조절이 중요해 진다. 프리스쿨 프로그램의 목표는 대근육 운동 기술을 확립하고 향상시키기 위해 필요한 중재를 제공하는 것이다. 음식 조절은 프라더-윌리 증후군 아동과 함께 일하는 모든 사람이 파악해야 하는 요소이다. 학교에서는 유산소 활동에 대한 지구력을 향상시키면서 좋은 식습관을 훈련시키는 일에 초점을 맞춘다. 이것은 청소년기 내내 지속된다. 이 시기에는 행동 조절이 체중 증가를 조절하는 가장 성공적인 수단이기 때문이다.

"중재는 비만을 관리하고 심혈관 위험 요인과 골다공증을 최소화하기 위해 근력 향상과 유산소적 지구력, 자세 조절, 운동 효율성, 기능, 호흡에 초점을 맞춰야 한다(Lewis, 2000)." 다양한 연령대에서 권장되는 근력 훈련 활동은 표 8-2에서 찾아 볼 수 있다. 이러한 활동은 약점이 있는 대부분의 아이에게 적합하다. 수중 운동은 운동을 시작하는 심각한 비만 아동에게 이상적인 유산소 활동이다(Lewis, 2000). 다른 연령 집단의 추가적인 유산소 활동은 표 8-3에 나와 있다. 이러한 활동은 발달장애가 있는 대부분의 아동에게 일반적으로 적용할 수 있다. 상자 8-2는 프라더-윌리 증후군 인구집단의 근력 변화와 유산소적 조절운동(aerobic conditioning)의 변화를 문서화하는 데 사용할 수 있는 측정방법에 대해 자세히 설명한다. 이러한 측정방법 중 일부는 다른 발달장애 진단을 받은 아이에게 적용이 가능할 수도 있고, 다른 일부는 운동조절 부족 때문에 적용하기 어려울 수도 있다.

선천다발관절굽음증

선천다발관절굽음증(AMC) 환자의 3분의 1은 유전적인 원인이 있다. 이러한 형태의 신경병증을 일으키는 유전자는 5번 염색체에서 발견된다(Tanamy 등, 2001). 원위성 선천다발관절굽음증이라는 또 다른 형태는 보통염색체 우성 형질로 유전되며 결함 있는 유전자는 9번 염색체이다(Bamshad 등, 1994). 선천다발관절굽음증은 물리치료사가 실제로 접할 수 있는 비진행성신경근 증후군이다. 선천다발관절굽음증은 다발성 관절구축을 일으키고, 잘못 정렬된 관절을 교

표 8-2 근력 훈련 활동

검사	연령	근력강화 활동			
		팔	하지	몸통	호흡 근육
혈압 숨 참기 안정화	더 어린 아동	두 손으로 걷기 수레 밀고/당기기 수직 당기기 물체 들어올리기 스쿠터 보드	쪼그려 앉기 수직 뜀뛰기 계단 오르기 공 차기 옆으로 걷기	윗몸 일으키기 브릿지 몸통 회전 누워 있다 일어서기 무거운 방망이 휘두르기	비눗방울 불기 빨대 빨기 풍선 불기 솜공 하키 노래하는 의자
혈압 숨 참기 안정화	더 나이든 아동/ 더 어린 청소년	탄성 밴드 핸드 웨이트	탄성 밴드 발목 웨이트	스위스 볼 경사진 윗몸 일으 키기	왕복 수영 전력질주
혈압 숨 참기 안정화	더 나이든 청소년/젊은 성인	근력강화 훈련: 이두근 운동 삼두근 운동 광배근 당기기 운동	근력강화 훈련: 넙다리뒤인대 운동 넙다리네갈래근 운동 폄쪼그려 앉기, 발가락 들기	근력강화 훈련:복부 크런치 obliques	왕복 수영 왕복 달리기 지구력 달리기

Modified from Lewis CL: Prader–Willi syndrome: A review for pediatric physical therapists. *Pediatr Phys Ther* 12:87–95, 2000; Young HJ: The effects of home fitness programs in preschoolers with disabilities. Chapel Hill, NC, Program in Human Movement Science with Division of Physical Therapy. University of North Carolina, Chapel Hill, 1996:50. Thesis.

표 8-3 유산소적 활동

연령	활동
더 어린 아동	토끼 뛰기 멀리뛰기 도움닫기 계단이나 경사로 달려서 오르내리기 달려서 언덕 오르내리기 세발자전거 타기 스쿠터 보드 타고 발로 추진하기
더 나이든 아동	자전거 타기
더 어린 청소년	실내 고정 자전거 타기 활기차게 걷기 수중 에어로빅 롤러스케이트 타기 롤러블레이드 타기 아이스스케이트 타기 크로스컨트리 스키 타기 다운힐 스키 타기
더 나이든 청소년	상기와 동일하고 아래 운동 추가하기
더 젊은 성인	춤추기 저자극 스텝 에어로빅 재저사이즈 에어로빅 서킷 트레이닝

From Lewis CL: Prader–Willi syndrome: A review for pediatric physical therapists. *Pediatr Phys Ther* 12:87–95, 2000, p. 92.

정하려면 외과적 중재가 필요하다. 선천다발관절굽음증은 다중 선천성 구축이라고 한다. 홀(Hal, 2007)에 따르면 이 장애의 발생률은 신생아 3천 명에서 6천 명당 1명이다. 캐나다에서는 이 장애의 유병률이 4,300명에 한 명으로 보고되었다(Lowry 등, 2010). 병인은 자궁 내 운동 제한과 관련된 근육과 신경, 또는 관절 이상과 관련이 있지만 여러 원인이 확인되었음에도 정확한 원인은 아직 알려지지 않았다.

병태 생리학과 자연사

1990년 초에 타치드지안(Tachdjian)은 선천다발관절굽음증에서 볼 수 있는 다중 관절구축의 기본 메커니즘이 태아 움직임 부족이라고 가정했다. 그 가설은 선천다발관절굽음증이 태아의 움직임을 제한하는 모든 조건에서 생길 수 있다는 점에서 받아 들여졌다(Glanzman, 2014). 근병증 원인과 신경병증 원인은 다수의 비진행성 관절구축과 연관되어 있다. 태아 관절 주위의 근육이 충분한 자극(근육 풀)을 제공하지 못하면 관절경직이 일어난다. 앞뿔세포가 제대로 기능하지 않으면 근육운동이 약화되고 구축과 물렁조직 섬유증이 생긴다. 자궁의 근육 불균형은 비정상적인 관절 위치

상자 8-2. 임상적 결과 측정

근력 강화 훈련 결과 측정

- 그립 동력계: 훈련 전후(평균 5회)
- 목표 근육 근력계Myometer : 훈련 전후(평균 5회)
- 한 번이나 최대 6회 반복(1RM, 6RM)* : 전후 훈련(평균 3일 이상)†
- 제자리멀리뛰기 거리: 훈련 전후(평균 5회)†

유산소 조절운동 결과 측정

- 심박수 : 노뼈(요골) 맥박을 측정하거나 심박수 모니터 사용. 5일 동안 기준선을 정하기
- 휴지 심박수 감소로 기록되는 심혈관 기능 개선 : 안정된 상태에서 심박 감소(활동 2분) : 심박이 사전 활동 수준으로 돌아가는 데 걸리는 시간
- 50피트 전력 질주, 윗몸 일으키기 7회, 계단 오르기와 시간 제한 활동 수행
- 2~6분 걷기/달리기/왕복 수영 시간 : 최대 거리를 시간으로 나눈 값
- 보행의 에너지 소비 지수(EEI) 결정‡ : 정상working 심박수에서 속도로 나온 휴지심박수 빼기

*1 RM은 한 번에 들어 올리 수 있는 최대 무게이다. 6RM은 여섯 번 들어 올 릴 수 있는 최대 무게이다.
†1998년 학교 인구 체력 조사에서 발췌. 워싱턴 DC, 1985, 체력 및 스포츠 대통령 의회
‡Rose J, Gamble J, Lee J, et al: The energy expenditure index: A method to quantitate and compare walking energy expenditure for children and adolescents. J Pediatr Orthop 11:571–578, 1991.
(From Lewis CL: Prader–Willi syndrome: A review for pediatric physical therapists. Pediatr Phys Ther 12:87–95, 2000, p. 92.)

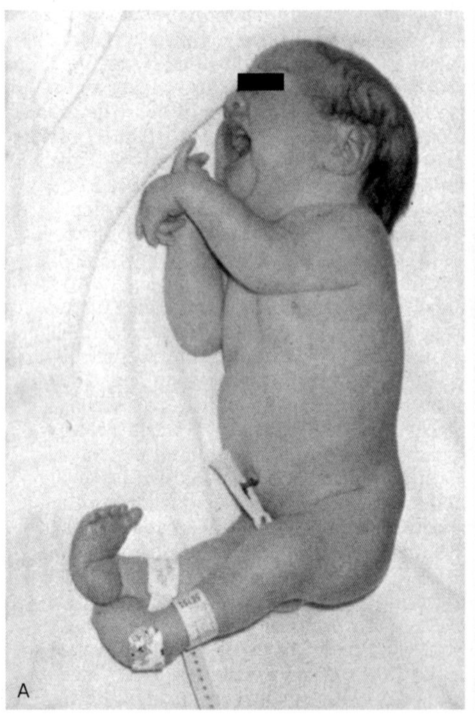
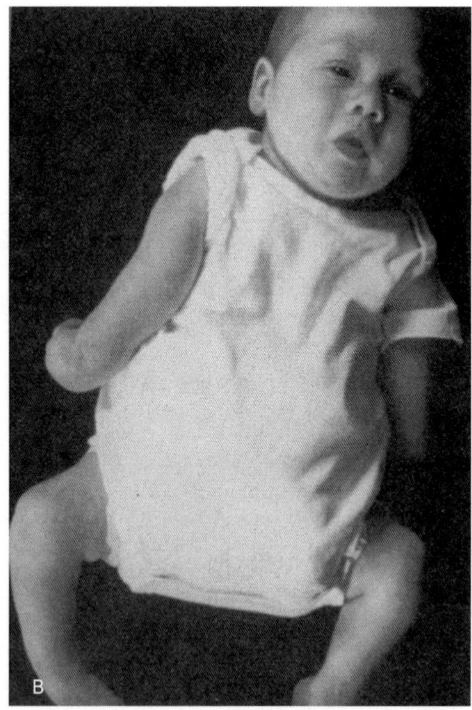

그림 8-3. **A.** 엉덩이 굽힘과 탈골, 무릎 폄, 편평족(내반첨족), 안쪽으로 회전된 어깨, 굽은 팔꿈치, 척골측으로 이탈된 손목을 보이는 다발관절만곡증 유아. **B.** 벌어져서 바깥쪽으로 돌아간 엉덩이와 구부러진 무릎, 편평족, 안쪽으로 돌아간 어깨, 펴진 팔꿈치, 구부러지고 척골측으로 이탈된 손목을 보이는 선천다발관절굽음증 유아(From Donohoe M: Arthrogryposis multiplex congenita. In Campbell SK, Palisano RJ, Orlin MN, editors: Physical therapy for children, ed 4. Philadelphia, 2012, Saunders.).

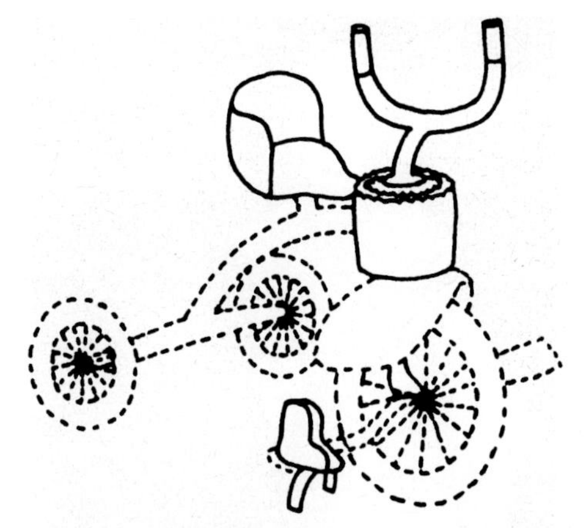

그림 8-4. 개조한 세발자전거(Reprinted by permission of the publisher from Connor FP, Williamson GG, Siepp JM, editors: Program guide for infants and toddlers with neuromotor and other developmental disabilities, p. 361. [New York, Teachers College Press, © 1978 Teachers College, Columbia University. All rights reserved.])

로 이어질 수 있다. 임신 후 첫 삼개월은 선천다발관절굽음증을 유발하는 일차적 손상이 일어날 가능성이 가장 높은 시기이다. 구축 자체는 진행성이지 않지만, 그림 8-3에서 볼 수 있듯이 그로 인해 기능 장애가 크게 나타난다. 이동성 및 일상생활 활동(ADL)의 제한으로 아동이 가족에게 의존하게 될 수 있다.

아동의 손상과 중재

물리치료사의 선천다발관절굽음증 검사와 평가는 대개 물리치료 중재로 다루는 다음과 같은 손상을 확인한다.

1. 관절운동범위 손상
2. 기능적 이동성 손상
3. 보조기를 착용하고 벗는 것을 포함한 ADL 제한

초기의 물리치료 중재는 유아의 머리와 몸통 조절력 획득에 중점을 둔다. 팔다리 침범의 정도에 따라 아동이 앉거나 잃어버린 균형을 되찾는 법을 처음으로 배우기 시작할 때 팔을 사용하기 어려울 수 있다. 이런 아동은 대부분은 걸을 수 있게 되지만 계단을 오르내리는 방법을 찾는 데 도움이 필요할 수 있다. 개조한 세발자전거는 걷기를 마스터하기 전에 대체 이동 수단이 될 수 있다(그림 8-4). 기능적 움직임과 관절 운

표 8-4 선천성 다발관절만곡증이나 선천성 다발 관절구축 관리

시기	목표	전략	의료/수술	가정 프로그램
유아기	근력 최대화 ROM 증가 감각과 운동 발달 향상	구르기 가르치기 엉덩이 끌기 근력 강화 자세잡기	2세에 편평족 수술 4–6주마다 부목 조정	하루 3–5회 스트레칭 하루 2시간 서 있기 자세잡기
프리스쿨	장애 감소 보행 향상 ADL 최대화	ADL 난제 해결 보행 훈련 스트레칭, 자세잡기 자부심 향상	유모차로 지역 사회 보행 AFO 착용 부목	하루 2회 스트레칭 놀이집단, 밤새 파티 스포츠
취학 연령 청소년	또래 관계 강화 독립적 이동성 ROM 보존	적응 신체 교육 환경 적응, 스트레칭 ADL을 위한 보상	지역 사회에서 수동 휠체어 사용 전동 이동기구 수술	스포츠, 사회 활동 자가 스트레칭과 엎드리기 자세잡기 개인 위생
성인기	보조기구 유무 상관없이 ADL의 독립성 확보 보행/이동성 운전	관절 보호와 보존 접근성 평가 보조 기술	휠체어	유연성 자세잡기 지구력

ADL, 일상생활 활동; *AFO*, 발목–발 보조기; *ROM*, 관절운동범위

Data from Donohoe M: Arthrogryposis multiplex congenita. In Campbell SK, Palisano RJ, Orlin MN, editors: *Physical therapy for children*, ed 4. Philadelphia, 2012, WB Saunders, pp. 313–332.

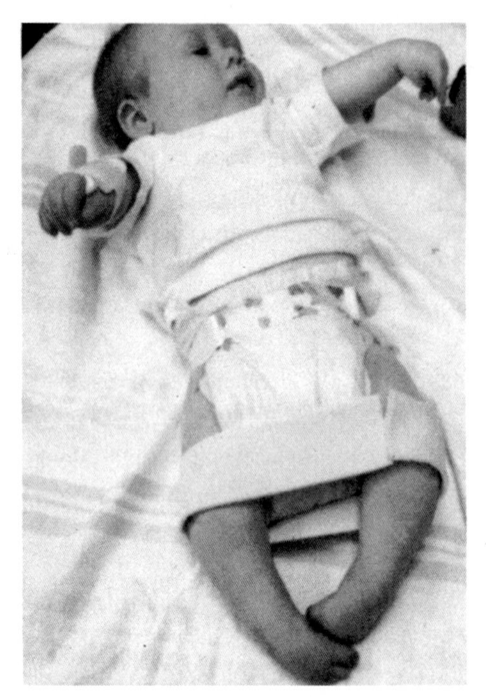

그림 8-5. 선천다발관절굽음증 유아의 허벅지를 넓은 벨크로 밴드로 감싸서 다리를 보다 더 중립적으로 정렬하려고 하고 있다(From Donohoe M, Bleakney DA: Arthrogryposis multiplex congenita. In Campbell SK, Vander Linden DW, Palisano RJ, editors: Physical therapy for children, ed 2. Philadelphia, 2000, WB Saunders).

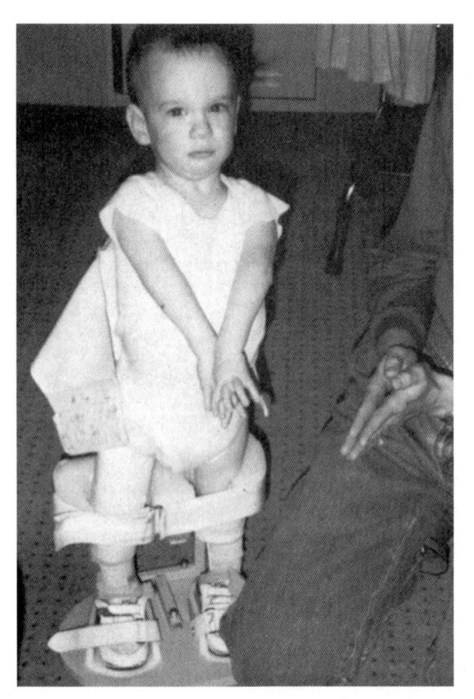

그림 8-6. 스탠딩 프레임을 착용하고 있는 선천다발관절굽음증 아동(From Donohoe M: Arthrogryposis multiplex congenita. In Campbell SK, Palisano RJ, Orline MN, editors: Physical therapy for children, ed 4. Philadelphia, 2012, Saunders).

동 범위 유지는 이러한 신체 장애가 있는 아동의 두 가지 중요한 물리치료 목표다. 인지적 결핍은 나타나지 않는다. 그러므로 선천다발관절굽음증 아동은 정규 프리스쿨과 학교에 다닐 수 있어야 한다. 표 8-4는 선천다발관절굽음증 아동의 평생 관리를 포괄적으로 보여 준다.

관절운동범위

관절운동범위 운동과 스트레칭 운동은 선천다발관절굽음증 아동 물리치료 중재의 초석이다. 처음에는 스트레칭을 하루에 3~5번 해야 한다. 영향을 받는 각 관절을 3~5회 움직여야 하고, 가능한 범위 끝에서 20~30초 동안 정지시켜 유지해야 한다. 이런 아동은 다수의 관절이 침범당한 상태이기 때문에 아동의 가족들도 관절 가동 범위 운동을 할 수 있어야 한다. 먹기, 목욕, 기저귀 교환의 일상 동작에 스트레칭을 통합해야 한다. 아이가 나이가 들어감에 따라 스트레칭 빈도는 줄어들 수 있다. 취학 연령의 아동은 자가 스트레칭 프로그램을 할 수 있어야 한다. 일단 골격 성장이 멈추면 스트레칭의 중요성이 감소하지만 유연성은 여전히 발달 과정에서 기형을 예방하기 위한 목표로 남는다. 관절 보존과 에너지 보존 기법들은 선천다발관절굽음증 성인을 위한 효과적인 전략이다.

위치결정(positioning)

위치결정은 구축 유형에 따라 달라진다. 관절이 팔에서 보다 더 많이 펴지면 아이가 엎드리는 자세를 받아들이기 힘들어지고, 아이의 가슴을 롤이나 웨지로 지지해야 한다. 다리의 굽힘과 벌림이 너무 심할 경우에는 돌돌만 수건이나 벨크로 스트랩(그림 8-5)으로 측면을 지지해 주어야 한다. 쪼그린 자세는 팔과 다리의 굽힘을 강화하기 때문에 좋은 자세가 아니다. 엎드리기 위치결정은 엎드려서 나아가는 운동 능력을 촉진하면서 엉덩이 굽힘 구축을 펴주는 훌륭한 방법이다. 엎드리기 위치결정 프로그램은 평생 동안 지속되어야 한다.

기능적 활동과 보행

구르기와 엉덩이 끌기는 주요한 바닥 이동 수단이다. 이런 아동은 앉기 자세를 취하지 못하기 때문에 독립적인 앉기가 지연되는 경우가 많지만 대부분의 아동은 생후 15개월까지 앉을 수 있다. 손 지지를 제공하거나 그렇지 않은 상태에서 정적 균형을 잡도록 격려하는 것은 생후 6개월쯤에 일찍 시작해야 한다. 그 이후에는 동적 균형 유지와 몸통 굽힘과 회전을 이용해 앉고 다시 자세를 바꾸는 동작에 중점을 둔다. 생후 9개월은 아이가 서서 체중지지를 경험하기에 적절한 나이이다. 발바닥쪽 굽힘 구축이 있는 아동의 경우에는 신발의 지지면이 발전체와 완전히 접촉되어야 한다. 척수수막탈출증 아동의 경우처럼 스탠딩 프레임이나 발보조기가 도움이 되는 경우도 있다(그림 8-6). 한 살 아동은 하루 2시간 서 있는 것을 목표로 삼는다(Donohoe과 Bleakney, 2000). 구르기와 앉기, 엉덩이 밀기(엉덩이 끌기), 서기, 걷기와 같은 기능적인 핵심 운동 기술에 필요한 근력 강화는 놀이를 통해 이루어진다. 굴러서 뻗기와 앉고 서서 회전하기, 자세 전환 움직임은 기능적인 과제의 수행을 촉진할 수 있다. 장난감에는 아동의 놀이 능력을 향상시키는 스위치가 있어야 하고, 적응 기구는 ADL에서의 의존도를 줄이기 위해 사용해야 한다.

대부분의 선천다발관절굽음증 아동은 생후 18개월 경에 걷는다(Donohoe과 Bleakney, 2000). 편평족은 종종 선천다발관절굽음증에서 나타나기 때문에 서고 걷는 발달 과정에서 다루어야 한다. 기형의 조기 수술은 추후에 외과적으로 교정해야 하기 때문에 연구자들은 생후 1년이 끝날 무렵, 아이가 걷고 싶어 할 때 수술을 하라고 권한다. 물렁조직 교정과는 반대로 뼈 수술을 많이 할 필요가 없도록 아이가 두 살이 되면 수술을 해야 한다.

보행에 필요한 보조기 사용은 다리 폄근의 근력과 엉덩이, 무릎, 발목의 구축 유형에 달려 있다. 관절의 근력 등급이 페어(Fair) 이하면 보조기가 필요하다는 뜻이다. 예를 들어 맨손 근력 검사에서 넙다리네갈래근의 점수가 5점 만점에 3점 이하면 무릎-발목-발 보조기(KAFO)를 권장한다. 무릎 폄 구축이 있는 아동은 무릎 굽힘 구축이 있는 아동보다 보조 장비의 조절을 덜 필요로 한다(Donohoe, 2012). 넙다리네갈래근이 약하거나 무릎 굽힘 구축이 있는 아동은 무릎-발목-발 보조기의 무릎을 잠근 채로 걸어야 할 수도 있다. 기능적 보행은 아동의 보조기구 사용 능력에 달려 있다. 팔의 구축 때문에 보행이 불가능할 수도 있고, 워커나 목발에 적응해야 할 수도 있다. 폴리비닐 클로라이드 파이프는 아동의 독립성을 최대화하기 위해 경량 워커나 목발에 사용할 수 있다(그림 8-7). 전동 이동기구는 다리가 약하고 팔의 기능이 좋지 못한 아동에게 쉽고 효율적인 환경 접근을 제공할 수 있다. 취학 연령 아동이나 청소년들 중 일부는 지역 사회에서 일상적으로 수동 휠체어를 사용해 또래들과 어울린다.

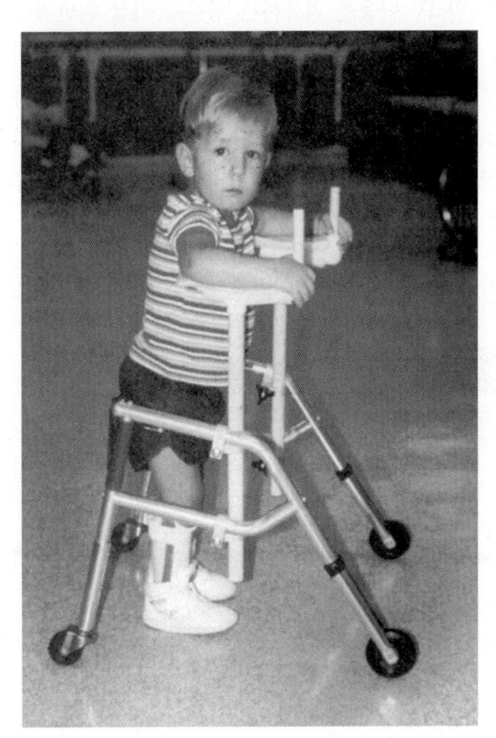

그림 8-7. 열가소성 팔뚝 지지대를 선천다발관절굽음증 아동의 워커에 맞춤 제작해 부착할 수 있다(From Donohoe M: Arthrogryposis multiplex congenita. In Campbell SK, Palisano RJ, Orlin MN, editors: Physical therapy for children, ed 4. Philadelphia, 2012, Saunders).

불완전 골생성증

불완전골생성증은 뼈의 신진대사에 영향을 미치는 콜라겐 합성 보통염색체 우성 장애다. 실렌스(Sillence 등, 1979)는 임상 검사와 X레이 결과, 유전 형태에 근거해서 4가지 유형의 기존 분류 체계를 고안했다. 분자 유전학에 관한 최근의 연구는 3가지의 유형을 찾아내서 유형의 수가 4개에서 7개로 늘어났다. 기존의 네 가지 유형은 표 8-5에 나열되어 있다. 유형 V와 VI의 발생 확률은 매우 적고, 유형 VII는 특정 인구에서 나타난다. 유형 I과 IV가 전체의 95%를 차지한다(Martin과 Shapiro, 2007). 네 가지 유형은 모두 보통염색체 우성형질로 유전되며, 발병률은 10,000명당 1명이다. 각 유형의 심각도는 각각 다르다. 불완전골생성증 유형에 따라 영아는 다발 골절을 갖고 태어나거나 프리스쿨에 가기 전까지 뼈가 부러지지 않을 수도 있다. 골격 시스템이 약해질수록 물리치료가 아동의 치료에 관여할 확률이 낮아진다. 물리치료는 유형 I와 IV 아동을 치료하는 경우가 가장 일반적이며 도움이 된다. 불완전골생성증 환자는 "부서지기 쉬운 뼈"를 가지고 있다. 또한 많은 불완전골생성증 환자가 작은 키에 긴 뼈 구부러짐, 인대성 관절 이완, 척추 측만증을 보인다. 지능은 일반적으로 평균 이상이다.

표 8-5 불완전골생성증 분류

유형	특징	심각도	보행
I	AD, 경증에서 중등증 취약성	중간경증	지역 사회
II	AD, 자궁 내 골절	심한중증(출산 전후로 치명적)	
III	AD, 진행성 기형	중등도	걷기 운동
IV	AD, 경증에서 중등증 기형, 작은 키	I형보다 심각함	가정/지역 사회

AD, Autosomal dominant.
Data from Donohoe M: Osteogenesis Imperfecta. In Campbell SK, Palisano RJ, Orlin MN, editors: *Physical therapy for children*, ed 4. Philadelphia, 2012, WB Saunders, pp. 332-352; Engelbert et al., 2000; Glanzman, 2014.

아동의 손상과 중재

물리치료사의 불완전골생성증 아동 검사와 평가는 대개 물리치료 중재로 다루는 다음과 같은 손상을 확인한다.

1. 관절운동범위 손상
2. 근력 손상
3. 병적 골적
4. 운동 발달 지연
5. 기능적 이동성 손상
6. ADL 제한
7. 호흡 기능 손상
8. 척추 측만증

프리스쿨이나 학교에서 경증의 불완전골생성증 아동은 근력 강화와 지구력 훈련을 한다. 골절의 가능성이 있기 때문에 모든 상황을 잠재적으로 위험한 것으로 간주해야 한다. 잠재적인 위험을 다룰 때는 항상 안전이 최우선이다. 그러므로 관절을 보호하기 위해 보조기를 착용하고, 놀이터 기구에는 패드를 덧대어 놓을 수 있다. 보조기를 착용하고 벗을 때 힘을 너무 많이 가하지 않는다. 붉은 자극과 붓기, 혹은 온기는 과도한 압력이 가해지고 골절이 됐음을 암시할 수 있다.

> **경고** 목욕과 옷 입기, 옮기기 도중에 골절 위험이 가장 높다. 보행기와 점퍼는 사용하지 않아야 한다. 모든 몸통이나 팔다리 회전이 수동적이 아니라 능동적이 되어야 한다. ▼

불완전골생성증 아동이 스포츠 관련 활동에 참여할 수 없는 경우 사회적 상호 작용이 필요할 수도 있다. 소프트볼이나 축구팀의 매니저가 되면 불완전골생성증 아동도 스포츠 참여에 가까워질 수 있다. 표 8-6은 불완전골생성증 아동의 평생 관리를 개괄적으로 보여 준다.

핸들링과 위치결정

불완전골생성증 유아의 부모는 아이를 베개에 올려놓고 옮기거나 맞춤형 캐리어로 옮길 때 아이를 보호해야 한다고 배운다. 이러한 핸들링과 위치결정은 중재 8-1에 나와 있다. 모든 단단한 표면에는 패딩을 대어 놓아야 한다. 보호적인 위치결정은 유아의 적극적인

표 8-6 불완전골생성증의 치료적 중재

시기	목표	치료적 중재
유아기	안전한 핸들링과 자세잡기 연령에 적절한 기술 발달	체중의 균등한 분산 패드를 댄 캐리어 엎드리기, 옆으로 눕기, 안기 자세 일으켜 앉히기 금지
취학 전(프리스쿨)	보호된 체중지지 안전하고 독립적인 자가 이동	선 자세에서 압력과 지지를 제공해 주는 맞춤형 보조기 사용 적응 기구 가벼운 웨이트, 수중 치료
취학연령과 청소년기	독립성 최대화 지구력 최대화 근력 최대화 또래 관계	이동 카트, HKAFO, 조개껍질 모양 교정기, 공기 부목 골절률 감소로 보조기 없이 보행 휠체어로 지역 사회 보행 적응 물리 교육 보이스카웃, 걸스카웃, 4-H
성인기	적절한 직장 배치	직업 상담 직장 위치 평가

HKAFO, 엉덩이-무릎-발목-발 보조기
Data from Donohoe M: Osteogenesis imperfecta. In Campbell SK, Palisano RJ, Orlin MN, editors: *Physical therapy for children*, ed 4. Philadelphia, 2012, Saunders, pp. 333-352.

중재 8-1 불완전 골생성증 아동 핸들링

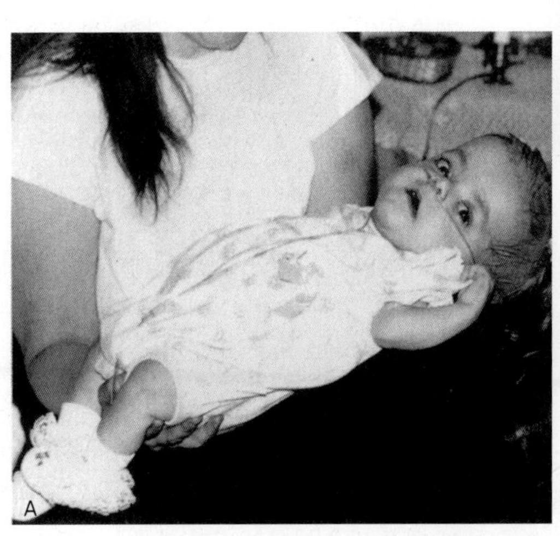

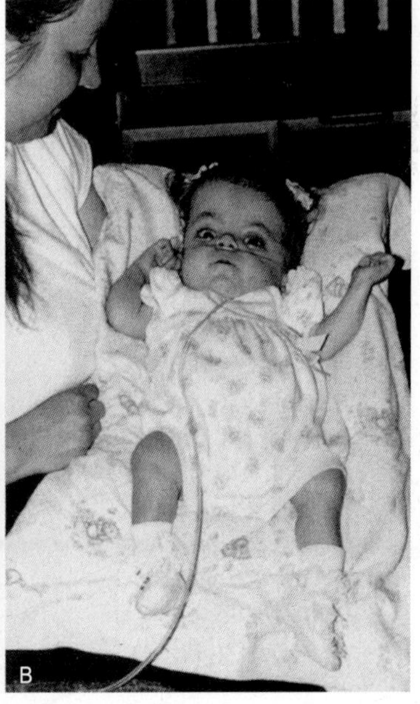

A. 불완전 골생성증 아동을 다룰 때는 양 손으로 목과 어깨, 골반을 받쳐 준다. 아이의 양팔 아래쪽을 잡아 들어올리지 않는다.
B. 아이를 베개 위에 눕히면 아이가 좀 더 쉽게 머리를 들고 유지할 수 있다.

(From RS: Saunders manual of physical therapy practice, Philadelphia, 1995, WB Saunders.)

움직임을 허용하면서 균형 있게 이루어야 한다. 모래 주머니와 돌돌 만 수건, 그밖에 다른 물건을 사용할 수 있다. 아이를 입히고 먹이고, 아이 기저귀를 갈 때 매우 조심해야 한다. 아이를 다룰 때 보호자은 아이의 발목과 갈비뼈 주위, 혹은 팔 아래쪽을 움켜쥐지 않아야 한다. 골절 위험이 높아질 수 있기 때문이다. 옷은 아이의 머리 위로 쉽게 뒤집어쓸 수 있도록 품이 충분히 넓어야 한다. 아이의 체온 조절이 종종 손상되므로 가볍고 흡수성 있는 옷을 권하는 것이 좋다. 플라스틱이나 스펀지 세숫대야가 목욕에 가장 좋다. 모든 예방 조치에도 불구하고, 유아는 여전히 골절을 경험할 수 있다. 물리치료사는 환자의 취약성 때문에 초기에 거의 관여하지 않는다. 그러나 물리치료사가 나중에 참여한다면, 가족이 배운 것을 알고 있어야 한다.

위치결정은 관절 기형을 최소화하기 위해 사용해야 한다. 유아가 누워 있고, 옆으로 누워 있을 때는 대칭을 사용하는 것이 좋다. 유아가 엎드려 있을 때 지지를 제공하면서 머리와 몸통 움직임을 권장하려면 유아의 가슴 아래에 웨지를 놓을 수 있다(그림 8-8). 아이가 앉아 있을 때 아이의 발이 공중에 들려 있어서는 안되고 항상 지지를 받아야 한다. 압력은 관절 기형을 유발할 수 있기 때문에 물침대는 권장하지 않는다.

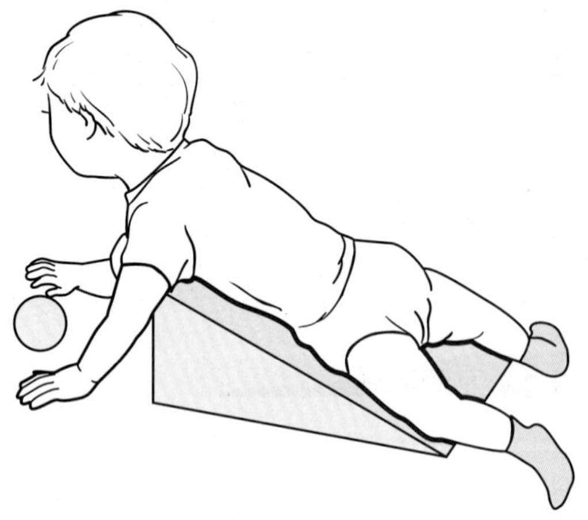

그림 8-8. 아이를 웨지에 올려 머리와 몸통 움직임, 팔 체중 이동을 장려하는 엎드리기 자세잡기

관절운동범위와 근력 강화

미취학 아동은 뼈가 여전히 허약하며 관절이 느슨해지고 근육도 약하다. 그리고 유아기나 아동기에 골절로 움직이지 못할뿐아니라 불사용 위축과 골다공증이 발생할 가능성이 있다. 불완전골생성증은 유형에 따라 발병 시기가 다르다. 관절운동범위운동과 근력 강화는 필수이다. 능동적인 움직임은 뼈 광물화(mineralization)를 촉진하고, 초기의 체중지지는 이 질환에 긍정적인 영향을 미치는 것 같다. 직선 면에서의 관절운동범위 운동은 처음에는 어깨와 다리 이음 뼈에 중점을 두는 대각선 운동보다 바람직하다. 가벼운 웨이트는 근력을 증진하기 위해 사용할 수 있지만 과도한 회전력을 제한하기 위해 관절 가까이에 두어야 한다.

수중 운동(pool exercise)은 물이 아이의 팔다리를 지탱할 수 있고 부양 장치를 부력을 증가시키는 데 사용할 수 있기 때문에 좋다. 물은 약간의 저항을 헤치고 나아가는 능동적인 움직임을 위한 훌륭한 매개체이다. 아동의 호흡 기능은 방울을 불고 숨 참기 등 물속에서 강화할 수 있다. 심호흡은 가슴 확장에 좋지만, 흉벽 기형으로 이차적으로 제한이 올 수 있다. 이런 아이들은 신진대사가 증가하기 때문에 수온을 낮추어야 한다(Donohoe, 2012). 지구력 증가와 보호받는 체중지지, 가슴 확장, 근력 강화, 협응 개선은 수중 중재의 잠재적 이점이다. 수영장에서의 초기 훈련은 짧으며 20~30분 동안 지속된다(Cintas, 2005).

기능적 활동과 보행

발달 활동은 안전한 한도 내에서 권장되어야 한다(중재 8-2). 아이를 안전하게 핸들링 위해서는 근거리 지점에서 동기부여를 위해 가벼운 장난감을 사용한다. 누워서 손 뻗기, 옆으로 눕기, 지지하고 앉기는 팔의 근력 강화와 체중 이동 권장에 사용할 수 있다. 구르기는 바닥 이동 시의 중요한 수단이다. 구르기를 권장할 때 한쪽 팔을 아이의 머리 옆에 놓아두면 도움이 될 수 있다. 모든 회전은 수동적이 아니라 능동적이어야 한다(Brenneman 등, 1995). 아이를 일으켜 앉히는 전통적인 방법은 금기이다. 물리치료사나 보호자는 아이를

중재 8-2 불완전 골생성증 아동을 위한 발달 활동

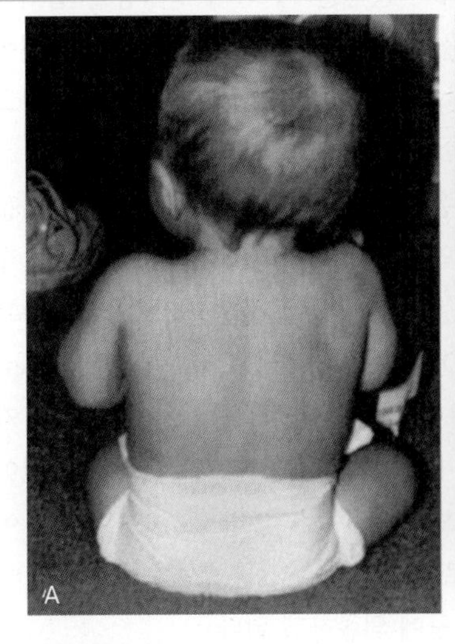

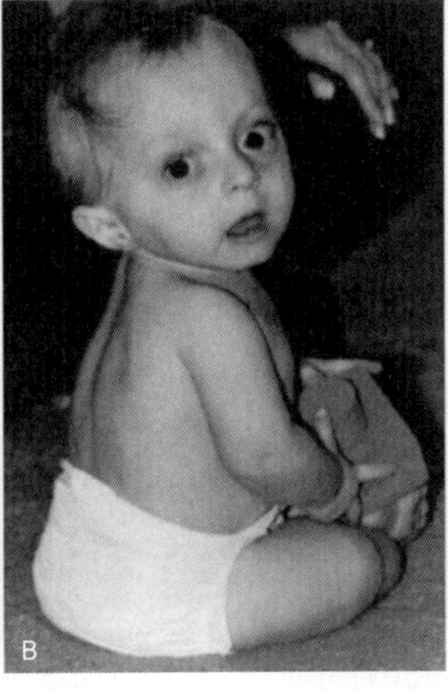

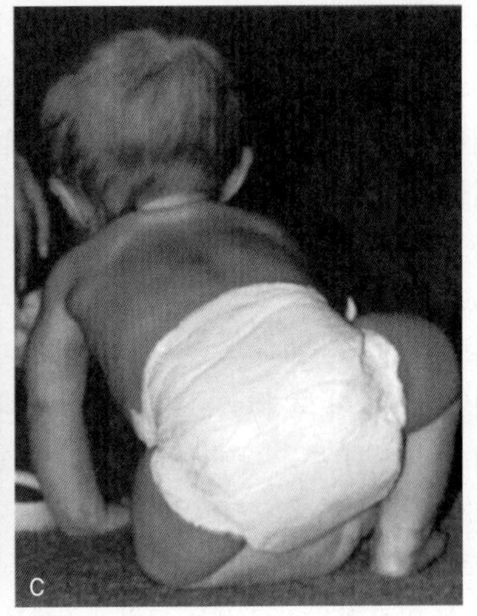

A. 몸통을 곧게 세우고 앉기 강조
B. 모든 회전을 능동적으로 하기
C. 가능한 팔과 다리로 체중을 지지하도록 유지하기

(From Myers RS: Saunders manual of physical therapy practice, Philadelphia, 1995, WB Saunders.)

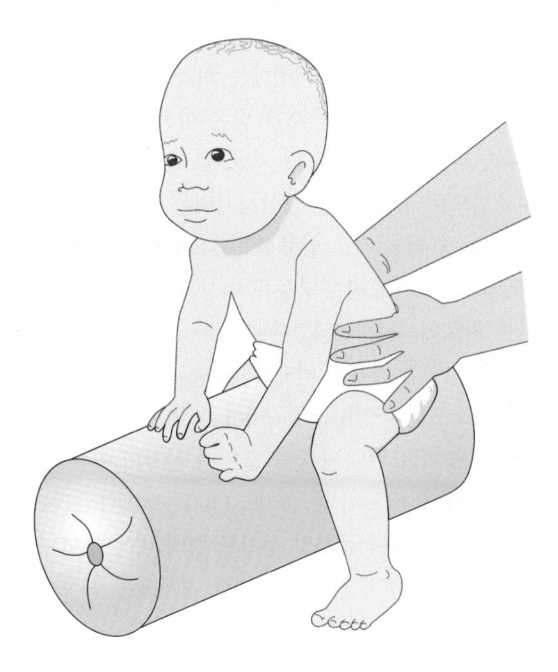

그림 8-9. 다리 근력 강화와 체중지지를 위해 지지받아 앉았다가 일어서는 걸터앉아 굴리기 활동(From Campbell SK, Vander Linden DW, Palisano RJ, editors: Physical therapy for children, ed 4. Philadelphia, 2012, WB Saunders, p. 343.)

그림 8-10. 다리나 팔로 움직일 수 있는 이동 기구로 스쿠터 사용하기 (From Campbell SK, Vander Linden DW, Palisano RJ,editors: Physical therapy for children, ed4. Philadelphia, 2012, WB Saunders, p. 344.)

똑바로 세워서 머리 들기와 몸통 활성화를 장려하기 위해서 아이의 어깨를 손으로 잡아 주어야 한다.

지지하고 앉기에서 손지지 없는 앉기로 나아가는 아동의 전형적인 발달 진행 상태와 비교했을 때 앉은 자세에서는 몸을 곧게 펴야 한다. 이 자세에서는 척추 뒤굽음증이 더 심해질 수 있기 때문이다. 곧은 자세를 견뎌내는 힘을 키우려면 코너 의자나 시트 인서트(seat insert) 같은 외부 지지가 필요할 수 있다. 유모차의 슬링 시트(sling seat)나 다른 좌석 도구는 적절한 정렬에 도움이 되지 않으므로 피해야 한다. 아이가 머리 조절을 할 수 있다면, 무릎을 구부리고 앉거나 보호자의 다리나 볼스터에 걸터앉아서 능동적으로 몸통 바로잡기와 균형 바로잡기, 보호 반응을 키워나갈 수 있다. 이러한 앉기 자세는 그림 8-9에서처럼 다리의 보호된 체중지지를 시작할 때 사용할 수 있다. 볼스터나 벤치 위에서 움직이는 것은 앉아서 이동하기를 배우는 시작점이 될 수 있다. 앉기와 엉덩이 끌기는 구르기 다음으로 불완전골생성증 아동의 주요한 바닥 이동 수단이며, 기기(creeping)를 마스터할 때까지 사용하는 것이다. 아이가 팔과 다리로 스쿠터를 움직여 이동할 수도 있다(그림 8-10).

서기로 전환

불완전골생성증 아동은 프리스쿨 기간 동안 서기를 시작할 수 있도록 곧게 몸을 펴는 조절 능력을 충분히 갖추어야 한다. 그 시기 이전에 충분한 지지 없이 서고 걷는 것은 다리에 너무 많은 체중을 가해서 긴 뼈가 더 많이 구부러질 수 있다. 2세에서 10세나 15세 사이는 긴 뼈의 골절이 일어나기 쉬운 기간이다(Jones, 2006). 불완전골생성증 아동은 2세나 3세까지 스탠딩 기구나 보행 기구를 착용해야 한다(Pauls과 Reed, 2004). 엉덩이-무릎-발목-발 보조기(HKA-FOs)는 프론 스탠더 같은 스탠딩 프레임과 연계해서 사용한다. 보행은 종종 물의 보호를 받을 수 있는 수영장에서 시작한다. 이후에는 얕은 물로 이동해서 보행한다. 골절 이후에 다시 보행하기 시작하거나 처음으로 보행을 배울 때는 물에서 연습할 수 있지만 가벼운 플라스틱 부목도 사용할 수 있다. 두필드(Duffield, 1983)는 물 속에서 훈련할 때 먼저 평행봉을 잡거나 스탠딩 프레임을 착용하고 체중을 좌우, 앞뒤로 이동하고, 이어서 앞으로 걷는 순으로 훈련을 진행하라고 권했다.

운동 기술 발달은 골절과 근육 발달 부진, 관절 과운동성 때문에 지연된다. 생후 9개월이나 10개월 때 질환 유형과 앉기능력은 보행 상태를 가장 잘 알려주는 예측인자이다(Daley 등, 1996; Engelbert과 Uiter-vaal, 2000). I유형 불완전골생성증 아동은 대부분 가정에서 보행할 수 있고, 그 중 절반은 보조기구 없이 지역 사회에서 보행할 수 있다(Glanzman, 2014). 이와는 대조적으로 III유형 불완전골생성증 아동의 50%는 거의 전동 기구에 의존하게 된다.

의료적 중재

장애 없이 정상적으로 발달하는 아동은 뼈가 자라서 재형성될 때 재흡수되는 것보다 7% 더 많은 뼈를 형성한다. 경증 불완전골생성증 아동은 흡수되는 것보다 겨우 3% 더 많은 뼈를 형성한다(Batshaw 등, 2013). 지난 10년 이전에는 외과 수술 이외의 다른 실질적인 의료적 중재를 받은 아동이 없었다. 칼시토닌과 불소, 비타민 D 처방 등 여러 가지 유형의 치료법으로 골 형성을 향상시키려는 시도가 있었지만 이들 중 어느 것도 성공적이지 않았다. 파미드론산(pamidronate) 요법은 중등도 이상의 불완전골생성증 아동 치료의 표준이 되었다(Glorieux, 2007). 파미드론산은 강력한 골흡수 억제제(anitresorptive agent)인 비스포스포네이트(bisphosphonate)이다. 이것은 골밀도를 높이고 뼈의 통증을 줄이며 환자의 이동 능력을 향상시킨다(Land 등, 2006; DiMeglio과 Peacock, 2006). 파미드론산은 3일 주기로 정맥 내에 투여된다(Glorieux, 2007). 병증이 경미한 경우에는 긍정적인 효과가 입증되지 않았다.

정형외과적 중재와 수술적 중재

보조기는 경량 폴리프로필렌으로 아동의 다리 윤곽에

맞게 만든다. 처음에는 최대 안정성을 위해 골반 밴드가 있고 무릎 관절이 없는 보조기를 사용할 수 있다. 아동의 근력과 조절력이 증가하면서 골반 밴드를 제거하고 무릎 관절을 사용할 수 있다. 일부 보조기는 엉덩이뼈 체중지지 구성 요소를 포함한 조개 모양 디자인을 가지고 있다. 이러한 특징은 다리 보철에서 차용한 것이다. 불완전골생성증 아동의 보행 가능성은 매우 다양하므로 보조기 선택도 마찬가지이다. 이런 아동은 스탠딩 프레임과 보조기를 사용하다가 무릎이 완전히 펴지도록 무릎 잠금 장치가 있는 무릎-발목 보조기를 사용하게 된다(그림 8-11). 처음에는 안전하게 평행봉을 잡고 걷다가 워커를 사용하기 시작하고, 마지막으로 팔다리 근력과 협응이 개선되면 목발을 사용한다. "골절률이 낮아지면 대부분의 아동은 교정기 없이 걷는다(Donohoe, 2012, 345 페이지)."

불완전골생성증 아동의 골절 회복 기간은 일반적으로 4~6주이며, 정상 아동의 경우와 동일하다. 다만 이런 아동의 골절 횟수가 정상이 아닐 뿐이다. 골수내막대 고정은 체중을 지지하는 긴 뼈의 골절을 안정화시키기 위한 가장 좋은 방법이다. 베일리와 듀보(Bailey와 Dubow, 1965)가 개발한 특수 신축식 막대는 막대가 있어도 뼈가 자랄 수 있게 해 준다. 이러한 유형의 외과 수술은 일반적으로 넙다리뼈가 충분히 성장하도록 4세나 5세 이후에 시행한다. 그러나 한 연구에 따르면 2세에서 3.5세 사이에 수술을 해야 잠재적으로 아동의 신경운동 발달을 향상시킬 수 있다고 한다(Engelbert 등, 1995). 다행스럽게도 사춘기 이후에는 골절의 빈도가 감소하는 경향이 있다(Glorieux, 2007).

척추 측만증이나 후만증은 불완전골생성증 아동의 50%에서 발생한다(Tachdian, 2002). 이런 아동은 종종 보조기의 압력으로 척추가 조절되기보다 갈비뼈 기형이 생기기 때문에 척추를 관리하기 위해 보조기를 사용할 수 없다. 5세 이후에 만곡이 빠르게 진행될 수 있고, 12세에 최대 기형이 나타날 수 있다(Gitelis 등, 1983). 가끔씩은 해링턴막대(Harrington rod)를 이용한 수술적 고정이 필요하다(Marini와 Chernoff, 2001). 척추 기형은 불완전골생성증 아동의 키를 더 작게 만들뿐만 아니라 가슴벽 운동과 호흡 기능을 현저하게 손상시킬 수 있다.

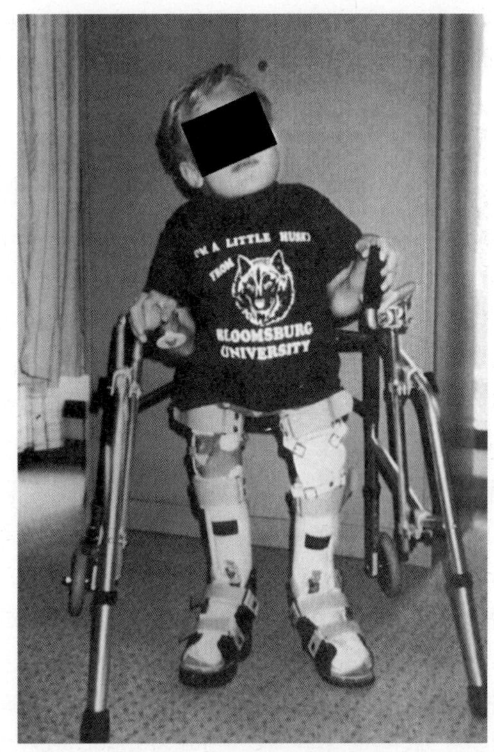

그림 8-11. 긴 다리 교정기와 롤레이터 워커를 이용하는 불완전 골생성증 아동(From Bleakney DA, Donohoe M: Osteogenesis imperfecta. In Campbell SK, Vander Linden DW, Palisano RJ, editors: Physical therapy for children, ed 3. Philadelphia, 2006, WB Saunders.)

취학 연령과 청소년기

이 기간 동안의 목표는 보행에서 ADL에 이르기까지 모든 능력을 최대화하는 것이다. 그런데 보호자가 학령기 아동을 과다하게 보호하면 그러한 목표 달성이 훨씬 더 어려워질 수 있다. 보행을 향상시키기 위해 이 기간 동안에는 근력 강화 운동과 지구력 운동을 계속해야 한다. 사춘기에 골절률이 감소하면 보조기 없는 보행이 처음으로 가능해진다. 이러한 변화에도 불구하고, 휠체어는 지역 사회에서 이동하는 수단이 된다. 불완전골생성증 아동은 휠체어로 이동하면서 또래 그룹처럼 사교적으로 활동할 수 있는 에너지를 얻을 수 있다. 휠체어 사용 시 노출된 팔다리가 다치거나 팔다리의 기형이 악화되지 않도록 적절한 휠체어 조절을 확실하게 숙지해야 한다. 불완전골생성증 학령기 아동은 두말 할 것도 없이 접촉을 요하는 스포츠를 피해야 하지만, 심혈관 건강을 유지하기 위한 운동 수단이 필요하며, 수영뿐만 아니라 테니스와 같은 코트 스포츠는 아주 좋은 운동이 될 수 있다.

근력 강화와 체력 단련 프로그램은 I형과 IV형, 불완전골생성증 아동을 대상으로 시행한다. 반 브뤼셀(Van Brussel 등, 2008)은 경증 불완전골생성증 아동을 대상으로 12주 등급별 운동 프로그램 연구를 실시했다. 이 무작위 통제 실험에서 45분짜리 30회 운동에 참여한 아동의 유산소 대사능력과 근력이 크게 향상되었고 주관적 피로가 감소했다. 이러한 개선 상태는 중재가 끝나자 지속되지 않았다. 그러므로 이 집단에게는 지속적인 운동이 필요하다. 카우딜(Caudill 등, 2010)은 I형 불완전골생성증 아동의 약한 발바닥쪽 굽힘이 소아과를 통한 측정 결과, 데이터 수집 도구와 질레트 기능 평가 설문지, 개정된 얼굴 통증 척도로 측정한 기능과 상관관계가 있음을 발견했다. 보행 가능한 불완전골생성증 아동은 점진적인 근력 강화와 기능적 체력단련 운동 프로그램에 참여해야 한다. 걷지 못하는 불완전골생성증 아동은 중심 근력과 앉기 능력, 엉덩이 끌기나 앉아서 스쿠터 타기 능력을 키워야 한다. 이러한 능력은 성인기에 이르기까지 이동과 자기 돌봄에 필수적인 요소이기 때문이다. 전신 진동 중재법이 움직이지 못하는 불완전골생성증 아동과 청소년을 위한 중재로 추천되고 있다(Semler 등, 2007).

성인기

불완전골생성증 환자가 성인기에 들어설 때 주요한 도전 과제는 장애로 인한 2차적 문제를 다루는 것이다. 척추 기형이 심해질 수 있다. 불완전골생성증 청소년과 성인에서 80~90%가 척추 측만증을 보일 수 있다(Albright, 1981). 직업 설계 시 근골격계 문제로 인한 신체적 제약을 고려해야 한다. 발달장애가 있는 청소년이 성인 관리 시스템과 직장, 지역 사회로 나아갈 수 있도록 도와주는 것은 물리치료사가 해야 할 새로운 역할이다(Cicirello 등, 2012).

낭포성 섬유증

낭포성 섬유증은 7번 염색체 결함으로 생기는 외분비샘의 보통염색체 열성 장애이다. 낭포성 섬유증 환자의 85%는 췌장에서 지방과 단백질을 분해하는 효소를 분비하지 않는다. 낭포성 섬유증은 비정상적으로 두꺼운 점액이 폐에 축적되기 때문에 호흡기 손상을 일으킨다. 이러한 축적은 만성 폐쇄 폐질환을 유발한다. 이런 사람의 부모는 유전자 보균자지만 어떠한 증상도 보이지 않을 수 있다. 한 부모가 보균자이거나 그 유전자를 가지고 있을 때 태어난 아이가 장애를 가질 확률은 1/4이다. 발병 빈도는 백인 3,000명 중 1명이다. 미국 전체 인구 중 1,200만 명과 동일한 이 집단 인구의 5%는 낭포성 섬유증 유전자의 복사판 하나를 보유하고 있다. 신생아 검진은 모든 지역에서 의무적으로 시행되어야 한다.

진단

낭포성 섬유증은 백인에게 가장 치명적인 유전병이다. 땀 염화물 검사로 진단을 내릴 수 있다. 낭포성 섬유증 아동은 땀으로 지나치게 많은 소금을 배출하고, 이 소금은 정상적인 수치와 비교해서 측정할 수 있다. 60 mEq/L보다 수치가 높으면 낭포성 섬유증이다. 어떤 엄마들은 심지어 키스 할 때 아이한테서 짠 맛이 난다고 말했다. 이런 아동은 지방을 소화하기 어려워서 변에서 악취가 날 수 있고, 체중이 증가하지 못할 수도 있다. 낭포성 섬유증으로 진단 받기 전에는 체중 증가가 부족해서 잘 자라지 못한다고 평가받을 수 있다. 태아기 진단이 가능하며, 부부도 유전자 보균자인지 알아보기 위해서 검사를 받을 수 있다.

병태 생리학 및 자연사

이 질환을 유발하는 정확한 기전은 아직 밝혀지지 않았다. 세포막을 가로지르는 전해질과 수분의 능력이 달라지고, 이러한 변화 때문에 이런 아동이 호흡할 때 전해질 함량이 높아진다. 진한 분비물이 점액을 분비하는 외분비샘을 막는다. 이 질병은 위장과 생식기, 땀샘, 호흡기와 같은 여러 시스템을 침범한다. 가장 심하게 손상되는 장기는 폐와 췌장이다. 식이요법과 췌장 효소는 췌장 침범을 관리하는 데 사용한다. 평균 기대 수명이 증가하면서 췌장의 베타 세포가 손상되어 낭포성 섬유증 관련 당뇨병(CFRD) 발병률이 증가했다(Moran 등, 2009). CFRD 환자 비율은 연령 증가에 따라 높아지기 때문에 낭포성 섬유증 성인의 40~50%가 CFRD에 걸린다.

이런 아동도 출생 시에는 폐의 구조와 기능이 정상이다. 진한 분비물이 성인보다 더 작은 유아의 기도를 막기 시작하면 폐 기능이 나빠진다. 분비물은 또한 박테리아가 자랄 수 있는 환경을 제공한다. 기도의 염증은 결국 기도 벽을 파괴하는 침윤물을 만들어낸다. 진한 분비물 증가와 만성 박테리아 감염이 결합되면 만성 기도폐쇄를 유발한다. 초기에는 적극적인 기관지 위생과 약물 치료로 완치시킬 수 있다. 그러나 결국에는 반복되는 감염과 기관지염이 기관지확장증으로 진행되며, 이 경우에는 치유할 수 없다. 기관지확장증에 걸리면 기도가 늘어나서 비정상적인 호흡 유형이 나타난다. 평생 동안 폐 기능이 점점 더 심하게 손상되고 결국에는 호흡 부전으로 사망한다.

낭포성 섬유증 환자의 평균 수명은 지난 수십 년 동안 증가했다. 평균 생존기간은 30대 후반이며, 최근의 낭포성 섬유증 신생아는 40대까지 생존할 것으로 예상된다(Volsko, 2009). 수명 연장은 의료 관리 향상과 약물 중재, 심장과 폐 이식과 관련이 있을 수 있다. 이 질병의 폐 증상은 가장 큰 사망원인이다. 청소년의 67%와 폐 이식을 받는 성인의 16%가 낭포성 섬유증을 가지고 있다(Boucek 등, 2003). 생존을 예측하는 두 가지 가장 큰 요인은 영양과 폐 기능(Mahadeva 등, 1998)이며, 보다 더 뛰어난 운동능력은 생존율 향상과 관련이 있다(Nixon 등, 1992).

아동의 손상과 중재

물리치료사의 낭포성 섬유증 검사 및 평가에서는 일반적으로 치료를 필요로 하는 다음과 같은 상해를 확인한다.

1. 분비물 보유
2. 기도를 깨끗이 하는 능력 손상
3. 운동 내성 손상
4. 가슴벽 기형
5. 영양 결손

흉부 물리치료

낭포성 섬유증 아동 관리의 핵심은 흉부 물리치료(CPT)다. CPT는 타진법과 갈비뼈 흔들기, 진동, 재훈련으로 특정 위치에서 시행하는 기관지 배출로 구성된다. 치료는 증상을 줄이는 데 초점을 맞춘다. 호흡기 감염은 피하거나 적극적으로 치료해야 한다. 폐 감염 징후로는 기침과 객담 생성 증가, 발열 및 호흡 수 증가가 있다. 추가 연구 결과로는 백혈구 수 증가, 청진이나 방사선 사진에 대한 새로운 발견, 폐 기능 검사 값 감소가 있다. 불행히도 박테리아는 시간이 지남에 따라 특정 약제에 내성을 갖게 된다. 부모는 하루에 3~5번씩 체위배출법을 시행하도록 배운다. 적절한 수분 섭취는 점액의 수분을 유지하는 데 중요하고, 그렇게 해야 이동과 퇴원이 더 쉬워진다. 낭포성 섬유증 아동은 수분 공급, 점액 분비, 기관지 개방 유지 및 기관지 경련 방지를 위해 약을 복용한다. 이러한 약물은 보통 체위배출법을 취하기 전에 투여한다. 항생제는 낭포성 섬유증 환자의 생존율 증가에 중요한 핵심요소이며, 감염을 유발하는 유기체에 적합해야 한다.

체위배출

체위배출은 중력이나 신체 위치를 이용하여 폐에서의 점액 배출을 돕는 물리적 행위다. 두 개의 주요 줄기 기관지에서 분기하는 호흡관(breathing tube)은 거꾸로 된 나무의 가지와 같으며, 각 줄기는 주요 몸통에서 멀어 질수록 더욱 작아진다. 체위배출을 하는 몸의 위치는 가지가 가리키는 방향에 달려 있다. 폐엽의 각 부분은 중력이 분비물을 배출하고 기관지나무 위로 올라가 기침으로 배출되게 하는 최적의 위치에 놓여 있다. 체위배출이나 배출을 위한 위치결정은 항상 타진법과 진동을 동반한다. 수동 진동은 중재 8-3에 나와 있다. 타진법은 사람이 3~5분 동안 배수 위치

중재 8-3 수동 진동

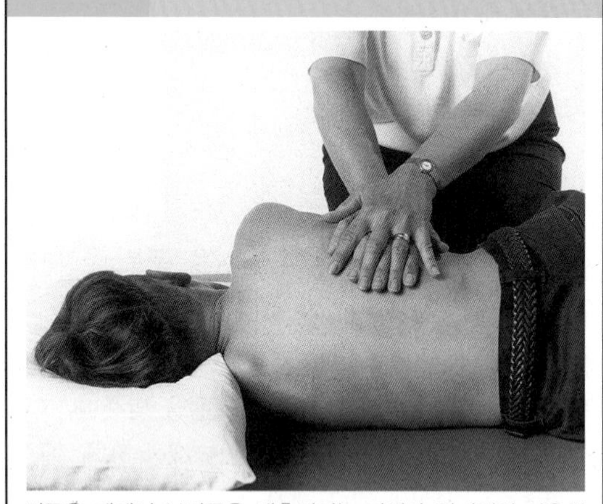

진동은 폐에서 분비물을 배출시키는 자세와 연계해서 사용한다. 기침을 장려하기 위해 아이가 숨을 내쉴 때 가슴벽을 진동시켜야 한다.

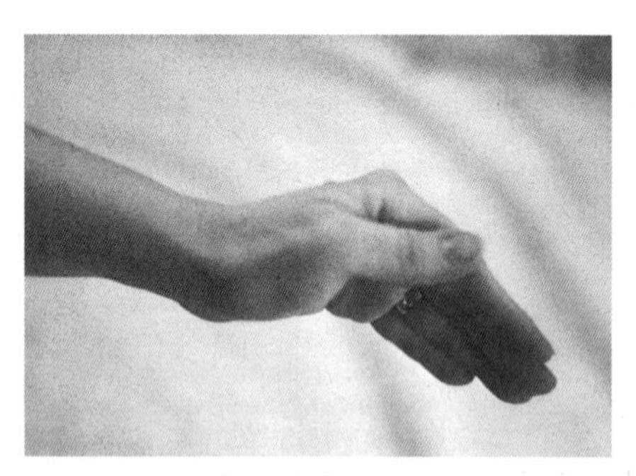

그림 8-12. 타진법에 적절한 손 배치(From Hillegass EA, Sadowsky HS: Essentials of cardiopulmonary physical therapy, Philadelphia, 1994, WB Saunders.)

에 있을 때 오므린 손으로 수동으로 시행한다. 타진법에 올바른 손 배치는 그림 8-12에 나와 있다. 타진법으로 폐 분절 내 분비물을 제거하고, 중력은 보통 나머지를 처리한다. 고전적인 12개 자세는 그림 8-13에 나와 있다. 타진법과 진동은 분비물이 있는 영역에만 사용한다. 치료는 일반적으로 30분 이상 지속되지 않고, 배출할 필요가 있는 폐 분절들에 시간을 나누어 배분한다.

분비물을 없애기 위해서는 강제 날숨 형태의 기침이 필요하다. 웃거나 울면 기침을 유발할 수 있다. 낭포성 섬유증 아동의 대부분이 스스로 기침을 하더라도, 아이의 웃음을 이끌어 내어 기침을 유도하는 기법을 권장할 필요가 있다. 이 기법이 통하지 않을 경우, 복장패임(sternal notch) 위의 기관에 손가락을 대서 '간지르기'를 사용할 수 있다. 아이가 이 기법을 스스로 시도하면 헛기침을 하고 싶다고 느낄 것이다. 보다 기능적이고 생산적인 기침을 하기 위해서 물리치료사가 아동에게 강제 날숨 기법을 가르칠 수 있다. 아이가 중력의 도움을 받는 자세에서는 중간 크기의 호흡을 한 후 여러 번 "허프(huff)"를 한다. 그 다음에는 가로막을 이용한 몇 차례의 이완된 호흡이 이어진다. 허프와 가로막 호흡은 분비물이 배출되는 동안 순서대로 반복한다. 날숨의 힘(허프)은 명치 부위 위쪽의 수동 저항이나 아이가 적극적으로 팔을 모으고 가슴벽을 가쪽으로 압박하는 행동으로 증폭될 수 있다. 이 기법은 4~5세 아동에게 가르칠 수 있다.

기도 청결의 대안 형태는 효율성과 환자에 대한 사용을 증가시키고, 보호자의 근무 시간을 줄이기 위해 연구되고 있다. 이러한 대안으로는 마스크(그림 8-14)형 양성 날숨 양압기(PEP)와 자가 배출법, 플러터(Flutter) 기구가 있다(그림 8-15). 날숨 양압기는 사용하기 쉬우며, 전형적인 흉부 물리치료보다 사용 시간이 짧고, 환자들이 자주 사용하는 기구이다(McIlwaine 등, 1997). 가장 중요한 점은 분비물을 효과적으로 제거한다는 것이다(Gaskin 등, 1998). "날숨 양압기는 폐에 압력을 가해 기도를 열어 유지해 주고, 공기가 점액을 통과하게 한다(Packel과 von Berg, 2014)." 날숨 양압기는 점액을 배출하기 위해 허프하는 강제 날숨 기법과 함께 사용한다. 이 기법은 앞부분의 체위배출법 단락에서 설명했다. 자가 배출법은 다른 폐용적(lung volumn)에서 수행되는 일련의 호흡운동이다. 이 호흡 운동에 대해 자세히 알고 싶은 독자는 프론펠터와 딘(Frownfelter와 Dean, 2012)을 참조하기 바란다. 플러터나 아카펠라(Acapella)를 사용하는 진동 날숨 양압기는 널리 사용되는 기도 청결 기법이다(Morrison과 Agnew, 2009). 플러터는 날숨 양압기 마스크와 동일한 기능을 수행하며 자가 배출법에도 사용된다(Packel과 von Berg, 2014). 고주파 진동을 사용할 수 있는 마지막 기도 청결 방법은 가슴벽

그림 8-13. 체위배출법 자세

을 꽉 조이는 공기 주입식(inflatable) 조끼를 사용하는 것이다. 펌프는 고주파 진동을 발생시킨다. 이 기법은 고주파수 가슴벽 진동 또는 HFCWO라고 하며, 단기 연구에서 효과가 있는 것으로 증명되었다(Grece, 2000; Tecklin 등, 2000).

특정 근육을 강화하면 호흡을 도울 수 있다. 상체를 목표로 삼아 큰가슴근과 작은가슴근, 갈비사이근, 앞톱니근, 척주세움근, 마름근, 넓은등근, 복부근 같은 가슴벽 근육과 팔이음뼈를 강조한다. 가슴벽 근육 조직의 최적 길이-긴장 관계를 유지하기 위한 스트레칭이 도움이 된다. 보조 목 근육을 지나치게 많이 이용해 호흡할 때는 호흡의 효율성이 사라질 수 있다.

폐 재활의 일부는 호흡곤란 자세와 가로막 사용, 측면 기저 확장을 가르치는 것이다. 호흡곤란 자세를 취하면 상체가 휴식을 취하게 되고, 주요한 들숨 근육인 가로막이 보다 쉽게 움직일 수 있다. 전형적인 자세는 중재 8-4에서 찾아볼 수 있다. 가로막 호흡은 처음에 아동을 지지해서 똑바로 눕히고, 상복부에 손으로 신호를 주어 가르칠 수 있다(중재 8-5, A). 아동은 이 자세에서 똑바로 일어나 앉고, 일어서고, 걷기를 할 수 있어야 한다(중재 8-5, B, C). 아이가 깊은 호흡을 할 때 가로막이 최대로 움직인다. 갈비뼈 가장자리를 손으로 눌러서 폐 기저부가 완전히 확장하도록 유도할 수 있다(중재 8-6).

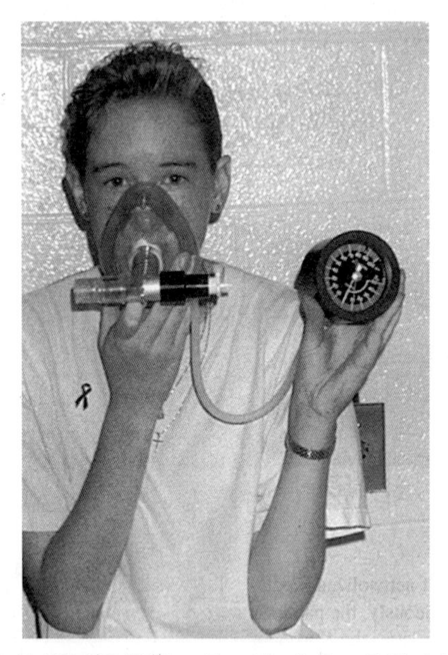

그림 8-14. PEP 치료 준비(From Frownfelter D, Dean E: Principles and practice of cardiopulmonary physical therapy, ed 3, Philadelphia, 1996, WB Saunders, p. 356.)

운동

대부분의 낭포성 섬유증 환자는 운동 프로그램에 참여할 수 있다. 운동 내성은 질병의 중증도에 따라 다르다. 심혈관 및 근육 내성 운동은 이러한 개인의 상태를 유지하고 폐 기능의 저하를 늦추는 데 중요한 역할을 한다. 일찍 운동을 시작하면 운동에 긍정적인 태도를 갖게 된다. 자전거 타기, 수영, 텀블링 및 걷기는 모두 저자극 지구력 훈련을 제공하는 훌륭한 수단이다. 질병으로 지구력이 감소하면 탁구와 같은 다른 활동을 제안할 수 있다. 낭포성 섬유증 환자를 위한 운동 프로그램은 물리치료사가 수행하는 운동 테스트 결과를 기반으로 해야 한다. 낭포성 섬유증 아동은 운동 중에 기침을 해서 일시적으로 산소 불포화가 생길 수 있다. 운동 중에 기침을 한다고 해서 운동을 멈춰야 하는 것은 아니다(Philpott 등, 2010). 일부 낭포성 섬유증 아동은 천식을 갖고 있다. 운동 테스트 결과는 운동하는 동안 귀 또는 손가락 맥박 산소 측정기를 사용하여 산소 포화도를 주시해야 하는지를 보여 준다. 운동 중 산소 포화도는 90%를 유지해야 한다. 운동은 폐 기능뿐만 아니라 낭포성 섬유증 아동의 일상적인 활동을 향상시킨다(Paranjape 등, 2012).

낭포성 섬유증 환자와 함께 운동 내성을 주시할 때 운동 자각도와 호흡곤란 정도를 이용해 아동이 얼마나 열심히 노력하고 있는지 평가한다. 이 등급은 표 8-7과 표 8-8에 나와 있다. 어린이가 운동으로 불포화 상태에 이르면 산소 측정기로 아이의 상태를 검사한다. 산소 포화도가 90% 이하로 떨어지면 운동을 중단하고, 추가적인 운동을 시도하기 전에 선임 치료사에게 통보해야 한다. 운동 20분 전에 기관지 확장제를 사용하는 것도 유익 할 수 있지만, 약물 치료법에 대한 지침은 담당 의사와 상의하여 선임 치료사에게 문의해야 한다.

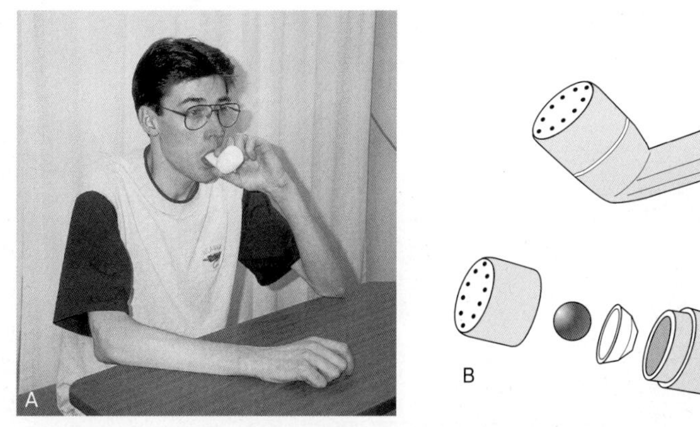

그림 8-15. **A.** 플러터 밸브 **B.** 근접 촬영한 밸브 구조(A, From Frownfelter D, Dean E: Principles and practice of cardiopulmonary physical therapy, ed 3. Philadelphia, 1996, WB Saunders, p. 356.)

중재 8-4 호흡곤란 자세

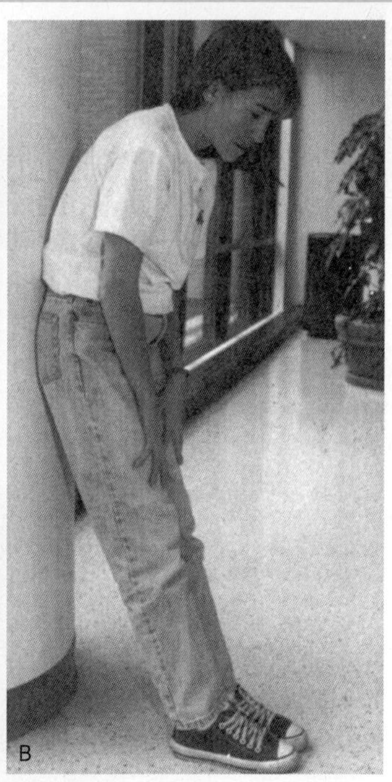

A. B. 에너지를 보존하고 이완을 증진시키며, 호흡을 좀 더 편하게 해주는 호흡곤란 자세

(From Campbell SK, Palisano RJ, Orlin MN, editors: Physical therapy for children, ed 4. Philadelphia, 2012, Saunders.)

기대 수명이 증가함에 따라서 스포츠와 운동은 낭포성 섬유증 아동과 청소년, 성인 관리에 있어서 중요한 부분을 차지하게 되었다(Hebestreit 등, 2006; Philpott 등, 2010, Orenstein 등, 2004). 웹(Webb)과 도드(Dodd, 1999)는 낭포성 섬유증 학생의 대부분이 학교 운동에 참여할 수 있다고 보고했다. 이 환자들은 자전거 타기와 수영, 심지어는 성인 마라톤까지도 계속할 수 있다. 좋은 영양 상태와 폐 기능을 항상 고려

중재 8-5 가로막 호흡

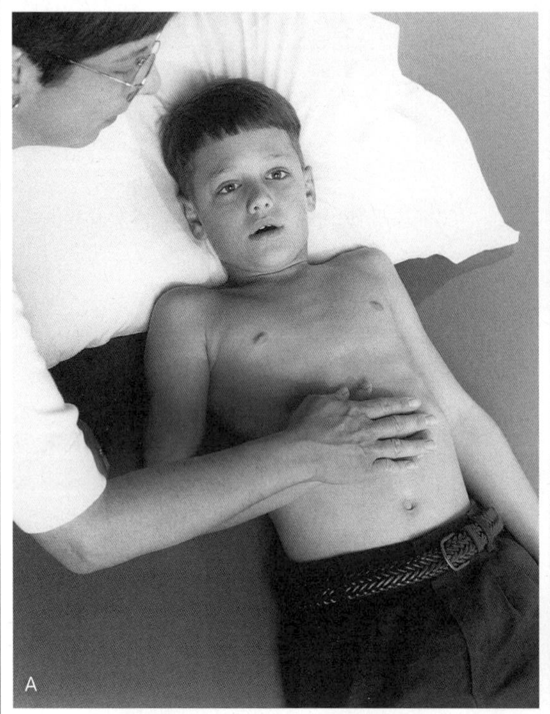

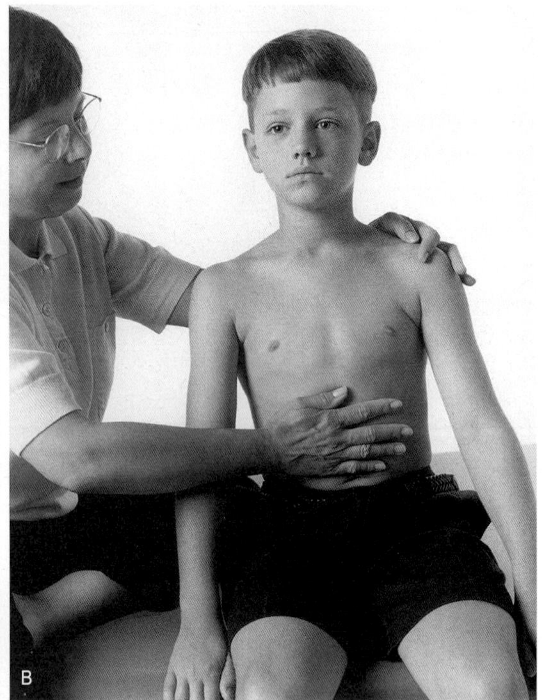

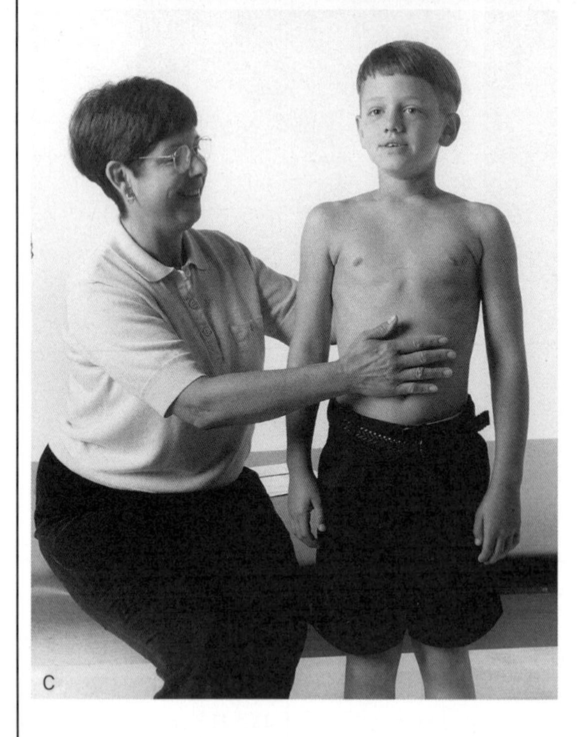

A. 처음에는 지지받아 똑바로 누운 자세에서 상복부에 가해지는 손 신호에 따라 가로막 호흡하는 법을 배울 수 있다.
B. C. 앉은 자세, 선 자세에서 가로막 호흡을 하면서 걸어 다닐 수 있어야 한다.

중재 8-6 가쪽 기저 가슴 확장

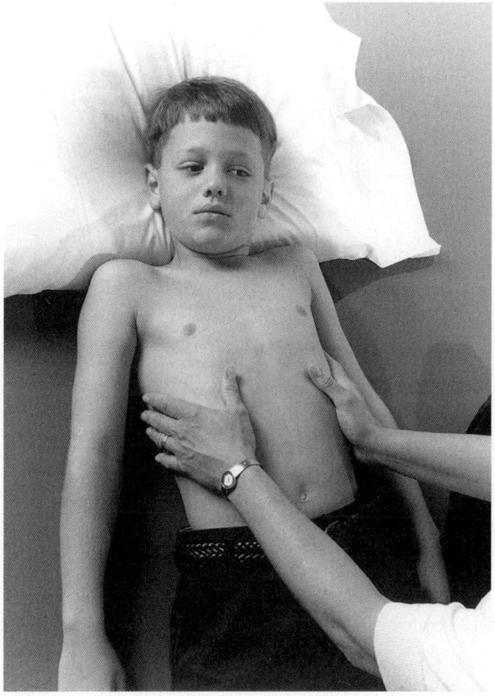

갈비뼈 가장자리를 손으로 압박해 폐 기저를 완전히 확장시킬 수 있다.

표 8-7 운동 자각도

6	전혀 힘들지 않다
7	극도로 약하다
8	
9	매우 약하다
10	
11	약하다
12	
13	다소 강하다
14	
15	강하다
16	
17	매우 강하다
18	
19	극도로 강하다
20	최대로 강하다

(From Borg RPE scale, © Gunnar Borg, 1970, 1985, 1998, 2006.)

표 8-7 호흡곤란 척도

+1	약하다, 환자는 느끼지만 관찰자는 감지하지 못한다.
+2	약하다, 다소 힘들다, 관찰자가 감지할 수 있다.
+3	중간 정도로 힘들지만 계속할 수 있다.
+4	심각하게 힘들어서 계속할 수 없다.

(From Borg RPE scale, © Gunnar Borg, 1970, 1985, 1998, 2006.)

해야 한다. 낭포성 섬유증 환자는 낭포성 섬유증에 걸리지 않은 사람보다 운동을 수행하는 데 더 많은 에너지를 소비하기 때문에 체중 감소를 피하기 위해 칼로리 섭취를 늘려야 한다. 운동 중 수분 섭취가 중요하며 물뿐만 아니라 전해질도 이에 포함시켜야 한다. 운동은 기도 청결을 개선하고, 폐 기능 감소과 호흡곤란을 지연시키고, 골밀도 감소를 예방한다. 그러나 운동의 가장 큰 이점은 생존율 증가와 관련이 있는 유산소 능력을 향상시키는 것이다(Nixon 등, 1992, 2001).

스키와 번지 점프, 낙하산 점프, 스쿠버 다이빙과 같은 운동은 피해야 한다. 이런 운동은 고도와 혈압 증가, 또는 공기 걸림(air tapping) 때문에 생겨나는 고유한 위험이 있다. 감염 악화 시에는 스포츠 활동을 줄여야 한다(Packel와 von Berg, 2014). 더운 날씨에 운동을 하지 말아야 하는 것은 아니지만 액체와 전해질을 충분히 보충해야 한다. 강도 높은 운동을 하면 일반적으로 호흡이 가빠진다. 낭포성 섬유증 환자는 적은 작업량에도 호흡이 거칠어질 수 있다. 이것은 병리적인 증상이 아니다(Orenstein, 2002). 일반적으로 낭포성 섬유증 환자는 운동에 따른 자신의 한계를 정해야 한다. CF 환자의 삶과 질은 체력 단련과 신체 활동과 관련이 있다(Hebestreit 등, 2014).

척수근위축증(SMA)

척수근위축증은 보통염색체 열성형질로 유전되는 신경계의 진행성 질환이다. 지금까지 소개한 유전질환의 대부분이 중추신경계를 침범했지만 척수근위축증에서는 앞뿔세포가 진행성 퇴행을 겪는다. 척수근위축증 아동은 중심부가 아닌 주변부의 긴장 저하를 보인다. 아래운동 신경섬유가 손상되면 앞뿔세포

전부가 퇴행하는지, 아니면 일부가 퇴행하는지에 따라서 근긴장 저하나 이완이 일어난다. 앞뿔세포가 손상되면 근육 섬유가 척수신경의 신경지배를 거의 받지 않기 때문에 결과적으로 약해진다. 그리고 척수근위축증 아동은 정상 지능을 가지고 있다.

많은 유형의 척수근위축증이 밝혀졌지만 여기서는 세 가지 유형의 척수근위축증만 다룬다. 세 가지 유형의 척수근위축증은 모두 5번 염색체 유전자 돌연변이와 관련된 동일한 장애의 변이형이다. 가장 초기에 나타나는 유형의 척수근위축증은 영아 또는 급성 척수근위축증이며, 베르드니히-호프만(Werdnig-Hoffman) 증후군으로 알려져 있다. 유형 II 척수근위축증은 만성 또는 중간형이다. Type III 척수근위축증은 쿠겔베르그-벨란더(Kugelberg-Welander) 증후군으로 알려져 있으며, 가장 약한 형태이다. 모든 유형의 척수근위축증은 발병 연령과 증상의 정도가 다르다.

척수근위축증은 정상 출생아 1만 명 중 1명 꼴로 발병하며, 낭포성섬유증 다음으로 아동에게 흔한 치명적인 열성유전질환으로 유아와 걸음마 배우는 아이의 주요 사망 원인이다(Practice committee, Pediatrics Section, APTA, 2012). 이 인구 집단의 척수근위축증 유병률은 6,000명 중 1명이고, 40명 중 1명이 이 유전자 보균자이다(Beroud 등, 2003). 출생 전 진단을 위한 일상적인 검사가 최근에 개발되었다. 척수근위축증은 운동생존뉴런(SMN) 1단백질이 상실된 것이다.

척수근위축증 유형 I

가장 초기에 발생하고 신체적으로 가장 치명적인 유형은 유형 I, 급성 영아 척수근위축증이다. 발병률은 6,000~10,000명 중 1명(Pearn, 1973, 1978)이고, 출생에서 생후 2개월 사이에 발병한다. 아동의 힘이 없는 "개구리 다리" 자세는 약한 외침과 함께 출생 시에 분명히 드러난다. 대부분의 아동은 태아 움직임이 감소한 병력이 있다. 깊은 힘줄 반사가 나타나지 않고, 근력 약화로 혀가 뭉쳐질 수 있다(떨릴 수 있다). 대부분의 아동은 사교적이며 정상적인 지능을 가지고 있기 때문에 적절하게 상호 작용한다. 운동 약화가 빠르게 진행되고 호흡기 손상은 사망으로 이어진다. 유형 I 척수근위축증 아동은 대개 생후 2년 이내에 사망한다(D'Amico 등, 2011). 가족이 기계 환기와 위절제술 수유(gastrostomy feeding)를 선택할 경우 수명이 연장될 수 있다(Oskoui 등, 2007).

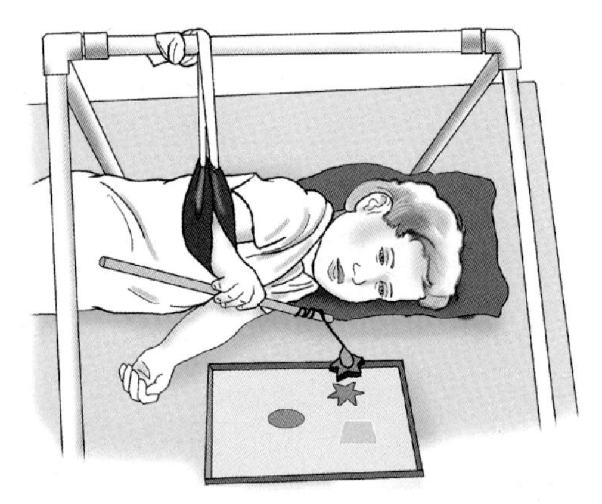

그림 8-16. 오버헤드 슬링(overhead sling)은 유형 I SMA 청년의 팔뚝을 지지해주기 때문에 이런 환자는 자석퍼즐로 낚시를 할 수 있다(Adapted from Bach JR: Management of patients with neuromuscular disease, Philadelphia, 2004, Hanley & Belfus).

척수근위축증 유형 I 아동에게는 위치결정과 가족 지지가 가장 중요한 중재다. 물리치료는 정상적인 발달 활동을 육성하고, 환경에 대한 접근성을 제공하는 데 초점을 둔다. 먹기와 장난감 갖고 놀기, 보호자과의 상호 작용을 위한 위치결정이 무엇보다 중요하다. 머리 조절력이 약해서 엎드린 자세의 위치결정이 너무 어려울 수 있다. 엎드린 자세는 가로막 움직임을 저해하기 때문에 아이가 취하기 어려운 자세일 수 있다. 이런 아동은 늑간과 목 보조 근육이 약하기 때문에 가로막에 의존해서 호흡한다. 전체 의료팀과 가족이 브레인스토밍을 하면 적응 기구의 필요성에 대한 창의적인 해결책이 나올 수 있다. 그림 8-16에서 볼 수 있듯이, 옆으로 누워서 노는 것이 매우 적절할 수 있다. 기구는 사용 기간이 제한되기 때문에 구입하는 것이 아니라 빌려야 한다. 이 유형의 척수근위축증 아동은 예후가 좋지 않기 때문에 가족의 관심사에 귀를 기울이는 것이 물리치료사들의 필수적인 역할이다(그림 8-16). 오버헤드 슬링(overhead sling)은 유형 I 척수근위축증 청소년의 팔뚝을 지지해 주기 때문에 자석 퍼즐로 낚시하기 같은 활동을 할 수 있다.

척수근위축증 유형 II

만성 II형 척수근위축증은 나중에 발병하며, 생후 6개월에서 18개월 사이에 발생한다고 한다. 이 유형은 근위부 약화가 시작되는 것이 특징이며, 영아 척수근위축증 유형과 유사하고, 영아 척수근위축증 인구 집단에서와 동일한 발병률을 보인다. 지지 없이 앉을 수 있는 아동의 심각도는 다양하다. 이 유형의 아동은 대부분 앉을 수 있고, 어떤 경우에는 설 수도 있지만 독립적으로 걸을 수는 없다. 몸통 근육 약화로 척추 측만증은 보편적인 문제이며, 외과적 중재가 필요할 수 있다. 또한 보고된 골절률이 12~15%인 경우, 골절을 예방하기 위해 체중지지라는 치료적 중재를 권장한다(Ballestrazzi 등, 1989). II형 척수근위축증(Granata 등, 1987) 아동은 2세에 서기 시작하려고 스탠더와 다리 교정기를 사용할 수 있다. 스튜버그(Stuberg, 2012)는 적절한 머리 조절이 부족한 아동을 위해 슈파인 스탠더를 추천했다. 성인기까지 진행되는 경우가 있는가하면, 아동기에 포기하는 이들이 있어서 기대수명은 다양하다. 생존은 제공된 지원과 호흡 저하 여부에 달려 있다.

이 질병은 처음에는 급속히 진행되다가 차차 안정된다. 그러므로 장애의 범위는 다양할 수 있다. 지능적으로나 사회적으로 이런 아동은 정상적으로 발달하는 또래 집단만큼 자극을 받아야 한다. 프리스쿨과 학교에 다닐 수 있는 아동의 능력은 종종 부적절한 자세조절, 놀이와 학술 자료에 접근할 수 있는 능력의 부족으로 방해 받는다. 보조 기술은 보다 쉽게 접근 할 수 있도록 도와준다. 전동기구는 이르면 생후 18개월에 사용할 수 있다(Jones 등, 2003; Jones 등, 2012). 목표는 스위치와 오버헤드 슬링, 적응 기구를 사용해서 접근성을 개선하는 것과 관련될 수 있다. 아이가 계속해서 약해지기 때문에 근력의 변화나 감소를 물리치료사가 선임 치료사에게 보고해야한다.(Ratliffe, 1998)

물리치료 목표에는 몇몇 유형의 기능 이동성의 달성이 포함 될 수 있다. 손으로 기구를 밀고 나아갈 정도로 힘이 강하지 않은 아동에게는 전동 이동 기구를 권장할 수 있다(Jones 등, 2003, 2012). 물리치료사는 교실 안팎에서 전동 휠체어를 조종하도록 가르쳐서 아동의 독립성을 촉진하는 데 중요한 역할을 할 수 있다. 척추 기형의 진행을 늦추기 위해서 앉아 있는 아이의 몸통을 지지해 주어야 한다. 아이가 측면 지지를 받더라도 휠체어에 기대는 경향이 있기 때문에 조이스틱을 양쪽에 번갈아 배치하는 것을 고려해야 한다(Stuberg, 2000). 척추 측만증은 예방하기 쉽진 않지만, 기형의 진행을 최소화하고 적절한 호흡 기능을 유지하기 위해 모든 노력을 기울여야 한다.

이 유형의 척수근위축증에서 예후는 폐 합병증의 정도와 빈도에 달려 있다. 체위배출 자세조절은 프리스쿨과 학교, 가정의 일상에 통합될 수 있다. 심호흡은 운동 프로그램에서 필수적인 부분이 되어야 한다. 척추 측만증은 폐 문제를 악화시킬 수 있고, 아동의 생존 예후가 좋을 경우에만 수술 교정을 권장한다. 심장근육 침범은 사망률에 기여할 수 있지만 결국 호흡 저하가 주요 사망원인이다.

척수근위축증 유형 III

세 번째 유형의 척수근위축증은 쿠겔베르크-벨란더 증후군으로 생후 18개월 이후에 발병한다(D'Amico 등, 2011). 이것은 정상 출산아 10만 명 중 1명 꼴로 발병하는 침범이 가장 적은 유형이다. 유형 III은 생후 2년에서 15년 사이에 발병 할 수 있다. 그 특성은 엉덩이, 무릎, 몸통 등 주로 근위부 약화이다. 발달적 진행이 느릴 경우에는 생후 1년에 독립적으로 앉고, 생후 3년에 독립적으로 걷는다. 걸음걸이는 느리고 뒤뚱거리며, 양측 모두 트렌델렌버그(Trendelenburg) 징후를 보인다. 이런 아동은 팔의 근력이 좋은데, 이것이 바로 척수근위축증과 DMD를 구별해 주는 차이점이 될 수 있다.

질병의 진행은 유형 III에서 느리다. 걸음마를 배우는 아이와 프리스쿨 원아의 물리치료 목표는 걷기를 포

그림 8-17. **A-E.** 가우어 징후. 이런 아동은 다리이음뼈와 하지가 약하기 때문에 똑바로 일어서려면 두 다리를 밀어올려야 한다.

함한 이동성이다. 적절한 보행 보조기로는 무릎-발목 보조기와 발보조기, 상반보행 보조기가 있다. 이런 기구에 관해서 토의하고자 하는 독자라면 7장을 참조하기 바란다. 물리치료사는 아동의 보조기구 사용과 적응 훈련에 참여할 수 있다. 보조기구는 워커와 마찬가지로 보행을 도와준다. 아이가 약해지면서 안전이 중대한 문제가 될 수 있다. 그러므로 긴밀한 감시와 같은 적절한 예방 조치를 취해야 한다.

척수근위축증 취학연령 아동과 청소년의 목표는 이동성 지원과 컴퓨터 사용과 같은 학업 수행에 대한 접근 및 완수, 척추 측만증 예방 자세조절, 폐 위생 증진, 직업 설계이다. 물리치료사는 상담 서비스 전달 모델로 치료를 제공할 수 있기 때문에 매주 정기적으로 교실에 다니는 척수근위축증 아동을 치료하지 못할 수도 있다. 따라서 선임 치료사는 이러한 점을 고려하여 물리치료사를 지도할 때 보조기 조정과 기구 적응, 이동 교육을 제공할 수 있도록 교육하여야 한다. 운전자 훈련도 청소년 예비 계획의 일부로 권장할 수 있다.

유형 III 척수근위축증 아동은 보통 보행을 하지만, 절반은 10세에 보행 능력을 상실하며, 중년이 되면 휠체어에 의존하게 된다(Glanzman, 2014). 유형 III 환자의 기대 수명은 정상 수준이므로 현실적인 직업 설계를 세울 수 있다.

물리치료의 필요성은 척수근위축증의 특정 유형과 현재의 기능 제한, 아동의 나이에 따라 결정된다. 영아 척수근위축증 유형 I 아동의 요구는 제한적이지만 II형 또는 III형 아동은 청소년기까지 생존할 수 있으며 지속적인 물리치료 중재를 필요로 한다. 관리에는 자세조절과 기능적 근력 강화, 이동성 훈련, 가능하면 서기와 걷기, 폐 위생, 환기 지원이 있다.

페닐 케톤뇨증

예방 가능한 지적 장애의 유전적 원인 중 하나는 페닐케톤뇨증(phenylketonuria, PKU)이라는 선천적 신진대사장애다. PKU는 출생 시 간단한 혈액 검사로 발견 할 수 있는 보통염색체 열성형질로 생겨난다. 유아

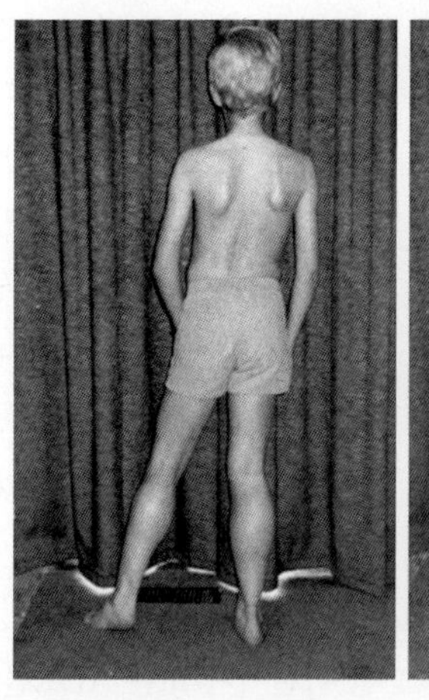
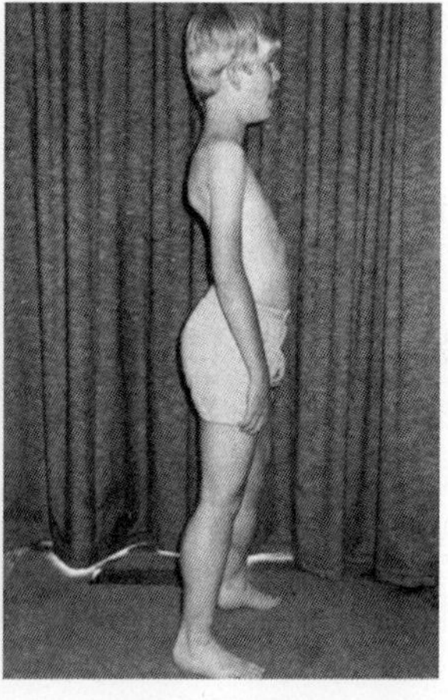

그림 8-18. 종아리의 거짓비대(From Stuberg W: Muscular dystrophy and spinal muscular atrophy. In Campbell SK, Palisano RJ, Orlin MN, editors: Physical therapy for children, ed 4. Philadelphia, 2012, WB Saunders.)

의 신진 대사에는 페닐알라닌을 티로신으로 전환시키는 효소가 없다. 과도한 페닐알라닌은 발작과 행동 문제와 함께 정신과 성장 지연을 유발한다. 이러한 문제가 확인되면 유아는 페닐알라닌 제한 식이 요법을 받는다. 식이 요법 관리가 시작되면 아동은 지적 장애 또는 장애의 다른 신경적 징후를 보이지 않는다. 반면 이러한 문제가 감지되지 않으면 유아의 정신적 및 육체적 발달이 지연되고, 물리치료 중재를 반드시 받아야 한다.

뒤센느근디스트로피

DMD는 X관련 열성 형질로 유전되며 남아에서만 나타난다. 여성은 유전자 보균자가 될 수 있지만 표현하지는 못한다. 일부 문헌에서는 적은 비율의 여성 보균자가 근력 약화를 보인다고 한다. DMD는 남성 10만 명 중 20~30명(Glanzman, 2014)에게 영향을 미친다. DMD 사례의 3분의 2가 유전되는 반면, 3분의 1은 자발적인 돌연변이로 생겨난다. DMD 남아의 운동 능력은 정상적으로 발달한다. 그러나 3~5세 사이에 계단을 오르내리다가 자주 넘어지거나 계단을 오르내리기 힘들 수 있고, 혹은 바닥에서 일어설 때 가우어(Gower) 징후를 보일 수도 있다(그림 8-17). 가우어 징후는 아이가 팔로 허벅지를 짚고 일어서는 것이다. 이 징후는 근력 약화를 나타낸다. 이러한 진단은 대개 이 시기에 이루어진다. 근력 손상으로 크레아틴 키나아제 증가가 혈액 내에서 나타난다. 이 효소는 근육 섬유 손실 양을 측정하는 것이다. 최종 진단은 대개 근육 생검으로 이루어진다.

병태 생리학 및 자연사

DMD 아동은 근육 단백질 디스트로핀을 생산하는 유전자가 부족하다. 이 단백질이 없으면 세포막이 약해지고 근육 섬유가 파괴된다. 또 다른 단백질 네블린(nebulin)도 부족해서 근육 수축 시 수축 필라멘트의 적절한 정렬에 지장이 생긴다. 근육 섬유가 손상되면서 지방과 결합 조직으로 대체된다. 섬유 괴사와 퇴행 및 재생은 근육 생검에서 특징적으로 나타난다. 근육 섬유가 지방과 결합 조직으로 대체되면 종아리에서 뚜렷하게 거짓비대가 발생한다(그림 8-18). 근육이 점진적으로 소실되면 약화가 계속 이어지고, 능동적 및 수동 관절 운동 범위가 상실된다. 관절운동 범위와 ADL 제한은 약 5세에서 시작된다(Hallum and Allen, 2013). 7~10세 사이에는 계단을 오르지 못한다. 보행 능력은 대개 9세에서 13세 사이에 사라진다(Stuberg, 2012, Glanzman, 2014). 이런 아동의 약 1/3이 정상아보다 지적 기능이 떨어진다.

민무늬근은 디스트로핀(dystrophin) 부족에 영향을 받는다. DMD 소년의 84%는 심장근육 병증이나 심장 근육 약화를 보인다. 이러한 약화나 호흡 부전으로 심장마비가 일어난다. 호흡 근육이 침범당하면 폐 기능이 손상되며, 호흡이나 심장부전으로 인해 보통 25세 이전에 사망한다. 기계 환기로 수명을 연장할 수 있지만 이러한 결정은 개인과 가족의 희망에 토대를 둔다. 바흐(Bach 등, 1991)는 장기 환기 보조기를 사용한 DMD 환자의 대다수가 삶의 만족도에 대해 긍정적이라고 응답했다고 보고했다. 비침습적 환기 지지를 사용해 생존 기간을 연장할 수 있다(Bach and Martinez, 2011).

아동의 손상과 중재

물리치료사는 DMD 아동 검사와 평가 시 대체로 물리치료 중재에서 다루는 다음과 같은 손상과 활동 제한 또는 참여 제한을 확인한다.

1. 근력 손상
2. 능동적 및 수동적 관절 운동 범위 손상
3. 걸음걸이 손상
4. 기능적 능력 제한
5. 호흡 기능 손상
6. 명백하거나 잠재적인 척추 변형
7. 적응 기구와 보조기 및 휠체어의 잠재적 필요성
8. 개인과 가족의 정서적 문제

물리치료사가 중재 프로그램을 계획할 때는 질병과 질병의 진행 과정에 대한 가족의 이해를 고려해야 한다. 이러한 프로그램의 궁극적인 목표는 아동의 장애를 관리하면서 가족을 교육하고 지원하는 것이다. 가능한 중재와 함께 각각의 문제나 장애를 논의한다.

물리치료의 목적은 기형을 방지하고, ADL과 놀이 능력을 유지해 기능을 연장시키고, 움직임을 촉진하며, 가족 부양을 돕고, 불편함을 조절하는 것이다. 중재는 의학적, 교육적, 가족적 목표의 혼합이 필요한 총체적인 접근법이다. 치료에는 예방적 측면과 지원적 측면이 포함되어야 한다.

약화

근위부 근력 약화는 DMD의 주요 임상 특징 중 하나이며 팔이음뼈와 다리이음뼈에서 가장 분명하게 드러난다(그림 8-18 참조). 근력 손실은 결국 원위로 진행되어 모든 근육 조직에 영향을 미친다. 근육 영양장애에서 찾아볼 수 있는 병적인 약화를 운동으로 막을 수 있는지는 불분명하다. 근력 강화 운동이 이롭다고 말하는 학자들이 있는가 하면 그렇지 않은 학자들도 있다. 그러나 이보다 더 중요한 사실은 운동이 질병의 진행을 가속화시키지는 않지만 운동의 역할에는 논란의 여지가 있다(Ansved, 2003). 일부 치료사는 적극적인 저항 운동(Florence, 1999)을 권장하지 않고, 대신 어린이가 모든 ADL을 수행하게 해서 근력의 기능적 수준을 유지하는 데 집중하는 방법을 선택한다. 다른 치료사들은 최대하운동은 유익하지만, 가족에게 부담이 되지 않는 경우에만 하라고 권장한다. 몇몇 형태의 운동은 DMD 아동을 돌보는 물리치료 계획의 필수적인 부분이 되어야 한다.

이론적으로 운동은 손실된 섬유를 보충하기 위해 손상되지 않은 근육 섬유의 근력 강화를 도울 수 있어야 한다. 근력 약화를 위해 운동을 할 경우, 목표로 삼아야 하는 핵심 근육은 복부근, 엉덩이 폄근과 벌림근, 무릎 폄근이다. 또한 팔에서는 세갈래근과 견갑골 안정근을 목표로 삼아야 한다. 자전거 타기와 수영과 같은 레크리에이션 활동은 훌륭한 선택이며, 유산소적 조절 운동을 제공한다. 이런 아동들의 운동이 어떤 역할을 하는지는 분명하지 않지만, 치료사는 일반적으로 과로와 최대 수준 운동, 움직이지 못하는 상태가 DMD 아동에게 해롭다는 데 동의한다. 높은 저항과 무리한 훈련도 피해야 한다(Ansved, 2003). 운동능력은 질병 진행의 단계와 속도에 따라 결정되는 것이 가장 좋다(Ansved, 2003, McDonald, 2002). 운동은 질병 진행 후반부보다 초기에 더 유익할 수 있다.

이동 능력은 DMD 아동의 무릎 폄 근력과 보행 속도와 관련이 있다. 항중력 넙다리네갈래근 근력이 3/5 미만인 소년은 보행 능력을 상실한다(McDonald 등, 1995, McDonald, 2002). 많은 연구결과에 따라 하루에 2~3시간 이상 걸어야 한다(Siegel, 1978, Ziter와 Allsop, 1976). 보행 속도는 DMD 아동이 휠체어를

중재 8-7 엉덩허리근과 넙다리근막긴장근 스트레칭

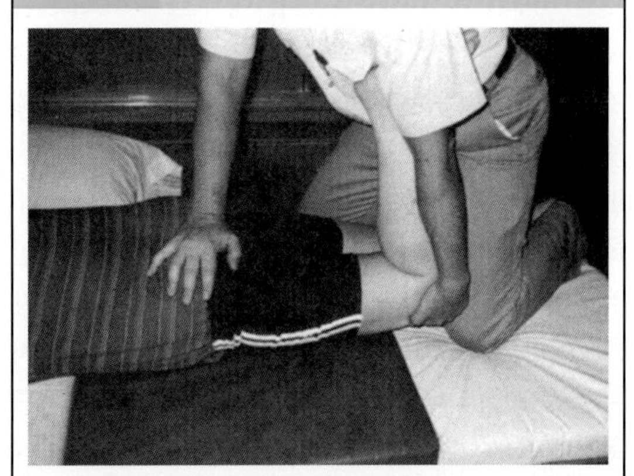

엎드려서 엉덩이 굽힘근과 엉덩허리근, 넙다리근막긴장근 늘리기. 먼저 엉덩이를 버리고 나서 최대로 펴고, 다시 모은다. 엉덩허리근과 긴장근을 더 늘리기 위해서 무릎을 펼 수 있다.

(From Campbell SK, Vander Linden DW, Palisano RJ, editors: *Physical therapy for children*, ed 3. Philadelphia, 2006, WB Saunders.)

사용하기까지의 기간을 예측할 때 사용한다. 6초 이내에 10미터를 걷는 소년들 가운데서 휠체어를 사용하기까지 2년 이상 걸린 비율이 상당히 높았고, 반면 10미터를 걷는 데 12초 이상 걸린 소년들은 1년 내에 휠체어가 필요했다(McDonald 등, 1995). 아동이 오랫동안 보행할수록 관련 능력이 더 좋아졌다.

관절운동범위

근육 수축 가능성이 높고, 모든 관절에서 관절운동 범위를 유지하기 위해 노력해야 한다. 특히 장딴지근-가자미근 복합근과 넙다리근막긴장근에 주의를 기울여야 한다. 이러한 근육 군의 경직은 보행 편위와 넓은 지지 면을 필요로 하게 된다. 엉덩허리근과 넙다리근막긴장근의 스트레칭은 중재 8-7에 나와 있다. 구축을 예방할 수는 없지만 늦출 수는 있다(Stuberg, 2012). 엎드리기 자세조절 프로그램은 중력의 해로운 영향을 관리하는 데 중요하다. 엎드리기 자세는 지나치게 앉아 있을 때 생기는 엉덩이와 무릎 굽힘 구축의 잠재적 형성을 예방할 수 있다. 물리치료사는 가정 프로그램을 아동의 부모에게 가르칠 수 있고, 교실내에서 아동의 위치 변화를 감시할 수 있다. 장시간 앉아 있으면 다리 굽힘 기형이 빠르게 일어나 보행에 지장이 생길 수 있다.

하루에도 몇 차례 앉기 자세의 대안을 계획해 넣어야 한다. 아동이 프리스쿨에 있을 때는 낮잠 시간이나 휴식 시간에 엎드리기 자세를 통합해 넣을 수 있다. 아동이 수업 시간에 서 있을 때는 슈파인 스탠더를 사용할 수 있고, 칠판 앞에 서 있는 활동을 일상적인 교실 활동으로 통합해 넣을 수 있다. 웨지 위에서 엎드리기 자세조절을 할 수도 있다. 집에서는 호흡 기능에 지장이 가지 않는 한도에서 엎드려 재우기를 권장한다.

피부 관리

피부 통합성을 항상 주시한다. 아이가 휠체어를 영구적으로 사용하기 시작하자마자 압력 이완과 쿠션 사용이 일상생활의 일부가 되어야 한다. 아이가 부목이나 보조기를 사용하는 경우, 착용 시간을 조절해야 하며 피부를 규칙적으로 검사해야 한다.

걸음걸이

DMD 아동은 다리이음뼈 근육이 약해지기 때문에 뒤뚱뒤뚱 걷는 것이 특징이다. 엉덩이 폄근 약화가 보상작용으로 척주앞굽음증을 유발하는데 이렇게 되면 그림 8-18에서처럼 무게 중심이 엉덩이 관절 뒤쪽으로 쏠린다. 보행 중에 몸통이 과도하게 외측으로 기우는 것은 엉덩이 벌림근 약화 때문이며, 양측의 트렌델렌버그 징후 반응으로 확인할 수 있다. 무릎 과다폄은 넙다리네갈래근을 대체 할 수 있으며, 허리척주앞굽음을 더욱 악화시킬 수 있다. 무릎 관절 앞이나 엉덩이 관절 뒤로 체중을 옮겨 유지하지 못하면 서 있을 수 없다. 발바닥쪽굽힘 구축은 발가락 들림을 악화시킬 수 있고, 발가락 걷기로 이어져서 균형을 더욱 흐트러뜨릴 수 있다.

기능 평가 척도는 장애 정도를 문서화하는 데 도움이 될 수 있다. 또한 몇 가지는 이용 가능하다. 상자 8-3은 팔과 다리에 대한 간단한 척도를 설명한다. 아동 장애 평가 도구(Pediatric Evaluation of Disability Inven-

상자 8-3. 뒤센 근육영양장애 아동의 비그노스(Vignos) 분류 척도

팔 기능 등급

1. 양팔을 머리 위에 닿을 때까지 크게 원을 돌려 벌릴 수 있다.
2. 지레 팔을 짧게 하거나 보조 근육을 이용해서 양팔을 머리 위로 올린다.
3. 양팔을 머리 위로 올리지 못하지만 필요하다면 180 mL 물컵을 입까지 들어올릴 수 있다.
4. 두 손을 입까지 들어 올릴 수 있지만 180 mL 물 컵을 입까지 올리지 못한다.
5. 두 손을 입까지 올리지 못하지만 두 손을 이용해 펜을 잡거나 동전을 잡을 수 있다.
6. 두 손을 입까지 올리지 못하고, 기능적으로 사용하지 못한다.

다리 기능 등급

1. 도움 없이 걷고 계단을 오른다.
2. 난간을 잡고 걷고 계단을 오른다.
3. 난간을 잡고 천천히 걷고 계단을 오른다(네 계단을 오르는 데 12초 이상 걸린다).
4. 도움을 받지 않고 걷고 의자에서 일어날 수 있지만 계단을 오르지 못한다.
5. 도움을 받지 않고 걷지만 의자에서 일어나거나 계단을 오르지는 못한다.
6. 도움을 받아야만 걸을 수 있거나 긴 다리 교정기를 착용하고 독립적으로 걷는다.
7. 긴 다리 교정기를 착용하고 걷지만 균형을 잡을 때는 도움이 필요하다.
8. 긴 다리 교정기를 착용하고 서지만 도움을 받아도 걷지 못한다.
9. 휠체어를 사용해야 한다.
10. 누워 있어야 한다.

(Data from Vignos PJ, Spencer GE, Archibald KC: Management of progressive muscular dystrophy in childhood. *JAMA* 184:89-96, 1963. ©1963 American Medical Association.)

tory)(Haley 등, 1992), 혹은 학교 기능 평가(Coster 등, 1998)는 이동 능력과 자기 돌봄에 관한 구체적인 정보를 얻는 데 사용할 수 있다. 선임 물리치료사는 이 정보를 치료 계획에 사용할 수 있으며, 물리치료사는 진행 중인 평가를 위하여 데이터를 수집할 책임이 있다.

의료 관리

알려진 치료법으로 DMD의 진행을 막을 수는 없다. 스테로이드 치료법은 뒤센과 베커 근디스트로피의 진행을 늦추기 위해 사용되었다. 베커 근디스트로피는 늦게 발병되어 천천히 진행되고 기대 수명이 훨씬 긴 경증 근디스트로피다. 프레드니솔론은 근력을 개선해 주고, 근육 기능 저하를 감소시킨다고 한다(Dubowitz 등, 2002, Backman과 Hendriksson, 1995, Hardiman 등, 1993). DMD를 치료하는 두 가지 추가적인 유망 접근법은 근육모세포(myoblast) 이식과 유전자 요법이다. 두 방법 모두 면역 반응을 포함한 여러가지 문제로 진행에 어려움이 있다(Moisset 등, 1998). 근육모세포 이식으로 DMD 환자의 근력을 개선시켰다는 보고는 현재까지 없었다(Smythe 등, 2000). 베커 근디스트로피 환자를 치료하는 근육모세포 이식에 관한 시범 연구 보고서에 따르면 근육모세포 이식은 제한된 성공을 거두었다(Neumeyer 등, 1998).

외과 및 정형외과 관리

아동의 기능적 보행의 질이 떨어지면서 DMD 아동의 의료 관리가 확대된다. 가동 범위 또는 보행 능력의 상실에 대한 외과적 및 교정 해결책은 결코 보편적이지 않다. 수술을 할지, 아니면 보조기를 사용할지를 최종적으로 결정할 때는 많은 변수들을 고려해야 한다. 일부 치료사들은 불가피한 일을 미루는 것이 더 나쁘다고 판단한다. 그러나 또 다른 치료사들은 이용할 수 있는 자원이 있는 한, 기능적 독립을 위해 노력하는 아동과 가족의 권리를 지지한다. DMD의 진행성 증상을 감소시키기 위해 사용 되는 수술 절차는 아킬레스 건 연장 절차, 넙다리근막장근 절제술, 건 전달, 건삭 및 근섬유 이동이다. 최선의 결과를 얻기 위해서는 이러한 과정을 따라야 하며 적극적인 물리치료를 받아야한다. 발목 보조기(AFO)는 발 뒤꿈치 연장에 따라 처방된다. KAFOs 사용도 시도되었다. 그러나 다른 연구에서는 조기 수술과 재활이 무릎-발목 보조기에 대한 필요성을 감소시킨다고 하였다(Bach and McKeon, 1991).

환자가 걸어 다닐 때 보조기를 처방해 아킬레스 건 길이를 유지할 수 있다. 무릎 굴곡 구축 또한 문제가 될 수 있기 때문에 무릎을 통합하기 위해 야간 부목을 제작할 수 있다. 그러나 대다수의 경우에는 네갈래근이 약해지기 때문에 보상으로 중증 척주앞굽음증이 나타난다. 이러한 변화로 무릎 관절 앞에 체중을 실어 유지하고, 중력으로 무릎 폄을 조절할 수 있다. 아동의 걸음걸이가 휘청거리고, 발목의 운동범위가 충분하지 않아서 발바닥 걷기가 불가능하다면 역동적인 균형이 깨진다. 아킬레스건 수술 치료 이후, 폴리에틸렌 AFO를 사용하면 아동이 보행하는 시간이 훨씬 더 길어질 수 있다. 그러나 보조기를 이용한 보행이 어려워지면 휠체어가 필요해진다.

적응 기구

물리치료사는 DMD 아동이 사용하는 휠체어 유형에 관한 팀의 결정에 참여할 수 있다. 이런 아동은 팔이 약해서 휠체어를 수동으로 움직일 수 없을지도 모르기 때문에 훨씬 가벼운 스포츠 휠체어나 적절한 전동 휠체어를 고려해야 한다. 에너지 비용과 보험, 혹은 보상금 제약도 고려해야 한다. 이런 아동은 하루 중 특정한 시간 동안 훨씬 더 가벼운 휠체어를 몰고 다니거나 휠체어를 이용해 지구력 훈련을 할 수 있다. 그러나 장기적으로는 그림 8-19에서처럼 전동 휠체어를 타야 훨씬 더 이동할 수 있다. 보상금이 크게 제약되어 있어서 휠체어를 한 대만 이용할 수 있다면 전동 이동성을 택하는 것이 훨씬 더 기능적이 될 수 있다. 이동식 팔 지지대나 음성 인식 컴퓨터와 환경 조절 장치 같은 다른 적응 기구들의 사용도 아동의 기능 수준을 높이기 위해 고려할 수 있다.

호흡 기능

적극적으로 관리를 하려면 호흡 기능을 목표로 삼아야 한다. 호흡 운동과 관절 가동 운동은 가정 운동 프로그램의 일부로 삼고, 모든 치료에 통합해 넣어야 한다. 양팔이나 양다리를 굽힐 때는 숨을 들이쉴 수 있고, 펼 때는 숨을 내쉴 수 있다. 가로막 호흡은 보조근육을 사용하는 것보다 훨씬 더 효율적이므로 가슴의 가쪽 기저 확장과 더불어 강조해야 한다. 가슴벽

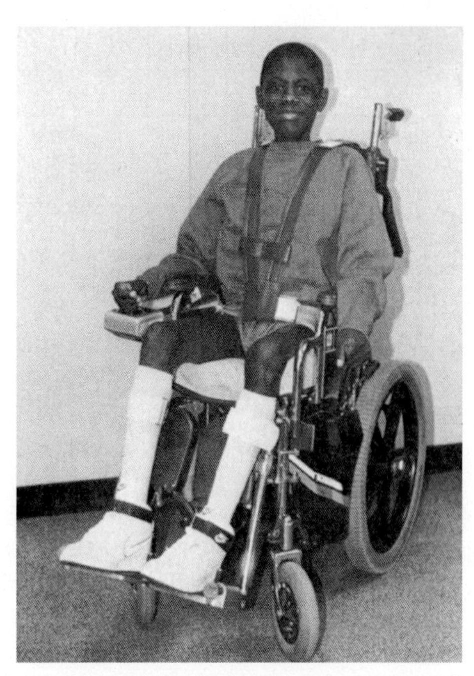

그림 8-19. 전동 휠체어를 이용하는 뒤센 근디스트로피 청소년(From Stuberg W: Muscular dystrophy and spinal muscular atrophy. In Campbell SK, editor: Physical therapy for children, Philadelphia, 1994, WB Saunders.)

중재 8-8 가슴벽 스트레칭

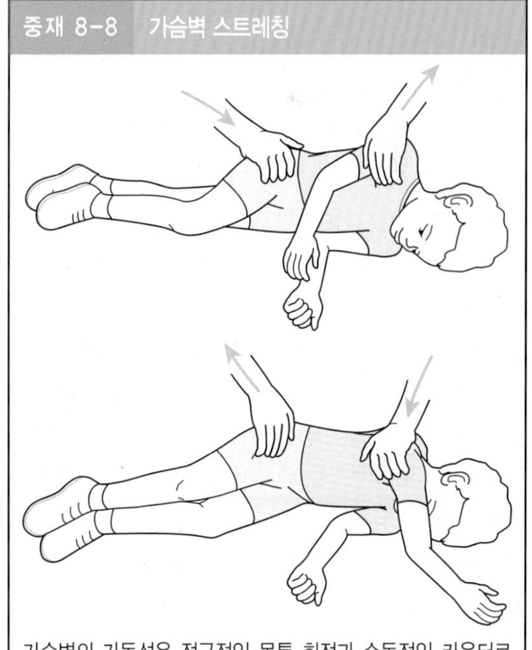

가슴벽의 가동성은 적극적인 몸통 회전과 수동적인 카운터로테이션, 수동 스트레칭으로 개선할 수 있다. 스트레칭은 아이가 점점 더 자주 앉아서 지낼 때 생기는 경직 성향을 억제해 준다.

표 8-9 **뒤센 근육영양장애 관리**

시기	목표	전략	의료/수술	가정 프로그램
취학 연령	기형 예방 독립적 이동성 유지 폐활량 유지	스트레칭 근력 강화 호흡 운동	부목/AFO 척추 정렬 주시 걷기 어려울 때 휠체어 사용 전동 스쿠터	ROM프로그램 야간 부목 사이클링이나 수영 엎드리기 자세잡기 병 불기
청소년	구축 관리 보행 유지 자세전환과 ADL 돕기	스트레칭 계단 오르기나 일반적인 걷기 도중에 경계하기 ADL 자세잡기와 수정 어깨 내림근과 세갈래근 근력 강화	보행이 중단되기 전에 AFO/KAFO 사용 보행 능력 연장 수술 적절한 휠체어 적응 및 지원 척주측만증 관리를 위한 수 술	ROM프로그램 야간 부목 엎드려 자세잡기 병 불기 자세전환과 ADL 보조
성인기	호흡 기능 주시 가동성과 자세전환 관리	호흡 운동, 체위배출 도움 받아 기침하기 보조 기술	기계 환기 산소 포화 주시 전동기구	병원 침대 (ball-bearing feeder)팔 보조기 호이어 리프트(hoyer lift)

ADL, 일상생활동작; *AFO*, 발목-발 보조기; *KAFO*, 무릎-발목-발 보조기; *ROM*, 운동
From Stuberg WA: Muscular dystrophy and spinal muscular atrophy. In Campbell SK, Vander Linden DW, Palisano RJ, editors: *Physical therapy for children*, ed 2, Philadelphia, 2000, WB Saunders, pp. 339-369.

경직은 적극적인 몸통 회전과 수동적인 카운터로테이션, 수동적 스트레칭(중재 8-8)으로 막을 수 있다. 때때로 폐에 찬 분비물을 제거하려면 타진법으로 체위배출을 시도해야 한다. 이런 아동은 종종 호흡계 침범으로 학교에 결석한다. 부모는 낭포성 섬유증에 관해 기술할 때 설명했듯이 적절한 기도 청결 기법들을 배워야 한다.

심혈관 지구력을 증진시키는 활동들은 스트레칭과 기능적 활동들만큼이나 중요하다. 아동이 팔과 다리 운동을 할 때는 항상 심호흡을 하며 가슴을 움직이도록 한다. 아이가 휠체어를 타고 있을 때는 윈드 스프린트 훈련을 할 수 있다. 윈드 스프린트란 정해진 거리까지 휠체어를 빠르고 세게 밀어 나아가는 것이다. 이때 시간 제한을 둘 수 있고, 최고 기록을 갱신하거나 유지하기 위해 노력할 수 있다. DMD 아동의 운동 프로그램에는 유산소 요소가 포함되어야 한다. 이런 아동은 결국 호흡계 문제로 사망하기 때문이다. DMD 아동에게 가장 좋은 유산소 운동은 수영이다.

이런 아동은 최소 2년마다 재검사를 받아서 병의 진행을 기록해 두어야 한다. 병의 진행을 기록하는 것은 아동이 하나의 기능 수준에서 다른 기능 수준으로 하락할 때 중재 개입 시기를 결정하는 데 중요한 역할을 한다. 이때 외과적 치료를 해야 하는지, 아니면 보조기를 사용해야 하는지는 아직 논란의 여지가 있다. 이런 아동과 가족에게 적절한 가동성과 호흡 지원을 제공하기 위해서 적극적으로 중재를 하려면 정확한 자료가 필요하다. 표 8-9는 DMD 환자에게 평생 동안 시행할 수 있는 중재와 목표, 전략의 일부를 대략적으로 보여 준다.

베커 근육 영양장애

베커 근디스트로피(BMD) 아동은 5세에서 10세 사이에 질병의 징후가 나타나기 시작한다. 이 X관련 근디스트로피는 남성 100,000명 중 5명한테서 나타나 DMD보다 훨씬 희귀한 질병이다. 디스트로핀은 계속 나타나지만 정상치보다는 훨씬 적다. 실험 결과는

DMD의 경우만큼 두드러지지 않는다. 크레아틴키나이제 수치 상승이 약해지고, 생검에서 근육섬유 파괴가 줄어든다. DMD와 또 다른 중요한 차이점은 베커 근디스트로피 유형에서는 지적 장애 발생률이 낮다는 것이다. 물리치료 중재는 DMD 아동의 일반적인 물리치료와 동일하다. 그러나 이 질병은 진행이 훨씬 더 느리다. 또한 이런 아동이 십대 후반까지 계속 걸을 수 있는 가능성은 DMD보다 크다. 기대 수명이 40대이기 때문에 휠체어를 너무 일찍 사용하지 않으려면 과도한 체중 증가를 반드시 피해야 한다. 이 인구 집단에서 전동 이동 기구 사용이 흔하기 때문에 체중 조절을 위해 충분한 운동을 하는 것이 훨씬 더 어려운 도전 과제가 될 수 있다.

평균 수명이 길어지면서 사춘기에서 성인기로의 이행은 BMD 환자에게 중요한 문제가 되고 있다. BMD 환자는 폐 또는 심장 기능 부전으로 40대 정도에 사망한다(Glanzman, 2014). 환자의 장애 정도와 질병 진행 정도에 따라서 직업 재활은 직업 훈련이나 학교 출석을 돕는 데 매우 중요할 수 있다. 직업 설계나 부업 계획과 상관없이 BMD 성인은 생활하는 데 있어서 도움을 필요로 한다. 필요성 평가는 고등학교를 마치기 전에 시작해야 한다.

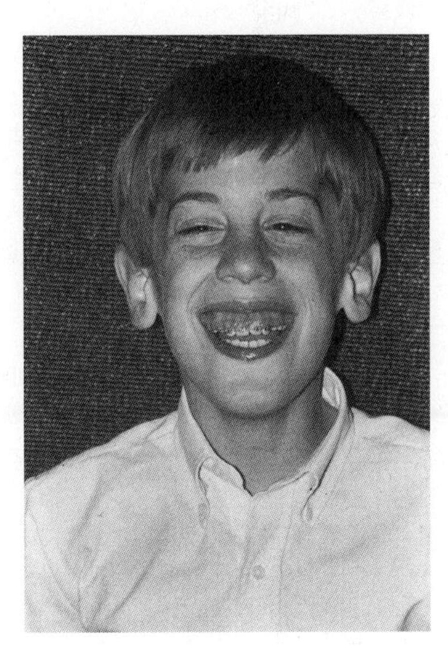

그림 8-20. 취약X 증후군 6세 아동(From Hagerman R: Fragile X syndrome. In Allen PJ, Vessey JA, and Schapiro NA, editors: Primary care of the child with a chronic condition, ed 5, St. Louis, 2010, Mosby, pp 514-526.)

취약X 증후군

취약X 증후군(Fragile X syndrome, FXS)은 지능 장애의 주요한 유전적 원인이다. 이 질병은 남성 4,000명 중 1명과 여성 8,000명 중 1명한테서 발생한다(Jorde 등, 2010). 세포 수준에서 X 염색체의 취약한 부위가 탐지되면 그것이 바로 아동의 지적 장애의 원인임을 확인할 수 있다. 취약X 유전자(FMR)는 취약X 정신지체 단백질(FMRP)을 암호화한다. FXS의 특징은 지적 장애와 비정상적인 얼굴, 협응 부족, 근육 긴장의 전반적인 감소, 사춘기 이후 남성 환자의 고환 확대이다. 이런 아이들은 얼굴이 길고 좁으며, 이마와 턱, 귀가 튀어나올 수 있다(그림 8-20). 이러한 장애의 임상적 양상은 변이의 완전성에 따라 달라진다. FMR 유전자는 일련의 3아미노산의 반복 횟수를 결정한다. FMR 유전자가 유전 될 때, 반복 횟수는 정상치(6회에서 40회 반복)에서 순열(permutation, 50에서 200회 반복)까지, 최대로는 200회 이상까지 올라가 완전한 돌연변이가 될 수 있다. 완전한 돌연변이에서는 FMRP가 거의 생산되지 않는다. FMRP가 적으면 적을수록 지적 장애가 더 심해진다. 여러 세대에 걸쳐 반복수 위험이 증가해서 질병이 후대에 악화되는 것처럼 보인다. 취약X를 가진 아동의 가족과 유전 관련 상담을 하는 것은 생식 측면의 위험을 이해하는 데 매우 중요하다.

결합 조직 침범에는 관절 과운동성과 평발, 샅굴탈장, 오목 가슴이 있다(Goldstein and Reynolds, 2011). 여아의 증상은 남아의 증상만큼 심각하지 않다. 여아들은 일반적으로 신체 이형 특징(얼굴에 나타나는 구조적 차이)이나 결합 조직 이상을 보이지 않는다. 취약X 여성은 정상적인 지능을 가질 확률이 높지만 학습장애가 있을 수 있다. 그러나 여아 보균자는 남아 보균자보다 이 질환에 걸릴 위험이 높기 때문에 이 질환에 대한 유전 관련 상담이 더욱 중요해진다. FXS 남성과 여성의 행동 특성은 짧은 주의력과 충동성, 촉각 방어력, 언어와 운동 행동에서의 과잉과 억압이다

(Goldstein and Reynolds, 2011).

FXS는 자폐증 스펙트럼 장애와 관련된 가장 흔한 단일 유전자 결함이다. FXS 아동의 30%는 자폐증으로 진단받을 것이다(Harris 등, 2008). FXS 아동은 대부분 자폐아 같은 행동을 한다. 자폐증과 FXS, 취약X 순열(Gurkan and Hagerman, 2012)은 공유된 분자 중첩을 가지고 있는 것 같다. 자폐증이 없는 FXS 환자와 비교했을 때 자폐증 있는 FXS 환자의 인지와 언어 및 적응 행동이 더욱 많이 손상된다(Hagerman 등, 2008).

지능

FXS 아동의 지능 장애는 중증에서 정상 경계에 이르기까지 다양하다. 보통 IQ는 20~60 사이이며 그 사이 평균은 30~45이다. 추가적인 인지 결손으로는 주의력결핍과다행동장애와 학습장애, 자폐증 유사 매너리즘이 있다. 사실, 여아들는 유아기 자폐증으로 잘못 진단받거나 학습장애와 같이 경미한 인지적 장애만 보일 수 있다(Batshaw 등, 2013).

운동 발달

FXS 아동의 대근육과 소근육 운동 발달은 지연된다. 평균 보행 연령은 2세이고(Levitas 등, 1983) 75%의 남아가 편평족에 오리걸음을 걸었다(Davids 등, 1990). 아동의 운동능력은 정신 능력과 동일한 발달 연령대에 있다. FXS 진단이 나오기 전에도 물리치료사는 단순한 발달 지연보다 훨씬 더 많은 문제가 있음을 인식할 수 있다. 긴장 저하와 관절 과운동성, 중력 불안정을 보이는 아동의 경우, 특정한 발달 자세에서 균형을 유지하는 것이 어려워질 수 있다. 경미한 영향을 받는 개인은 언어 지연과 행동 문제, 특히 과다한 행동을 나타낼 수 있다(Schopmeyer and Lowe, 1992).

촉각 방어력

장애의 심각성과 상관없이 이런 아동의 90%는 시선 접촉을 피하고 80%는 촉각 방어력을 나타낸다. 촉각 방어력의 특징은 표 8-10에 나와 있다. 이런 아동은 접촉에 혐오감을 느낄 수 있고, 가벼운 접촉에는 지향 반응보다 회피 반응을 보일 수 있다. 따라서 치료 시에는 아이가 놀이 중에 표면의 질감이 다양한 기구를 사용하도록 한다. 안뜰 자극과 압력, 체중지지 및 운동을 통한 고유감각 입력의 증가가 도움이 된다(Schopmeyer and Lowe, 1992).

감각 통합

촉각 방어력 이외의 다른 감각 통합 문제는 이러한 아동이 한 번에 여러 감각 입력에 노출되는 것을 견디는 능력이 감소할 때 나타난다. 이런 아이들은 환경적 자극을 걸러 낼 수 없기 때문에 쉽게 압도당한다. 이런 아동의 시선 회피는 자폐증이나 사회기능장애보다 높은 불안감과 관련이 있는 것 같다. 아동은 좌절감을 잘 견디지 못하기 때문에 화를 자주 낸다. 아이가 통제력을 상실할 때 항상 주시하고, 적절한 수정 행동을 팀과 협의해서 결정한다.

표 8-10 촉각 방어력

주요 증상	아동의 행동
접촉 회피	따끔거리거나 거친 옷을 피하고, 부드러운 재료의 긴 소매 옷이나 바지를 선호한다. 다른 아이들과 접촉하지 않으려 하고 혼자 있는 걸 좋아한다. 신체접촉이 있는 놀이 활동을 피한다.
비독성 접촉 혐오 반응	들어 올려지거나 안길 때 몸을 돌리거나 몸부림친다. 목욕과 손톱 깎기, 이발하기, 세수하기 같은 ADL에 저항한다. 치과 치료를 혐오한다. 핑거페인트와 풀, 모래 같은 미술 재료를 혐오한다.
비독성 촉각 자극에 대한 전형적 감정 반응	팔과 얼굴, 혹은 다리의 가벼운 접촉에 공격적으로 반응한다. 사람들과 신체적으로 가까워지면 스트레스가 증가한다. 접촉을 거부하거나 회피한다.

ADL, 일상생활동작
From Royeen CB: Domain specifications of the construct of tactile defensiveness. *Am J Occup Ther* 39:596-599, 1985. ©1985 American Occupational Therapy Association. Reprinted with permission.

학습

시각적 학습은 FXS 아동에게 중요하므로 구두 요구와 함께 시각적 신호를 사용하는 것이 좋은 중재 전략이다. 모든 운동 기술이나 과제는 화장실 세면대에서 손 씻기를 가르치는 것처럼 적절한 수행 환경에서 가르쳐야 한다. 부적절한 환경의 실례는 카페테리아에서 칫솔질을 가르치거나 교실에서 공놀이를 하는 것 등이다. 학습이 이루어지는 신체적, 사회적, 정서적 환경은 아동의 활동에 있어서 중요하다. 과제를 부분으로 나누지 않고 전체로 가르치는 것은 아동이 순차적 학습과 행동을 반복하는 경향을 줄여줄 수 있다.

레트 증후군

레트 증후군은 거의 여성에게 나타나는 신경 발달장애다. 발병률은 12,000명의 여성 중 약 1명이다. 여성한테서 X관련 우성유전이 나타난다는 주장은 틀렸다고 증명되었다(Goldstein and Reynolds, 2011). 레트 증후군은 남성에서도 나타난다고 문헌에 기술되어있다(Clayton-Smith 등, 2000, Moog 등, 2003).

레트 증후군의 특징은 지적 장애와 운동장애, 성장지연이다. 레트 증후군은 또한 여성의 지적 장애를 일으키는 주요 원인이다(Shahbazian and Zoghbi, 2001). 지적 장애에도 불구하고, 레트 증후군은 신경 퇴행성 질환이 아니다(Zoghbi, 2003). 뇌에서 시냅스 연결의 발달을 담당하는 MECP2 유전자가 변이되면서 출생 후 발달에 지연이 나타난 것이다. 지적 장애 수준은 중증과 최고중증 사이이다. 아동의 발달이 정상적으로 보이는 예비 단계가 있다. 이 단계는 6개월 동안 지속되고, 이어서 4단계 쇠퇴 단계가 뒤따라온다. 1단계는 6개월에서 18개월 사이에 언어와 운동능력이 떨어지는 초기 발달 정체 시기다. 2단계에서는 이전에 획득한 손 기능이 빠르게 파괴된다. 이 단계에서 아이들은 무엇이든 입에 넣을 뿐만 아니라 손가락 치기와 비틀기, 펄럭이기 같은 전형적인 손 움직임을 보인다. 어린 시절의 기능 저하로는 의사소통 능력 감소와 발작, 나중에는 척추 측만증이 나타난다. 3단계에는 안정기가 있고, 10세 정도까지 지속되며, 4단계에서 후기 운동장애가 나타난다. 증후군의 발현 정도는 다양하다. 레트 증후군을 가진 아동은 성인기까지 생존한다(Goldstein and Reynolds, 2011).

자폐증 스펙트럼 장애

자폐증으로 진단받은 유아와 아동은 사회성과 의사소통, 운동 및 행동 발달 측면에서 장애를 보인다. 자폐증 스펙트럼 장애(ASDs)에는 자폐증 장애와 달리 분류되지 않은 전반적인 발달 지연(PDD-NOS), 아스퍼거 증후군(CDC, 2014)이 있다. 자폐증은 적절한 중재를 위한 정확한 진단과 시행을 제공하기 위해 발달 지연과 구별되어야 한다(Mitchell 등, 2011). 2세에 진단 받은 자폐증은 안정적이고 신뢰할 만하며 유효하지만(Kleinman 등, 2008), 아스퍼거와 PDD-NOS의 진단은 아동이 각각 6세와 4세가 되어야 가능하다(Batshaw 등, 2013). 조기 발견 시, 조기 중재와 함께 긍정적인 발달과 예후가 가능하다(Kleinman 등, 2008).

ASD는 여아보다 남아한테서 더 흔하게 발생하며, 모든 인종 및 사회 경제적 그룹에서 발생한다. 68명 아동 중 1명은 ASD를 앓고 있는 것으로 추산된다. 정신질환 진단 및 통계 편람(Diagnostic and Statistical Manual of Mental Disorders, DSM-5)에 따르면 ASD로 진단 받으려면 아동이 사회적 상호 작용과 의사소통, 그리고 반복적 행동에서 장애를 보여야 한다. 자폐증의 초기 검사에서 운동조절의 어려움이 인식되었음에도 불구하고 운동장애는 진단 기준의 일부가 아니다(Kanner, 1943). 최근의 많은 연구에서는 ASD 아동의 운동 기능 장애를 강조하고 있다(Bhat 등, 2012, Lloyd 등, 2011, Provost 등, 2007). 그러나 일부 연구자들은 정상적으로 발달 중인 아동과 비교하여 ASD 아동에서 운동 발달 지연이 없다고 보고했고(Ozonoff 등, 2008), 다른 연구자들은 운동 척도가 아닌 운동 연령 동등 점수에서 지연을 발견했다(Lane 등, 2012). ASD 아동의 운동 모방 측면도 지연된다(Carey 등, 2014). 자폐증 아동의 형제자매에서 나타나는 조기 운동 지연으로 이후의 소통 지연 위험을 예측할 수 있다(Bhat 등, 2012). 자폐증이 있는 저기능 장애 아동은 느린 뻗기와 잡기 움직임을 보였다(Mari 등, 2003). 나이가 더 많은 ASD 아동은 운동 계획(응용)에 어려움이 있는 것으로 밝혀졌다(MacNeil and Mostofsky, 2012). 자폐 아동의 대부분이 어느 정도의 운동 지연을 보인다는 증거가 있다. 운동 발달의 초기 지연으로 자폐증을 예측할 수 있는지 여부를 뒷받침해 주는 충분한 증거가 현재는 없다. 물리치료사는 운동 기술 평가에 참여해야 한다.

다운증후군과 취약X 같은 유전질환은 ASD와 관련이 있는 것으로 밝혀졌다. ASD의 원인은 아직 알려지지 않았다. 유전질환과 함께 자폐증 진단을 받으면 발달 문제가 복잡해질 수 있다. 자폐아 아동은 놀이 능력을 보이진 않지만, 또래와 성인을 모방해 놀이에 참여하도록 가르칠 수 있다(Barton and Pavilanis, 2012). 최상의 연습법으로 자폐아 아동을 위한 사회 기술 모방용 사회적 대본 사용이 있다(Reichow and Volkmar, 2010). 가장 일반적인 목표는 소통과 사회적 상호 작용이다. 그러나 자폐아 아동의 운동 발달에 대한 결과를 토대로, 물리치료 중재는 작업치료에서 제공하는 감각 통합과 함께 운동 모방과 계획뿐만 아니라 자세 및 균형 훈련도 포함하여야 한다. 부모는 아동의 사회적 상호 작용과 의사소통뿐 아니라 사회적 놀이를 촉진하는 법을 배워야 한다. 놀이는 연령에 적합해야 하며, 운동과 언어 기술, 상상력이 적용 가능하다.

유전적 장애와 지적 장애

미국 전체 인구의 1~3%는 정신 운동장애와 지적 장애를 안고 있다. 지적 장애는 미국 지적 및 발달장애 협회(AAIDD, 2010)의 정의에 따르면 "소통과 자기 돌봄, 가정생활, 사회적 기술, 지역 사회 이용, 건강 및 안전, 학업, 여가, 일 가운데 두 가지나 그 이상의 영역에서 평균 이하 지능과 관련 제한을 보이는 현재 기능의 실질적인 제약" 상태이다. 지적 장애로 진단받으려면 IQ가 70~75 이하여야 한다. 상기의 정의는 삶의 모든 면에서 감소하는 학습 능력의 효과를 강조한다. IQ 점수는 개인의 장점에 대해 거의 알려주지 않으며

표 8-11 지적 장애 분류

지적 장애 수준	IQ	장애 인구 비율
경증	55–70	70~89%
중등증	40–55	20%
중증	25–40	5%
최중증	<25	1%

Based on data from Grossman HJ: Classification in mental retardation, Washington, DC, 1983, American Association on Mental Retardation; Jones ED, Payne JS: Definition and prevalence. In Patton JR, Payne JS, Beirne-Smith M, editors: *Mental retardation*, ed 2, Columbus, OH, 1986, Charles E. Merrill, pp. 33-75.

인위적으로 아동의 능력에 대한 기대치를 낮출 수 있다. 지적 장애인의 적응 능력 부족이 포함되어 있음에도 불구하고, 4가지 수준의 지체가 문헌에 보고되어 있다. 이러한 수준과 지적 장애 인구 집단 내 각 유형의 상대적 비율은 표 8-11에 나와 있다.

지적 장애를 일으키는 가장 흔한 유전적 장애는 다운증후군과 FXS다. 다운증후군은 염색체 중 하나인 21번 삼염색체 때문에 나타나고, FXS는 X염색체 결함으로 생겨난다. 이 중요한 X관련 장애는 왜 지적 장애가 여성보다 남성한테서 높게 나타나는지를 설명해 준다. X염색체 결함은 정상적인 X염색체가 존재하지 않을 때 남성한테서 발현된다. 신경계와 관련된 대부분의 유전질환은 지적 장애를 일으키고, 아동은 주로 긴장 저하라는 임상적 특징을 보인다.

아동의 손상과 중재

물리치료사가 유전적 문제에 이차적으로 긴장 저하를 보이는 아동을 검사하고 평가할 때 지적 장애 관련 여부와 상관없이 물리치료 중재에서 다루는 유사한 손상들이나 잠재적 문제들을 주로 확인한다.

1. 정신운동 발달 지연(척수근위축증에서는 운동 지연만 확인)
2. 긴장 저하나 약화
3. 자세 반응 발달 지연
4. 관절 과다폄
5. 구축과 골격 기형
6. 호흡 기능 손상

이러한 손상을 치료하는 중재는 여기서 일반적으로 사례와 함께 설명한다. 지적 장애는 정신 지체보다 일반적으로 사용되는 용어이다.

정신 운동 발달

운동과 인지 발달을 지연시키는 유전질환을 가진 아동의 정신 운동 발달 촉진은 물리치료 중재의 주요한 초점이다. 지적 장애 아동은 운동 기술과 생활 기술을 습득할 수 있다. 그러나 훨씬 더 적은 것을 배우고, 학습 시간도 더 오래 걸린다. 운동 학습의 원칙은 이 인구 집단에서도 사용해야 한다. 지적 장애 아동에게는 지적 장애가 없는 운동 지연 아동보다 연습과 반복이 더욱 중요하다. 치료사는 가르쳐야 할 기술이나 과제가 아동의 일상적인 기능의 일부인지를 항상 확인해야 한다. 과제를 세부적으로 나누면 원래 과제를 학습할 가능성이 높아지고, 현 과제 달성을 위해 다른 기술들을 수행할 수 있다. 지적 장애 아동의 경우, 하나의 기술을 일반화해서 다른 과제에 활용하는 능력이 감소된다. 각각의 과제는 새로운 것이어야 하며, 그 과제가 아무리 유사해 보일지라도 처음부터 다시 배워야 한다. 정기적으로 연습하지 않은 기술은 유지되지 않는다. 그렇기 때문에 과제들은 일상생활과 관련이 있어야 하고, 일상생활에 적용할 수 있어야 한다.

긴장 저하와 지연된 자세 반응

치료 초기의 기능적 목표는 자세 조절 발달에 중점을 둔다. 아이는 환경 내에서 안전하게 이동하고 물체 조작과 같은 과제를 수행하는 법을 배워야 한다. 지적 장애와 저혈압, 관절 과운동성, 발달 지연은 다운증후군과 같은 유전적 장애 아동의 특징들로 상호 작용하여 자세 조절력을 저하시킨다. 자세 긴장이 낮은 아동은 중력에 저항하는 자세를 쉽게 유지할 수 없으며, 한 자세에서 몸무게를 이동시킬 수 없거나 다리를 효율적으로 사용하는 자세를 유지할 수 없다. 한 자세에서 다른 자세로 전환하려면 많은 노력이 필요하고, 비정상적인 움직임 유형을 취해야만 한다. 치료사는 치료 시 자세 긴장을 개선해서 아동에게 운동의 토대를 제공한다. 다운증후군 아동은 운동 목표를 달성하고 자세 반응을 개선하기 위해 교육이나 훈련을 받는 것이 유익하다. 표 8-2는 다운증후군 아동의 운동 발달 습득 연령을 일반적인 습득 연령과 비교해서 보여 준다.

그림 8-21에서 앤은 17개월 된 다운증후군 여아이다. 앤은 긴장 저하와 운동 발달 지연이 주된 손상인 유전질환 아동으로 치료 모델을 제공한다. 앤은 매주 물리치료를 받고, 기어 다니며, 도움을 받아 일어설 수 있지만 아직 독립적으로 걷지 못한다. 앤이 옷을 벗는 동안 체중이 한쪽으로 기울 때 치료사는 앤이 균형을 잡도록 유도한다(그림 8-21 참조). 또한 양말을 벗을 때도 도와주는 것이 좋다(그림 8-22).

안정성

아동의 운동 준비 상태는 관절을 적절하게 정렬해서 체중을 지지하는 것으로 구성된다. 다양한 재료의 보조기는 아동이 스스로 할 수 없을 경우에 기계적인 관절 잠금장치 없이 필요한 정렬을 유지할 때 사용한다. 손으로 간헐적인 지지를 제공하면 신체 부위가 체중을 지지할 수 있도록 준비시키는 데 도움이 된다. 이

그림 8-21. 옷 벗을 때의 몸통 체중 이동

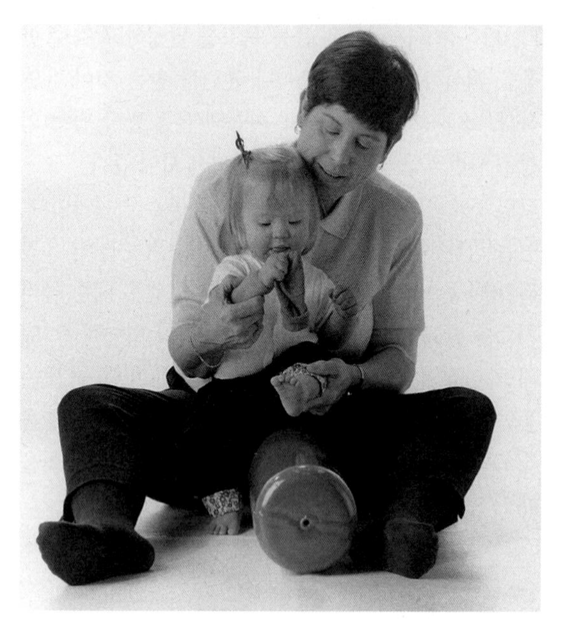

그림 8-22. 양말을 벗는 다운 중후군 아동

러한 접근은 중재 8-9에 나와 있다. 체중지지하면서 아동의 팔다리를 운동시키면 자세 유지를 강화할 수 있고, 체중 이동이나 움직임을 시킬 수 있는 안정적인 기반을 제공할 수 있다. 중재 8-10은 치료사가 앤이 앉은 상태에서 팔로 체중을 옮겼다가 다시 앉은 자세로 돌아가도록 유도하는 과정을 보여 준다.

가동성

지적 장애 아동은 환경에 적응하기 위해 이동할 수 있어야 한다. 물체를 손으로 조작하고 주변 환경을 탐색 할 수 있는 능력은 인지 발달과 의사소통 및 감정의 발달에 긍정적으로 기여한다. 운동과 인지가 따로 발달하더라도 서로를 촉진시키므로 운동을 촉진하면 인지에도 영향을 주게 된다. 치료사의 무릎에 앉았다가 일으켜 세워지고, 스스로 일어서면서 벤치 위에 서서 놀도록 유도할 수 있다(중재 8-11). 장난감 쇼핑 카트 같은 자세 지원 도구를 사용하면 아이가 걸을 수 있다(중재 8-12). 이동 수단은 아동이 환경에 적응할 수 있도록 전동 휠체어와 카트, 개조 자전거, 혹은 프론 스쿠터 같은 대체 이동 수단을 사용하면 중등증에서 중증 지적 장애에 운동능력이 손상된 아동도 독립적으로 이동할 수 있다. 멕큐완(Ewen, 2000)은 18개월 수준의 시각과 인지력을 가진 지적 장애 아동이 전동 이동 수단을 사용하는 법을 배울 수 있다고 말했다. 직립 자세의 방향성은 또래와 성인과의 사회적 상호 작용에서 중요하다. 또한 맥큐완(1992)은 교사들이 바닥에 앉아 있는 아이들보다 성인의 정상적인 상호 작용 위치에 더 가까운 곳, 그러니까 휠체어에 앉은 아이들과 상호 작용을 더 많이 한다는 사실을 발견했다.

자세조절

저긴장 아동은 머리와 몸통 조절을 발달시키기 위해서 적절할 때 안뜰 입력을 사용해야 한다. 치료사는 안뜰 감각이나 움직임을 이용하여 아동의 균형을 개선할 때 관절의 안정성을 항상 고려해야 한다. 치료사와 가족은 아이의 몸통을 지지해주고, 중력에 저항하는 아이의 머리 들기나 머리 정중선 유지를 가능하게 해주는 자세를 이용해야 한다. 유아는 성인 팔과 어깨에 올리거나 성인의 가슴에 안아서 옮길 수 있다(중재 8-13). 아동의 팔다리가 몸 가까이에 모여 있고, 대부분의 관절이 구부러진 자세는 안정성을 개선해 주고, 정중선 지향과 대칭을 강화해 준다. 팔꿈치로 짚고 엎드리기와 양팔 뻗어 지지하고 엎드리기, 양팔로 지지하고 앉기, 4점 자세는 모두 체중지지에 좋은 자세이다. 아동이 자신의 체중을 완벽하게 지지할 수 없을 때 물리치료사는 웨지와 볼스터, 하프 롤과 같은 적절한 도구를 사용해서 체중을 지지하는 자세를 잡아줄 수 있다. 똑바로 선 자세는 아이의 각성을 향상시킬 수 있으므로, 누워 있는 자세보다 학습에 더 적합한 조건을 제공 할 수 있다(Guess 등, 1988).

치료사는 자세 조절을 발달시키기 위해서 몸통 굽힘근과 몸통 폄근 근력 사이의 균형을 유지해야 한다. 몸통 폄은 아이가 공위에 엎드려 있을 때 손을 뻗도록 유도해서 촉진할 수 있다(중재 8-14, A). 중재 8-14, B에서 볼 수 있듯이, 팔의 보호 폄도 유도할 수 있다. 아이의 엉덩이를 부드럽게 접근해 준 다음에 공을 이용해서 아이를 일으켜 세우고 아이가 체중을 부분적

중재 8-9 접근

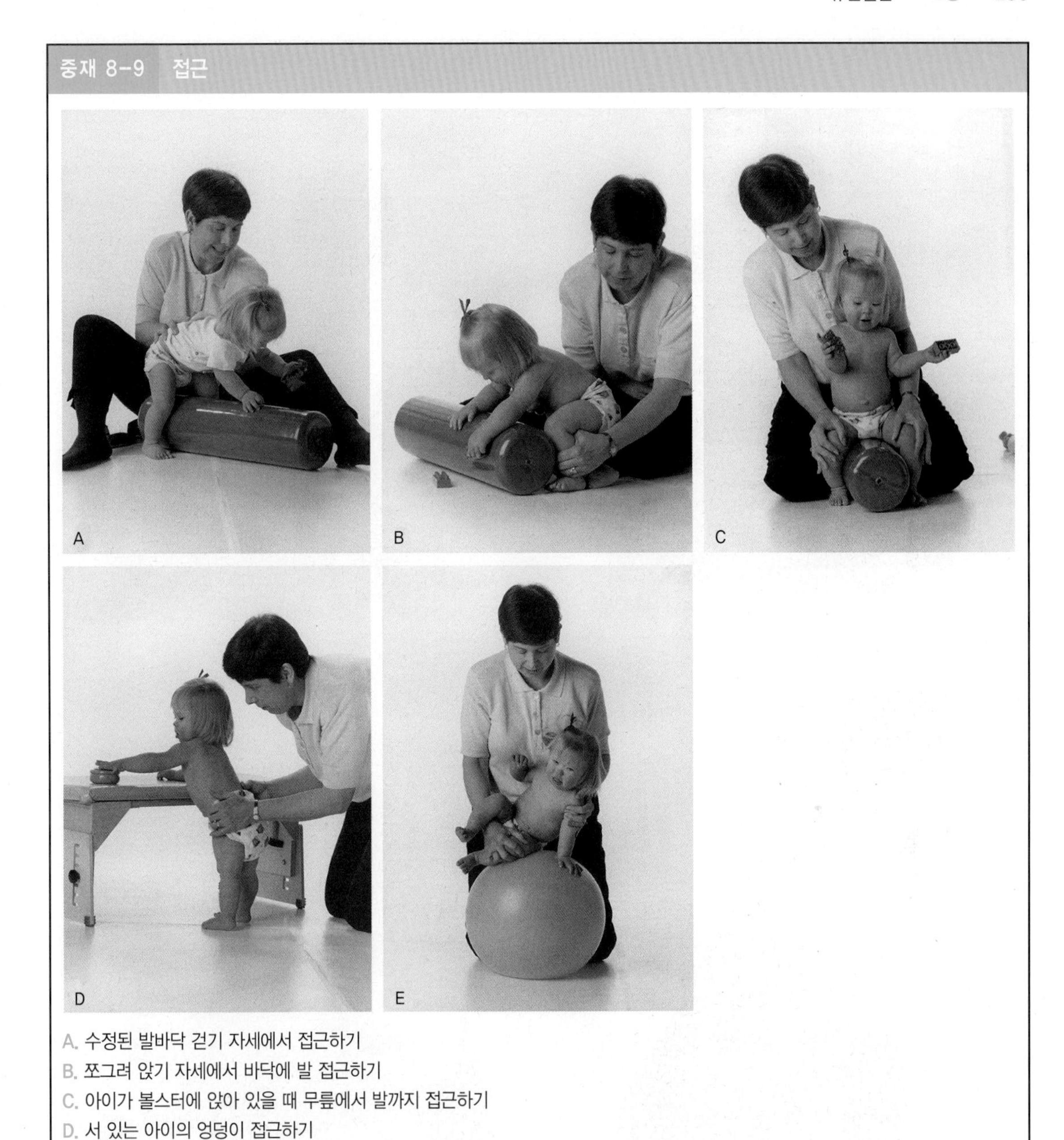

A. 수정된 발바닥 걷기 자세에서 접근하기
B. 쪼그려 앉기 자세에서 바닥에 발 접근하기
C. 아이가 볼스터에 앉아 있을 때 무릎에서 발까지 접근하기
D. 서 있는 아이의 엉덩이 접근하기
E. 어깨 접근하기

으로 지지하도록 유도한다(중재 8-15). 몸통 균형이 잡히면 균형 반응을 이끌어 낼 수 있다. 이러한 반응은 움직일 수 있는 표면 위에서 이끌어 낼 수도 있다(중재 8-16). 운동 발달을 장려하는 추가적인 방법들은 물론이고, 발달적 자세 내에서 나타나는 보호 반응과 바로잡기 반응, 균형 반응을 촉진하는 방법에 대한 설명은 5장을 참조하기 바란다.

복부 근력으로 몸통 펌의 균형을 잡지 못할 때는 넓다리뒤인대를 이용해서 엉덩이를 모으고 폄으로써 몸통 안정성을 확보할 수 있다(Moerchen, 1994). 긴장 저

중재 8-10 움직임 이행

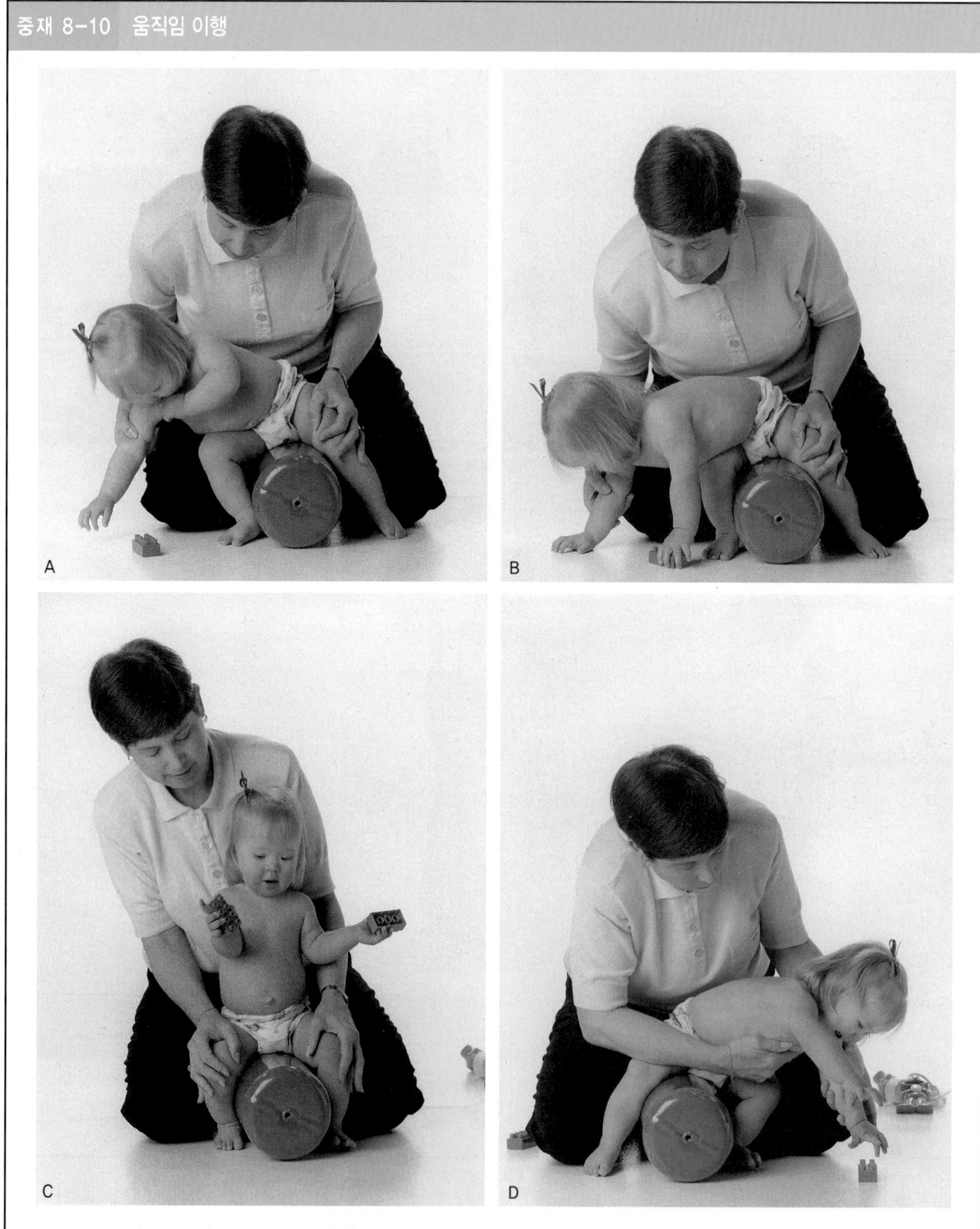

A–D. 아이가 놀이 과제를 수행하면서 적극적인 몸통 회전을 연습한다. 앉아서 팔에 체중을 실었다가 손을 뻗어 다시 앉는 움직임 유도한다.

중재 8-11 일어서기

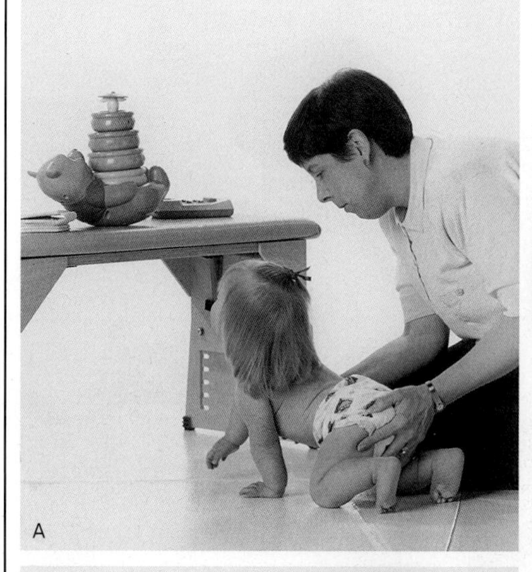

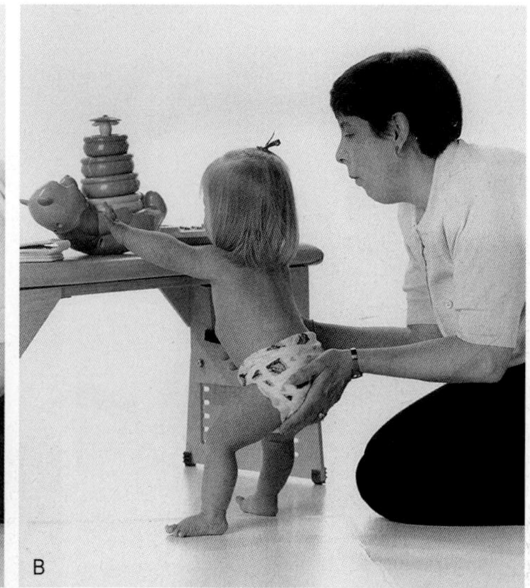

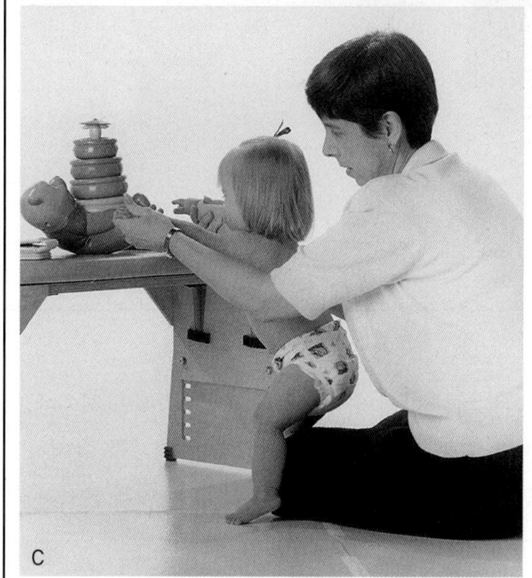

아래와 같은 방법으로 아동이 일어서도록 유도한다.
A–B. 바닥에 일으켜 세우기
C. 치료사의 무릎에 앉아 있다가 일어서기

하로 누운 자세에서 두 다리가 넓게 벌어지면 엉덩이 굽힘근이 빠르게 경직된다. 이러한 경직은 흉곽을 키워주는 복부빗근의 능력을 손상시킨다. 그 결과, 부적절한 몸통 조절과 흉곽 상승(high–riding rib cage), 몸통 회전이 나타난다. 긴장 저하 아동의 부적절한 몸통 조절은 호흡 기능을 손상시킬 뿐만 아니라 주로 바로잡기 반응과 균형 반응에서 나타나는 몸통의 동적 자세 조절 발달을 저해한다.

구축과 기형

구축과 기형을 피하는 것은 비교적 쉬워 보일 수 있다. 구축과 기형을 보이는 아동의 가동성이 증가했기 때문이다. 그러나 지나치게 늘어난 자세에서는 근육이 짧아질 수 있다. 긴장 저하와 지나친 관절 움직임 때문에 아동의 팔다리는 중력에 이끌려 다닌다. 아동이 누워 있을 때는 중력 때문에 팔다리의 바깥쪽 돌림이 촉진되고, 머리가 한쪽으로 기울어진다. 결국에는

중재 8-12 걷기

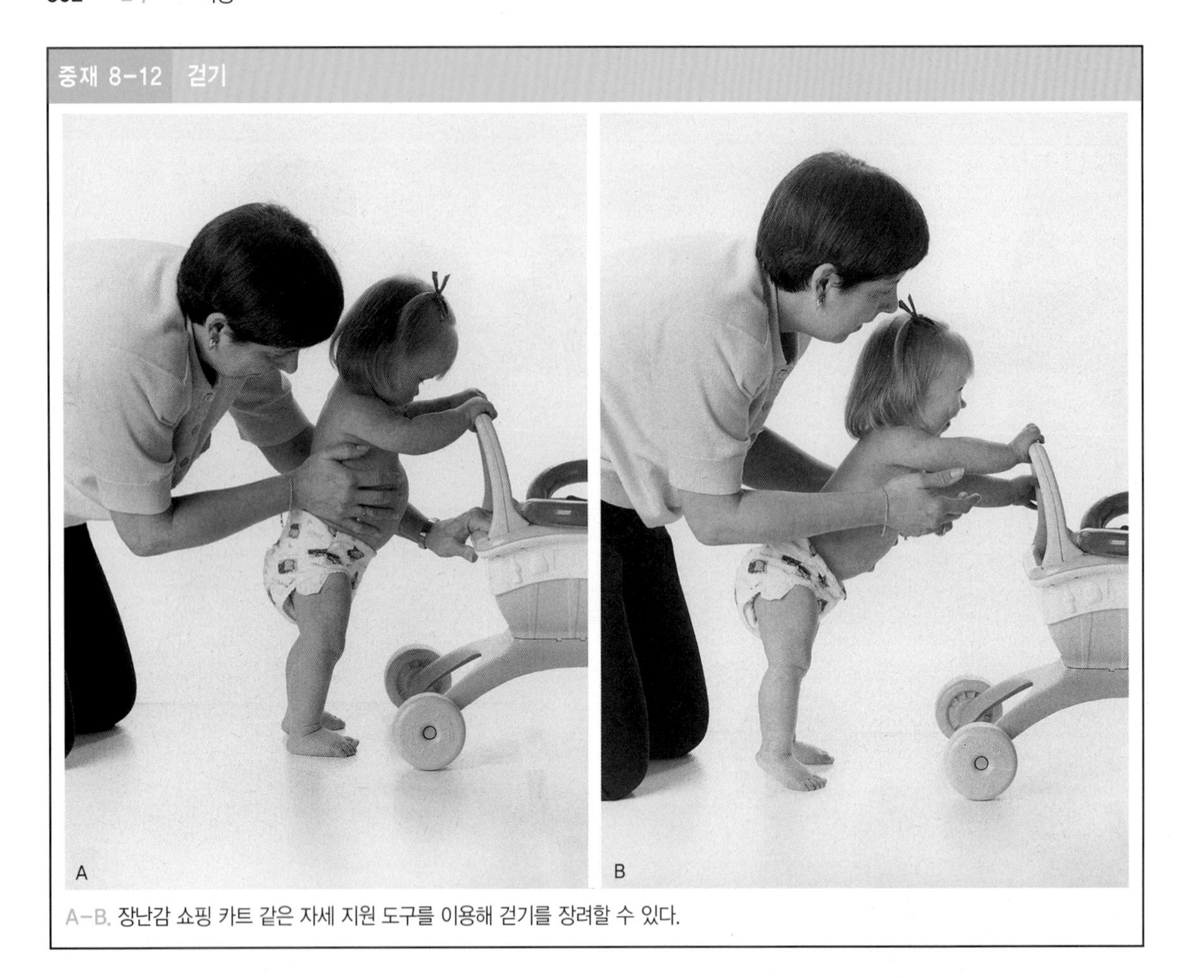

A–B. 장난감 쇼핑 카트 같은 자세 지원 도구를 이용해 걷기를 장려할 수 있다.

긴장 저하 아동이 머리를 정중앙에 유지하기 어려워진다. U자 모양으로 말아놓은 수건 같은 간단한 자세잡기 도구를 이용해서 머리의 정중앙 유지를 개선할 수 있다.

중재는 유연성과 편안함을 위해 정상적인 정렬과 적절한 운동범위 유지를 목표로 삼아야 한다. 다리 넓게 벌려 앉기와 양팔을 과다하게 펴서 지지하고 앉기, 혹은 무릎을 과하게 펴서 서기처럼 과도한 운동범위로 안정성을 제공하는 자세들은 피해야 한다. 좀 더 일반적인 체중지지와 자세 유지보다 자세 안정성을 확보해주는 근육 사용을 위해 자세를 수정한다. 아이가 두 다리를 너무 벌려서 앉아 있을 때는 앉기 자세의 기저면을 좁혀 준다. 공기 부목이나 부드러운 부목을 이용해서 팔꿈치나 무릎 과다폄을 방지한다. 수직 스탠더를 이용해서 아이의 무릎을 좀 더 중립적인 위치에 고정시켜 줄 수 있다. 좋은 자세조절은 자세를 유지하고 편안한 식사를 가능하게 하며, 호흡할 때의 근육 사용에 긍정적인 영향을 줄 수 있다.

호흡 기능

발달과정에서 적절한 시기(생후 6개월)에 지지하고 앉기를 할 수 없는 아동은 가슴벽이 경직될 수 있다. 보통은 유아의 가슴벽 형태가 중력의 도움을 받아서 삼각형에서 직사각형에 가깝게 변한다. 이러한 변화가 일어나지 않으면 가로막이 납작해져서 효과적으로 움직이지 않는다. 이런 아동은 모든 복부 근육을 충분히 활용하지 못하거나 중앙에 위치한 배곧은근을 과다하게 사용해서 갈비뼈가 돌출될 수 있다. 구조적인 수정

중재 8-13 옮기기 자세

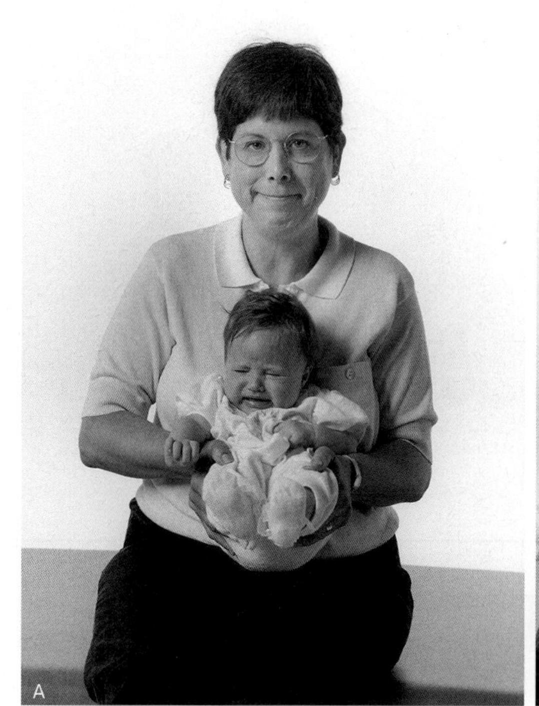

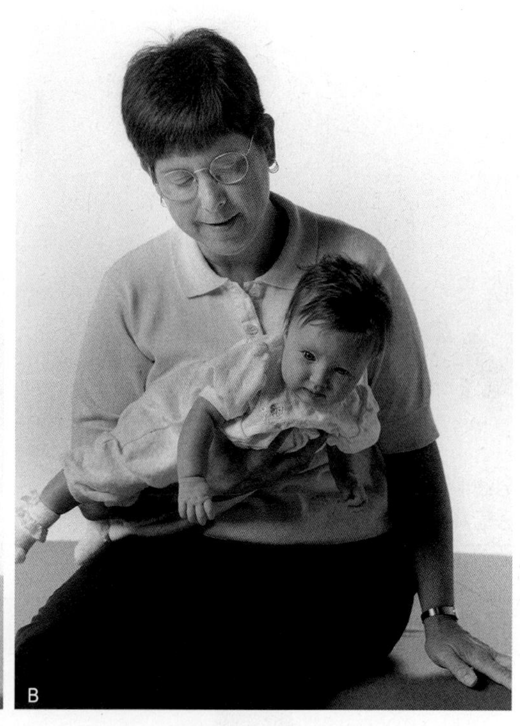

A. 아이의 등을 가슴에 대고 앉아 옮기면 안정성이 개선된다.
B. 아이를 팔에 올려 옮기면 아이의 머리 들기가 개선되고, 엎드린 자세를 견디는 내성이 향상된다.

중재 8-14 몸통 폄과 보호 폄

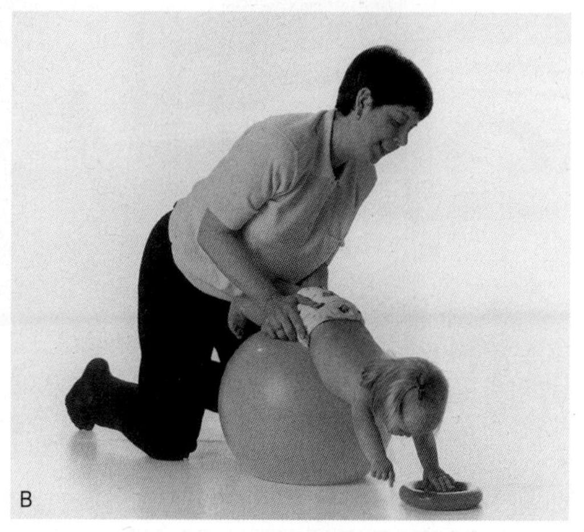

A. 몸통 폄은 아이를 공위에 엎드려 놓고 물체를 향해 손을 뻗도록 유도해서 촉진시킬 수 있다. 아이의 몸통 지지를 점점 줄여 나가면서 이 과제의 난이도를 높일 수 있다.
B. 팔의 보호 폄은 아이를 공 위에 엎드려 놓고 빠르게 앞쪽으로 이동시켜 유도할 수 있다.

중재 8-15 공을 이용해 지지하고 서기

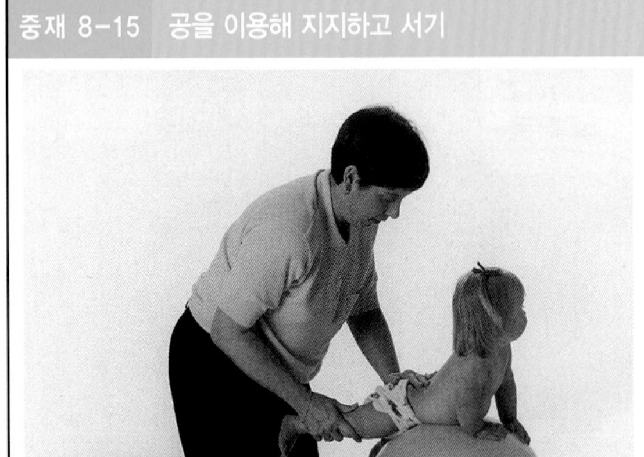

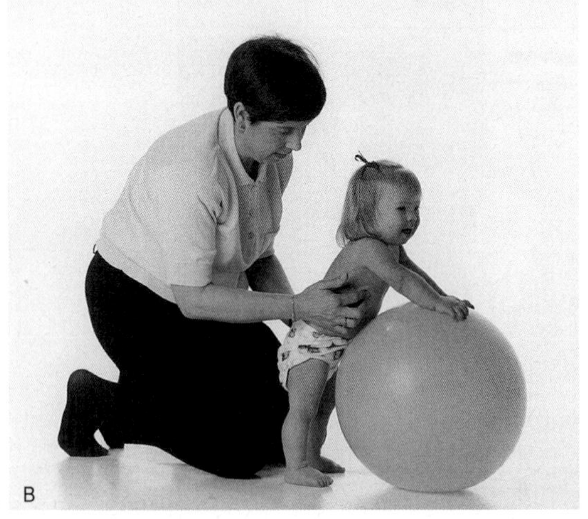

A. 엉덩이에 부드럽게 압착을 가해서 서기 준비를 시킨다.
B. 공을 지지물로 이용해 일어선다.

중재 8-16 균형 반응 유도하기

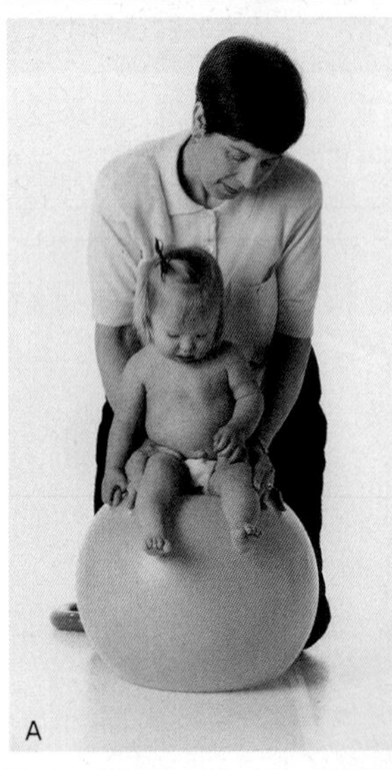

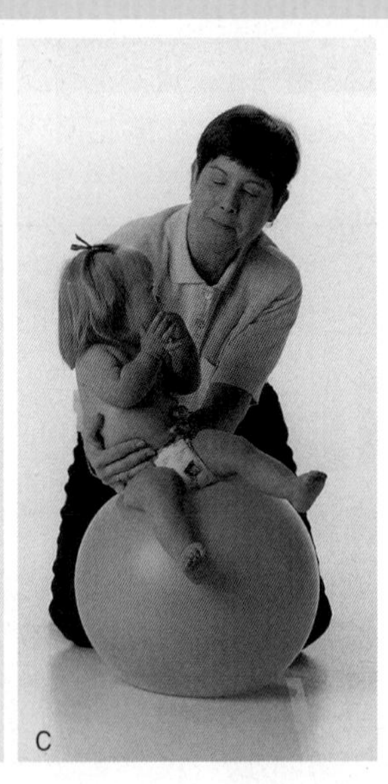

A. 골반이 앞쪽으로 뒤쪽으로 기울지 않고 중립을 확실하게 유지하도록 한다.
B. 체중을 한쪽으로 기울여 엉덩이 아래쪽에 싣고 유지한다. 이렇게 하면 아동이 가쪽 머리 바로잡기와 몸통 바로잡기로 반응을 할 수 있다.
C. 아이가 가쪽 바로잡기 반응을 보일 때 균형 반응의 일환으로 몸통 회전을 권장할 수 있다.

이 이루어지지 않는 한, 가로막은 효율적인 호흡 근육이 될 수 없다. 긴장 저하 아동의 신체 활동 시 피로는 호흡계의 비효율적인 기능과 관련이 있다(Dichter 등, 1993). 이러한 아동들은 다른 아동들보다 호흡하기가 훨씬 더 어렵기 때문에 기능적 과제를 수행하는 근육 활동에 소모되는 산소가 훨씬 더 적다.

근긴장 저하 아동은 분비물을 제거할 정도로 충분히 강한 날숨을 쉬기 어려울 수 있다. 척수근위축증 아동이나 후기 근육 영양장애 아동처럼 중증 신경근육 결손으로 움직이지 못하는 아동은 타진법과 진동을 이용한 체위배출술을 포함한 흉부 물리치료로 큰 도움을 받을 수 있다. 체위배출술 자세는 그림 8-11에 나와 있다. 추가적인 날숨 기법들은 낭포성 섬유증을 다루는 상기의 단락에 나와 있다.

결론 요약

유전질환을 앓고 있는 어린이들을 다루는 일은 다양한 질환에서 나타나는 많은 변이를 볼 수 있기 때문에 도전적이고 보람을 느낄 수 있다. SMA 아동을 제외하고, 근긴장 저하와 발달 지연 및 지적 장애와 같은 장애가 있는 아동은 공통적인 임상 증상을 보이기 때문에 보편적으로 적용할 수 있는 중재에 관한 논의가 이루어지고 있다. 유전성 장애가 있는 아동의 운동 발달은 일반적으로 뇌성마비 아동에게서 나타나는 것과 같이 비정상적인 움직임 보다는 미숙한 움직임 유형이기 때문에 물리치료 관리는 정상적인 관절 정렬 상태를 유지하면서 자세 반응을 포함한 감각운동 발달이 정상적으로 이루어지는데 중점을 둔다. 일부 유전적 장애의 점진적 특성 때문에 물리치료 관리는 운동기능을 유지하거나 손상된 신체 시스템의 기능을 최적화하는 데 초점을 맞추어야 한다. 물리치료사는 이 장에서 논의된 유전적 장애가 있는 아동을 위한 물리치료 중재를 시행하는 데 중요한 역할을 수행한다. ■

검토사항

1. 유전되는 지적 장애의 주된 원인은 무엇인가?
2. 한 부모가 CF 보균자일 때 아이가 영향을 받을 확률은 얼마인가?
3. 인지 손상 없이 근육 약화만 유발되는 유전적 장애는 무엇인가?
4. 염색체 이상을 일으키는 세 가지 메커니즘은 무엇인가?
5. 중추신경계를 침범하는 대부분의 유전적 장애를 가진 아동들의 가장 흔한 임상 증상 두 가지는 무엇인가?
6. 인지 손상 아동을 다룰 때 사용하는 중요한 운동학습 원칙은 무엇인가?
7. 긴장 저하 아동에게 적절한 중재 유형은 무엇인가?
8. 긴장 저하 아동의 이차적인 합병증을 예방할 때 사용할 수 있는 중재는 무엇인가?
9. 이 아동에게 가장 흔히 사용하는 중재는 무엇인가?
10. 진행성 유전장애 아동을 다룰 때 가장 중요한 물리치료 목표는 무엇인가?
11. 자폐증 스펙트럼 장애를 구성하는 것은 무엇인가?

사례 연구 재활 프로그램 초기 검사 및 평가: AG

과거력

차트 검토

AG는 17개월 된 DS 여아이다. AG는 생후 3개월부터 부모와 함께 유아 프로그램에 참여했다. AG는 만삭 출산아로 공기가슴증을 갖고 태어났다. 신생아 집중 치료실에 머무르는 동안 유전자 검사로 DS 진단을 받았다. 재입원은 하지 않았다. 건강은 계속 좋았고, 예방 접종은 다 맞았다.

(계속)

사례 연구 **계속**

주관적

아이의 어머니는 AG가 웃고 노래를 부른다고 한다. AG는 잘 웃고 잘 먹는 아이이다. 이전에는 음식이 목에 걸려서 어려움을 겪었다. 어머니는 AG가 언제 걸을 수 있을지를 간절하게 알고 싶어 한다.

객관적

체계적 고찰

의사소통/인지: AG는 열 개의 단어를 알고 있다. "아니오"의 뜻을 안다. 베일리(Bayley) 척도로 본 AG의 정신 발달 지수는 원점수(raw score) 75점을 기준으로 50점 미만으로, AG의 정신 수행 능력은 다소 지연된 상태다.

심장 혈관/폐: 연령에 적합한 정상 수치

피부: 피부는 손상되지 않았으며, 흉터나 붉은 부위가 없다.

근골격계: AROM이 정상보다 크고, 근력이 전반적으로 감소했다.

신경근육계: 협응과 균형 손상

검사와 측정

인체 측정: 키 32인치, 체중 30파운드, 체질량 지수 21(20–24 정상).

운동 기능: AG는 누워 있다가 굴러서 엎드리고, 몸을 밀어 올려서 넓게 벌어진 다리를 깔고 앉는다. 가구를 잡고 일어설 수 있지만 양팔로 잡아당기지 않고는 앉은 자세에서 일어설 수 없다 AG는 기저면을 넓게 확보해서 독립적으로 앉는다. 그러나 쪼그리고 앉아 있다가 일어설 수는 없다.

신경발달 상태: 피바디 발달 운동 척도(PDMS)의 대근육 운동발달 지수(DMQ)는 평균 이하(DMQ = 65)이며, 이 수준과 동일한 연령은 9개월이다. 소근육 DMQ는 69이며, 동일한 연령은 9개월이다.

관절가동범위: PROM은 모든 관절에서 WFL이며, 엉덩이와 무릎, 하지의 발목, 어깨와 팔의 팔꿈치에서는 관절 과운동성이 나타난다. 비대칭성은 나타나지 않았다.

반사 통합성: 양측 위팔두갈래근 무릎 반사 및 아킬레스 건 반사

1. 팔다리 전체와 몸통의 근긴장 저하. 비대칭은 나타나지 않음.

뇌신경 통합성: AG는 소리를 향해 머리를 돌린다. 시각적으로 모든 방향을 추적하지만 눈과 함께 머리를 움직이는 경향이 있다. 들어 올려지거나 뒤집어지는 것 같은 빠른 자세 변화에도 울지 않고 견딜 수 있다. 부모 보고서에 따르면 액체나 고체를 삼키는 데 어려움이 없다.

감각 통합성: 감각은 가벼운 접촉에 온전하게 반응하는 것 같다.

자세: 바닥에 고리 모양으로 앉아 있을 때 몸통에서 척주뒤굽음증이 나타난다. AG의 자세는 네발기기 자세에서 척주앞굽음증이 약간 나타난다.

걸음걸이, 보행과 균형: AG는 네 발로 30피트까지 기어간다. 앉아서 몸을 돌린다. 때때로 옆으로 누워 있다가 네발기기 자세로 바꿀 때 몸통 회전을 보인다. AG는 모든 방향에서 머리 바로잡기 반응을 보인다. 몸통 바로잡기 반응이 나타나지만 균형 반응은 지연되고, 앉은 자세와 네발기기 자세에서 불완전하게 나타난다. 팔 보호 반응은 앉은 자세에서 모든 방향으로 나타나지만 지연된다. 서서 균형을 잡으려면 사람이나 물건에 의지해야 한다. 엉덩이를 굽히고 무릎을 과도하게 펴서 몸을 앞으로 기울인다.

자기 돌봄: 손가락으로 먹기. AG는 스스로 옷가지 몇 개를 벗어 옷 입기를 돕는다.

놀이: AG는 9개월에서 12개월 수준에 적절한 장난감을 가지고 논다. 그녀는 책 속의 그림을 보고, 인형을 눌러서 소리를 낸다.

평가/감정

AG는 17개월 된 DS 여아이며, 대근육과 소근육 운동 발달과 인지 발달이 연령 수준 이하이다. 상반적으로 기어 다니고 잡고 일어서지만 독립적으로 걷지는 못한다. GMFCS 1등급으로 분류된다. 지지하는 가족이 있으며 유아 중재 프로그램에 참여한다. 치료 빈도는 일주일에 한 번, 1시간이다.

문제 목록

1. 긴장 저하에 부가적으로 대근육과 소근육 발달 지연
2. 관절 과운동성
3. 보행의 의존성
4. 자세 반응 지연

진단

AG는 가이드패턴 5B인 신경운동 발달 손상을 보인다. 다운증후군은 발달 지연 및 인지 지연처럼 이 유형에 포함된 유전적 증후군이다

예후

AG는 가정에서 기능적 독립성과 기능적 기술 수준을 향상시킬

(계속)

사례 연구 **계속**

예정이다. 그녀의 잠재력은 다음과 같은 목표에 긍정적이다.

단기 목표 (1개월)

1. 전체 시간의 80% 동안 물체를 20피트까지 밀면서 걷는다.
2. 80%의 시간 동안 앉아 있다가 다른 자세로 바꿀 때 몸통 회전을 보인다.
3. 80%의 시간 동안 양팔로 잡아당기지 않고 의자에 앉아 있다가 일어선다.

장기 목표(6개월)

1. 거리 제한 없이 보조기구를 하지 않고 독립적으로 움직인다.
2. 난간을 독립적으로 잡고 계단을 번갈아 올라간다.
3. 요청에 따라 옷을 입고 벗을 때 도움을 받는다.
4. 인형을 가지고 노는 동안 한 물체를 다른 물체로 대체하여 가장 놀이를 시작한다.

계획

협응, 소통, 문서화

물리치료사는 가족 및 유아 교육자와 AG의 프로그램에 관해 빈번하게 끊임없이 소통한다. 중재의 결과는 매주 문서화한다.

환자 · 고객 지시

피해야 하는 자세와 가정 운동 프로그램에 관한 가족 지도에 대해 토론한다. 이 프로그램은 AG의 균형 능력 향상을 위해 탐험과 놀이를 유도할 수 있는 운동/게임을 포함한다.

중재 절차

1. 부모는 작은 트레이드밀을 이용해서 AG가 하루에 두 번 15분씩 걷도록 장려한다.
2. AG는 적절한 구두 신호와 수신호를 이용해서 치료 전에 옷을 벗고 치료 후에 다시 입을 수 있도록 보조 받는다.
3. 4점 자세에서 무릎 서기 자세로, 무릎 서기에서 반무릎 서기로, 반무릎 서기에서 서기 자세로, 의자에 앉아 있다가 서기로, 서 있다가 쪼그려 앉고 다시 서기 자세로 전환하는 움직임을 취한다.
4. 4점 자세와 무릎 서기, 서기 자세 같은 발달 상 적절한 자세에서 팔과 다리로 체중을 지지해 지지 반응을 증진한다. 관절의 기계적 잠금을 방지하고 근육의 자세 유지를 권장하기 위해 관절 정렬을 유지한다.
5. 앉기 자세와 쪼그려 앉기 자세, 서기 자세에서 등척성(isometrics)과 리드미컬한 안정성을 교대로 이용해 안정성을 높인다.
6. AG가 놀이 도중에 무거운 장난감 쇼핑 카트를 밀도록 유도한다.
7. AG가 인형과 함께 컵과 숟가락 같은 인형과 기능적 도구를 갖고 놀도록 권장한다.

고려 사항

- AG의 가정 운동 프로그램의 일부가 될 수 있는 활동은 무엇인가?
- 체력 단련을 AG의 물리치료 프로그램에 어떻게 통합시킬 수 있는가?

AROM, 능동적 운동범위; *BMI*, 체질량 지수; *GMFCS*, 대근육 운동 기능 분류 체계; *PROM*, 수동적 운동범위; *WFL*, 기능적 제한 내

사례 연구 **재활 프로그램 초기 검사 및 평가: DJ**

과거력

차트 검토

DJ는 3세에 DMD로 진단받은 8세 소년이다. 정규 학교에 다니는 2학년 학생이다. 최근 3일간 폐렴으로 입원한 적이 있다. 최근에 폐 감염을 막기 위해 항생제를 계속 복용하고 있으며 프레드니손을 막 복용하기 시작했다. *프레드니손은 근력을 증진시키고, 보행 능력 상실을 지연시킨다(Bigger 등, 2001; Pandy와 Moxley, 2002).

(계속)

사례 연구 계속

주관적

DJ의 어머니는 DJ가 부모님과 여동생 한 명과 함께 살고 있다고 한다. DJ는 독립적으로 걷고 있고, 반 친구들과 농구를 하고 싶어 한다. 일주일에 한 번 물리치료를 받으러 학교에 간다. DJ의 어머니와 아버지는 능동적 운동범위 운동과 수동적 운동범위 운동, 유산소 운동으로 구성된 DJ의 가정 운동 프로그램에 적극적으로 참가한다. DJ의 정형외과 의사는 DJ의 경직된 아킬레스 건을 이완시키는 수술을 고려하고 있다.

객관적

체계적 고찰

소통/인지: DJ는 말이 많고 다정하다. IQ는 80이다.

심혈관/폐: RR은 우발적인 호흡 소리로 분당 20회 한다. HR 및 BP는 연령 수준에 맞게 정상이다.

피부: 온전함

근골격계: AROM과 PROM이 손상되고, 근력이 근위 방향으로 손상되었다.

신경근육계: 협응이 감소했다.

평가/검사

외형과 인체 측정: 키 50인치, 체중 49파운드, BMI 14(20–24 정상). 거짓비대가 종아리 근육 양측에서 나타난다.

심혈관/폐: 기저부에서 양측으로 수포음(rales)과 악설음(crackles)이 뚜렷하게 나타난다. 가로막 근력은 기능성 기침과 함께 양호하다. 폐활량은 연령 예측치의 75%이다.

운동 기능: DJ는 독립적으로 이동하지만 쉽게 피로해진다. 측면에서 양팔부터 시작해서 머리 위쪽에 닿을 때까지 양팔을 머리 위로 넓게 벌려 올릴 수 있다. 눈높이 위쪽 선반까지 10파운드짜리 웨이트를 들어 올릴 수 있다. 가우어 징후를 보이면서 60초 안에 누운 자세에서 일어선다. 난간을 잡고 두 발을 번갈아 움직여 계단을 오른다.

근육 기능: 근육 검사는 표준 맨손 근육 검사 절차(Berryman, 2005)에 구체적으로 명시된 사항이 없는 한, 앉은 자세에서 이루어진다.

관절가동범위: 능동적 및 수동적 운동범위 운동은 양측의 15도 엉덩이 굽힘 구축을 제외하고 WFL에서 이루어진다. 엉덩정강 띠(iliotibial band) 경직과 5도 발바닥 굽힘 구축, 이에 더불어 양측의 15도 능동적 발등굽힘을 보인다.

반사 통합성: 무릎 반사 2 +, 아킬레스건 반사 1 +, 바빈스키 징후가 양측에서 나타나지 않음.

감각 통합성: 온전함

자세: DJ가 서 있을 때 머리가 앞으로 기울고, 척주앞굽음증이 나타난다. 체중은 발 끝에 실려 앞으로 이동하고, 발뒤꿈치가 바닥에서 떨어진다.

걸음걸이, 보행 및 균형: 팔을 휘두르지 않고 걸으며 쉽게 뛰거나 잘 뛰지 않는다. 3분에 총 60피트를 걷고, 1분 동안 걷는다. 그는 2분 내에 넘어지지 않고 가능한 한 빨리 30피트를 걸을 수 있다. 평균적으로 하루에 2.5시간 걷는다. 그는 균형을 잃을 때 모든 방향으로 발을 내딛어 스스로를 보호한다.

자기 돌봄: DJ는 독립적으로 옷을 입고 먹고 용변을 본다.

놀이: 비디오 게임을 하고, 액션 피규어를 좋아하며, 컵 스카우트에 참여한다. 학년 수준에 맞는 책을 읽는다. 수영을 즐기고, 동물원에 가며, 자전거를 타고 동네를 돌아다닌다. 학교에서는 체육 수업을 듣는다.

	R	L
어깨		
■굽힘근	4	4
■벌림근	4	4
팔꿈치		
■굽힘근	5	5
■폄근	4+	4+
손목		
■굽힘근	5	5
■폄근	5	5
엉덩이		
■굽힘근	4	4
■폄근	3–	3– (엎드린 자세에서 측정)
■벌림근	4–	4– (옆으로 누운 자세에서 측정)
무릎		
■폄근	4–	4–
■굽힘근	4	4 (엎드린 자세에서 측정)
발목		
■발바닥쪽 굽힘근	4+	4+ (선 자세에서 측정)
■발등굽힘근	3–	3–

평가/감정

DJ는 8세의 DMD 환자이다. 정기적으로 학교를 다니며 폐렴 합병증을 예방하고 현재 수준의 기능을 유지하기 위해서 물리치료를 받는다. 최근에 상부 호흡기 감염으로 입원을 했다. 걸을 수 있

(계속)

사례 연구 **계속**

지만 똑바로 일어서기 같은 기능에 방해가 되는 하지 구축을 갖고 있다. 의사는 DJ의 아킬레스건을 이완시키기 위해 수술적 중재를 고려하고 있다. DJ는 일주일에 한 번씩 30분 동안 치료를 받고, 가정 운동 프로그램에 참여하고 있다.

문제 항목

1. 하지 구축
2. 근력과 지구력 감소
3. 폐 기능 감소
4. 보행 능력 감소 위험

진단

DJ는 근육 기능 장애를 보이는데, 이는 근육병증을 포함하고 있기 때문에 가이드 패턴 4C에 해당한다. 또한 근디스트로피가 유전질환이기 때문에 5B 이하나 6A로 분류할 수 있다. 6A는 심혈관계/폐 질환을 위한 예방/위험 감소 유형이다.

예후

DJ는 현재의 기능 수준을 향상 시키거나 유지하고, 영구적인 호흡기 손상을 일으킬 수 있는 호흡기 감염의 재발을 막을 것이다.

아래와 같은 목표를 달성할 수 있는 잠재력이 있다.

단기 목표(학기 중간까지 수행할 활동)

1. 능동적이고 수동적인 발등굽힘을 양측으로 20도까지 증가시켜 일어서서 칠판에 수학 문제를 쓸 수 있다.
2. 놀이터에서 안전하게 놀 수 있다.
3. 독립적으로 호흡을 운동을 한다.
4. DJ의 가족이 올바른 체위배출술과 도움을 받아 기침하는 기술을 보여 준다.
5. 학교에 가는 날에 맞춤형 AFO를 착용하고 단 한 번만 쉬고 50피트를 세 차례 걸어 다닌다.

장기 목표(2학년 말까지)

1. 다리 근력 저하를 유지한다.
2. 팔을 두 차례 휘저을 때마다 한 번씩 호흡하면서 수영장을 가로 질러 헤엄친다.
3. 폐활량 감소를 보이지 않는다.
4. 학교에서 AFO를 착용하고 50피트를 네 차례 걸어 다닌다.
5. 서서 지내는 시간을 하루에 30분으로 늘린다.

계획

협응, 소통, 문서화

물리치료사는 DJ의 가족 및 교사와 지속적으로 소통한다. 치료사는 아킬레스건을 연장시키기 위해서 수술 전후에 의사 및 정형외과 의사와 소통한다. 응급치료 단계에서 다른 치료사가 관련되면 학교 치료사는 그들과 소통을 하고 유지해야 한다. 중재 결과는 매주 문서화한다.

환자 · 고객 지도

수술 후 독립적으로 AFO를 착용하고 벗는 방법을 가르친다. 착용 일정을 따른다. 피부 통합성을 살펴본다. 놀이터에서 안전하게 노는 법을 가르친다. 가로막 스트레칭과 가로막 호흡, 들숨과 날숨 호흡 근육 훈련, 체위배출, 도움 받아 기침하기 기법들을 가르치고 검토한다. DJ는 집에서 서 있는 시간을 포함해서 하루에 총 3시간 동안 서 있어야 한다.

중재 절차

1. 자세조절
   a. 아킬레스건을 늘이는 시간을 늘리기 위해 작은 웨지 위에 서기
   b. 엉덩이와 무릎굽힘근과 발등굽힘근을 늘이기 위해 수업을 듣는 동안 프론 스탠더 착용하기
   c. 수술 전후에 다리 야간부목을 착용하기
   d. 척추 측만증이 있는지 관찰한다.
2. 근력 강화
   a. 중력에 저항해서 네갈래근과 넙다리뒤인대, 발등굽힘근 동심 운동을 한다. 적절한 경우 맨손저항(manual resistance)이나 테라밴드를 추가로 사용한다.
   b. 행진하기, 발차기, 뒤꿈치걷기를 한다.
   c. 상지 근력 향상을 위해 테라밴드를 사용한다.
   d. 근력의 변화를 주시한다.
3. 유산소 활동과 기능적 활동
   a. 시간 내에 장애물 코스를 통과한다. 발등굽힘 범위를 증가시키기 위해 경사로를 올라가는 것 같은 활동을 포함시키고, 내려가는 활동은 피한다. 음악을 사용하여 움직임의 속도를 바꾼다.
   b. 놀이터에서 치료하는 일정을 계획에 넣는다.
   c. 매일 자전거를 탄다.
   d. 일주일에 두 번 수영을 한다.
   e. 호흡기나 근골격계 상태의 변화를 주시한다.

(계속)

사례 연구 **계속**

고려 사항

- DJ가 서 있는 시간을 늘릴 수 있는 활동은 무엇인가?
- DJ가 참여할 수 있는 스포츠 활동은 무엇인가?
- 호흡기나 근골격계 악화를 암시하는 징후나 증상은 무엇인가?
- DJ의 치료 빈도는 질병의 진행에 따라 바뀔 것으로 예상된다. 어떤 상황에서 물리치료를 적용하고, 예방활동을 해야 하는가?

참고 문헌

Adzick NS, Thom EA, Spong CY, et al.: A randomized trial of prenatal versus postnatal repair of myeloeningocele, *N Engl J Med* 364:993–1004, 2011.

Ausili E, Focarelli B, Tabacco F, et al.: Bone mineral density and body composition in a myelomeningocele children population: effects of walking ability and sport activity, *Eur Rev Med Pharmacol Sci* 12(6):349–354, 2008.

Barf HA, Verhoef M, Post MW, et al.: Educational career and predictors of type of education in young adults with spina bifida, *Int J Rehabil Res* 27(1):45–52, 2004.

Blumchen K, Bayer P, Buck D, et al.: Effects of latex avoidance on latex sensitization, atopy, and allergic diseases in patients with spina bifida, *Allergy* 65(12):1585–1593, 2010.

Boulet SL, Yang Q, Mai C, et al.: National Birth Defects Prevention Network: Trends in the postfortification prevalence of spina bifida and anencephaly in the United States, *Birth Defects Res A Clin Mol Teratol* 82(7):527–532, 2008.

Bowman RM, McLone DG, Grant JA, et al.: Spina bifida outcome: a 25-year prospective, *Pediatr Neurosurg* 34(3):114–120, 2001.

Bowman RM, Boshnjaku V, McLone DG: The changing incidence of myelomeningocele and its impact on pediatric neurosurgery: a review from the Children's Memorial Hospital, *Childs Nerv Syst* 25:801–806, 2009a.

Bowman RM, Mohan A, Ito J, et al.: Tethered cord release: a long-term study in 114 patients, J Neurosurg Pediatr 3:181–187, 2009b.

Bruner JP, Tulipan N, Paschall RL, et al.: Fetal surgery for myelomeningocele and the incidence of shunt dependent hydrocephalus, *JAMA* 282(19):1819–1825, 1999.

Buran CF, Sawin KJ, Brei TJ, Fastenau PS: Adolescents with myelomenincocele: activities, beliefs, expectations, and perceptions, *Dev Med Child Neurol* 46:244–252, 2004.

Byrd SE, Darling CF, McLone DG, et al.: Developmental disorders of the pediatric spine, *Radiol Clin North Am* 29:711–752, 1991.

Cech D, Martin S: *Functional movement across the life span*, ed 3, St Louis, 2012, Elsevier.

Copp AF, Greene ND: Genetics and development of neural tube defects, *J Pathol* 220:217–230, 2010.

Cremer R, Kleine-Diepenbruck U, Hering F, Holschneider AM: Reduction of latex sensitization in spina bifida patients by a primary prophylaxis programme (five-year experience), *Eur J Pediatr Surg* 12(Suppl 1):S19–S21, 2002.

Danielsson AJ, Bartonek A, Levey E, et al.: Associations between orthopaedic findings, ambulation, and health-related quality of life in children with myelomeningocele, *J Child Orthop* 2:45–54, 2008.

Dennis M, Fletcher JM, Rogers T, et al.: Object-based and action-based visual perception in children with spina bifida and hydrocephalus, *J Int Neuropscyhol Soc* 8:95–106, 2002.

Dennis M, Edelstein K, Copeland K, et al.: Covert orienting to exogenous and endogenous cues children with spina bifida, *Neuropsychologia* 43:976–987, 2005.

Dennis M, Salman S, Jewell D, et al.: Upper limb motor function in young adults with spina bifida and hydrocephalus, *Childs Nerv Syst* 25:1447–1453, 2009.

Dormans JP, Templeton J, Schreiner MS, et al.: Intraoperative latex anaphylaxis in children: early detection, treatment, and prevention, *Contemp Orthop* 30:342–347, 1995.

Dosa NP, Eckric M, Katz DA, et al.: Incidence, prevalence, and characteristics of fractures in children, adolescents, and adults with spina bifida, *J Spinal Cord Med* 30(Suppl 1):S5–S9, 2007.

Drnach M: *The clinical practice of pediatric physical therapy*, Baltimore, 2008, Lippincott Williams & Wilkins.

Effgen SK, Brown DA: Long-term stability of hand-held dynamometric measurements in children who have myelomeningocele, *Phys Ther* 72:458–465, 1992.

Erikson EH: *Identity, youth, and crisis*, New York, 1968, WW Norton.

Fay G, Shurtleff DB, Shurtleff H, Wolf L: Approaches to facilitate independent self-care and academic success. In Shurtleff DB, editor: *Myelodysplasias and exstrophies: significance, prevention, and treatment*, Orlando, FL, 1986, Grune & Stratton, pp 373–398.

Fenichel GM: *Clinical pediatric neurology: a signs and symptoms approach*, 6 ed., St Louis, 2009, Saunders.

Flanagan A, Gorzkowski M, Altiok H, Hassani S, Ahn KW: Activity level, functional health, and quality of life of children with myelomeningocele as perceived by parents, *Clin Orthop Relat Res* 469:1230–1235, 2011.

Friedrich W, Shaffer J: Family adjustments and contributions. In Shurtleff DB, editor: *Myelodysplasias and exstrophies: significance, prevention, and treatment*, Orlando, FL, 1986, Grune & Stratton, pp 399–410.

Garber JB: Myelodysplasia. In Campbell SK, editor: *Pediatric neurologic physical therapy*, ed 2, New York, 1991, Churchill Livingstone, pp 169–212.

Grief L, Stalmasek V: Tethered cord syndrome: a pediatric case study, *J Neurosci Nurs* 21:86–91, 1989.

Grimm RA: Hand function and tactile perception in a sample of children with myelomeningocele, *Am J Occup Ther* 30:234–240, 1976.

Hinderer SR, Hinderer KA: Sensory examination of individuals with myelodysplasia (abstract), *Arch Phys Med Rehabil* 71:769–770, 1990.

Hinderer SR, Hinderer KA, Dunne K, et al.: Medical and functional status of adults with spina bifida (abstract), *Dev Med Child Neurol* 30(Suppl 57):28, 1988.

Hinderer KA, Hinderer SR, Shurtleff DB: Myelodysplasia. In Campbell SK, Palisano RJ, Vander Linden DW, editors: *Physical therapy for children*, ed 2, Philadelphia, 2000, Saunders, pp 621–670.

Hinderer KA, Hinderer SR, Shurtleff DB: Myelodysplasia. In Campbell SK, Palisano RJ, Orlin MN, editors: *Physical therapy for children*, ed 3, Philadelphia, 2012, Saunders, pp 703–755.

Hoffer MM, Feiwell E, Perry R, et al.: Functional ambulation in patients with myelomeningocele, *J Bone Joint Surg Am* 55:137–148, 1973.

Holmbeck GM, Devine KA: Psychosocial and family functioning in spina bifida, *Dev Disabil Res Rev* 16:40–46, 2010.

Holmbeck GN, Westhoven VC, Philips WS, et al.: A multimethod, multi-informant, and multidimensional perspective on psychosocial adjustment in preadolescents with spina bifida, *J Consult Clin Psychol* 71:782–795, 2003.

Hunt GM: Open spina bifida: outcome for a complete cohort treated unselectively and followed into adulthood, *Dev Med Child Neurol* 32:108–118, 1990.

Hwang R, Kentish M, Burns Y: Hand positioning sense in children with spina bifida myelomeningocele, *Aus J Physiother* 48:17–22, 2002.

Jansen-Osmann P, Wiedenbauer G, Heil M: Spatial cognition and motor development: a study of children with spina bifida, *Percept Mot Skills* 106(2):436–446, 2008.

Jewell D, Fletcher JM, Mahy CEV, et al.: Upper limb cerebellar motor function in children with spina bifida, *Childs Nerv Syst* 26:67–73, 2010.

Johnson KL, Dudgeon B, Kuehn C, Walker W: Assistive technology use among adolescents and young adults with spina bifida, *Am J Public Health* 97:330–336, 2007.

Kelley EH, Altiok H, Gorzkowski JA, Abrams JR, Vogel LC: How does participation of youth with spina bifida vary by age? *Clin Orthop Relat Res* 469:1236–1245, 2011.

Knutson LM, Clark DE: Orthotic devices for ambulation in children with cerebral palsy and myelomeningocele, *Phys Ther* 71:947–960, 1991.

Krosschell KJ, Pesavento MJ: Spina bifida: a congenital spinal cord injury. In Umphred DA, Lazaro RT, Roller ML, Burton GU, editors: *Umphred's neurological rehabilitation*, ed 6, St Louis, 2013, Elsevier, pp 419–458.

Landry SH, Robinson SS, Copeland D, Garner PW: Goal-directed behavior and perception of self-competence in children with spina bifida, *J Pediatr Psychol* 18:389–396, 1993.

Landry SH, Lomax-Bream L, Barnes M: The importance of early motor and visual functioning for later cognitive skills in preschoolers with and without spina bifida, *J Int Neuropsychol Soc* 9:175, 2003.

Li ZW, Ren AG, Zhang L, et al.: Extremely high prevalence of neural tube defects in a 4-county area in Shanxi Province, China, *Birth Defects Res A Clin Mol Teratol* 76(4):237–240, 2006.

Lock TR, Aronson DD: Fractures in patients who have myelomeningocele, *J Bone Joint Surg Am* 71:1153–1157, 1989.

Long T, Toscano K: *Handbook of pediatric physical therapy*, ed 2, Baltimore, 2001, Williams & Wilkins.

Luthy DA, Wardinsky T, Shurtleff DB, et al.: Cesarean section before the onset of labor and subsequent motor function in infants with myelomeningocele diagnosed antenatally, *N Engl J Med* 324:662–666, 1991.

Main DM, Mennuti MT: Neural tube defects: issues in prenatal diagnosis and counseling, *Obstet Gynecol* 67:1–16, 1986.

Marrieos H, Loff C, Calado E: Osteoporosis in paediatric patients with spina bifida, *J Spin Cord Med* 35(1):9–21, 2012.

Mazon A, Nieto A, Linana JJ, et al.: Latex sensitization in children with spina bifida: follow-up comparative study after two years, *Ann Allergy Asthma Immunol* 84:207–210, 2000.

Nagarkatti DG, Banta JV, Thomson JD: Charcot arthropathy in spina bifida, *J Pediatr Orthop* 20(1):82–87, 2000.

National Birth Defects Prevention Network (NBDPN, 2012). www.nbdpn.org/docs/NTfact-sheet07-12.

Noetzel MJ: Myelomeningocele: current concepts of management, *Clin Perinatol* 16:311–329, 1989.

Oddson BE, Clancey CA, McGrath PJ: The role of pain in reduced quality of life and depressive symptomatology in children with spina bifida, *Clin J Pain* 22:784–789, 2006.

Okamoto GA, Sousa J, Telzrow RW, et al.: Toileting skills in children with myelomeningocele: rates of learning, *Arch Phys Med Rehabil* 65:182–185, 1984.

Ornoy A: Neuroteratogens in man: an overview with special emphasis on the teratogenicity of antiepileptic drugs in pregnancy, *Reprod Toxicol* 22(2):214–226, 2006.

Paleg G, Glickman LB, Smith BA: Evidence-based clinical recommendations for dosing of pediatric supported standing programs. *Presented at combined sections meeting of the American Physical Therapy Association*, Las Vegas, Feb. 4, 2014, Nevada.

Peny-Dahlstrand M, Ahlander AC, Krumlinde-Sunholm L, Gosman-Hedstrom G: Quality of performance of everyday activities in children with spina bifida: a population-based study, *Acta Paediatr* 98:1674–1679, 2009.

Rendeli C, Salvaggio E, Cannizzaro GS, et al.: Does locomotion improve the cognitive profile of children with myelomeningocele? *Child Nerv Sys* 18:231–234, 2002.

Rosenstein BD, Greene WB, Herrington RT, et al.: Bone density in myelomeningocele: the effects of ambulatory status and other factors, *Dev Med Child Neurol* 29:486–494, 1987.

Rowe DE, Jadhav AL: Care of the adolescent with spina bifida, *Pediatr Clin North Am* 55:1359–1374, 2008.

Ryan KD, Ploski C, Emans JB: Myelodysplasia—the musculoskeletal problem: habilitation from infancy to adulthood, *Phys Ther* 71:935–946, 1991.

Salvaggio E, Mauti G, Ranieri P, et al.: Ability in walking is a predictor of bone mineral density and body composition in prepubertal children with myelomeningocele. In Matsumoto S, Sato H, editors: *Spina bifida*, New York, 1999, Springer Verlag, pp 298–301.

Sandler AD: Children with spina bifida: key clinical issues, *Pediatr Clin North Am* 57:879–892, 2010.

Schoenmakers MA, Gooskens RH, Gulmans VA, et al.: Long-term outcome of neurosurgical untethering on neurosegmental motor and ambulation levels, *Dev Med Child Neurol* 45:551–555, 2003.

Schoenmakers MA, Uiterwaal CS, Gulmans VA, Gooskens RH, Helders PJ: Determinants of functional independence and quality of life in children with spina bifida, *Clin Rehabil* 19:677–685, 2005.

Shaffer J, Friedrich W: Young adult psychosocial adjustment. In Shurtleff DB, editor: *Myelodys-*

plasias and exstrophies: significance, prevention, and treatment, Orlando, FL, 1986, Grune & Stratton, pp 421–430.

Shaw GM, Quach T, Nelson V, et al.: Neural tube defects associated with maternal periconceptional dietary intake of simple sugars and glycemic index, *Am J Clin Nutr* 78:972–978, 2003.

Soe MM, Swanson ME, Bolen SJ, et al.: Health risk behaviors among young adults with spina bifida, *Dev Med Child Neurol* 54:1057–1064, 2012.

Sousa JC, Telzrow RW, Holm RA, et al.: Developmental guidelines for children with myelodysplasia, *Phys Ther* 63:21–29, 1983.

Szalay EA, Cheema A: Children with spina bifida are at risk for low bone density, *Clin Orthop Relat Res* 469:1253–1257, 2011.

Tappit-Emas E: Spina bifida. In Tecklin JS, editor: *Pediatric physical therapy*, ed 4, Philadelphia, 2008, JB Lippincott, pp 231–279.

Tomlinson P, Sugarman ID: Complications with shunts in adults with spina bifida, *BMJ* 311(7000):286–287, 1995.

Tsai PY, Yang TF, Chan RC, Huang PH, Wong TT: Functional investigation in children with spina bifida, measured by the Pediatric Evaluation of Disability Inventory (PEDI), *Child Nerv Sys* 18:48–53, 2002.

Tulipan N: Intrauterine myelomeningocele repair, *Clin Perinatol* 30(3):521–530,2003.

Vachha B, Adams R: Pediatrics 115:e58-e63. Epub Dec 3, 2004. www.pediatrics.org/cgi/doi/10.1542/peds.2004-0797

Verhoef M, Barf HA, Post MW, et al.: Secondary impairment in young adults with spina bifida, *Dev Med Child Neurol* 46(6):420–427,2004.

Vermaes IPR, Janssens JMAM, Mullaart RA, Vinck A, Gerris JRM: Parent's personality and parenting stress in families of children with spina bifida, *Child Care Health Dev* 34(5):665–674, 2008.

Vinck A, Maassen B, Mullaart RA, Rottevell J: Arnold-Chiari-II malformation and cognitive functioning in spina bifida, *J Neurol Neurosurg Psychiatr* 77(9):1083–1086, 2006.

Vinck A, Nijhuis-van der Sanden M, Roeleveld N, et al.: Motor profile and cognitive function in children with spina bifida, *Eur J Paediatr Neurol* 14:86–92, 2010.

Walsh DS, Adzick NS: Foetal surgery for spina bifida, *Semin Neonatal* 8(3):197–205, 2003.

Williamson GG: *Children with spina bifida: early intervention and preschool programming*, Baltimore, 1987, Paul H Brookes.

SECTION

3 성인

CHAPTER

9 고유 수용성 신경근 촉진법*

테리 챔블리스, PT, MHS, OCS

학습 목표 ***이 장을 학습한 후 학생들은 아래 사항에 대하여 이해하고 설명할 수 있다.***

1. 고유 수용성 신경근 촉진법의 철학을 기술할 수 있다.
2. 팔다리와 몸통을 위한 고유 감각 신경근육 촉진 패턴을 나열할 수 있다.
3. 신경 재활에 적용하는 팔다리와 몸통 패턴을 설명할 수 있다.
4. 발달 순서 상의 자세 내에서 고유 수용성 신경근 촉진법 패턴과 기술 사용법을 설명할 수 있다.
5. 운동조절의 여러 단계를 개선하는 데 가장 적절한 고유 수용성 신경근 촉진법을 파악할 수 있다.
6. 움직임 손상을 다루기 위해 신경 재활에서 고유 수용성 신경근 촉진법을 사용하는 것에 대한 이론적 근거를 이해할 수 있다.
7. 고유 수용성 신경근 촉진법에서 사용하는 운동 학습 전략에 대해 토의할 수 있다.

서론

이 장의 목적은 신경계 재활에서 가장 많이 사용되는 치료 중재 중 하나인 고유 수용성 신경근 촉진법(PNF)을 소개하는 것이다. PNF는 근력과 유연성 및 운동 범위를 증가시켜 기능적 과제 수행 능력을 향상시키는 데 적용할 수 있다. 이러한 효과가 통합되면 환자는 (1) 머리와 몸통 조절을 확립하고, (2) 운동을 시작하고 유지하며, (3) 무게중심에서의 이동을 조절하고, (4) 팔다리가 움직이는 동안 정중선에서 골반과 몸통을 조절할 수 있다. 이러한 기법들의 목표는 침상에서의 움직임과 이동, 앉기, 서기 및 걷기에서 기능적 독립을 확보하고, 능숙도를 보다 더 높여나가는 것이다.

고유 수용성 신경근 촉진법의 역사

의사인 허만 카벳(Herman Kabat) 박사는 1940년대 초에 이러한 치료적 접근법을 개념화하기 위해 신경 생리학에 대한 그의 배경지식을 활용했다. 1947년에는 마가렛 노트(Margaret Knott)가, 1953년에는 도로시 보스(Dorothy Voss)라는 물리치료사 두 명이 합류했다. 이렇게 구성된 팀은 운동 기능을 향상시키기 위해 치료 기법과 절차를 확장하고 개선하는 데 협력했다. 노트와 보스는 1956년에 PNF를 소개한 첫 번째 저서를 출간했다.

이 창시자들의 초기 초점은 저항과 신장 반사, 압박, 견인(traction) 및 운동을 촉진하는 맨손 접촉을 포함한 통합 개념을 개발하고 적용하는 것이었다. 치료 접근법의 목표는 운동 기능에서는 환자 효율성을, 일상적인 활동에서는 독립성을 향상시키는 것이었다(Kabat, 1961). PNF는 당시 중추신경계에 대한 이해에 기반을 두었고, 실행 가능한 치료 방법이 되었다. 카벳과 노트, 보스는 계속해서 환자를 치료하고, 문헌을 검토하며, 그 후 몇 년 동안 자신들의 접근법을 개선했다. 오늘날 치료사와 연구원은 PNF를 성장시키

*The Editors would like to acknowledge Dr. Cathy Jeremiason Finch, PT, for her foundational work on this chapter in previous editions.

고 진화시키기 위해 지속적으로 정보를 제공하고 있다. 이 장에서는 치료사들이 사용하는 전통적인 중재와 국제 PNF 협회가 채택한 원칙을 조합하여 제시하였다.

PNF의 기본 원리

운동 학습은 열 가지 필수 구성 요소를 적용해서 향상시킨다(Knott and Voss, 1968). 이러한 개념들은 PNF의 핵심 요소(표 9-1)로 언급된다.

표 9-1 PNF의 핵심 요소

PNF의 핵심 요소
맨손 접촉
신체 위치와 신체 역학
신장
맨손 저항
방산
관절 촉진
움직임 타이밍
움직임 패턴
시각적 자극
구두 자극

맨손 접촉(Manual Contacts)

피부에 손을 대면 압력 수용기를 자극하고, 환자에게 원하는 운동 방향에 대한 정보를 제공할 수 있다. 맨손 접촉은 목표 근육 집단 위쪽의 피부에 접촉하고 움직임을 원하는 방향으로 잡아 주는 것이 가장 좋다(Adler 등, 2008). 예컨대 어깨 굽힘을 촉진하려면 치료사가 한 손이나 두 손을 팔의 앞쪽과 위쪽 표면에 놓는다. 몸통 굽힘을 촉진하려면 몸통의 앞쪽 표면에 손을 댄다. 벌레근 쥐기(lumbrical grip)는 과한 압력이나 불편함을 피하면서, 특히 돌림 시 적절한 저항과 운동조절을 위해서 사용한다(그림 9-1).

신체 위치와 신체 역학

환자의 운동 방향을 따라가는 치료사의 동적인 움직임은 효과적인 촉진에 필수적이다. 치료사의 골반, 어깨, 팔 및 손은 움직임의 방향과 나란히 놓여야 한다. 이것이 불가능하다면 치료사의 팔과 손이 운동의 방향과 나란히 배열되어야 한다. 저항은 손과 팔을 비교적 느슨하게 이완시키면서 치료사의 체중을 이용해서 만들어 낸다(Adler 등, 2008).

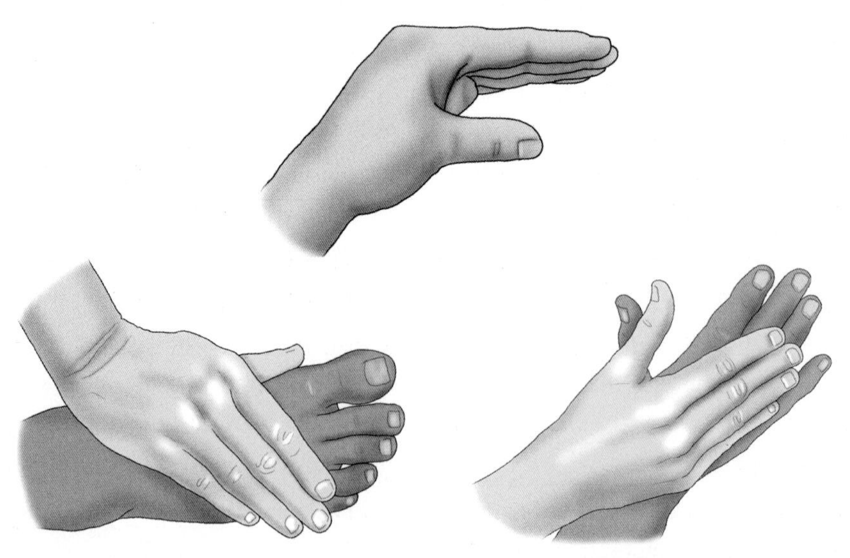

그림 9-1. 벌레근 쥐기. 벌레근 쥐기는 손가락들이 이완되어 펴질 때 손허리손가락관절들이 구부러져 모아지는 것이다. 이 상태에서는 치료사가 손을 쥐어짜거나 과도한 압력을 가하지 않아도 손에 굽힘력이 생겨난다(그리하여 근육 집단과 방향에 관해서 감각 자극을 제공한다). 이러한 쥐기는 PNF 패턴에서 나타나는 3차원적 움직임을 가장 잘 조절할 수 있다.

신장(stretch)

카벳은 신장 반사를 근육 활동을 촉진하는 데 사용할 수 있다고 제안했다. 근육이 늘어나면 늘어난 범위까지 가벼운 움직임을 이끌어 내서 신장반사를 유도할 수 있다는 것이 카벳의 가설이었다. 신장은 늘어난 근육과 동일한 관절의 협력근(synergistic muscle), 그밖에 다른 연관된 근육들을 촉진한다(Loofbourrow and Gellhorn, 1948). 빠른 신장은 운동반응을 증가시키는 경향이 있지만 지속적인 신장(prolonged stretch)은 잠재적으로 근육 활동을 감소시킬 수 있다. 따라서 환자의 반응을 면밀히 주시해야 한다. 관절 과가동성과 골절 또는 통증이 나타나면 촉진 신장을 사용하면 안된다. 신장, 특히 빠른 신장은 개인별로 다양한 반응을 이끌어 내고 바람직하지 않은 운동을 유발할 수 있으므로 경직(spasticity)이 나타날 때는 주의해서 사용해야 한다.

맨손 저항(Manual Resistance)

설리반(Sullivan)과 마코스(Markos, 1995)는 저항이란 "이동의 어려움을 바꿔 주는 내적 힘이나 외적 힘"이라고 정의했다. 뻣뻣함(stiffiness)과 길이 및 신경적 영향에 관해 침범당한 조직의 상태는 환자가 움직이는 동안 경험하는 내부 저항을 결정짓는다. 맨손과 기계적 저항 또는 중력의 힘을 이용해서 신체 표면에 외부 저항을 가할 수 있다. 일부 고유수용성감각 신경근육 촉진 절차는 신경 발화 패턴을 변경해서 내부 저항을 줄이는 데 중점을 둔다. 다른 활동이나 기법들은 운동 단위 동원(recruitment)을 증가시키기 위해서 외부 저항을 가한다. 그러므로 PNF의 맥락에서 저항은 신경근육 촉진 수단이나 근육 강화 증진 도구로 간주될 수 있다. 신경 구성 요소와 수축성 구성 요소 사이의 복잡한 상호 작용을 통해 저항은 운동 개시, 자세 안정성, 기능적 움직임 패턴의 타이밍, 운동 학습, 지구력 및 근육량에 영향을 줄 수 있다(Sullivan과 Markos, 1995).

적절한 저항은 목적이 있는 과제를 적절하게 완료할 수 있게 해 주는 최대 운동반응을 촉진한다(Knott와 Voss, 1968). 중재의 목표가 가동성이라면 환자가 운동범위를 사용할 수 있는 만큼 모두 사용해서 통증 없이 원활하게 움직일 수 있게 해주는 최대 저항력이 적절한 저항이다(Kisner와 Colby, 2007). 적용된 힘의 양과 방향은 근육 기능의 변화와 그 범위 내에서 발생할 수 있는 환자 능력에 맞추어 수정되어야 한다. 중재의 목표가 안정성이라면 환자가 같은 크기로 지정된 자세를 유지할 수 있게 해주는 최대 저항력이 적절한 저항이다.

방산(Irradiation)

방산은 외부 저항에 대한 반응으로 관련된 근육의 활동이 증가하는 신경 생리학적 현상이다. 이 용어는 오버플로우(overflow)와 강화(reinforcement)와 함께 사용되며(Adler 등, 2008; Sullivan 등, 1982), 자극의 강도와 지속 시간이 증가함에 따라 반응의 크기가 증가한다(Sherrington, 1947). PNF는 대항근의 근육 활동을 증진시키거나 대항근(antagonist) 집단을 억제하기 위해서 방산 과정을 사용한다. 저항에 대한 각 사람의 반응은 다양하다. 그러므로 개인마다 다른 패턴의 오버플로우가 생겨난다. 치료사는 환자의 반응을 관찰해서 원하는 움직임을 수행할 수 있는 환자의 능력을 최대화 해주는 맨손 접촉과 저항의 양을 확인할 수 있다. 활동과 반응의 전형적인 패턴의 실례는 다음과 같다.

1. 몸통 굽힘에 대한 저항은 엉덩이 굽힘근과 발목 발등굽힘근으로 향하는 오버플로우를 유발한다.
2. 몸통 폄에 대한 저항은 엉덩이와 무릎 폄근으로 향하는 오버플로우를 유발한다.
3. 팔 폄과 모음에 대한 저항은 몸통 굽힘근으로 향하는 오버플로우를 유발한다.
4. 엉덩이 굽힘과 모음, 가쪽 돌림에 대한 저항은 발등 굽힘근으로 향하는 오버플로우를 유발한다.

관절 촉진(Joint Facilitation)

견인 및 압박(approximation)은 관절과 관절 주위 구조 내의 수용기를 자극한다. 견인은 신체 부위를 신장시켜서 운동을 촉진하고 통증을 감소시킬 수 있다(Sullivan 등, 1982). 압박은 신체 구조를 압박시켜 체중지지와 근육 협력 수축을 촉진할 수 있다(Adler 등, 2008). 견인과 압박에 대한 반응은 개인마다 다르다. 이러한 힘은 팔다리 패턴의 수행 도중이나 신체 자세에 중첩될 수 있다.

움직임 타이밍

정상적인 움직임을 위해서는 부드러운 순서(sequencing)와 근육 활성화 단계(gradation)가 필요하다. 가장 기능적인 움직임의 타이밍은 연필을 집어 올릴 때와 마찬가지로 몸쪽에서 먼쪽으로 이동할 때이다. 연필은 손으로 쥐고 팔꿈치와 어깨를 움직여 사용할 수 있도록 배치해 놓는다. 이와 관련된 고려 사항은 자세조절의 전개가 머리쪽에서 꼬리쪽으로, 몸쪽에서 먼쪽으로 진행된다는 것이다(Shumway-Cook and Woollacott, 2012). 신경학적으로 손상된 개인의 운동 전략을 평가하고 촉진하며 가르칠 때 이러한 문제를 고려해야 한다(Carr and Shepherd, 1998). 적절한 근육의 힘과 운동범위는 특수한 기능적 과제를 수행할 수 있도록 해 준다. 하지만 움직임 패턴 내에서 구성 요소의 순서가 잘못될 수도 있다. 또한 먼쪽 관절의 정확한 움직임을 요구하는 과제를 능숙하게 해내기 전에 몸통과 몸쪽 관절을 충분히 조절해야 한다.

움직임 패턴

PNF의 특징은 독특한 대각선 움직임 패턴이다. 카벳과 노트는 기능적 맥락에서 근육의 그룹이 시너지 효과를 발휘한다는 사실을 알고 있었다. 이들은 그러한 연관된 움직임들을 결합해서 PNF 패턴을 만들었다. 또한 근육은 구조와 기능 모두에서 나선형이고 대각선이기 때문에 대부분의 기능 운동은 기본 면에서 발생하지 않는다. 예컨대 팔 뻗기와 걷기는 3면 대 평면상 운동으로 일어나는 두 가지 흔한 활동이다. 따라서 PNF 패턴은 기능적 움직임 도중에 발생하는 요구를 보다 더 면밀히 분석해야 한다.

시각적 자극

시각적 자극은 개개인의 조절을 돕고, 신체 위치와 움직임을 바로잡아 줄 수 있다. 안구 운동은 머리와 몸의 위치에 영향을 준다. 시각 시스템의 되먹임은 더욱 강한 근육 수축을 촉진하고(Adler 등, 2008), 자세 반응을 통해서 머리와 몸통 같은 신체 부위의 적절한 정렬을 촉진하는 데 사용할 수 있다.

구두 자극

구두 지시는 환자에게 정보를 제공할 때 사용한다. 명령은 간결해야 하며 방향적인 지시를 제공해야 한다. 구두 지시는 준비와 행동, 교정의 세 단계로 이루어진다. 준비 단계에서는 환자가 취할 동작을 준비한다. 행동 단계에서는 환자에게 원하는 동작에 관한 정보를 제공하고, 그 동작을 시작하라고 지시를 보낸다. 교정 단계에서는 환자에게 필요한 경우 동작을 수정하는 방법을 알려 준다. PNF는 성량과 억양의 효과에 관한 지식을 사용해서 이완하거나 더 큰 노력과 같은 환자가 원하는 반응을 촉진한다(Adler 등, 2008).

고유 수용성 신경근 촉진법 원리 적용

집단으로 간주될 때 앞서의 원리들은 PNF 기법을 임상에 적용하기 위한 본보기를 제공한다. 치료사는 원하는 대각선 움직임 방향으로 손을 움직여 벌레근 쥐기로 환자의 신체 표면에 놓는다(그림 9-1 참조). 치료사는 환자의 몸을 대각선 운동 패턴으로 정렬시켜 동적인 움직임을 취할 수 있도록 한다. 환자에게 움직이라고 지시하기 전에 신체 부위를 신장시켜 놓고, 적절하다면 빠르게 신장시킨다. 원하는 움직임의 시작과 동시에 때를 맞추어 간결한 구두 지시를 내린다. 저항의 양은(환자의 힘 생성 능력에 맞게 증가하거나 감소함) 원하는 반응을 고려하여 차등을 둔다. 운동 패턴 도중에 정상적인 타이밍을 고려하고 강화한다. 치료사는 환자의 반응을 관찰하고, 시각적 자극을 추가하여 반응을 향상시킬 수 있다. 표 9-2는 임상 적용의 도구로 사용할 주요 요점을 보여 준다. 이 점검표는 치료사가 개별 환자의 요구를 다루기 위해서 특정

표 9-2 임상적 사용을 위한 PNF 점검표

구성 요소	교정	비교정
환자 위치		
치료사 위치		
치료사의 신체 역학		
맨손 접촉		
원하는 움직임		
신장		
구두 자극		
저항		

한 PNF 기법을 선택할 때 도움이 될 수 있다.

생체 역학적 고려 사항

상대적으로 쉽거나 어려운 움직임에 영향을 미치는 다른 고려 사항으로는 지지 면(BOS)과 중력중심(COG), 체중지지 관절의 수, 지레팔 길이와 같은 생체 역학적 요인이 있다. BOS는 지지 표면과 닿는 신체 표면과 접촉된 신체 분절로 둘러싸인 모든 영역을 포함한다. COG는 환자 몸의 질량 중심에서 표면까지의 거리를 일컫는다. 관련된 체중지지 관절의 수는 활동에 내재된 복잡성과 조절 정도를 암시한다. 일반적으로 힘의 작용선(line of force)을 통과하는 관절 수가 많을수록 관련된 과제를 효율적으로 수행하는 데 필요한 근육 조절 수준이 증가한다. 지레팔은 중력과 체중 및 저항력이 가해지는 부위에 영향을 받는다. 적용된 힘과 목표 근육 사이의 거리가 증가함에 따라서 움직이는 분절에 가해지는 합력(resulant force)이 증가한다. 이러한 모든 요소들은 치료 운동 프로그램에서 활동과 테크닉을 선택하고 진행시켜 나갈 때 고려해야 한다. COG의 높이와 체중지지 관절의 수 및 지레팔의 길이가 증가하거나 BOS가 감소하면 환자는 상대적으로 좀 더 어렵다고 느끼게 된다. 전개되는 순서 내에서 자세가 자연스럽게 진행되는 것은 안정화 근육에 대한 요구가 증가하는 것이다. 그러므로 네발기기 자세는 지지 면에 대한 COG 위치와 BOS 내의 표면적 차이 때문에 팔꿈치로 엎드린 자세보다 훨씬 힘들다.

패턴

초기에 발달한 PNF 기법에는 전형적인 움직임 전략의 분석이 포함된다(Knott와 Voss, 1968). 그러한 관측 결과는 패턴(pattern)이라는 관절운동의 특정 조합으로 통합되었다. 패턴은 임상 훈련에서 결합되지만 팔다리나 몸통에 중점을 둔다. 모든 PNF 패턴은 3면에서 발생하는 동작의 조합으로 구성된다. 돌림요소는 특히 중요하며, 패턴의 시작 범위에서 동원되어야 한다. 초기 돌림은 몸통 근육을 보다 더 많이 동원하면서 먼쪽에서 몸쪽로 향하는 팔다리 움직임의 정상적인 타이밍을 강화한다.

팔다리 패턴

그림 9-2에서는 두 가지 대각선 팔다리 패턴을 보여 준다. 이들 패턴의 이름은 대각선1(D_1)과 대각선2(D_2)라고 한다. 팔다리 패턴은 몸쪽 관절에서 발생하는 운동의 방향을 따서 이름을 붙이고, 패턴 수행에서 나오는 움직임을 나타낸다. 각각의 대각선은 굽힘과 폄 방향으로 세분화된다. 예컨대 팔 D_1 굽힘(팔)에서 어깨는 구부러지고, D_1 폄에서는 어깨가 펴진다. 중간 관절은 구부러지거나 펴질 수 있다. 곧은 팔과 다리 패턴들은 패턴의 몸쪽 구성 요소를 강조하고 보다 큰 몸통 활동을 동원할 때 사용한다. 중간 관절이 구부러지면 중간이나 먼쪽 요소를 보다 더 강조할 수 있다. 팔 패턴은 누운 자세로 나타낸다. 그림 9-2는 팔 패턴의 구성 요소를 보여 준다.

팔 패턴

팔 D_1 굽힘 패턴은 어깨 굽힘, 모음, 가쪽 돌림으로 구성된다. 처음에 팔은 엉덩이에서 한 주먹 간격을 두고 옆으로 펴진다. 어깨는 아래팔이 엎쳐질 때 펴지고, 벌어지며, 안쪽으로 돌아가고, 손목은 자측으로 치우친다. 치료사는 환자에게 "내 손을 꽉 쥐고 올려라"고 지시한다. 치료사가 환자에게 스카프를 반대쪽 어깨 너머로 넘기려고 손을 뻗는 동작을 생각해 보라고 하면 도움이 될 수 있다.

팔 D_1 폄 패턴은 굽힘 패턴의 반대로, 폄/벌림/안쪽

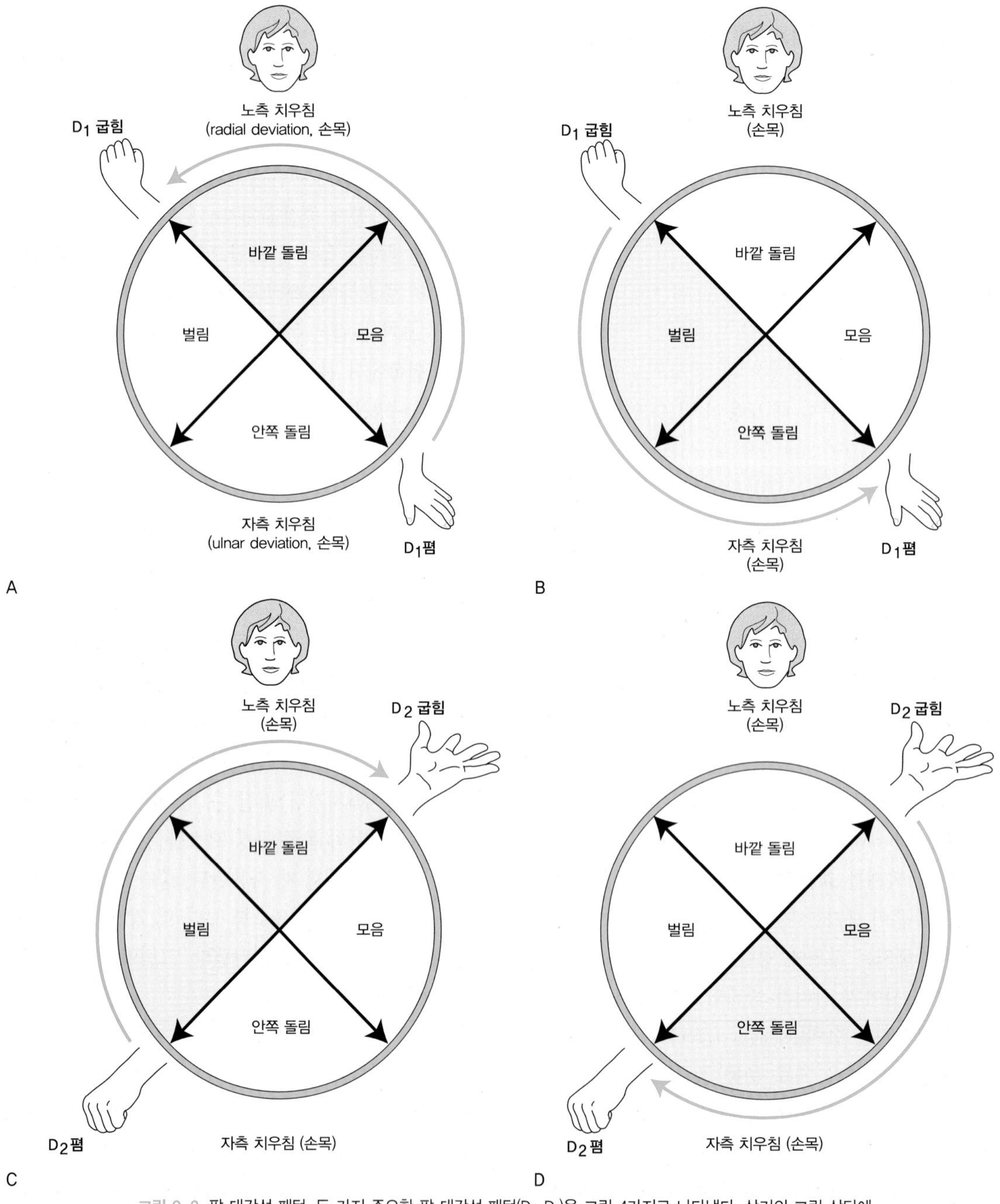

그림 9-2. 팔 대각선 패턴. 두 가지 주요한 팔 대각선 패턴(D_1, D_2)을 그림 4가지로 나타냈다. 상기의 그림 상단에 머리를 두고 왼팔을 움직이는 사람(환자 역할)이 된 것처럼 위의 그림과 방향을 맞추어야 한다. 그림의 손 자세를 참고로 해서 정확한 조합으로 움직임을 이끌어 낸다. 그림에서 그늘이 진 영역은 짙은 글씨의 패턴들, 즉 (**A**) D_1 굽힘과 (**B**) D_1 폄, (**C**) D_2 굽힘, (**D**) D_2 폄 패턴들의 어깨 요소들을 나타낸다. 예컨대 D_1 굽힘을 수행하려면 처음에 손이 D_1폄 위치에 놓여 있다가 넘어지지 않으려고 준비하는 것처럼 몸 왼쪽으로 살짝 뻗어 나가고, 그림 A에 나타낸 그늘진 영역의 움직임이 일어난다. 말하자면 어깨가 가쪽으로 돌아가서 모아지고, 결과적으로 손은 D_1 손 위치에 이른다(왼손으로 스카프를 잡아서 몸통을 가로질러 오른쪽 어깨 너머로 넘기는 것과 비슷한 움직임이 일어난다). D_1 폄 패턴을 수행하려면 학습자가 그림 9-2B를 보고 D_1 굽힘 손 위치에서 손을 움직이기 시작하면서 그늘진 영역의 움직임을 역순으로 취한다. D_2 굽힘을 수행하려면 왼손을 주먹 쥔 채 몸통을 가로질러 오른쪽 엉덩이 옆에 두었다가 뭔가를 왼쪽 어깨 너머로 던지려는 것처럼 팔을 위로 올려서 왼쪽으로 움직인다. D_2 굽힘은 상기의 움직임을 역순으로 취한다.

표 9-3 팔의 D_1 굽힘–굽힘/벌림/가쪽 돌림–팔꿈치 폄

관절	시작 자세	종료 자세
어깨뼈	뒤쪽 내림	앞쪽 올림
어깨	폄/벌림/안쪽 돌림	굽힘/모음/가쪽 돌림
팔꿈치	폄	폄
아래팔	엎침	뒤침
손목	폄/자측 치우침	굽힘/노측 치우침
손가락	폄	굽힘

표 9-4 팔의 D_1 폄–폄/모음/안쪽 돌림–팔꿈치 폄

관절	시작 자세	종료 자세
어깨뼈	앞쪽 올림	뒤쪽 내림
어깨	굽힘/모음/가쪽 돌림	폄/벌림/안쪽 돌림
팔꿈치	폄	폄
아래팔	뒤침	엎침
손목	굽힘/노측 치우침	폄/자측 치우침
손가락	굽힘	폄

돌림으로 구성된다. 환자가 팔꿈치를 신체의 정중선을 가로지르는 코 위치에 놓고 팔을 구부린 자세에서 시작한다. 여기서 아래팔이 뒤쳐지고, 손목과 손가락은 구부러지며 손목이 노측으로 치우친다. 치료사는 환자에게 "손을 펴고 내려 밖으로 밀어라"고 지시한다. 팔 D_1 굽힘 대각선 패턴은 먹이기 기능을 수행하며, 팔 D_1 폄 패턴은 앉은 자세에서 보호 반응을 수행하는 기능을 한다. 팔 D_1 굽힘 패턴과 팔 D_1 폄 패턴에 대한 자세한 설명은 각각 표 9–3과 표 9–4에 나와 있다. 팔 D_1 굽힘 패턴과 팔 D_1 폄 패턴의 수행은 중재 9–1과 9–2에 각각 나와 있다.

D_2 굽힘 패턴은 어깨 굽힘/벌림/가쪽 돌림으로 구성된다. 처음에는 팔이 몸을 가로질러 뻗어서 팔꿈치가 정중선을 넘고 아래팔이 엎쳐지며 손목과 손가락이 구부러지고 손목이 자측으로 치우친다. 치료사는 환자에게 "손목과 팔을 들어 올려라"고 지시한다. 팔 D_2 폄 패턴은 굽힘 패턴의 반대로, 어깨 폄/모음/안쪽 돌림으로 구성된다. 처음에는 팔이 같은 쪽 귀에서 한 주먹 간격을 두고 옆으로 구부러진다. 어깨는 가쪽으로 돌아가고, 아래팔은 뒤쳐지며, 손목과 손가락이 펴지고, 손목은 자측으로 치우친다. 치료사는 환자에게 "내 손을 쥐고 아래로 당겨 맞은편으로 끌고 가라"고 지시한다.

같은 쪽 어깨 너머로 웨딩 꽃다발을 던지는 것은 D_2 굽힘, 칼을 칼집에 넣는 것은 D_2 폄이라고 생각하면 D_2 대각선 패턴들을 기능적으로 기억할 수 있다. 팔 D_2 굽힘 패턴과 팔 D_2 폄 패턴에 대한 상세한 설명은 각각 표 9–5 및 9–6에 나와 있다. 팔 D_2 굽힘 패턴과 팔 D_2 폄 패턴의 수행은 각각 중재 9–3과 9–4에 나와 있다.

학생들이 팔의 움직임 조합을 기억하는 데 도움이 되는 연관성은 다음과 같다. 굽힘 패턴은 항상 어깨 가쪽 돌림과 아래팔 엎침, 손목의 노측 치우침과 쌍을 이룬다. 반대로 팔 폄 패턴은 항상 어깨 안쪽 돌림과 아래팔 뒤침, 손목의 자측 치우침과 쌍을 이룬다.

어깨뼈 패턴

어깨뼈는 어깨위팔뼈 생체 역학과 맞추어 대각선 패턴으로 움직인다. D_1굽힘과 관련된 어깨뼈 패턴은 앞쪽 올림이다. 팔이 몸통을 가로지를 때 어깨뼈가 올라가고 내밀어진다. D_1 폄과 관련된 어깨뼈 패턴은 앞쪽 올림의 반대나 뒤쪽 내림이다. 이때 어깨뼈는 내려가고 뒤로 당겨진다. 팔 D_1 굽힘 패턴을 취할 때는 어깨를 귀 앞쪽으로 으쓱거리고, D_1 폄 패턴을 취할 때는 오른쪽 어깨뼈 아래를 왼쪽 뒷주머니 쪽으로 내리는 동작을 떠올리면 이러한 패턴들을 좀 더 쉽게 시각화할 수 있다. 이러한 패턴은 각각 중재 9–5와 9–6에 나와 있다.

D_2 굽힘과 연관된 어깨뼈 패턴은 뒤쪽 올림이다. 팔이 위로 올라가 가쪽으로 돌아갈 때 어깨뼈는 뒤쪽으로 올라간다. 어깨를 뒤로 으쓱거리는 동작이 어깨뼈가 올라가서 뒤로 당겨지는 움직임과 거의 유사하다. 어깨뼈 앞쪽 내림은 D_2 폄 패턴의 일부이며, 뒤쪽 올림의 반대이다. 이때는 반대측 옆으로 누워 있다가 몸을 밀어 올려 앉을 때처럼 어깨뼈가 내려가고 내밀어진다. 이러한 패턴들은 각각 중재 9–7과 9–8에 나와 있다.

시계는 가슴을 중심으로 어깨뼈의 움직임을 시각화하

는 유용한 방법이다. 먼저 환자는 왼쪽 옆으로 돌아눕는다. 12시 방향은 환자의 머리쪽, 6시 방향은 발 쪽을 가리킨다. 그림 9-3은 어깨뼈 대각선 패턴의 위치를 보여 준다. 뒤쪽 올림은 11시 방향이고, 대각선 방향으로 맞은편의 5시 방향은 앞쪽 내림이다. 앞쪽 올림은 1시 방향이고, 대각선 방향으로 맞은편의 7시 방향은 뒤쪽 내림이다.

다리 패턴

다리(LE) 패턴은 누운 자세에서 나타내고 설명하지만 앉기와 서기 자세에서의 기능적인 움직임과도 관련이 있다(그림 9-4). 팔 패턴과 비슷하게 다리 패턴도 대각선을 따라서 네 가지 패턴으로 나누어진다. 다리의 D_1 굽힘 패턴에는 엉덩이 굽힘/모음/가쪽 돌림이 포함된다. 처음에는 다리가 지면에 닿아 있고, 뒤꿈치가 같은 쪽 어깨와 일렬을 이룬다. 엉덩이는 벌어져서 안쪽으로 돌아간다. 또한 발바닥이 구부러지고 가쪽으로 번짐된(everted) 환자는 "발을 올려서 다리를 가로질러 당겨라"는 지시를 받는다. 무릎 굽힘은 관련된 기능적 움직임을 동반하고, 그렇기 때문에 이러한 패턴에서 가장 흔하게 나타나는 것은 관절 움직임이다. 이것은 앉아서 한쪽 다리를 다른 쪽 다리 위로 올려 꼬거나 신발을 벗으려고 발을 반대쪽 손으로 올릴 때 사용하는 동작이다. 누워서 무릎과 발을 반대쪽 엉덩이 쪽으로 움직일 때는 다리가 더 이상 표면과 접촉하지 않는다.

D_1 폄 패턴은 엉덩이 폄/벌림/안쪽 돌림으로 이루어지고, D_1 굽힘의 대각선 맞은편에서 일어난다. 처음에는 엉덩이가 가쪽으로 돌아가고, 엉덩이와 무릎이 구부러져 있다. 발등은 굽힘되고, 발 안쪽이 번짐된다(inverted). 이때 환자는 "발을 아래로 내려 가쪽으로 뻗어라"고 지시받는다. 이것은 보행 시 입각기 동작과 앉아 있다 일어서는 동작과 유사하다. 이 패턴은 엉덩이와 무릎이 펴지고, 발목 발바닥쪽굽힘과 가쪽 번짐이 나타나면서 끝난다. 다리 D_1 굽힘 패턴과 다리 D_1 폄 패턴에 대한 자세한 설명은 각각 표 9-7 및 표 9-8에 나와 있다. 다리 D_1 굽힘 패턴과 다리 D_1 폄 패턴의 수행은 각각 중재 9-9 및 9-10에 나타냈다.

두 가지 추가적인 패턴은 다리 D_2 패턴을 따른다. D_2 굽힘 패턴의 엉덩이 요소로는 엉덩이 굽힘/벌림/안쪽 돌림이 있다. 다리는 엉덩이에서 시작해 무릎이 펴지고 엉덩이가 가쪽으로 돌아간다. 무릎을 정중선에서 벗어난 위치에 놓으려면 이 패턴에 관여하지 않는 다리가 벌어져야 한다. 발바닥 굽힘과 가쪽 번짐이 나타난다. 이때 환자는 "발을 올려서 가쪽으로 밀어라"는 지시를 받는다. 이 패턴은 종료 위치가 동물이 볼일을 보는 움직임과 유사하기 때문에 완곡한 표현으로 소화전(fire hydrant)이라고 불린다. D_2 굽힘은 다른 다리 패턴처럼 빈번하게 사용되지는 않지만 뇌졸중을 가진 환자가 취하기에는 어려울 수 있는 조합의 움직임이며, 발등굽힘과 더불어 가쪽 번짐을 이끌어낼 수 있다. 다리 D_2 폄 패턴은 엉덩이 폄/모음/가쪽 돌림이 특징이다. 처음에는 엉덩이와 무릎이 구부러지고 엉덩이가 벌어진다. 엉덩이는 안쪽으로 돌아가고, 이때 무릎에 외반 스트레스를 가하지 않도록 주의한다. 이때 환자는 "발을 내려서 안쪽으로 모아라"라는 지시를 받는다. 선 자세에서 이러한 움직임을 축구공을 차는 동작과 비슷하다. 다리 D_2 굽힘 패턴은 다리 D_2 폄 패턴에 대한 자세한 설명은 각각 표 9-9와 표 9-10에 나와 있다. 다리 D_2 굽힘 패턴과 다리 D_2 폄 패턴의 수행은 각각 중재 9-11 및 9-12에 나와 있다.

골반 패턴

앞서 논의했듯이 어깨뼈와 팔 대각선 패턴은 직접적으로 연관되어 있다. 이와 마찬가지로 골반 패턴도 다리 대각선 패턴과 연결되어 있다. 어깨뼈보다는 골반의 움직임이 훨씬 적어서 운동범위가 극히 좁아진다. 네 가지 골반 대각선 패턴들은 어깨뼈 대각선 패턴들과 같은 이름을 가지고 있기 때문에 똑같은 시계로 시각화할 수 있다. 이 시계는 그림 9-3에 나와 있다. 중재 9-13은 앞쪽 올림 패턴을, 중재 9-14는 뒤쪽 내림 패턴을 보여 준다. 이러한 패턴들은 기능적으로 가장 관련성이 높은 골반 패턴들이다.

패턴들과 기본적 원리들은 환자의 요구를 다루거나

중재 9-1 팔 D_1 굽힘

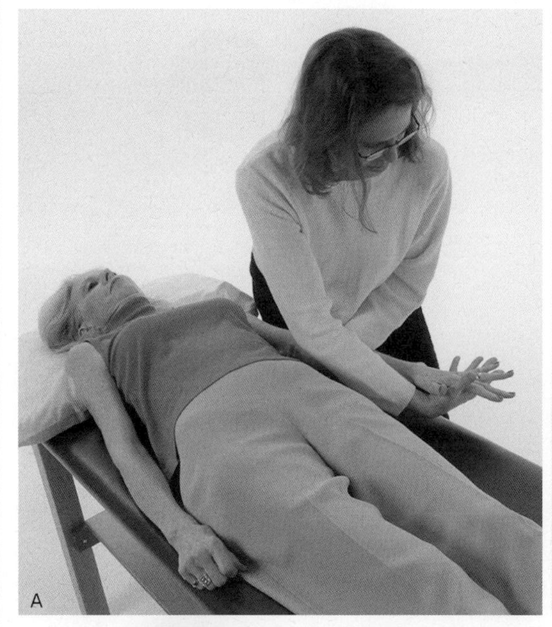

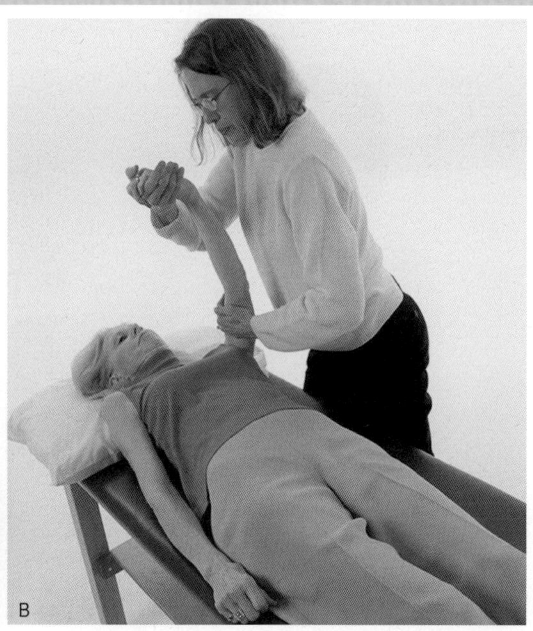

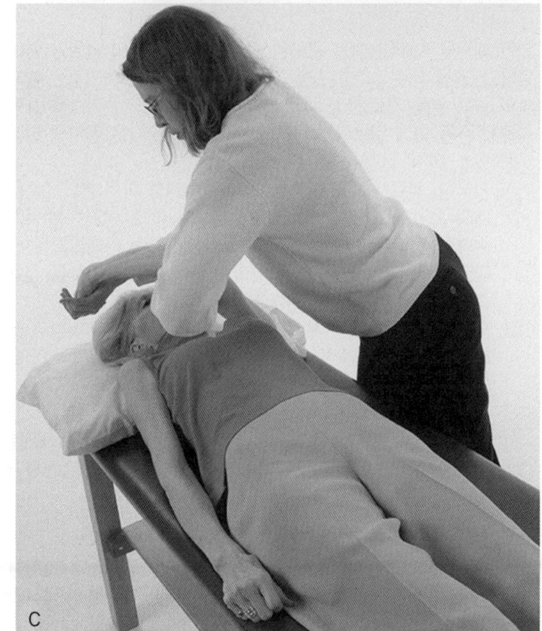

이 패턴을 시작할 때는 관련된 주요 근육(폄근)이 늘어나 있다가 끝낼 때는 동일한 근육들이(굽힘근) 짧아진다. 환자의 왼쪽 팔을 치료한다. 치료사는 오른손이 먼쪽에 위치하고, 왼손은 몸쪽에 위치한다.

A. 시작점. 치료사가 대각선 상에 서서 환자의 발을 마주 본다. 치료사의 오른손 손바닥이 환자의 왼손 손바닥에 닿는다. 이 동작은 산책을 하러 나갈 때 손을 잡는 것과 유사하다. 치료사의 왼손 손바닥 표면이 환자의 팔꿈치에서 가까운 팔 앞쪽에 닿는다. 환자에게 구두로 "손을 위로 올려서 몸을 가로질러 당겨라"라고 지시한다.

B. 중간 범위. 환자가 왼쪽 팔을 몸을 가로질러 당길 때 치료사는 대각선 상에서 몸을 돌려 환자를 마주 본다. 환자가 스스로 노력할 수 있도록 맨손 접촉 위치를 살짝 바꿀 수도 있다.

C. 종료 범위. 환자가 중간 범위의 움직임과 일치하게 손의 위치를 잡으면서 범위 끝까지 손을 움직인다.

관련 활동의 요구를 충족시키기 위해서 PNF 철학을 사용해 수정할 수 있다. 특정 근육 집단이나 기능적 운동의 구성 요소는 환자가 누워 있을 때 목표로 삼을 수 있다. 예컨대 팔 D_2 굽힘/벌림/가쪽 돌림 패턴은 누운 자세에서 어깨세모근을 강화사키는 데 사용할 수 있다. 이 자세는 본질적으로 안시정적이다. 그렇기 때문에 환자와 치료사는 초점 움직임(focal movement)에 집중할 수 있다. 팔다리 패턴들은 쪼그려 앉

중재 9-2 팔 D_1 폄

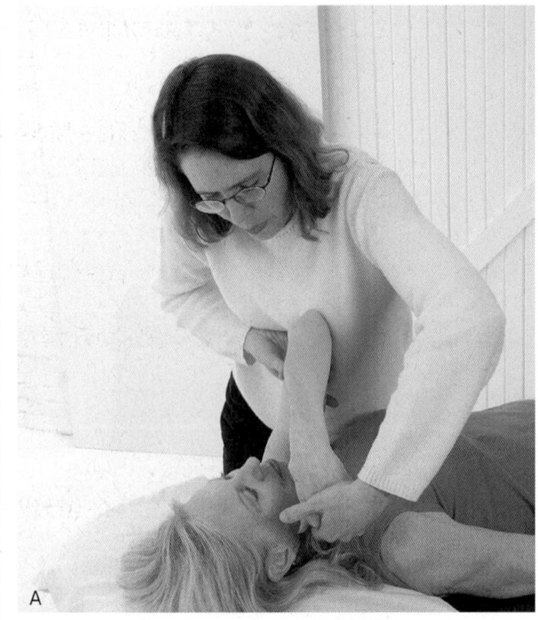

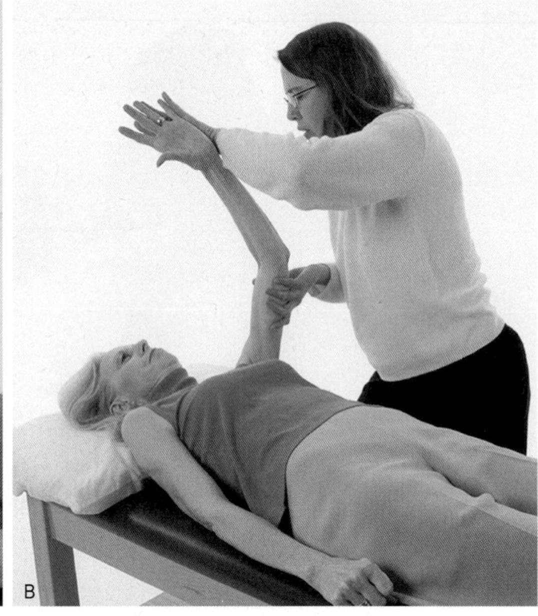

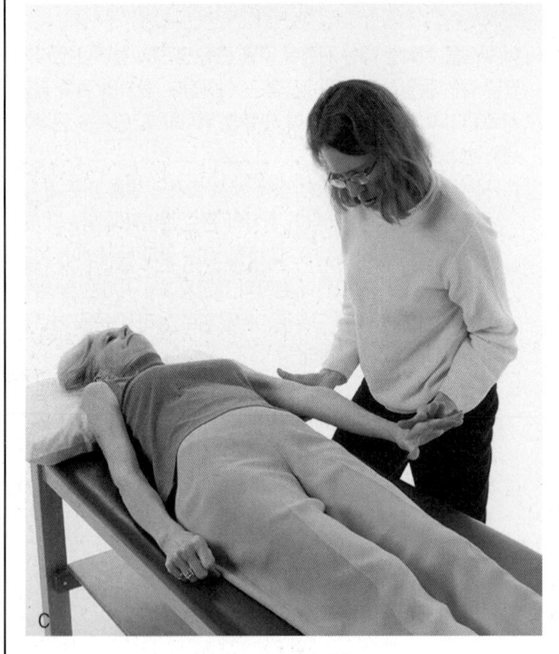

이 패턴을 시작할 때는 관련된 근육집단(굽힘근)의 범위가 늘어나고, 끝낼 때는 그 범위(폄근 범위)가 짧아진다. 여기서는 환자의 왼쪽 팔을 치료한다. 치료사의 왼손이 환자의 손가락을 포함해서 손등 쪽에 닿는다. 치료사의 오른손 손바닥은 환자의 팔꿈치에서 가까운 팔등에 닿는다.

A. 시작점. 치료사가 대각선 상에 서서 환자를 마주 본다. "손을 내려서 옆으로 밀어내라"고 구두로 지시한다. 환자는 손목과 손가락을 펴고, 치료사를 밀어내려는 것처럼 아래팔을 엎친다. 이 패턴을 시작할 때 환자의 발을 마주보는 자세를 선호하는 치료사들도 있음을 유의하기 바란다.

B. 중간 범위. 치료사가 체중과 위치를 이동시켜 환자가 범위 끝까지 손을 움직이도록 한다. 환자의 손등이나 손가락, 위팔뼈의 등쪽과 먼쪽에 닿는 맨손 접촉은 계속 유지한다.

C. 종료 범위. 치료사는 대각선 상에서 환자의 발 쪽으로 몸을 돌린다. 맨손 접촉은 종전과 똑같이 유지한다. 이 후반기에는 환자의 손목이 아래팔과 평행을 이루도록 치료사가 촉진하거나 손목 폄에 저항을 가하는 것이 중요하다.

주의 사항: 아래팔에 수직으로 힘을 가하는 것은 피해야 한다. 어깨 굽힘근에 저항을 가하게 될 수 있기 때문이다. 그러한 입력은 이 패턴의 흐름을 깨뜨리고, 종종 환자에게 이 움직임의 강도에 관한 혼란을 심어 준다.

기와 같은 좀 더 어려운 자세에서도 동적인 신체 조절을 활동에 통합해 넣기 위해서 수행할 수 있다. 진행과 기능적 통합으로는 4점 자세와 앉기, 혹은 서기 자세에서의 팔 D_2 굽힘/벌림/가쪽 돌림 패턴 수행이 있다. 각각의 자세가 목표 근육에 요구하는 것은 저마다 다르고, 각각의 자세에 따라서 몸통 안정성에 보다 큰 요구가 가해진다.

표 9-5 팔의 D_2 굽힘–굽힘/벌림/가쪽 돌림–팔꿈치 폄

관절	시작 자세	종료 자세
어깨뼈	앞쪽 내림	뒤쪽 올림
어깨	폄/모음/안쪽 돌림	굽힘/벌림/가쪽 돌림
팔꿈치	폄	폄
아래팔	뒤침	엎침
손목	굽힘/자측 치우침	폄/노측 치우침
손가락	굽힘	폄

표 9-6 팔의 D_2 폄–폄/모음/안쪽 돌림–팔꿈치 폄

관절	시작 자세	종료 자세
어깨뼈	뒤쪽 올림	앞쪽 내림
어깨	굽힘/벌림/가쪽 돌림	폄/모음/안쪽 돌림
팔꿈치	폄	폄
아래팔	엎침	뒤침
손목	폄/노측 치우침	굽힘/자측 치우침
손가락	폄	굽힘

몸통 패턴

PNF 접근법은 몸통을 조절된 움직임의 기반으로 인식한다. 몸통 근육의 동원을 극대화하려면 팔이음뼈나 다리이음뼈를 강조하는 패턴이나 양측 팔다리 패턴을 사용한다. 양측 팔다리 패턴과 몸통 패턴은 동의어이며 다음 단락에서 자세히 다룬다. 어깨뼈와 골반은 몸통과 각 팔다리 사이에 있는 연결 분절들이다. 그렇기 때문에 어깨뼈와 골반 패턴들은 질과 순서, 근력, 운동범위, 몸통과 팔다리 움직임의 협응을 향상시키는 데 사용한다. 어깨뼈 패턴은 팔 기능과 목 및 가슴의 정렬에 직접적으로 영향을 미치는 반면, 골반 패턴은 다리 기능과 허리뼈의 정렬에 영향을 미친다. 어깨뼈와 골반 움직임은 관련된 팔다리 패턴의 구성 요소로 정해지거나 좀 더 분리해서 수행할 수 있다.

옆으로 눕기는 어깨뼈와 골반 패턴을 수행하기에 아주 좋은 자세이다. 왜냐하면 치료사가 환자에게 쉽게 접근할 수 있고, 환자도 제한받지 않고 움직일 수 있기 때문이다. 어깨뼈와 골반의 PNF 패턴은 구르기와 상반적 팔 움직임, 눕거나 앉아서 엉덩이 끌기, 걷기 같은 기능적 활동들의 구성 요소다. 앞에서 설명한 것처럼 어깨뼈와 골반을 움직이는 대각선 패턴이 각각 두 개씩 있다. 이러한 대각선 패턴들은 좁고, 과도한 척추 돌림은 피해야 한다.

올리기와 내려치기

위쪽 몸통 패턴이라는 용어는 팔 패턴과 결합하여 몸통 근육, 특히 돌림근(rotators)의 활성화를 증진시켜 줄 수 있다. 이 패턴에서는 두 팔이 서로 닿는다. 예컨대 한 손으로 다른 손 손목을 잡는다. 손을 자유롭게 움직일 수 있는 팔은 이끄는 팔(lead arm)이라고 할 수 있다(Sullivan 등, 1982; Adler 등, 2008). 이끄는 팔의 움직임에 따라서 몸통 패턴의 특정한 명칭이 결정된다. 이끄는 팔이 D_2 굽힘 패턴을 취할 경우에는 올리기 패턴(lifting pattern)이라고 한다. 이 패턴은 중재 9-15에 나타나 있다.

촉진적 맨손 접촉은 환자의 능력과 손상에 따라서 사용할 수 있고 다양할 수 있다. 두 팔다리가 결합해서 함께 작용하면 몸통 근육으로의 방산이나 오버플로우가 증가한다. 저항은 범위 전체에서 등장성(isotonic) 움직임을 증진하거나 원하는 자세에서 등척성 수축을 향상시킬 때 사용할 수 있다. 올리기 자세에서 아래쪽 방향의 움직임은 전통적으로 올리기 역행 패턴(reverse lift)이라고 한다. 올리기 역행 패턴에서는 이끄는 팔이 D_2 폄 패턴을 취한다. 이러한 몸통 패턴은 중재 9-16에 나와 있다.

팔 움직임과 동시에 나타나는 다른 위쪽 몸통 패턴은 내려치기 패턴(chopping pattern)이라고 한다. 여기서도 상기의 경우처럼 두 팔이 서로 닿아 있다. 손을 자유롭게 움직일 수 있는 팔, 혹은 이끄는 팔이 또 다시 이 패턴의 이름을 정하는 데 사용된다. 내려치기 패턴에서 이끄는 팔은 중재 9-17에서처럼 D_1 폄 패턴을 따라서 움직인다. 이러한 팔 패턴들의 결합은 몸통 굽힘을 촉진하고, 몸통 한쪽을 짧게 만들고, 체중을 이동시킨다. 자르기하고 나서 위쪽으로 돌아가는 움직임은 중재 9-18에 나와 있는 내려치기 역행(reverse chop)이라고 할 수 있다(Adler 등, 2008; Sullivan 등, 1982). 내려치기와 올리기 패턴 도중에 체중을 이동

중재 9-3 팔 D_2 굽힘

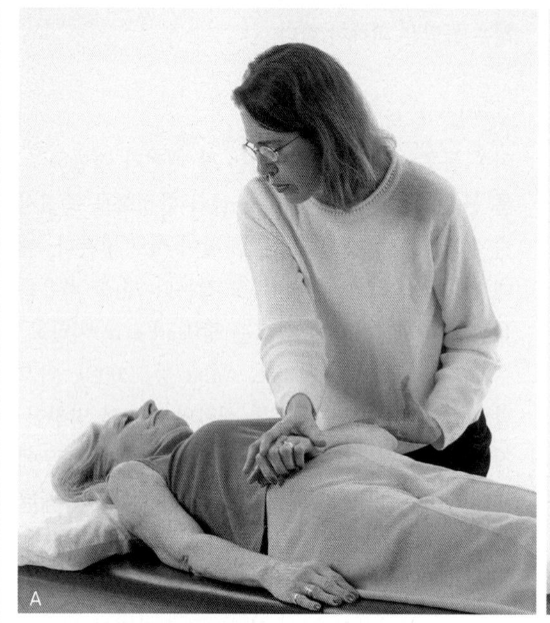

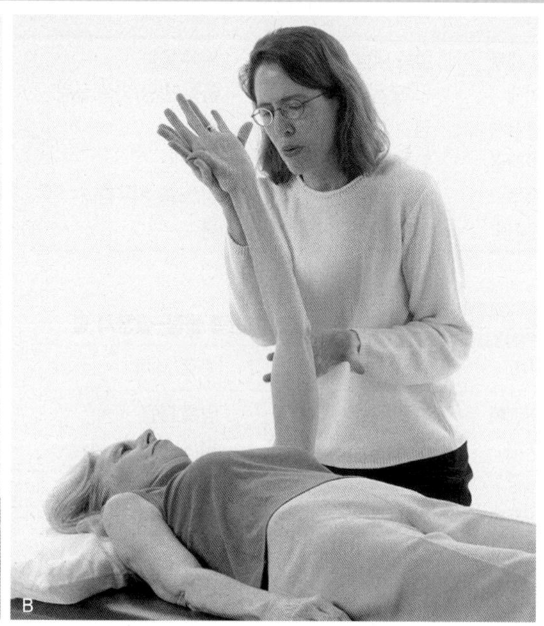

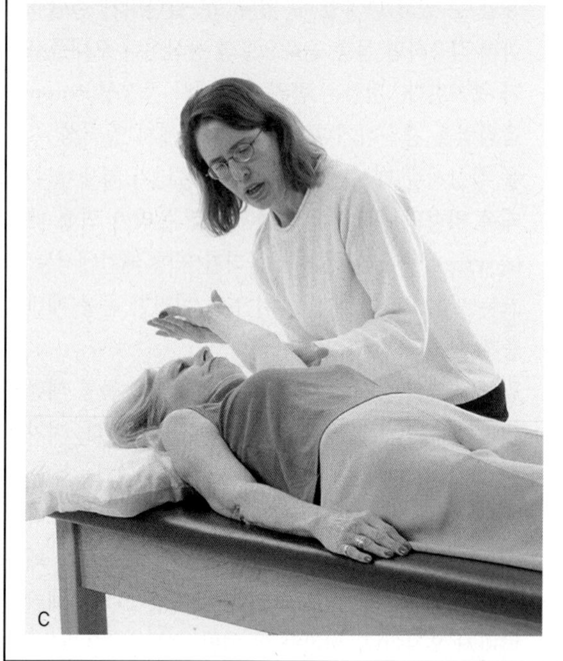

이 패턴은 환자의 왼쪽 팔에 적용한다. 치료사의 오른손이 환자의 손등에 닿고, 치료사의 왼손은 환자의 팔등 쪽 위팔뼈 영역에 닿는다.

A. 시작점. 치료사가 대각선 상에 서서 환자의 왼쪽 엉덩이를 마주 본다. 치료사의 오른손 손바닥이 환자의 손등에 닿고, 왼손 손등이 팔꿈치에서 가까운 환자의 팔등 쪽 위팔뼈에 닿는다. 치료사는 환자에게 "손을 펴서 엄지를 위로 들어 올려 가쪽으로 밀어라"라고 지시한다.

B. 중간 범위. 환자가 중간 범위로 팔을 움직일 때 치료사는 뒤로 이동한다. 그와 동시에 치료사의 왼손이 자연스럽게 뒤쳐지고, 손바닥은 환자의 팔등에 닿는다. 치료사는 오른손 엄지를 이용해 엄지 벌림을 촉진하거나 견뎌낼 수 있다.

C. 종료 범위. 중간 범위에서와 유사한 맨손 접촉을 유지하면서 범위 끝까지 움직임을 계속 취한다. 치료사는 환자가 움직일 공간을 제공하기 위해서 필요하다면 가능한 멀리 뒤쪽으로 이동한다.

시키는 방향은 환자마다 다르다. 치료사는 각 개인을 위한 최적의 반응을 결정하기 위해서 팔의 위치를 다양화하고, 견인과 압박의 힘을 모두 사용하는 것이 좋다.

고유 수용성 신경근 촉진 기법

PNF 기법의 목표는 촉진과 억제, 근력 강화, 혹은 근육 집단의 이완을 통해서 기능적 움직임을 증진하는 것이다(Adler 등, 2008). 이러한 기법들은 목표 패턴

중재 9-4 팔 D_2 폄

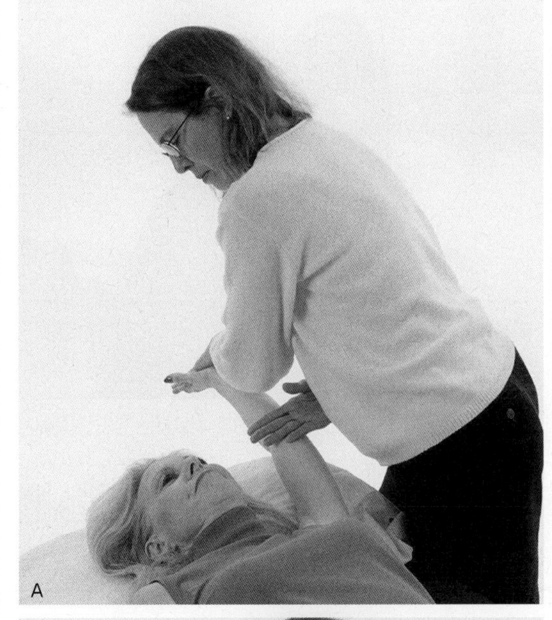

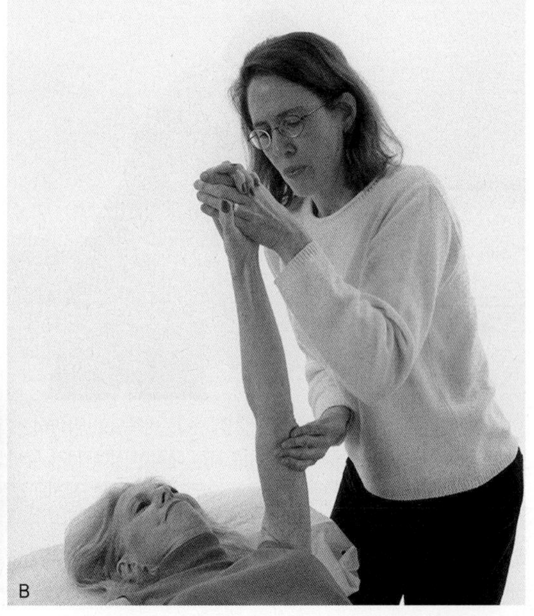

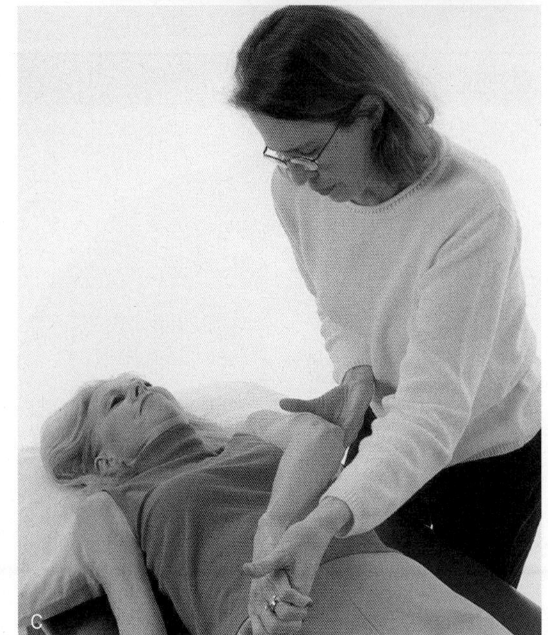

환자의 왼쪽 팔이 머리 위로 구부러진 위치에서 어깨와 함께 움직이기 시작한다.

A. 시작점. 치료사는 대각선 상에 서서 환자를 마주 본다. 그러고는 왼손을 환자의 손바닥에 올려놓고, 오른손 손등은 환자의 팔꿈치에서 가까운 팔 앞쪽 표면에 놓는다. 이 패턴은 "내 손을 꽉 쥐고 엄지를 아래로 돌려 반대쪽 엉덩이 쪽으로 당겨라"라는 지시와 함께 시작된다. 이때 환자는 손가락을 굽혀서 치료사의 손을 쥐고, 손목을 굽혀 아래팔을 엎친다.

B. 중간 범위. 환자가 어깨를 펴서 모을 때 치료사는 환자의 발을 마주 보고 환자의 아래팔을 뒤쳐서 환자의 팔등이 치료사의 펴진 손 안에 들어오게 한다.

C. 종료 범위. 치료사가 환자의 노력에 적절하게 저항하기 위해서 체중을 뒤로 이동시킬 때 환자는 움직임을 끝까지 수행한다. 치료사는 중간 범위에서 나타낸 것과 유사한 맨손 접촉을 유지한다.

과 자세 혹은 과제와 관련된 근육 활동의 특정 패턴을 촉진하거나 향상시키기 위해 고안되었다. 몇몇 기법들은 등척성 수축에 초점을 맞추어 선택한 위치에서 안정성을 증가시킨다. 그밖에 다른 기법들은 등장성 수축을 사용해서 기능적 범위까지 움직임을 증진한다. 이러한 기법들은 가동성과 안정성, 조절된 가동성 및 기술(표 9-11)과 같은 특정 단계의 운동조절 특성의 손상을 완화하는 데 사용할 수 있다.

중재 9-5 어깨뼈 앞쪽 올림

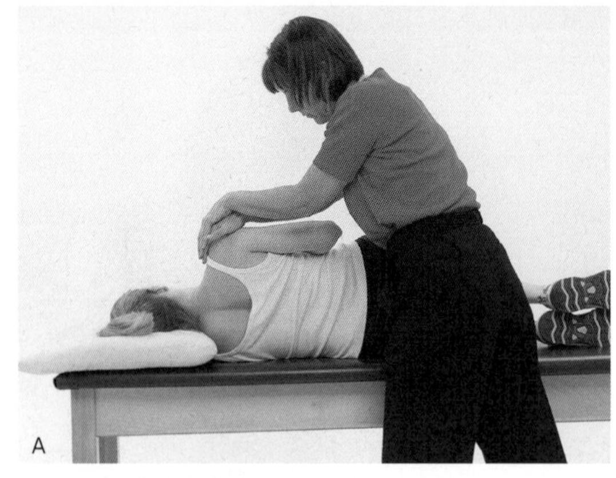

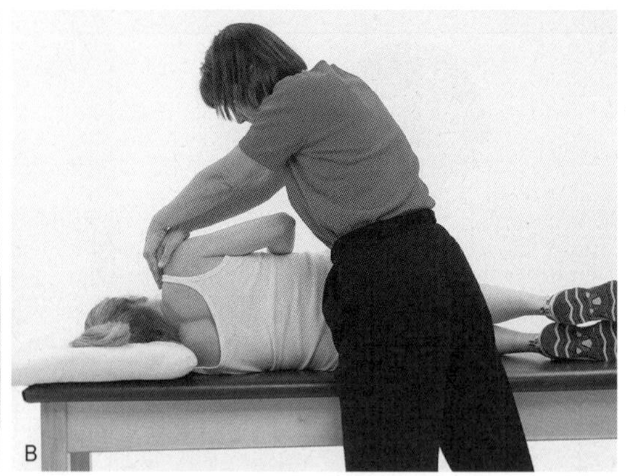

이 중재에서 환자는 목뼈를 중립 위치에 두고 왼쪽으로 돌아눕는다. 여기서는 오른쪽 어깨뼈 영역을 다룬다. 치료사는 환자 뒤쪽에서 환자의 골반과 가까운 곳에 선다. 치료사는 대각선 상에 서서 환자의 머리를 마주 본다.

A. 시작점. 치료사의 오른손이 환자의 봉우리(acromial) 영역에 닿는다. 치료사의 왼손은 오른손 위에 올라가 오른손을 압박한다. 환자는 "어깨를 귀 앞쪽으로 으쓱거려라"라는 지시를 받는다.

B. 종료 범위. 치료사가 환자의 움직임을 따라서 앞쪽 발에 체중을 실을 때 환자가 움직임을 끝까지 완료한다.

중재 9-6 어깨뼈 뒤쪽 내림

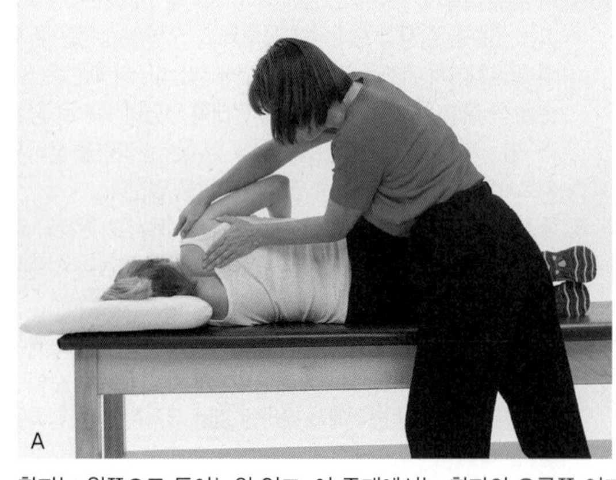

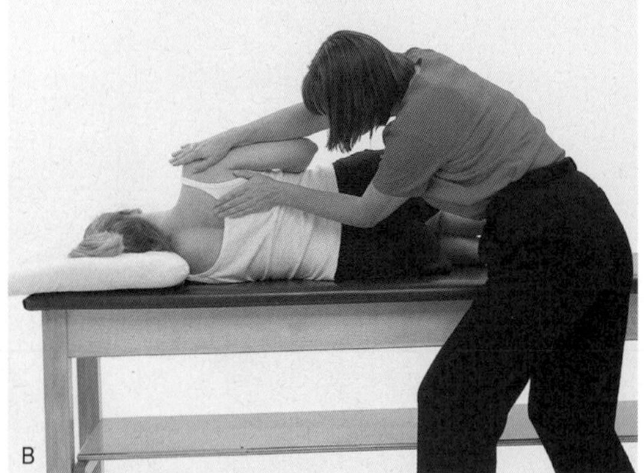

환자는 왼쪽으로 돌아누워 있고, 이 중재에서는 환자의 오른쪽 어깨 영역을 치료한다. 치료사는 환자 뒤쪽에 대각선 상에 서서 환자의 머리를 마주 본다.

A. 시작점. 치료사의 오른손이 환자의 오른쪽 어깨뼈봉우리에 올라가고, 왼손은 어깨뼈 아래쪽과 중간 경계에 닿는다. 이때 환자는 "어깨뼈를 내려서 뒤로 밀어라"라는 지시를 받는다.

B. 종료 범위. 치료사가 환자의 노력을 저지하기 위해서 뒤쪽 다리에 체중을 실을 때 환자는 범위 끝까지 움직임을 계속 취한다.

중재 9-7 어깨뼈 뒤쪽 올림

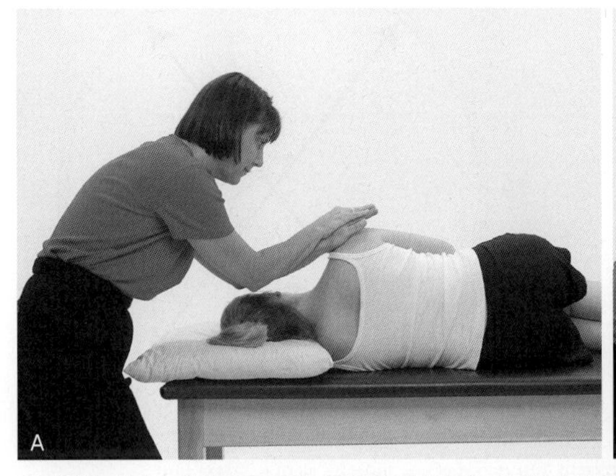

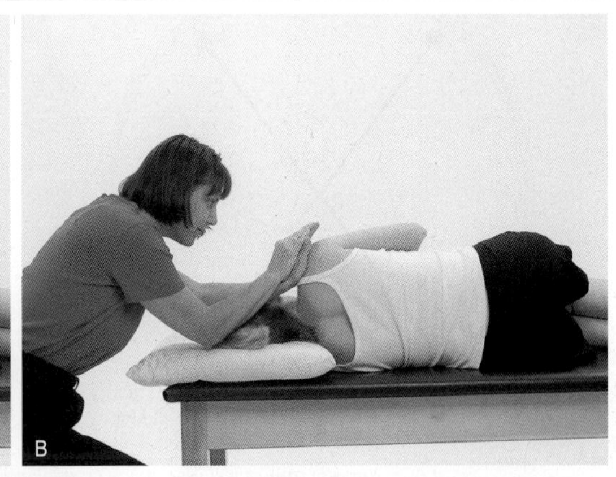

이 패턴은 환자가 왼쪽으로 돌아누워 있을 때 오른쪽 어깨뼈에서 시작한다. 치료사는 가까운 탁자 끝에 대각선 상으로 환자의 머리 약간 뒤쪽에 선다.

A. 시작점. 치료사는 왼손을 환자의 오른쪽 어깨뼈봉우리 약간 뒤쪽에 놓고, 오른손으로 왼손을 덮는다.

B. 종료 범위. 환자가 어깨뼈를 올리고 모을 때 치료사는 체중을 뒤쪽으로 옮긴다.

중재 9-8 어깨뼈 앞쪽 내림

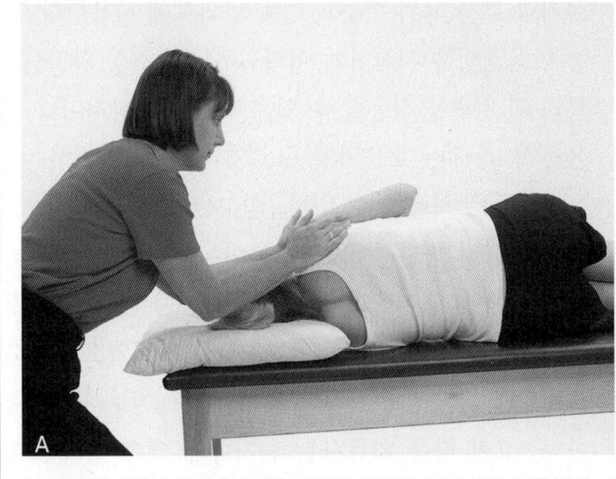

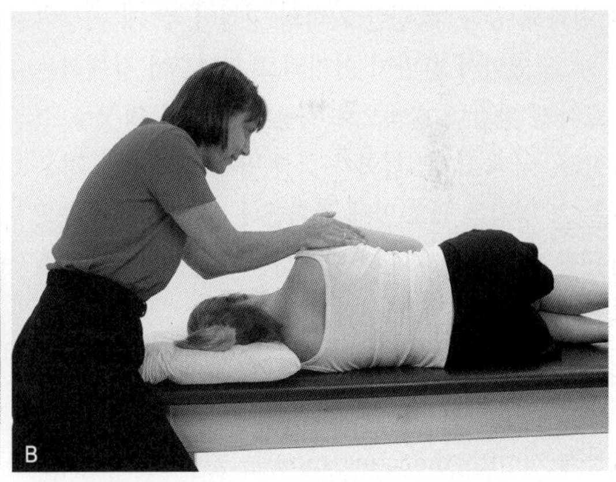

이 패턴은 왼쪽으로 돌아누운 환자의 오른쪽 어깨뼈에 적용한다. 치료사는 가까운 탁자 머리쪽에서 환자의 머리 약간 뒤쪽에 선다.

A. 시작점. 맨손 접촉은 환자의 오른쪽 어깨뼈봉우리 약간 앞쪽에서 이루어지고, 치료사의 왼손이 오른손 아래로 들어간다. 환자는 "어깨뼈를 내려서 앞으로 밀어라"라는 구두 지시를 받는다.

B. 종료 범위. 환자가 어깨뼈를 내려서 모을 때 치료사는 체중을 앞쪽으로 옮긴다.

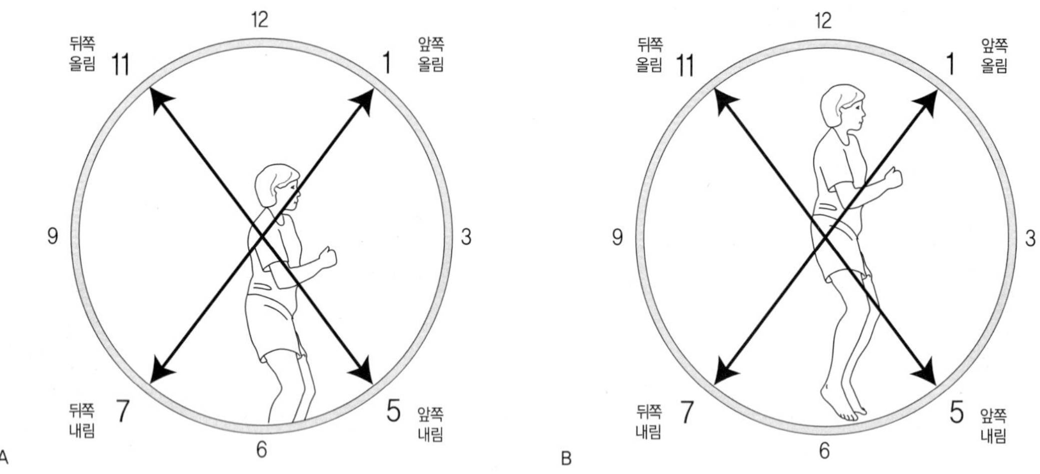

그림 9-3. 어깨뼈와 골반 대각선 패턴. 시계 시각화는 어깨뼈와 골반 대각선 패턴을 파악하는 데 아주 유용한 방법이다. **A.** 어깨뼈 대각선 패턴의 축은 오른쪽 어깨다. 뒤쪽 올림은 대각선 방향으로 앞쪽 내림의 맞은편에 위치하고, 앞쪽 올림은 대각선 방향으로 뒤쪽 내림의 맞은편에 위치한다. **B.** 이 움직임의 축은 오른쪽 엉덩이다.

일부 기법들은 운동범위를 제한하는 단축된 조직의 문제를 해결해 준다. 다른 기법들은 움직임의 시작을 촉진한다. 각 기법들의 명칭은 중점을 두고 다루는 부분을 나타낸 것이다. 이러한 명칭은 지난 수십 년 동안 진화해 왔다. 특정한 기법의 명칭이 두 개 이상이 될 수도 있어서 혼란이 야기되고 있다. 이 장에서는 치료사가 가장 일반적으로 사용하는 기법 명칭을 소개한다. 국제 PNF 협회가 다른 용어를 제안한 경우에는 그 명칭을 괄호 안에 표기했다. 이러한 기법들은 가동성 단계부터 시작해 발달하는 운동조절의 각 주요 단계에 따라서 나타난다.

율동적 개시(Rhythmic Initiation)

율동적 개시(rhythmic initiation)는 움직임 시작과 협응, 혹은 이완의 결핍으로 손상되는 가동성을 개선하는 데 중점을 두는 기법이다. 이 기법은 먼저 수동운동으로 시작해 능동보조 운동과 능동적이거나 약간 저항을 받는 운동이 순차적으로 적용되는 것과 관련이 있다. 수동운동은 이완을 증진하고 움직임이나 과제를 가르치기 위해 사용한다. 이완이 이루어지면 환자에게 도움을 청한다. 치료사는 지속적으로 환자의 움직임 전략을 주시한다. 적절한 동원 패턴들이 있다면 진행이 계속되므로 맨손 접촉은 그대로 유지되지만 치료사의 도움이 제공되지 않는다. 가벼운 저항을 더해서 근육 수축을 촉진하고 움직임 패턴을 강화할 수 있다. 이 기법은 특히 가르치는 도구로 어떤 패턴이나 활동에도 성공적으로 사용할 수 있다. 주로 구르기와 같은 하위 수준의 기능적 과제에 사용한다. 기능적 움직임을 시작하기 어려워하는 과긴장 환자들이 특히 이 기법을 적용할 수 있는 적합한 대상자이다.

율동적 개시는 효율적인 구르기 패턴을 촉진하는데 성공적으로 사용할 수 있다. 환자는 구르려는 쪽으로 머리를 돌려 눕기 시작한다. 돌아누운 쪽의 팔은 미리 몸에서 멀리 떨어뜨려 놓는다. 치료사는 환자의 몸통과 팔다리에 맨손 접촉을 하면서 환자를 옆으로 돌려 눕히면서 환자에게 그러한 움직임을 느껴보라고 요구한다. 그런 다음 치료사는 환자에게 맨손 접촉 부위 쪽으로 움직이라고 지시한다. 여기서는 환자의 운동 동원과 원하는 움직임을 계속 증진시키는 것이 목표다. 촉진적 맨손 접촉은 그대로 유지하지만 도움은 점차적으로 줄여 나간다. 치료사는 적절할 때 환자의 몸통이나 팔다리에 맨손 접촉을 가해 구르기 움직임에 약간의 저항을 가할 수 있다.

율동적 돌림(Rhythmic Rotation)

율동적 돌림의 특징은 돌림 패턴에 수동운동을 적용

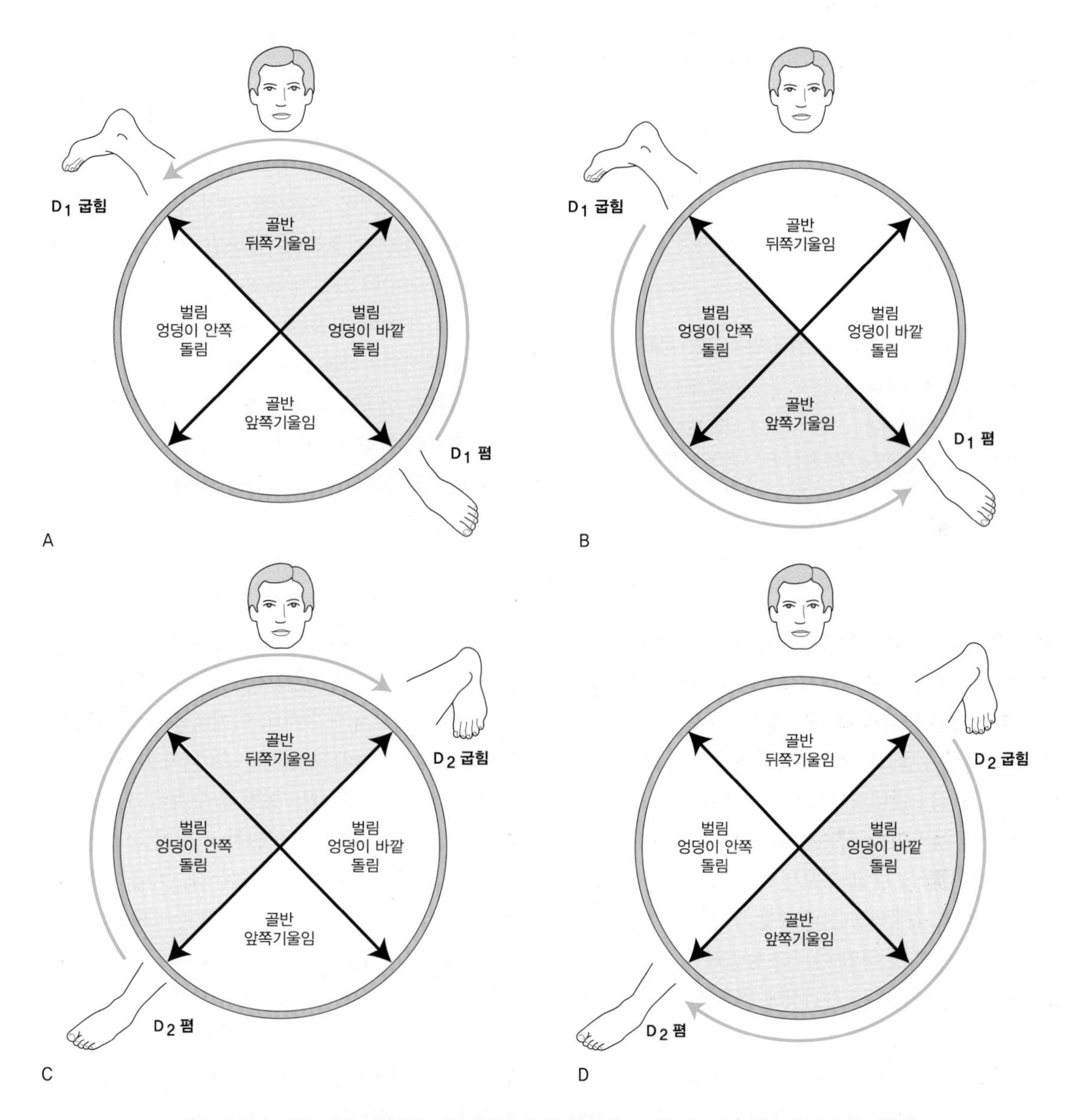

그림 9-4. 다리 대각선 패턴. 다리의 두 가지 주요한 대각선 패턴들(D_1, D_2)을 보여 준다. 학습자는 상기의 그림 위쪽에 머리를 두고 왼쪽 다리를 움직이는 사람과 같은 방향으로 서야 한다. 발 위치는 학습자가 정확한 조합으로 움직임을 수행할 수 있도록 이끌어 준다. 팔과는 달리 엉덩이 안쪽 돌림은 항상 벌림과 쌍을 이루어야 하고, 엉덩이 가쪽 돌림은 언제나 모음과 쌍을 이루어야 한다. 그늘진 영역들은 (**A**) D_1 굽힘과 (**B**) D_1 폄, (**C**) D_2 굽힘, (**D**) D_2 폄 패턴들의 구성요소를 나타낸다. 예컨대 D_1 굽힘을 수행하려면 발을 D_1 폄 위치에 놓고(보호적으로 걸음을 내딛는 것처럼 발을 옆으로 뻗고), A에 나타낸 그늘진 영역들을 수행한다. 그러면 발이 D_1 굽힘 위치에 가고 발바닥이 뒤집어지면서 이 패턴이 종료된다(왼다리를 오른다리 위로 꼬아 올릴 때와 유사하다). D_1 폄을 수행하려면 B를 보고 발을 D_1 발 위치에 둔다. 그러고는 그늘진 영역들을 역순으로 수행한다. D_2 굽힘을 수행하려면 왼발을 D_2 폄 위치에 놓는다. D_2 발 위치에 도달하려면 오른쪽 다리를 옆으로 뻗어서 왼발이 몸의 정중선을 넘어가게 한다. 독자가 C의 그늘진 영역들을 수행하면 발이 D_1 굽힘 발 위치에 도달해서 개가 소화전 앞에서 한 다리를 들고 있는 것 같은 자세와 유사해진다. D_2 폄은 축구공을 찰 때처럼 역순으로 수행한다.

표 9-7 다리 D_1 굽힘–굽힘/모음/가쪽 돌림–무릎 굽힘

관절	시작 위치	종료 위치
골반	뒤쪽 내림	앞쪽 올림
엉덩이	폄/벌림/안쪽 돌림	굽힘/모음/가쪽 돌림
무릎	폄	굽힘
발목	발바닥 쪽 굽힘/가쪽 번짐	발등굽힘/안쪽 번짐

표 9-8 다리 D_1 폄–폄/벌림/안쪽 돌림–무릎 폄

관절	시작 위치	종료 위치
골반	앞쪽 올림	뒤쪽 내림
엉덩이	굽힘/모음/가쪽 돌림	폄/벌림/안쪽 돌림
무릎	굽힘	폄
발목	발등굽힘/안쪽 번짐	발바닥 쪽 굽힘/가쪽 번짐

하는 것이다. 이러한 움직임은 신체 전체 이완이나 긴장 감소를 촉진하기 위해서 느리게 율동적으로 이루어진다. 이 움직임의 목표는 능동적이거나 수동적인 관절 가동성을 좀 더 강화하기 위해서 경직(spasticity)을 감소시키는 것이다. 치료사는 세로축을 중심으로 느린 돌림 움직임을 적용시킨다. 환자가 이완하라는 지시대로 긴장을 풀고 있으면 치료사가 환자의 도움 없이 그러한 움직임들을 수행할 수 있다. 이런 기법은 휴지 시 근긴장 뿐만 아니라 능동적인 움직임을 시도하는 동안 나타나는 과긴장에 영향을 미칠 수 있다(Sullivan 등, 1982).

율동적인 돌림의 실례로는 양 무릎을 굽혀 세우고 누운 자세에서 아래쪽 몸통을 돌리는 것이 있다. 이때 환자는 누워서 엉덩이와 무릎을 굽히고 발을 바닥에 편평하게 댄다. 치료사는 무릎을 꿇고 환자의 한쪽 발치에서 무릎을 마주 보고 앉아 다리 안정화를 돕는다. 맨손 접촉은 환자의 무릎 가쪽이나 넓적다리 위쪽의 적절한 곳에 유지시켜 환자의 적절한 조절을 유도한다. 치료사의 몸통이 환자의 다리와 함께 하나의 단위로 움직이면 환자의 무릎이 좌우로 움직이면서 아래쪽 몸통이 돌아간다.

유지 이완 능동적 움직임(Hold Relax Active Movment)

유지 이완(hold relax) 능동적 움직임(복제) 기법은 작용근(agonist)의 늘어난 범위 내에서 근육 수축 동원을 촉진해 기능적인 가동성을 향상시킨다. 움직임 패턴의 한 방향만 강조한다. 짧아진 범위 내에서 작용근 패턴의 저항이 가해진 등척성 수축은 근육 방추 민감성을 증진할 때 사용한다. 최적의 수축이 이루어지면 환자는 이완하라는 지시를 받는다. 그런 다음에 치료사가 환자 반응에 따라서 그 부위를 점차적으로 늘어난 위치로 이동시킨다. 빠른 신장은 환자에게 작용근 패턴으로 움직이라는 지시를 내림과 동시에 적용할 수 있다. 가벼운 저항은 의무적으로는 아니라도 가끔은 촉진 요소로 적용한다.

어깨뼈 패턴의 앞쪽 올림을 조절하는 환자의 능력은 유지 이완 능동적 움직임으로 향상시킬 수 있다. 환자는 옆으로 돌아눕고, 치료사는 그 뒤쪽에 무릎을 꿇고 앉는다. 치료사가 환자의 어깨뼈를 수동적으로 앞쪽 올림 위치에 놓으면 환자는 그 위치를 유지하라는 지시를 받는다. 치료사는 등척성 수축에 저항을 가한다. 그러고 나서 환자는 이완하고 어깨를 가볍게 뒤로 움직여 뒤쪽 내림 위치에 놓는다. 이때 환자는 어깨를 "당겨 올려라"라는 지시를 받고 어깨를 뒤로 움직여 앞쪽 올림 위치에 놓는다. 이러한 동작은 능동적으로 수행하거나 저항을 가해 수행할 수 있다. 환자는 앞쪽 올림의 종료 위치를 한 번 더 유지하고 나서 구두 지시에 따라 몸을 이완시키고, 이어서 뒤쪽 내림 위치로 이동한다. 이러한 순환은 환자가 전체 패턴을 끝낼 때까지 매번 커지는 범위만큼 움직일 때 반복된다.

유지 이완(Hold Relax)

유지 이완 기법의 목적은 수동적인 관절 가동성을 높이고, 움직임과 관련된 통증을 줄이는 것이다. 이 기법의 주요 구성 요소로는 저항을 가한 등척성 수축과 구두 지시, 능동적이거나 수동적인 신장이 있다. 환자나 치료사는 관절이나 신체 분절을 통증이 없는 동

중재 9-9 다리 D_1 굽힘

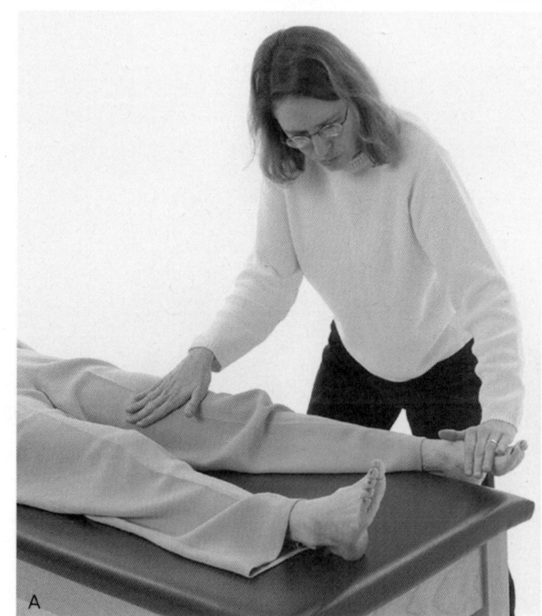

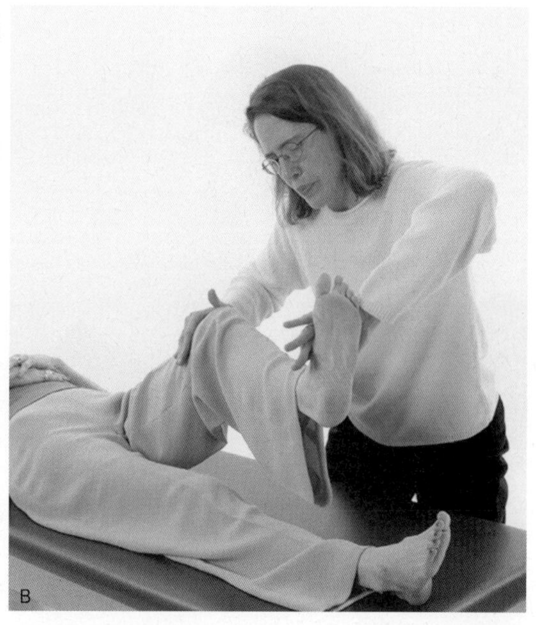

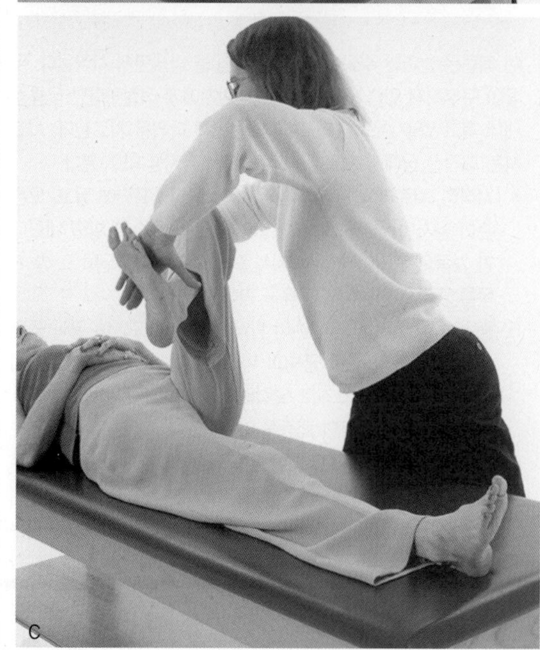

이 패턴은 환자의 왼쪽 다리에 적용하고, 늘어난 주요 근육들(폄)부터 다루기 시작한다. 이때 환자는 엉덩이가 구부러질 때 무릎을 굽히기 위해서 등척성 무릎 폄을 계속 유지하거나 상기의 그림처럼 움직인다.

A. 시작점. 치료사는 대각선 상에 서서 환자의 발을 마주 본다. 대안으로 환자의 머리를 마주 보고 시작할 수도 있다. 치료사가 왼손을 환자의 발등에 올리고, 오른손을 넓적다리 앞 안쪽에 올려놓는다. 환자는 "발을 올려서 안으로 당기고 다리를 반대쪽 다리를 가로질러 들어 올려라"라는 지시를 받는다. 치료사는 발목 발등굽힘과 안쪽 번짐을 촉진하고, 이어서 모음과 안쪽 돌림과 함께 엉덩이 굽힘을 촉진한다. 무릎은 상기의 그림에서처럼 구부러지지만 환자의 치료 목적에 따라서 펴질 수도 있다.

B. 중간 범위. 환자가 이 패턴의 중간 범위까지 다리를 움직였을 때 치료사는 몸을 돌려 환자의 머리를 마주 본다. 먼쪽의 손 위치는 그대로 유지한다. 몸쪽의 손은 환자 개인의 요구를 충족시키기 위해서 필요하다면 적절하게 움직여 환자의 움직임을 촉진하거나 억제한다.

C. 종료 범위. 환자가 이 패턴을 완수할 때 치료사는 대각선 상에서 체중을 뒤쪽 팔로 옮긴다. 그렇게 하면 필요할 때 좀 더 효율적으로 환자에게 저항을 제공할 수 있다. 맨손 접촉은 앞서와 동일하게 유지한다. 하지만 몸쪽의 손은 환자에게 최적의 엉덩이 굽힘과 모음, 안쪽 돌림 조합을 만들어 주기 위해서 움직일 수 있다.

중재 9-10 다리 D_1 폄

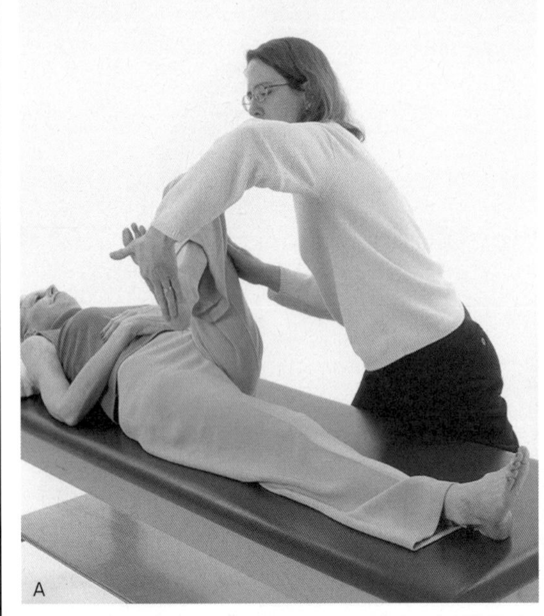
A

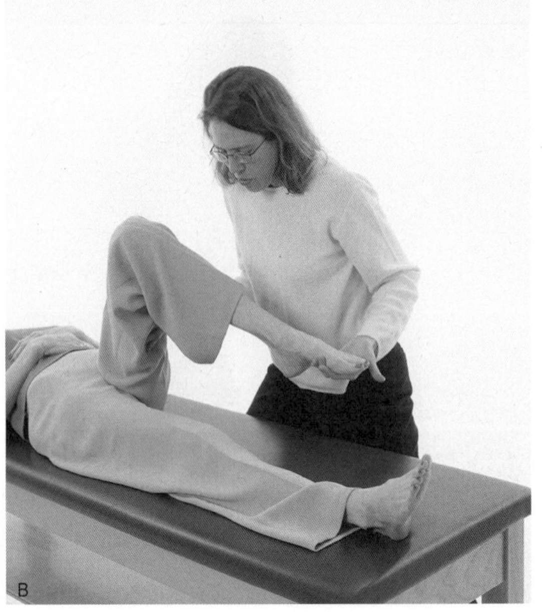
B

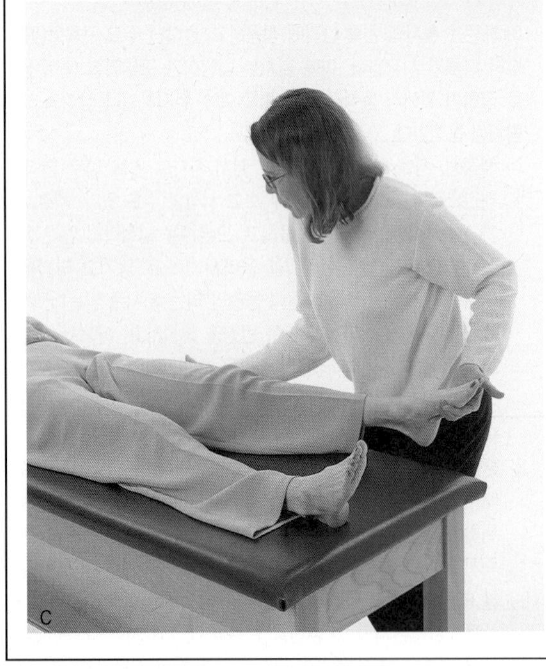
C

이 패턴은 늘어난 주요 근육 집단(굽힘)을 다루면서 시작된다. 무릎이 구부러져 있다가 펴진다. 물론 환자에게 적절하다면 무릎을 내내 펴고 있을 수도 있다. 여기서는 왼쪽 다리를 치료한다. 치료사는 대각선 상에서 치료대 가까이 서서 환자를 마주 본다.

A. 시작점. 치료사의 왼손이 환자 발의 발바닥 표면에 닿고, 오른손이 환자의 뒤 가쪽에 닿는다. 환자는 "내 손을 밟아 내렸다가 가쪽으로 밀어라"라는 지시를 받고 발바닥을 굽히고 발 가쪽을 들면서 엉덩이와 무릎을 편다.

B. 중간 범위. 치료사의 왼손이 환자의 발바닥 표면에 닿아 돌면서 최적의 발바닥 쪽 굽힘과 가쪽 번짐을 증진시켜 준다. 치료사는 환자에게 스스로 노력해서 움직일 공간을 확보해 주기 위해서 필요하다면 체중을 이동시킨다.

C. 종료 범위. 환자는 치료대에 발이 닿을 때까지 이 패턴을 수행한다. 맨손 접촉은 중간 범위에서와 유사하다. 치료사는 대각선 상에서 필요하다면 계속해서 체중을 이동시킨다. 환자는 엉덩이를 보다 더 많이 펴기 위해서 치료대 가장자리로 더 가까이 이동할 수 있다.

표 9-9 다리 D_2 굽힘-굽힘/벌림/안쪽 돌림-무릎 굽힘

관절	시작 위치	종료 위치
골반	뒤쪽 내림	앞쪽 올림
엉덩이	폄/모음/가쪽 돌림	굽힘/벌림/안쪽 돌림
무릎	폄	굽힘
발목	발바닥 쪽 굽힘/안쪽 번짐	발등굽힘/가쪽 번짐

표 9-10 다리 D_2 폄-폄/모음/가쪽 돌림-무릎 폄

관절	시작 위치	종료 위치
골반	앞쪽 올림	뒤쪽 내림
엉덩이	굽힘/벌림/안쪽 돌림	폄/모음/가쪽 돌림
무릎	굽힘	폄
발목	발등굽힘/가쪽 번짐	발바닥 쪽 굽힘/안쪽 번짐

작의 한계 내에서 움직인다. 환자가 이 자세를 유지하는 동안 치료사는 대항근 집단의 등척성 수축에 저항한다. 이렇게 하면 근육들이 원하는 움직임의 방향을 제한한다. 치료사가 적용한 저항의 강도를 점차적으로 높일 때 "유지"하라는 구두 지시를 한다. 환자는 천천히 이완하라는 지시를 받는다. 가능한 경우 관절이나 신체 분절을 더 큰 운동범위까지 움직인다. 치료사는 이러한 움직임을 수동적으로 수행하지만 능동적인 환자-조절 움직임이 더 낫다. 특히 통증이 요인이 될 때는 더더욱 그러하다. 모든 단계들은 운동범위가 더 이상 개선되지 않을 때까지 반복된다. 전통적인 방법의 변형은 대항근이 아니라 작용근의 등척성 수축을 이끌어 내고, 이어서 능동적이거나 수동적인 움직임을 더 큰 범위까지 진행시켜 나가는 것이다(Prentice, 2001).

유지 이완 기법은 바로 편 다리를 들어 올릴 때처럼 무릎 폄과 동시에 엉덩이 굽힘을 효과적으로 증진시키는 데 사용할 수 있다. 무릎 폄과 함께 엉덩이 굽힘(작용근 움직임)이 제한되면 엉덩이 폄근과 무릎 굽힘근, 혹은 넙다리뒤인대가 제한하는 근육(대항근)이 된다. 중재 13-3에 나타난 바와 같이 사람이 바로 누워서 능동적으로나 수동적으로 다리를 곧게 펴서 들어올린다. 엉덩이 폄근(넙다리뒤인대)이나 대안적으로 엉덩이 굽힘근(엉덩허리근/넙다리곧은근 rectus femoris)의 등척성 수축은 앞서의 자세를 "유지"하라는 지시를 받을 때 나타난다. 5초 동안 수축이 유지되고 나면 저항이 천천히 사라지면서 환자는 이완하라는 지시를 받는다. 능동적으로나 수동적으로 엉덩이 굽힘의 범위를 더 넓히려고 시도한다.

수축 이완(Contract Relax)

수축 이완 기법은 수동적인 관절 가동 범위를 넓히고, 물렁조직의 길이를 늘이는 또 다른 방법을 제공한다. 이 기법은 두 관절 근육의 길이 감소를 다루고, 통증이 중요한 요인이 되지 않을 때 가장 적절하고 효과적이다. 이 기법의 주요 구성 요소에는 짧은 근육의 저항을 받는 등장성 및 등척성 수축과 구두 지시, 능동적이거나 수동적인 신장이 있다. 치료사나 환자는 관절이나 신체 분절을 가능한 운동범위의 끝까지 움직인다. 여기서는 "돌려서 밀거나 당겨라"라는 구두 지시가 내려진다. 저항은 돌림을 제외한 모든 동작을 이겨낸다. 그 결과로 돌림 요소의 저항을 받는 동심성(concentric) 수축과 남은 근육의 등척성 수축이 나타난다(Sullivan 등, 1982; Knott와 Voss, 1968; Kisner와 Colby, 2007). 강한 근육 수축이 일어나 최소 5초 동안 유지된다. 수축 후, 환자는 이완되고 관절이나 신체 분절은 수동적인 운동범위의 새로운 한계까지 능동적으로나 수동적으로 재배치된다. 유지 이완에서처럼 더 이상의 이득이 없을 때까지 움직임이 순서대로 반복된다. 이 기법을 사용하면 근육 긴장이 비교적 급작스럽게 변하지만 유지 이완 시에는 점진적으로 변한다.

어깨 운동범위를 증가시켜 D_2 굽힘-굽힘/벌림/가쪽 돌림을 수행하는 것은 수축 이완을 적절하게 치료적으로 사용하는 실례이다. 이때 팔은 D_2 굽힘 패턴의 가능한 범위 끝에 위치한다. 어깨와 팔 폄근은 짧은 근육이자 움직임을 굽힘으로 제한하는 근육으로 구별된다. 환자는 팔을 올려서 가쪽으로 밀어내 D_2 굽힘 패턴을 취하라는 지시를 받는다. 어깨 폄근과 벌림근

중재 9-11 다리 D_2 굽힘

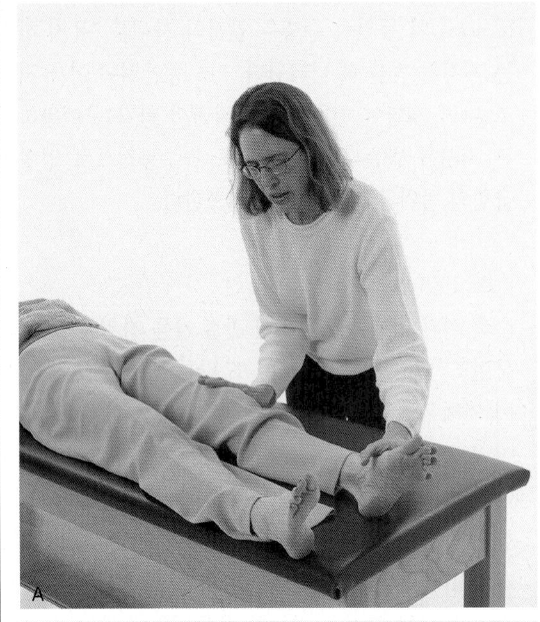

A

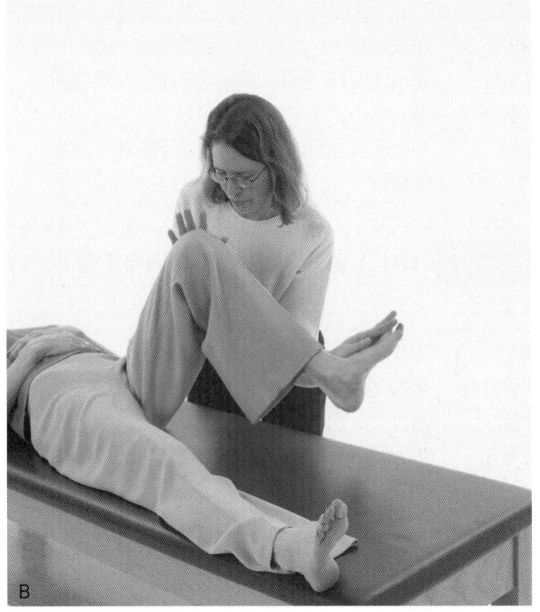

B

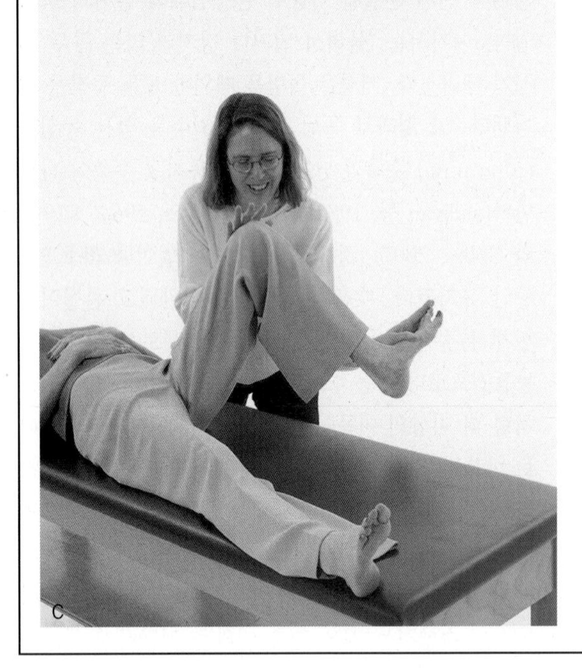

C

이 패턴은 왼쪽 다리에서 나타난다. 치료사는 대각선 상에 서서 환자의 발을 마주 보고, 왼손을 환자의 발에, 오른손은 환자의 넓적다리에 올린다.

A. 시작점. 치료사가 왼손을 환자의 발 뒤 가쪽에 대고, 오른손을 환자의 넓적다리 앞 가쪽에 댄다. 환자는 "발을 올려서 가쪽으로 밀고 다리를 옆으로 들어 올려라"라는 지시를 받는다. 이 움직임 패턴의 정상적인 타이밍을 개선하기 위해서 범위 초기에 발목 발등굽힘과 가쪽 번짐을 거의 범위 전체까지 수행해야 한다. 이렇게 되면 치료사가 환자의 팔다리를 조절하는 능력을 개선할 수 있는 '손잡이(handle)'가 생긴다.

B. 중간 범위. 치료사는 대각선 상에서 환자의 노력을 최적화하기 위해 체중을 이동시킨다. 몸쪽 접촉(오른손)은 이러한 움직임의 질을 향상시키기 위해 이동될 수 있다. 예컨대 엉덩이 안쪽 돌림이 부적절하다면 치료사가 환자의 넓적다리 안쪽으로 손을 이동시킬 수 있다.

C. 종료 범위. 환자가 이 패턴을 완수할 때 치료사는 자신의 몸과 손 위치를 미묘하게 조절해서 환자의 운동반응을 향상시킬 수 있다.

중재 9-12 다리 D_2 폄

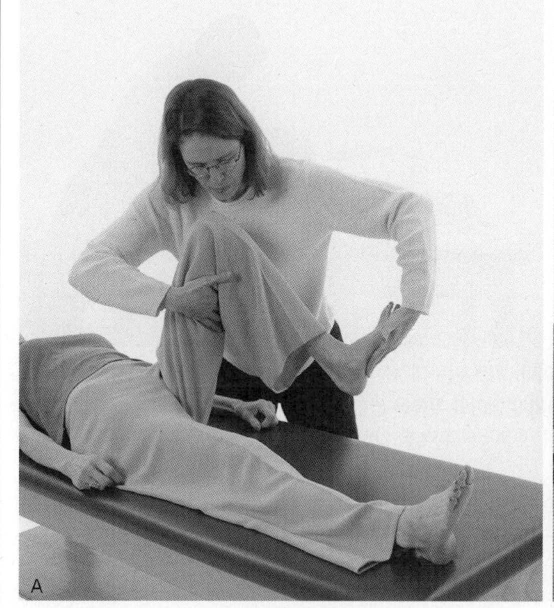

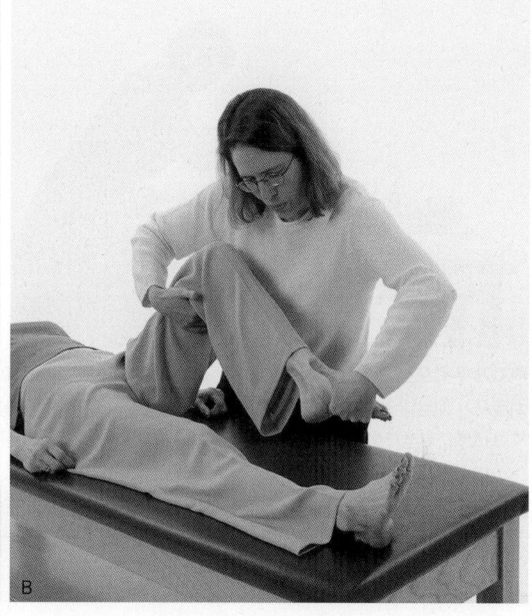

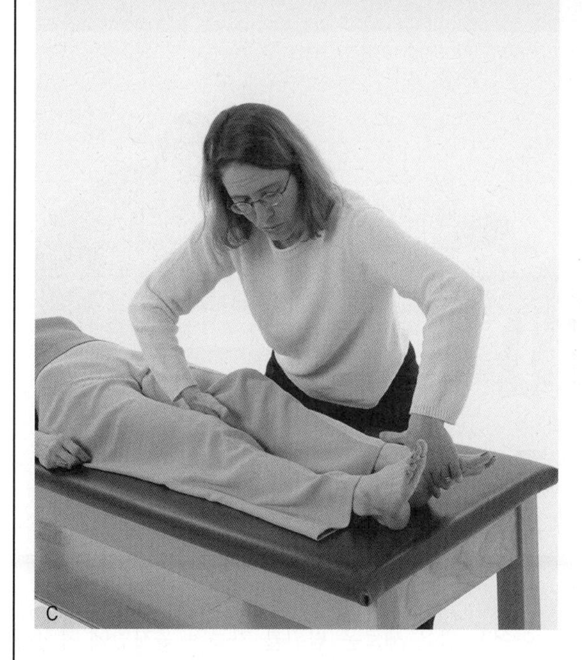

이 패턴은 이 패턴의 늘어난 위치(굽힘)에서 시작된다. 치료사가 대각선 상에 서서 환자의 발을 마주 본다. 치료사의 왼손은 환자의 다리에서 먼쪽에, 오른손은 몸쪽에 위치한다. 이 패턴의 마지막 부분에서 엉덩이 모음을 더욱 증가시키기 위해서 환자의 다리는 미리 벌어져 있을 수 있다. 환자는 엉덩이 폄의 범위를 보다 더 넓히기 위해서 치료대 가장자리 가까이에 누워 있거나 옆으로 누워 있을 수 있다.

A. 시작점. 맨손 접촉의 상태는 치료사의 왼손이 환자의 발 안쪽과 발바닥 쪽에 닿고, 오른손이 넓적다리 뒤쪽에 닿는다. 이 경우에 치료사의 손은 뒤 안쪽이 드러나서 엉덩이 모음을 촉진하고, 이 패턴의 일반적인 방향을 잡아주도록 돕는다. 환자가 엉덩이 가쪽 돌림을 어려워한다면 뒤 가쪽 접촉으로 환자의 노력을 북돋아줄 수 있다. "내 손을 밟아 내려라"라는 구두 지시를 받은 환자는 발바닥 쪽을 굽히고 발 가쪽을 들면서 엉덩이와 무릎을 편다.

B. 중간 범위. 치료사의 왼손이 환자의 발바닥 쪽 표면에 닿은 채 돌아가면서 최적의 발바닥 쪽 굽힘과 가쪽 번짐을 개선한다. 치료사는 환자의 움직임과 노력을 위한 공간을 확보해 주기 위해서 필요하다면 체중을 이동시킨다.

C. 종료 범위. 환자가 이 패턴을 끝내고 치료대에서 휴식을 취한다. 맨손 접촉은 중간 범위에서와 유사하다. 치료사는 대각선 상에서 필요하다면 계속해서 체중을 이동시킨다. 환자는 엉덩이 폄을 증진시키기 위해서 치료대 가장자리 가까이에 자리를 잡을 수 있다.

중재 9-13 골반 앞쪽 올림

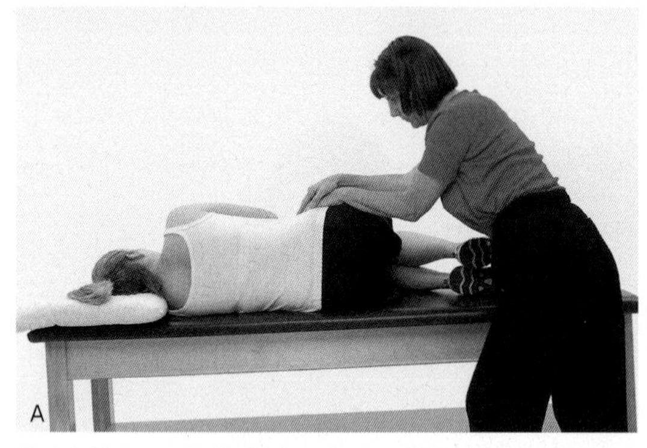

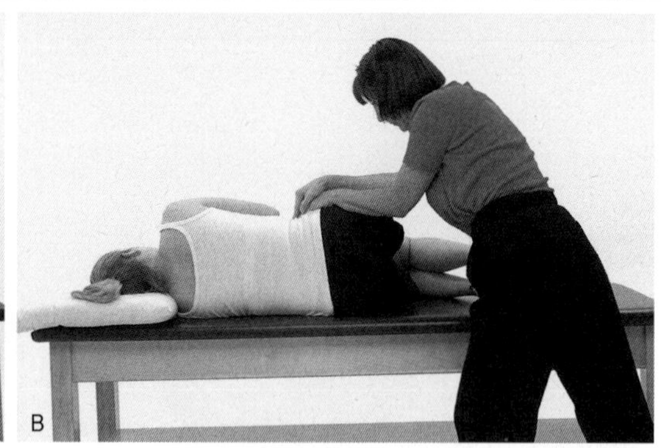

환자가 왼쪽으로 돌아누워서 골반 앞쪽 올림 패턴을 취하는 자세이다. 치료사는 대각선 상에서 환자 뒤쪽에 서서 환자를 마주 본다. 치료사가 치료대 높이에 따라서 환자의 위치를 조절하기 위해 환자의 엉덩이와 무릎을 굽힌다.

A. 시작점. 치료사의 왼손이 환자의 오른쪽 위앞엉덩뼈가시에 닿고, 오른손은 왼쪽을 강화한다. 환자는 "골반을 위로 올려 앞으로 밀어라"라는 지시를 받는다.

B. 종료 범위. 환자가 이 패턴을 완수할 때 치료사의 몸이 이 패턴의 방향을 따라 움직인다.

중재 9-14 골반 뒤쪽 올림

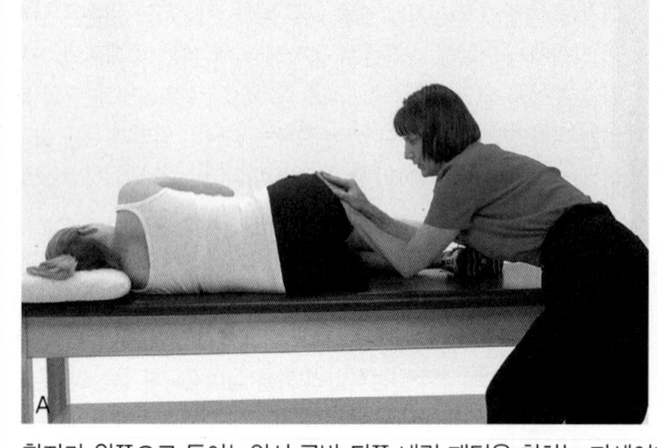

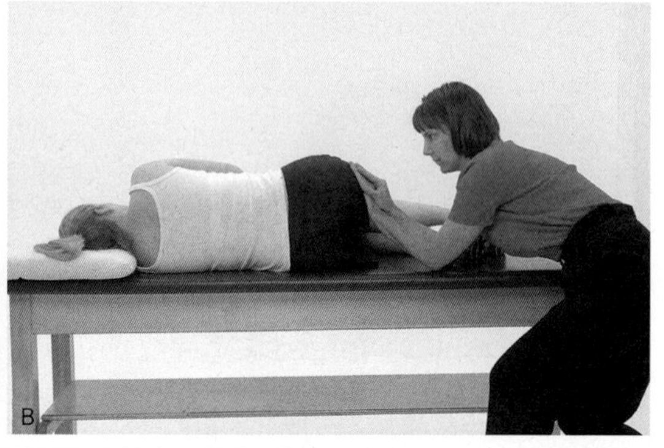

환자가 왼쪽으로 돌아누워서 골반 뒤쪽 내림 패턴을 취하는 자세이다.

A. 시작점. 치료사의 왼손이 환자의 오른쪽 궁둥뼈결절에, 오른손이 왼쪽 궁둥뼈결절 위에 닿는다. 환자는 "내 손을 깔고 앉아라"라는 지시를 받는다.

B. 종료 범위. 환자가 범위 끝까지 움직임을 수행할 때 치료사는 체중을 뒤쪽 다리로 옮긴다.

의 등척성 수축은 최소 5초 동안 유지하면서 가능한 범위까지 저항을 받는 돌림을 시행한다. 그런 다음에 "이완"하라는 지시가 떨어진다. 팔은 환자나 치료사의 힘으로 더욱 더 구부러지고 벌어지며 가쪽으로 돌아가면서 동작의 새로운 한계가 정해진다. 이러한 기법은 더 이상의 개선이 나타나지 않을 때까지 반복된다. 이어서 팔은 새로운 범위를 기능적 움직임에 통합해 넣기 위해서 굽힘/벌림/가쪽 돌림과 폄/모음/안쪽 돌림의 팔 D_2 패턴을 통해 저항을 받는다.

교대적인 등척성(Alternating Isometrics)

교대적인 등척성 기법[등장성 안정적 반전(stabilizing

중재 9-15 올리기 패턴

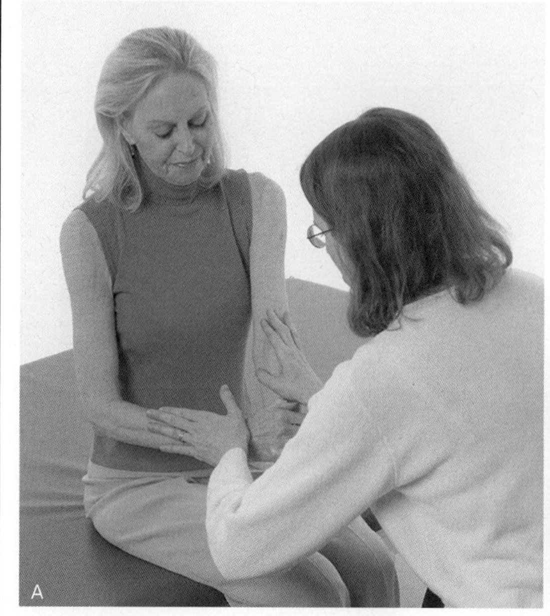

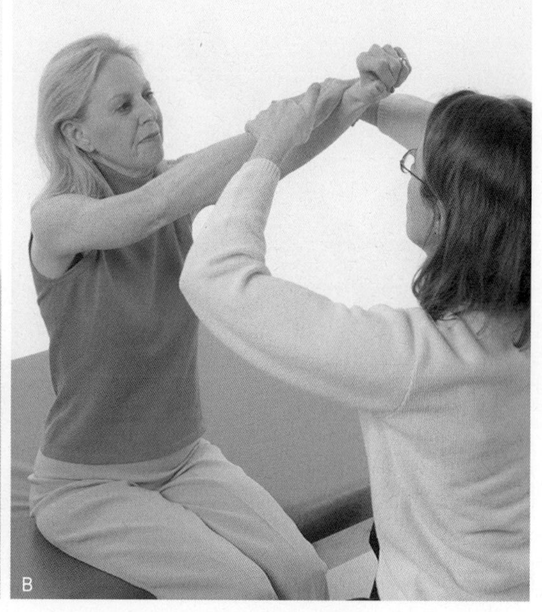

왼손을 들어 올리기 패턴으로, 이끄는 왼팔이 D_2 굽힘 패턴을 수행한다. 이 중재에서 선택할 수 있는 적절한 맨손 접촉은 매우 많다. 치료사와 환자는 서로 마주 보고 앉는다. 하지만 바로 눕기와 무릎 서기, 서기를 포함한 다양한 자세에서 이 활동을 수행할 수 있다. 환자가 모든 몸통 패턴을 수행할 때 자신의 손을 바라보도록 장려한다.

A. 시작점. 치료사는 환자의 아래팔 뒤쪽에 맨손 접촉을 가해 이끄는 왼팔의 D_2 굽힘 패턴을 촉진한다. 또한 아래팔 앞쪽에 맨손 접촉을 가해 오른쪽 팔의 D_1 굽힘 패턴을 개선하기도 한다. 이때 환자는 "왼손을 돌려 올리고 양팔을 왼쪽 어깨 너머로 올려라"라는 지시를 받는다.

B. 중간 범위. 치료사는 이 패턴의 범위 내내 환자의 몸통 위치를 관찰하면서 능동적으로 몸통을 바로 세운다. 몸통 폄과 돌림을 향상시키기 위해서 추가적인 구두 지시를 주거나 맨손 접촉을 바꿀 수 있다.

C. 종료 범위. 환자가 몸통 돌림과 폄을 포함해 이 패턴의 범위를 완수할 때 치료사는 그 움직임을 따라하고, 최적의 환자 반응을 개선하기 위해서 권장되는 저항을 가한다.

reversals), 교대적 유지]은 식별된 근육 집단이나 특정한 자세의 안정성과 근력, 지구력을 증진시켜 준다. 작용근과 대항근 집단의 모두의 등척성 수축을 교대로 촉진한다. 맨손 접촉과 구두 지시는 주요한 촉진 요소들이다. 몸쪽 팔다리 관절이나 몸통 안정성이 공통적인 초점일 때 이러한 기법은 종종 발달 자세에서 적용된다. 하지만 양측이나 편측 팔다리 패턴에도 사용할 수 있다.

중재 9-16 올리기 역행 패턴

A

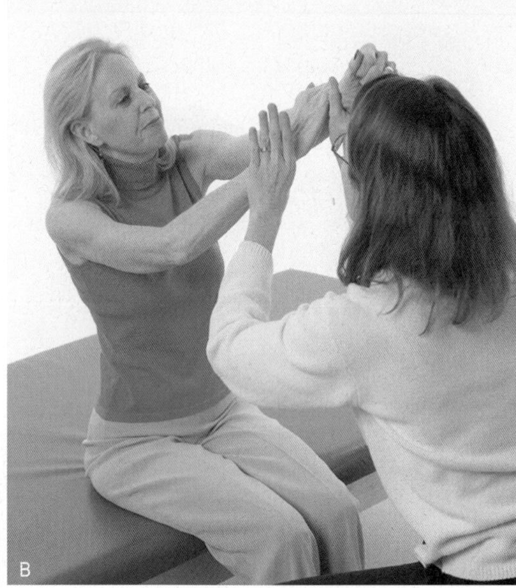
B

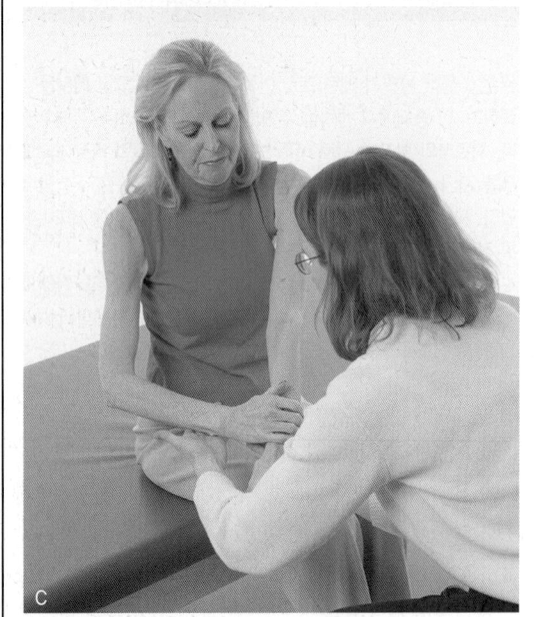
C

왼쪽 올리기 역행 패턴은 이끄는 왼손이 D_2 폄 유형을 수행하는 움직임이다. 치료사와 환자는 둘 다 앉기 자세를 취한다. 이 실례에서는 먼쪽 팔에 맨손 접촉을 가한다.

A. 시작점. 치료사는 한 손을 환자의 아래팔 오른쪽 등쪽에 놓고, 다른 손을 환자의 아래팔 왼쪽 앞쪽이나 손목에 댄다. 환자는 "왼손으로 주먹을 쥐고 엄지를 아래로 내려 양팔을 오른쪽 엉덩이 쪽으로 가져가라"라는 지시를 받는다.

B. 중간 범위. 치료사는 환자가 움직일 공간을 확보해 주기 위해서 체중을 이동시킨다. 맨손 접촉은 환자의 팔 위치 변화에 맞추어 약간 이동될 수 있다. 치료사는 굽힘과 돌림의 희망하는 수준을 개선하기 위해서 환자의 몸통을 주시하고 구두 지시나 맨손 지시를 보낸다.

C. 종료 범위. 환자가 팔와 몸통 움직임을 적절한 범위까지 완수할 때 치료사는 최적의 환자 반응을 이끌어 내기 위해서 체중과 손 위치를 바꾼다.

맨손 저항은 작용근의 등척성 수축을 촉진하기 위해 가한다. 일단 최적의 반응이 나오면 치료사가 한 손을 대항근 위쪽으로 옮겨 새로운 위치에 놓고, 점점 적절한 방향으로 저항을 증가시킨다. 두 번째 손은 저항 방향이 다음에 다시 변경될 때까지 새로운 위치로 움직이거나 접촉면에서 떨어질 수 있다. 맨손 접촉은 작용근과 대항근 집단 사이의 수축을 점진적으로 이동시키기 위해서 부드럽게 조절한다.

교대적인 등척성은 지지 없이 앉기 자세에서의 몸통 안정성을 증진할 때 사용할 수 있다. 치료사는 몸통

중재 9-17 내려치기 패턴

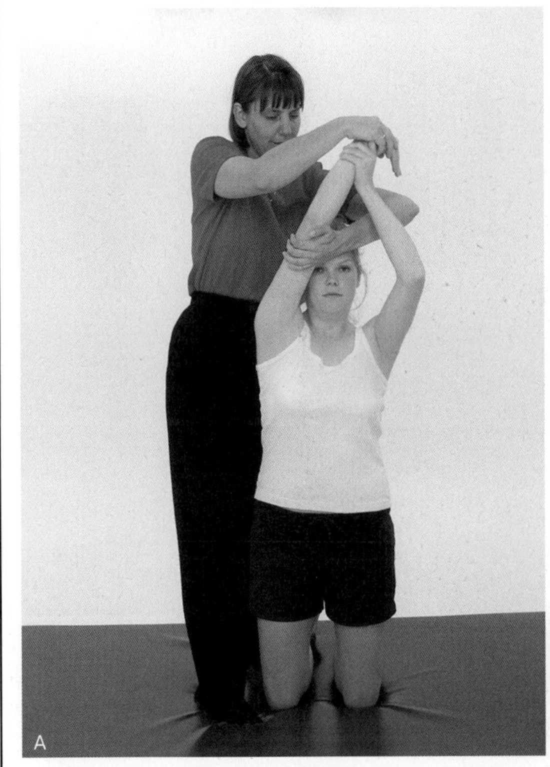

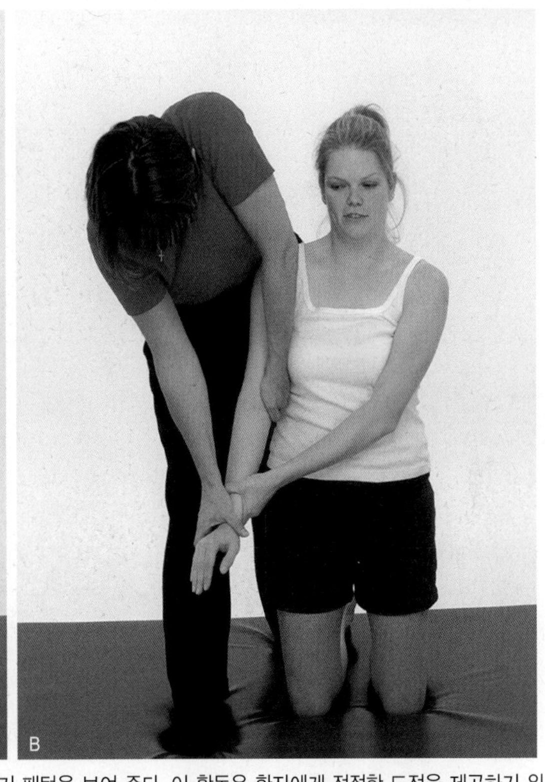

이 그림은 이끄는 오른팔로 D_1 폄 패턴을 수행하는 오른쪽 내려치기 패턴을 보여 준다. 이 활동은 환자에게 적절한 도전을 제공하기 위해서 다양한 발달 상의 자세에서 수행할 수 있다. 이 실례에서는 치료사가 무릎서기 자세의 환자 뒤쪽에 양발을 벌리고 선다.

A. 시작점. 치료사가 무릎 서기 자세의 환자 뒤쪽에 양발을 벌리고 선다. 맨손 접촉 위치는 환자의 손등과 먼쪽 위팔뼈 등쪽이다. 환자는 "왼손을 펴서 엄지를 아래로 내리고 나무를 자르는 것처럼 오른쪽 엉덩이 쪽으로 내려라"라는 지시를 받는다.

B. 중간 범위. 환자가 이 패턴을 취할 때 치료사는 최적의 운동 전략을 촉진하기 위해서 환자의 움직임을 따라가고 체중을 이동시킨다.

C. 종료 범위. 환자가 몸통과 팔 움직임을 범위까지 완수한다. 치료사는 환자가 노력할 수 있는 공간을 확보해 주기 위해서 신체 위치를 계속 바꾼다.

특별 주의 사항: 상기의 그림 B에는 나타나 있지 않지만 이 패턴을 진행할 때 환자의 왼쪽 손목과 손가락들이 펴져야 한다.

앞쪽에 맨손 접촉을 가해 몸통 굽힘에 저항을 가한다. 처음에는 "뒤로 밀려나지 않게 버텨라"라는 지시를 내린다. 몸통 굽힘근이 수축하면 한 손으로 입력을 유지하고, 두 번째 손을 몸통 뒤쪽으로 옮겨 몸통 폄근을 활성화한다. 이어서 "앞으로 끌려가지 않게 버텨라"라는 두 번째 구두 지시가 내려진다. 환자가 최초의 뒤쪽 입력에 반응할 때 두 번째 손은 몸통 뒤쪽으로 이동한다. 두 손이 교대로 몸통 앞쪽과 뒤쪽으로 움직여 시상 면에서 몸통의 안정성을 위협한다. 중재 9-19는 지지 없이 앉기 자세에서 몸통 안정성을 높이기 위해 이 기법을 사용하는 법을 보여 준다.

율동적 안정화(Rhythmic Stabilization)

율동적 안정화(등척성 안정적 반전)는 목표 관절을 둘러싼 근육의 협력 수축을 통해 안정성을 향상시킨다. 저항은 등척성 수축을 촉진하기 위해 적용한다. 이러한 기법의 목표는 종종 특정한 발달 자세를 유지하는 환자의 능력을 향상시키는 것이다. 침범된 관절들 주

중재 9-18 내려치기 역행 올리기

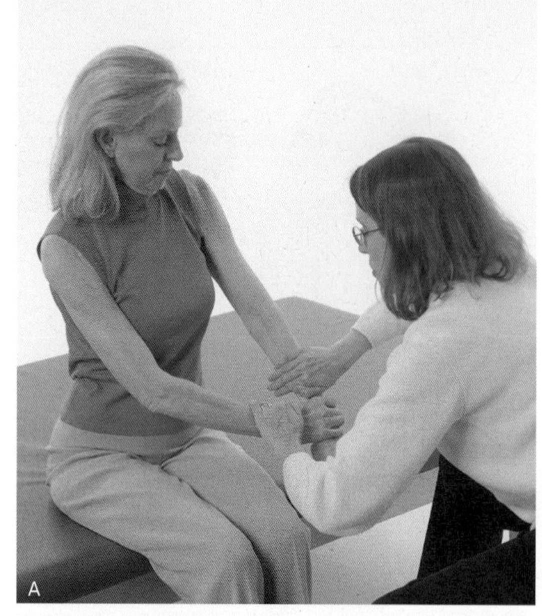

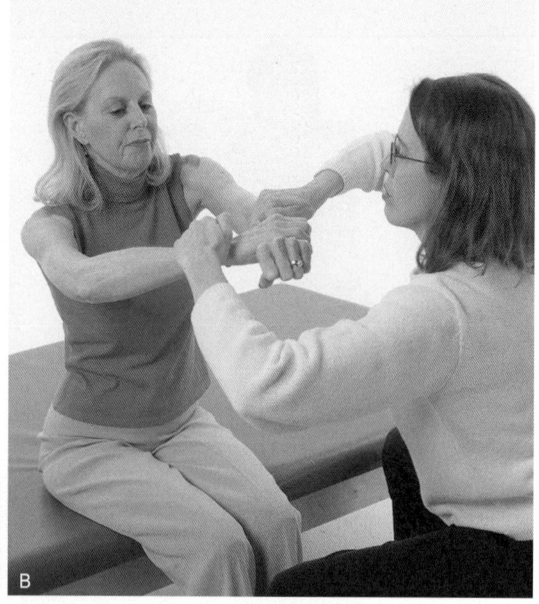

올리기 혹은 내려치기 역행 패턴은 이끄는 왼쪽 팔이 D_1 굽힘 유형을 수행하는 것이다. 치료사와 환자는 앉아서 서로를 마주 본다. 맨손 접촉은 먼쪽 아래팔에 가해진다.

A. 시작점. 치료사가 한 손을 환자의 왼쪽 아래팔 앞쪽 표면에, 다른 손을 환자의 오른쪽 아래팔 등쪽 표면에 댄다. 환자는 "왼손으로 주먹을 쥐고 엄지를 아래로 돌려 내려서 양팔을 오른쪽 어깨 쪽으로 당겨라"라는 지시를 받는다. 특별 주의 사항: 상기의 그림에서는 보이지 않더라도 이 유형을 시작할 때는 환자의 손목과 손가락들이 펴져야 한다.

B. 중간 범위. 치료사는 환자의 몸통을 관찰하고, 필요할 때 맨손 지시나 구두 지시를 보낸다. 치료사는 환자의 움직임에 적응하기 위해서 체중을 이동시킨다.

C. 종료 범위. 환자가 몸통과 팔 움직임을 원하는 범위까지 완수한다. 치료사는 환자의 노력을 최적화하기 위해서 환자의 움직임을 따라가고 몸과 손 위치를 바꾼다.

변의 안정근 동시 수축을 촉진하기 위해 돌림력이 강조된다. 환자는 단순히 그 자세를 유지하라는 지시를 받는다. 힘이 천천히 증가하면서 운동의 돌림 요소와 그에 상응하는 환자의 노력을 강조한다. 환자가 한 방향으로 근육의 힘을 축적하면 치료사는 한 손의 위치를 변경하고 다른 방향으로 힘을 천천히 가하기 시작하면서 다시 돌림을 강조한다. 임상 상황의 요구에 따라서 율동적 안정화는 안정성과 균형을 촉진하고, 운

표 9-11 운동조절 단계와 관련된 PNF 기법들

단계/기법	가동성	안정성	조절된 가동성	기술
작용근 반전			×	×
교대적인 등척성		×		
수축 이완	×			
유지 이완	×			
유지 이완 능동적 움직임	×			
율동적 개시	×			
율동적 돌림	×	×		
율동적 안정화		×	×	×
느린 반전 유지			×	×
느린 반전				

동 시 통증을 감소시키며, 운동범위와 근력을 증가시키는데 사용할 수 있다.

율동적 안정화는 지지 없이 앉기 자세에서 몸통의 안정성을 높이기 위해 적용될 수도 있다. 몸통 돌림은 치료사가 몸통 앞쪽에 한 손을, 몸통 뒤쪽에 다른 손으로 저항을 준다. 환자는 등척성으로 몸통을 바로 세워야 한다. 구두 지시는 "움직이지 않도록 버텨라"이다. 오른손과 왼손의 상대적 위치를 순차적으로 조절해서 대립하는 회전력을 생성한다. 환자는 움직이지 않으려고 한다. 환자는 치료사가 가하는 저항에 똑같은 힘으로 버티면서 동적으로 그 자세를 유지한다. 중재 9-20은 앉기 자세에서의 몸통 안정성을 높이기 위해 율동적 안정화를 사용하는 방법을 보여 준다.

느린 반전(Slow Reversal)

느린 반전(대항근 반전, 동적 반전)은 근력 약화와 관절 경직(joint stiffiness) 또는 협응 손상과 같은 다양한 환자 문제를 해결하기 위해 사용할 수 있는 다용도 기법이다. 작용근 패턴에서 근육의 동심성 수축은 맨손 접촉과 구두 지시로 촉진한다. 원하는 범위의 끝에서 한 손이나 두 손을 사용하는 맨손 접촉은 대항근 패턴의 동심성 수축을 촉진하기 위해 변경한다. 환자의 능력과 목표에 따라 힘이 약한 수준에서 최대 수준으로 변하면서 움직임의 양쪽 방향에 저항을 가한다. 환자가 생성하는 힘의 양이 패턴 수행 내내 다양하게 변할 수 있기 때문에 환자의 노력 변화를 수용해서 저항을 가해야 한다. D_2 굽힘에서 D_2 폄으로 움직일 때처럼 움직임 패턴의 부드러운 방향 전환을 강조한다. 운동조절의 가동성과 조절된 가동성 및 기술 단계는 이 기법으로 다룰 수 있다. 기술 단계에서는 한 방향에서 다른 방향으로 부드럽게 반전되는 움직임이 일차적 목표이다. 작용근과 대항근 집단 사이를 율동적으로 오가면 피로가 최소화된다.

느린 반전을 치료적으로 적용한 실례는 작용근으로 팔 D_2 굽힘 패턴을 수행하고, 대항근으로 D_2 폄-폄/모음/안쪽 돌림을 수행하는 것이다. 작용근 패턴(D_2 굽힘)의 늘어난 위치에서 시작해 몸쪽 및 먼쪽 맨손 접촉으로 적절한 저항을 가한다. 굽힘 패턴은 "손을 펴고 팔을 위로 들어서 가쪽으로 밀어라"라는 지시로 시작된다. 패턴이 거의 완료될 무렵에 치료사의 몸쪽 손이 대항근(D_2 폄) 패턴의 먼쪽 요소에 저항을 가하기 위해 이동한다. 방향이 바뀔 때 "내 손을 쥐고 아래로 내려라"는 구두 지시가 주어진다. 환자가 폄 패턴을 취하기 시작하면 치료사의 다른 손이 대항근 패턴의 나머지 구성 요소(일반적으로 몸쪽)에 저항을 주도록 움직인다. 방향을 바꾸고 맨손 접촉을 변경하는 과정이 계속된다. 부분이나 전체 운동범위를 모두 사용할 수 있다. 치료사들마다 개인적인 취향이 있지만 손 배치와 관련된 몇 가지 구체적인 방법을 사용할 수 있다. 환자가 오른손으로 팔 굽힘(D_1 또는 D_2) 패턴을 수행하면 치료사는 환자의 왼손을 먼쪽에 두고, 오른손을 환자의 팔에서 몸쪽에 둔다. D_1 또는 D_2 폄 패턴을 수행할 때는 반대의 배치가 된다. 이러한 맨손 접촉은 패턴의 양방향에서 보다 더 일관적으로 적절하게 저항을 가할 수 있게 해 준다. 중재 9-1과 9-2는 이 기법으로 권장되는 패턴과 맨손 접촉을 보여 준다.

느린 반전 유지(Slow Reversal Hold)

느린 반전 유지는 선택한 패턴이나 활동을 각 방향에서 범위까지 완료할 수 있도록 저항을 가하여 등척성 수축을 유지하는 느린 반전 기법의 변형이다. 움직임

중재 9-19 앉기 자세에서 몸통 안정성을 높이는 교대적인 등척성

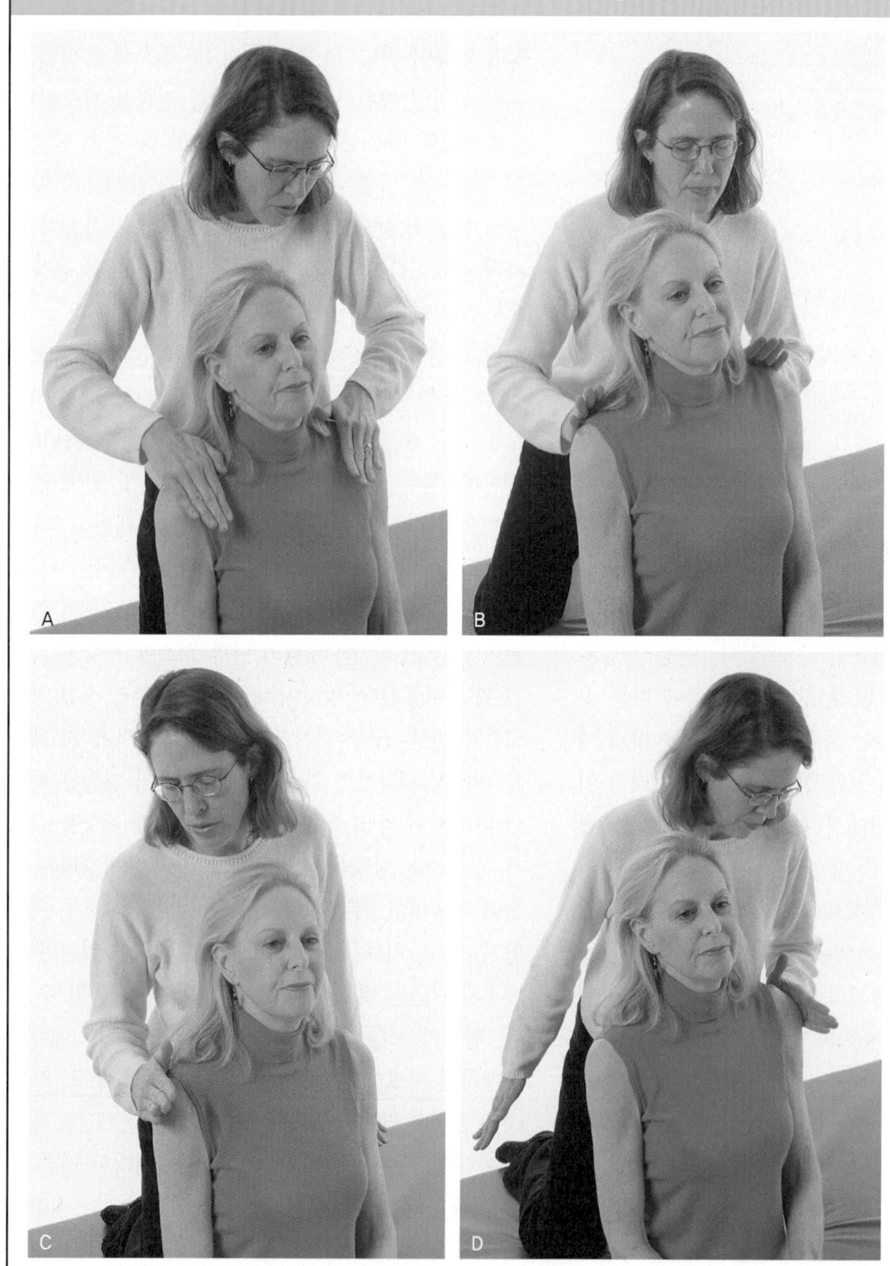

A. 어깨 앞쪽에 대칭적 맨손 접촉을 가해 몸통 굽힘에 저항을 가한다. 치료사가 저항을 가하기 위해서 몸을 뒤로 기울여 체중을 옮기면서 "뒤로 밀려나지 않게 버텨라"라는 구두 지시를 내린다.

B. 치료사가 양손을 환자의 양측 어깨뼈 위쪽에 올려놓는다. 치료사가 체중을 앞으로 이동시키면서 "앞으로 밀려나지 않게 버텨라"라는 구두 지시를 내린다.

C. 치료사가 환자의 오른쪽 어깨에 오른손을 올려서 몸통 오른편 가쪽 굽힘에 저항을 가한다. 치료사가 저항을 가하기 위해서 체중을 오른쪽으로 이동시키면서 "왼쪽으로 밀려나지 않게 버텨라"라고 구두 지시를 내린다.

D. 치료사가 환자의 왼쪽 어깨에 왼손을 올려서 몸통 왼쪽 가쪽 굽힘에 저항을 가한다.

중재 9-20 앉기 자세에서 몸통 안정성을 높이는 율동적 안정화

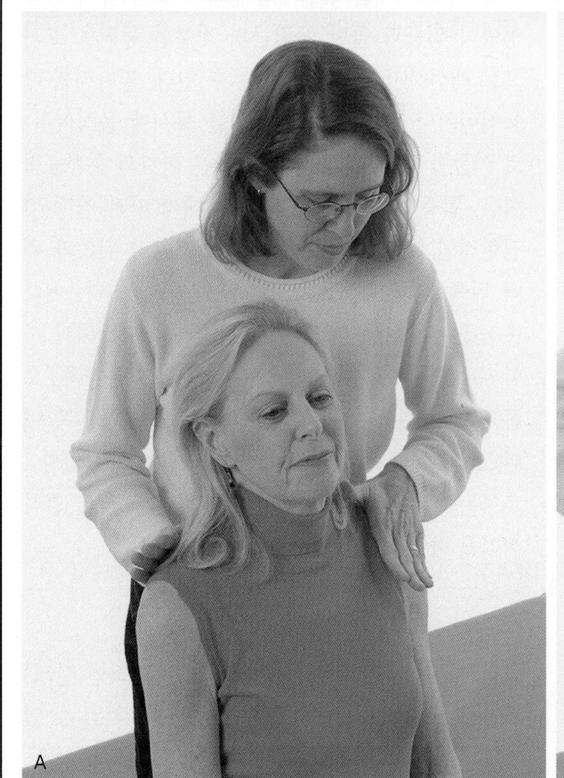

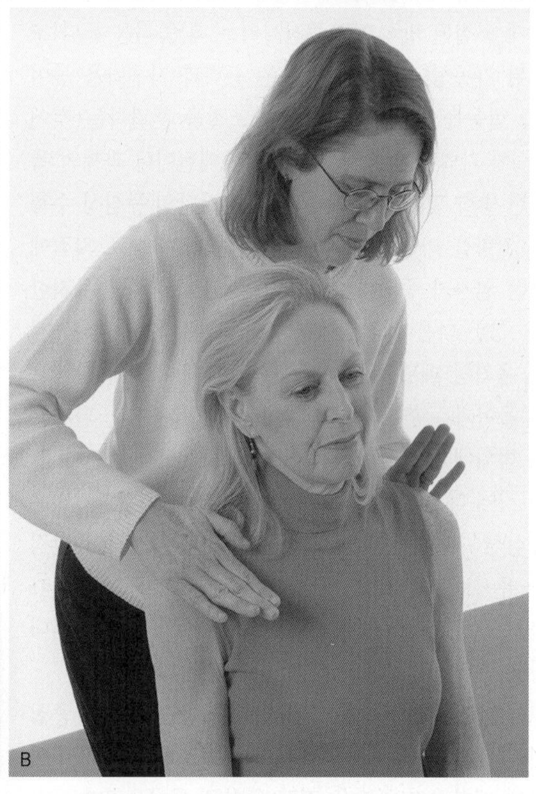

환자는 치료대 가장자리에 앉는다. 치료사는 환자 뒤쪽에서 무릎을 꿇는다. 치료사는 상기 그림의 두 가지 맨손 접촉을 율동적으로 번갈아가면서 사용해 굽힘과 폄, 돌림에 동시 혹은 순차적으로 저항을 가할 수 있다.

A. 치료사는 환자의 왼쪽 어깨 앞쪽 측면에 왼손을 올리고, 오른손은 환자의 오른쪽 어깨 뒤쪽에 올린다.

B. 맨손 접촉을 바꾸어 환자에게 가하는 힘을 다양하게 조절한다. 치료사의 왼손은 이제 환자의 어깨 뒤쪽에, 오른손은 앞쪽에 닿아 있다.

은 가능한 관절 범위까지 진행하거나 환자 상황이나 목표에 따라 더 약한 운동(excursion)을 할 수도 있다. 움직임은 느린 반전 단락에서 설명한 대로 일어난다. 하지만 각 방향의 원하는 종료 지점에서는 관련된 모든 근육의 저항을 가하여 등척성 수축을 유도한다. 이러한 기법은 증진된 근력과 균형 및 지구력을 개선해서 운동조절의 가동성 단계에서 안정성 단계로 전환하도록 도와준다. 느린 반전 유지는 기능적 움직임뿐 아니라 편측 팔다리나 몸통 패턴에 사용하기 적합하다. 무릎 서기 자세에서 작용근 패턴으로 팔 D_2 굽힘을 수행하는 것은 느린 반전 유지 기법을 임상적으로 적용한 실례이다. D_2 굽힘(작용근) 패턴과 관련된 근육의 동심성 수축은 원하는 범위까지 저항을 받는다. 맨손 접촉의 변경 없이 환자는 굽힘 패턴 내의 모든 근육을 사용해서 선택한 최종 위치를 유지해야 한다. D_2 폄 패턴으로의 부드러운 전환을 촉진하려면 먼쪽에 이어 몸쪽의 손 배치를 신중하게 재설정해야 한다. 단계적인 저항은 D_2 폄 패턴 내내 적용한다. D_2 폄 패턴의 등척성 수축은 패턴 내의 원하는 지점에서 유지된다.

작용근 반전(Agonistic Reversals)

작용근 반전 기법[등장성 혼합(combination of isotonics)]은 패턴이나 과제 수행 내내 기능적 움직임을

촉진하는 데 사용한다. 작용근의 동심성과 편심성 수축을 모두 사용한다. 이 기법은 기능적 안정성을 부드럽게 조절된 방식으로 증진시키는 데 중점을 둔다(조절된 가동성). 또 다른 목표는 근력과 지구력을 높이고, 협응을 개선하고, 편심성 조절을 훈련하는 것이다. 이 기법을 수행하려면 선택한 패턴이나 과제의 특정한 방향 및 범위를 통해 작용근 집단의 동심성 수축에 저항을 가한다. 이 움직임이 원하는 종료 지점에서는 환자가 등척성 저항에 대항해서 자세를 유지한다. 그런 다음에 치료사가 편심성 수축을 촉진하면서 이 움직임 패턴의 시작점으로 느리게 조절된 방식으로 돌아가는 환자의 움직임에 저항을 가한다. 환자는 이 범위에서 안정성을 높이기 위해서 편심성 단계 완료 시에 다시 자세를 유지한다. 요약하자면 이 기법은 동심성 수축에 저항을 가하는 것으로 시작되어 안정화 유지로 이어지고, 편심성 수축에 저항을 가했다가 다시 안정화 유지에 이른다. 이러한 순차적 과정 내내 작용근 집단이 목표가 된다(Saliba 등, 1993).

교각(bridging) 운동은 흔히 작용근 반전 기법을 중첩시키는 적절한 활동이다. 환자는 치료사가 가하는 저항에 대항하여 골반을 교각 위치로 들어올린다(동심성 단계). 맨손 접촉은 힘이 뒤쪽으로 쏠리면서 골반 앞 가쪽에 가한다. 환자는 골반을 이 위치에 고정시키고(안정적 유지), 치료사의 맨손 접촉과 저항 방향이 일관성을 유지할 때 골반을 침대 쪽으로 천천히 낮추라는 지시를 받는다(편심성 단계). 치료사는 환자에게 새로운 자세를 유지하라고 지시한다(안정적 유지). 중재 9-21에서는 이 기법을 교각 운동과 함께 사용하는 방법을 보여 준다.

저항 진행(resisted progression)

저항 진행 기법은 보행 과제의 기술(skill) 단계에 중점을 둔다. 저항은 근력과 지구력을 높이고, 정상적인 타이밍을 발달시키거나 운동 학습을 강화할 때 사용한다. 이러한 기법은 배밀이와 기기, 혹은 걷기 도중에 적용할 수 있다. 맨손 접촉은 몸통 위쪽이나 아래쪽, 팔다리, 골반, 어깨뼈를 포함해서 강조하고 싶은 부위에 따라서 선택한다(Sullivan 등, 1982).

저항 진행은 네발기기(배밀이)로 뒤로 이동하는 동안 엉덩이 폄근과 골반 돌림근의 적절한 동원을 효과적으로 개선하기 위해서 사용할 수 있다. 팔다리를 따로 움직이거나 반대쪽 팔과 다리를 동시에 움직여서 뒤로 이동할 수 있다. 이러한 선택은 환자의 운동능력과 협응, 몸통 조절, 근력, 인지 상태에 따라 결정된다. 전형적인 맨손 접촉 위치로는 넓적다리 뒤쪽과 위팔뼈 뒤쪽, 궁둥뼈결절, 어깨뼈 아래쪽이 있다. 어디에 중점을 두느냐에 따라서 맨손 접촉을 결합해서 사용할 수 있다. 예컨대 치료사는 궁둥뼈결절 양쪽, 오른쪽 위팔뼈 뒤쪽, 왼쪽 넓적다리 뒤쪽, 혹은 왼쪽 어깨뼈, 오른쪽 궁둥뼈결절에 손을 올려놓을 수 있다. 치료사는 환자 옆이나 뒤에서 무릎을 꿇고 앉아 환자의 머리를 마주 본다.

PNF 기법의 응용

물리치료사는 각 환자를 검사하고 개별적인 관리 계획을 세운다. 환자 개개인의 요구를 충족시킬 수 있는 적합한 중재들을 선택한다. 하지만 특정한 손상을 다룰 때는 몇 가지 전형적인 PNF 기본 원리들과 기법들을 조합해서 사용해야 한다. 표 9-12는 특정한 손상들과 그에 적합한 PNF 기법들을 보여 준다. 이러한 기법들을 적절한 임상적 상황에 사용하는 방법은 앞에서 이미 살펴보았다. 치료사들은 이러한 기법들을 사용할 때 항상 PNF 기본 원리들을 따라야 하고, 특정한 손상 관리에서 강조되는 원리들을 염두에 두어야 한다.

발달 순서

PNF 패턴과 중재 원리들은 발달 순서를 구성하는 각기 다른 자세들 내에서 사용할 수 있다. 발달 순서 내에서 나타나는 기본적인 운동 능력들은 서로 관련되어 있고 보편적이다. 가장 일반적으로 발달 중인 유아들은 구르기(바로눕기→엎드려 눕기)와 엎드려 이동하기, 앉기 자세 취하기, 똑바로 서기, 걷기, 달리기를 배운다. 수행 방법과 수행 순서 및 숙달 정도는 개인

중재 9-21 교각 운동 중 작용근 반전 기법

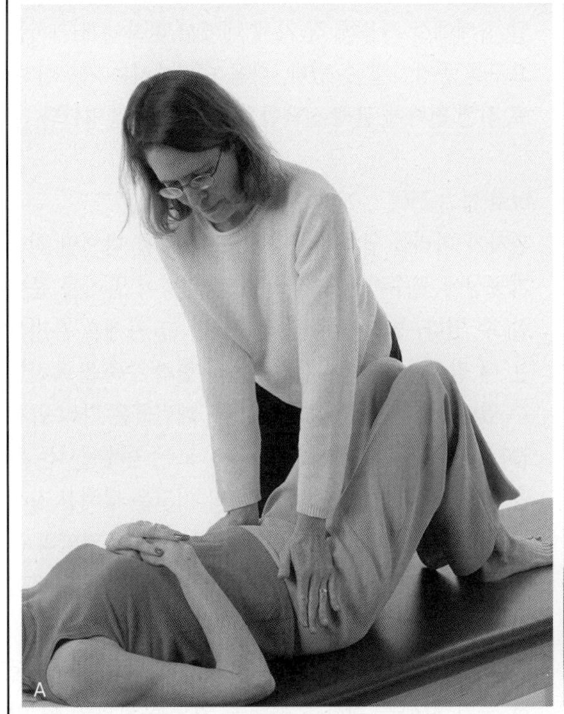
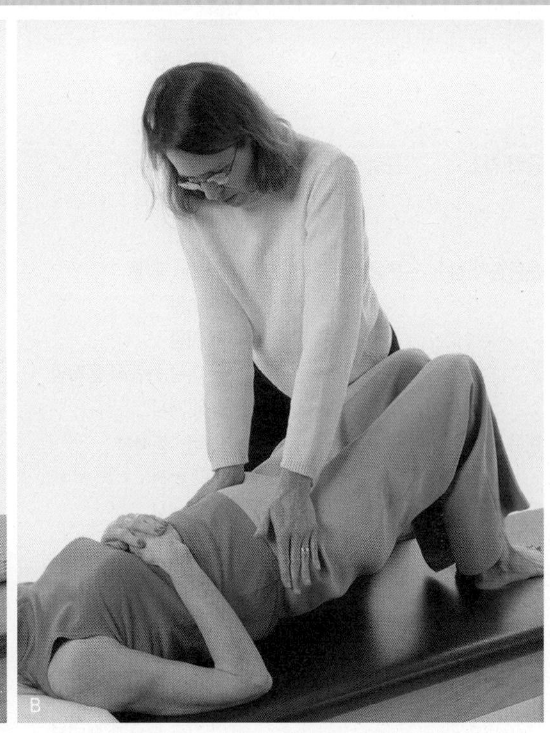

이 활동 내내 맨손 접촉을 일관적으로 유지한다. 치료사는 양손바닥의 불룩한 부분(heel)을 환자의 위앞엉덩뼈가시에 올려놓고 환자의 궁둥뼈결절에 가하는 것과 비슷한 저항을 가한다.

A. 환자가 다리를 굽혀 누워서 시작한다. 환자는 "엉덩이를 들어올려라"라는 지시에 따라서 골반을 위로 들어 올리며 엉덩이 폄근의 저항 받는 동심성 수축을 수행한다.

B. 완전한 교각 자세에 다다랐을 때 환자는 "그 자세를 잠시 동안 유지하라"는 지시를 받는다. 마지막으로 "천천히 아래로 내려라"라는 지시에 따라서 엉덩이 폄근들을 저항에 대항해 편심성으로 수축해서 엉덩이를 바닥에 내려놓는다

마다 다르다. 전형적인 운동 유형들은 다수의 신체 시스템 성숙과 상호 작용에서 나온다. 발달 자세와 운동 유형은 신경근 손상과 관련된 기능적 결손이 있는 사람의 운동 기능을 회복시켜주는 토대로 제공할 수 있다. 발달 과정과 유형에 대한 검토는 4장에서 찾아 볼 수 있다.

발달 과정은 단순한 움직임에서 복잡한 움직임과 자세로 진행해 나아가는 수단을 제공한다(McGraw, 1962). 바로 눕기 진행과 엎드리기 진행은 발달 순서를 구성한다. 바로눕기 진행은 바로 눕기와 다리 굽혀 눕기, 옆으로 눕기, 한 팔꿈치로 지지하기, 한 손으로 몸을 밀어올리기, 앉기, 서기로 구성된다. 엎드리기 진행은 엎드리기와 팔꿈치로 엎드리기, 네발기기, 무릎 서기, 반 무릎 서기, 서기로 구성된다.

근력과 유연성, 협응, 균형 및 지구력 손상은 엎드려 눕기와 바로 눕기 진행을 이용해 해결할 수 있다. 환자는 그러한 자세들에 익숙해지고, 그러한 움직임들을 이해한다. 따라서 진행은 관련성이 있고 기능적이다. 발단 순서에 따른 자연스러운 자세 진행은 안정화 근육의 활동수준을 더욱 가중시킨다. 예컨대 팔로 엎드리기 자세에서는 넓은 표면적이 지지면과 닿는다. 그렇기 때문에 COG가 지표면과 매우 가깝다. 또한 어깨와 목뼈 분절만이 상당한 체중을 지탱한다. 따라서 이 자세는 매우 안정적이며, 유지하는 데 상대적으

표 9-12 손상 치료 시 사용하는 PNF 기법들

손상	목표	기법
통증	통증 감소	교대적인 등척성 유지 이완 율동적 안정화
근력 감소	근력 증진	작용근 반전 율동적 안정화 느린 반전
운동범위 감소	운동범위 증대	운동범위 증대 수축 이완 유지 이완 유지 이완 능동적 움직임 율동적 개시
협응 감소	협응 증진	교대적인 등척성 작용근 반전 율동적 개시 느린 반전
안정성 감소	안정성 증가	교대적인 등척성 작용근 반전 율동적 안정화
움직임 개시	움직임 시작하기	율동적 개시 유지 이완 능동적 움직임
근육 경직/과긴장	긴장 감소 촉진	율동적 개시 율동적 돌림 유지 이완
지구력 감소	지구력 증가	교대적인 등척성 율동적 안정화 느린 반전

로 최소한의 근력만 필요로 한다. 이러한 생체 역학적 상황은 몸통 조절 능력이 부족한 사람의 어깨뼈 안정화를 해결하는 데 이상적일 수 있다. 하지만 네발기기 자세에서는 근육에 가해지는 요구가 훨씬 크다. BOS는 줄어들고, COG가 더 높아진다. 엉덩이와 어깨 및 팔꿈치 주변 근육은 중첩된 활동 도중에 정적으로 자세를 유지하려면 협응해야 한다.

이러한 생체역학 변화는 운동 요구를 증대시켜서 적절한 클라이언트에게 더 효과적인 치료와 기능적 결과를 제공할 수 있다. 발달 순서 내의 각 자세는 보다 발전된 기능적 활동의 토대 역할을 하는 운동 기술의 성취를 촉진한다. 전체 패턴의 더 강한 구성 요소는 약한 구성 요소를 보강하기 위해 사용된다(Voss 등, 1985). 운동조절 단계를 고려하고, 이러한 원칙들을 발달 자세에서 적용해 각 자세 내에서 환자에게 가하는 요구를 증강시킬 수 있다. 다음 단락에서는 가능한 치료 진행 전략에 관해 선택한 자세에 대해 설명한다.

바로 눕기 진행

환자가 다리를 굽혀 누운 자세로 치료를 받으면 침상 가동성에 필수적인 교각 운동과 엉덩이 끌기를 준비할 수 있다. 발로 체중을 지지하면 그 자세를 유지하는 데 필요한 몸통과 다리 근육의 협력 수축을 촉진할 수 있다. 양측 및 편측 다리 PNF 패턴들은 다리 굽혀 눕기 자세를 촉진할 때 사용한다. 모든 자세에서는 처음에 가동성 단계에 중점을 두고, 이것은 정해진 자세를 취하는 능력으로 정의된다. 적절한 신체 영역의 운동범위와 근력이 충분해야 이 단계를 완수하고 넘어갈 수 있다.

PNF 패턴을 사용하면 환자가 독립적으로 다리를 굽혀 눕기 자세를 취하는 능력을 얻도록 도와줄 수 있다. 무릎 굽힘을 동반한 다리 D_1 굽힘은 사용하기에 적절한 패턴이다. 패턴과 맨손 접촉을 검토하고 싶다면 중재 9-7을 참조하기 바란다. 다리 집단 굽힘(큰 돌림 없는 엉덩이/무릎 굽힘과 발목 발등굽힘)은 중재 9-22에서처럼 다리 굽혀 누운 자세를 돕는 데 사용할 수도 있다. 관여되지 않은 팔다리의 저항이 가해진 움직임은 방산을 통해 근육 활동을 몸통과 그리고 관련된 다리로 확장시킬 수 있다.

환자가 다리 굽혀 눕기 자세를 취하자마자 교대적인 등척성(stabilizing reversals)과 율동적 안정화(rhythmic stabilization)를 시행해 안정성을 높일 수 있다. 이러한 기법들은 등척성 수축을 촉진해서 자세를 유지시켜 준다. 맨손 접촉은 지레팔과 환자에 가해지는 요구를 다양화하기 위해서 몸쪽 넓적다리에서 발목의 적절한 부위까지 가할 수 있다. 환자가 다리 굽혀 앉기 자세를 독립적으로 취할 수 있을 때 운동조절의 안정성 단계에 도달한다. 이어서 운동조절의 3단계인 조절된 가동성이 치료의 중점이 된다. 조절된 가동성은 안정적인 자세에서 몸쪽 가동성을 중첩시키는 것과 관련이 있다. 이 단계에서 기능적인 이득을 얻을 수 있는 다리 굽혀 눕기 자세에서의 활동으로는 엉덩이 벌림/모음과 아래쪽 몸통 돌림이 있다.

느린 반전과 느린 반전 유지, 작용근 반전은 어느 활동에나 적용할 수 있다. 느린 반전과 느린 반전 유지에는 작용근과 대항근 패턴(예: 엉덩이 벌림과 모음, 혹은 D_1 굽힘과 D_1 폄)의 저항이 가해진 동심성 수축 교대가 있다. 느린 반전 유지는 각 근육 집단이나 패턴의 짧아진 운동범위를 유지하는 등척성 수축을 더한다. 작용근 반전은 하나의 근육 집단, 즉 정해진 작용근에만 중점을 두고, 동심성 수축에 이어서 편심성 수축이 촉진된다. 넙다리 안쪽이나 가쪽 관절융기는 엉덩이 벌림/모음과 아래쪽 몸통 돌림을 효과적으로 유도하는 맨손 접촉을 제공하므로 원하는 이동 방향을 조절하기 위해서 잘 관리해야 한다. 치료사는 환자의 앞에 서거나 대각선 상에서 한쪽으로 비껴서 선다. 대각선에 자리를 잡으면 몸통 근육의 동원 증가를 포함한 다른 환자 반응을 일으킬 수 있다.

교각 운동은 옷 입기와 볼일 보기, 침대 위에서 엉덩이 끌기, 압력 경감을 위해 체중 이동하기를 포함한 많은 기능적 활동의 필수 조건이다. 교각 운동은 또한 보행 시 입각기의 구성 요소인 엉덩이 폄과 골반 돌림을 포함한다. 또한 발바닥 표면으로 체중을 지지하는 능력을 증가시키고, 과긴장도를 가진 환자의 평근 긴장도를 감소시킬 수 있다. 교각 운동은 기능적 폄 맥락에서 여러 근육 그룹을 활성화하며 균형과 협응, 근력 문제를 해결해 준다. 또한 운동조절 3단계의 실례이기도 하다.

교각 운동은 환자의 위 앞엉덩뼈가시(ASIS) 근처 골반 앞쪽에 맨손 접촉을 가해 촉진한다. 운동조절의 가동성 단계에 도달할 수 있도록 적절한 이동 전략을 가르치기 위해서 맨손 접촉과 적절한 수준의 지원을 제공한다. 몇몇 사람들은 도움을 받아서 교각 자세를 취하면 엉덩이 폄(안정성 단계)을 유지할 수 있다. 특히 이 자세를 취하기 어려워하는 사람들에게는 유지 이완 능동적 움직임이라는 PNF 기법을 사용해서 교각 자세를 효과적이고도 능동적으로 취할 수 있도록 촉진할 수 있다. 환자가 능동적인 도움을 받아 이 자세를 취하자마자 교대적인 등척성이나 율동적 안정화 같은 기법들을 골반에 적용할 수 있다. 이어서 안정성을 높이기 위해 점진적으로 더 먼쪽에도 적용할 수 있다. 한쪽이 약한 환자에게는 강한 쪽에 저항을 가하는 한편, 약한 쪽에 도움을 제공한다. 일단 환자가 교각 자세를 취할 때 더 이상 도움을 필요로 하지 않는다면 작용근 반전을 이용해 조절된 가동성을 촉진시킬

중재 9-22 다리 굽히기 눕기 자세를 도와주는 다리의 집단 굽힘 패턴

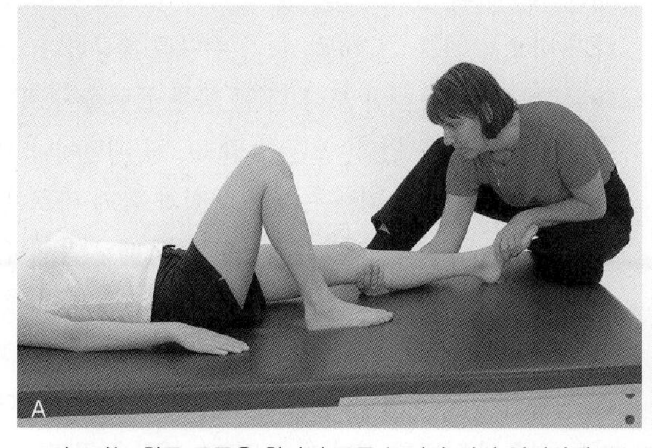

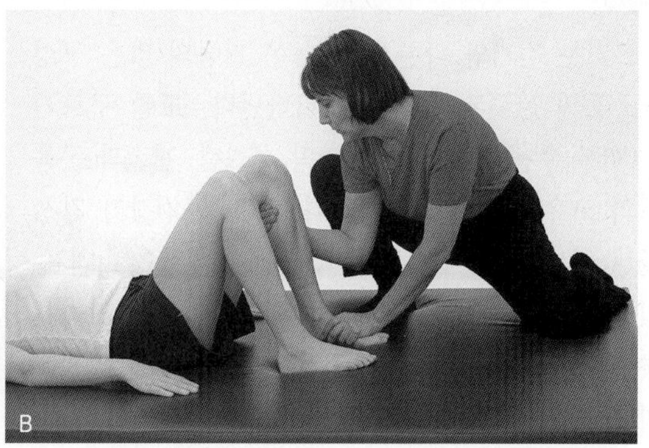

A. 치료사는 한쪽 무릎을 환자의 무릎 높이와 거의 일치하게 구부린다. 누워 있는 환자의 발등과 종아리 뒤쪽에 맨손 접촉을 가해 다리 전체의 굽힘을 촉진한다.

B. 환자는 먼저 한쪽 다리의 굽힘 움직임을 완수하고 나서 다른 쪽 다리를 굽혀 다리 굽혀 눕기 자세를 취한다.

수 있다. 환자들은 종종 골반의 편심성 내림을 부드럽고 조화된 방식으로 수행하기 어려워한다. 작용근 반전 기법은 움직임의 동심성과 편심성 구성 요소 모두에서 협응과 근력을 다루기 위해 교각 운동과 함께 사용한다. 교각 운동과 함께 사용하는 이 기법은 중재 9-18을 참조하기 바란다. 치료사는 BOS를 변경하거나 지속 기간을 변경해서 교각 운동의 난이도를 바꿀 수 있다. 교각 운동은 다양한 팔다리 동작과 함께 복잡성과 기능성을 향상시킬 수 있다. 예컨대 환자가 교각 자세를 유지하면서 엉덩이 굽힘이나 무릎 굽힘을 이용해 한 발을 바닥 표면에서 떼거나 팔이나 다리 패턴에 느린 반전과 같은 저항 기법을 적용하는 것이다.

침대 위에서 엉덩이 끌기는 다리 굽혀 눕기와 교각 자세와 관련된 기술된 움직임이다. 기술은 운동조절 4단계이다. 엉덩이 끌기는 종종 수행하기 어려운 이행 움직임성이 되고, 머리와 몸통 위쪽, 몸통 아래쪽, 팔다리의 협응을 필요로 한다. 움직임은 위쪽 몸통 한쪽과 다리 또는 몸통 아래쪽에서 시작될 수 있다. 맨손 접촉은 이동 방향을 촉진하고 구성 요소 이동에 대한 적절한 지원 또는 저항을 제공한다. 또한 머리와 몸을 굽히라는 구두 지시에 따라 위쪽 몸통 굽힘을 촉진하기 위해서 빗장뼈 아래에 맨손 접촉을 가할 수 있다. 교각 자세를 촉진하는 데 사용하는 것과 유사한 골반의 맨손 접촉은 몸통 아래쪽 동원을 개선해 준다.

구르기

구르기는 걷기와 다른 수준 높은 활동의 많은 구성 요소들의 관련된 동작에서 나타난다. 또한 구르기는 피부 수용체와 안뜰 및 망막 시스템, 관절과 근육 내의 고유 수용기를 자극한다. 또한 근긴장과 각성(arousal/alertness) 수준, 신체 인식에 영향을 미칠 수 있다. 구르기는 몸통과 팔다리의 근력과 협응, 감각을 향상시킬 수 있는 기회를 제공해 주는 총체적 신체 활동이다.

치료 프로그램에 구르기를 통합해 넣을 때 고려해야 할 몇 가지 핵심 사항이 있다. 모든 복잡한 기능적 활동들과 마찬가지로 굽힘 움직임과 폄 움직임, 한쪽 팔 또는 다리로 밀기/당기기를 포함해서 이러한 과제를 달성하기 위해서 다양한 전략을 사용한다(Richter 등, 1989). 어느 방향으로나 구를 수 있는 능력은 중요한 기능적이고 기초적인 과제이다. 반신마비 환자는 침범되지 않은 팔이나 다리 움직임을 통해서 마비된 쪽으로 몸통 돌림을 시작하는 전략을 자주 사용하기 때문에 침범된 쪽으로 구르기를 훨씬 쉽게 할 수 있다. 다리를 굽혀 눕거나 옆으로 누운 자세에서 예비자세 잡기(prepositioning)를 하면 구르기의 특정한 구성 요소들이나 방법들을 사용하도록 권장할 수 있다. 다리 굽혀 눕기 자세에서는 몸통 아래쪽과 엉덩이 근육이 강조되어 다리와 몸통 움직임이 시작되면서 지레 팔이 짧아진다. 옆으로 눕기 자세는 몸통 돌림에 초점을 맞추거나 팔다리 패턴에 미치는 중력의 영향을 최소화하는 이상적인 자세이다. 치료사는 환자의 능력을 최대한 활용하고 최대 기능을 촉진하기 위해 특정 팔다리 패턴이나 몸통 패턴뿐만 아니라 특정 PNF 기술을 선택할 수 있다. 구르기는 머리 조절, 눈과 손의 협응을 향상시키는 효과적인 과제이기도 하다. 기본적인 예비 자세잡기와 맨손 접촉의 실례는 중재 9-23에 나와 있다.

이 활동의 이행적 특성 때문에 기능적 훈련으로 진행시키기 위한 운동조절 단계의 유용성이 감소된다. 따라서 치료 응용 프로그램은 일반적으로 구르기를 향상시키는 도구에 중점을 둔다. 집단 굽힘과 폄 몸통 패턴들은 누워 있다가 옆으로 눕기와 옆으로 누워 있다가 바로 눕기를 촉진하는 초기 수단을 제공한다. 팔다리 패턴을 이용하면 보다 더 큰 몸통 돌림을 구르기 전략에 사용할 수 있다. 오른쪽 팔 D_2 폄 패턴이나 오른쪽 다리 D_1 굽힘 패턴은 무릎 굽힘과 함께 바로 누워 있다가 굴러서 옆으로 눕기를 촉진할 때 사용한다. 오른쪽 팔다리의 대항근 패턴은 왼쪽 옆으로 누워 있다가 굴러서 바로 눕기, 즉 팔 D_2 굽힘이나 다리 D_1 폄을 촉진할 때 사용할 수 있다. 옆으로 누워 있을 때 가장 위쪽의 양방향 팔다리 D_1과 D_2 패턴은 구르기에 필요한 몸통과 팔다리 구성 요소의 강화나 근력, 협응, 동원을 개선하기 위해서 상반적으로 수행할 수 있다. 누워 있다가 굴러서 옆으로 눕기를 개선하기 위해 왼쪽 다리로 D_1 패턴을 수행하는 것은 중재 9-24에 나와 있다.

내려치기와 올리기, 몸통 돌림과 같은 몸통 패턴도 구르기에 필요한 움직임을 촉진하는 데 상당히 유용하다. 예컨대 왼쪽 팔이 D_1 폄 패턴을 수행하는 왼쪽 내려치기를 이용해 누워 있다가 굴러서 왼쪽 옆으로 돌아눕는다. 왼쪽 팔이 D_2 굽힘 패턴을 수행하는 왼쪽 올리기는 바로 누워 있다가 굴러서 왼쪽 옆으로 돌아눕기에도 사용한다. 환자의 능력에 따라서 패턴을 결정한다. 다리로 구르기를 시작하는 전략을 선호할 때는 다리 굽혀 눕기 자세에서 아래쪽 몸통을 돌림하는 것이 유리하다. 이 활동은 다리 굽혀 눕기 발달 자세와 관련해서 앞에서 이미 기술했다.

율동적 개시는 환자에게 구르기를 가르칠 때 사용한다. 운동은 수동운동에서 보조운동, 능동운동, 약간의 저항을 받는 운동으로 진행한다. 바로 눕기나 다리 굽혀 눕기를 시작 자세로 사용할 수 있다. 구르기 증진에 관한 자세한 설명은 율동적 개시 단락을 참조하기 바란다. 유지 이완 능동적 움직임 기법은 환자의 구르기 능력을 향상시키는 효과적인 도구일 수 있다. 처음에는 환자는 옆으로 누워서 치료사가 환자를 뒤로 굴려서 바로 눕히려는 것처럼 환자의 몸통에 저항을 가하는 동안 "버텨라"라는 지시를 받는다. 환자는 "이완하라"는 지시를 받으면 수동적으로 몸을 뒤로 살짝 굴려서 바로 눕는다. 이어서 적절한 저항이 가해지면 환자는 능동적으로 굴러서 옆으로 누우라는 지시를 받는다. 이러한 순서는 치료사가 점차적으로 환자를 보다 넓은 범위까지 움직여 환자가 저항에 대항해서 누워 있다가 굴러서 옆으로 누울 수 있을 때까지 반복된다. 느린 반전과 느린 반전 유지, 작용근 반전은 효율적인 움직임 전략과 정상 타이밍, 몸통 조절, 팔다리 패턴의 효과적인 사용에 중점을 두고 구르기에 통합해 넣을 수 있다.

엎드리기 진행

엎드리기나 팔꿈치로 엎드리기는 엎드리기 진행의 기본자세다. 관절 조직이나 물렁조직 제약이나 호흡기 기능 장애 때문에 불편하다면 웨지와 베개, 혹은 돌돌 만 수건 같은 외부 지지물을 이용해서 편안함을 증대시킬 수 있다. 엎드리기 진행은 환자가 엎드려 있다가 팔꿈치로 엎드리기 자세(가동성)로 이행하는 움직임에서 시작된다. 팔꿈치로 엎드리는 자세는 무게 중심이 낮고, BOS가 크며, 체중을 지지하는 관절의 수

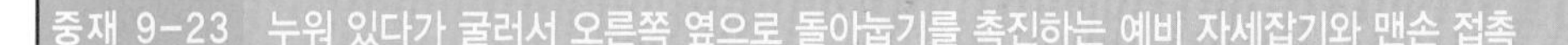
중재 9-23 누워 있다가 굴러서 오른쪽 옆으로 돌아눕기를 촉진하는 예비 자세잡기와 맨손 접촉

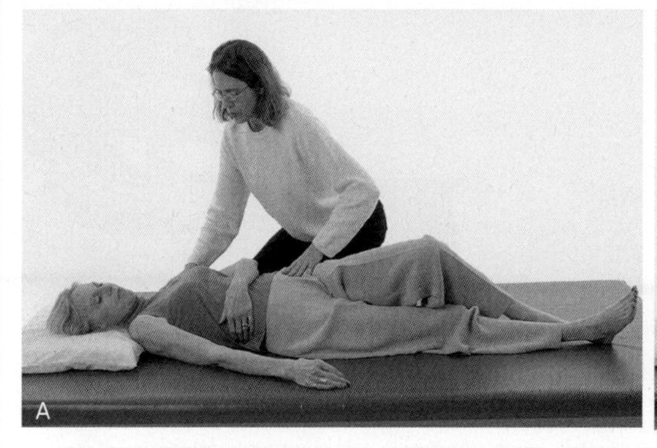

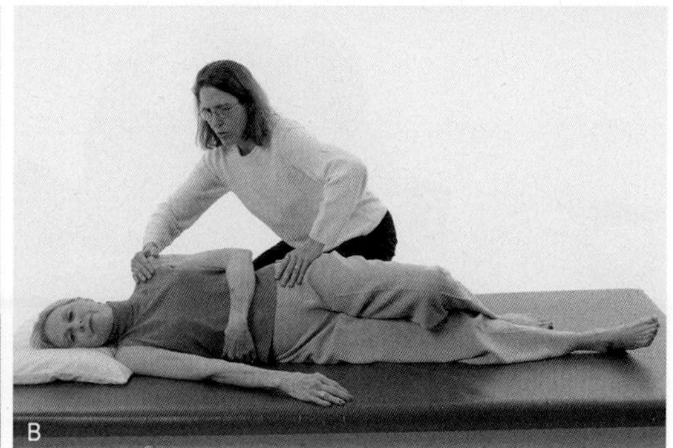

A. 시작 위치. 환자는 오른쪽으로 구르기 위해서 머리를 오른쪽으로 돌린다. 왼쪽 엉덩이와 무릎을 굽힌다. 왼쪽 팔은 신체에서 멀리 떨어져 펴지고 모아진다.

B. 종료 위치. 환자의 오른쪽 앞 어깨와 골반에 맨손 접촉을 가해서 환자가 오른쪽 옆으로 돌아눕는 자세를 취하도록 적절하게 도와주고 촉진하거나 저항을 가한다.

가 최소에 머물기 때문에 생체 역학적 스트레스가 최소 수준에 머문다. 이러한 상황에서는 조기에 팔로 체중을 지지할 수 있는 이상적인 기회를 얻을 수 있다. 한 팔을 들어 올리면 BOS가 감소해서 환자가 생체 역학적으로 훨씬 힘들어진다. 환자는 종종 팔꿈치로 엎드리기 자세에서 쉽게 피로를 느낀다. 그러므로 환자가 불편하지 않은지, 자세가 적절하게 정렬되는지를 주의 깊게 살펴야 한다. 환자가 목뼈와 가슴우리 척추 폄, 어깨뼈 모음, 어깨 정렬을 적절하게 유지하도록 도우려면 빈번한 구두 지시와 맨손 지시가 필요할 수 있다. 그렇지 않으면 관절주머니(capsule)와 인대와 같은 어깨 관절 주위 구조에 과도한 압박이 가해질 수 있다. 체중 이동과 손 뻗기 같은 활동은 자연스러운 기능 진행을 가능하게 하고, 팔과 팔이음뼈 근육의 협력 수축을 촉진하며, 양팔의 비대칭적인 사용을 장려하고, 기기나 침대 위에서 엎드려 이동하기의 기반을 마련해 준다.

율동적 개시는 맨손 지시와 단계별 도움에 의지해서 환자가 엎드려 있다가 팔꿈치로 엎드리기로 이행하도록 가르친다("고유 수용성 신경근 촉진법"참조). 일단 환자가 팔꿈치로 엎드리기 자세를 취하는 법을 배우고 나면, 팔이음뼈나 머리에 교대적인 등척성과 율동적 안정화를 적용해 안정성을 이끌어 낼 수 있다. 조절된 가동성은 우선 가쪽이나 대각선 방향으로 체중을 이동시켜서 촉진하고, 이어서 느린 반전과 느린 반전 유지 기법들을 이용해 일방적 팔 패턴을 사용해 촉

중재 9-24 똑바로 누워 있다가 굴러서 오른쪽 옆으로 돌아눕기를 개선하는 왼쪽 다리의 D_1 패턴

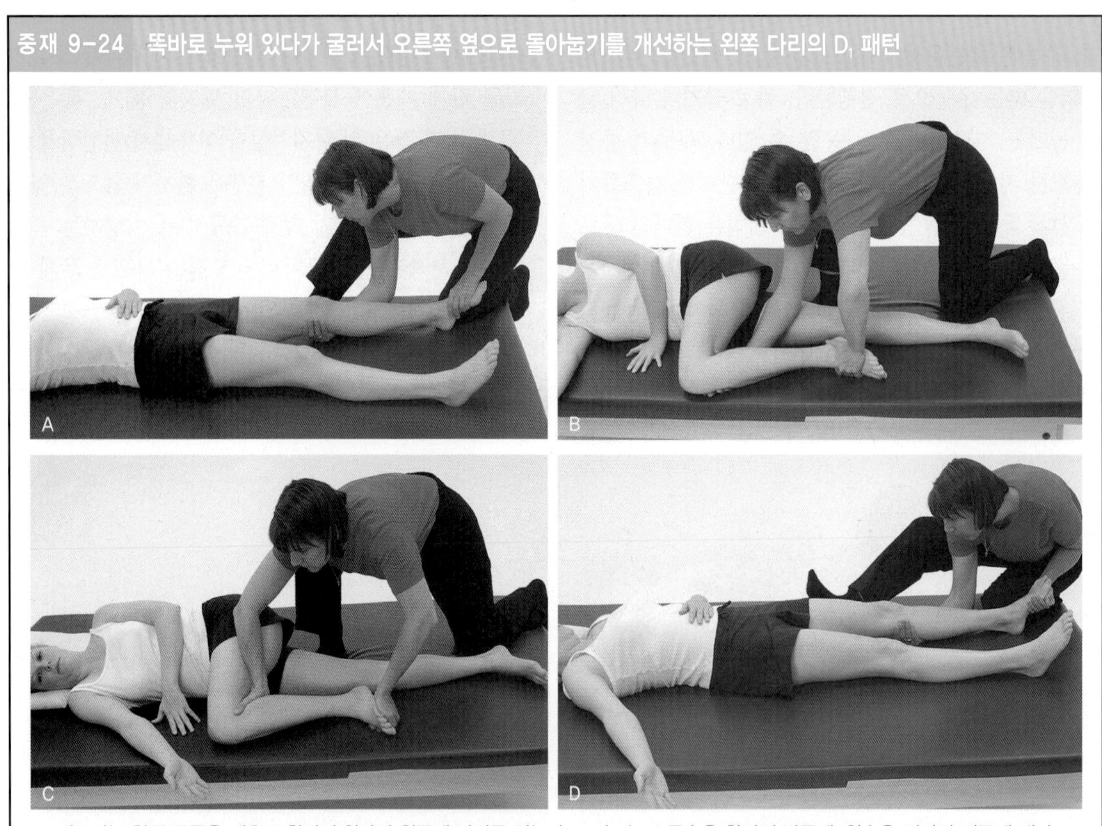

A. 치료사는 한쪽 무릎을 세우고 환자의 왼다리 왼쪽에 자리를 잡는다. 그러고는 오른손을 환자의 발등에, 왼손은 정강뼈 뒤쪽에 댄다.
B. 환자가 굴러서 오른쪽 옆으로 돌아눕기 위해서 왼쪽 다리 D_1 굽힘을 완료할 때 치료사는 체중을 앞으로 옮긴다.
C. 환자는 바로 눕기 위해서 왼쪽 다리로 D_1 폄 패턴을 수행한다. 치료사는 오른손을 환자의 무릎 뒤쪽에, 왼손은 발바닥 표면에 댄다.
D. 환자가 왼쪽 다리로 D_1 폄을 수행하고, 똑바로 눕기 자세로의 이행을 완료한다. 이때 치료사는 체중을 뒤쪽 다리에 싣는다.

진할 수 있다.

코만도 형태의 배밀이는 팔꿈치로 엎드리기 자세의 숙련 단계 활동이다. 위팔뼈 앞쪽이나 어깨뼈에 맨손 지시를 줘서 움직임의 방향을 정해주면 효과적인 움직임 전략 발달에 도움이 될 수 있다. 이 과제는 또한 엎드리기 진행에서 상반적 골반 및 아래쪽 몸통 돌림을 조기에 취할 수 있는 기회를 제공한다.

네발기기 자세

네발기기 자세는 발달 순서에서 COG가 지지표면에서 상당히 멀리 떨어진 첫 자세이다. 신체 표면 접촉이 적고 체중지지 관절 수가 많고 COG가 높아서 생체역학 관점에서 볼 때 이 자세는 엎드리기 진행 내에서 이전 자세보다 훨씬 어렵다. 이 자세에서는 생체역학적 스트레스가 추가될 뿐만 아니라 팔다리 모두에 체중이 실려서 몸 전체의 근력과 운동범위, 균형, 협응, 지구력을 향상시킬 수 있는 독특한 기회를 잡을 수 있다. 근골격계 기능 장애와 통증은 특히 무릎과 어깨, 손과 관련해서 이 자세를 치료적으로 사용하지 못하도록 억제하거나 제한을 가한다. 손바닥이나 무릎에 패드를 대고, 체중을 앞이나 뒤로 옮겨서 엉덩이와 어깨 굽힘의 정도를 변경하면 환자의 편안함을 향상시킬 수 있다. 이 자세는 또한 심혈관 시스템에 추가적인 스트레스를 줄 수 있다. 그러므로 환자의 기존 상태를 신중하게 살펴보고 불내증의 징후를 감시해야 한다.

팔꿈치로 엎드리기 자세에서 네발기기 자세로 이행하려면 먼저 위쪽이나 아래쪽 몸통, 혹은 다리 하나를 움직일 수 있어야 한다. 이러한 이행(가동성)은 어깨나 골반에 선택한 맨손 접촉을 가해서 율동적인 개시를 통해 향상시킬 수 있다. 아래쪽 몸통을 잘 조절하지 못하는 사람들은 이러한 이행을 완료하기 어려워한다. 중재 9-25에 나와 있듯이 궁둥뼈결절 근처에 맨손 접촉을 가하면 골반의 움직임을 이끌어낼 뿐만 아니라 치료사가 필요에 따라 도움을 줄 수 있다. 이 자세 내에서 안정성을 확보하려면 교대적인 등척성과 율동적 안정화를 적용하는 것이 적절하다. 맨손 접촉의 예는 중재 9-26에 나와 있다. 특히 운동조절의 조절된 가동성 단계에서 활동의 배열에 제한을 가하는 것은 치료사의 독창성이다. 체중을 앞으로나 뒤로, 대각선으로 이동시킬 수도 있다. 편측 팔다리 패턴들과 반대쪽 팔/다리 들기도 가능하다. 느린 반전과 느린 반전 유지, 작용근 반전과 같은 움직임 지향 기법들은 환자의 능력과 장애에 따라 적용할 수 있다. 중재 9-27는 뒤로 흔들기를 촉진하는 느린 반전을 보여 준다. 중재 9-28은 팔다리를 사용하여 이 단계의 운동조절을 촉진하는 활동의 실례를 제공한다. 기법들을 조합해서 사용하면 효과적으로 난이도를 최대로 높일 수 있다. 예컨대 팔다리 패턴에 느린 반전 기법을 적용하면서 몸통에 율동적 안정화를 적용할 수 있다. 이러한 복합적 접근법들은 치료사가 시행하기에는 상당히 어렵지만 개인의 이득을 최대화할 수 있는 혁신적인 방법들이다.

무릎 서기

무릎 서기는 환경을 탐사하기 위해 팔을 자유롭게 사용해서 네발기기 자세에서 기능적으로 진행한 자세다. 치료적으로는 생체 역학적 및 신경 생리학적 고려사항을 다루어야 한다. 무릎 서기는 엎드리기 진행의 첫 발달 자세로, 척추와 엉덩이 관절에 축 방향으로 체중을 실을 수 있는 자세이다. 체중지지 관절 수와 잠재적인 지레팔(level arm)이 크게 증가한다. 엉덩이가 펴지고 무릎이 구부러져서 다리에 가해지는 폄근 상승효과 패턴의 영향력이 감소한다. 다리로 체중을 지지하면 과도한 폄근 긴장도를 감소시킬 수 있다. 이러한 변화는 기능적 도전과 치료 기회를 제공한다. 엉덩이/무릎 운동범위 장애와 몸통/다리 근력, 균형의 손상은 순차적으로나 동시에 효과적으로 다룬다.

네발기기 자세에서 무릎 서기로의 이행(가동성)은 팔꿈치로 엎드리기에서 네발기기로 이행하는 움직임의 연속이라고 볼 수 있다. 이러한 두 이행은 핵심 구성요소를 공유하고 있기 때문에 촉진 기법이 비슷하다. 맨손 접촉은 중재 9-29에서 나타낸 것처럼 체중 뒤쪽 이동을 가장 효과적으로 촉진하기 위해서 계속 바

중재 9-25 팔꿈치로 엎드리기에서 네발기기로 이행

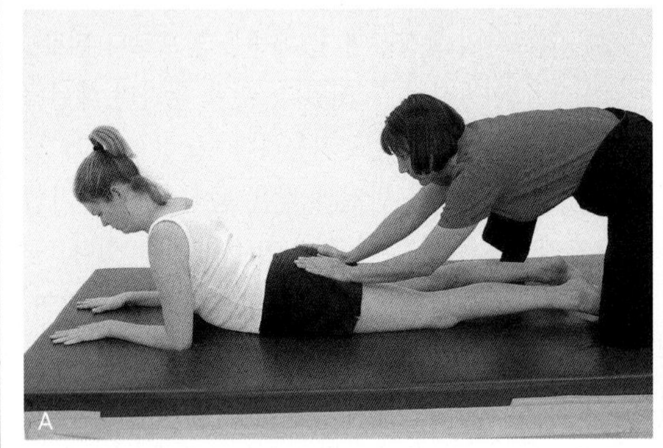

A. 시작 위치. 환자가 팔꿈치로 지지하고 엎드려 눕는다. 치료사는 환자의 다리 위에서 다리를 벌리고 반 무릎 서기 자세를 취한다. 맨손 접촉은 환자의 골반 뒤쪽, 궁둥뼈결절 근처에 가한다. 환자는 "양팔을 밀어 올리고 내 손을 깔고 앉아라"라는 치료사의 지시를 받는다.

B. 종료 위치. 치료사는 적절한 촉진이나 저항을 가하면서 환자가 네발기기 자세로 움직일 공간을 확보해 주기 위해서 체중을 뒤로 옮긴다.

꾸어야 한다. 바로 서기로 이행하는 것은 위쪽 몸통에 견인이나 압박을 가해서, 혹은 골반에 압박을 가해서 지시할 수 있다. 이때 환자가 이미 중력에 대항하여 체중을 끌어올리므로 적용된 힘은 작다. 환자가 몸통을 바로 세우고 무릎 서기를 하자마자 중재 9-30에 나온 것처럼 맨손 접촉을 가하고, 교대적인 등척성과 율동적 안정화를 적용해서 안정성을 확보한다. 맨손 접촉은 원하는 중점 부위와 지레팔에 따라서 골반 혹은 위쪽이나 아래쪽 몸통에 가할 수 있다.

무릎 꿇기 자세에서 조절된 가동성을 장려하는 방법은 여러 가지가 있다. 초기 치료 활동은 안정된 몸통을 바로 세운 자세의 적극적인 유지를 강조한다. 예컨대 몸통을 바로 세우면서 모든 방향으로 체중을 이동하는 것이다. 다시 말해서 내려치기와 올리기, 뒤꿈치 앉기나 옆으로 앉기를 취했다가 풀기를 하는 것이다. 중재 9-31은 무릎 꿇기에서 조절된 가동성 단계에 도달할 수 있는 도와주는 활동들을 제시한다. 여기서 더 진행되면 시상면과 가로면 움직임 도중에 몸통의 동적 안정화가 개선된다. 느린 반전과 느린 반전 유지, 작용근 반전은 팔이나 몸통의 선택된 패턴과 움직임에 적절한 저항을 적용하는 데 자주 사용한다. 수준 높은 기능적 과제, 특히 앉고 서기를 번갈아 취하는 과제의 기본적인 운동 구성 요소들은 무릎 서기 자세에서 동원되고 강화된다.

무릎 서기에서 기술로 정의되는 발달 수준은 몸통과 골반 안정성이 적극적으로 유지되는 동안 나타나는 팔의 독립적인 움직임으로 나타난다. 던지기나 잡기, 칠판에 글쓰기 같은 기능적 움직임은 무릎 서기 자세에서 수행할 수 있는 기술된 과제로 분류된다. 이러한 기능 활동과 다른 유사한 기능적 활동은 근력과 핵심 안정성, 균형, 내구성, 팔과 눈-손의 협응 손상을 목표로 삼는다.

반 무릎 서기는 엎드리기 진행의 마지막 자세이며, 바닥에서 서기로의 이행을 보다 더 효율적으로 만들어준다. 일방적 또는 비대칭적 손상이 있는 경우, 어느 한쪽의 배치와 관련하여 치료 효과가 있기 때문에 어느 한쪽의 다리가 앞으로 움직일 수 있다. 다리의 비대칭적 자세잡기는 엉덩이와 무릎 근육의 분리를 장려한다. 이와 동시에 걷기와 계단 오르기, 무릎 서기와 관련된 특정 운동 노력과 같은 수준 높은 활동으로의 기능적 이행 가능성이 반 무릎 서기 자세에 성공적으로 적용되어 운동조절의 안정성과 조절된 가동성

중재 9-26 네발기기 자세에서 안정성을 개선해주는 교대적인 등척성과 율동적 안정화

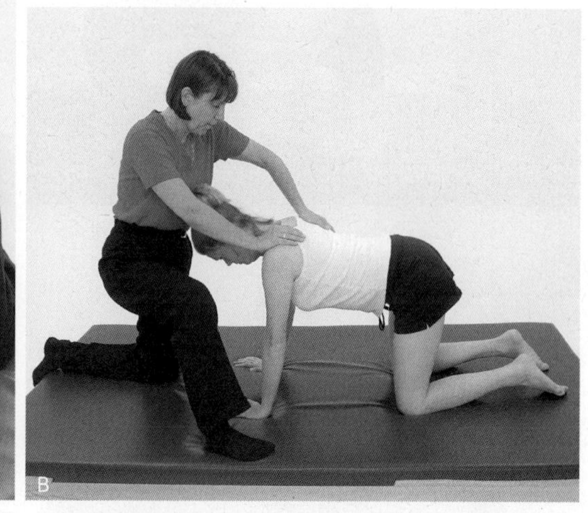

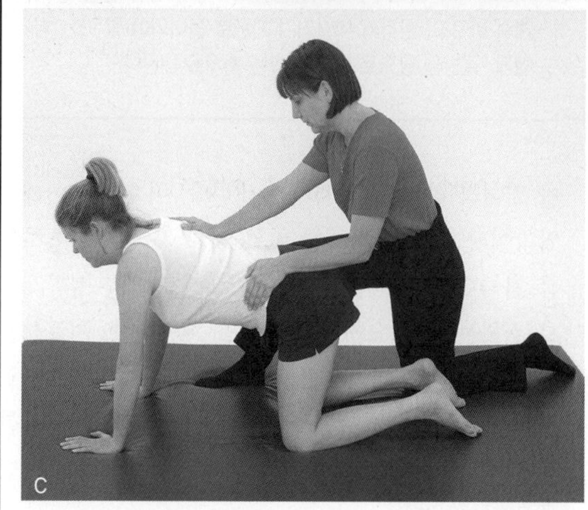

A. 시작점. 치료사는 환자 뒤에서 무릎 서기 자세로 환자의 골반 오른쪽과 왼쪽에 맨손 접촉을 가한다. 환자는 치료사가 이마면에서 저항을 가할 때 "오른쪽/왼쪽으로 밀리지 않도록 버텨라"라는 구두 지시를 받는다.

B. 중간 범위. 치료사가 반 무릎 서기 자세로 환자의 머리 꼭대기를 마주 본다. 한 손은 환자의 양쪽 어깨뼈에 하나씩 올려놓고, 환자에게 "이 자세를 유지하라"고 지시한다. 그러고는 양손으로 번갈아 압력을 가하면서 환자 몸통의 협력 수축을 개선한다.

C. 종료 범위. 치료사는 환자의 골반 오른쪽 바로 옆에서 반 무릎 서기 자세를 취한다. 오른손은 환자의 오른쪽 어깨뼈에, 왼손은 환자의 왼쪽 엉덩뼈능선에 올려놓는다. 환자는 치료사가 교대로 힘을 가할 때 "유지하라"는 지시를 받는다.

단계를 향상시킬 수 있다.

앉기

앉기는 여러 가지 기능적 과제를 수행할 수 있는 기본 자세이자 기대기(recumbency)와 서기 사이의 중간 지점이다. 앉기 자세에서는 양쪽 팔이 모두 자유로워지고, 몸통은 바로 서서 체중을 지지한다. 체중 이동과 몸통 및 골반의 정중선 위치를 조절하는 법을 배우면 효율적인 보행에 필요한 균형과 근력, 신경근 조절을 발전시키는 데 도움이 된다. 앉기 자세에서는 몸통과 팔다리 움직임의 여러 조합이 가능하므로 환자가 서로 다른 신체 부위에서 가동성과 안정성을 동시에 발달시킬 수 있다. 균형 반응도 이 자세에서 촉진할 수 있다.

이상적인 앉기 자세는 골반과 척추가 중립 위치에 있는 자세다. 머리는 복장뼈와 일직선을 이루고, 발은

중재 9-27 네발기기 자세에서 흔들기 촉진을 위한 느린 반전 기법

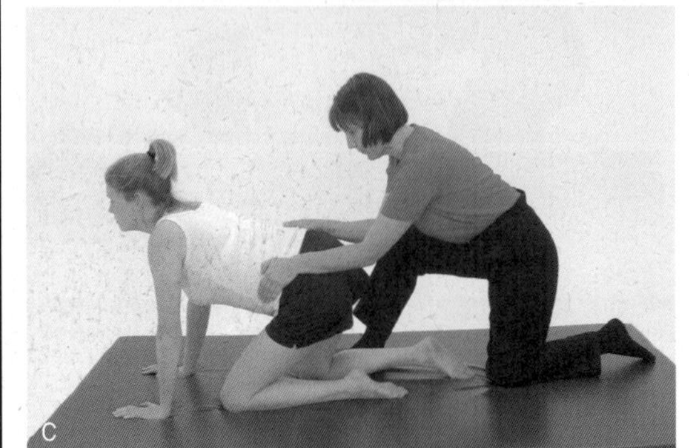

A. 치료사는 환자 뒤에서 반 무릎 서기 자세를 취하고, 손바닥 쪽의 불룩한 부분을 환자의 궁둥뼈결절에 댄다. 환자는 "내 손을 깔고 앉아라"라는 지시를 받는다.

B. 환자는 엉덩이로 치료사의 손바닥 쪽 볼록한 부분을 압박하거나 원하는 운동을 할 때까지 계속 체중을 이동시킨다. 치료사는 체중을 옮겨서 환자가 움직임을 공간을 충분히 확보해 준다.

C. 치료사가 환자의 양측 위앞엉덩뼈가시에 가한 맨손 접촉을 계속 바꾸고, 환자가 네발기기 자세로 돌아가야 할 때는 환자에게 "골반을 앞으로 당겨라"라는 지시를 내린다.

바닥에 단단히 닿아 있다. 이러한 세부 사항에 주의를 기울이면 앉기 활동의 효율성을 높이고 보다 까다로운 자세에서 기능적 과제로 이월할 수 있다. 많은 사람들, 특히 신경장애가 있는 사람들은 등뼈와 허리뼈를 굽히고 골반을 뒤로 기울이는 경향이 있기 때문에 환자가 몸통을 바로 세우도록 돕기 위해서 촉진을 해야 하는 경우가 종종 있다. 자세 교정은 바로 앉기의 기초가 되는 골반에 먼저 시행해야 한다. 치료사의 손 뒤쪽에 볼록한 부분이 엉덩뼈 능선과 위앞엉덩뼈가시(ASIS) 사이에 놓이고, 손가락들은 궁둥뼈결절 쪽을 향해 아래쪽 뒤를 가리켜야 한다. 치료사는 환자의 골반을 뒤쪽에서 앞쪽 기울임으로 수동적으로 이동시켜 환자가 원하는 움직임을 인지할 수 있도록 할 수 있다. 앞쪽 기울임 자세를 촉진하려면 치료사가 환자의 골반을 수동적으로 뒤로 기울이고, 환자가 골반을 올려 앞으로 움직이려고 할 때 아래쪽 뒤로 저항을 가할 수 있다. 이때는 "바로 앉아라"나 "내 쪽으로 엉덩이를 밀어라"라는 구두 지시를 내린다. 어깨뼈나 어깨에 압박이나 견인을 가하면 바로 서기 자세로 이행하도록 자극할 수 있다. 환자가 바로 선 자세를 성공적으로 취하는 데 필요하다면 도움을 제공한다. 치료사는 강한 쪽에 저항을 가하고 약한 쪽을 도울 수 있으므로 오버플로우의 원리를 사용한다. 중재 9-32는 다양한 맨손 접촉을 사용하여 바로 선 자세를 촉진하는 방법들을 보여 준다.

율동적 개시와 유지 이완 능동적 움직임은 환자가 대칭적인으로 바로 앉기 자세를 취하도록 가르치는 효과적인 기술이다. 중재 9-33은 후자의 기술을 나타낸다. 맨손 접촉은 조기 재활 기간 동안 도움이 필요하지 않으면 원하는 운동 방향으로 가해진다. 일단 환자가 수직 자세를 취하면 교대적인 등척성이나 율동적 안정화를 적용해 안정성을 확보하거나 강화한다. 촉진 기술의 유무에 관계없이 팔의 체중지지 활동은 특히 운동조절의 안정성 단계 도중에 앉기 자세에 적절

중재 9-31 계속

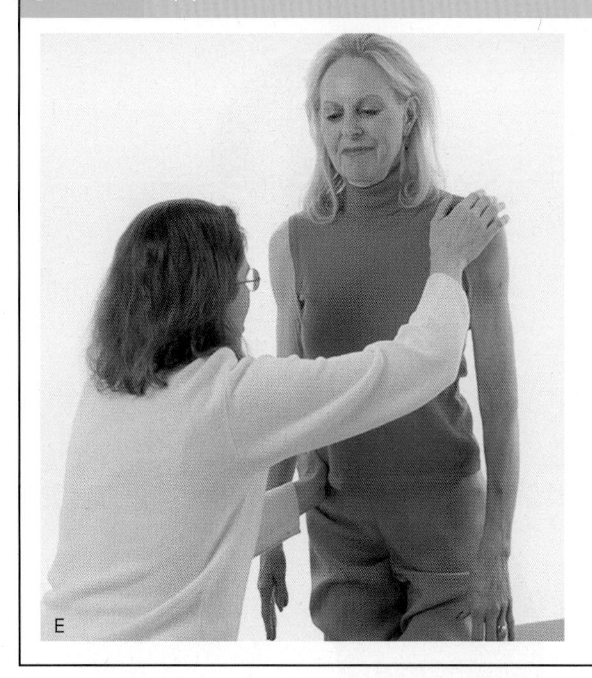

E. 환자가 무릎 서기로의 이행을 완료한다. 넓적다리와 골반, 몸통, 머리에 도움과 저항을 신중하게 제공하는 것을 포함해서 개개인의 근력과 손상을 다루기 위해서 맨손 접촉을 교대로 사용할 수 있다.

체중을 앞쪽 위로 옮길 수 있다(Carr and Shepherd, 1998). 사람이 계속해서 몸을 앞으로 기울일 때는 엉덩이가 의자에서 들려 올라간다. 궁극적으로는 몸통 쪽이 바로 세워질 때 엉덩이와 무릎이 펴지고 서기가 가능해진다. 도움이나 저항을 제공하면 앉기에서 서기로의 이행을 효과적으로 촉진할 수 있다. 촉진의 형태나 정도와 상관없이 이러한 움직임의 정상적 타이밍이 중요하다. 엉덩이 폄근의 약화는 조기 무릎 폄과 관련이 있다. 이런 일이 생기면 최적의 움직임 패턴의 정상적 타이밍과 순서에 지장이 생기고, 몸통 폄을 효율적으로 달성하기가 훨씬 더 어려워진다.

치료사는 앉기에서 서기로의 이행을 촉진할 때 환자 앞이나 대각선 상에 선다. 대각선 상에 서면 같은 방향으로의 체중 이동을 촉진할 수 있다. 이러한 자세는 특히 강한 팔다리로만 몸을 밀어 올리는 경향이 있는 환자에게 권장한다. 맨손 접촉은 환자의 요구와 능력에 따라 다양하다. 위쪽 몸통에 위치한 손 위치는 일어 설 수 있지만 정확한 순서나 움직임의 타이밍을 알려주는 지시가 필요한 환자에게 효과적이다. 골반 맨손 접촉은 이러한 이행을 성공적으로 완료하는 데 강한 촉진이 필요한 환자에게 더 적합하다. 치료사의 손은 위앞엉덩가시뼈와 엉덩뼈능선 사이 공간에서 골반 양쪽에 올려놓는다. 이행적 움직임 도중에 치료사는 원하던 환자의 전진 움직임을 따라한다. 환자의 성공을 극대화하기 위해 치료사는 의도적으로 자신의 신체 움직임을 계획하고 실행해야 한다. 체중 뒤쪽 이동과 치료사와 환자 움직임의 동기화, 정확한 저항 등급 결정이 중요하다. 환자에게는 "나에게 기대어 일어서세요."라고 구두 지시를 내린다. 앉았다 서기 이행을 시작했다 하면 어떤 단계에서도 지체 없이 진행해야 한다. 그렇지 않으면 환자는 이행을 완료하는 데 충분한 힘을 내지 못해 더 큰 어려움을 겪는다(Carr and Shepherd, 1998). 골반 맨손 접촉과 치료사의 움직임 및 간결한 구두 지시는 환자에게 어떤 방향으로 움직여야 하는지를 알려 준다. 중재 9-34에서 나타낸 것처럼 올리기 패턴은 운동에 이러한 움직임에 통합되어 체중 앞쪽 이동과 몸통 바로 세우기 자세 유지를 향상시킬 수 있다.

중재 9-32 똑바로 앉기 자세

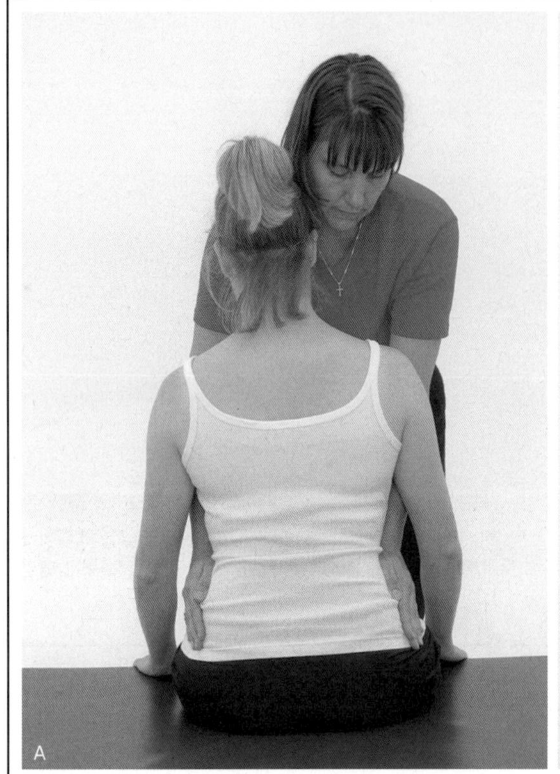

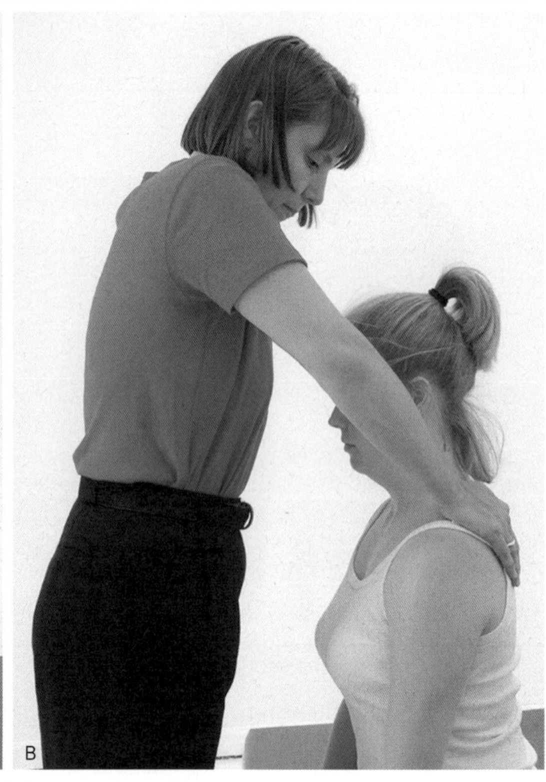

치료사는 발을 바닥에 대고 매트 가장자리에 앉은 환자를 마주 보고 선다.

A. 치료사는 필요하다면 자신의 다리로 환자의 다리를 안정시킬 수 있다. 치료사가 환자의 골반에 맨손 접촉을 가해서 똑바로 앉기 자세의 구성요소인 골반 앞쪽 기울임을 촉진한다. 치료사는 환자에게 "골반을 내 손 쪽으로 올려 앞으로 밀어라"라고 지시한다. 환자는 구부정하게 앉은 자세에서 시작한다. 여기서 요구되는 움직임의 종료 자세는 상기의 그림에 나와 있다.

B. 환자가 발을 바닥에 대고 매트 테이블 위에 앉는다. 치료사는 환자를 마주 보고 환자의 어깨뼈에 맨손 접촉을 가한다. 치료사가 아래쪽 뒤로 압박을 가할 때 환자는 "몸을 바로 세우고 앉아라"라는 지시를 받는다.

약한 쪽에만 도움이 필요하다면 치료사는 강한 쪽 골반에 맨손 접촉을 유지하고, 뒤 가쪽 엉덩뼈능선이나 엉덩이에 맨손 접촉을 가해 더 약한 쪽을 도울 수 있다. 환자가 더욱 많은 도움을 필요로 한다면 치료사의 양손을 환자의 엉덩이에 올려 환자가 서도록 도와주고 이 이행에서 적절한 타이밍을 유지하도록 돕는다. 높이조절 치료대나 리프트 의자 같은 표면이 올라간 도구를 처음으로 사용하면 이러한 활동의 요구를 감소시켜 조기 성공을 증진할 수 있다. 앉기나 무릎 서기 자세에서의 저항적 다리 패턴과 교각 운동, 조절된 가동성 활동은 환자가 앉았다 서기 이행에 필수적인 근력과 협응, 운동조절을 발달시킬 수 있게 도와준다.

효과적인 편심성 조절과 더불어 서기에서 앉기로 돌아가는 효율적인 이행은 관련된 기능적 기술이다. 환자들은 앉기 자세로의 조절된 느린 하강을 완수하기 위해서 아래로 당기는 중력의 힘에 끊임없이 대항하다. 그러므로 치료적으로는 더욱 많은 저항이 거의 필요하지 않다. 하지만 구두 지시와 맨손 접촉을 신중하게 선택해서 제때에 가하면 이행적 움직임의 질을 효과적으로 증진시킬 수 있다. PNF 기법들은 유지 이완 능동적 움직임과 느린 반전 유지, 작용근 반전을 포함해서 질과 효율성, 안정성을 증진하기 위해서 앉

중재 9-33 똑바로 앉기 자세를 증진하는 유지 이완 움직임 기법

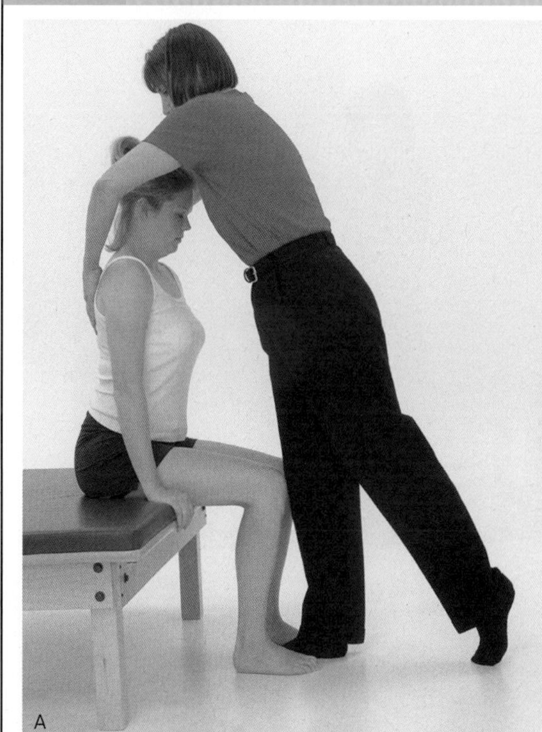
A

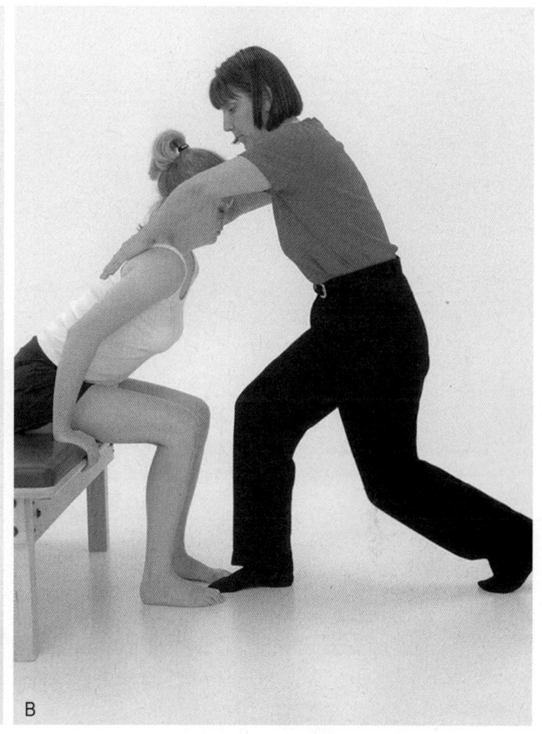
B

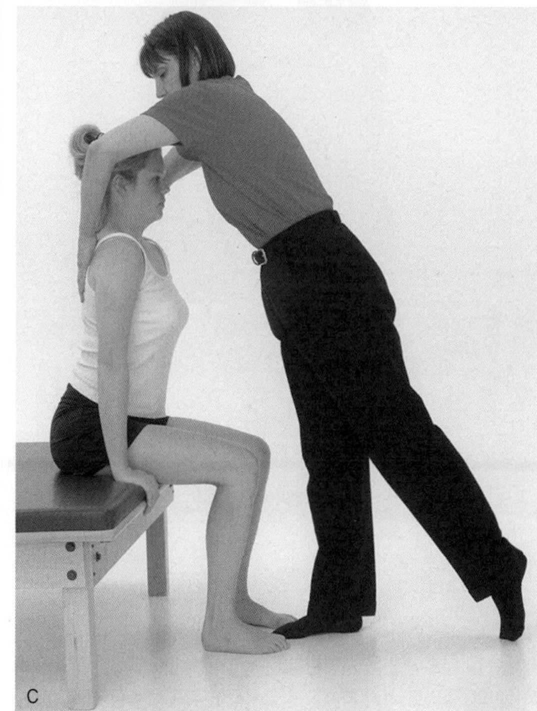
C

환자는 발을 바닥에 단단하게 대고 매트 가장자리에 외부 지지 없이 앉는다. 치료사는 중간 입각기(mid stance) 자세를 취하고 서서 환자를 마주 본다.

A. 관절주머니속(intracapular) 영역에서 환자의 몸통 뒤쪽에 맨손 접촉을 가한다. 치료사는 짧아진 범위에서 몸통 폄근의 등척성 유지에 저항을 가한다

B. "이완"하라는 지시가 떨어지자마자 치료사는 몸통 폄근의 늘어난 범위까지 환자를 수동적으로 움직인다. 또한 이 움직임 도중에 체중을 뒤로 옮긴다.

C. 치료사가 몸통 폄근의 동심성 수축을 촉진하거나 그에 저항을 가할 때 환자는 능동적으로 똑바로 앉기 자세로 돌아간다. 환자가 똑바로 앉기 자세를 취할 때 치료사는 체중을 앞으로 옮긴다.

중재 9-34 대칭적 서기 자세에서 독립적 서기를 증진하는 활동

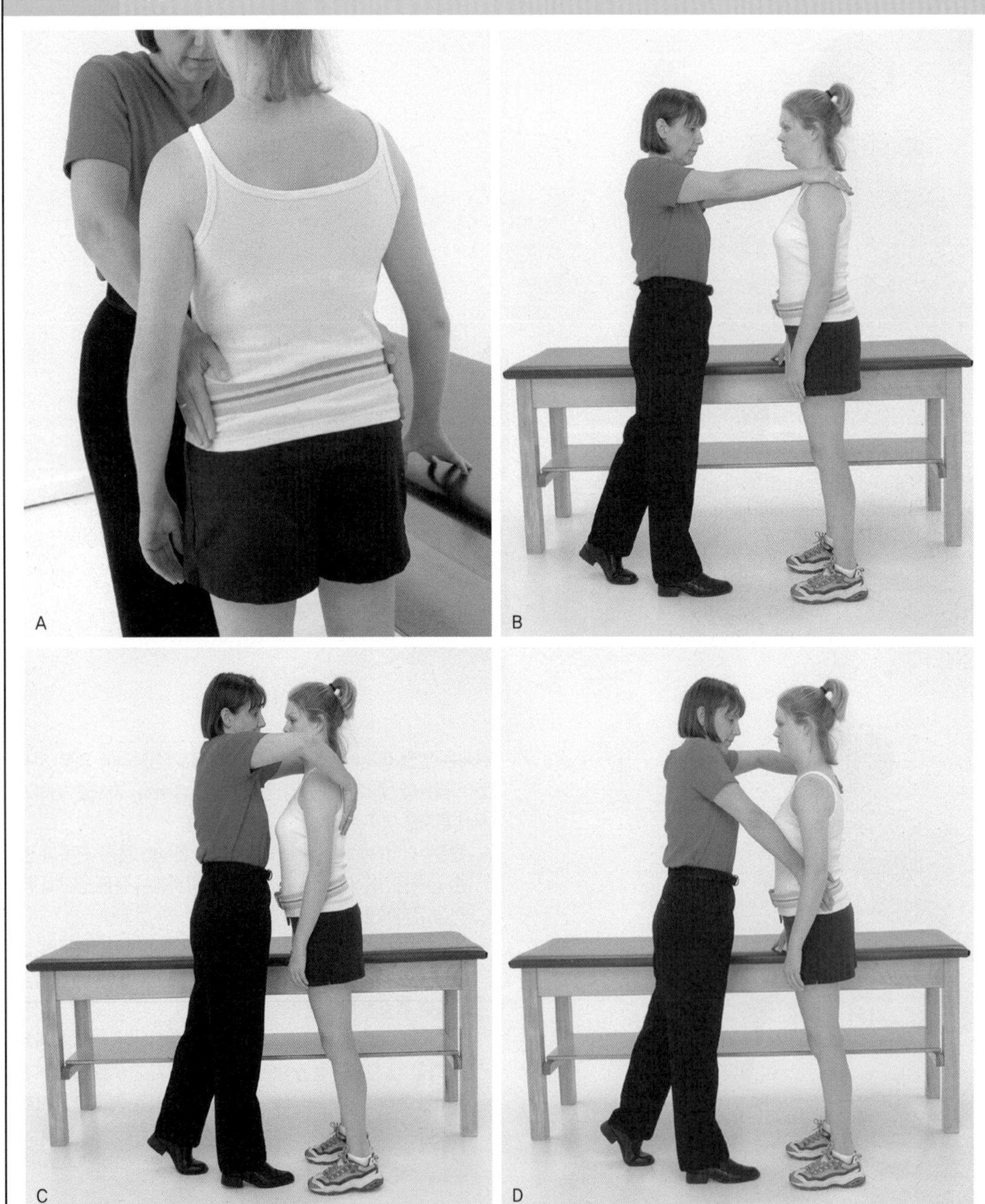

환자는 발을 대칭적으로 놓고 선다. 치료사는 중간 입각기 자세로 서서 환자를 마주 본다.

A. 치료사는 환자의 엉덩뼈능선에 맨손 접촉을 가해 골반에 압박을 가한다. 또한 환자에게 "똑바로 일어서라"라고 지시할 수 있다.

B. 치료사는 몸통 똑바로 세우기 자세를 개선하기 위해서 팔이음뼈 앞쪽에 압박을 가한다.

C. 치료사가 똑바로 서기 자세를 개선하기 위해서 환자의 어깨뼈 너머에 손을 대고 견인을 시행한다.

D. 율동적 안정화는 어깨와 골반에 비대칭적 맨손 접촉을 가하면서 적용한다. 똑바로 서기 자세를 향상시키기 위해서 몸통 협력 수축을 증진하는 회전력 적용을 강조한다.

중재 9-35 중간 입각기 자세로 서서 안정성과 골반 조절을 증진하는 활동

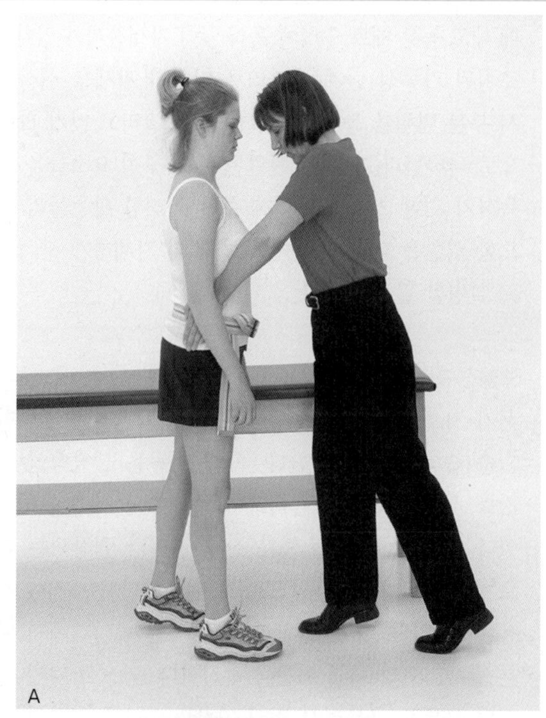
A

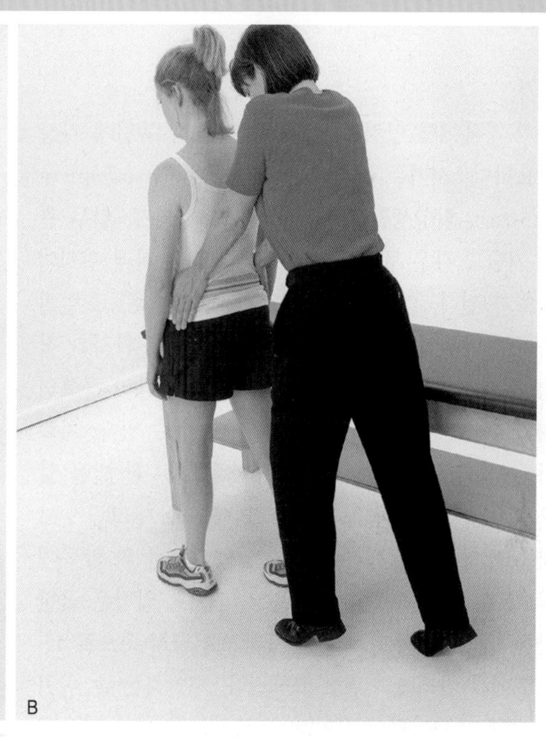
B

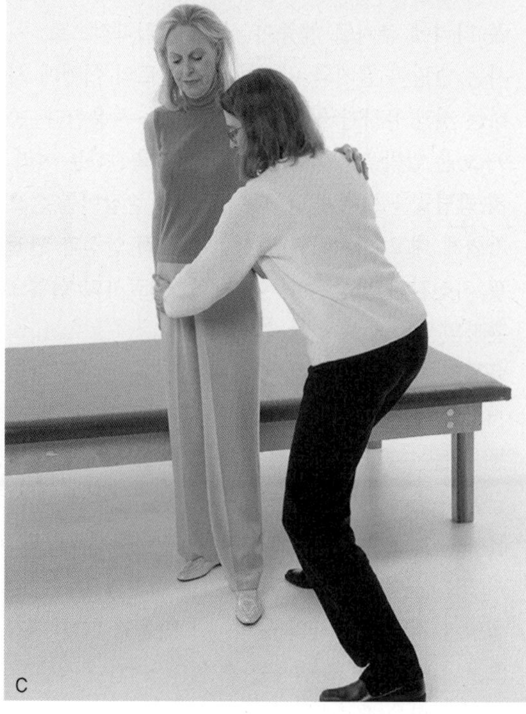
C

환자는 중간 입각기 자세로 서서 오른쪽 다리를 앞으로 내민다. 치료사도 일어서지만 상대적인 위치는 환자의 특정한 상황과 목표에 따라 달라진다

A. 보다시피 치료사는 환자 앞에 서서 골반에 압박을 가한다. 치료사는 손바닥의 불룩한 부분을 환자의 위앞엉덩뼈능선에 대칭적으로 올려놓는다.

B. 압박의 교대 적용은 그림에 나와 있고, 이때 치료사는 환자 뒤쪽에 선다. 맨손 접촉은 상기와 유사하다. 하지만 치료사의 손은 뒤쪽으로 움직인다.

C. 치료사는 체중이 실리지 않은 다리에 맨손 접촉을 가해 골반 조절을 촉진한다. 환자는 전진하는 다리에 체중을 실어서 중간 입각기 자세를 취한다. 이 경우에는 왼쪽에 체중을 싣는다. 치료사는 왼쪽에 선다. 또한 오른손을 이용해서 왼쪽 팔다리의 등척성 조절을 촉진하고 돕거나 그에 저항을 가한다. 왼손은 위앞엉덩뼈가시 근처의 오른쪽 골반에 올려놓는다. 환자는 체중이 실리지 않은 팔다리로 흔들기 단계 시행을 촉진하기 위해서 “골반을 내 손에 대고 밀어라”라는 지시를 받는다. 이 경우에는 오른쪽 팔다리를 이용한다.

앉다 일어서기 양방향 이행에 맞게 조정해서 적용할 수 있다.

서기

서기 자세에서 안전과 안정성은 기능적 독립에 가장 중요하다. 서기는 걷기와 서서 축 이동(stand-pivot transfer), 일상생활 활동, 청소나 요리 과제, 업무 관련 기술과 같은 보다 높은 수준의 기능적 과제 수행의 기초가 된다. 앉기에서 서기로의 이행은 운동조절의 가동성 단계이며 이전 단락에서 다루었다. 환자가 직립 자세를 취하면 골반에 압박을 가해서 다리 근육의 협력 수축을 촉진하고 안정성을 확보할 수 있다. 치료사는 대각선 상에 서서 환자를 마주 보고 한 발을 앞으로 내밀면서 압박을 가한다. 벌레근 쥐기(그림 9-1 참조)에서 엄지두덩은 환자의 엉덩뼈능선 위 앞쪽에 닿고, 손가락은 궁둥뼈결절을 가리킨다. 압박은 골반 양쪽에 동일하게 가하고, 환자의 발뒤꿈치 쪽으로 45° 각도에서 아래쪽과 뒤로 가해진다. 제안하는 손 위치는 중재 9-35에 나와 있다. 치료사는 환자가 반응할 때 사용하는 힘의 양을 점차 증가시킨다. 중재 9-35에서처럼 교대적인 등척성과 율동적 안정화를 사용해 안정성을 보다 더 키울 수 있다. 치료사는 환자 앞이나 대각선 상에 서서 이러한 기법들을 적용할 수 있다.

다양한 맨손 접촉은 지레팔의 변화를 통해 환자의 능력에 적절한 난이도의 저항을 제공하는 데 도움이 된다. 최소한의 저항은 골반 접촉으로 가해지고, 중간 정도의 저항은 넓적다리와 아래쪽 몸통 접촉으로 가해진다. 가장 큰 합력은 다리와 발목, 팔이음뼈 혹은 팔에 손을 배치해서 생성한다.

한 발 서기에서의 정적인 자세잡기는 양측 다리 서기와 동적 보행 전 활동 사이의 우수한 중간 진행을 제공한다. 전형적인 서기에 대해 앞서 설명한대로 교대적인 등척성과 율동적 안정화 같은 안정성 촉진 기법들은 한 발 서기에도 동등하게 적합하다. 자세 변경이나 추가적 도구 사용은 환자의 수행력이나 안전을 최대화하는 데 이로울 수 있다. 예컨대 체중을 지지하거나 지지하지 않는 다리를 의자에 올리기, 팔을 지지하기 위해 손잡이나 지지 면 제공하기, 한 다리만 바닥에 대고 높은 매트 구석에 올라 앉아 자세잡기가 있다.

조절된 가동성 단계는 다리로 다양한 자세를 취하면서 부분 범위를 통한 체중 이동과 쪼그리고 앉기 활동으로 나타난다. 보행과 관련된 운동 구성 요소들을 획득하기 위한 기초를 확립해 주는 이러한 활동들의 중요한 역할은 다음 단락에서 보다 더 자세하게 분석하고 설명할 필요가 있다.

보행전 활동

서기 자세에서 조절된 가동성 활동은 걷기에 필요한 기술 습득을 목표로 한다. 체중 이동은 실질적인 걷기를 시도하기 전에 습득해야 하는 기본적인 움직임이다. 대칭적 서기는 환자 상태에 따라 권장되는 대로 중간 입각기(한발 앞으로)로 진행하면서 초기에 사용할 수 있다. 중간 입각기 자체는 한 팔다리에서 다른 팔다리로의 체중 이동을 촉진한다. 앞으로 나간 다리의 무릎을 구부려서 런지 자세(lunge)를 취하면 앞쪽 다리에 추가로 체중이 실린다. 절차적으로, 치료사는 엉덩이 끌기와 앉기에서 서기로의 이행에 사용하는 것과 유사한 골반 앞쪽의 접촉을 사용한다. 중재 9-36은 압박을 가하고 골반 조절을 촉진하는 여러 가지 방법들을 보여 준다. 테이블 또는 손잡이를 손으로 가볍게 대고 지지하면 환자의 심리적 안정과 안전성 및 자신감이 향상된다. 추가적인 치료사의 협력으로 환자의 안전을 보장 할 수 있다.

율동적 개시는 수동운동과 능동 보조, 능동, 가벼운 저항이 가해진 운동의 순서를 이용해 체중 이동의 활동을 돕는다. 느린 반전 유지는 보행 도중의 등장성 근육 수축에 이어 등척성 근육 수축의 순서를 자극하는 도구가 될 수 있다. 지레팔은 골반과 넓적다리, 다리 또는 몸통에 맨손 접촉을 가해 다양화 할 수 있다. 접촉과 저항은 환자의 능력이나 반응에 따라 대칭적으로나 비대칭으로 적용할 수 있다. 예컨대 적절한 강도의 저항은 오버플로우를 생성하기 위해 왼쪽 넓적다리 중간 앞쪽을 맨손 접촉으로 가할 수 있고, 적은 저항은 움직임을 촉진하기 위해서 왼쪽 골반 앞쪽에 적용한다.

일부 환자는 심혈관 상태와 균형, 몸통 조절, 협응 결손 및 인지 손상을 비롯한 여러 가지 요인 때문에 짧은 시간 동안만 직립 자세를 취할 수 있다. 엉덩이와 무릎 또는 척추의 관절염과 같은 근골격계의 증상도 서기 자세에 제한을 줄 수 있다. 서기와 걷기에 필요한 움직임이나 근육 수축을 훈련시키기 위해서 낮은 수준의 발달 자세에서 대체 활동을 결정하는 것이 적절하다. 네발기기 자세나 반 무릎 서기 자세에서의 교각 운동과 체중 이동은 조절된 활동으로 나타나며, 보행 과정의 구성 요소들로 직접적 기능 연결이 된다. 느린 반전 유지와 작용근 반전은 직립 보행에 가장 중요한 근육 수축과 운동 전략 유형을 촉진하고 강화한다. 이러한 기법들은 보행 패턴의 시작과 유지, 다듬기 과정에서 중요한 핵심 근육을 강화시키는 역할을 한다. 환자의 특정한 능력과 필요에 따라 제안되는 다른 중재에는 네발기기 자세에서 저항을 가하는 팔다리 패턴이 있다. 예컨대 네발기기 자세, 무릎 서기, 또는 반 무릎 서기에서의 교대적인 등척성이나 율동적 안정화가 있다. 또한 옆으로 누운 자세에서 저항을 가하는 다리 패턴은 특히 골반 조절을 강조하는 D_1 폄이다. 이러한 활동 중 일부는 가정 프로그램에 포함될 수 있다.

환자가 중립 자세에서 적절하게 체중을 이동한 후에는 율동적 안정화를 사용해서 특히 앞으로 내딛은 팔다리의 안정성을 더욱 높일 수 있다. 맨손 접촉은 골반과 무릎 또는 발목 조절에 중점을 두도록 변경할 수 있다. 입각기에서 안정성의 중요성은 거듭 강조해도 지나치지 않다. 딛고 선 다리가 적절한 지지와 안전을 제공할 때만 체중이 실리지 않은 발이 효율적으로 진행되거나 나아갈 수 있다. 딛는 발의 안정성이 충분히 확보되면 위앞엉덩뼈가시에서 벌레근 쥐기를 통해 같은 쪽 골반을 신장시켜 체중이 실리지 않는 발의 유각기를 촉진할 수 있다. 힘은 궁둥뼈결절을 향해 뒤로나 아래로 가해진다. 신장은 "앞으로 발을 내딛어라"라는 구두 지시에 맞춰 적용된다. 신중히 적용한 저항은 더 큰 움직임을 촉진할 수 있다. 환자가 골반을 만족스럽게 조절할 수 있다고 판단된다면 엉덩이 굽힘을 촉진하기 위해 넓적다리 앞쪽에 맨손 접촉을 가할 수도 있다. 발이 다시 표면에 닿을 때, 체중 이동과 앞쪽 팔다리의 안정화 과정이 재개된다. 지속적인 보행 준비와 훈련을 위한 많은 옵션이 있다. 제안되는 맨손 접촉은 중재 9-36에 나와 있다. 환자의 반응에 따라 몇 가지 전형적인 경로를 추구한다. 신장 유무와 상관없이 반복적으로 앞으로나 뒤로 발을 내딛는 연습을 할 수 있다. 뒤로나 옆으로 발 내딛기를 촉진하는 절차는 앞으로 발 내딛기의 경우와 비슷하다. 근육 수축이나 원하는 운동 방향을 촉진하기 위해서 치료사의 손 위치를 조절한다. 치료사는 앞에서 설명한 절차를 통해 유각기와 입각기에 교대로 중점을 둘 수 있다. 몸통과 골반, 또는 다리에 맨손 접촉을 가하는 점진적 저항기법은 신장을 통한 촉진이 더 이상 필요하지 않을 때 도입한다.

신경학적결손이 있는 환자가 안전하고 효율적인 보행 패턴을 유지하는 것은 개인과 치료사 모두에게 도전적인 일이다. 모든 환자에게 최적인 단 하나의 전략은 없지만 아래의 진행은 이런 환자들에게 도움이 될 수 있다.

- 발을 대칭적으로 놓고 서기 자세에서 압박과 안정성 운동 시행하기
- 중간 입각기에서 압박과 안정성 운동을 시행하고, 이어서 환자가 앞쪽 다리로 체중 옮기기
- 환자가 앞으로 발을 내딛을 때 앞으로 나아가는 다리 쪽 골반에 저항 가하기
- 한쪽 다리를 앞으로, 뒤로 내딛기 반복하기
- 유각기 시작점에서 엉덩이 굽힘근에 촉진적 신장을 가하고 골반에 맨손 접촉을 가해서 상반적 걷기
- 골반에 이어서 몸통과 다리에 맨손 접촉을 가해 상반적 걷기

지지 도구나 난간 사용 유무와 상관없이 계단 오르기는 안정성과 근력을 충분히 가지고 있는 환자들에게 적절한 목표가 될 수 있다. 편편한 지면 보행에 사용되는 맨손 접촉과 기법들의 진행은 계단에 성공적으

중재 9-36 보행 시 유각기를 돕고 촉진하는 방법들

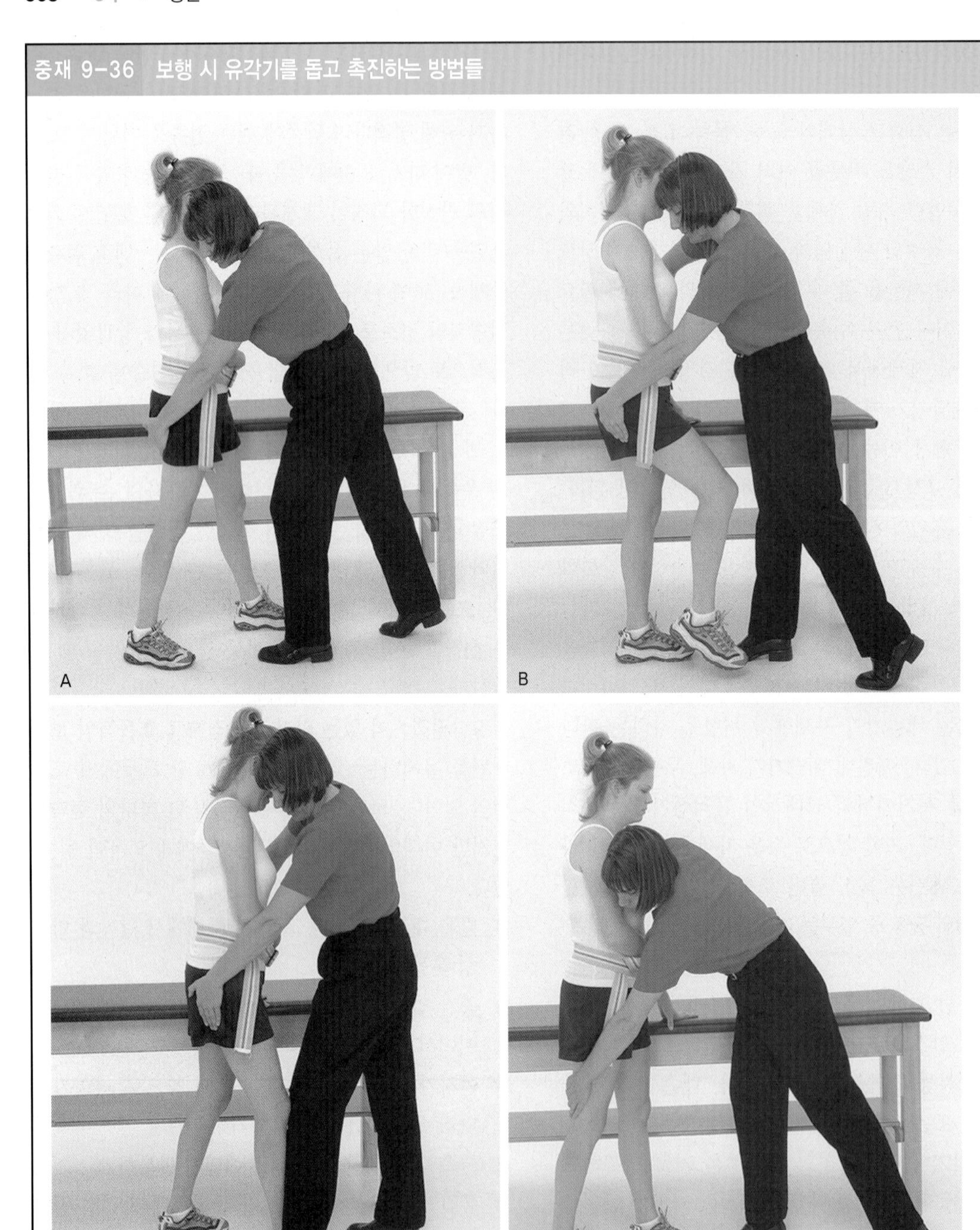

치료사와 환자는 중간 입각기 자세로 서서 서로를 마주 본다.

A. 치료사는 환자의 궁둥뼈결절에 맨손 접촉과 적절한 도움을 고려해서 보행 시 유각기 시작을 촉진한다.

B. 치료사는 중간 유각기를 통해 화자의 오른쪽 다리를 돕는다. 이러한 움직임이 일어나는 동안 환자의 진행을 모방하기 위해서 한 발을 뒤로 내딛는다.

C. 치료사는 환자의 골반 뒤쪽에 맨손 접촉을 가해서 오른쪽 다리로의 체중 이동을 촉진한다.

D. 치료사는 유각기 시작을 돕고 촉진하기 위해서 넓적다리 뒤쪽에 맨손 접촉을 가한다.

(계속)

중재 9-36 계속

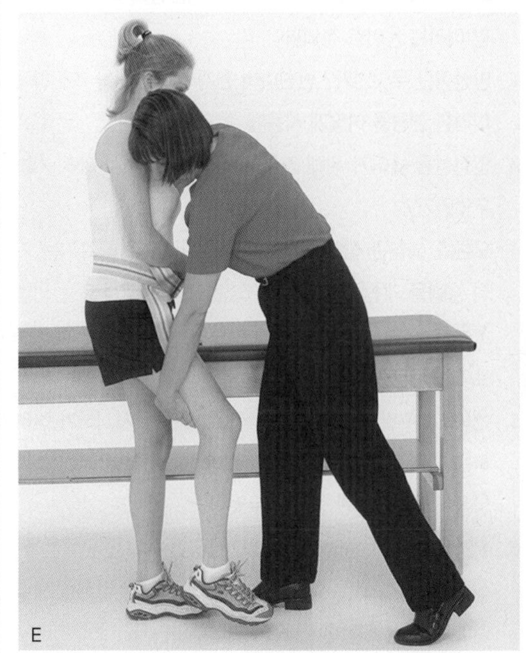

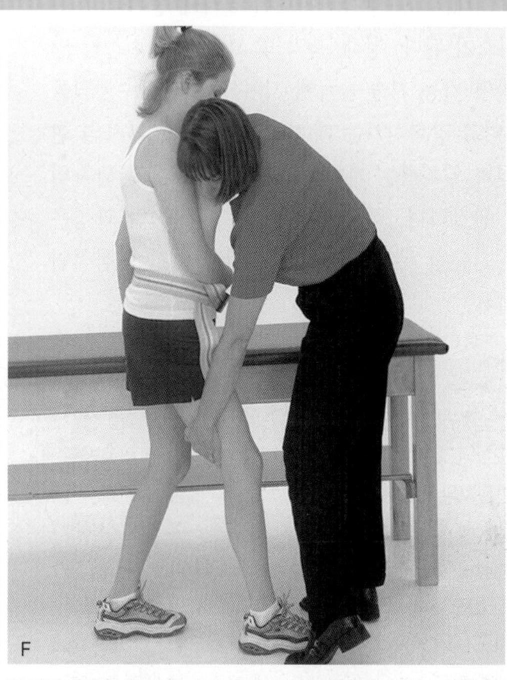

E. 환자가 중간 유각기까지 움직임을 진행한다. 치료사는 환자가 움직일 공간을 확보해 주기 위해서 맨손 접촉를 바꾸고 체중을 이동시킨다.
F. 치료사는 환자의 넓적다리 뒤쪽에 맨손 접촉을 가해서 오른쪽 다리로의 체중 이동을 증진시킨다.

로 적용할 수 있다. 다리 순서와 방법(교대 대 비교대)와 관련해서 의도적으로 선택한 것들은 환자의 성공과 최적의 난이도에 중요한 요소이다. 계단 내려가기는 엉덩이와 무릎 폄근의 편심성 조절을 발달시킬 수 있는 기능적인 기회를 제공한다. 실제 계단을 이용하기 전에 계단 의자를 이용하거나 플랫폼 발판을 쌓아 연습하면 보다 더 안전하게 준비 훈련을 할 수 있다.

고유 수용성 신경근 촉진법과 운동 학습

운동 학습은 "기술된 행동을 생산하는 능력의 비교적 영구적인 변화를 이끌어 내는 경험이나 실습과 관련된 일련의 과정"으로 정의된다(Shumway-Cook과 Woollacott, 2012). 이 개념에 따르면 PNF의 의도적인 치료 접근법적 결과는 기능적 운동 전략을 발전시키고 다듬는 것이다. 마가렛 노트와 도로시 보스는 ≪고유 수용성 신경근 촉진법: 패턴과 기법 Proprioceptive Neuromuscular Facilitation : Patterns and Techniques≫이라는 고전 서적 2판 서문에서 PNF 접근법의 발달과 적용이 운동 학습의 극대화를 목표로 한다고 반복적으로 언급했다. 그 내용을 발췌해서 요약하자면 아래와 같다.

전체 패턴의 촉진을 위해 제안된 모든 절차에는 운동 학습을 촉진하는 공통 목적이 있다. 이상하게도 이러한 용어는 일부 물리치료사에게 새롭거나 이질적으로 느껴지지만 우리는 항상 운동 행동을 수행하기 위해서 '환자를 가르치려고' 노력했고, 환자가 그러한 가르침을 배웠을 때 기뻐했다(Knott와 Voss, 1968, p.xiii).

치료사와 환자의 상호적 관계를 키워주는 긍정적인 환경은 운동 기술의 최적 학습과 재학습의 기초가 된다. 이러한 환경은 환자가 현실적인 요구와 분명하게 표현된 기대, 기능적으로 관련된 결과에 동기를 부여받는 장소가 된다. 청각, 촉각 및 고유 수용성 감각 입력은 관련 기능 기술 습득에 기여하는 운동 수행력을 향상시키고 강화시키는 데 중요한 요소다. 환자의 현재 능력과 일치하는 기법과 패턴을 수행하고, 환자의 반응을 관찰하며, 적절히 수정하는 지속적인 과정은 환자의 기능적 목표를 달성하는 데 있어서 핵심적인 요소이다.

결론 요약

카벳과 노트는 1940년 대에 환자 치료에 대한 접근법을 창안하여 오늘날에도 계속 발전시켜 나가고 있다. PNF 치료법은 다양한 환자와 진단에 임상적으로 적용한다. 이것은 치료사가 모든 기능적 활동에 맞추어 조정하고 적용할 수 있는 철학과 기본 원리로 구성되어 있다. 치료사는 PNF의 기본 원리를 통합해서 중재 전략의 레퍼토리를 넓히고, 환자 특유의 필요에 맞게 치료 운동 프로그램을 설정할 수 있다. PNF 원칙을 적용해서 개별 환자를 위한 특정 활동 및 패턴을 만들 때는 체크리스트로 기본 원칙을 준수하는지 확인한다. 이러한 치료는 치료사가 PNF 기법들을 통합해서 특정 문제를 해결하고 환자의 수행 능력을 향상시킬 수 있게 해 준다. 기능에 중점을 두고 치료를 할 때는 PNF가 실행 가능한 치료 방법이다. ■

검토사항

1. 고유 수용성 신경근 촉진법(PNF) 접근법에 따른 적절한 저항 이라는 용어를 정의한다.
2. 방산이란 무엇인가? 반신마비 환자의 움직임을 촉진하려면 이러한 현상을 어떻게 사용할 수 있는가?
3. 안정성을 높이기 위해 자주 사용하는 두 가지 PNF 기법은 무엇인가?
4. 오른쪽 뇌혈관 장애(CVA) 환자의 왼쪽으로 구르기는 기능적 능력을 개선하려고 할 때 어떤 활동과 패턴 또는 기법을 사용하는 것이 적절한가? 동일한 환자에게 오른쪽으로 구르기를 가르칠 때는 임상적 전략이 어떻게 달라지는가?
5. 왼쪽 CVA 발병 후에 우측 다리로 체중을 지지하기 어려워하는 환자가 있다. 이 환자의 보행 시 오른 발 서기 능력을 향상시키는 적절한 중재는 무엇인가?
6. 환자의 오른쪽 엉덩이에 약화가 있다. 이러한 근육들을 편심적으로 강화하는 활동을 확인한다. 편심성 결손을 해결하기 위해 가장 적합한 PNF 기법은 무엇인가?
7. 넙다리뒤인대가 짧아서 무릎을 굽히고 앉는 환자의 능력이 제한된다. 이 근육 집단의 신장을 증진하는 PNF 기법은 무엇인가?

참고 문헌

Alder SS, Beckers D, Buck M: *PNF in practice: an illustrated guide*, ed 3, Heidelberg, 2008, Springer.

Carr J, Shepherd R: *Neurological rehabilitation optimizing motor performance*, Woburn, MA, 1998, Butterworth-Heinemann.

Kabat H: Proprioceptive facilitation in therapeutic exercise. In Licht S, Johnson EW, editors: *Therapeutic exercise*, 2 ed., Baltimore, 1961, Waverly.

Kisner C, Colby LA: *Therapeutic exercise foundations and techniques*, ed 5, Philadelphia, 2007, FA Davis, pp 85–87; 195–203.

Knott M, Voss D: *Proprioceptive neuromuscular facilitation: patterns and techniques*, ed 2, New York, 1968, Harper & Row.

Loofbourrow GN, Gellhorn E: Proprioceptively induced reflex patterns, *Am J Physiol* 154:433–438, 1948.

McGraw MB: *The neuromuscular maturation of the human infant*, New York, 1962, Columbia University Press.

Prentice WE: Proprioceptive neuromuscular facilitation techniques in rehabilitation. In Prentice WE, Voight ML, editors: *Techniques in musculoskeletal rehabilitation*, New York, 2001, McGraw-Hill, pp 197–213.

Richter RR, VanSant AF, Newton RA: Description of adult rolling movements and hypothesis of developmental sequence, *Phys Ther* 69:63–71, 1989.

Saliba V, Johnson G, Wardlaw C: Proprioceptive neuromuscular facilitation. In Basmajian J, Nyberg R, editors: *Rational manual therapies, Baltimore*, 1993, Williams & Wilkins, pp 243–284.

Sherrington C: *The integrative action of the nervous system*, ed 2, New Haven, 1947, Yale Press.

Shumway-Cook A, Woollacott MH: *Motor control: translating research into clinical practice*, ed 4, Philadelphia, 2012, Lippincott Williams & Wilkins.

Sullivan PE, Markos PD: *Clinical decision making in therapeutic exercise, Norwalk*, CT, 1995, Appleton & Lange.

Sullivan PE, Markos PD, Minor MA: *An integrated approach to therapeutic exercise: theory and clinical application*, Reston, VA, 1982, Reston.

Voss DE, Ionta M, Meyers B: *Proprioceptive neuromuscular facilitation: patterns and techniques*, ed 3, New York, 1985, Harper & Row.

CHAPTER

10 뇌혈관 장애

학습 목표 ***이 장을 학습한 후 학생들은 아래 사항에 대하여 이해하고 설명할 수 있다.***

1. 뇌졸중의 병인과 임상적 표상에 대해 논의한다.
2. 뇌혈관 장애가 있는 환자들의 공통적인 합병증을 파악한다.
3. 뇌졸중 환자 치료에서 물리치료 보조사가 맡은 역할을 설명한다.
4. 뇌졸중을 겪었던 환자에게 적절한 치료 중재를 설명한다.
5. 뇌졸중을 겪었던 환자들에게 기능 훈련이 얼마나 중요한지 인지한다.

서론

뇌혈관 장애(Cerebrovascular Accidents, CVA) 혹은 보다 더 흔한 명칭으로 뇌졸중이라고 하는 질환은 일반적으로 성인에서 가장 흔하고 장애가 큰 신경 질환이다. 질병 조절 및 예방 센터는 7백만 명의 미국인이 뇌졸중을 겪었고, 매년 795,000건의 새로운 뇌혈관 장애가 발생한다고 추정했다. 뇌혈관 장애는 매년 약 13만 명의 사망자가 나오는 미국에서 다섯 번째로 주요한 사망 원인이다. 그러나 의료 관리 개선과 선행적 위험 요인 감소로 이 질환의 사망률은 지난 10년 동안 크게 감소했다(질병 조절예방 센터, 2015; 미국 뇌졸중 협회, 2014).

정의

뇌혈관 장애는 뇌에 전해지는 혈액 공급 장애로 신경성 징후와 증상이 갑작스럽게 나타나는 것이다. 의사는 이러한 증상의 시작을 보고 이 질환의 혈관성 기원에 관한 정보를 얻는다. 뇌혈관 장애가 있는 사람은 뇌 조직 손상으로 일시적으로나 영구적으로 기능상실이 일어날 수 있다.

병인

뇌혈관 장애의 두 가지 주요 유형은 허혈성과 출혈성이다. 뇌혈관 장애의 약 85%는 허혈 때문에 생기고, 15%의 원인은 출혈이다. 출혈성 뇌졸중은 모든 뇌졸중 사망의 4%를 차지한다(National Stroke Association, 2014b, CDC, 2015).

허혈성 뇌혈관 장애

허혈은 저산소증이나 조직에 산소 공급이 감소되는 질환으로, 혈액 공급 부족으로 발생한다. 허혈성 뇌졸중은 두 가지 주요 범주로 나눌 수 있다. 혈전증(thrombosis)으로 생기는 뇌졸중과 색전증(embolus)으로 생기는 뇌졸중이 그것이다.

혈전성 뇌혈관 장애는 죽상동맥경화증으로 생기는 경우가 가장 흔하다. 죽상동맥경화증에서는 혈관 벽 내부에 플라크가 침착되면서 동맥의 속 공간(구멍) 크기가 감소한다. 결과적으로 혈관을 통과하는 혈류가 감소해 뇌 조직에 도달할 수 있는 산소량이 제한된다. 죽상동맥경화증 침착물이 혈관을 완전히 폐쇄하면 동맥으로 혈액을 공급받는 조직이 죽거나 혈관이 막히는 뇌경색이 일어난다. 뇌경색은 뇌의 일부가 막혀 죽게되는 질병이다.

색전증에 의해 발생하는 뇌혈관 장애는 종종 심혈관 질환, 특히 심방잔떨림, 심근경색 또는 판막 질환과 관련이 있다. 색전성 뇌혈관 장애에서 혈전은 혈관내막이나 동맥의 내벽에서 떨어져 나와 뇌로 전달된다. 색전증은 대뇌혈관에 머물러서 혈관을 막아 결과적으로 뇌 조직의 사망 또는 경색을 일으킬 수 있다. 대뇌혈류가 분당 20 mL/100mg보다 낮으면 신경기능에 장애가 있는 것이다. 관혈류가 8~10 mL/100mg 미만이면 세포 사멸이 일어난다(Fuller, 2009).

경색된 대뇌 조직을 둘러싼 영역을 허혈성 경계 영역(penumbra)이나 이행 영역이라고 한다. 이 영역의 신경섬유는 대뇌 혈류 감소와 신경기능 지원 불가로 상해에 취약하다(Fuller, 2009). 신경전달물질의 변화는 허혈성 손상 이후에 더 많은 손상을 일으킨다고 한다. 글루타메이트는 중추신경계(CNS)에 존재하며 시냅스 말단에 저장되는 신경전달물질이다. 시냅스에서 방출되는 양은 글루타메이트의 수준이 최소가 되도록 조절된다. 그러나 허혈성 손상 이후, 글루타메이트 수준을 조절하는 세포가 손상되어 시냅스후 수용체가 과도하게 자극된다. 세포 외 공간에서의 글루타메이트 수준이 과도하면 칼슘 이온이 세포 내로 더욱 쉽게 유입된다. 칼슘 이온은 뇌 세포로 들어가서 세포를 파괴시키고 죽인다. 다양한 파괴적(이화 작용) 효소와 자유 라디칼(신경 독성 부산물)이 이 칼슘 이온에 의해 활성화되며, 이 과정은 중요한 세포 구조의 추가 손상을 초래한다. 결과적으로 대뇌 조직 손상은 초기 경색 부위를 넘어서 확대된다(Fuller, 2009).

출혈성 뇌혈관 장애

뇌내출혈(Intra-cerebral hemorrhage)과 거미막밑출혈(Subarachnoid hemorrhage), 동정맥기형(Arterio-venous malformation)으로 생기는 질환들을 포함하는 출혈성 뇌졸중은 대뇌 혈관의 파열로 비정상적인 출혈이 일어나 나타난다. 뇌내출혈의 빈도는 45세 미만에서는 낮고, 65세 이상에서는 증가한다. 자발적인 뇌내출혈의 일반적인 원인은 혈관 기형뿐만 아니라 고혈압과 노화 때문에 뇌혈관 보전성이 변하는 것이다(Fuller, 2009).

거미막밑출혈은 거미막밑 공간에서 피가 나는 것이다. 거미막밑 공간은 거미막 아래와 피연질막 위에 있다. 동맥류는 혈관벽의 풍선확장이나 팽출이라고 정의할 수 있고, 혈관 기형은 거미막밑출혈의 주요 원인이다. 이러한 유형의 질환들은 혈관을 약화시키는 경향이 있으며 파열을 유발할 수 있다. 거미막밑출혈의 약 90%는 딸기동맥류 때문에 일어난다. 딸기동맥류는 혈관이 분기점에서 비정상적으로 확장된 대뇌 동맥의 선천성 결손이다(Fuller, 2009).

동정맥기형(Arteriovenous Malformations, AVMs)은 선천성 기형으로 뇌의 순환에 영향을 준다. AVM에서 동맥과 정맥은 모세혈관의 연결 없이 직접 소통한다(Fuller, 2009). 혈관은 팽창되어 뇌 속에 덩어리(mass)를 만든다. 이러한 결함은 혈관벽을 약화시키고, 시간이 지나면서 파열과 뇌혈관 장애를 유발할 수 있다. 동정맥기형으로 인한 대부분의 뇌졸중은 생후 3~40년 사이에 발생한다(Fuller, 2009).

일시적 허혈발작

뇌혈관 장애를 많은 사람들한테서 나타나는 일시적 허혈발작(Transient Ischemic Attacks, TIAs)과 혼동해서는 안된다. 일시적 허혈발작은 여러 면에서 뇌졸중과 유사하다. 환자가 일시적 허혈발작을 겪으면 뇌로의 혈액 공급이 일시적으로 중단된다. 환자는 운동 기능과 감각 기능, 언어 기능의 상실 등 신경기능장애를 호소한다. 그러나 이러한 결손은 24시간 이내에 완전히 해결된다. 뇌 손상이나 신경장애가 조금도 남지 않는다. 재발성 일시적 허혈발작은 혈전증을 암시하며, 치료를 받지 않으면 일시적 허혈발작 환자의 3분의 1 이상이 1년 이내에 뇌졸중이 발생된다(CDC, 2013).

의료적 중재

진단

뇌졸중 환자는 경색의 병인을 알아내기 위해서 입원을 해야 한다. 의사는 운동과 감각, 언어 및 반사 기능을 평가하기 위해 신체검사를 한다. 증상이 나타난 시기와 관련해 환자나 가족의 주관적인 정보도 중요하다. 뇌혈관 장애가 허혈성 또는 출혈성 손상의 결과인지 여부를 결정하기 위해서는 컴퓨터 단층 촬영이나 자기 공명 영상(Magnetic Resonance Imaging, MRI)으로 신경영상을 촬영하고, 그 정보를 토대로 의료적 치료를 실시한다. 그러나 초기에 컴퓨터 단층 촬영을 하면 작은 병변을 찾아내지 못할 수 있고, 급성 색전성 뇌혈관 장애도 감지하지 못할 수 있는 반면 MRI 촬영을 하면 초기 발병 후 2시간에서 6시간 이내에 허혈성 증상을 진단할 수 있다(Fuller, 2009). MRI의 일종인 확산강조영상은 대뇌 조직에서 물의 움직임을 측정하며, 진화 과정에서 작은 허혈성 경색과 뇌졸중을 탐지하는 데 유용하다(Fuller, 2009, National Institutes of Health [NIH], 2009).

급성 의료적 관리

급성 의료적 관리는 환자의 신경기능을 모니터링하고, 2차 합병증을 예방하는 것으로 구성된다. 환자의 혈압과 뇌 관류 및 두개 내압을 조절하는 것이 좋다. 약리학적 중재도 처방할 수 있다. 혈류를 개선하고 조직 손상을 최소화하기 위해 헤파린과 이뇨제, 베타 차단제, 안지오텐신 전환 효소 억제제, 혈전 용해제, 신경 보호제를 투여할 수 있다(Fuller, 2009). 조직 플라스 미노겐 활성제(tPA)와 같은 혈전 용해제는 사건 발생 후 3시간 이내에 환자에게 투여할 때 신경 손상의 영향력을 감소시킬 수 있다. 조직 플라스 미노겐 활성제는 혈액 응고를 분해하고 혈류를 증가시킨다. 그러나 항응고제 특성 때문에 뇌출혈 환자나 중증 고혈압 환자에게는 권장하지 않는다. 불행히도 뇌졸중 환자의 3~5%만이 약물 투여 가능 시기에 맞춰 병원에 도착한다. 신경 보호제는 적절한 혈액 공급이 없을 때 조직 손상을 최소화한다. 글루타메이트 배출을 변경시키거나 방해하고, 혹은 칼슘 과지지로부터의 회복을 향상시키는 약제는 장래성이 있다. 이 약제가 급성 뇌혈관 장애 환자에게 효과적인지 여부를 결정하기 위한 임상 시험이 계속 되고 있다(Fuller, 2009; NIH, 2009).

출혈성 병변이 있는 환자에게는 동맥류 기저부에 금속 클립을 넣거나 비정상적인 혈관을 제거하거나 혈종을 제거하는 등의 외과적 중재를 권할 수 있다(Fuller, 2009). 경동맥 내막 절제술은 경동맥이 막힐 경우에 권할 수 있다(NIH, 2009). 그러나 이러한 외과적 수술은 추가적인 허혈성 손상 위험에 이차적으로 급성 뇌혈관 장애가 나타날 경우에는 실시할 수 없다(O'Sullivan, 2014b).

뇌졸중 회복

뇌혈관 장애의 많은 생존자들은 영구적인 신경 손상으로 장애를 얻고, 이전의 사회적 역할과 기능을 회복할 수 없다(Roth와 Harvey, 1996). 초기 부상 후 2~3년 동안 목표 지향적 활동으로 운동 패턴을 개선할 수는 있지만 가장 중요한 신경기능은 상해 후 첫 3개월에서 6개월 이내에 회복된다(Cumming 등, 2011; Fuller, 2009). 일반적인 회복 지침에 따르면 뇌혈관 장애 환자의 10%가 거의 완전하게 회복되고, 25%는 경미한 장애가 있고, 40%는 특별한 치료가 필요한 중등도 이상의 심각한 장애를 갖게 되고, 10%는 장기환자 간호시설에 배치되며, 15%는 발병 직후에 사망한다(National Stroke Association, 2014c). 뇌혈관 장애 발병 이후에 나타나는 기능적 결과에 관한 구체적인 데이터는 다양하다. 프래밍햄 하트 연구(Framingham Heart Study)의 자료에 따르면 뇌졸중 환자의 69%가 독립적으로 일상적인 활동을 수행하고, 80%는 기능적 이동 과제를 독립적으로 수행하며, 84%는 집으로 돌아갔다. 자기 관리 및 기능 이동성 기술에서 독립성을 확보했음에도 연구 대상자의 71%는 직업 기능이 감소했으며, 62%는 지역 사회에서의 사회화 기회가 감소했으며 16%는 보호시설로 보내졌다(Roth와 Harvey, 1996). 뇌졸중의 심각성과 연령 및 당뇨병 병력은 회복 속도와 기능 잠재력의 감소와 관련이 있다(Cumming 등, 2011).

보행 능력은 퇴원 장소를 결정하고 환자가 이전 수준의 사회 및 직업 활동으로 돌아갈 수 있는지 여부를 결정짓는 주요 요인이다(Hornby 등, 2011). 보행 속도는 "뇌졸중의 영향을 식별하고 재활 회복 가능성과 관련있는 뇌졸중 발병 이후의 이동성을 측정해주는 신뢰할 수 있고 유효하며 민감한 측정법"(Schmid 등, 2007)이다. 또한 미래의 건강과 기능을 예측해 줄 수 있다. 연구 결과에 따르면 입원 환자 재활을 받는 환자는 운동 회복과 기능 이동성, 삶의 질이 향상된다(O'Sullivan, 2014b).

뇌혈관 장애 예방

뇌혈관 장애 발병 이후의 의학적 관리가 진보했지만 예방 영역에 더 많은 관심이 쏠렸다. 환자가 질병과 관련된 의학적 위험 요소와 생활의 위험 요소를 인식하면 뇌졸중 위험을 줄일 수 있다. 모든 사람들이 연령(55세 이상)과 성별(남성은 여성보다 위험이 큼), 인종(아프리카계 미국인, 태평양 제도인 및 히스패닉은 뇌혈관 장애의 발병률이 더 높음)을 포함한 뇌졸중 발병 위험을 안고 있다. 의학적 위험 요소로는 뇌졸중 발병 이력과 일시적 허혈발작, 심장 질환, 당뇨병, 심방잔떨림 및 고혈압이 있다. 생활 습관과 관련된 위험 요소로는 흡연, 비만, 과도한 음주 및 마약 복용, 운동 부족 등이 있다. 뇌혈관 장애 발병을 예방할 수 있는 두 가지 위험 요소는 고혈압과 심장병이다. 고혈압은 혈압이 160/95에 이르는 질환이지만 질병 조절 예방 센터에서 권장하는 혈압은 140/90 미만이다. 이완기 혈압을 5~6 mmHg까지 낮추면 뇌졸중 위험이 40% 감소한다(Fuller, 2009; NIH, 2009). 위험 요소를 검토한 결과, 많은 위험 요소들이 개인의 생활 방식과 직접적으로 관련이 있고, 잠재적으로 예방 가능하거나 수정 가능하다는 사실이 드러났다.

불행히도 대부분의 사람들은 뇌졸중을 예방하고 치료 중재를 이용할 수 있다는 사실을 인식하지 못한다. 뇌혈관 장애 환자는 보통 치료를 받기 전에 12시간 이상 기다린다. 그러다보면 환자 상태를 향상시키는 약물을 투여할 기회를 놓치게 된다. 대중을 교육시키기 위한 노력의 일환으로 뇌혈관 장애라는 명칭을 뇌발작(brain attack)으로 바꾸기 위한 지원이 계속되고 있다. 급성 약화와 혼란, 한 눈의 시력 저하 또는 시각장애, 말하기 어려움, 급격한 심한 두통, 설명할 수 없는 어지럼증, 균형 상실, 걷기 어려움 등의 증상이 나타나면 즉시 응급 의료 시스템을 이용해야 한다(119에 전화하기). 이러한 관점(심근경색에 사용하는 것과 유사) 덕분에 의료 시스템을 일찍부터 이용해 뇌혈관 장애 (NIH, 2009) 환자의 상태를 향상시킬 수 있을 것이다.

뇌졸중 증후군

뇌졸중 환자의 임상적 표상을 이해하려면 뇌의 다양한 부분의 구조와 기능, 대뇌순환의 분포를 알아야 한다. 이에 대한 내용은 2장에서 찾아볼 수 있다. 특정 동맥은 겉질과 뇌간의 여러 부분에 혈액을 공급하기 때문에 혈관 중 하나가 막히거나 출혈이 생기면 예측 가능한 임상 결과가 나타난다. 그러나 개인차가 있다. 표 10-1은 흔한 뇌졸중 증후군을 검토해서 보여 준다.

앞대뇌 동맥 경색

앞대뇌 동맥 경색은 드물고, 색전으로 생기는 경우가 가장 많다(Fuller, 2009). 앞대뇌 동맥은 뇌의 이마엽과 마루엽 위쪽 경계에 혈액을 공급한다. 앞대뇌 동맥의 경색 환자는 주로 다리쪽 약화와 감각 상실, 언어상실증, 실금, 행위 상실증을 보인다.

중대뇌 동맥 경색

뇌혈관 장애의 가장 일반적인 유형인 중대뇌동맥 경색은 반대쪽 감각 상실, 얼굴과 팔의 약화를 초래할 수 있다. 중대뇌동맥 경색 환자는 다리 침범이 적은 편이다. 지배적인 반구의 경색은 완전 언어상실증

표 10-1 뇌 동맥류의 위치별 증상

동맥	분포	환자 결함
앞대뇌	이마엽과 마루엽 위쪽 경계에 혈액 공급	다리 반대쪽 약화와 감각 상실, 실금, 언어상실증, 행위 상실증
중대뇌	대뇌 반구와 이마엽 심부, 마루엽 표면에 혈액 공급	얼굴과 팔의 반대쪽 감각 상실과 약화, 다리 침범 적음, 같은 쪽 반맹
척추뇌바닥	뇌간과 소뇌에 혈액 공급	뇌신경 침범(복시, 삼킴 곤란, 구조음장애, 난청, 현기증), 실조증, 균형 장애, 두통, 어지러움
뒤대뇌	뒤통수엽과 관자엽, 시상, 뇌줄기 위에 혈액 공급	반대쪽 감각상실, 기억력 결핍, 같은 쪽 반맹, 시각 인식 불능증, 겉질시각상실

(global aphasia)을 유발할 수 있다. 시야의 절반이 보이지 않거나 손상되고, 다른 쪽 비강 부분에 결함이 있는 같은 쪽 반맹(homonymous hemianopsia)이 분명하게 나타날 수 있다. 환자는 또한 두 눈의 움직임이 평행을 이루는 공동주시(conjugate eye gaze)를 상실할 수도 있다.

척추뇌바닥(Vertebrobasilar)동맥 경색

척추뇌바닥동맥의 완전한 경색은 치명적이다. 복시(이중 시력), 연하 곤란(삼킴 곤란), 조음장애(혀와 얼굴 근육 약화에 부차적으로 단어 형성 곤란), 난청, 현기증(어지러움)을 포함한 뇌신경 관련 증상이 나타날 수 있다. 또한 이 혈관 분포로 혈액을 공급받는 부위가 경색되면 비협응 움직임과 균형 결손, 두통이라는 특징을 보이는 실조증이 나타날 수 있다.

기저 동맥 막힘 환자는 감금 증후군(locked-in syndrome)을 겪을 수 있다. 이 유형의 뇌졸중 환자는 중대한 운동장애를 보인다. 환자는 경계심과 방향성을 지니고 있지만 모든 근육 집단의 약화로 움직이거나 말을 할 수 없다. 눈 움직임이 유일한 능동적 움직임 유형이므로 환자의 주요 의사소통 수단이 된다(O'Sullivan, 2014b).

뒤대뇌 동맥 경색

뒤대뇌 동맥은 뒤통수엽과 관자엽에 혈액을 공급한다. 이 동맥의 경색은 반대쪽 감각 상실과 통증, 기억력 결핍, 같은 쪽 반맹, 친숙한 물건이나 사람을 알아보지 못하는 시각 인식 불능증(visual agnosia), 시신경이 손상되지 않았음에도 유입되는 시각 정보를 처리할 수 없는 겉질시각상실(cortical blindness)을 초래할 수 있다.

열공 경색(Lacunar Infarct)

열공 경색은 속섬유막과 시상, 기저핵, 교뇌를 포함해 뇌의 심부에서 가장 자주 나타나는 것이다. 열공이라는 용어는 경색된 조직을 제거한 후에도 낭포성 구멍이 남아 있기 때문에 사용하는 것이다. 이러한 경색은 당뇨병과 고혈압 환자에게 흔히 발생하며 소혈관 세동맥 질환의 결과이다. 임상 결과에는 반대쪽 약화와 감각 상실, 실조증, 조음장애가 있다.

기타 뇌졸중 증후군

다른 뇌졸중 증후군들도 나타날 수 있다. 신경성 손상은 영향을 받는 뇌의 영역과 밀접한 관련이 있다. 예를 들어 이마엽 내에서 뇌혈관 장애가 나타나면 침범당한 신체 부위를 무시하는 부주의나 방치가 일어날 수 있다. 뿐만 아니라 수직적, 시각적, 공간적, 지형적 관계 인식 손상과 운동 이상언행반복증(perseveration)이 유발될 수도 있다. 이상언행반복증은 자극이나 지속 기간과 상관없이 동일한 언어나 운동 반응이 불수의적으로 지속되는 것이다. 이상언행반복증 환자는 동일한 단어 또는 움직임을 반복할 수 있다. 이러한 환자한테서 새로운 아이디어나 활동을 이끌어 내기는 어렵다.

운동과 감각 기능은 두 반구 모두의 영향을 받지만 환자의 결과는 영향을 받는 뇌 반구에 좌우되기도 한다. 2장에서 다룬 내용을 검토하면 뇌의 왼쪽 반구는 언어적 측면과 분석 측면을 담당한다. 왼쪽 반구는 개인이 순차적으로 정보를 처리하고 문제를 해결할 수 있게 해 준다. 말하기와 읽기는 좌반구의 기능이기도 하다. 두뇌의 오른쪽 반구는 개인이 전체적으로 정보를 보고, 시각 정보를 처리하고, 감정을 인식하고, 신체 이미지와 장애를 인식할 수있도록 해 준다(O'Sullivan, 2014b).

시상 통증 증후군

시상 통증 증후군은 가쪽 시상과 속세포막 뒤쪽 팔다리, 혹은 이마엽에서 경색이나 출혈 이후에 발생할 수 있다. 환자는 견딜 수 없는 타는 듯한 통증을 느끼고, 감각적 이상언행반복증을 보인다. 이러한 자극의 감각은 자극이 제거되거나 종료된 후에도 오랫동안 남는다. 환자는 또한 이러한 감각을 유해하고 과장된 것으로 인식한다.

푸셔 증후군

오른쪽 또는 왼쪽 후가측 시상에 뇌혈관 장애가 있는 환자는 푸셔 증후군을 나타낼 수 있다(Karnath와 Broetz, 2003). 이 질환의 유병률은 약 10%에서 16%이다(Abe 등, 2012). 푸셔 증후군 환자는 반신 마비된 쪽으로 몸을 능동적으로 밀고 기울이기 때문에 균형 부족과 낙상 위험이 증가한다(Abe 등, 2012). 환자의 자세를 수동적으로 교정하려고 노력하면 저항에 부딪힌다(Roller, 2004). 데이비스(Davies, 1985)는 이런 환자의 임상적 증상을 다음과 같이 밝혀냈다. (1) 오른쪽으로 경추 돌림과 가쪽 굽힘이 일어나고, (2) 촉각 및 운동 감각 의식이 없거나 현저하게 손상되며, (3) 시각장애가 있고, (4) 몸통 비대칭이 일어나며, (5) 앉기 활동 시 왼쪽에 실리는 체중이 증가하고, 이와 동일한 체중지지 자세를 취하려고 시도할 때 저항에 부딪히며, (6) 환자가 오른쪽(침범되지 않은) 팔다리로 밀어서 뒤쪽으로 움직이는 이동이 어렵다. 푸셔 증후군 환자는 사실상 "뇌의 병변 쪽으로 18도 기울어져 있을때 똑바로 앉거나 서있다고 말한다(Caranath와 Broetz, 2003)." 이렇듯 환자는 수직에 대한 지각과 환경과 중력에 대한 신체의 방향이 일치하지 않는 경험을 한다(Karnath와 Broetz, 2003). 푸셔 증후군 환자의 구체적인 치료 중재에 대해서는 이 장의 뒷부분에서 설명한다.

요약

요약하자면 기타 뇌졸중 증후군에 대한 설명과 오른쪽 반구 및 왼쪽 반구 장애에 대한 분류 시스템이 제공되었지만, 각 환자는 상이한 임상 증상과 징후를 나타낼 수 있다. 환자는 개인별로 치료를 받아야 하고, 손상된 부위가 어느 쪽인지로 구분지어서는 안된다. 오른쪽 반구와 왼쪽 반구 사이의 기능적 차이에 관한 정보는 가능한 환자 손상을 이해하고 적절한 치료 중재를 선택하는 데 도움이 되는 안내서 또는 틀이 된다.

임상적 결과: 환자 손상

뇌혈관 장애 환자는 여러 가지 손상을 보일 수 있다. 이러한 손상이 환자의 기능적 잠재력을 어느 정도 저하시키는지는 뇌졸중의 특징과 손상된 신경조직의 양 및 신경 가소성 변화 가능성에 따라 달라진다. 또한 기존의 건강 상태와 이용 가능한 가족 지원 및 환자의 재정적 자원은 환자의 회복과 최종 결과에 영향을 줄 수 있다.

운동 손상

뇌졸중 후 환자에게 나타나는 모든 임상적 징후 중 가장 흔한 것 가운데 하나는 운동 겉질의 손상으로 생기는 운동장애들이다. 처음에는 환자의 근긴장이 약하거나 이완된 상태일 수 있다. 근육이 이완되면 근육 수축을 유발하고 운동을 시작하는 능력이 부족해 진다. 상대적으로 긴장이 낮은 상태는 보통 일시적이고, 환자는 머지않아 과다 긴장성이나 경직이라는 특징적인 유형을 보인다. 경직은 과도한 깊은 힘줄 반사와 속도 의존적 근긴장 증가를 보이는 운동장애이다. 임상적으로 경직 환자는 침범된 근육의 수동적인 신장과 과도한 깊은 힘줄 반사, 팔다리 굽힘이나 폄 자세, 근육의 협력 수축, 상승작용(synergies)이라는 전형적 움직임 패턴에 대한 저항을 높인다.

경직

경직의 발달에 관한 이론은 운동 행동 영역의 연구가 증가함에 따라 진화해 왔다. 경직 발달에 관한 고전적 이론은 위운동신경세포 손상에 반응해서 경직이 나타난다는 개념을 중심으로 발달한다. 이러한 견해는 신경계와 운동조절 및 움직임의 계층적 관점을 통합한다. 조사 학자들은 경직이 단일시냅스 신장반사의 과다흥분성 때문에 나타난다고 예전에 주장했다. 이 이론은 근방추 생리학에 기초한다. 구심성 근방추 혹은 감각 수용체의 출력(output)이 증가하면 척수 회백질 물질에서 알파운동 신경세포 활동이 조절된다. 감마 원심성 또는 운동계의 끊임없는 활동은 근방추의 신장 민감도를 유지해 구심성 시스템의 지속적인 활성화를 유도한다고 한다(Craik, 1991).

이 이론의 타당성에 의문을 제기하는 연구도 있다. 연구 학자들은 신장 반사가 모든 알파 운동 신경세포 활동을 조절하기에 충분히 강하지 않다고 주장했다. 경직에 대한 오늘날의 견해에 따르면 과다 긴장성이나 근긴장 증가는 자극이 척수에 도달한 후에 구심성(감각) 입력이 비정상적으로 처리되어 생긴다. 또한 연구 학자들은 겉질 중심과 척수 사이신경세포 경로에서 억제 조정에 결함이 생겨 많은 환자들이 경직을 보인다고 제안했다(Craik, 1991).

긴장 평가

수정된 애쉬워스 척도(Modified Ashworth Scale)는 비정상적인 긴장을 평가하는 임상 도구다. 0~4까지의 순위척도를 사용한다. 근긴장이 증가하지 않으면 0점이고, 영향 받는 부위가 굽힘이나 폄 상태에 고정되어 있으면 4점이다(Bohannon와 Smith, 1987). 표 10-2는 각 등급을 설명해 준다.

브룬스트롬(Brunnstrom) 운동 회복 단계

사인 브룬스트롬(Signe Brunnstrom)은 뇌졸중 후 운동 회복의 특징적인 단계를 설명하는 데 많은 기여를 했다. 브룬스트롬은 근긴장 발달과 회복이라는 특징적인 패턴을 보이는 많은 뇌혈관 장애 환자들을 관찰했다(Sawner와 LaVigne, 1992). 표 10-3은 브룬스트롬 회복단계를 소개한다.

표 10-2 경직 등급을 매기는 수정된 애쉬워드 척도

등급	설명
0	근긴장 증가 없음
1	영향을 받은 부위가 구부러지거나 펴질 때 운동범위 끝에서 발생하는 최소 저항이나 잡기에 의한 유지와 이완으로 근긴장이 약간 증가함
1+	남은 운동범위(절반 이하)에서 발생하는 최소 저항에 이어 유지로 근긴장이 약간 증가함
2	대부분의 운동범위에서 근긴장이 훨씬 더 두드러지게 증가 하지만 영향 받은 부위가 쉽게 움직임
3	근긴장이 상당히 증가해서 수동적인 움직임이 어려움
4	영향 받은 부위가 굽힘이나 폄 자세로 경직됨

From Bohannon RW, Smith MB: Interrater reliability of a modified Ashworth scale of muscle spasticity. Phys Ther 67:207, 1987. With permission of the APTA.

표 10-3 브룬스트롬 회복 단계

단계	설명
I. 이완	침범된 팔다리에서 수의적이거나 반사적 활동이 나타나지 않음
II. 경직 발달 시작	상승작용으로 패턴이 발달하기 시작함. 몇몇 상승작용으로 구성요소들이 관련된 반응으로 나타날 수 있음
III. 경직이 증가해 절정에 이름	침범된 팔다리의 움직임 상승작용으로 수의적으로 나타날 수 있음
IV. 경직이 감소하기 시작	움직임 상승효과에서의 이탈이 가능해짐
V. 경직이 근본적으로 사라짐	움직임 상승효과가 덜 지배적임. 보다 더 복잡한 움직임 조합이 가능해짐.
VI.정상 기능 회복	운동 기술이 정상으로 돌아옴

Modified from Sawner KA, LaVigne JM: Brunnstrom's movement therapy in hemiplegia, ed 2. Philadelphia, 1992, JB Lippincott, pp. 41-42.)

브룬스트롬은 처음에는 환자가 침범된 근육 집단에서 이완을 경험했다고 보고했다. 환자가 회복되면서 이완이 경직으로 대체되었다. 경직은 증가해서 최고 3단계까지 다다랐다. 이 시점에서 환자의 자발적인 움직임 시도는 굽힘과 폄 작용으로 제한되었다(Sawner와 LaVigne, 1992).

상승작용은 움직임 패턴을 제공하기 위해 함께 작용하는 근육 집단이다. 이러한 패턴은 처음에 굽힘과 폄 조합에서 발생한다. 이렇게 발생한 움직임은 전형적이고 원시적이며, 반사적이거나 의지적인 움직임 반응으로 이끌어 낼 수 있다. 굽힘과 폄 상승작용에 대해서는 팔과 다리 모두의 경우가 기술되어 왔다(Sawner와 LaVigne, 1992). 표 10-4는 팔과 다리의 굽힘과 폄 패턴을 설명한다.

브룬스트롬 회복 패턴의 후기 단계에서는 경직이 감소하기 시작하고, 환자의 움직임은 상승작용 패턴에 훨씬 덜 지배받는다. 환자는 굽힘과 폄 패턴 모두에서 동작을 결합할 수 있고, 움직임 조합을 좀 더 자발

표 10-4 브룬스트롬 상승효과 구성요소

	굽힘	폄
팔	어깨뼈 당김/올림, 90도 어깨 벌림, 팔꿈치 굽힘, 아래팔 뒤침, 손목과 손가락 굽힘	어깨뼈 내밈, 어깨 안쪽 돌림, 어깨 모음, 팔꿈치 폄
다리	엉덩이 굽힘과 벌림, 안쪽 돌림, 90도 무릎 굽힘, 발목 발등 굽힘과 안쪽 돌림, 발가락 폄	엉덩이 폄과 모음, 안쪽 돌림, 무릎 폄, 발목 발바닥 굽힘과 안쪽 돌림, 발가락 굽힘

적으로 조절할 수 있다. 회복의 최종 단계에서는 경련이 근본적으로 사라지고, 분리된 움직임이 가능하다. 환자는 움직임의 속도와 방향을 쉽게 조절할 수 있으며, 소근육 기술이 향상된다. 브룬스트롬은 환자가 한 단계도 건너뛰지 않고 모든 단계를 차례대로 밟고 지나간다고 보고했다. 그러나 어떤 단계에서는 환자의 임상증상이 다양할 수 있다. 환자는 실제로 한 단계를 빠르게 지나갈 수 있으므로 전형적인 특징을 관찰하는 것이 어려울 수 있다. 브룬스트롬은 환자가 어떤 단계에서도 안정 상태에 다다를 수 있다고 결론 내렸으며 이러한 경우 완전한 회복이 불가능할 것이라고 주장했다(Sawner와 LaVigne, 1992). 이전에 언급했듯이 각 환자는 독특하며, 단계를 밟고 나가는 진행 속도도 각각 다르다. 따라서 환자의 장기적인 예후와 기능적 결과는 재활 초기에 예측하기가 어렵다.

몸쪽 근육 집단의 경직 발달

경직은 종종 처음에는 어깨와 다리이음뼈 근육에서 발생한다. 어깨에서는 어깨뼈 모음과 아래쪽 돌림을 볼 수 있다. 어깨뼈 내림근은 어깨 모음근과 안쪽 돌림근과 함께 근육 경직을 유발할 수 있다. 팔 근긴장이 증가하면서 두갈래근과 아래팔 엎침근, 손목과 손가락 굽힘근에서도 긴장이 분명하게 드러날 수 있다. 이러한 긴장 유형은 뇌혈관 장애 환자한테서 볼 수 있는 특유한 팔 자세를 이끌어 낸다. 이 자세는 그림 10-1에 나와 있다.

앞쪽 기울임이나 끌어올림(hiking)은 골반에서 흔히 나타난다. 골반 당김근과 엉덩이 모음근, 안쪽 돌림근은 경직을 일으킬 수 있다. 뿐만 아니라 무릎 폄근이나 네갈래근, 발목 발바닥 굽힘근과 뒤침근, 발가락 굽힘근에서는 과긴장이 나타날 수 있다. 이러한 비정상적인 발달 패턴은 많은 환자들에게서 볼 수 있는 특징적인 다리 폄근 자세잡기를 이끌어 낸다. 환자가 움직임을 시작하려고 할 때, 비정상적인 긴장과 상승효과는 특유의 굽힘과 폄 운동 패턴으로 이어질 수 있다.

기타 운동 손상

이 환자 군에서는 추가적인 운동 문제가 분명해질 수 있다. 근육 약화 또는 마비의 영향은 문헌에서 새롭게 강조되고 있다. 뇌졸중 환자의 약 75%에서 80%는 기능적 움직임을 시작하고 조절하거나 자세를 유지하기 위해 필요한 정상적 수준의 근력과 긴장 또는 회전력(torque)을 생성할 수 없는 경우가 종종 있다. 뇌졸중 발병 후 환자는 팔다리의 움직임을 조절하는

그림 10-1. 뇌졸중 환자들의 전형적인 팔 자세. 이 환자는 어깨 모음근, 두갈래근, 아래팔 엎침근, 손목, 손가락 굽힘근에서 증가된 긴장도를 보인다(From Ryerson S, Levit K: *Functional movement reeducation: a contemporary model for stroke rehabilitation*, New York, 1997, Churchill Livingstone.).

데 필요한 지속적인 힘을 생성하고 유지하는 데 어려움을 겪을 수 있다(Ryerson, 2013). 침범된 부위에 남아 있는 근섬유의 위축과 비정상적인 동원, 근육 활성화 시기, 훨씬 쉽게 지치는 운동 단위가 공통적인 결과다(Craik, 1991; Light, 1991). 한 가지 추가할 사실은 뇌졸중이 신체의 한쪽에만 영향을 미치지 않는다는 것이다. 침범되지 않은 쪽의 근육도 손상 이후에 경미한 약화 증상을 보일 수 있다(O'Sullivan, 2014b; Craik, 1991).

운동 계획 부족

뇌졸중 환자는 운동 문제들을 보일 수 있다. 이러한 문제들은 주로 왼쪽 반구가 침범된 환자들에게서 자주나타나는데, 이는 왼쪽 반구가 움직임 순서를 정하는데 주된 역할을 하기 때문이다. 감각 손상이나 운동 손상이 전혀 나타나지 않아도 환자는 의도적인 움직임을 수행하는 데 어려움을 겪을 수 있다. 이 상태를 행위상실증(apraxia)이라고 한다. 행위상실증 환자는 앉았다가 일어서기 이행과 같은 특정한 움직임 조합을 수행할 수 있는 운동 능력을 갖추고 있을 수 있지만, 이러한 운동 목표를 달성하는 데 필요한 단계를 결정하거나 기억할 수는 없다. 또한 환자가 자기 돌봄 활동을 수행할 때 행위상실증이 분명하게 나타날 수 있다. 예를 들어 환자는 옷을 입는 법이나 빗이나 브러시 같은 도구를 사용하는 법을 기억하지 못할 수 있다.

감각 손상

감각 손상은 환자에게 많은 어려움을 유발할 수 있다. 특히 이마엽의 뇌졸중 발병 환자는 감각 이상을 보일 수 있는데 촉각이나 고유수용성 감각 능력을 잃을 수 있다. 고유수용성 감각은 위치 감각을 인지할 수 있는 환자의 능력이다. 물리치료사는 환자의 관절을 특정한 방향으로 빠르게 움직여서 환자의 고유수용성 감각을 평가한다. 위아래 움직임을 가장 자주 사용한다. 눈을 감은 상태에서 환자는 관절의 위치를 식별해 내라고 지시받는다. 반응의 정확성과 속도는 고유감각이 온전한지, 손상되었는지, 부재하는지를 결정할 때 사용한다. 뇌혈관 장애 환자들은 감각 통합성의 전반적인 상실과 부분적 손상을 입는 경우가 많다. 이러한 감각 손상은 또한 환자의 운동조절과 협응 능력에 영향을 줄 수 있다. 환자는 앉거나 서있을 때 직립 자세를 감지할 수 있는 능력을 상실할 수 있다. 이로 인해 체중 이동과 운동 반응 순서 설정, 눈과 손의 협응이 어려워질 수 있다.

소통 장애

뇌의 이마엽과 관자엽의 경색은 특정한 소통 결함을 유발할 수 있다. 모든 뇌혈관 장애 환자의 약 30%는 어느 정도의 언어 기능장애를 가지고 있다(Kelly-Hayes 등, 1998). 언어상실증은 뇌 손상으로 인한 후천적 의사소통장애이며, 언어 이해력 손상과 의사소통을 위해 구두 표현과 상징을 사용하지 못하는 것이 특징이다(Roth와 Harvey, 1996). 여러 가지 유형의 언어상실증이 밝혀져 있다. 환자는 브로카 언어상실증(Broca aphasia)과 베르니케 언어상실증(Wernicke aphasia)으로 알려진 수용 언어상실증이나 완전 언어상실증(global aphasia)이라는 표현 및 수용 언어상실증의 복합 증상 장애를 가질 수 있다. 표현 실어증 환자는 말을 하기 어렵다. 이런 환자들은 자신이 원하는 것을 알고 있지만 자신의 생각을 전달할 단어를 말할 수 없다. 표현 언어상실증 환자들은 자신이 원하거나 필요로 하는 것을 말로 표현할 수 없을 때 좌절감을 느낀다. 수용 언어상실증 환자는 들은 말을 이해하지 못한다. 이런 환자와 의사소통을 할 때 환자는 상대의 말을 이해하지 못하거나 잘못 해석할 수 있다. 이 환자들을 다루는 일은 도전적인 과제가 될 수 있다. 왜냐하면 구두로 활동 수행을 지시할 수 없기 때문이다. 완전 언어상실증 환자는 심각한 표현 및 수용 언어장애를 가지고 있다. 이러한 개인은 말을 이해하지 못하고 자신의 요구를 전달할 수 없으며 의사소통적 의미가 담긴 몸짓을 잘 이해하지 못한다. 그러므로 환자와의 교감을 발전시키고 환자에게 기본 요구 사항을 전달할 수 있는 방법을 찾기가 쉽지 않다. 치료사가 환자의 신뢰를 얻고, 환자와 치료적 관계를 발전시켜 나가려면 시간과 인내가 필요하다. 물리치료 보조자는 또한 환자를 위해 개발된 의사소통 시스템을 구현할 때 언어 병리학자와 협력해야 한다.

기타 의사소통장애

다른 의사소통장애에는 조음장애(dysarthria)와 정서적 불안정성이 있다. 조음장애는 환자가 언어 표현과 관련된 근육을 조절하지 못하고, 그러한 근육이 약화되어 또렷하게 말을 하기 어려운 상태다. 정서적 불안정성은 오른쪽 반구가 경색된 환자한테서 분명하게 나타날 수 있다. 이런 환자들은 감정을 조절하는 데 어려움을 겪는다. 정서적으로 불안정한 환자는 이유없이 부적절하게 울거나 웃을 수 있다. 환자는 종종 이러한 자발적인 감정의 발생을 억제할 수 없다.

구강안면(Orofacial) 결손

환자의 안면 기능 또한 뇌졸중의 영향을 받을 수 있다. 이러한 결손은 종종 뇌간 또는 중뇌 영역의 뇌혈관 장애에서 발생할 수 있는 뇌신경 침범과 관련된다. 안면 근육의 약화와 눈 근육 및 입 주위 근육 약화로 안면 비대칭이 자주 나타난다. 안면 근육의 약화는 환자가 환경에서 개인과 상호 작용하는 능력에 영향을 줄 수 있다. 미소 짓거나 찡그리지 못하고, 혐오와 분노, 불쾌감 같은 감정을 얼굴로 표현하지 못하면 신체 언어를 구두 의사소통의 보조 도구로 사용하는 능력이 영향을 받는다. 입술을 꼭 다물지 못하면 삼키는 동안 타액 및 체액 조절에 문제를 일으킬 수 있다. 눈을 신경지배하는 근육의 약화는 눈꺼풀의 하강이나 눈꺼풀 처짐을 유발할 수 있고, 환자는 윤활 작용을 위해 눈을 감을 수 없다.

구강안면 기능장애는 음식물과 액체를 삼키기 어려워하거나 삼키지 못하는 삼킴곤란 장애로 나타날 수 있다. 삼킴곤란 장애는 근육 약화와 부적절한 운동 계획 능력 및 열악한 혀 조절로 발생할 수 있다. 삼킴곤란 환자는 음식을 씹기 위해서 입 앞쪽에서 양 옆쪽으로 옮기고, 음식을 삼키기 위해서 입 중앙으로 옮기는 활동을 하지 못할 수도 있다. 이런 환자들 중 상당수가 구강에 음식을 넣어둘 수 있다.

구강안면 이상 환자의 마지막 문제는 먹기와 호흡하기 협응 부족이다. 이 때문에 영양 결핍이 발생하고, 폐에 음식물이 들어갈 수 있다. 흡인은 종종 폐렴과 무기폐(폐의 일부 조직 붕괴) 같은 다른 호흡기 합병증을 유발한다.

호흡장애

폐 확장은 호흡 근육, 특히 가로막 조절이 감소하기 때문에 뇌혈관 장애 발병 이후에 감소할 수 있다. 뇌졸중은 신체의 다른 근육에 영향을 줄 수 있는 것처럼 가로막에도 영향을 줄 수 있다. 가로막이나 바깥갈비사이근의 반신불완전마비가 분명하게 나타날 수 있고, 개인의 폐 확장 능력이 영향을 받을 수 있다. 부족한 폐 확장 능력은 개인의 생체 능력을 감소시킨다. 그러므로 신체의 산소 요구량을 충족시키기 위해서 환자는 호흡률을 높여야 한다. 얕은 호흡이 계속되면 폐렴과 무기폐 같은 폐 합병증이 발생할 수 있다. 가쪽 기저 확장(lateral basliar expansion) 부족은 상기의 폐 합병증을 유발할 수 있다. 기침 효율성은 복부 근육의 약화에 부차적으로 손상될 수 있다.

뇌졸중 환자의 폐 부피는 약 30~40% 감소한다(Watchie, 1994). 운동량(최대 산소 소비량, VO2 최고치)은 급성 뇌졸중 발병 이후 감소하고 일반인 보다 60% 더 낮다(Tang와 Eng, 2014; Billinger 등, 2012). 신경근과성 감소를 유발한다(Billinger 등, 2012). 산소 소비가 증가하여 근육 및 심폐 기능이 저하된다. 피로는 뇌혈관 장애 환자의 주요 불만 사항이다. 환자는 종종 물리치료를 받는 대신에 침대에서 쉬거나 머물고 싶다고 요청한다. 환자의 심혈관 및 폐 반응을 모니터링할 필요가 있지만 운동 및 기능적 활동을 하면 환자의 활동 내성이 향상되고, 신경 가소성을 이끌어 내기 위해서는 일정 수준의 강도가 필요하다는 것을 환자와 가족에게 권고해야 한다(Hornby 등, 2011).

반사 활동

뇌졸중 발병 후 원시 척추와 뇌줄기 반사가 나타날 수 있다. 두 가지 유형의 반사는 출생 시 또는 유아기에 나타나고, 일반적으로 생후 4개월 이내에 중추신경계에 통합된다. 일단 통합되면 순수한 형태로는 존재하지 않는다. 그러나 수의적 움직임 패턴의 기본 구성 요소로서 계속 존재한다. 성인의 경우 중추신경계가 손상되거나 심한 피로감을 느끼고, 혹은 스트레스를 받을 때 이러한 원시적인 반사가 다시 나타날 수 있다.

척수 수준 반사

척수 수준 반사는 척수 수준에서 발생하고 팔다리의 과잉 움직임을 유발한다. 종종 이러한 반사는 환자가 겪는 유해한 자극에 의해 촉진된다. 표 10-5는 중추신경계 장애 환자에서 볼 수 있는 가장 일반적인 척수 수준 반사 목록을 보여 준다. 가족 구성원은 이러한 반사 작용의 진정한 의미에 관해 교육을 받아야 한다. 굽힘근 회피 반사(Flexor withdrawal reflex) 같은 척수 수준 반사가 나타나는 것은 환자가 수의적(자발적) 움직임을 보이지 않는다는 뜻이다. 이러한 반사적 움직임은 환자의 반응이 없을 때 종종 발생한다. 예를 들어 보호자가 환자의 발을 부주의하게 자극하면 환자의 침범된 팔다리가 구부러질 수 있다. 그러나 이것은 환자가 의식적으로 팔다리를 조절한다는 뜻은 아니다.

표 10-5 브룬스트롬 상승효과 구성요소

반사	자극	반응
굽힘근 회피	발바닥에 유해한 자극 가하기	발가락 폄, 발목 발등굽힘, 엉덩이와 무릎 굽힘
교차 폄	다리를 펴고 발볼에 유해한 자극 가하기	반대쪽 다리 굽힘에 이어 폄
놀람	갑작스러운 큰 소음	팔 폄과 벌림
움켜잡기	발볼이나 손바닥에 압력 가하기	발가락 굽힘이나 손가락 굽힘

깊은힘줄반사

뇌졸중 환자는 깊은힘줄반사가 바뀔 수도 있다. 깊은힘줄반사(DTRs)는 반사 망치나 검사자의 손가락으로 근육 힘줄을 쳐서 유발할 수 있는 신장반사다. 깊은힘줄반사 평가를 가장 자주 하는 곳으로는 두갈래근과 위팔노근, 세갈래근, 네갈래근/무릎, 장딴지근/아킬레스건이 있다. 힘줄 두드리기에 대한 환자의 반응은 0에서 4+척도로 평가한다. 반응이 없으면 0점, 최소 반응은 1+, 정상 반응은 2+, 과도 반응은 3+, 간대성 경련은 4+다. 물리치료사가 환자의 깊은힘줄반사을 검사하고 평가하면 비정상적인 근육 긴장 여부에 대한 중요한 정보를 얻을 수 있다. 이완이나 근긴장 저하가 반사 과다나 부재를 유발할 수 있다. 경직이나 긴장 저하는 과도하거나 과장된 깊은 힘줄 반사를 일으킬 수 있다. 간대성 경련는 근육 힘줄을 두드리거나 신장시킬 때도 나타날 수 있으며, 근육 수축과 이완이 반복되는 것이다. 간대성 경련은 발목이나 손목에서 자주 나타나며, 빠른 신장에 반응해 나타난다.

뇌줄기반사

뇌줄기반사는 중뇌 수준에서 발생하고 통합된다. 모든 원시적인 반사 작용과 마찬가지로, 이러한 반사작용은 초기에는 유아에게 나타나지만 생후 일 년 사이에 통합될 수 있다. 중추신경계 장애를 가진 성인 환자가 심한 스트레스를 받거나 피로감을 느낄 때 뇌줄기 수준 반사가 분명해질 수 있다. 뇌줄기반사는 신체 일부분의 자세나 위치를 변경시키는 원시적인 반사 작용이다. 이러한 반사는 종종 근긴장에 변화나 영향을 가한다. 표 10-6은 일반적인 뇌줄기 반사의 예를 보여 준다.

관련 반응

관련 반응은 신체의 다른 부분에서 능동적 움직임이나 저항 움직임으로 나타나는 자동적 움직임이다. 표 10-7은 반신마비 환자의 일반적인 관련 반응을 보여준다. 이전에 언급했듯이, 관련 반응은 환자 또는 환

표 10-6 뇌줄기 반사

반사	반응
대칭적 긴장목반사	목 굽힘이 양팔 굽힘과 양다리 폄을 유발한다. 목 폄이 양팔 폄과 양다리 굽힘을 유발한다.
비대칭적 긴장목반사	머리 왼쪽 회전이 왼팔다리 폄과 오른팔다리 굽힘을 야기한다. 머리 오른쪽 회전이 오른팔다리 폄과 왼팔다리 굽힘을 야기한다.
긴장미로반사	엎드리기 자세가 굽힘을 촉진한다. 눕기 자세가 폄을 촉진한다.
긴장엄지반사 (tonic thumb reflex)	침범된 팔다리가 수평선 위로 올라갈 때 엄지 폄이 아래팔 뒤침으로 촉진된다.

표 10-7 관련 반응

반사	반응
수크 현상	침범된 팔의 150도 이상 굽힘이 손가락 폄과 벌림을 촉진한다.
레이미스트 현상	엎드리기 자세가 굽힘을 촉진한다. 눕기 자세가 폄을 촉진한다.
같은쪽 팔다리 따름 운동	침범된 팔다리가 수평선 위로 올라갈 때 엄지 폄이 아래팔 뒤침으로 촉진된다.

자 가족이 수의적 움직임으로 오인할 수 있다. 환자와 상호 작용하는 모든 개인은 환자의 비수의적 움직임의 의미를 인식해야 한다.

장과 방광 장애

뇌혈관 장애 환자는 장과 방광 기능에서 이상이 나타날 수 있다. 요실금이나 배뇨 조절 불가는 처음에는 근육마비 또는 방광에 대한 부적절한 감각자극에 이차적으로 나타날 수 있다. 성인의 경우 요실금은 매우 큰 문제가 될 수 있고, 당혹스러울 수 있다. 교각 운동이나 기립 활동을 통한 조기 체중지지는 환자가 방광 조절을 회복하도록 돕는다. 움직임과 활동은 장 기능 조절을 도와준다. 재활 팀의 모든 구성원이 환자의 장과 방광 프로그램에 관심을 기울이면 환자가 일상생활의 중요한 활동을 다시 배우도록 도와줄 수 있다.

기능적 제한

환자는 종종 뇌혈관 장애 발병 후에 기능적 제한을 받을 수 있다. 먹거나 목욕하기 같은 일상적 수행 능력을 잃을 수도 있고, 침대에서 구르기나 앉기, 걷기를 못할 수도 있다. 기능적 제약은 뇌졸중으로 인한 운동/감각 결손의 결과이다. 환자는 얼굴을 씻거나 머리를 빗기 위해 필요한 침범된 팔의 수의적 움직임이 부족할 수 있다. 침범된 다리의 경직은 환자의 보행 능력을 제한할 수 있다.

현재의 물리치료 실습에서는 기능을 가장 강조한다. 물리치료의 목적은 환자가 최적의 신체 기능 수준을 달성하고 삶의 질을 향상시킬 수 있도록 돕는 것이다. 치료 목표와 중재 계획은 기능적으로 관련이 있어야 한다. 예를 들어 뇌혈관 장애 환자가 침범된 발목에서 능동적 발등굽힘을 감소시키면 평평한 지면에서 일정 거리를 걸으며 보행 시간의 50%를 차지하는 발꿈치 닿는 시기에 구두 신호와 더불어 발등굽힘을 보여 주는 것이 적절한 목표가 된다. 능동적 발등굽힘을 개선하는 목표는 기능적 과제 수행에 통합되었다.

치료 계획

주로 물리치료사가 환자의 단기 및 장기 치료 목표와 치료 계획을 세울 때는 환자나 환자의 가족과 협의해야 하며 환자는 자신의 치료 계획 및 전달에 적극적으로 참여해야 한다. 환자의 이전 기능 수준과 그러한 기능 활동들의 재활 과정과 관련한 환자의 목표에 관한 정보를 수집해야 한다. 예를 들어 환자가 뇌졸중 발병 전에 집안 일이나 정원 가꾸기를 하지 않았는데 뇌졸중 발병 이후에 그런 일을 수행할 것이라고 기대하는 것은 현실적이지 않다. 물리치료사는 환자가 이전 수준의 기능을 회복할 수 있도록 환자에게 의미 있는 중재를 선택해야 한다.

기능적 평가

기능적 결과 달성에 중점을 두면서 환자의 회복 또는 진행 및 치료 중재의 효과를 정량화하기 위한 많은 평가 도구가 개발되었다. 사용 가능한 모든 기능 평가

도구에 대한 자세한 설명은 이 본문의 범위를 벗어나지만, 신경성 결손 환자의 검사 및 치료에 가장 많이 사용되는 도구 중 몇 가지는 여기서 설명하겠다.

기능적 독립 측정 도구(Functional Independence Measure, FIM)는 다양한 임상 서비스를 구별하고 제공된 서비스의 효능을 입증하는 데 사용할 수 있는 국가 데이터 시스템의 필요성에 부응해 1980년대 초에 개발되었다. FIM은 신체적, 정신적, 사회적 기능뿐만 아니라 환자의 치료부담(개인을 돌보는 데 얼마나 많은 도움이 필요한가?)을 측정한다. FIM으로 테스트하는 특정 항목으로는 자기 돌봄과 이동, 보행, 의사소통 및 인지가 있다. 다양한 범주에 점수를 매기기 위해 7점 순위 척도를 사용한다. 1점은 완전 의존, 7점은 완전한 독립적인 활동 수행을 나타낸다. 점수는 18점에서 126점까지 있다. FIM은 UDSMR (Uniform Data System for Medical Rehabilitation)을 통해 구입할 수 있으며, 이 도구를 사용하기 전에 평가자 교육부터 받아야 한다(Rehabilitation Measures Database [RMD], 2013, UDSMR, 2012). 주로 물리치료사는 환자의 초기 검사 시점과 환자 퇴원 시점에 FIM을 완료해야 한다. 물리치료 보조사는 그 중간 중간에 FIM 점수를 매겨 재활 팀에 환자 진행 상황에 대한 최신 정보를 제공할 수 있다.

퓨글-마이어 평가도구(Fugl-Meyer Assessment)는 뇌졸중 발병 이후 운동 기능을 정량화하는 데 가장 널리 사용되는 도구 중 하나이다. 또한 제공된 치료 중재의 효과를 분석하는 데도 사용할 수 있다. 퓨글-마이어 평가도구는 수동적 관절 운동 범위와 통증, 가벼운 촉각, 고유감각, 운동기능 및 균형을 평가한다. 이 도구는 관리하기 쉽고, 20~30분 만에 사용을 완료할 수 있다(Baldrige, 1993; Duncan와 Badke, 1987). 이 도구의 제약으로는 팔 점수의 가중치 증가와 손가락 기능의 제한된 평가, 균형을 평가하기 위해 더 나은 결과 측정법을 이용할 수 있는 가능성이 있다(RMD, 2010). 그럼에도 이 도구는 뇌졸중 발병 후 개인의 운동장애를 측정하는 임상 및 연구 평가 도구로 적극 권장되고 있다.

목표와 기대

표준화된 기능 평가를 사용하지 않는다면 물리치료사는 반드시 환자의 기능적 목표와 기대치를 개발해야 한다. 이동, 보행, 계단, 휠체어 조작(필요한 경우) 등의 안전 문제와 연관된 중재는 모든 치료 계획에 포함해야 한다. 환자 및 가족 교육도 필요하다. 환자가 이전 수준의 기능을 다시 회복하지 못할 경우에는 환자 가족의 지시가 더욱 중요해진다. 환자 및 가족 교육에 대한 더 자세한 논의는 이 장의 퇴원 계획에 관한 단락에서 이어가겠다.

뇌졸중 후 합병증

비정상적 자세와 자세잡기

환자는 뇌혈관 질환 발병 이후에 특정 합병증에 걸릴 수 있다. 이전에 언급 한 바와 같이, 경직은 특정 근육 집단에서 종종 나타나며, 구축과 기형이 발생할 수 있다. 굽힘근 근육 집단에서 경직이 일어나면 환자의 팔꿈치와 손목 및 손가락의 굽힘 구축이 생길 수 있다. 이러한 상태는 뇌졸중 환자한테서 흔히 볼 수 있는 특유한 팔 자세로 이어질 수 있다. 위생 및 기타 자기 관리 활동은 손목 및 손가락 구축이 있을 경우에 극도로 어려워질 수 있다. 환자는 손바닥을 씻거나 손톱을 관리하기 위해서 주먹을 펴지 못할 수도 있다.

장딴지-가자미근 복합근육의 경직은 침범된 발목의 발바닥쪽 구축을 야기할 수 있다. 발목 구축이 있으면 평발이나 척행성 발로 체중을 지지하지 못해 보행과 이동이 어려워지고, 초기 흔듦기의 발등굽힘에 지장이 생긴다. 경직 환자에게는 바클로펜(리오레살)과 티자니딘(자나플렉스), 단트롤렌 나트륨(단트리움) 등의 여러 가지 경구 약물을 투여할 수 있다(Ibrahim 등, 2003; Teasell와 Hussein, 2014). 이러한 약물 중 몇 가지와 관련된 주요 단점은 중추신경계 활동을 감소시키고, 무기력을 조장한다는 것이다(Ryerson, 2013). 이것들은 신경계 기능장애 환자에게 바람직하지 않은 부작용이다. 또한 약물 치료로는 근본적인 문제를 개선하지 못한다. 대신 근긴장 수준에서 일시적인 변화를 제공한다.

여기에서 논의된 약물 중 단트롤렌 나트륨(dantrolene sodium)은 무기력이나 인지 변화를 덜 야기할 수 있다. 약물은 근육 수준에서 중재하고, 근육 단위의 힘 생산을 감소시킨다. 부작용으로는 간독성과 발작이 있다(Ryerson, 2013).

경직의 영향을 최소화하기 위해서 다른 약리학적 중재가 가능하다. A형 보툴리눔 독소는 경직된 근육에 직접 주사할 수 있으며, 신경근 접합부에서 아세틸콜린의 방출을 차단하여 선택적 근력 약화를 유발할 수 있다(Ryerson, 2013). 주사의 효과는 3개월에서 6개월까지 지속될 수 있으며, 부작용은 제한적이다. 수막강 내 바클로펜은 피하 펌프를 통해 투여한다. 펌프를 복강 내에 삽입하고, 카테터로 바클로펜을 거미막밑 공간에 주입한다. 이러한 약물은 경직된 근육에 직접적으로 영향을 미친다(Ryerson, 2013).

어떤 경우에는 경직이 환자에게 유리한 점이 된다. 다리 폄근 긴장은 환자가 침범되지 않은 다리로 체중을 지지할 수 있도록 해 주고, 보행 중 다리의 안정성을 다소 높여줄 수 있다. 어깨 관절 주위의 긴장이 증가하면 환자의 어깨 불완전탈구 경향이 제한될 수 있다. 치료사는 환자가 약리학적 또는 외과적 중재를 요구하기 전에 그 효과를 최소화하기 위해서 비정상적인 근긴장을 이용해 기능을 개선하는지를 확인하는 것이 좋다.

어깨 통증은 반신마비 환자에게 매우 흔하다. 근긴장과 근력 약화가 감소하면 돌림근띠 근육, 특히 가시위근(supraspinatus)이 제공하는 지지력을 감소시킬 수 있다. 결과적으로 관절주머니와 어깨 인대가 관절 오목(glenoid fossa) 내에서 위팔뼈 머리를 지지하는 유일한 구조가 된다. 시간이 지나면 중력의 영향과 결합된 이 약점 때문에 어깨 불완전탈구가 일어날 수 있다.

경직이나 근력 증가는 어깨 기능장애와 통증을 유발할 수 있다. 어깨뼈 내림근과 당김근, 아래돌림근 내에서의 경직은 좋지 않은 어깨뼈 위치를 야기하고, 관절 정렬을 저해한다. 어깨뼈의 비상적인 위치는 어깨의 인대와 힘줄 및 관절주머니의 이차적 경직을 유발하고, 침범된 어깨를 움직일 수 있는 환자의 능력을 저하시킬 수 있다. 어깨 통증과 팔 기능 상실은 팔이음뼈 내에서 해부학적 구조의 방향이 변해서 야기될 수 있다.

복합 부위 통증 증후군

어깨/손 증후군과 반사교감신경 영양장애와 같은 여러 용어가 복합부위 통증 증후군 Complex Regional Pain Syndrome (CRPS)으로 알려진 질환을 설명하기 위해 사용되었다. 이 질환의 원인은 알려지지 않았지만 위운동신경세포 손상으로 추정되고 있다. CRPS는 통증과 자율신경계 징후 및 증상, 부종(edema), 운동장애, 약화 및 위축이 특징이다. 이 질환은 세 단계로 나뉘는데 1단계는 손상 직후에 시작되며 3개월에서 6개월 동안 지속될 수 있다. 1단계의 징후와 증상으로는 타는 듯하고 쑤시는 통증과 경직, 운동범위 상실, 부종, 따뜻하고 붉은 피부, 머리카락과 손톱 성장 속도 증가가 있다. 2단계는 3개월에서 6개월 사이에 시작되며, 6개월간 지속된다. 이 단계의 특징은 지속적으로 쑤시고 타는 듯한 통증과 관절 경직으로 이어지는 부종, 가늘고 잘 부러지는 손톱, 얇고 차가운 피부이다. 뼈엉성증은 엑스레이에서도 분명하게 나타날 수 있다. 3단계는 발병 후 6개월에서 12개월 사이에 시작되며, 수년간 지속될 수 있다. 이 단계의 환자는 비가역 피부 변화와 위축성 피부 변화 뿐만 아니라 수축을 경험한다. 이 질환 관리는 적절한 자세잡기와 핸들링를 통한 예방, 손 기능의 능동적인 사용 권장에 기반을 둔다. 이 질환을 치료하기 위해서 체중을 지지하는 팔다리 올리기와 압박, 체중지지, 유전자조절과 스테로이드, 항우울제 및 아편 유사 제제를 포함한 약리학적 중재를 사용할 수 있다(O'Sullivan, 2014b; NIH, 2014; Smith, 2003).

추가 합병증

뇌혈관 질환 발병 후에 나타나는 다른 합병증은 다음과 같다. (1) 손상된 팔 및 다리 보호 반응으로 인한 외상 및 낙상 위험 증가, (2) 종아리 뼈대근육 펌프의 효율 감소에 부가적으로 나타나는 혈전 정맥염 위험 증가, (3) 특정 근육과 관절의 통증, (4) 우울증이 그것이다. 뇌졸중 생존자의 약 1/3이 우울, 불안, 공포, 좌절, 무력감을 경험하는 것으로 추정된다(Gordon 등, 2004, National Stroke Association, 2014a). 이러한 합병증의 위험을 줄이기 위해 사용하는 물리치료 중재에 대한 검토는 이 장 뒷부분에서 이루어진다.

급성 치료 환경

환자의 뇌졸중 중증도에 따라 물리치료 보조사는 급성 치료 환경에서 환자의 치료에 관여할 수도 있고, 안 할 수도 있다. 뇌혈관 질환 발병 이후의 평균 입원 기간은 약 2~4일이다. 특정 지리적 영역에서 환자는 강력한 의학적 필요성이 없는 한 급성 진료 시설에 입원하지 않아도 된다. 합병증 없는 뇌혈관 질환 환자는 의사의 평가를 받아서 외래 치료 또는 가정 요법을 시작하도록 지시받을 수 있다. 환자가 의학적으로 안정되면 의사는 환자가 재활을 시작하는 것이 적절하다고 결정할 수 있다.

물리치료 보조사에게 중재 지시하기

환자의 초기 검사 후 감독 물리치료사는 뇌혈관 질환 환자가 물리치료 보조사와 함께 치료하기에 적절한 후보자인지를 결정할 수 있다. 감독 물리치료사는 물리치료 보조사에게 특정한 중재를 시행하라고 지시하는 것이 적절한지 결정하기 위해서 신중하게 환자를 평가해야 한다. 특정 구성 요소 또는 선택된 중재를 제공하기 위해 물리치료 보조사를 이용할 때 고려해야 할 요소는 1장에 요약되어 있다. 이러한 요소로는 환자 상태의 급성과 특수한 환자 문제(의학적, 인지적 또는 정서적 문제), 물리치료에 대한 환자의 현재 반응이 있다. 물리치료 보조사가 환자를 처음 방문하기 전에 감독 물리치료사는 물리치료 보조사와 함께 환자의 검사 및 평가 결과를 검토해야 한다. 또한 물리치료사는 물리치료 보조사와 환자의 치료 계획 및 단기 및 장기 치료 목표를 협의해야 한다. 모든 주의 사항과 금기 사항 또는 특별한 지시 사항도 물리치료 보조사에게 제공해야 한다(American Physical Therapy Association [APTA], 2012).

환자의 퇴원 계획에 대한 논의는 초기 검진 시에 시작해야 한다. 입원 기간이 짧아짐에 따라서 환자가 처음으로 발견될 때 퇴원 계획을 세워야 한다. 감독 물리치료사의 책임은 퇴원 계획 세우기를 시작하는 것이다. 주 법령에 물리치료 보조사가 환자 퇴원 계획을 세우는 것이 금지되어 있지는 않지만 물리치료 보조사의 지시 및 감독에 관한 미국 물리치료 협회의 지침에 따라서 감독 물리치료사가 환자의 치료 시설 퇴원을 실행하고 계획할 책임이 있다고 명시되어 있다. 퇴원 요약서 작성도 물리치료사가 책임져야 하는 일이다(APTA, 2012).

물리치료 보조사는 감독 물리치료사의 의견을 듣고 환자의 치료 중재를 제공할 책임이 자신에게도 있음을 발견할 수 있다. 주 치료사와의 접촉 요구 사항은 주마다 다르다. 물리치료 보조사는 주 법령을 검토하고 주 관할 지역에서 요구할 수 있는 치료사 감독이나 환자 재평가에 관한 특정 요구 사항을 지키라는 권고를 받는다.

조기 물리치료 중재

심폐 기능 재훈련

종종 뇌졸중 환자의 제한된 관심을 받는 물리치료 실습 영역은 심폐 기능 재훈련이다. 뇌졸중 환자는 심장과 폐의 주요 질환 병력이 있다. 심근경색증과 고혈압, 만성 경색성 폐질환은 이 환자군에서 공통적으로 나오는 결과이다. 또한 가로막 약화와 일반화된 상태 악화, 지구력 감소, 피로는 폐 기능을 감소시켜 환자가 재활에 참여할 수 있는 능력에 영향을 줄 수 있다.

가로막 증강

가로막은 근육으로 근력과 지구력을 향상시키기 위해 고안된 치료 기술에 반응할 수 있다. 가로막 강화는 물리치료 보조사가 환자의 윗배에 한 손을 올려서 시행한다. 처음에는 환자가 들숨을 쉬면서 치료사의 손을 들어 올리려고 노력하라는 지시를 받는다. 반 누운 자세(semireclined position)에서는 환자가 중력에 대항해서 직접 가로막을 수축할 필요가 없기 때문에 이 자세가 가장 쉽다. 능동적인 들숨 움직임이 수축을 더욱 강하게 촉진할 수 있기 전에 가로막을 재빠르게 신장시킨다. 환자가 이러한 움직임을 점점 더 쉽게 수행하게 되면 치료사는 맨손 저항을 높이거나 환자의 위치를 변경하고, 혹은 이러한 움직임 도중에 기능적 과제 수행을 통합해 넣어 움직임의 난이도를 높일 수 있다. 폐의 가쪽엽(lateral lobes) 확장도 시행해야 한다. 물리치료 보조사는 환자의 가슴 아래 가쪽에 손을 올려놓고 환자가 맨손 압력에 대항해서 호흡하도록 유도한다. 처음에는 물리치료 보조사의 손 무게만으로도 충분한 저항을 가할 수 있다. 그러나 환자의 상태가 진행됨에 따라 물리치료 보조사는 이러한 활동 도중에 저항력을 증가시킬 수 있다.

기타 심폐 활동

심폐 기능을 향상시키기 위해 수행할 수 있는 다른 활동으로는 심호흡 운동, 인센티브 폐활량 측정기 사용, 특히 가슴벽 바깥쪽 경직 시 몸통 가쪽 신장 활동이 있다. 호흡 운동은 공기 흡입의 효율성을 향상시킨다. 호흡 지원은 환자가 활동을 수행하는 동시에 말을 하려고 할 때 중요하다. 환자의 언어 병리학자는 말하고 식사를 할 때에 호흡을 조율하는 환자를 보조할 수 있다. 환자의 재활이 진행됨에 따라서 물리치료 보조사는 환자의 심폐 기능과 복용 약물을 알고 있어야 한다. 복잡한 병력이 있는 환자의 경우, 활동 수행 중에 환자가 인지하는 운동의 비율 보고를 포함해서 활력 징후를 주시할 필요가 있을 수도 있다. 주 물리치료사와 함께 검토해서 이러한 유형의 모니터링이 적절한지 판단하는 것이 중요하다. 이러한 현상으로 인해 혈압이 상승하기 때문에 모든 환자에게 활동 수행 중에 숨을 참지 않도록 하라고 지시해야 한다.

자세잡기

물리치료 중재의 가장 중요한 구성 요소 중 하나는 환자의 적절한 자세잡기다. 자세잡기는 환자의 뇌졸중 발병 직후에 시작되어야 하며 환자 회복의 모든 단계에서 계속되어야 한다. 자세잡기는 환자와 재활팀 구성원 모두가 책임져야 한다. 특징적인 상승효과 패턴을 이용해 적절한 자세잡기를 하면 운동기능이 자극되고, 감각 인식이 향상되며, 호흡기와 구강운동 기능이 향상되고, 목과 몸통, 팔다리의 정상적인 운동범위가 유지된다. 또한 적절한 환자 자세잡기를 일반적인 근골격계 기형과 압력 궤양의 가능성을 최소화할 수 있다.

환자는 등과 침범된 부위, 침범되지 않은 부위를 교대로 움직여 자세를 취해야 한다. 환자의 신체 부위에 특별한 주의를 기울여야 하고, 먼저 어깨뼈와 다리이음뼈를 다루어야 한다. 마름모근과 큰볼기근은 주로 경직되어 어깨와 다리이음뼈에서 당김에 기여한다. 그러므로 어깨와 골반은 근육 경직과 긴장 효과를 최소화하기 위해서 약간 내밀어져 있어야 한다.

눕기 자세잡기

환자가 똑바로 누워 있을 때 물리치료 보조사는 환자의 침범된 어깨뼈와 골반이 내밀어지도록 촉진하기 위해서 그 아래에 돌돌만 작은 수건(두께 약 1.5인치)을 놓고 싶어 할 수도 있다. 이때 수건은 뼈조직의 약 2/3를 받쳐야 한다(척추까지 펼쳐져서는 안된다). 과도한 돌림과 비대칭을 초래할 수 있으므로 어깨뼈와 골반 아래에 수건을 너무 많이 놓지 않도록 주의한다. 침범된 팔은 바깥쪽으로 돌아가고, 약 30도 각도로 벌어지며, 아래팔과 함께 뒤침 되어야 한다. 또한 손가락 폄과 엄지 벌림과 함께 중립이 되거나 약간 펴지는 손목 위치가 바람직하다. 침범된 팔 밑에 베개를 놓으면 이러한 자세를 유지하는 데 도움이 되고, 정맥 환류를 도울 수 있다.

골반 내밈과 함께 엉덩이와 무릎 굽힘, 발목 발등 굽힘이 결합되는 것은 가장 선호되는 다리 자세이다. 이 자세를 유지할 수 있도록 베개를 환자의 다리 아래에 둘 수 있다. 중재 10-1은 반신마비 환자의 누운 자세를 보여 준다. 앞서 설명한 것처럼 누운 자세에서의 환자 자세잡기는 팔과 다리 각각에 나타나는 강함 굽

중재 10-1 눕기 자세잡기

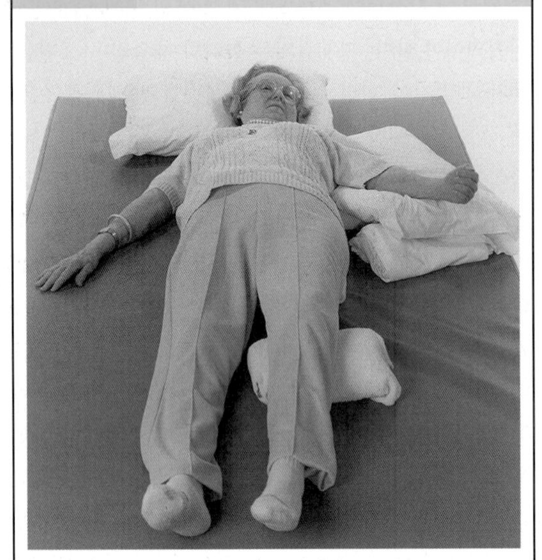

팔의 어깨뼈 내밈과 어깨 바깥 돌림, 팔꿈치 폄을 강조한다. 다리의 폄근 긴장을 감소시키기 위해서 무릎과 엉덩이를 살짝 굽히고 골반을 내민다.

중재 10-2 옆으로 눕기 자세잡기 (침범되지 않는 쪽으로 돌아눕기)

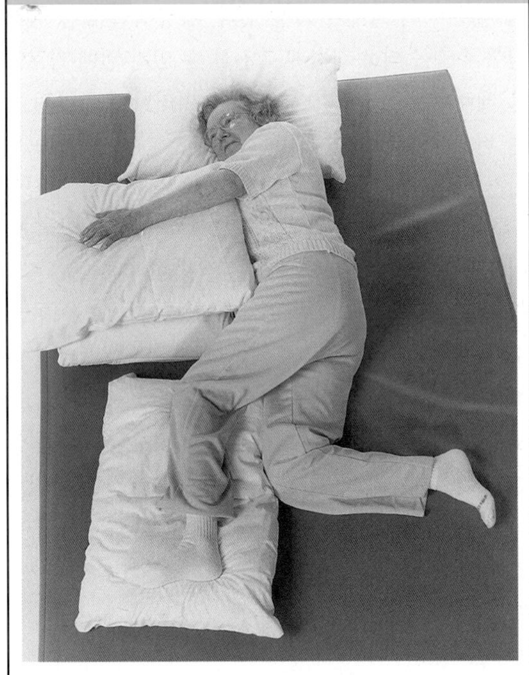

어깨뼈 내밈과 팔꿈치 폄이 바람직한 자세이다. 엉덩이와 무릎 굽힘과 발목 발등굽힘이 선호되는 다리 자세이다.

힘과 폄 상승효과에 대응할 수 있기 때문에 유익하다. 치료사는 어깨와 엉덩이에 중점을 둘 뿐만 아니라 환자의 머리와 목 위치를 알고 있어야 한다. 종종 환자를 편안하게 해주기 위해서 가족은 환자의 머리 아래에 여분의 베개를 놓는다. 이러한 유형의 자세잡기는 목 굽힘을 촉진하고, 머리 앞으로 내밀기를 강화할 수 있다. 환자의 건강 상태 때문에 목과 몸통 위를 좀 더 높이 올려야 하지 않는 한, 목 아래에 베개 하나만 놓아도 된다. 또한 환자는 시각적 인식을 높이기 위해 침범된 부위를 바라보는 것이 좋다.

옆으로 누워있는 자세

이전에 언급했듯이 환자의 신체 양쪽 자세잡기는 통합되어야 한다. 환자가 침범되지 않은 쪽으로 돌아누울 때는 환자의 몸통이 쭉 펴져야 하고, 침범된 팔이 베개 위로 내밀어져야 하며, 팔꿈치는 펴지고, 아래팔은 중립 위치에 있어야한다. 환자의 손목도 중립 위치에 있거나 약간 펴져야 하고, 손가락을 이완시킨다. 다리의 경우에는 골반이 내밀어지고, 엉덩이와 무릎이 구부러지며, 발목 발등굽힘이 나타나야 한다. 중재 10-2는 환자가 침범되지 않은 쪽으로 돌아누워 자세잡기하는 법을 보여 준다.

환자의 침범된 쪽에서 자세잡기를 하면 침범되지 않은 팔다리의 체중 이동과 고유감각 입력을 증가시킬 수 있어서 유익하다. 환자가 이 활동을 할 수 있도록 준비시킬 때 환자의 침범된 어깨가 내밀어져 앞으로 튀어나가도록 해야 한다. 그래야 침범된 어깨가 직접적으로 바닥에 닿는 충돌증후군을 예방할 수 있다. 팔꿈치를 펴고, 아래팔을 뒤침 하는 것이 가장 좋다. 골반은 내밀어지고, 침범된 엉덩이는 펴지고, 무릎은 살짝 구부러진다. 침범되지 않은 팔과 다리는 베개로 받쳐야 한다.

비정상적인 긴장과 환자 무시의 최소화

앞서 설명한 자세잡기 실례들의 다른 변형이 있다. 많

은 자세잡기 대안들은 뇌혈관 장애 환자의 비정상적인 긴장이나 경직의 영향을 최소화하려는 치료사의 시도 결과이다. 환자의 이동성이 향상되고 다양한 근육 집단에서 긴장이 발달함에 따라 자세를 바꿔야 한다. 사용하는 특정한 자세잡기 기법들과는 상관없이 대칭과 정중선 방향, 어깨뼈와 골반 폄에 특별한 주의를 기울여야 한다. 환자가 침범된 팔다리를 무시하지 않도록 주의해야 한다. 오른쪽 대뇌 반구가 손상되면 신체의 침범된 부위와 시야가 무시된다. 이러한 무시는 환자의 신체 이미지 또는 신체 부위에 대한 인식 손상으로 나타날 수 있다. 또한 감각 겉질이 손상된 경우에는 환자가 팔다리에서 감각자극을 감지할 수 없을 수도 있다. 이 두 가지 상황에서 환자는 침범된 쪽을 활동에 참여시키지 못하거나 침범된 팔다리를 무시할 수 있다. 침범된 쪽으로 돌아누운 환자의 자세잡기는 영향을 받는 관절과 근육에 감각 입력을 증가시키고, 침범된 쪽을 시각적으로 좀 더 잘 인식할 수 있도록 촉진해서 그러한 무시의 효과를 감소시킨다.

손 뻗기 범위 내에 물건 두기

환자가 앞서 설명한 자세를 취할 때는 환자의 손과 시야가 닿는 곳에 간호사의 호출 표시 등과 침대 옆 탁자, 전화와 같은 필요한 것들을 놓아두어야 한다. 치료사는 환자에게 자주 사용하는 물건들을 침범된 쪽에 놓아서 침범된 쪽에 대한 인식과 관심을 높이라고 지시한다. 그러나 이러한 관행이 환자나 가족 구성원에게 안전 문제를 야기한다면 사용해서는 안된다. 가족 및 보호자 모두가 침범된 쪽에 시각적 관심을 두는 것이 중요하기 때문에 침범된 쪽에서 환자와 상호 작용하는 것이 좋다.

기타 고려 사항

가족 구성원은 종종 손수건이나 부드럽게 쥐어짤 수 있는 공을 환자의 손바닥에 두는 것이 좋다고 제안한다. 많은 사람들은 이 활동이 손 조절을 개선해 준다고 생각한다. 그러나 그와는 반대로 부드러운 물건을 쥐어짜는 활동은 종종 손목과 손가락 굽힘근의 긴장(경직)을 높이고, 손바닥 쥐기 반사를 촉진한다. 침범된 손에 안정 손 부목을 대는 것도 도움이 된다. 환자의 침대 끝에 발판을 대면 다리의 원치 않는 반응과 유사한 유형을 촉진할 수 있다. 이러한 발판은 장딴지근–가자미근의 긴장 발달을 예방하는 대신에 환자가 몸을 밀어 올릴 수 있는 지속적인 자극을 제공하고, 발목 경직을 증가시킬 수 있다. 가족 구성원은 더 나은 발 자세잡기 대안을 제공하기 위해서 굽 낮은 테니스 신발을 준비하는 것이 좋다.

조기 기능 이동성 과제

환자가 아직 침대에 있을 때 움직임을 촉진하는 물리치료 중재를 시작해야 한다. 몸쪽 조절과 안정성이 원위 움직임에 필수적이기 때문에 먼저 어깨와 엉덩이를 목표로 삼아야 한다.

교각 자세와 압박한 교각 자세

다리로 수행할 수 있는 조기 치료 활동의 실례로는 교각 운동과 압박한 교각 운동이 있다. 압박이나 압축(compression)은 관절면이 결합되는 것이다. 이러한 압축력은 관절 수용체를 활성화시키고 자세 유지 반

중재 10-3 교각 자세 준비

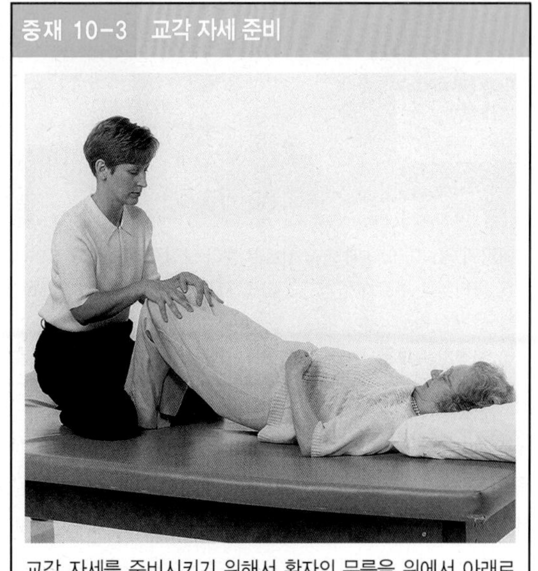

교각 자세를 준비시키기 위해서 환자의 무릎을 위에서 아래로 압착한다.

중재 10-4 교각 자세를 돕는 촉각 신호 사용하기

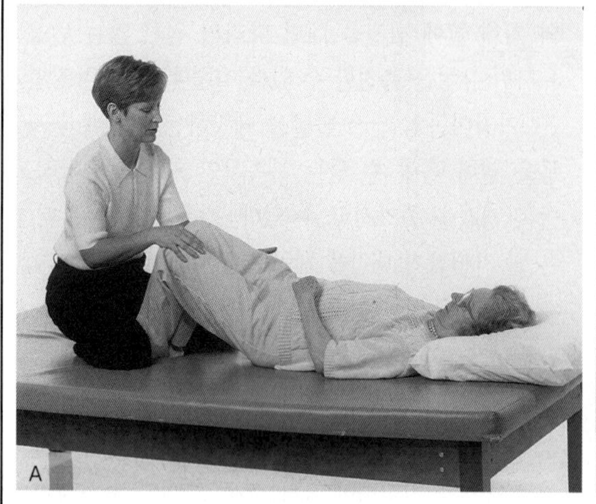

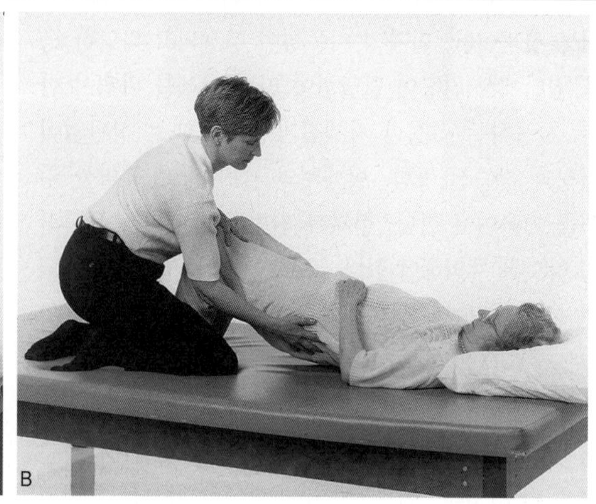

물리치료 보조사가 환자의 교각 자세를 도와줘야 할 수도 있다. 환자의 큰볼기근에 촉각 신호(두드리기)를 가하면 환자의 엉덩이 들기를 도울 수 있다.

중재 10-5 병상 시트를 사용해 교각 자세 돕기

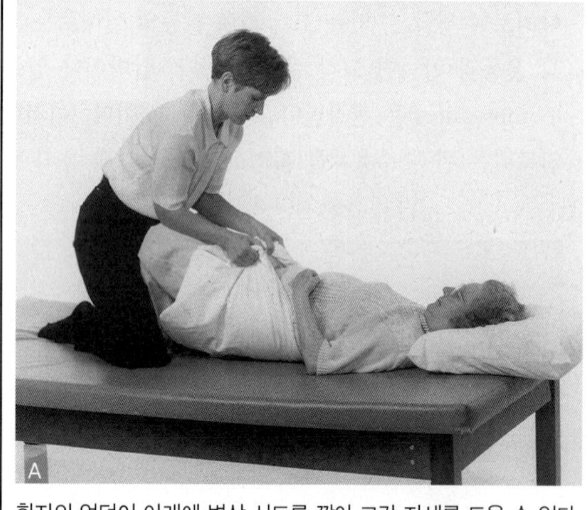

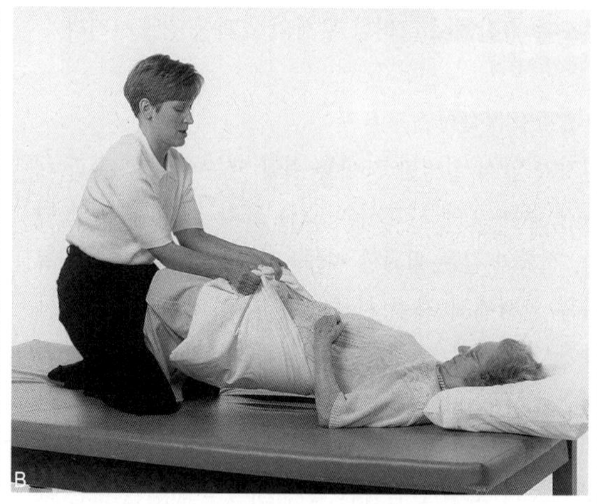

환자의 엉덩이 아래에 병상 시트를 깔아 교각 자세를 도울 수 있다.

A. 물리치료 보조사가 환자의 다리 자세잡기를 유지하고, 고유감각 입력을 제공하기 위해서 환자의 넙다리뼈 양쪽을 따라 양쪽 아래팔을 놓는다.

B. 물리치료 보조사가 체중을 뒤로 이동시켜서 환자의 엉덩이 들어올리기를 돕는다.

응을 촉진시킨다(O'Sullivan, 2014a). 환자가 엉덩이를 들어올리기 전에 무릎을 압박하면 발의 조기 체중 지지를 준비시킬 수 있다. 중재 10-3은 이 기법을 보여 준다. 압박은 또한 교각자세를 준비시키기 위해서 엉덩이에서 위쪽으로 가할 수 있다. 물리치료 보조사는 환자의 다리 상태가 어떠한지 관찰해야 한다. 큰볼기근과 다리 약화가 분명하게 드러날 수 있다. 이러한 상태는 침범된 쪽의 비대칭적 들어올리기와 호흡운동 지체(lagging)를 초래할 수 있다. 물리치료 보조사는 엉덩이 아래쪽에 더 많은 촉각적인 도움을 제공해야

중재 10-6 표면 가장자리로 엉덩이 펴기

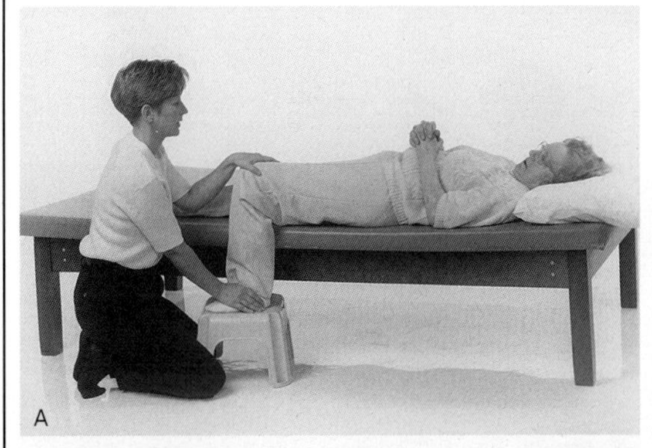

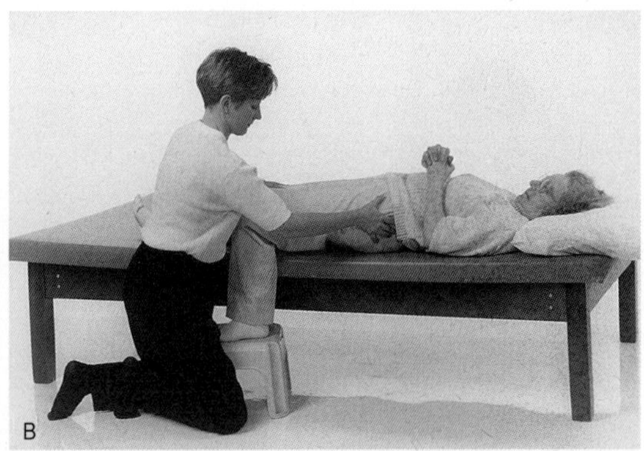

침대나 매트 테이블 가장자리에서 엉덩이 폄을 수행할 수 있다. 환자는 침대 가장자리까지 엉덩이 끌기로 이동해야 한다.

A. 물리치료 보조사가 침범된 다리를 지지 면의 바깥으로 움직여서 환자를 도와줘야 할 수도 있다. 이때 환자의 발바닥쪽 표면을 지지해주어야 한다.

B. 물리치료 보조사는 환자의 노력 강도를 평가하기 위해서 큰볼기근을 촉진할 수 있다.

중재 10-7 다리 똑바로 들어올리기(침범되지 않은 다리)

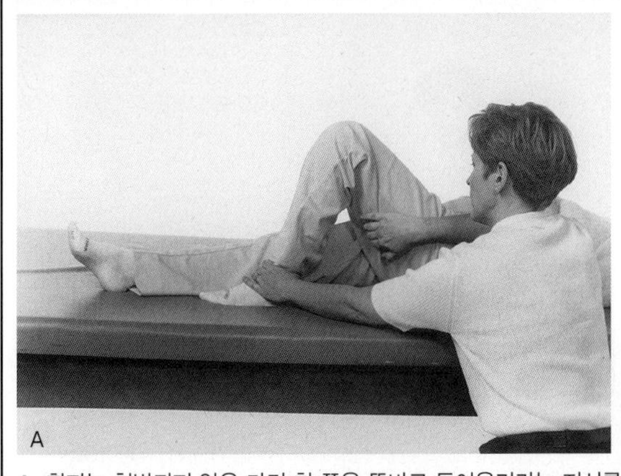

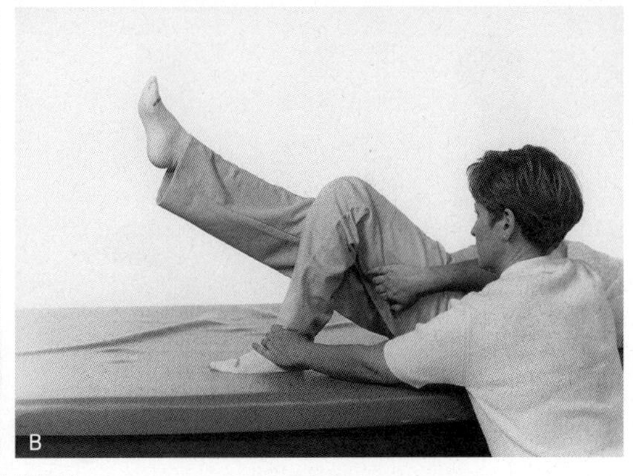

A. 환자는 침범되지 않은 다리 한 쪽을 똑바로 들어올리라는 지시를 받는다.

B. 환자가 다리를 들어 올릴 때 물리치료 보조사는 침범된 쪽의 넙다리뒤 근육조직을 촉진한다. 환자는 침범되지 않은 다리를 들어 올릴 때 침범된 넙다리뒤 근육조직의 수축을 감지해야 한다.

할 수도 있다. 이렇게 환자를 돕는 물리치료 보조사의 모습은 중재 10-4에 나와 있다. 중재 10-5는 병상 시트를 이용해서 다리를 펴는 환자를 돕는 물리치료 보조사를 보여 준다. 물리치료 보조사는 병상 시트를 붙잡고 위로 들어올려 뒤로 당겨서 환자의 체중을 뒤쪽으로 이동시킨다. 이 기법은 환자가 침대 이동성 활동에서 보다 더 많은 신체적 도움을 필요로 할 때나 치료사와 환자의 체격이 크게 차이 날 때 유익하다.

기타 침대 옆 활동

다른 침대 옆 운동으로는 침대 또는 매트의 가장자리에서 엉덩이를 펴는 것과 침범된 다리는 구부리고 침범되지 않은 팔다리를 펴서 곧게 들어 올리는 것이 있다. 이러한 운동은 중재 10-6과 10-7에 나와 있다.

중재 10-8 몸통 다리 돌림

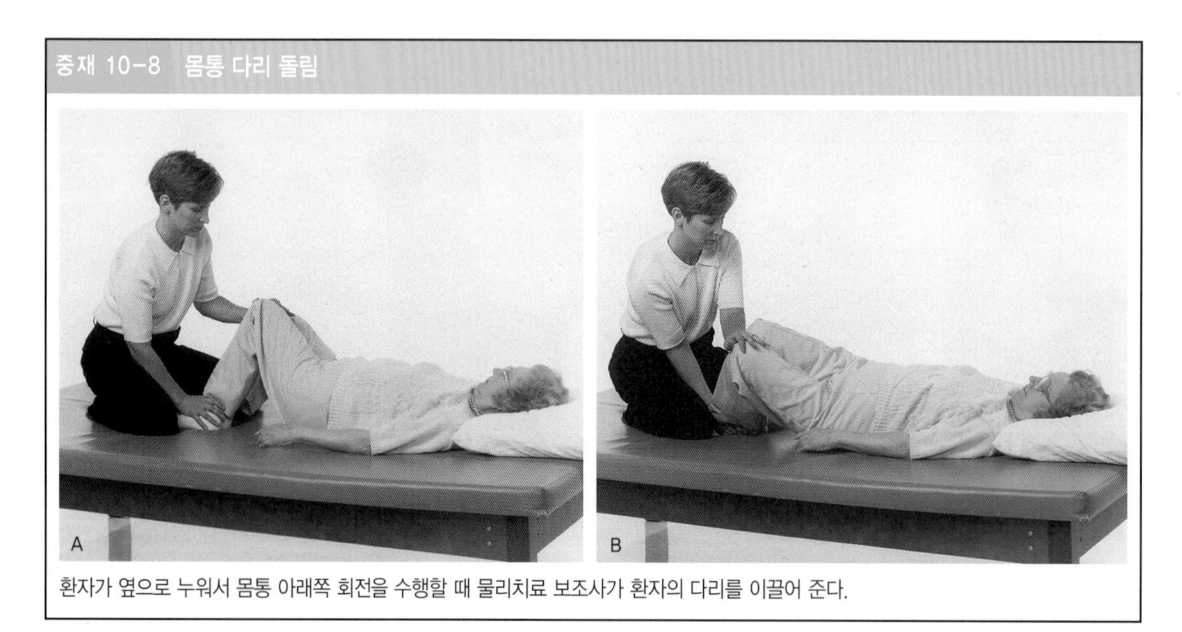

환자가 옆으로 누워서 몸통 아래쪽 회전을 수행할 때 물리치료 보조사가 환자의 다리를 이끌어 준다.

중재 10-9 엉덩이와 무릎 굽힘

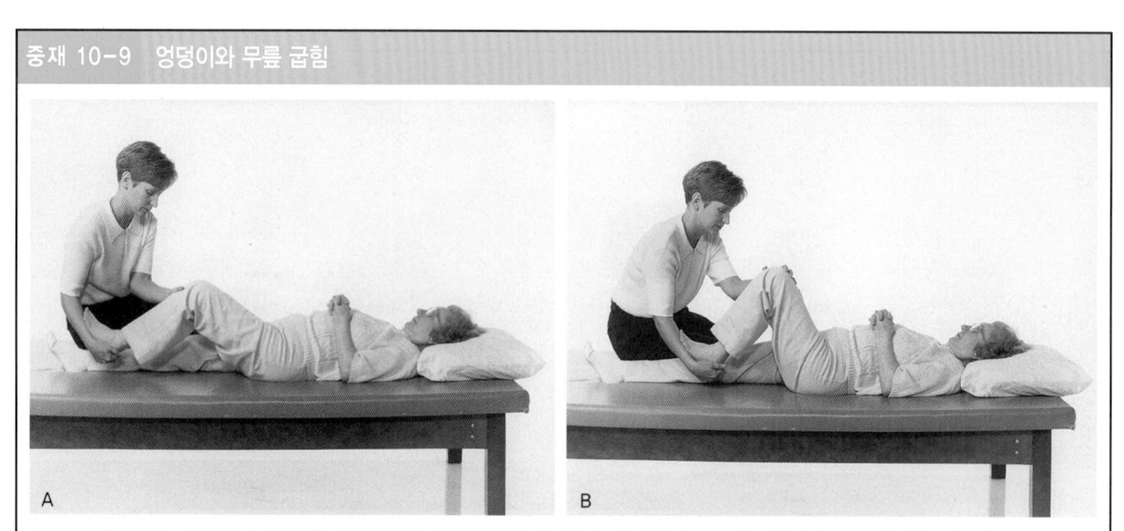

급성기 전략에서는 환자가 누워 있을 때 엉덩이와 무릎 굽힘을 촉지한다. 물리치료 보조사는 발바닥 쪽 굽힘 반응 자극을 피하기 위해서 환자의 발바닥 쪽 전체 표면을 지지한다.
A. 처음에는 물리치료 보조사가 환자의 다리를 지지해주어야 할 수도 있다.
B. 환자가 이러한 움직임을 보다 더 능동적으로 조절할 수 있을 때 물리치료 보조사가 무릎뼈의 위 앞쪽을 살짝 잡을 수 있다.

이 운동의 이점 중 하나는 큰볼기근과 넙다리뒤인대의 조기 활성화를 촉진한다는 것이다. 엉덩이 근육의 움직임과 조절을 촉진하는 다른 조기 치료 중재로는 몸통 아래쪽 돌리기와 침대 한쪽에서 다른 쪽으로 엉덩이 끌고 이동하기, 엉덩이 굽힘근 재훈련하기가 있다. 몸통 아래쪽 돌림은 몸통과 골반의 분리를 제공하고, 일반적인 이완을 촉진하며, 구르기와 누웠다 앉기 이행, 보행과 같은 기능적 활동에 필요한 골반 내밈을 촉진한다. 몸통 아래쪽 돌림은 중재 10-8에 묘사되어 있다. 능동적인 엉덩이 굽힘은 환자의 엉덩이와 무릎을 수동적으로 구부린 다음 운동범위의 여러 지점에서 능동적인 엉덩이 굽힘을 통해 촉진할 수 있다(중재

중재 10-10 발가락 굽힘을 억제하고 발목 발등굽힘을 촉진하기

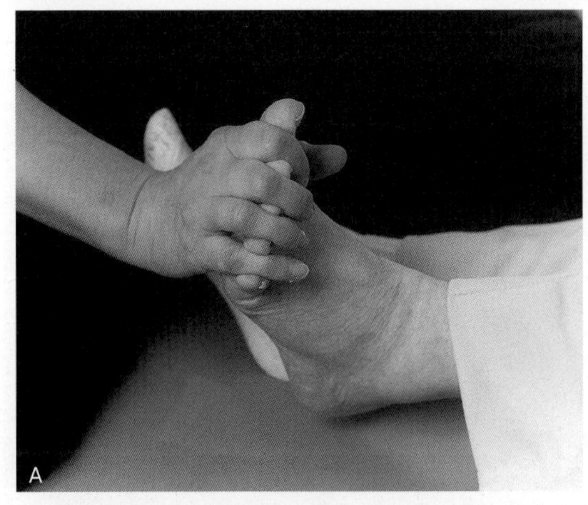

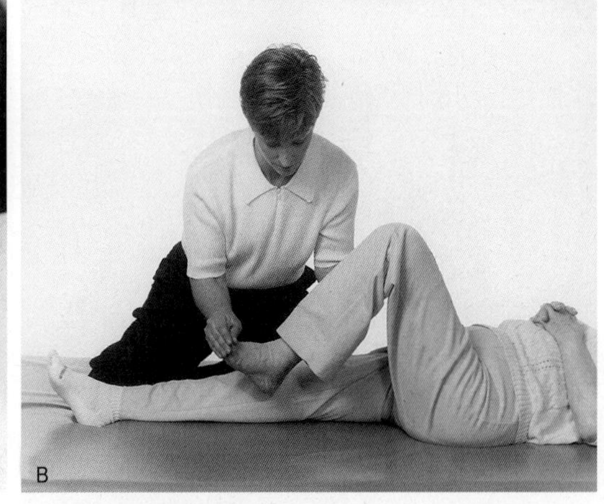

A. 물리치료 보조사가 손가락을 이용해 환자의 발가락을 벌릴 수 있다(분리시킬 수 있다). 이러한 자세잡기에서 발가락을 살짝 당김하면 발가락 굽힘을 억제하고 발목 발등굽힘을 촉진할 수 있다.
B. 좀 더 먼 곳을 잡아서 환자의 다리 움직임을 이끌어 낼 수 있다.

10-9). 환자가 이 운동을 적극적으로 수행할 수 있고, 다리 움직임의 질이 향상되면 이 운동도 발전되고, 환자는 수의적인 발목 발등굽힘으로 적극적인 엉덩이 및 무릎 굽힘을 시작할 수 있다. 이 운동의 마지막 진행은 환자에게 이 운동을 역으로 진행하게 하고, 발목 발등굽힘과 더불어 엉덩이와 무릎 폄을 지시하는 것이다. 이 운동 조합을 수행할 수 있다면 다리 굽힘과 폄 상승효과 패턴의 다양한 구성 요소를 결합할 수도 있다. 중재 10-10은 과도한 발가락굽힘을 방지하고, 발목 발등굽힘을 촉진하기 위해서 발가락에서 더 먼 쪽을 잡는 물리치료 보조사를 보여 준다. 먼쪽 관절을 사용하여 운동을 유도한다는 것은 환자가 보다 더 가까운 구성 요소를 적절히 조절할 수 있다는 뜻임을 명심하기 바란다.

운동 평가의 중요성

환자가 움직일 때마다 치료사는 환자의 움직임의 질을 관찰해야 한다. 움직임을 묘사하기 위해서 물리치료 문헌에서 찾아 이용할 수 있는 보편적으로 인정받는 품질 지표는 없지만 다음과 같은 특성들은 고려해야 한다. (1) 움직임 타이밍과 (2) 근육 반응의 순서화, (3) 움직임 수행 중에 근육이 생성하는 힘의 양, (4) 근육 활동의 상반적 이완(relaese)이 그것이다. 치료에서 이러한 영역을 해결하기 위해 치료사는 적절한 근육 반응을 요구하는 운동 과제를 선택해야 한다. 예를 들어 환자가 엉덩이와 무릎 폄 시기를 조절하는 앉았다 일어서기와 같은 이행적 움직임이 유익하다. 두갈래근의 조절된 이완을 통해 팔꿈치를 폈다가 굽히는 것도 환자의 운동 반응의 질을 다루는 활동의 또 다른 실례이다.

어깨뼈 동원

팔 치료 중재도 항상 포함시켜야 한다. 옆으로 누워서 수행하는 어깨뼈 가동(mobilization)은 매우 유익하다. 이러한 유형의 가동은 메이트랜드(Maitland, 1977)가 기술한 정형외과적 가동 기법과 혼동되어서는 안된다. 반신마비 환자의 어깨뼈 가동 동원은 운동범위 운동이나 이동성 운동으로 간주할 수 있다. 이러한 가동의 목적은 어깨뼈를 가슴 위로 움직여 팔 기능이 상실되지 않도록 하는 것이다. 중재 10-11은 물리치료 보조사가 환자의 어깨뼈를 부드럽게 위쪽 돌림하는 과정을 보여 준다. 물리치료 보조사의 손은 환자

중재 10-11 어깨뼈 가동

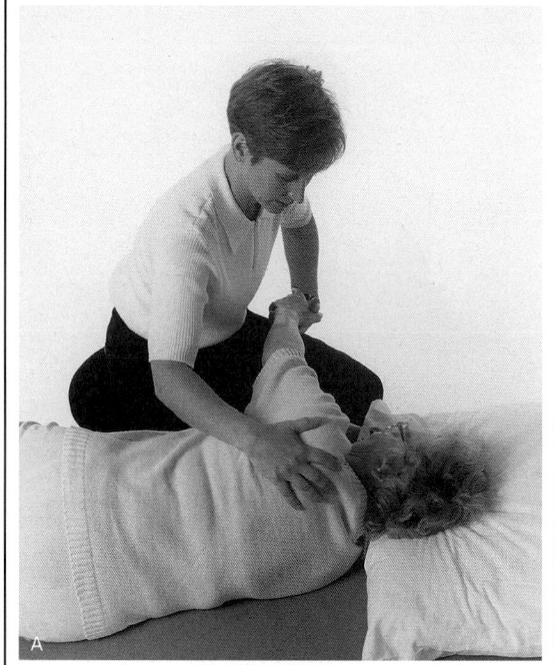

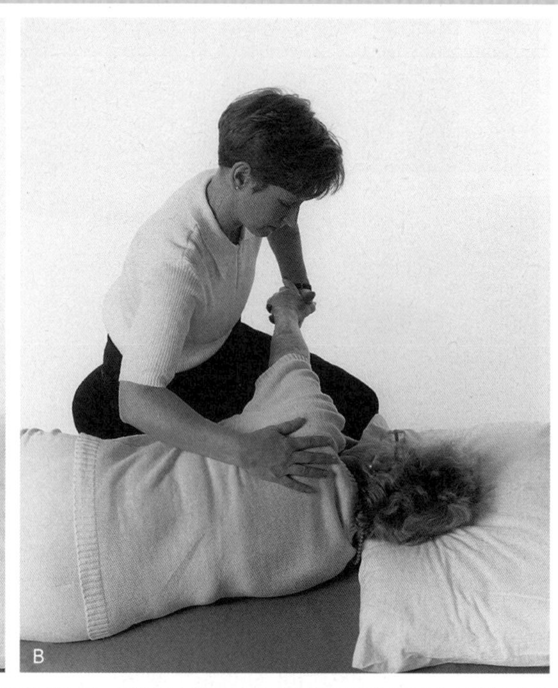

물리치료 보조사는 환자의 어깨뼈에 한 손을 대고 어깨뼈를 부드럽게 내민다. 또한 악수하듯 손을 쥐어줌으로써 환자의 침범된 손을 지지한다.

의 어깨뼈 경계를 따라 배치된다. 이 위치에서는 환자의 어깨뼈 움직임을 유도할 수 있다. 어깨뼈는 또한 고유감각 신경근 촉진법(Proprioceptive Neuromuscular Facilitation, PNF)의 대각선 방향으로 움직일 수 있다. 이에는 D_1 굽힘의 어깨뼈 구성요소인 올림과 벌림, 위쪽 돌림, D_2 굽힘 패턴의 어깨뼈 올림과 모음, 위쪽 돌림이 포함된다. 보상적 움직임을 피하기 위해서는 몸통을 적절하게 안정시킬 수 있는 조치를 취해야 한다. 어깨뼈 이동성은 팔 운동범위 운동과 뻗기에 필요한 정상적 어깨 위팔 율동을 유지하는 데 필수적이다. 어깨뼈로 가슴을 움직일 수 없으면 팔이 신체 측면에 단단히 고정되어 이 팔을 사용할 수 있는 능력이 제한된다. 또한 뇌졸중을 겪었던 환자의 경우에는 종종 마름모근, 위 등세모근, 작은 원근 등의 어깨뼈 올림근과 당김근의 긴장이 증가한다. 이러한 상태는 비정상적인 어깨뼈 자세와 팔 자세로 이어질 수

중재 10-12 이중팔 올림

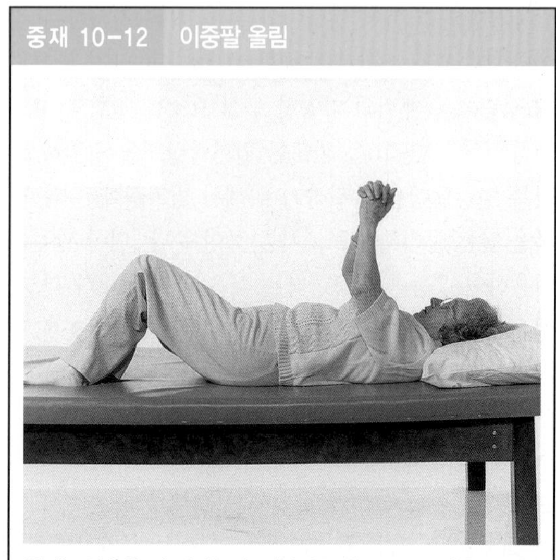

환자는 양손을 꽉 맞잡는다. 갈퀴막공간(web space)을 유지하고 이상 긴장을 억제하기 위해서 침범된 엄지를 가장 바깥쪽으로 빼야 한다.

있다.

기타 팔 활동

중재 10-12에 나와 있는 것처럼 환자는 바깥 돌림(이중팔 올림)으로 팔을 스스로 올리라는 지시를 받는다. 이러한 움직임 조합은 어깨의 기능을 유지하도록 도와주고 비정상적인 자세를 유발한다고 알려진 넓은 등근의 경직을 제한할 수 있다(Johnstone, 1995). 이러한 환자의 침범된 어깨와 팔꿈치, 손목 및 손가락의 수동적 운동범위 운동도 초기 재활 단계에서 수행해야 한다. 이러한 운동은 팔의 관절염을 예방하기 때문에 수의적인 팔 움직임이 없을 때 절대적으로 필요하다.

촉진 및 억제 기법

환자의 운동조절과 비정상적 긴장 유무, 수의적 움직임의 질에 따라서 환자의 기능적 활동을 준비시키려면 촉진이나 억제 활동이 필수적이다.

촉진 기법. 환자가 기능적 활동을 수행하도록 준비시키려면 원시(척수) 반사나 긴장(뇌줄기) 반사, 빠른 신장, 두드리기, 진동, 압축, 체중지지가 필요할 수 있다.

원시 또는 척수 수준 반사. 원시 또는 척수 수준 반사는 물리치료 실습에서 유용성에 제한을 둔다. 환자의 반응 수준을 결정하기 위해서 물리치료 보조사가 굽힘근 수축(withdrawl)이나 손바닥 또는 발바닥 쥐기 반사를 유도하는 것이 적절할 수 있다. 환자 발바닥에 가해지는 유해한 자극은 발목의 발등굽힘, 엉덩이와 무릎의 굽힘, 발가락 폄을 유도할 수 있다. 손바닥이나 발볼에 가해지는 압력이 유지되면 환자가 손가락이나 발가락을 구부릴 수 있다. 이러한 척수 반사를 유발하는 것은 치료 시에는 피해야 한다. 그러나 더 중요한 것은 이러한 반사의 올바른 의미를 환자의 가족에게 제공하는 교육이다. 개인은 종종 이러한 유형의 반사적 반응을 수의적 움직임으로 오해하고, 환자의 현재 상태 또는 최종 기능적 결과에 대해서 비현실적인 기대를 할 수 있다.

뇌줄기 또는 긴장 반사. 비대칭적 긴장목반사처럼 뇌줄기 반사를 사용해 환자의 반응을 유도하는 것도 논란의 여지가 있다. 그러나 환자가 전통적인 치료 중재에 반응하지 않을 경우에는 다른 방법을 사용해야 한다. 비대칭적 긴장목반사와 대칭적 긴장목반사, 긴장성 미로반사를 사용하면 이완되거나 긴장이 저하되는 다리의 긴장을 증가시켜 환자의 근긴장에 영향을 줄 수 있다. 환자가 머리를 한쪽으로 돌리면 얼굴쪽 팔에서는 폄근 긴장이 증가되고, 머리뼈 쪽 팔은 굽힘근 긴장이 증가한다. 환자의 머리를 구부리면 팔 굽힘과 다리 폄근 긴장 증가를 이끌어낼 수 있다. 눕기나 엎드리기 자세잡기는 폄근이나 굽힘근 긴장을 각각 증가시킬 수 있다.

기타 촉진 기법. 근육에 빠른 신장을 적용하면 근방추 발화가 촉진되고, 근육 섬유 수축이 일어난다. 환자에게 특정한 움직임을 완료하라고 지시를 내리고 난 이후의 빠른 신장은 운동반응을 촉진할 수 있다. 환자가 근육을 적극적으로 동원할 수 있게 되면 이 기법을 중단해야 한다. 다른 촉진 치료 기법으로는 두드리기와 진동, 압축, 체중지지가 있다. 근복(muscle belly)을 부드럽게 두드리면 종종 근육 활성화 준비에 도움이 된다. 두드리기와 진동은 정해진 근육 집단의 작용근과 대항근 모두에 가할 수 있다. 감각자극은 근육의 부착점(insertion)에서 시작점(origin)까지 가해야 한다. 진동 자극의 효과는 자극이 가해질 때만 지속된다. 진동은 1~2분 동안 가할 수 있고, 그러고 나서는 자극을 제거해야 한다. 근긴장이 상당히 높을 경우에 대항근을 가볍게 두드리거나 진동시키면 근육의 활성화가 불충분해서 증가된 근긴장을 극복할 수 있다. 압축과 체중지지는 관절과 근육 수용체에 고유 수용성 입력을 가해서 환자에게 제공하는 다른 유형의 촉진 기법이다. 어깨와 엉덩이에 압착을 가하고 어깨와 엉덩이로 조기 체중지지 활동을 수행하면 관절 주위의 근육 활성화를 자극하고 관절의 안정성을 향상시킬 수 있다(O'Sullivan, 2014a).

억제 기법. 긴장이 증가한 환자에게는 억제 기술을 사용해야 한다. 느린 율동적 돌림은 경직성 신체 부위의 긴장을 감소시키는 데 도움이 될 수 있다. 이전에 언

급했듯이 훨씬 더 먼쪽에서 긴장을 바꾸고 싶다면 몸쪽 신체 부위에서 이러한 활동을 시작하는 것이 중요하다. 체중지지는 또 다른 유용한 억제 기법이다. 아이스 팩이나 아이스 타월로 수명을 연장한 얼음이나 압력과 함께 가하는 빠른 긴장을 경직된 근육의 힘줄에 적용하면 과긴장 근육 집단의 긴장을 감소시키는 데 도움이 될 수 있다. 일단 긴장이 보다 더 관리하기 쉬운 수준에 도달하면 환자는 움직임이나 기능적 과제 수행을 시도해야 한다. 잔효(carry-over)가 발생하면 개선된 긴장 상태에 움직임이 중첩되어야 한다(Bobath, 1990).

경고 얼음을 사용해서 비정상적 긴장을 억제할 때는 주의를 기울여야 한다. 얼음 사용 시간은 20분을 넘지 않아야 한다. 또한 환자의 피부를 주기적으로 점검해야 한다. 자율 신경계의 불안정성과 순환기 장애 및 감각장애를 보이는 환자에게는 얼음 사용을 금한다(O'Sullivan, 2014a). ▼

치료 부속물. 공기(압력) 부목은 자세잡기와 긴장 감소, 감각인식을 돕기 위해 사용할 수 있다. 일부 환자의 경우, 공기 부목은 환자가 받는 치료의 부속물로 사용된다. 다른 사람들에게는 치료사가 환자의 가정 운동과 자세잡기 프로그램에 필요한 도구로 공기 부목을 추천할 수 있다.

존스톤(Johnstone, 1995)은 공기 부목의 사용에 대해 설명했다. 팽창식 공기 부목은 팔다리 전체 부목과 같이 다양한 신체 부위에 사용할 수 있다. 예를 들면 팔꿈치와 아래팔, 손에 대는 부목, 발과 발목에 대는 부목도 있다. 이런 부목들은 침범된 관절이나 팔다리에 사용할 수 있고, 자세잡기와 긴장 관리를 도울 수 있다. 이중채널 공기 부목은 치료사가 팽창시켜서 사용한다. 치료사의 폐에서 나오는 따뜻한 공기는 안쪽 소매 윤곽을 따라 환자에게 흘러들어 가 지속적인 감각 피드백을 제공한다. 부목은 38~40 mmHg 압력을 가해서 단단히 고정해야 한다. 부목을 착용하고 있는 동안에 감각이 느껴지지 않거나 따끔거리면 부목이 과잉 팽창되어 있을 수 있다. 부목은 하루 종일 착용하거나 치료 시에 다시 착용할 수 있지만, 한 번에 1시간 이상 착용하면 안된다. 환자의 피부를 보호하기 위해 얇은 면 소매를 부목 아래에 댈 수 있다(Johnstone, 1995).

긴 팔 부목. 긴 팔 부목은 뇌졸중 환자에게 자주 사용한다. 부목은 환자의 침범된 팔에 착용한다. 부목을 적용하는 동안 환자의 손을 악수하듯 잡아 주면 도움이 된다. 중재 10-13은 물리치료 보조사가 긴 팔 부목을 환자에게 착용시키는 모습을 보여 준다. 환자의 팔이 부목 안으로 들어갈 때 환자의 다섯 번째 손가락은 지퍼가 있는 쪽에 닿아야 한다. 이런 식으로 손 자세잡기를 하면 자뼈로 체중을 지지할 수 있고, 아래팔 엎침과 환자 손의 방사형 펴기가 촉진된다. 부목을 착용했을 때 환자의 손가락은 부목의 경계 내에 안전하게 들어가 있어야 한다.

처음에는 물리치료 보조사가 정적인 자세잡기를 위해서 부목을 사용하고 싶어할 수 있다. 부목을 착용하고 난 이후에는 팔이 바깥 돌림 위치에 놓이고, 그림 10-2에서처럼 환자는 누운 자세에서 부목을 착용한다. 부목을 착용하면 팔을 항경련(antispasm) 자세나 회복 자세로 유지할 수 있다. 공기 부목은 또한 치료 중재 중에 착용할 수도 있다. 환자가 옆으로 누워있는 상태에서 물리치료 보조사가 어깨뼈를 내민다. 이 활동은 중재 10-14에 나와 있다. 부목은 환자가 팔의 활동적인 움직임을 시도할 때 발생할 수 있는 비정상적인 긴장 발달을 억제한다. 환자는 팔 올림 운동을 할 때 부목을 착용할 수도 있다. 환자가 어깨 근육 조직을 조절할 수 있게 되면 운동범위 내의 다양한 지점에 팔을 놓고 유지할 수 있다. 중재 10-15는 환자가 팔 치료 활동을 하기 위해서 긴 팔목 부목을 착용하는 모습을 보여 준다.

팔꿈치와 손 부목. 팔꿈치와 손 부목은 더욱 먼 곳을 조절하고 움직이는 능력이 부족한 환자들에게 사용할 수 있다. 환자가 팔로 체중을 지지할 때 팔꿈치 부목을 착용할 수 있다. 부목은 팔꿈치를 수동적으로 펴서 유지시켜 준다. 손 부목은 기능적 활동 중에 침범된 손목과 손가락의 굽힘 긴장이 증가하는 환자들에게 특히 유용하다. 이전에 언급한 바와 같이 이 부목은 필요할 때 정적인 자세잡기 도구로 사용할 수도 있다. 예를 들어

중재 10-13 긴 팔 부목 착용

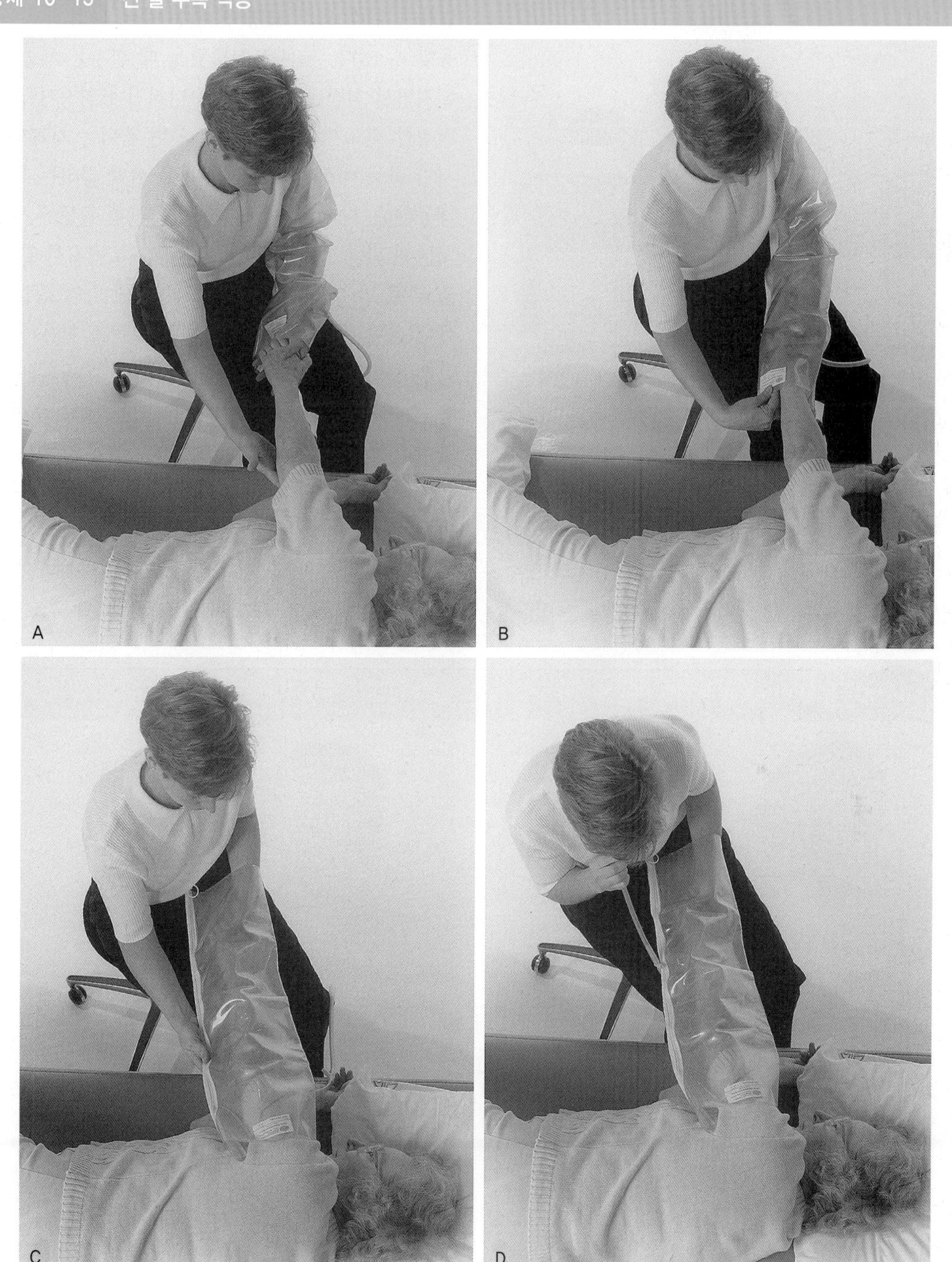

A. 물리치료사는 부목의 지퍼를 잠근 채 자기 팔에 부목을 끼운다. 그러고는 악수하듯 손을 잡아서 환자의 침범된 손을 지지한다.

B. C. 부목을 환자의 침범된 팔다리에 착용시킨다. 지퍼는 아래팔의 자뼈나 다섯번째 손가락 쪽에 남아 있다. 물리치료사는 악수하듯 손을 잡고 유지하거나 부목을 착용한 환자의 척골이나 작은 손가락에서 억제할 수 있는 다른 지점(inhibitory handhold)을 쥘 수 있다.

D. 부목을 제자리에 착용하고 나서 팽창시켜야 한다.

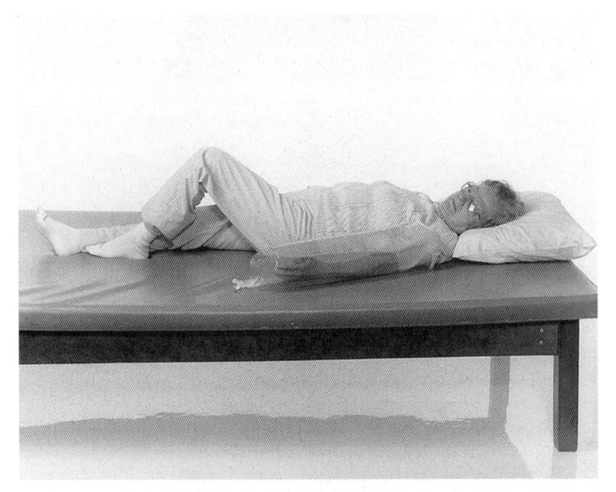

그림 10-2. 침대에 누워서 공기 부목을 착용한 환자. 이 부목은 정적인 자세잡기 도구로 사용하거나 침범된 팔과 다리의 활동을 준비하기 위해 치료 전에 착용할 수 있다.

환자는 무릎 서기와 같은 발달 순서 상 높은 수준의 활동을 할 수 있다. 환자가 이 과제를 수행하는 동안 나타날 수 있는 손목과 손가락의 굽힘근 긴장 증가의 영향을 줄이기 위해 손 부목을 침범된 손에 착용할 수 있다.

긴 다리 부목. 다리 조절 능력이나 움직임이 부족한 사람들을 위해 초기 보행 전 활동 중에 다리 부목을 사용할 수 있다. 부목을 부풀렸을 때 환자는 체중이 가해지면서 침범된 팔다리가 무너지거나 휘청거릴까 봐 걱정할 필요가 없다. 부목의 앞뒤 챔버는 치료사에게 서기 활동 이전에 환자의 무릎을 살짝 굽히는 능력을 제공한다. 다리 부목을 실제 보행 훈련 활동에 사용해서는 안 되는 사실을 명시하는 것은 매우 중요한 일이다.

발 부목. 발 부목은 정적인 자세잡기와 다리 조절 발달에 사용할 수 있다. 환자가 발목 부목을 착용하면 발목은 중립적인 90도 위치로 유지되고, 뒤꿈치는 체중을 수용할 수 있다. 이것은 적극적인 발목 움직임이 제한적인 환자에게 유익할 수 있다. 발목 부목은 네발기기 자세에서 무릎 서기 자세로, 이어서 반 무릎 서기 자세로 이행하는 것 같은 발달 순서 내에서 활동할 때도 사용할 수 있다. 부목은 장딴지근 가자미근이 강한 발바닥쪽 굽힘을 보이지 않도록 예방해 주고, 과도

중재 10-14 부목 착용하고 어깨뼈 내밀기

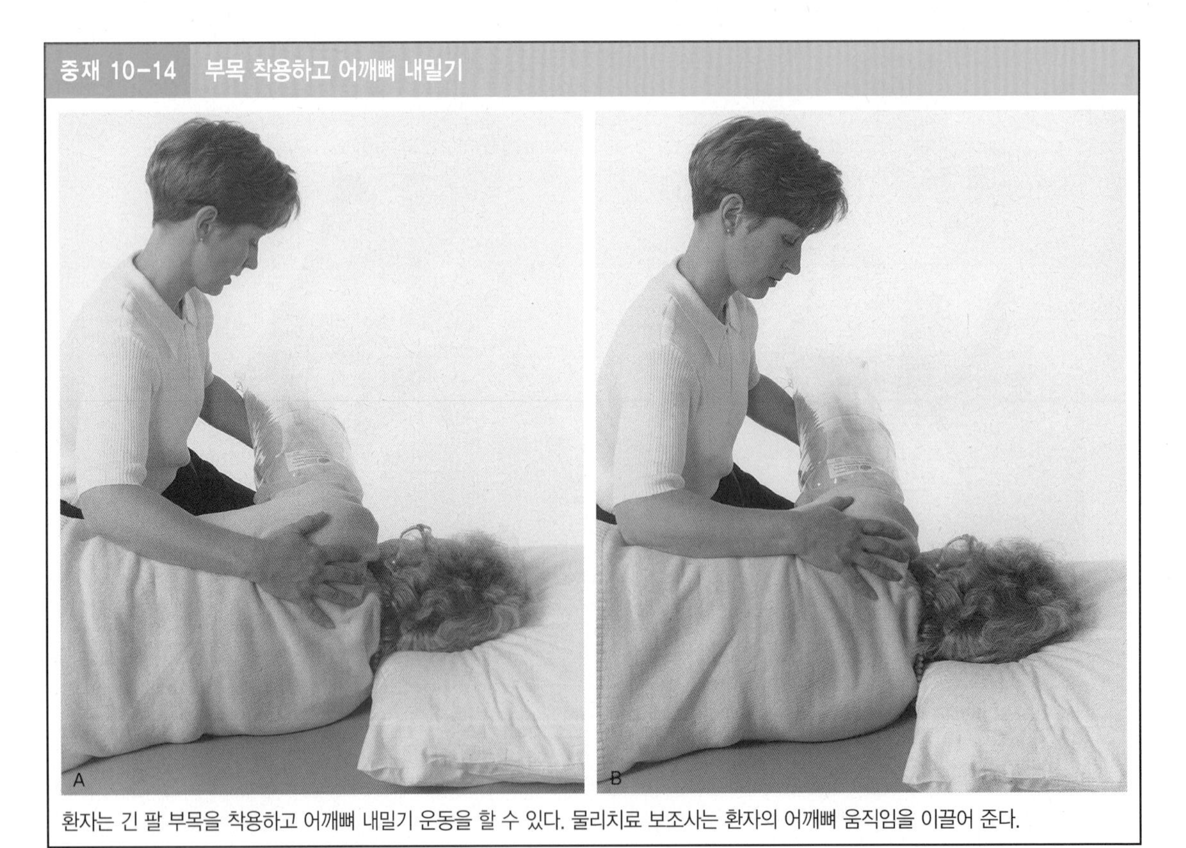

환자는 긴 팔 부목을 착용하고 어깨뼈 내밀기 운동을 할 수 있다. 물리치료 보조사는 환자의 어깨뼈 움직임을 이끌어 준다.

중재 10-15 부목 착용하고 이중팔 올리기

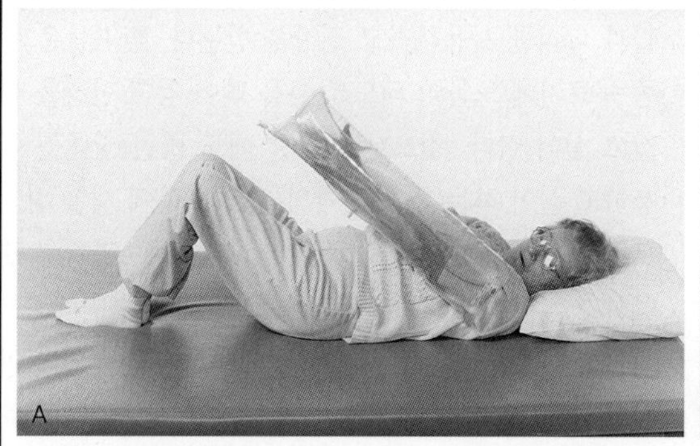

환자가 긴 팔 공기 부목을 착용하고 이중 팔 올리기 운동을 연습하고 있다.

한 발목 안쪽돌림을 제한해 준다.

신경 발달 치료 접근법

카렐 보바스(Karel Bobath)와 베르타 보바스(Berta Bobath)가 1940대에 개발한 신경 발달 치료(NDT) 접근법은 반신마비 환자들에게 널리 사용하는 치료적 중재였다. 이 치료법은 비정상적인 근긴장 관리와 운동 개시 시 자세 조절의 중요성을 강조한다(Ostrosky, 1990). 중재는 비정상적인 자세 반사 활동과 근육 긴장을 억제한 다음 정상적인 운동 패턴을 중첩시키는 방향으로 나아간다. 임상적 환경에서 치료사는 핵심 조절 지점(근위 관절)에 맨손 접촉을 가해서 환자의 운동 수행력을 조절하고 안내한다.

맨손 접촉이나 핵심 조절 지점은 여전히 환자에게 제공되는 치료의 중요한 구성 요소이다. 어깨와 다리이음뼈 같은 근위 핵심 지점은 자세 정렬과 긴장에 영향을 미치는 가장 중요한 지점이다. 어깨와 골반에 가해진 맨손 접촉은 근긴장 분포와 먼쪽 운동에 영향을 준다. 팔꿈치, 손, 무릎 및 발과 같은 먼쪽 핵심 지점을 사용하면 몸통의 움직임에 영향을 미친다(Bobath, 1990). 맨손 접촉은 환자와 환자의 운동 필요에 맞게 개별화되어야 한다. 환자의 긴장이 좀 더 정상적이고 핸들링 쉬운 상태가 되면 치료사는 정상적인 움직임과 자세의 반응을 중첩시킨다. 이것은 항상 기능적 활동의 맥락 안에서 이루어진다. 치료사는 맨손 접촉을 가해서 환자에게 다른 영역에서 움직임을 시작하는 데 필요한 조절과 안정성을 제공할 수 있다. 예를 들어 골반의 수동 조절 지점을 제공하면 환자는 보행 중에 몸통 자세 또는 발 위치를 향상시킬 수 있다. 환자의 몸쪽 어깨를 조절하면 손의 쥐기 자세가 더 쉬워질 수도 있다. 치료사는 이러한 맨손 접촉으로 제공하는 신체적 도움을 등급별로 나누고, 환자가 운동을 독립적으로 조절하는 방법을 배우면 서서히 도움을 줄여 나가는 것이 중요하다(Ostrosky, 1990).

신경 가소성

이 장의 나머지 부분과 본문의 나머지 부분에 제시된 많은 치료 중재는 환자 관리와 보바스의 연구에 대한 신경 생리학적 접근법을 기반으로 한다. 그러나 현재의 운동조절과 운동 학습 이론뿐만 아니라 신경 가소성과 훈련의 원리는 실질적인 기법들보다는 환자의 기능을 극대화하는 과정에 더욱 중점을 둔다. 이 이론은 환자가 운동 전략을 배우는데 적극적으로 참여해야 할 필요성을 강조한다. 환자는 자신의 움직임 장애를 능동적으로 해결해야 하고, 기능을 개선해야 한다면 다양한 환경에서 운동을 수행하는 법을 배워야 한다(Whiteside, 1997).

뇌졸중 발병 후 운동 기능의 회복에 관한 중요한 연구가 있다. 적절한 강도에 대해 활동 의존적이거나 과제 특화적 훈련은 환자에게 긍정적인 결과를 가져다주고,

겉질의 적응과 재구성을 유발하는 것으로 입증되었다(Teasell와 Hussein, 2014, Kleim와 Jones, 2008). 부분 체중지지 트레드밀 보행과 억제 유도 운동치료는 이러한 활동의 실례이다. 지지 보행은 환자가 독립적으로 설 수 없는 경우에도 안전한 환경에서 발을 내딛는 연습을 할 수 있는 기회를 제공한다(Hornby 등, 2011). 예를 들어 원하는 결과가 환자의 보행 능력을 향상시키는 것이라면 치료사는 환자가 반복적으로 연습 보행을 하도록 시켜야 한다. 또한 뇌가 대뇌 겉질의 재구성과 이전에 영향을 받지 않은 신경 세포의 활성화 및 적응을 통해 회복된다면 환자는 의미있는 과제를 수행해야 한다(Kleim와 Jones, 2008).

다음 단락에서는 이러한 목표 달성에 도움이 되는 환자의 기능과 중재에 중요한 과제들을 살펴볼 것이다. 또한 현재의 운동 학습과 운동 발달 원칙뿐만 아니라 이 환자 집단 치료에 대한 우리의 접근 방식에서 증거 기반 실습 관점을 강조할 것이다. 그러나 환자가 중요한 운동 능력을 다시 배우고, 학생들이 신경근육 결손 성인과 어린이 치료에 사용하는 정신운동 기술을 개발할 때 맨손 접촉의 필요성을 계속해서 지적할 것이다. 단일 접근법이나 기법에 의존하면 환자들이 불만을 표시할 것이고, 결과적으로 모범 사례가 증진되지 않을 것이다(Sullivan, 2009).

기능적 활동

구르기

조기 재활 기간(급성 치료에 걸린 시간 포함) 동안 환자는 기능적 운동을 시작해야 한다. 오른쪽과 왼쪽으로 구르기는 즉시 시작해야 한다. 환자는 이 활동을 능동적으로 수행하도록 도와주는 방법들을 지시받아야 한다.

침범된 쪽으로 구르기. 환자는 신체의 침범되지 않는 쪽으로 움직이기 때문에 침범된 쪽으로 구르기가 훨씬 더 쉽다. 이 활동은 환자가 머리를 굴려 갈 방향으로 돌리면서 시작된다. 머리와 눈의 움직임은 신체에 움직임을 시작하라고 전달하는 강력한 신호가 된다. 또한 머리를 돌리면 반대쪽 팔에서 체중을 빼고, 몸통위를 돌리기가 훨씬 쉬워진다. 환자는 누운 곳에서 옆으로 눕기로의 이행에 도움이 되도록 침범되지 않은 팔과 다리를 사용하라고 권장을 받는다. 환자들은 종종 구르기에 도움이 되도록 손을 뻗어 침대 난간을 붙잡고 싶어 한다. 집으로 돌아갈 때도 병원 침대를 이용하고 싶어 하는 환자가 거의 없기 때문에 재활 팀의 모든 구성원과 환자의 가족은 앞서와 같은 관행을 권장하지 않아야 한다. 환자는 구르기 위해서 침범되지 않는 팔을 몸을 가로질러 뻗고, 침범되지 않은 엉덩이와 무릎을 굽히고 모은다. 이렇게 하면 구르기를 완료하는 데 필요한 추진력이 생긴다.

침범되지 않은 쪽으로 구르기. 침범되지 않은 쪽으로 구르기는 대개 환자에게 한층 더 힘든 일이다. 환자는 굴러갈 방향으로 머리를 돌린 다음에 활동을 시작해야 한다. 침범된 쪽을 무시하는 환자는 종종 머리를 돌리기 위해 목을 돌리는 것을 어려워한다. 환자가 자신이 움직이는 방향을 보도록 격려해야 한다. 이 활동 중에 환자의 눈 위치를 기록하는 것도 중요하다. 무시의 정도가 상당히 심하다면 환자가 침범된 쪽에 있는 물건과 사람, 혹은 과제에 집중하기 위해 눈을 정중선 너머로 움직이는 것이 어려울 수 있다. 침범되지 않은 쪽으로 구르기 시작하려면 환자는 가능한 스스로 하는 것이 좋다. 환자가 침범된 팔다리로 활동적인 움직임을 시작할 수 있으면 순서는 침범된 쪽으로 구르기와 유사하다. 환자의 팔다리가 이완되거나 본질적으로 과긴장 상태라면 다음과 같은 준비 활동이 환자를 돕는 데 도움이 된다. 먼저 침범된 엄지를 바깥쪽으로 뺀 채 양손을 맞잡는다. 엄지 벌림은 환자 손의 이완을 촉진시키는 억제 기법이다. 양손을 맞잡는 것도 손가락 벌림과 폄을 촉진한다. 환자는 양손을 맞잡은 채로 어깨를 약 90도 구부린다. 이때 어깨 모음도 나타나야 한다. 환자의 다리는 구부러져야 한다. 환자가 침범된 다리를 능동적으로 구부릴 수 없다면 치료사가 환자의 침범된 다리에 실린 체중을 빼내고 넙다리뼈와 엉덩이에 압착을 가하는 동안 환자가 엉덩이와 무릎을 구부리도록 권장해서 그 활동을 도와줄 수 있다. 환자가 이렇게 구르는 방법은 중재 10-16에 나

와 있다. 환자가 흔히 사용하는 보상 전략에는 침범되지 않은 다리를 구부려 침범된 다리 아래에 넣고, 두 다리를 구부리고 눕는 것이 있다.

또 다른 방법은 침범되지 않은 다리를 침범된 다리 위에 올려놓고 두 다리를 하나의 단위처럼 구부려 올리는 것이다. 환자에게는 이 활동을 독립적으로 하거나 치료사의 도움을 받도록 권장한다. 상기의 기법과 비교했을 때 이 기법의 장점은 침범된 다리의 앞정강이에 고유감각 압력이 가해진다는 것이다. 또한 환자는 침범된 다리를 가능한 많이 사용해야 한다. 침범된 팔다리에 가할 수 있는 감각 입력이 많을수록 좋다. 일단 환자가 팔과 다리를 굽히면 구르기를 시작하기 위해 머리와 눈을 침범되지 않은 쪽으로 돌리라는 지시를 받는다. 물리치료 보조사는 환자의 활동 수행 능력을 평가하고 필요에 따라 구두 및 촉각 신호를 환자에게 제공해야 한다. 환자를 돌릴 때 PNF 기술을 사용할 수도 있다. 느린 반전과 유지 이완 능동적 움직임 같은 기법들을 구르기 활동에 통합할 수 있다.

중재 10-16 침범되지 않은 쪽으로 구르기

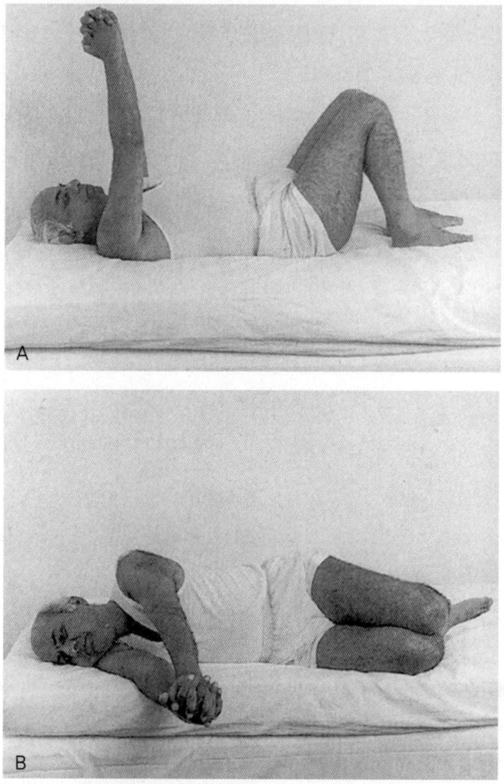

A

B

환자가 팔을 맞잡고 다리를 구부린 채로 옆으로 누워 구르고 있다.

(From Bobath B: *Adulthemiplegia: evaluationandtreatment*, ed 3. Boston, 1990, Butterworth-Heinemann.)

엉덩이 끌기

연습해야하는 또 다른 침대 이동성 활동은 누워서 엉덩이 끌기다. 침대에서 독립적으로 움직일 수 있는 환자는 의료 인력의 도움을 필요로 하지 않기 때문에 더 큰 자유를 누릴 수 있다. 환자는 엉덩이 양쪽으로 움직일 수 있어야 하지만 엉덩이와 같은 쪽 몸통 위도 움직일 수 있어야 한다. 환자가 머리와 목을 구부리는 것은 엉덩이를 끌기 위해 움직이는 첫 단계이다. 목 굽힘은 또한 환자의 코어(core)를 활성화 시킨다. 물리치료 보조사는 환자의 어깨뼈 아래에 손을 넣어서 몸통 위를 옆으로 움직이도록 돕는다. 환자가 다리를 구부리고 눕도록 자세를 잡아 주면 환자의 몸통 하부를 원하는 방향으로 움직일 수 있다. 환자가 독립적으로 더 많은 움직임을 시작할 수 있기 때문에 물리치료 보조사는 촉각 입력을 감소시킬 수 있다.

움직임 이행

다른 초기 기능 이동성 과제들에는 눕기에서 앉기로, 앉기에서 눕기로의 움직임 이행이 있다. 입원 기간과 재활 치료 기간이 더 짧아져서 환자의 물리치료 계획은 첫 번째 치료에서 기능적 활동의 수행을 다루어야한다.

눕기에서 앉기로 이행. 바로 누운 자세에서 앉기로 이행하기는 환자의 침범된 쪽과 침범되지 않은 양쪽 모두에서 수행해야 한다. 환자들은 구조화된 단일 방식으로 활동을 수행하라고 배우지만 다른 환경 조건에서 과제를 일반화하는 것이 어렵다는 사실을 알게 된다. 환자의 생활 방식에 따라 환자가 보다 강하고 덜 침범된 쪽으로 이동하는 것이 항상 가능하지 않을 수도 있다. 위에서 설명한 바와 같이 환자의 움직임을

개선하기 위한 방법으로는 다리를 침대 바깥으로 움직이는 것에 이어서 침범되지 않은 쪽으로 구르기가 있다. 이때 환자는 침범되지 않은 팔을 이용해 몸을 밀어 올려서 직립 자세를 취할 수 있다. 물리치료 보조사는 환자의 어깨와 골반에 적절한 맨손 도움을 제공한다. 환자가 이 활동을 수행할 때 더 높은 수준의 독립성을 보일 수 있으므로 물리치료 보조사는 맨손 보조 기능을 줄여서 환자가 움직임 이행을 보다 잘 조절할 수 있도록 한다. 중재 10-17은 도움을 받아 눕기에서 앉기로 이행하는 환자를 보여 준다.

이 활동 수행 중에 떼어 당기는 힘이 침범된 팔에 가해지지 않도록 주의해야 한다. 종종 환자가 팔을 이용해 앉고 다른 활동을 하도록 돕는 의료진과 가족 구성원을 관찰한다. 어깨 관절을 떼어 당기면(traction) 불완전 탈구를 초래할 수 있으며, CRPS와 굳은 어깨(frozon shoulder)를 포함한 고통스러운 팔 상태를 촉진할 수 있다. 모든 가족 구성원과 의료진은 침범된 팔 보호를 포함해 적절한 이행 기법에 대한 지침을 받아야 한다.

눕기에서 앉기 이행은 다른 방식으로 촉진할 수도 있다. 환자는 이러한 이행을 수행하기 위해 대각선 방향 움직임 대 정면 움직임을 사용하라고 배울 수 있다. 대각선 패턴으로 수행하는 균일한 이행은 침범된 쪽이나 침범되지 않은 쪽에서 수행할 수 있다. 대부분의 신체 건강한 사람들은 대각선 이동 패턴에서 기능적 활동을 수행한다. 대각선 방향으로 움직이는 경향은 좀 더 기능적이고 훨씬 더 효율적이다. 이러한 유형의 이행을 돕기 위해서 물리치료 보조사는 환자가 다리를 구부리고 눕도록 도와준다. 그러고 나서 다리는 침대나 매트 표면에서 떼어 낸다. 환자는 턱을 안으로 당기고, 침범되지 않은 팔을 앞으로 뻗으라는 지시를 받는다. 이 기법을 통해 환자는 코어를 활성화하여 똑바로 앉기 자세를 취할 수 있다. 중재 10-18은 이러한 이행을 수행하는 환자를 보여 준다. 물리치료 보조사는 침대 머리를 올리거나 환자에게 베개를 받쳐 주어서 복부 근육이 약한 사람들이 이 과제를 더욱 쉽게 수행하도록 도와줄 수 있다. 이 기법은 환자에게 기계적 이점을 제공하고, 복부로 수행해야 하는 과제를 줄여 준다. 환자가 이러한 이행을 좀 더 쉽게 완료할 수 있을 때는 기울기를 낮출 수 있다.

일부 환자들은 눕기에서 앉기로 이행할 때 더욱 많은 물리적 도움을 필요로 한다. 두 사람이 동시에 도울

중재 10-17 눕기에서 앉기로의 이행

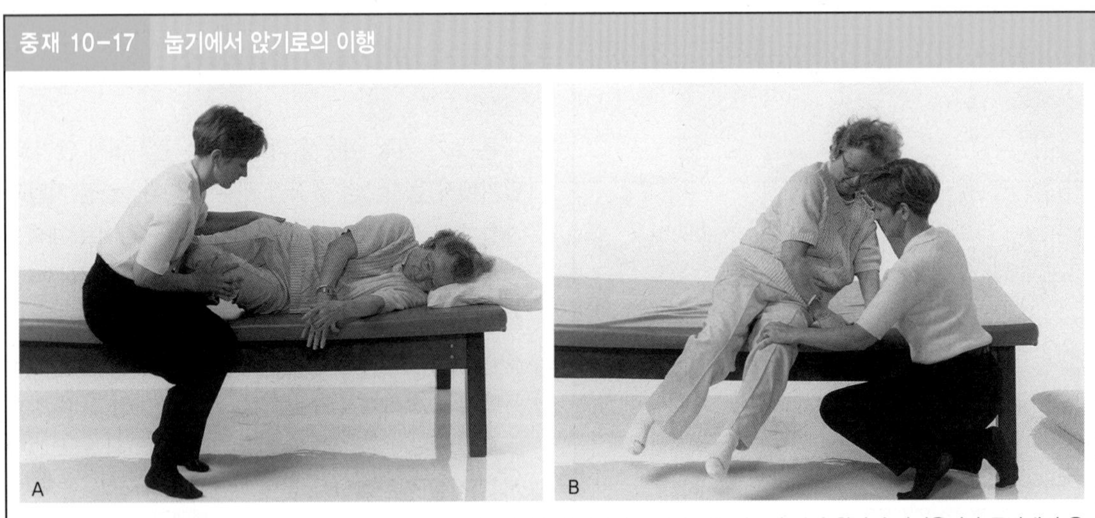

A. 환자는 한쪽 방향으로 구른다. 물리치료사는 이런 동작의 이행을 완전하게 수행하도록 필요에 따라 환자의 팔이음뼈나 골반대의 움직임을 돕는다.

B. 환자는 팔을 아래로 밀면서 일어나도록 한다.

중재 10-18 대각선상에서 눕기에서 앉기로 이행

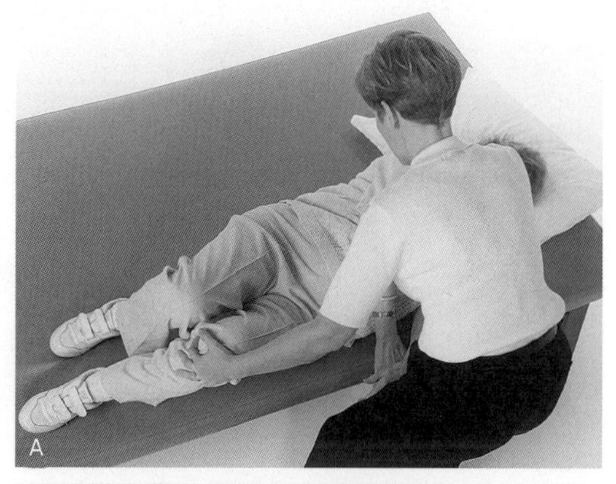

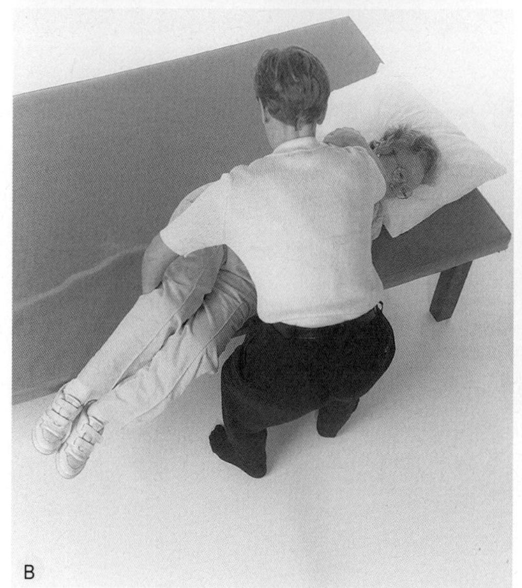

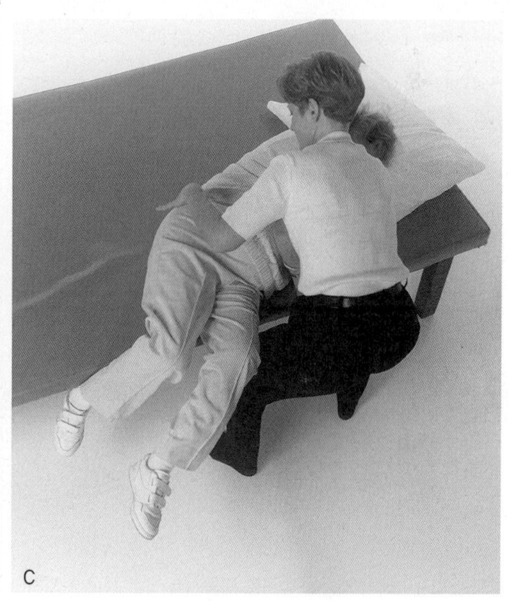

A. 환자는 엉덩이 끌기로 매트 가장자리로 이동한다. 이러한 기술은 교각 자세에 이어 머리와 몸통 위를 움직여서 수행한다.
B. 환자는 매트 테이블이나 침대표면 바깥으로 다리를 떨어뜨린다.
C. 환자는 침범되지 않은 팔을 앞으로 뻗고 턱을 안으로 당긴다. 물리치료 보조사는 필요하다면 환자의 엉덩이와 골반, 혹은 팔이음뼈에 맨손 신호를 가한다.

때도 기본적인 방법은 동일하다. 이 작업을 분리해서 한 사람이 환자의 몸통을 조절하고 돕는 한편, 다른 한 사람은 환자의 다리를 책임지는 것이 가장 쉽다. 이 두 사람은 누가 그 활동을 주도하고, 누가 구두 지시를 내리는지를 분명하게 정해야 한다. 어떤 상황에서도 눕기에서 앉기로 이행 중에 환자가 치료사의 목을 잡고 매달려서는 안된다. 이러한 행동은 치료사와 환자 모두에게 안전 문제를 야기할 수 있다.

휠체어에서 침대/매트로 이행. 환자가 눕기에서 앉기로 이행한 후에는 휠체어로의 이행을 시도한다. 이때 서서-돌기 이행이 가장 일반적이다. 초기에는 환자가 침범된 다리로 발걸음을 내딛지 않도록 치료사가 환자의 이행 움직임을 더 강한 쪽으로 유도할 수 있다. 시간이 지나면서 환자는 독립성을 극대화하기 위해

중재 10-19 서서-돌기 이행

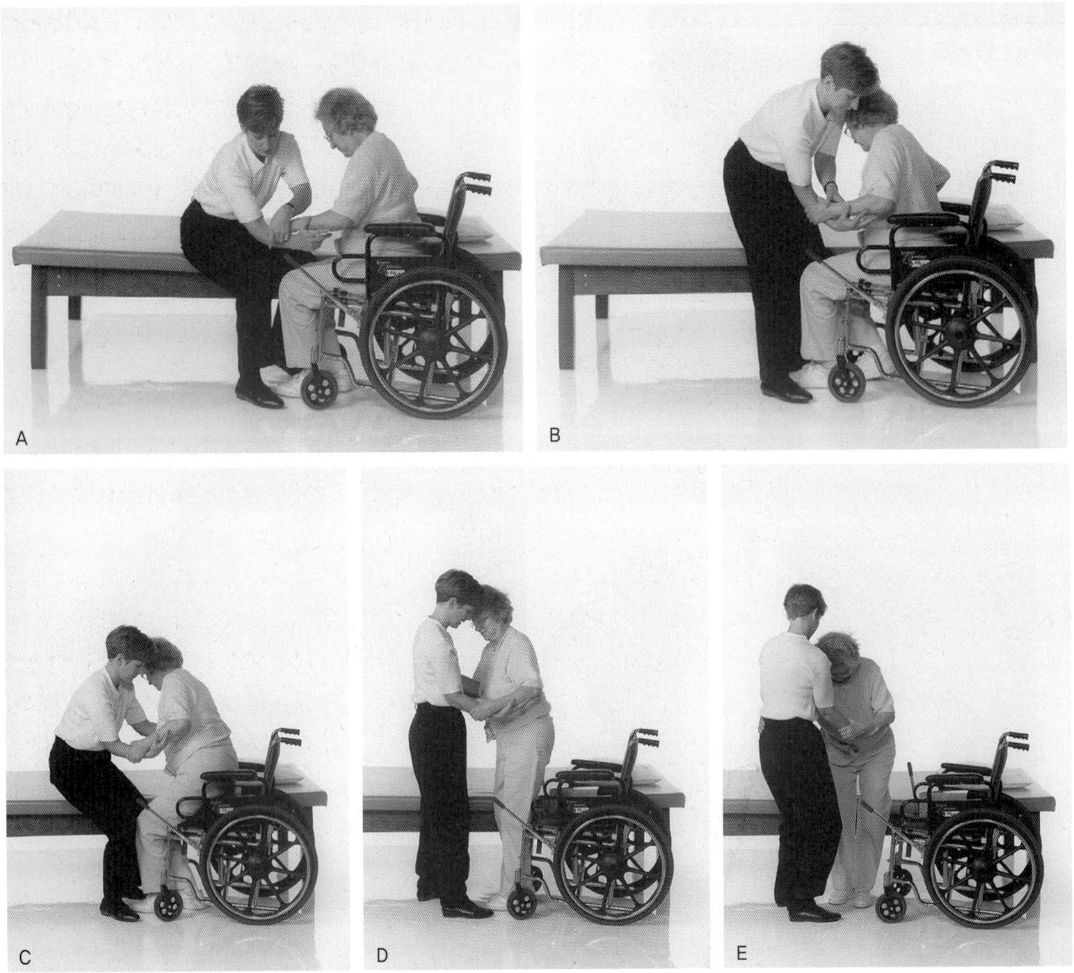

A B C D E

A. 환자는 휠체어에서 체중을 앞으로 이동시켜 발로 몸을 지지하고 발을 바닥에 놓는다.
B. 물리치료 보조사는 환자의 침범된 팔 위치를 미리 잡아준다.
C. 환자는 체중을 앞쪽으로 이동시켜서 일어서도록 격려 받는다. 물리치료 보조사는 환자의 침범된 무릎이 꺾이지 않도록 이끌어 준다.
D. 환자가 똑바로 일어선다.
E. 환자가 발을 축으로 돌아서서 앉는다. 어떤 환자들은 서서 돌기 이행 도중에 침범된 팔다리를 지속적으로 지지받아야 할 수도 있다.

왼쪽, 오른쪽 양측으로 이동할 수 있어야 한다. 이행을 시작하기 위해서는 엉덩이 끌기로 침대나 매트 테이블 앞쪽으로 움직여 양쪽 발을 바닥에 평평하게 댄다. 환자가 휠체어에 앉아 있는 경우, 환자가 엉덩이를 앞으로 이동시키기 위해서 의자 등받이에 기대는 것은 드문 일이 아니다. 체중을 한쪽에서 다른 쪽으로 이동시키는 것은 선호되는 기술이며 권장되어야 한다. 왼쪽 엉덩이를 앞으로 움직이면 환자의 체중이 오른쪽으로 쏠리게 된다. 이러한 체중 이동은 오른쪽 몸통 근육의 연장을 동반해야 한다. 환자는 오른쪽 엉덩이를 앞으로 움직이고 체중을 왼쪽으로 이동시키면서 이러한 순서를 반복한다. 일단 환자의 발이 바닥에 평평하게 닿으면 보행 벨트를 채우고, 침범된 팔의 자세를 미리 잡아 준다. 환자는 전방 체중이동을 수행하고 일어서라는 지시를 받는다. 물리치료 보조사는 환자의 무릎을 가깝게 당기고, 필요하다면 자기 무릎을 이용해 환자의 반신마비된 무릎을 차단한다. 침범된 다리의 약화나 경직으로 체중이 팔다리로 이동되어 무릎이 꺾일 수도 있다. 환자는 침범되지 않은 다리로 걸음을 내딛고, 침대나 매트 테이블에서 침범된 다리를 축으로 돈다. 침범된 발목의 위치는 복사뼈 가쪽의 불안정이나 우발적인 체중지지를 방지하기 위해 세심하게 살펴봐야 한다. 중재 10-19는 휠체어에서 매트 테이블로 옮겨 가는 환자를 보여 준다.

환자를 침대 밖으로 이송하는 것을 포함한 조기 이동 활동과 똑바로 앉기 활동은 보행 능력을 향상시키고 조기 퇴원으로 이어질 수 있다(Cummingetal, 2011).

요약

재활 치료의 초기 단계에서 환자가 수행할 수 있는 치료 중재를 제시했다. 보다 진보된 중재를 논의하기 전에 초기 치료 계획의 일부가 될 수 있는 기법들을 요약해서 제시한다.

- 자세잡기
- 교각 자세와 압착한 교각 자세
- 매트 또는 침대 가장자리에서 엉덩이 폄
- 넙다리뒤인대 협력 수축(수정된 다리 똑바로 들어올리기)
- 몸통 아래쪽 돌림과 교각 자세로 몸통 아래쪽 돌림하기
- 엉덩이 굽힘근 재훈련
- 발목 발등굽힘을 동반한 엉덩이와 무릎 폄
- 어깨뼈 가동
- 팔 올림
- 구르기와 엉덩이 끌기, 눕기에서 앉기 이행, 휠체어에서 침대로 이행을 포함한 기능적 활동 등

이 단계의 치료를 도와주는 보조물로는 공기 부목과 척수 및 뇌줄기 수준 반사 사용, 다양한 촉진 및 억제 기법들이 있다. 이제는 다른 기능적 자세에서 환자를 치료하는 법을 소개할 예정이다. 아래의 중재들을 치료 계획에 포함할 지 여부는 환자의 인지 및 기능적 상태에 따라 결정된다.

기타 기능적 자세

앉기

환자가 엉덩이와 무릎을 구부리고 발로 바닥을 지지한 채 침대나 매트 테이블에 앉는 무릎 구부려 앉기(short-sitting)를 할 수 있다면 물리치료 보조사는 앉기 자세에서 이 환자를 다루고, 균형 활동을 시작할 수 있다. 그림 10-3은 양호한 앉기 자세와 균형을 보여 주는 환자를 보여 준다. 발병일이 증가함에 따라 몇몇 반신마비 환자들은 나쁘거나 비기능적인 균형 감각을 분명하게 드러낼 것이다. 정중선 감각이 변형되고 운동조절력이 결핍된 환자들은 종종 균형을 잃는다. 이 경우, 물리치료 보조사가 다른 치료사나 보조원의 도움을 받을 필요가 있을 수 있다. 이 두 사람 중 다른 한 사람은 환자 뒤에서 환자의 몸통 조절을 도와줄 수 있다. 물리치료 보조사는 환자 앞쪽에 자리를 잡고 환자와 눈을 맞추려고 애쓰고, 환자의 머리와 몸통 위치를 조절해 주려고 노력할 수 있다. 환자는 적절하게 인도받지 못하면 균형을 잃고, 지지 면에서 떨어져 다칠 수 있다. 따라서 낮은 수준에서 기능하는 환자들은 한명 이상의 도움을 받아 치료를 받는 것이 유익하다.

운동조절. 해결해야 할 첫 번째 문제 영역은 환자의 앉기 자세이다. 환자는 몸통의 위, 아래가 안정되지 않으면 팔다리를 기능적으로 움직일 수 없고, 결과적으로 움직임을 시작하고 팔다리의 숙련된 활동들을 수행할 수 없다. 안정성은 중력과 관련된 위치 또는 자세를 고정하거나 유지할 수 있는 능력으로 정의되며, 조절된 이동성과 숙련된 활동을 포함한 보다 진보된 단계를 위한 선행 조건이다. 조절된 이동성이란 움직이는 동안 자세 안정성을 유지하는 능력을 말한다. 예를 들어 네발기기 자세(4점 자세)에서 양손을 고정시키고 몸쪽 관절들, 즉 양 어깨를 움직여서 체중을 이동하는 것이 조절된 이동성이다. 숙련된 활동이란 안정된 자세에서 중첩되어 협응하는 의도된 움직임이다. 이러한 과제들은 우리 환자들이 가장 많이 성취하

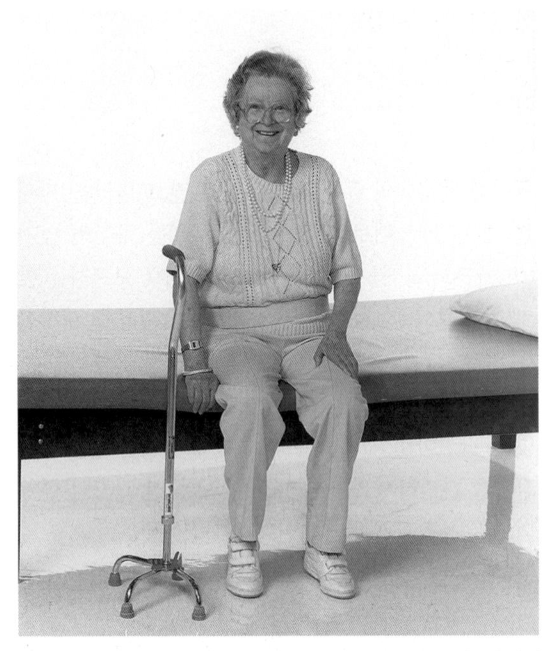

그림 10-3. 양호한 앉기 자세와 균형을 보여 주는 환자. 보조사는 환자의 골반과 몸통 위치, 어깨 높이, 엉덩이 양쪽의 대칭적 체중지지, 환자의 발 위치를 관찰해야 한다.

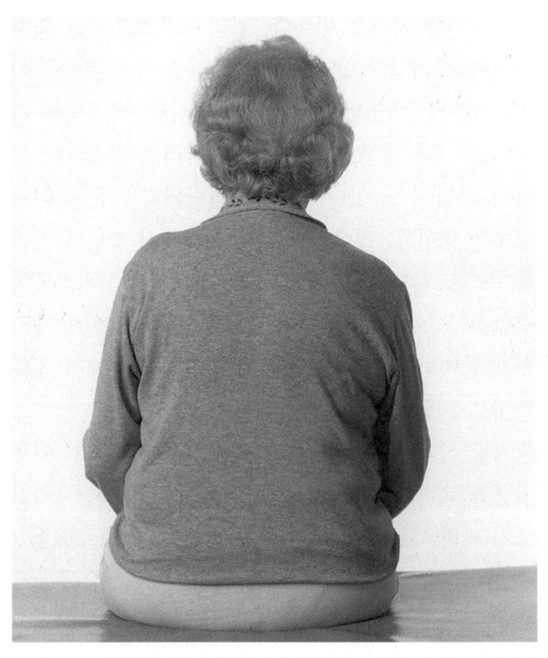

그림 10-4. 앉아 있는 환자의 뒷모습. 이 환자는 골반을 앞쪽으로 약간 기울이고 앉아서 관련된 몸통의 연장없이 오른쪽에 체중을 더욱 많이 싣고, 오른쪽 어깨를 내리고 있다.

고자 열망하는 것들이다. 보행과 손으로 하는 소근육 활동들이 숙련된 활동의 가장 흔한 두 가지 실례이다.

앉기 자세: 골반 자세잡기. 환자의 골반 위치를 초기에 평가해야 한다. 그림 10-4는 앉아 있는 환자의 뒷모습을 보여 준다. 치료사는 종종 골반을 무시하고 먼저 몸통에서 나타나는 치우침을 교정하려고 한다. 환자가 골반을 중립 위치에 놓을 수 없다면 몸통/머리를 적절하게 조절할 수 없다. 뒤쪽으로 기울어진 골반은 흉부 척추 뒤 굽음증과 머리가 앞쪽으로 기울어지는 것을 유발한다. 이러한 형태의 자세는 일상생활에서 흔히 나타나고, 결과적으로 많은 환자들은 이러한 손상 전 자세 치우침(premorbid postural deviation)를 보인다. 허리뼈 주위 근육 조직에 손을 올려놓으면 골반 앞쪽 기울임 방향으로 환자의 골반을 부드럽게 이끌 수 있다. 이 기법은 보다 중립적인 골반 위치를 달성하기 위한 촉감 되먹임을 환자에게 제공한다. 중재 10-20은 이 활동을 설명한다. 골반을 과도하게 기울이고 골반 앞쪽 기울임 자세로 환자를 고정시키지 않도록 주의해야 한다. 골반 앞쪽 기울임은 척추를 펴주고, 결과적으로 닫힘(closed-pack) 위치를 생성해 움직임을 방지한다. 이 닫힘 위치는 가쪽 무게 이동과 돌림이 필요한 움직임 이행을 수행하는 환자의 능력을 제한한다.

눕기에서 골반 기울임 달성. 골반 움직임을 분리하기 어려워하는 사람들의 경우에는 물리치료 보조사가 환자가 누운 자세에서 골반 앞쪽과 뒤쪽 기울임 자세를 취하도록 시킬 수 있다. 커다란 치료용 공을 환자의 다리 아래에 놓을 수도 있다. 물리치료 보조사는 공 위에 놓인 환자의 다리를 안정시키면서 공을 앞뒤로 천천히 움직일 수 있다. 이 기법을 사용하면 환자가 조절된 안전한 위치에서 골반의 움직임을 느낄 수 있다.

몸통 자세잡기. 일단 물리치료 보조사가 환자에게 골반을 능동적으로 움직이도록 가르치고 환자가 앉기 자세에서 골반을 중립 위치에 유지시킬 수 있게 되면 몸통 근육으로 관심이 쏠린다. 엉덩이 위쪽으로 어깨를 나란히 정렬하는 것이 바람직한 똑바로 앉기 자세이다. 환자가 위를 올려다보고 어깨 뒤로 젖혀서 몸통을 부드럽게 펴도록 한다. 처음에 환자는 몸통을 펴고

중재 10-20 골반 중립 성취

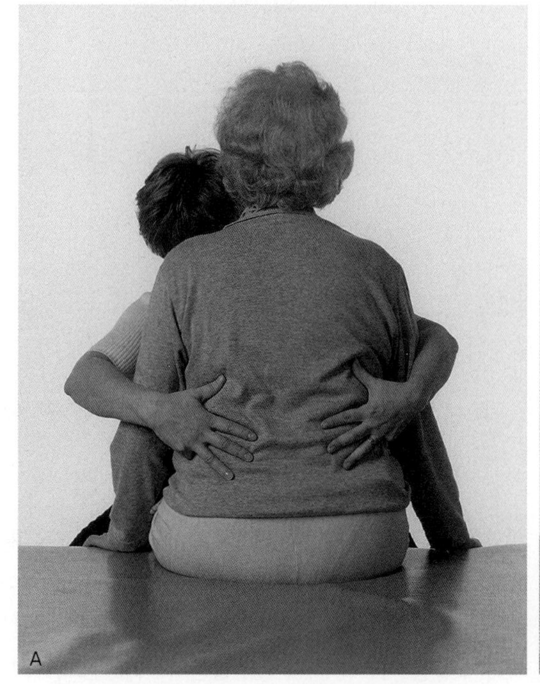

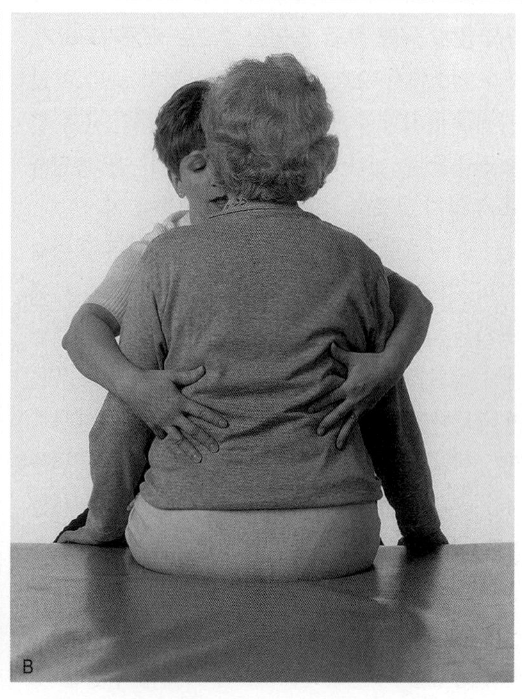

A. 물리치료 보조사는 골반 중립을 달성하기 위해서 환자의 척추 옆에 촉각 신호를 제공한다.
B. 손가락 안쪽 근육의 긴장이 환자에게 촉감 되먹임을 제공한다. 물리치료사는 손가락 끝으로 환자를 찌르지 않도록 유의해야 한다. 약지를 환자의 복부 쪽에 놓고 골반 뒤쪽 기울임을 촉진한다.

복부 근육을 수축하기 위해서 촉각 신호를 필요로 할 수 있다. 물리치료 보조사는 환자의 등 아래쪽에 촉각 신호를 가하면서 다른 손을 환자의 복장뼈 위에 올려놓고 환자의 몸통 위를 펼 수 있다. 결국 환자는 앉기 자세잡기를 스스로 교정하는 법을 배워야 한다. 자세를 교정해야 한다고 인식하면 이러한 과제의 운동학습이 촉진되고, 환자는 서기와 같은 다른 기능적 활동들을 수행하면서도 이 자세를 취할 수 있다. 환자가 똑바로 앉기 자세를 유지하기 힘들어한다면 물리치료 보조사는 거울을 이용해서 환자의 시각적 입력을 증가시킬 수 있다. 엉덩이 양쪽의 동일한 체중지지와 똑바른 몸통 위치 유지를 위한 적절한 맨손 접촉을 가하기 위해서 다른 치료사(작업 치료사)나 보조원과 함께 일할 필요가 있을 수도 있다.

머리 자세잡기. 골반 자세잡기가 좋지 않으면 환자의 머리가 잘못 정렬될 수 있다. 환자가 주변 환경을 정면으로 바라보려면 머리를 똑바로 세울 수 있어야 한다. 머리의 바로 선 위치를 유지하지 못하면 안뜰계에 부정확한 입력이 가해져 시각적 결손과 자세 결손이 나타난다. 목 뼈의 앞쪽 굽힘은 환자의 시선을 바닥쪽으로 향하게 한다. 이러한 상태는 자각뿐만 아니라 환경 내에서 사람이나 사건에 관심을 갖는 능력에 영향을 미칠 수 있다. 환자가 머리와 목의 직립 위치를 유지할 수 없는 경우, 촉진 기법을 이용해서 그러한 결손을 교정해야 한다. 뒷목 근육(posterior cervical muscle)에 빠르게 얼음을 대거나 그곳을 부드럽게 두드리면 목 폄이 일어난다. 때때로 물리치료 보조사가 환자의 머리를 똑바로 세워 주기 위해 수동적 신호를 제공해야 한다. 이 결과를 달성하기 위해서는 한 사람이 더 필요할 수도 있다. 환자가 자신의 머리 위치를

독립적으로 유지할 수 있게 되면 물리치료 보조사는 맨손 지지를 줄여야 한다.

추가적 앉기 균형 활동: 침범된 손으로 체중지지하기. 환자가 최소에서 중간까지의 도움을 받아 똑바로 앉기 자세를 유지할 수 있게 되자마자 추가적인 균형 활동을 진행할 수 있다. 앉기 균형과 팔 기능을 촉진하는 초기 앉기 활동은 침범된 손으로 체중을 지지한다. 환자의 팔은 중립을 유지하고, 약 30도 각도로 벌어져야 하며, 팔꿈치는 펴지고, 손목과 손가락도 10-21에서 묘사된 대로 펴져야 한다. 과도한 바깥 돌림이 일어나지 않도록 주의를 기울여야 한다. 어깨 바깥 돌림이 과도하면 팔꿈치가 해부학적으로 잠기기 때문에 환자가 세갈래근을 이용해서 능동적으로 팔꿈치 폄을 유지할 필요가 없어진다. 엄지를 벌리고 손목과 다른 손가락들을 펴면 손목과 손가락의 경직을 감소시키는 데 도움이 된다. 그러나 일부 환자들은 손목과 손가락의 경직에 부차적으로나 관절염 때문에 이 자세에서 불편과 통증을 느낀다. 따라서 이 자세를 수정할 수 있다. 볼스터나 하프 롤에 아래팔을 올려놓고 구부러진 팔꿈치로 체중을 지지하면 똑같은 이점을 얻을 수 있다. 체중지지는 관절과 근육 고유감각기를 자극해서 수축시키고, 관절 주위의 근육 조절의 발달을 돕는다. 이는 특히 팔 근육이 이완되거나 근긴장이 저하된 환자들에게 유리하고, 오목위팔 불완전탈구를 보이는 사람들에게 특히 유익하다. 팔 공기 부목을 사용하는 것은 또한 체중지지 활동 중에 팔을 안정시키는 데 도움이 될 수 있다.

어깨 불완전 탈구. 불완전탈구는 뼈의 관절면(articular surface)이 관절의 정상적 위치에서 분리되는 것을 말한다. 어깨 불완전탈구는 뇌졸중 환자한테서 상대적으로 흔하게 나타난다. 만약 팔이 이완된다면 어깨뼈는 아래쪽으로 돌림하는 자세를 취할 수 있다. 이러한 방향성 때문에 턱관절오목이가 뒤쪽으로 향하게 된다. 근긴장 상실과 주머니(capsule) 신장, 비정상적인 뼈 정렬은 아래 어깨 불완전탈구를 초래한다. 어깨뼈와 어깨 근육의 과긴장성과 비대칭 몸통 돌림은 전방 불완전탈구(Ryerson, 2013) 성향을 유발할 수 있다. 앉기

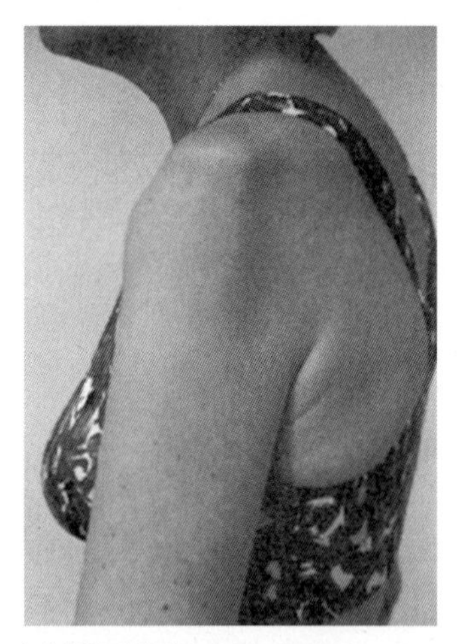

그림 10-5. 어깨 불완전탈구(From Ryerson S, Levit K: *Functional movement reeducation: a contemporary model for stroke rehabilitation*, New York, 1997, Churchill Livingstone)

와 서기, 보행 자세잡기 뿐만 아니라 근육 재교육 활동으로 어깨 불완전탈구를 방지하는 것도 중요한 일이다. 환자가 불완전탈구 증상을 보이는지를 판단하려면 환자의 팔을 체중을 지지하지 않는 위치에 두고, 어깨뼈 봉우리 돌기(acromion process)를 촉진해서 찾아낸다. 어깨뼈봉우리 가장자리에서 멀리 이동하면서 어깨뼈봉우리 돌기와 위팔뼈 머리가 분리되어 있는지를 촉진으로 확인할 수 있어야 한다. 그림 10-5는 어깨 불완전탈구를 설명한다. 침범된 어깨와 침범되지 않은 관절을 비교한다. 손가락을 어깨뼈봉우리와 수평으로 놓고 손가락 너비로 분리 범위를 측정한다. 분리 범위는 손가락 반 개 너비에서 손가락 4개 이상 너비까지 다양할 수 있다. 결과적으로 뼈 부정정렬(bony malalignment) 외에도 불완전탈구는 관절 주위의 인대 이완을 초래한다. 체중지지는 위팔뼈 머리를 뒤쪽 하악와로 움직이고, 관절의 재정렬을 돕는다. 그러나 체중지지는 이러한 상태를 일시적으로 교정해 줄 뿐이다. 중간어깨세모근(middle deltoid)과 돌림근띠 근육(rotator cuff muscles)의 능동적인 조절은 위팔뼈 머리를 다시 영구적으로 적절하게 정렬하기 위해서 필요하다. 불완전탈구의 감소를 돕는 대체 치료법으로는 기능적 전기 자극, 바이오피드백(biofeedback), 슬링이 있다. 근육 재교육을 위해 기능적 전기 자극

과 바이오피드백을 사용하는 것은 이 책의 범위를 벗어난다. 어깨 관절을 지탱할 필요가 있는 환자에게는 슬링을 처방할 수 있다. 그러나 치료사들은 반신불완전마비(hemiparesis) 환자들에게 슬링을 사용하는 것은 반대한다. 슬링이 많은 환자에게 딱 맞는 것은 아니다. 따라서 어깨를 지지하는 데는 거의 도움이 되지 않는다. 또한 슬링은 침범된 팔을 무시하고, 몸통과 팔 내의 비대칭성을 촉진한다. 그러나 최근 몇 년 간 슬링 디자인이 크게 발전했다. 기브모르(GivMohr) 슬링은 이완된 팔에 사용하고, 반신불완전마비 팔다리에 관절 압박(감각 입력)을 제공한다. 이 슬링은 상의 기능적 위치를 유지해 준다(어깨 바깥 돌림과 팔꿈치 폄을 동반한 어깨 벌림). 또한 침범된 관련된 팔을 보호하고, 보행 시 체중 이동을 촉진한다(Dierak, 2005).

체중 이동 활동. 앉기 활동의 점진적 진행에는 앞, 뒤와

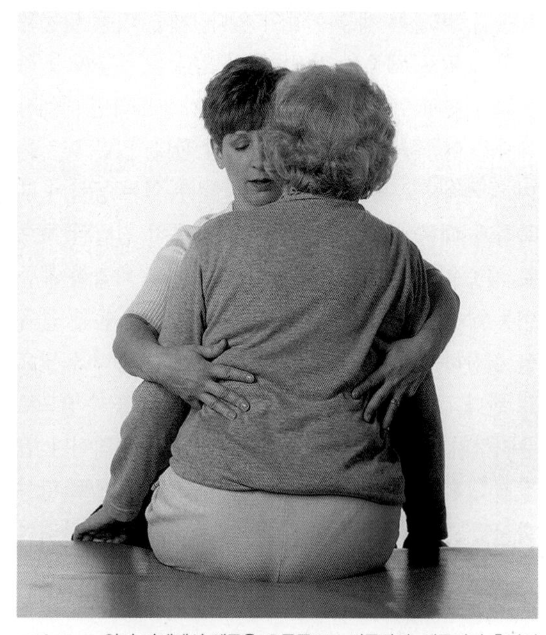

그림 10-6. 앉기 자세에서 체중을 오른쪽으로 이동하기. 체중지지 측면의 환자 몸통이 신장되어야 한다.

중재 10-21 체중 이동 촉진하기

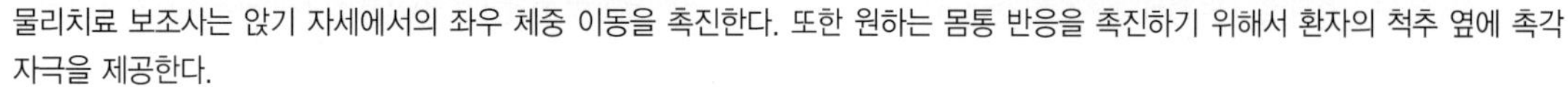

물리치료 보조사는 앉기 자세에서의 좌우 체중 이동을 촉진한다. 또한 원하는 몸통 반응을 촉진하기 위해서 환자의 척추 옆에 촉각 자극을 제공한다.

가운데, 바깥쪽 체중 이동이 있다. 체중 이동 활동은 환자의 팔로 체중을 지지하거나 양팔을 무릎에 올려놓고 쉬면서 수행한다. 처음에는 환자가 바닥면 내에서 체중을 이동하는 법을 다시 배워야 한다. 많은 환자들이 적극적으로 몸통 근육을 조절할 수 있는 능력이 부족하기 때문에 반신마비 환자들은 특히 침범된 쪽으로 체중을 이동하기 어려워 한다. 오른쪽 바깥쪽 체중 이동은 체중을 바닥면 내에 두면서 오른쪽 몸통 근육을 신장하고, 왼쪽 몸통 근육을 단축하는 능력을 필요로 한다. 또한 눈을 수직으로 유지하고 입을 수평으로 유지하기 위해 눈을 오른쪽으로 돌린다. 경직이나 긴장저하 환자는 목이나 몸통 근육을 그런 식으로 활성화시킬 수 없다. 체중을 오른쪽으로 자주 이동하려면 머리와 몸통이 오른쪽 바깥쪽으로 구부러진다. 결과적으로, 환자는 체중이 오른쪽으로 쏠리는 것을 경험한다. 그러나 이것은 조절된 체중지지 상태가 아니다. 그림 10-6은 체중을 지지하는 쪽의 몸통이 짧아져 오른쪽으로 체중 이동을 수행하는 환자를 보여 준다. 앉아서 체중을 이동하지 못하면 자기 돌봄 과제와 먹기, 옷 입기를 포함한 일상생활 활동을 수행할 수 있는 자신의 능력에 영향을 받을 수 있다.

적절한 몸통 전략을 재학습하는 환자를 돕기 위해서 물리치료 보조사는 몸통 근육에 촉각 신호를 제공할 수 있다. 중재 10-21는 환자의 체중지지 측면에서 몸통 신장을 촉진하는 물리치료 보조사를 보여 준다. 이 활동은 오른쪽과 왼쪽에서 모두 연습해야 한다.

중재 10-22 뻗기 활동

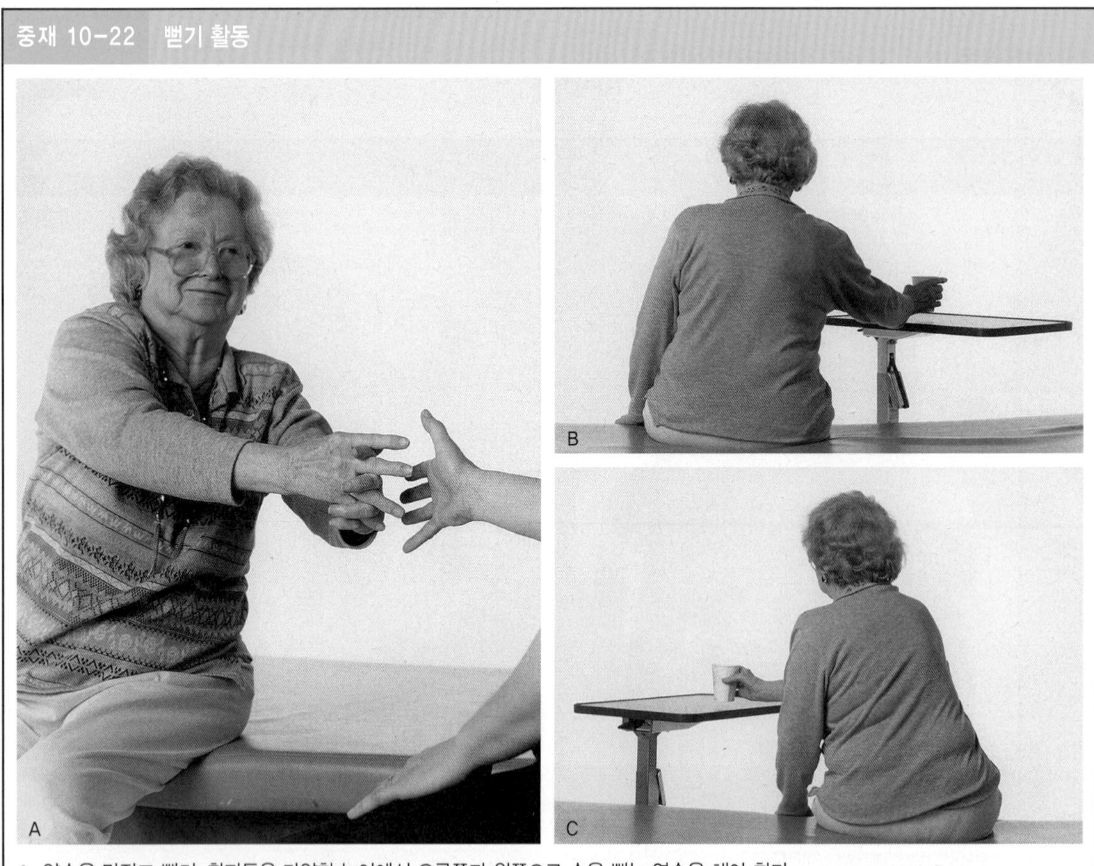

A. 양손을 맞잡고 뻗기. 환자들은 다양한 높이에서 오른쪽과 왼쪽으로 손을 뻗는 연습을 해야 한다.
B와 C. 침범되지 않은 팔을 오른쪽과 왼쪽으로 뻗기. 이 활동 시에 침범된 팔은 체중을 지지한다. 환자가 침범된 팔로 능동적인 움직임을 취한다면 그 팔로 뻗기 과제를 수행할 수 있다.

몸통 조절을 개선하는 앉기 균형 활동. 일단 환자가 적절한 정렬로 안정적인 앉기 자세를 유지할 수 있으면 추가적인 정적인 앉기 균형 활동을 실습할 수 있다. 치료사는 어깨 또는 골반에 맨손 저항(등척성 교대)을 앞, 뒤 또는 가운데, 바깥쪽 방향으로 적용해서 관절 주변의 협력 수축을 촉진할 수 있다. 몸통의 안정성을 높이기 위해 돌림 구성 요소가 있는 맨손 저항(율동적 안정화)을 가할 수도 있다.

보호 반응 평가. 환자가 앉아있는 동안 물리치료 보조사는 환자의 보호 반응을 관찰하고 싶을 수도 있다. 환자는 바깥쪽, 앞쪽 및 뒤쪽 방향에서 보호 반응을 입증해 보여야 한다. 폄과 벌림을 특징으로 하는 보호 폄은 환자의 균형이 급속하게 흐트러지고, 환자가 넘어질 수 있음을 깨달았을 때 팔에서 분명하게 나타난다. 종종 이 보호 반응은 뇌졸중 환자한테서 나타나지 않거나 지연된다. 이완되거나 경직된 팔을 가진 환

중재 10-23 앉기 자세에서의 양측 고유감각 신경근육 촉진 패턴

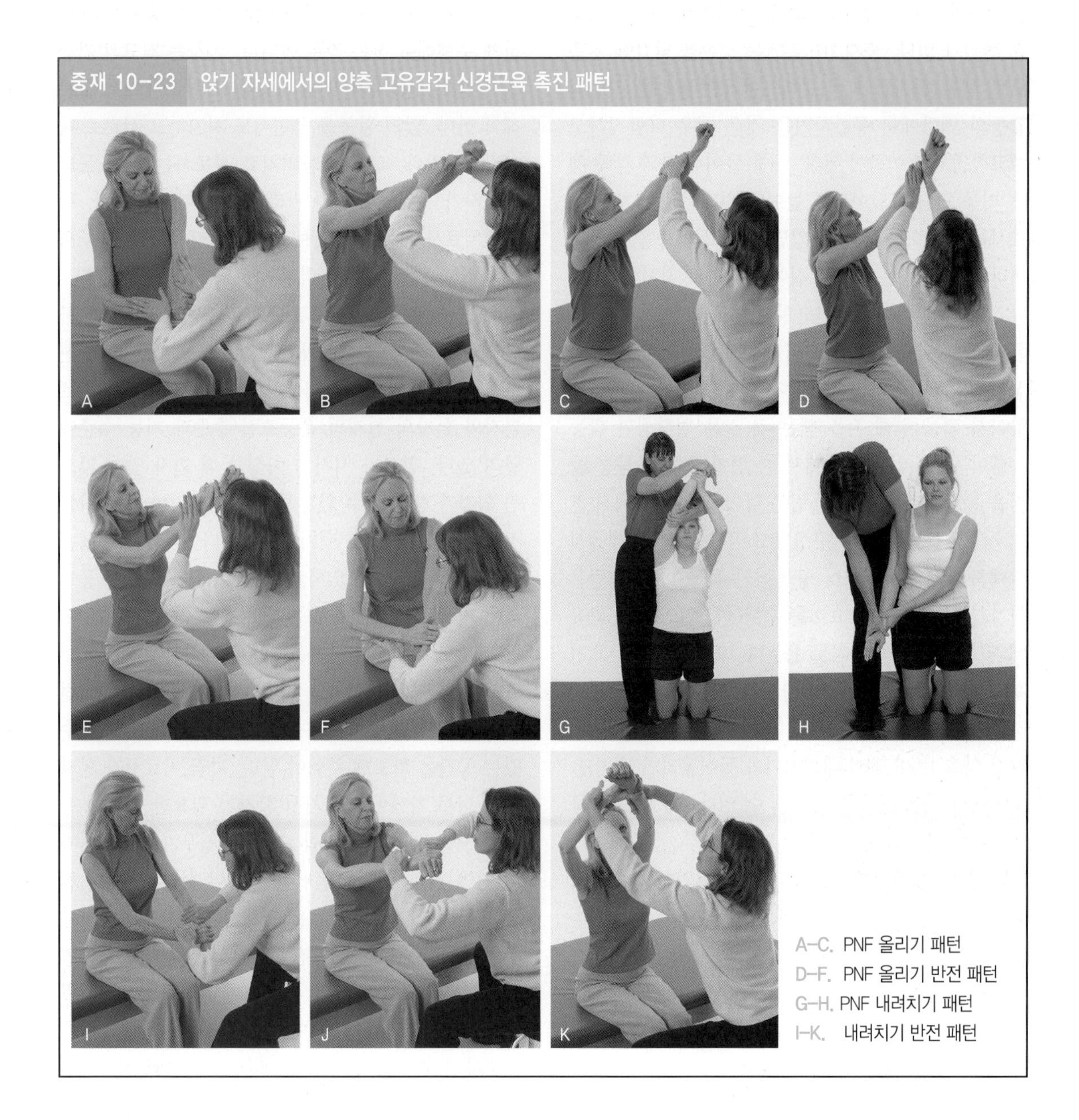

A–C. PNF 올리기 패턴
D–F. PNF 올리기 반전 패턴
G–H. PNF 내려치기 패턴
I–K. 내려치기 반전 패턴

자는 보호 반응의 운동 구성 요소를 이끌어 내지 못할 수도 있다. 이 반응을 테스트할 때 예기치 않은 반응을 이끌어 내도록 해야 한다. 흔히 치료사는 환자에게 무엇을 할 계획인지 알려줘서 환자가 근육 반응을 준비하고 관절 주변의 협력 수축에 반응할 수 있는 기회를 제공한다. 이렇게 되면 환자의 자발적인 움직임이 사라진다.

앉기 자세에서 체중 이동을 촉진하기 위해 수행할 수 있는 활동으로는 왼쪽, 오른쪽 및 위, 아래 방향으로 손 뻗기가 있다. 중재 10-22A는 양손을 맞잡아 왼쪽으로 뻗는 환자를 보여 준다. 이러한 활동을 기능적 활동의 맥락에서 통합시키는 것은 매우 바람직하고 치료학적으로 이득이 된다. 예를 들어 환자의 앞쪽 체중 이동 연습의 난이도를 높이기 위해서 물리치료 보조사는 환자에게 신발과 양말을 신고 체중을 이동하거나 바닥에 있는 물건을 집어 올리라고 지시할 수 있다. 환자의 앉기 균형 연습의 난이도를 높여 주는 다른 과제로는 중재 10-23B와 C에서 설명한 바와 같이 침대 가장자리나 의자에 앉아서 옷을 입거나 의자에 앉아서 컵을 향해 손을 뻗는 것 같은 일상생활 활동 수행이 있다. 앉기 자세에서 손 뻗기 활동도 몸통 돌림을 통합시켜야 한다. 돌림은 나이 많은 환자에서 흔히 상실되는 움직임의 구성 요소이다. 눕기 자세에서 수행하는 수동적이거나 능동적인 몸통 아래 돌림은 환자가 이 운동 구성 요소를 수행하기 위해 몸통 근육에 필요한 유연성 유지를 돕는다. 또한 몸통 위와 하부의 분리 유지는 어깨와 다리이음뼈를 돌리고 분리하는 환자의 능력을 돕는다. 환자의 상태가 진행됨에 따라 양측 PNF 패턴(내려치기와 들어올리기 패턴)을 수행해서 몸통 돌림을 촉진할 수 있다. 이 연습은 중재 10-23에 나와 있다.

앉기 활동. 앉아서 수행하는 중재를 요약하면 다음과 같다.

- 골반 자세잡기
- 몸통 자세잡기
- 머리 자세잡기
- 침범된 팔로 체중지지
- 앞, 뒤 방향 및 바깥쪽 체중 이동
- 등척성 교대
- 율동적 안정화
- 기능적 손 뻗기

서기

환자가 앉아있는 동안 더 많은 치료 활동을 견딜 수 있을 때는 똑바로 서기로 진행해야 한다. 보다 더 도전적인 자세를 시도하기 전에 한 자세나 활동을 완벽하게 수행해야 하는 것은 아니다. 환자는 최고의 기능적 수준에 도달하기 위해 가능한 모든 자세에서 활동해야 한다. 앉기 활동을 하면서도 지지하고 서기로 나아갈 수 있다. 그러나 물리치료 보조사는 감독 물리치료사가 세워놓은 환자 관리 계획을 따라야 한다. 주 물리치료사는 물리치료 보조사가 환자를 처음으로 서도록 인도하기 전에 환자의 서기 능력을 평가해야 한다.

환자와 관련된 물리치료 보조사의 위치. 학생들이 자주 묻는 질문은 환자가 앉았다 서도록 도와줄 때 자신은 어디에 있어야 하는가이다. 그러한 위치는 대체로 환자와 환자의 현재의 운동조절 수준과 기능 수준에 달려 있다. 환자가 서기로 이행할 때 환자 앞에 앉으면 환자가 움직일 수 있는 공간이 넓어지며, 치료사는 서서 환자의 자세를 평가할 수 있다. 이러한 이행은 중재 10-24에 나와 있다. 치료사는 환자 앞에서 웅크리는 자세로 시작했다가 환자와 함께 서는 자세로 이동할 수도 있다. 이 방법을 사용할 경우, 물리치료 보조사는 환자가 엉덩이를 지지 면에서 들어올리기 전에 몸통 굽힘을 수반하는 전방 체중 이동을 수행할 수 있는 공간을 확보해 주어야 한다. 가끔 치료사가 환자에게 너무 가까이 다가가서 환자가 필요한 움직임 순서와 체중 이동을 완료할 수 없는 경우가 있다. 환자의 옆에 서는 것은 처음에는 피해야 한다. 환자의 체중이 치료사가 있는 쪽으로 과도하게 쏠릴 수 있기 때문이다. 환자의 상태가 진행되어 조절력이 증가하면 물리치료 보조사가 중재 10-25에 나와 있는 것처럼 환자를 옆에서 이끌 수 있다. 환자에 대한 물리치료 보조사의 위치를 정하는 것 외에도 안전벨트는 항상

중재 10-24 앉기에서 서기로 이행

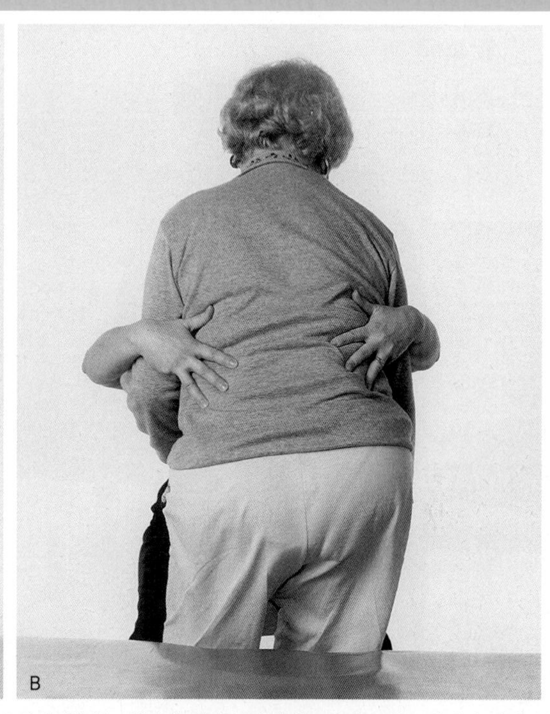

A. 앉기에서 서기로 이행하기 전에는 환자의 예비 자세잡기가 중요하다. 환자는 위팔뼈 절반만 지지받는 상태로 매트 위에서 엉덩이 끝기로 전진하기 위해 체중을 이동할 수 있어야 한다. 환자의 발은 어깨 너비로 벌려야 한다
B. 물리치료 보조사가 환자 앞에 앉아서 양손을 환자의 척추 옆에 대고 전방 체중 이동을 촉진한다. 환자는 대칭적 체중지지를 증진하기 위해서 양쪽 다리에 동등하게 힘을 주어 몸을 밀어올려야 한다.

사용해야 한다. 안전벨트의 사용은 대부분의 시설에서 표준화되어 있다. 환자가 보행벨트가 필요없다고 주장하더라도 환자뿐만 아니라 치료사는 보행벨트 사용에 큰 관심을 기울여야 한다.

앉기에서 서기로 이행. 앉기에서 서기로의 이행은 서기 진행의 첫 번째 부분이다. 환자는 초기에 엉덩이, 무릎 및 발목에서 다리 굽힘 상태를 유지할 수 있어야 한다. 또한 발을 고정하고 체중을 앞으로 옮기면서 골반을 중립 위치에 놓거나 약간 앞쪽으로 기울여 유지할 수 있어야 한다. 따라서 환자가 정강이뼈를 발 위쪽으로 전진시킬 수 있어야 한다. 발목의 발바닥 쪽 굽힘 수축이 있거나 장딴지근-가자미근 복합 근육의 긴장이 증가한 환자는 이 활동을 완료하는 데 필요한 수동적 발목 발등굽힘을 달성하지 못할 수도 있다. 신경학적 결손이 없는 사람들은 무릎 폄과 엉덩이 폄을 조합해서 일어선다. 종종 환자들은 움직임의 이 부분을 부드럽게 수행할 수 없으며, 엉덩이 폄근의 근력이 부족해 직립 상태에서 엉덩이를 중립적인 위치에 놓고 유지하기 어렵다. 이런 환자들은 구부정하거나 굽은 것처럼 보이고, 혹은 일어설 때 강한 무릎 과다폄을 이용해서 무릎을 잠근다.

앉기 자세에서 나타나는 다른 치우침(deviation)에는 침범되지 않은 다리에 과도하게 의존하는 것이 있다. 이는 팔다리 약화와 불안, 낙상에 대한 두려움 때문에 발생할 수 있다. 이러한 의존성은 침범되지 않은 다리로 지지하는 체중이 증가하고 몸통 비대칭이 나타나면서 분명해진다. 이 문제는 환자가 팔로 몸을 밀어 올릴 때 강조될 수 있다. 중재 10-26은 팔을 사용

중재 10-25 앉기에서 서기로 이행 시 측면에서 환자 보조하기

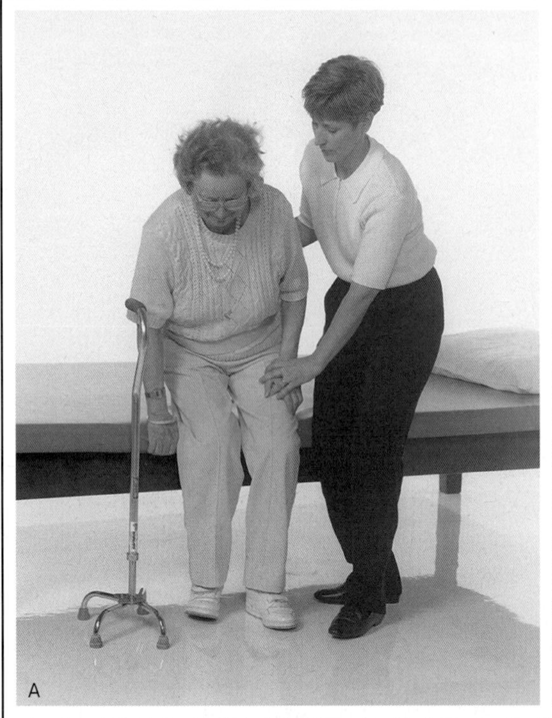

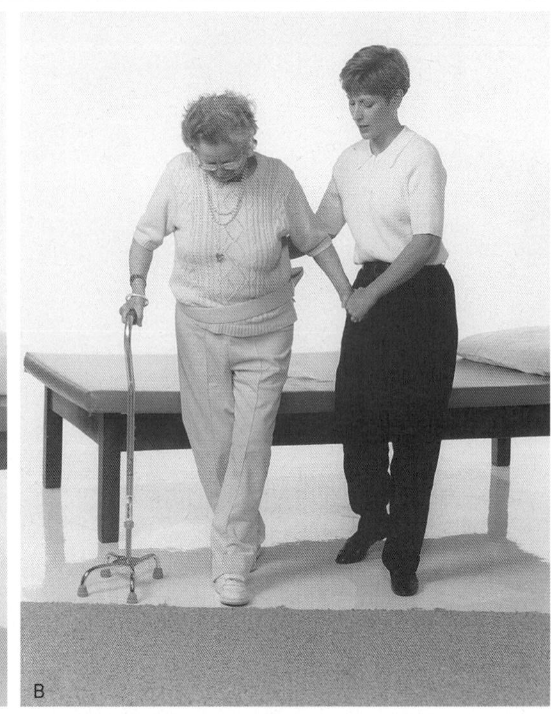

양호에서 좋음 상태의 동적인 서기 균형을 갖춘 환자들을 인도할 때는 그들의 침범된 쪽에 설 수 있다.
A. 물리치료 보조사는 비정상적 긴장을 억제하기 위해서 환자의 팔에 촉각 신호를 제공한다. 이 이행 시 환자의 침범된 다리 위치를 주시한다. 왼다리는 오른다리 앞쪽에 위치한다. 이 자세는 서기 자세를 취하기 위해 침범되지 않은 다리에 의존하는 것을 강화해 준다. 이상적으로는 양쪽 다리를 대칭적으로 위치시켜야 한다.
B. 환자가 일어서자마자 환자의 팔꿈치와 손목, 손가락에 나타나는 굽힘근 긴장을 줄이기 위해서 억제 지점을 손으로 잡을 수 있다.

하여 환자가 일어서는 모습을 보여 준다. 이런 식으로 앉기에서 서기로의 이행을 계속 반복하면 환자는 침범된 다리의 체중을 지지할 수 없게 되고, 침범된 다리의 안정성에 대한 환자의 불안감이 가중될 수 있다. 반신마비 환자는 양쪽 팔다리에 동일한 힘을 주어 체중을 지지하면서 앉기에서 서기로 이행하도록 권장해야 한다. 다리가 어깨 너비만큼 벌어지고 환자의 발이 바닥에 평평하게 닿는 대칭적 발 위치는 동등한 양측 체중지지에 도움이 될 수 있다.

앉기에서 서기로 이행 중에는 환자의 팔을 주의 깊게 살펴봐야한다. 침범된 팔이 환자 옆으로 축 늘어지지 않도록 해야 한다. 이 상황에서 중력은 어깨 불완전탈구 경향을 유발할 수 있는 떼어 당기는 힘을 가한다. 중재 10-27에서 볼 수 있듯이, 환자의 침범된 팔을 환자의 무릎이나 물리치료 보조사의 팔에 놓아 팔 예비 자세잡기를 할 수 있다. 경우에 따라서 추가적인 지지를 위해 슬링이 필요할 수도 있고, 환자는 침범된 손을 바지 주머니에 넣으라는 조언을 받을 수도 있다. 이러한 방식으로 팔 예비 자세잡기를 수행해서 어깨를 지지하고, 어깨 관절 및 주위 근육에 최소한의 압착을 가한다.

앉기에서 서기로 이행하는 동안 물리치료 보조사는 환자가 필요로 하는 신체적 도움의 양을 주의 깊게 측정해야 한다. 치료사는 엉덩이 폄을 증진하기 위해서 환자의 큰볼기근 위쪽에 맨손 자극을 가할 수 있다. 이전에 언급했듯이, 환자가 엉덩이 폄을 수행할 수 없

중재 10-26 침범되지 않은 팔을 사용해 앉기에서 일어서기로 이행

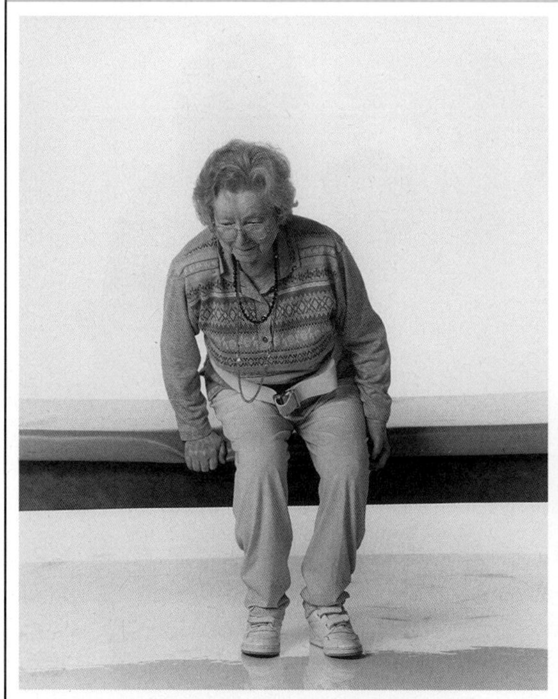

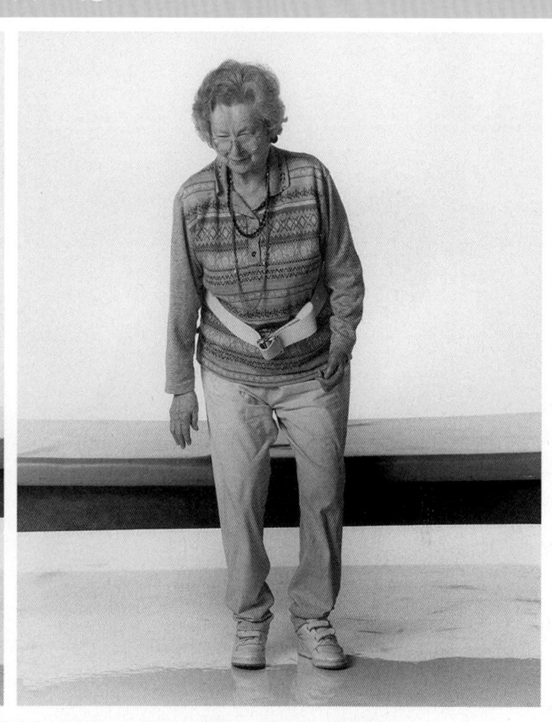

침범되지 않은 팔을 이용해서 일어서기. 침범되지 않은 쪽의 체중지지가 증가하고, 이와 관련해서 비대칭이 일어난다.

는 경우, 환자는 앞쪽 굽힘 자세를 취할 것이다. 물리치료 보조사는 직립 자세를 취하려면 환자의 엉덩이 폄이 반드시 필요하다는 사실을 깨달을지도 모른다. 중재 10-28은 환자의 엉덩이 근육에 맨손 접촉을 가하는 물리치료 보조사를 보여 준다.

환자의 엉덩이 위치를 주시하는 것 외에도 환자의 무릎과 발목이 올바른 위치에 있는지 확인해야 한다. 발목 근육이 이완되고 불안정한 경우, 환자가 복사뼈나 발 바깥쪽에 체중을 싣게 되면 결과적으로 장기간 인대 부상을 입을 수 있다. 이러한 합병증을 피하기 위해 물리치료 보조사는 환자의 발목을 미리 배치하거나 발목이 안쪽으로 돌지 못하도록 차단해야 한다. 이것은 환자의 침범된 발목 주위에 두 발을 놓고 추가적인 지지를 통해서 달성할 수 있다. 이러한 유형의 자세잡기는 침범된 다리 전체에 추가적인 지지를 제공한다. 중재 10-29는 불안정성을 예방하기 위해서 환자의 발목을 차단하는 물리치료 보조사를 보여 준다.

무릎 조절 확보. 부적절한 무릎 조절은 환자의 일어서는 능력과 보행 능력을 방해한다. 관절로 체중을 지지해야 하는 경우에는 환자의 무릎이 꺾일 수 있다. 이러한 상태는 네갈래근의 약화 때문에 종종 발생한다. 임상적으로 네갈래근이 약화된 환자가 일어서면 곧바로 구부정하거나 굽은 자세가 나온다. 네갈래근 약화와 장딴지근-가자미근의 비효율적인 기능은 서기 자세에서 강한 무릎 과다폄이나 젖힌 무릎을 유발할 수 있다. 이 상태의 환자는 안정성을 유지하기 위해 무릎을 폄 상태로 고정시킨다. 이 현상을 설명해 주는 몇 가지 설이 있다. 관절의 고유감각 입력이 감소하면 관절의 끝 범위나 닫힘 위치(closed pack position)에서 최대 입력이 수신될 때, 안정점을 찾기 위해 환자가 무릎 관절을 과도하게 펼 수 있다. 과운동이나 경직을 보이는 네갈래근, 넙다리뒤인대와 네갈래근의 힘의 균형 부족도 무릎 과다폄의 원인이다. 이 두 경우 모두 허벅지 근육을 적극적으로 조절할 수 없어 무릎

중재 10-27 환자의 침범된 팔 예비 자세잡기

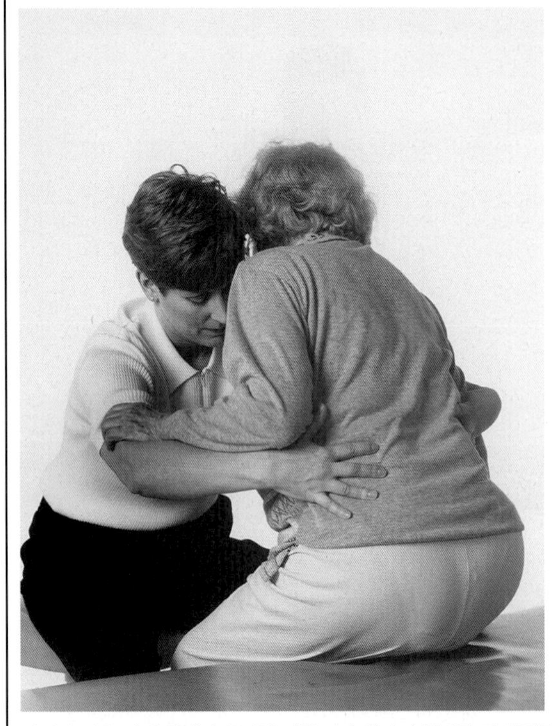
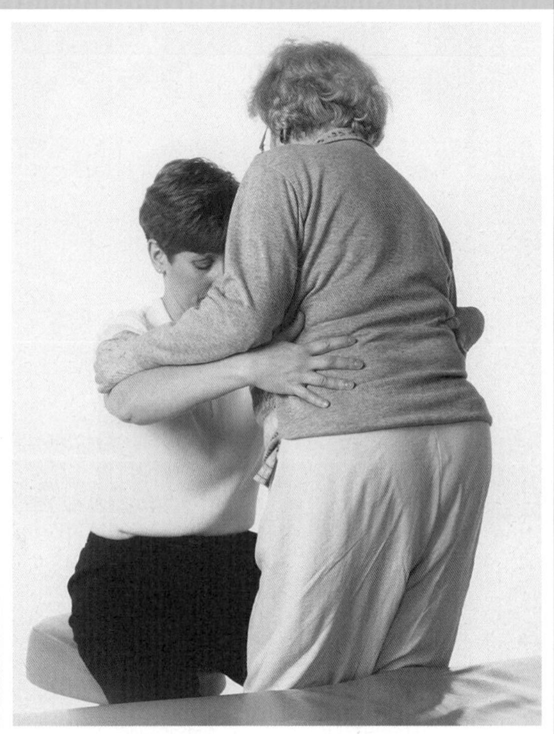

어깨 손상을 막기 위해서 움직임 이행 시에 환자의 침범된 팔 위치를 미리 잡아 주어야 한다.

이 불안정해진다. 이러한 치우침을 조절하려면 무릎 주위에 적절한 맨손(촉각) 신호를 제공해야 한다. 무릎이 꺾일 때는 정강이 앞쪽에 압력을 가해야 할 수도 있다. 물리치료 보조사는 중재 10-30에서 설명한 것처럼 환자가 무릎 관절을 펴도록 도와줘야 할 수도 있다. 이와는 대조적으로 무릎 과다폄이 나타날 때는 무릎 뒤쪽에 맨손 신호를 제공할 필요가 있을 수도 있다. 치료사는 환자의 무릎이 펴져서 완전히 잠기지 않도록 해야 할 수도 있다. 계속되는 무릎 과다폄은 장기적인 인대 및 주머니(capsule)의 문제를 일으킬 수 있으므로 피해야 한다.

서 있는 환자의 자세잡기. 환자가 서 있을 때 목표는 대칭을 이루고, 정중선 방향을 바라보는 것이다. 양쪽 다리로 동등하게 체중을 지지하고, 몸통을 곧게 세우며, 머리를 정중선 방향에 두는 것이 바람직한 자세다. 기능 수준이 극히 낮은 환자는 추가적인 도움이 필요할 수 있다. 경우에 따라 환자가 경사 테이블에 서서 과제를 수행해야 할 수도 있다. 경사 테이블은 환자가 과도한 도움을 필요로 하거나 의학적 합병증 또는 생리적 불안정으로 직립 상태를 견딜 수 없을 경우에만 사용해야 한다.

경사 테이블이 필요하지는 않지만 몸통과 다리의 조절력이 떨어지는 환자의 경우, 치료사는 환자의 몸통 위치를 잡아 주고, 팔과 다리를 보조해 줄 보조원이 필요하다고 결정할 수 있다. 보조원은 환자 뒤에서 몸통 폄을 촉진하는 촉각 신호를 제공할 수 있다. 또한 관련된 팔의 위치를 잡아줄 수도 있다. 팔로 체중을 지지할 때는 침대 옆 테이블이나 ARJO 워커를 자주 사용한다. 증가된 고유감각 입력은 체중을 지지할 시에는 침범된 팔을 통해 수신된다. 팔 지지는 다리에서 체중을 빼고, 서기와 체중지지에 필요한 조절량을 감소시키도록 도와준다. 중재 10-31는 서기 활동 중에

중재 10-28 축각 신호를 사용해 앉기에서 서기 이행을 돕기

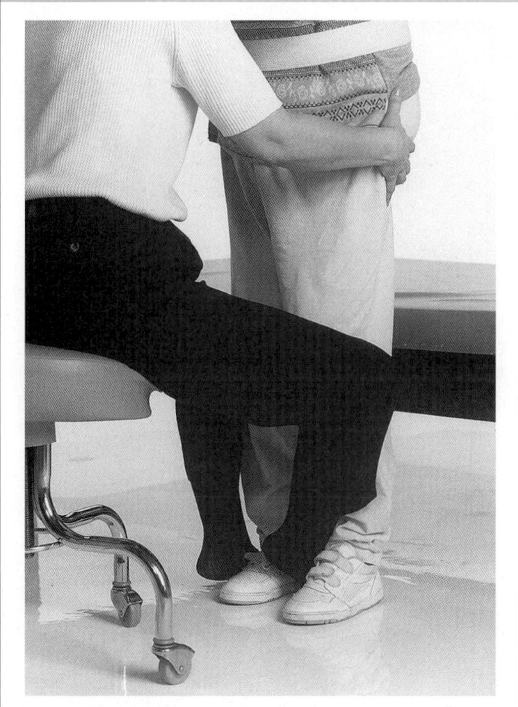

앉기에서 서기와 서기 활동 중에 물리치료사는 환자가 엉덩이 폄과 똑바른 자세를 달성할 수 있도록 환자의 큰볼기근에 촉각 신호를 제공할 수 있다.

중재 10-29 환자의 발목 고정하기

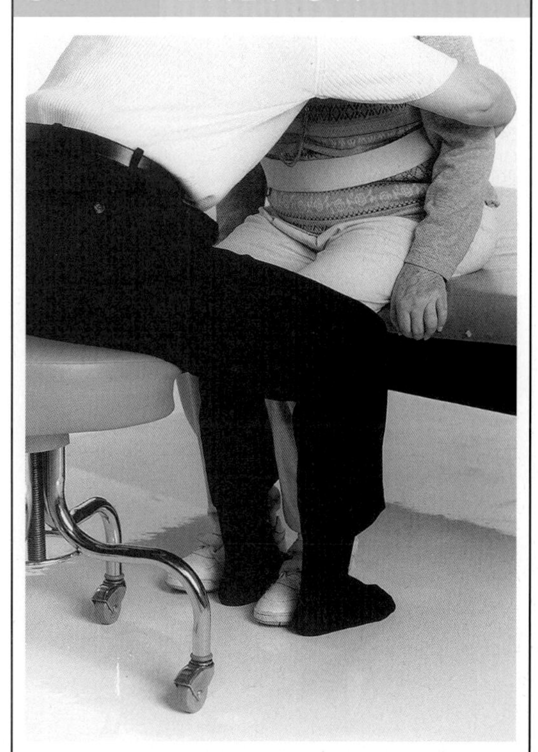

물리치료 보조사는 손상 가능성을 막기 위해 자신의 두 발로 환자의 복사뼈에 체중지지를 할 수 있도록 침범된 발목을 고정한다.

침대 옆 탁자를 이용하는 환자를 보여 준다. 때로는 또 다른 사람이 환자 옆에 있는 것이 도움이 된다. 환자 개인의 서기와 체중지지에 대한 반응에 따라서 많은 것이 달라진다.

조기 서기 활동: 체중 이동. 물리치료 보조사는 환자가 침대와 매트 테이블 또는 평행봉에서 서기 활동을 하도록 도울 수 있다. 조기 활동에는 좌우 및 전후 체중 이동(환자의 무게 중심 이동)이 포함되어야 한다. 조절된 체중 이동을 조금씩 하는 것이 극단적으로 체중을 이동하는 것 보다 훨씬 낫다. 체중 이동 시 이러한 초기 시도에 대한 환자의 반응을 반드시 관찰해야 한다. 환자들은 침범된 팔다리에 체중을 옮기기 꺼려한다. 그래서 체중 이동을 피하려고 다리로 체중을 지지하고 몸통을 신장하는 대신에 체중이 실리는 쪽으로 몸통을 구부린다.

치료사는 모든 서기 활동 중에 환자의 엉덩이, 무릎 및 발목의 위치를 살펴야한다. 골반을 중립 위치에 두거나 약간 앞으로 기울어지며 엉덩이를 펴는 것이 바람직하다. 이전에 언급했듯이, 환자의 엉덩이 폄을 도우려면 큰볼기근에 촉각 자극을 제공해야 할 수도 있다. 환자가 무릎을 잘 조절하지 못할 경우에는 물리치료 보조사가 치료 세션에서 그 문제를 다룰 수 있다. 환자가 침범된 무릎을 천천히 구부리고 곧게 펴는 것이 첫 걸음이다. 물리치료 보조사가 손으로 환자의 무릎을 굽히고 펴주어야 할 수도 있다. 환자는 이 과제 수행 중에 발생하는 근력을 측정해야 한다. 환자들은 무릎을 갑자기 폄 된 위치로 돌려서 과도하게 무릎을 편다. 환자가 이 움직임을 조절할 수 있게 되면 물

중재 10-30 촉각 자극을 사용해 무릎 펌 증진하기

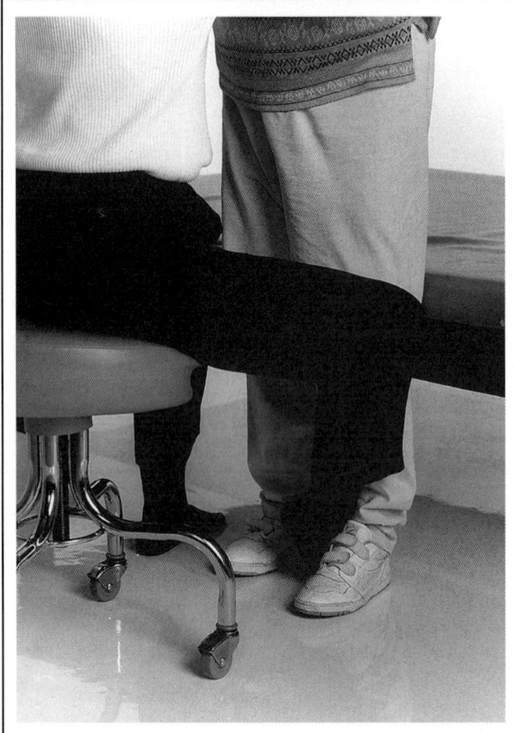

물리치료 보조사는 자신의 다리를 이용해서 환자의 정강이에 촉각 자극을 제공한다. 이러한 자극은 침범된 다리의 무릎 폄을 증진하기 위해 사용한다.

중재 10-31 서기 활동에서 침대 옆 테이블 이용하기

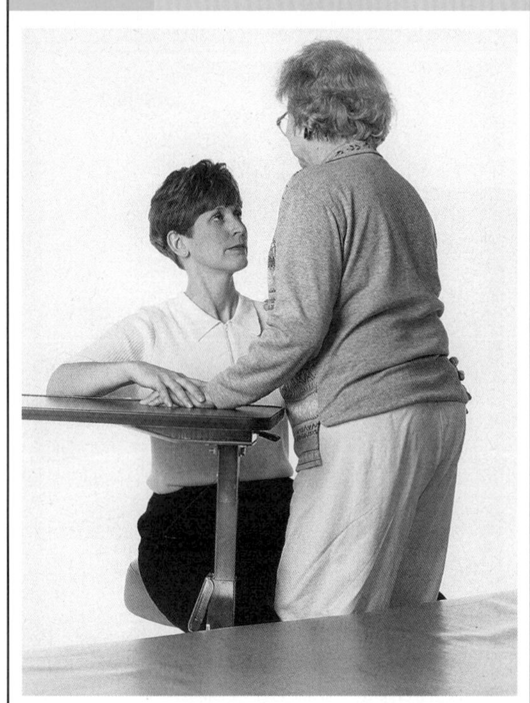

서기 활동 도중에 침범된 팔을 지지하기 위해 침대 옆 테이블을 이용할 수 있다. 물리치료 보조사는 중립 위치에 놓인 손목을 살짝 펴고 손가락들도 펴서 유지하도록 촉각 자극을 제공한다.

리치료 보조사는 환자에게 무릎을 이완시켜 굽혔다가 무릎 과다폄이나 젖힌 무릎을 유발하지 않고 천천히 펴도록 이끌어야 한다. 이런 환자의 경우, 마지막 10~15도 각도에서 능동적으로 무릎을 펴는 것을 가장 어려워한다. 현재의 근거에 따르면 환자는 과제 특수화 방식으로 적절한 환경적 맥락에서 활동을 연습해야 한다. 그러나 치료사는 이러한 조절을 돕기 위해 마지막 무릎 폄 운동을 사용한다. 따라서 환자가 서기나 걷기에서 최종 몇 단계의 무릎 폄을 달성해야 한다면 직립 자세나 보행 훈련 활동 중에 이 운동의 구성요소를 연습해야 한다.

균형 반응 평가. 환자가 지속적으로 체중 이동 활동을 수행할 때 치료사는 환자가 적절한 기립 균형 반응을 나타내는지를 관찰해야 한다. 환자의 체중이 뒤로 이동함에 따라서 발목 발등굽힘이 나타나야 한다. 그림 10-7은 발목 전략을 보여 준다. 이러한 운동 반응은 일반적으로 서기 균형 전략으로 나타난다. 환자의 균형이 너무 많이 흐트러지면 엉덩이 전략이나 내딛기(stepping) 전략이 나타난다. 환자를 재정렬하기 위해서 엉덩이 움직임이 나타난다. 내딛기 전략은 환자의 균형이 너무 멀리 옮겨질 때 사용하고, 환자는 넘어지지 않으려고 한 발을 내딛는다. 뇌혈관 장애 환자들은 근력이 약하고 제때에 근육 반응을 하지 못해서 적절한 균형 반응을 이끌어낼 능력이 부족하다. 이 문제는 그림 10-8에 설명되어 있다. 물리치료 보조사는 특히 환자가 보행 기술을 연습한다면 이러한 전략(발목, 엉덩이, 내딛기)을 수행할 수 있는 환자의 능력을 기록해야 한다.

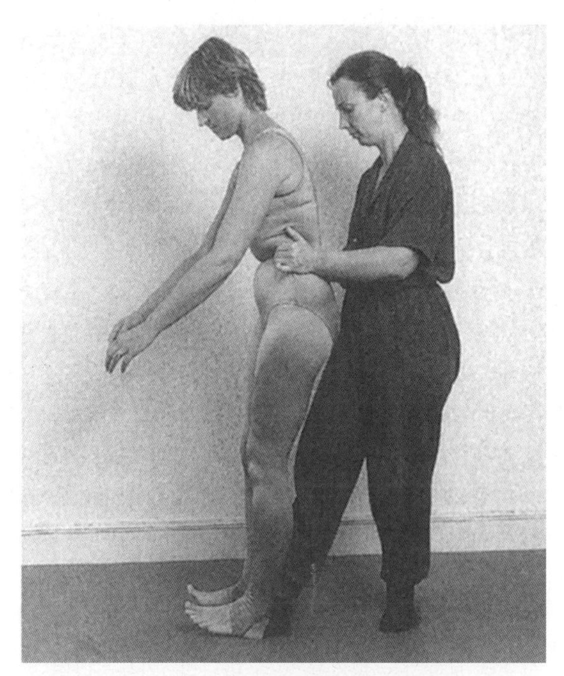

그림 10-7. 뒤로 움직이는 전형적인 사람. 환자는 균형 반응을 보인다. 발목과 발가락 발등굽힘을 주시하기 바란다. 양팔과 머리는 앞으로 움직인다(From Bobath B: *Adult hemiplegia: evaluation and treatment*, ed 3. Boston, 1990, Butterworth-Heinemann).

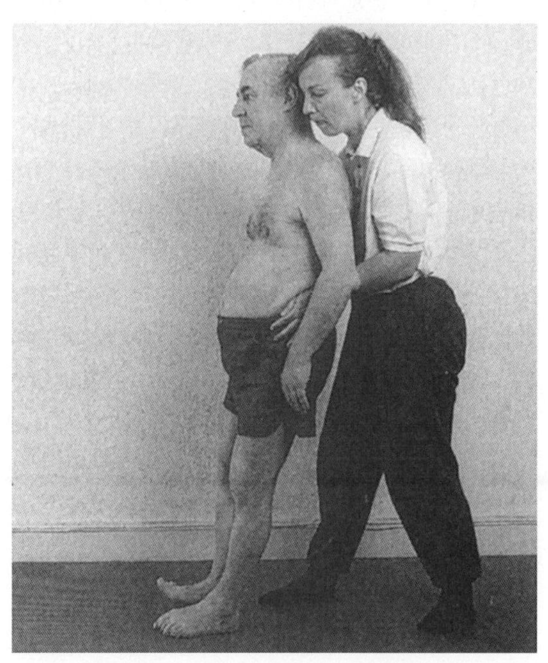

그림 10-8. 환자를 뒤로 이동시키기. 침범되지 않은 오른발의 능동적인 발등굽힘(정상적인 균형 반응)과 영향을 받은 발의 발등굽힘 부재를 주시하기 바란다(From Bobath B: *Adult hemiplegia: evaluation and treatment*, ed 3. Boston, 1990, Butterworth Heinemann).

서기 진행(걷기) : 환자와 관련된 물리치료 보조사의 위치

환자가 직립 자세를 유지하고 다리로 체중을 지지할 수 있게 되면 내딛기로 진행할 때가 된 것이다. 걷기는 많은 환자의 주된 목표이기 때문에 환자들이 가능한 한 참여하기를 가장 원하는 치료 중재다. 치료 도중에 걷기 연습을 시키고 격려해야 한다. 80~90%의 환자가 뇌졸중 이후에 독립적인 보행으로 진행그러나 약 80%는 보행 속도 및 효율성 감소, 자세 불안정성 및 비대칭성 등의 보행 결함을 보인다(Hornby 등, 2011). 치료사들은 환자가 보행을 하려면 적절한 몸통 조절 능력과 다리 조절 능력을 갖추어야 한다고 생각했지만 과제별 훈련과 체중지지 트레이드밀 보행, 이와 관련된 연구들 덕분에 이제는 치료사가 균형감과 다리 운동조절력이 제한된 환자들과도 보행 훈련 활동을 시작할 수 있도록 보행훈련과 관련된 연습 지

중재 10-32 보행 전 활동

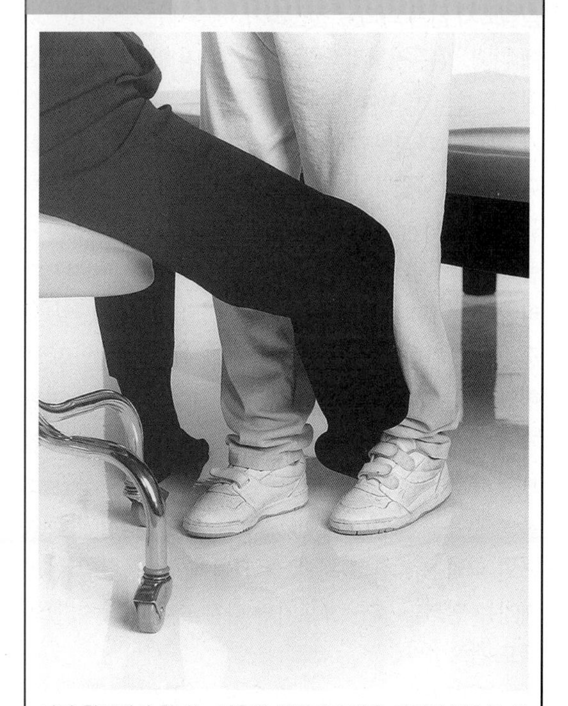

서기 활동에서 환자는 처음에 침범되지 않은 다리를 앞으로 내딛는다. 이러한 조치는 환자가 걸음을 내딛을 때 침범된 다리의 단일 체중지지를 촉진한다. 물리치료 보조사는 무릎 꺾임을 방지할 필요가 있을 때 환자의 침범된 다리를 고정한다.

침이 변경되었다.

환자의 걷기 욕구를 충족시키려고 평행봉을 따라서 환자를 끌고 다니는 것은 안전하지 않고 기능적이지 않다. 또한 보행 활동을 시작하기 전에 앉기나 서기 자세를 완벽하게 습득해야 할 필요는 없다.

물리치료 보조사는 환자의 서기 활동 중에 여러 다른 위치에 자리를 잡을 수 있다. 물리치료 보조사는 환자 앞에서 앉거나 설 수 있고, 환자 엉덩이 쪽에서 환자를 조절할 수 있다. 물리치료 보조사는 또한 환자의 반신마비 측면에 설 수 있다. 이러한 방법은 환자의 골반이 엉덩이 뒤쪽 영역에 촉각 자극을 제공받아야 할 경우, 침범되지 않은 다리의 조절력을 향상시키고 먼쪽에만 촉각적 자극을 원할 경우에 유용할 수 있다. 푸셔 증후군 환자가 침범된 쪽으로 체중을 지지하고 서면 그 쪽으로 체중이 과도하게 치우칠 수 있으므로 피해야 한다. 치료사는 체중지지를 증가시키기 위해 환자의 침범되지 않은 쪽에 위치해야 한다.

침범되지 않은 다리로 전진하기. 처음에는 중재 10-32에 나와 있는 것처럼 환자가 침범되지 않은 다리로 전진하도록 가르쳐야 한다. 이러한 순서의 장점은 환자가 침범된 다리로만 체중을 지지해야 하므로 단일 팔다리 지원(체중지지)을 촉진한다는 것이다. 많은 환자들이 침범되지 않은 다리로 작은 발걸음을 내딛거나 좀 더 힘이 덜 들게 침범되지 않은 다리를 바닥을 따라 앞으로 민다. 두 경우 모두 침범된 다리의 단일 체중지지 시간을 감축시킨다. 환자가 이런 방식으로 보행할 수는 있지만, 이러한 패턴이 지속되면 자세 편위가 발달하고, 다리 긴장이 증가한다. 보다 정상적인 보행 패턴을 습득하려면 다른 쪽 다리로 정상적인 보폭의 걸음을 내딛을 수 있도록 유각기에 침범된 쪽의 단일 다리 지지를 유지할 수 있어야 한다. 단일 다리 지지는 연석과 계단 오르기와 같은 다른 기능적 활동에도 필요하다.

침범된 다리로 나아가기. 종종 환자 치료의 일부가 전진 연습으로 채워진다. 일단 환자가 침범되지 않은 다리로 전진하고 체중을 유지할 수 있게 되면 침범된 다리로 전진하기로 나아간다. 환자는 다리로 전진하기 위해 엉덩이를 굽히기 어려워한다. 앞서 설명한 바와 같이 침범된 다리에서는 폄 상승효과 패턴이 나타나고, 이 패턴은 환자가 한 걸음 앞으로 나아갈 때 분명해진다. 이런 환자는 엉덩이를 굽혀서 다리를 앞으로 내딛는 대신에 엉덩이 휘돌림(circumduction, 안쪽 돌림을 동반한 엉덩이 벌림)을 사용한다. 골반 당김은 이러한 운동 패턴을 수반한다. 폄 상승효과의 일부인 무릎 폄과 발목 발바닥 굽힘도 분명하게 나타날 수 있다. 결과적으로 환자가 침범된 다리를 앞으로 움직이면 이 다리가 펴진 하나의 단위로 나아간다. 이러한 폄은 보행 주기의 유각기에 필요한 무릎 굽힘을 시작하는 환자의 능력과 발뒤꿈치로 딛기를 제한한다. 다리의 강한 폄은 침범된 다리로 지지하는 체중을 감소시킨다. 비정상적인 긴장과 많은 환자의 강한 보행 욕구 때문에 물리치료사와 물리치료 보조사는 이런 방식으로 보행하는 환자를 자주 만난다. 가능하다면 환자가 그렇게 걷지 않도록 한다. 올바른 엉덩이 굽힘을 엉덩이 휘돌림으로 계속 대체하면 환자가 비정상적이고 비효율적인 운동 패턴을 배울 수 있다. 이와 동시에 관절에 비정상적인 스트레스가 가해지며 비정상적인 패턴을 변경하거나 대체하는 것이 점차 어려워진다. 이러한 방식의 보행은 환자의 다리 경직을 강화한다.

정상적인 보행 패턴 달성: 골반 자세잡기. 환자가 엉덩이 굽힘을 시작하도록 돕기 위해서 다음과 같은 기술을 사용할 수 있다. 촉각 자극을 제공하기 전에 물리치료 보조사는 환자의 골반 위치를 결정해야 한다. 물리치료 보조사는 골반의 기울기 측면에서 환자 골반의 상대적 위치를 주시하고, 골반이 당겨진 위치에 있는지를 관찰해야 한다. 환자의 골반이 당겨져 있거나 올라가 있을 때 물리치료 보조사는 적절한 골반 정렬을 복원하기 위해 환자의 골반 아래쪽에서 약간 앞쪽으로 촉각 자극을 제공해야 한다. 물리치료 보조사가 골반을 보다 중립적 위치에 놓으려면 환자의 엉덩이 뒤쪽에 촉각 자극을 제공해야 할 수도 있다. 환자는 골반을 더 좋은 위치에 놓을 수 있도록 침범된 무릎을 굽히라는 지시를 받을 수 있다.

침범된 다리로 앞으로 나아가기. 골반이 적절하게 정

중재 10-33 침범된 다리로 앞으로 나아가기

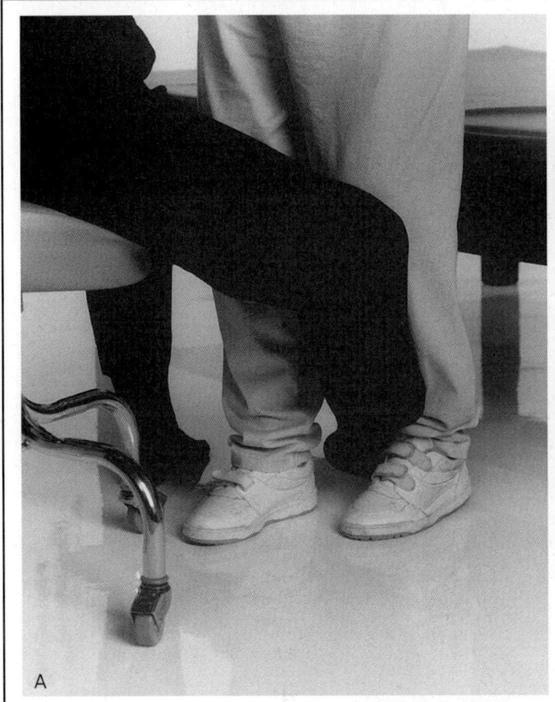

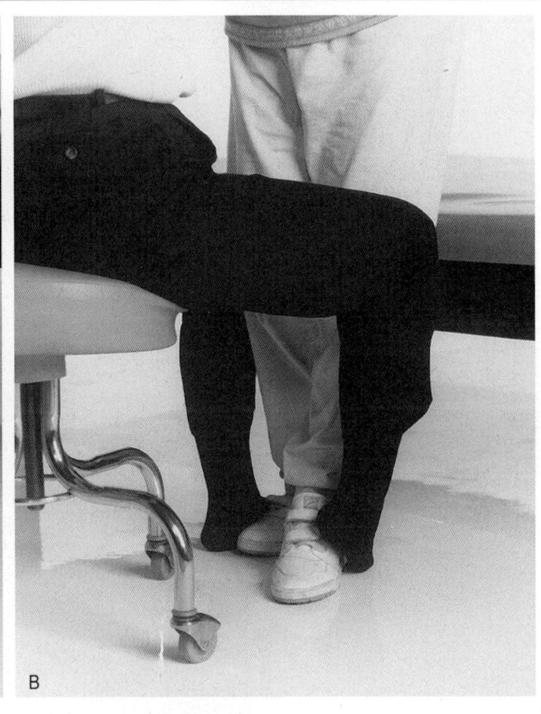

환자가 침범된 다리를 앞으로 내딛을 때는 도움이 필요할 수 있다.
A. 물리치료 보조사는 침범된 다리를 전진시키기 위해서 환자의 발뒤꿈치 뒤쪽에 자신의 발을 놓을 수 있다.
B. 발 위치를 다시 잡아줄 필요가 있을 수 있다.

렬되면 환자는 침범된 발을 앞으로 밀어야 한다. 환자가 이 운동을 시작할 수 없는 경우에는 물리치료 보조사가 손으로 환자를 도와줘야 할 수도 있다. 이 기술은 중재 10-33에 나와 있다. 발을 앞으로 미끄러뜨리는 것은 발바닥을 바닥에서 들어 올리는 것보다 쉽다. 노력의 증가와 환자의 좌절감 때문에 비정상적인 긴장이 증가할 수 있다. 때로는 환자의 신발과 바닥 사이에 마찰이 생겨 침범된 발을 앞으로 밀기가 어려울 수 있다. 환자는 신발을 벗으라는 지시를 받을 수 있으며, 앞으로 나아가기 쉽도록 베갯잇이나 작은 수건을 환자의 발아래에 깔 수 있다. 또한 마찰을 줄이기 위해 환자의 구두코에 스토키네트 조각을 댈 수 있다. 환자는 앞뒤로 발을 미끄러뜨리는 연습을 여러 번 해야 한다. 물리치료 보조사는 환자를 위해 수건이나 베갯잇을 움직여 환자가 이 활동을 더 쉽게 하도록 도울 수 있다. 또한 엉덩이와 골반의 뒤쪽이나 가쪽에 가해지는 촉각 자극은 유익하다. 침범된 무릎을 약간 굽혀서 유지하면 환자가 엉덩이 올림이나 휘돌림으로 다리 전진을 시작할 가능성이 줄어든다.

뒤로 내딛기. 뒤로 내딛기도 연습해야 한다. 환자에게 뒤로 내딛으라고 요청할 때 물리치료 보조사는 환자의 엉덩이와 골반의 위치를 기록해야 한다. 흔히 환자는 엉덩이 올림과 당김을 동반해서 엉덩이 폄을 수행한다. 환자는 엉덩이를 펴서 다리를 뒤로 내딛도록 수행해야 한다.

여러 걸음 내딛기. 환자가 침범된 다리를 앞뒤로 움직일 수 있게 되면 여러 걸음 내딛기로 진행해야 한다. 환자는 발가락 들림과 보행주기의 유각기에 준비하기 위해서 침범되지 않은 다리를 먼저 앞으로 내딛으라고 지시받는다. 환자가 양다리를 사용하여 여러 걸음을

중재 10-34 보행 보조

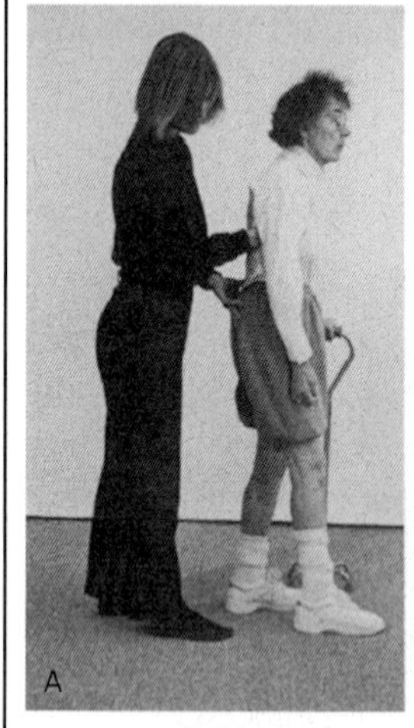

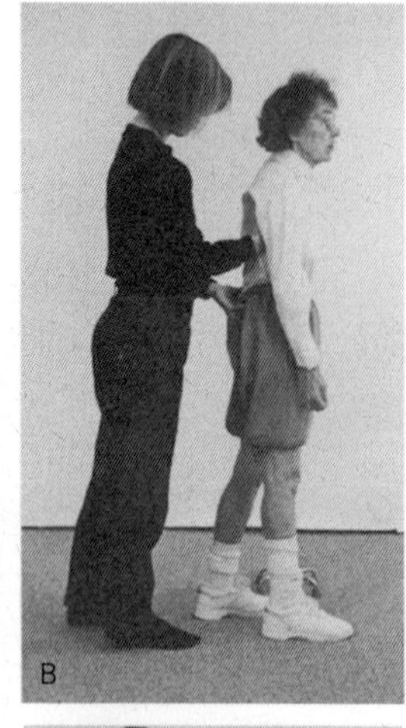

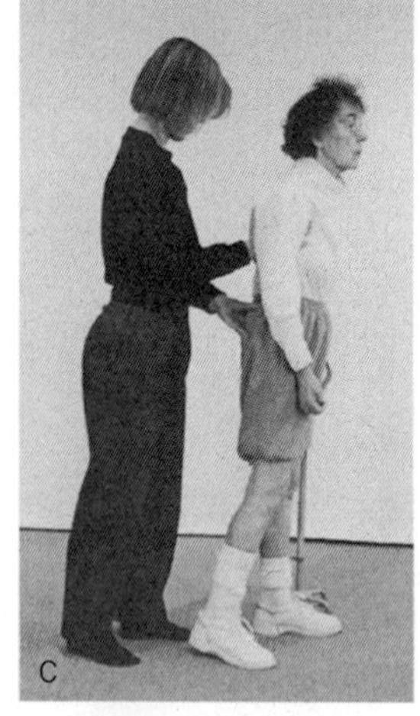

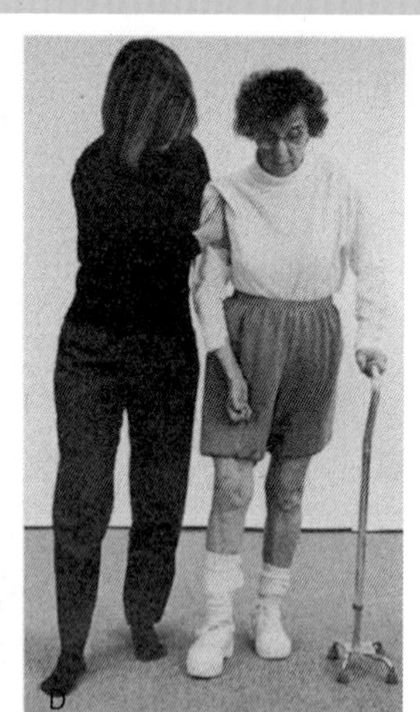

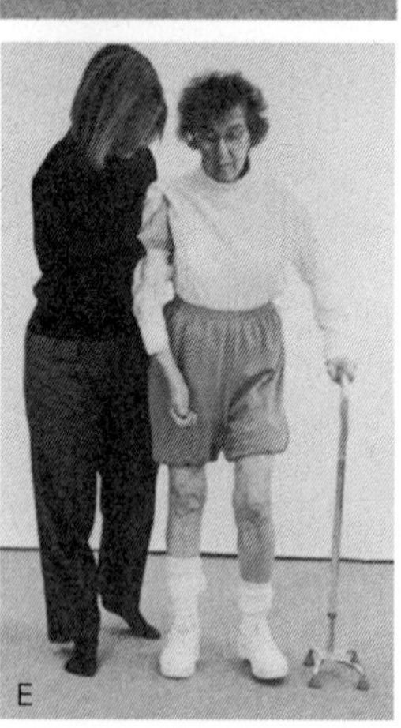

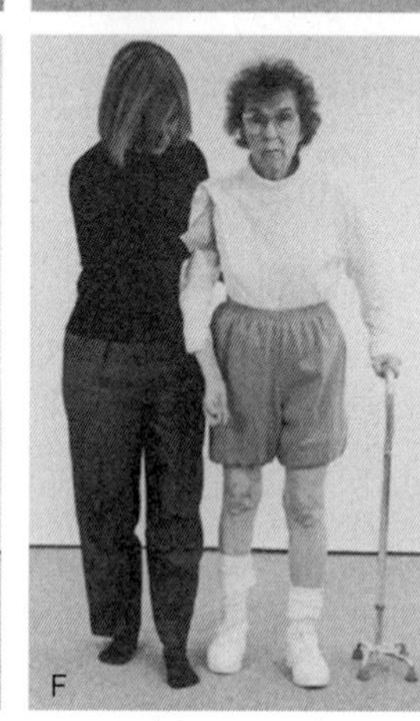

A. 치료사가 오른팔로 겨드랑 쥐기를 하고, 환자의 몸통 팔을 위로 올려 뒤로 당긴다. 환자는 네발 지팡이(quad cane) 사용법을 이미 배웠다. 환자가 조절력을 얻으면 일자 지팡이(straight cane)를 사용할 수 있다.

B. 치료사가 왼손을 이용해 환자가 오른발을 내민 상태에서 다리를 움직이기 시작하도록 도와준다. 환자가 네발 지팡이에 과도하게 의지하지 않도록 양다리로 체중을 이동시키는 방법을 가르치는 것이 중요하다.

C. 환자가 왼발을 내민 상태에서 동일한 움직임을 연습할 때는 지팡이에 체중을 과도하게 싣거나 엉덩이 폄 범위와 조절이 충분하지 못하고, 발목 발등굽힘 범위가 충분하지 않아서 오른발 뒤꿈치가 바닥에 닿지 않을 수 있다. 오른발과 왼발을 내딛은 각각의 위치에서 체중을 앞뒤로 움직이는 연습을 반복한다.

D. 치료사가 오른손으로 겨드랑 쥐기를 하여 환자의 몸통 위를 지지해 주고, 왼손은 환자의 왼쪽 가슴 척추 옆쪽에 올린다.

E. 치료사는 환자에게 몸통과 엉덩이를 앞으로 움직이면서 몸통 위를 펴라고 상기시켜 준다. 치료사 발이 환자의 발과 나란히 위치하는지를 살핀다.

F. 치료사는 환자의 움직임 시작 패턴을 교정하고 돕는 시간을 신중하게 측정해야 한다.

(From Ryerson S, Levit K: *Functional movement reeducation: a contemporary model for stroke rehabilitation*, NewYork,1997, Churchill Livingstone.)

표 10-8 보행 진행

1. 서기 활동	환자는 왼쪽, 오른쪽, 앞뒤로 체중을 이동하는 연습을 해야 한다. 무릎 조절 활동도 강조해야 한다.
2. 침범되지 않은 다리로 나아가기	환자는 침범되지 않은 다리를 앞뒤로 내딛는 연습을 해야 한다. 침범된 다리로 체중지지하기와 적절한 보폭 유지를 강조해야 한다.
3. 침범된 다리로 나아가기	환자는 침범된 다리로 앞으로 나아가는 연습을 해야 한다. 엉덩이 굽힘을 증진하고 엉덩이 올림과 휘돌림을 감소시키기 위해서 엉덩이에 촉각 신호를 제공할 필요가 있을 수도 있다.
4. 침범된 다리를 뒤로 내딛기	침범된 다리를 뒤로 내딛는 연습도 해야 한다. 이 경우에도 환자의 엉덩이가 올라간다. 환자는 폄근 긴장을 이완시키고, 엉덩이와 무릎 굽힘을 수행하는 데 집중해야 한다.
5. 여러 걸음 내딛기	환자가 침범되지 않은 다리와 침범된 다리를 모두 앞뒤로 내디딜 수 있게 되면 여러 걸음을 내딛기 시작해야 한다. 유각기에 침범된 다리를 앞으로 내밀고, 입각기에 적절하게 체중을 지지하는 것을 강조해야 한다.

중재 10-35 보행하면서 환자의 침범된 팔다리 억제하기

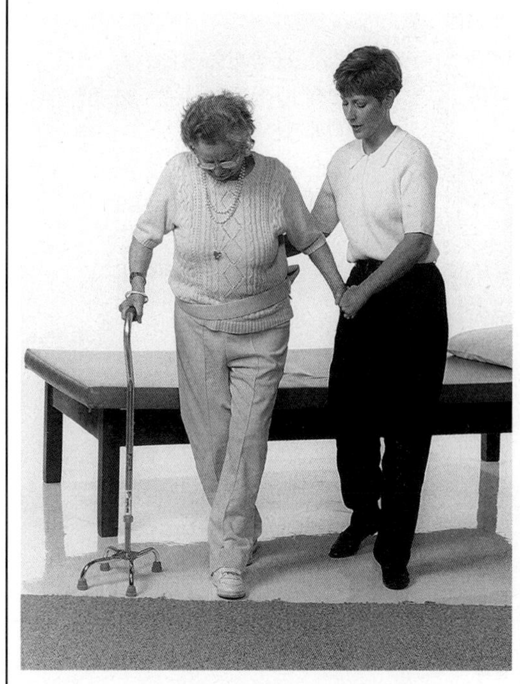

침범된 팔의 긴장 증가를 억제하면서 보행하는 환자
어깨 벌림과 바깥 돌림을 팔꿈치 폄과 손목 및 손가락 폄과 결합하는 것이 바람직하다.

내딛을 수 있게 되면 지상 보행 훈련을 시작할 수 있다. 중재 10-34는 몇 걸음을 내딛는 환자를 보여 준다. 표 10-8은 정상 보행 훈련 진행을 검토해서 보여 준다.

보행의 정상적 구성 요소. 보행 훈련의 초기 단계에서 환자의 움직임을 평가할 때 치료사는 다음과 같은 운동 구성 요소에 유의해야 한다. (1) 침범된 다리로 전진하는 동안 침범되지 않은 쪽의 대각선 체중 이동이 발생해야 하고, (2) 이러한 교대에 몸통 신장이 수반되어야 하며, (3) 환자는 침범된 무릎을 구부리고 엉덩이를 움직여야 한다. 많은 환자들이 이러한 운동 조합을 사용하기 어려워한다. 발가락 끌림을 방지하기 위해 적절한 발목 발등굽힘과 함께 엉덩이를 상대적인 중립이나 폄 위치에 놓고 무릎을 굽히는 능력을 발휘하기는 극히 어렵다. 브룬스트롬 회복 단계로 살펴봤을 때 환자가 정상적인 보행 패턴으로 걸으려면 다양한 상승효과 패턴의 다양한 구성 요소를 결합하는 5단계 움직임 조합을 수행해야 한다.

무릎을 구부릴 수 있는 능력이 부족하고 발을 흔들기 위해서 발등굽힘을 수행하는 환자는 침범되지 않은 쪽에 체중을 과도하게 실어서 다리를 단축시켜 발이 바닥에서 들리도록 하는 경향이 있다. 물리치료 보조사는 다리를 이용하여 전진하는 환자를 도와줘야 할 수도 있다. 또한 물리치료 보조사는 환자의 발밑에 수건을 깔거나 다리 전진을 촉진하기 위해 다리 뒤쪽에 맨손 신호를 제공할 수 있다. 물리치료 보조사는 이러한 활동 시에 환자의 체중 이동을 인도해야 할 수도 있다. 앞서 언급했듯이 많은 환자들의 조기 체중 이동 활동 중에는 움직임의 정도를 적절하게 측정할 수 없다. 환자는 적절한 자세를 취하기 위해 엉덩이 또는 몸통에 촉각 신호를 받아야 할 수도 있다.

표 10-9 뇌졸중 환자한테서 나타나는 흔한 보행 문제점

편위	가능한 원인
엉덩이	
당김	다리 근긴장 상승
올림	부적적할 엉덩이와 무릎 굽힘, 몸통과 다리 긴장 증가
휘돌림	폄근 긴장 증가, 부적절한 엉덩이와 무릎 굽힘, 발목의 발바닥쪽 굽힘 증가나 발처짐
부적절한 엉덩이 굽힘	폄근 긴장 증가, 이완된 다리
무릎	
유각기 중 무릎 굽힘 감소	다리 폄근 긴장 증가, 엉덩이 굽힘 약화
입각기 중 과도한 굽힘	다리 약화나 이완, 다리 굽힘근 긴장 증가, 발목 발바닥 굽힘근 약화
유각기 중 과다폄	엉덩이 당김, 다리 폄근 긴장 증가, 큰볼기근과 넙다리뒤인대나 네갈래근 약화
유각기 중 불안정	다리 굽힘근 긴장 증가, 이완
발목	
발처짐	폄근 긴장 증가, 이완
발목 안쪽 들림이나 가쪽 들림	특정 근육 집단 긴장 증가, 이완
발가락 굽힘	발가락 근육 굽힘근 긴장 증가

돌기. 앞으로 걸어가기 위해 여러 걸음을 내딛는 연습을 하는 동안 환자는 돌아서는 법을 배워야 한다. 일반적으로 침범된 쪽으로 도는 것이 훨씬 쉽다. 물리치료 보조사는 환자에게 침범된 발을 들어 올려 걸음을 내딛는 것이 아니라 침범된 발뒤꿈치를 정중선 쪽으로 움직이라고 지시해야 한다. 환자가 발뒤꿈치를 안쪽으로 움직이면 발가락이 자동으로 바깥쪽으로 이동하고 방향을 바꿀 준비가 된다. 이 위치에서 환자는 침범되지 않은 다리를 쉽게 내딛을 수 있다. 환자가 돌기를 완료하려면 이 순서를 여러 번 반복해야 할 수도 있다. 치료사는 환자의 이 활동 수행을 면밀히 관찰해야 한다. 환자는 다리를 비틀어서 돌려고 한다. 그런 움직임을 억제하지 않으면 무릎과 발목이 손상될 수 있다.

보행 중 팔 자세잡기. 보행 활동 중 환자의 팔 위치에 항상 주의를 기울여야 한다. 침범된 팔은 물리치료 보조사의 팔, 침대 옆 탁자, 환자의 주머니 또는 적절한 슬링에 위치해야 한다. 환자의 팔, 특히 어깨에 불완전탈구가 나타나는 팔이 중력에 이끌려 아래로 떨어지도록 놔둬서는 안된다. 많은 환자들이 보행 활동 중에 팔의 긴장 증가를 경험한다. 이것은 비정상적인 근긴장이 지나쳐서 생기는 결과이며, 이는 환자가 보다 까다로운 활동을 시도할 때 자주 악화된다. 환자는 의식적으로 긴장을 풀어 긴장의 양을 조절해야 한다. 보행 시 신체적 도움을 많이 필요로 하지 않는 환자는 손과 팔을 잡아 억제 효과를 가할 수 있다. 중재 10-35는 팔의 긴장을 억제하는 가장 흔한 자세를 보여 준다. 손목 폄과 엄지 벌림을 동반한 팔 벌림과 결합된 악수 쥐기는 보행 중 굽힘근의 긴장 증가를 경험하는 환자에게 효과적으로 사용할 수 있다. 손 쥐기(handhold)는 팔을 지배적인 굽힘근 상승효과 패턴의 반대 위치에 유지시켜 준다. 팔의 운동 회복이 좋은 환자의 경우, 중재는 상반적 팔 흔들기 회복에 초점을 맞추어야한다.

흔한 보행 문제점. 앞에서 언급했듯이, 반신마비 환자한테서 몇 가지 보행 편위가 나타난다. 각각의 관절별로 나타날 수 있는 보행 문제점을 표 10-9에 요약해 놓았다.

보행

움직임 기능의 질

치료사는 환자의 보행 패턴이 원하는 만큼 개선되지 않아도 환자에게 보행을 계속 시켜야 하는지에 대하여 자문해 보아야 한다. 자원이 제한되어 있는 현재의 건강 관리 환경에서 치료사는 기능적 환자 목표를 추구하기 위해 노력해야 한다. 기능은 항상 고려해야 하지만 환자가 하고 싶어 하는 목표나 활동도 고려해야 한다. 물리치료사와 물리치료 보조사는 더 이상 환자를 다룰 때 몇 달씩 소비하지 않아도 된다. 현재의 관리 치료 환경에서 물리치료사는 주의 깊게 환자의 치료 계획을 설계하고 기능 및 최적의 환자 결과를 효과적으로 다루는 활동을 선택해야 한다. 또한 의사는 환자의 자원을 적절하고 책임있게 사용하여 최적의 이익을 달성해야 한다. 치료사는 기능적 업무 수행 중에 보다 정상적인 운동 패턴을 달성하도록 환자를 계속 지원한다. 그러나 물리치료 중재는 운동 학습과 신경가소성 원칙에 바탕을 둔 치료 계획 개발과 가정, 지역 사회 환경에서 기능을 발휘할 수 있는 환자의 능력을 강조해야 한다.

보조기구 선택

보행 활동을 잘하는 환자의 경우, 가장 적절한 보조기구를 선택하는 것이 환자 재활의 다음 단계다. 이 결정은 환자와 환자의 가족(적절한 경우), 주 물리치료사와 논의해야 한다. 어떤 보조기구가 환자에게 바람직한지에 대해서는 개인차와 선호도가 존재한다.

일반적으로 워커는 뇌혈관 장애 환자에게는 적절하지 않다. 왜냐하면 이런 환자는 워커를 안전하고 효과적으로 사용하는 데 필요한 손과 팔 기능이 부족하기 때문이다. 대부분의 경우 치료사는 환자에게 몇 가지 지팡이를 추천한다. 편측보행기(hemiwalker, 보행 지팡이)와 기반이 넓거나 좁은 쿼드 지팡이, 일자(single-point) 지팡이가 가장 보편적인 보조기구다. 지팡이 바닥이 넓을수록 지지력이 더 크다. 바닥이 넓은 지팡이 중 일부는 환자의 가정에서는 기능적이지 않다. 예를 들어 작은 집이나 트레일러처럼 제한적인 공간에서는 편측보행기로 이동하기 어려울 수 있다. 또한 편측보행기는 계단에서 사용할 수 없다. 지지 면이 넓은 쿼드 지팡이는 편측보행기보다 조금 작지만 계단 크기에 맞게 옆으로 돌려야하기 때문에 계단에서 사용하기가 쉽지 않다. 기반이 좁은 쿼드 지팡이와 일자 지팡이는 일반적으로 환자의 가정에서 가장 유연하게 사용할 수 있으며 지역 사회에서도 쉽게 사용할 수 있다.

일부 물리치료사는 더 안정적인 지팡이부터 이용하기 시작한다. 그러나 환자의 상태가 호전됨에 따라서 지지를 줄이는 것이 좋다. 물론 이것도 한 가지 확실한 방법이지만 일단 환자가 기구 사용 훈련을 시작하면, 다음 기구 사용으로 넘어가기가 힘들다. 환자가 예전 것보다 덜 안정적인 기구를 사용하기 두려워하고 불안해하기 때문이다. 따라서 많은 치료사들은 초기에 작은 지지를 제공하고, 환자가 추가 지지를 필요로 할 경우에 다른 장치를 사용하여 초기부터 환자에게 새로운 것에 도전할 기회를 준다. 지팡이 높이는 환자가 지팡이 손잡이를 잡았을 때 팔꿈치가 약 20~30도 정도 구부러지는 정도가 적절하다. 보상금 혜택을 받으려면 의사의 사용 지시가 필요하기 때문에 환자가 가정용 보조기구를 구입할 것인지를 아는 것도 중요한 고려 사항이다.

가정에서 환자에게 필요할 수 있는 장비는 환자가 재활 시설을 떠나기 전에 전달하고 적절히 조정할 수 있도록 주문해야 한다. 이러한 필요성은 물리치료사와 물리치료 보조사에게 딜레마를 안겨줄 수 있다. 환자의 상태가 얼마나 진행될지, 장기적으로 무엇이 필요해질지 예측하기 어렵기 때문이다.

보조기구를 사용한 보행 훈련

환자는 잠시 동안 보조 보행을 해야 할 수도 있다. 환자가 걷는 동안 신체의 모든 부분을 조정하는 것은 어렵다. 환자는 골반과 몸통에서 안정된 자세 기반을 유지하여 더 먼 먼쪽 운동을 시작할 수 있어야 한다. 환자는 서기와 체중 이동 같은 보다 일반적인 기술을 습득한다. 그러나, 그 자세에서 이동하라는 지시에는 퇴행해서 기본 자세 구성 요소를 수행하지 못하는 것처럼 보인다. 환자가 조절을 훨씬 더 잘하게 되면 물리치료 보조사는 맨손 보조를 줄이기 시작해야 한다.

환자가 서기나 보행 활동에 어려움을 겪고 있거나 물리치료 보조사가 환자를 조절하기 어려울 경우 보조기구를 추가로 사용할 수 있다. 때로는 환자가 물체 앞에 서도록 훈련시키는 것도 도움이 될 수 있다. 예를 들어 일부 치료사는 보행 훈련 중에 환자가 팔로 체중을 견딜 수 있도록 환자 옆의 침대 옆 탁자를 사용한다. 이 기법은 환자가 바깥쪽 몸통 조절이나 지지를 더욱 많이 필요로 하거나 침범된 팔의 적절한 위치 결정이 필요한 경우에 특히 유용할 수 있다. 식료품 카트와 ARJO 워커도 동일한 이점을 제공한다. 환자는 카트 또는 워커의 손잡이를 팔로 잡고 밀 수 있다. 물리치료 보조사는 환자 뒤에 서서 촉각 신호와 되먹임을 제공하여 환자가 다리로 전진하고 한 다리로 체중을 지지하도록 돕는다. 일부 환자의 경우 보행 훈련은 평행봉이나 헤미레일(hemirail)을 잡고 할 때 가장 잘 진행될 수 있다. 이 두 가지 치료 장비에는 환자가 잡을 수 있는 곳이 있다. 그러나 많은 환자들이 그곳을 붙잡고 있기만 하는 것은 아니다. 적극적으로 몸을 끌어당기기 때문에 보조기구로의 이행이 더욱 어려워진다. 지팡이는 평행봉보다 지지력이 훨씬 약하다. 그래서 환자가 지팡이를 당기면 지지가 사라진다. 평행봉에 대한 또 다른 비판은 환자가 바에 기대서서 촉각 입력 및 신체적 도움을 받는다는 것이다. 환자는 균형 교정을 돕기 위해 이 신호에 의존할 수 있다.

지팡이 짚고 앞으로 걷기. 보행 보조기구를 사용하는 환자의 적절한 진행은 다음과 같다. 먼저 환자가 침범되지 않은 다리를 앞으로 움직이고, 그 다음에는 침범되지 않은 손으로 지팡이를 잡아 앞으로 움직인다. 마지막으로 침범된 다리가 앞으로 나아간다. 환자가 침범된 다리를 내딛어 앞으로 나아갈 수 있도록 하려면 맨손 도움이 필요할 수 있다. 물리치료 보조사가 환자의 다리를 들어 올리거나 미끄러뜨려서 신체적 도움을 줄 수 있다. 물리치료 보조사는 자신의 다리로 환자의 침범되지 않은 다리를 전진시킬 수 있다. 환자는 지팡이를 앞으로 전진시키는 정도를 제한하는 법을 지시받아야 한다. 평균적으로 다리 앞쪽으로 18인치(45.72 cm)까지 지팡이를 움직이는 것이 적당하다. 환자는 보행 주기의 유각기 단계로 나아가기 위해서 대각선 체중 이동을 할 때 도움이 필요할 수 있다. 환자는 몸통 폄근과 복부를 능동적으로 수축시켜 보행 중에 적절한 정렬을 유지하도록 격려 받는다.

이전에 논의된 바와 같이 보행 활동 중에는 침범된 팔의 배치에 주의를 기울여야한다. 영구 슬링이나 탄성 밴드로 만든 임시 슬링, 환자의 손을 주머니에 넣기, 침대 옆 탁자, 치료사의 촉각 지원은 직립 활동 중에 환자의 팔을 지지해 줄 수 있다.

보조기구를 사용할 때 환자는 보행 활동을 더욱 어려워할 수 있다. 지팡이를 짚고 보행하는 것이 훨씬 어렵기 때문에 드문 일이 아니다. 보행 주기의 입각기에 체중을 이동하고, 올바른 기구 사용 순서를 지키는 것이 어려울 수 있다. 지팡이를 사용한 보행 진행은 매트 또는 평행봉에서 보행 활동을 시작할 때 환자가 사용하는 보행 진행과 동일하다. 이 분야의 환자 능력은 반복을 통해 향상시켜야 한다.

지팡이 사용과 비대칭. 환자에게 지팡이를 쥐어준 후, 치료사는 공통적으로 신체 비대칭 경향에 관심을 갖는다. 환자의 침범되지 않은 손에 지팡이를 쥐어주면 그 쪽의 체중지지가 촉진되어 종종 환자가 몸무게를 이동시키고 반신마비된 몸통을 적절하게 신장시키는 것이 어려워진다. 부적절한 체중 이동은 환자의 비대칭적인 앉기에서 서기로의 이행 능력과 더불어서 양

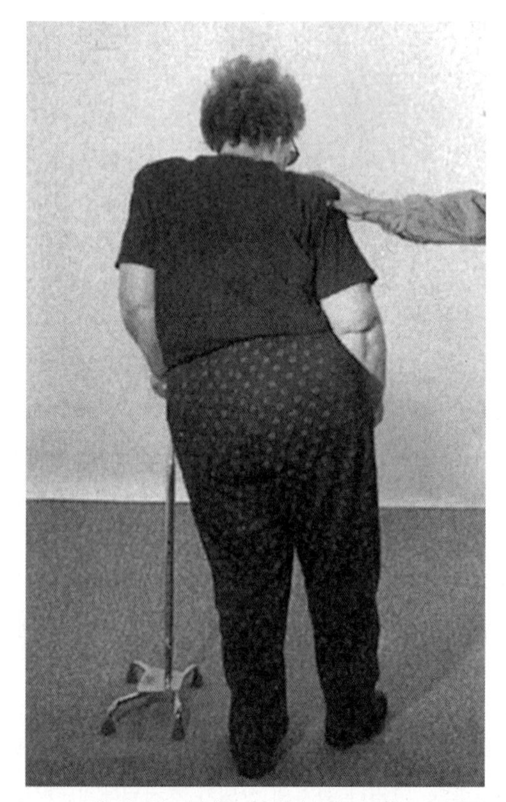

그림 10–9. 보행 시 네발 지팡이를 사용하면 몸통 비대칭과 마비된 쪽으로 체중이 쏠리는 현상이 일어난다. 치료사가 손으로 환자를 보호한다(From Ryerson S, Levit K: Functional movement reeducation: *a contemporary model for stroke rehabilitation*, New York, 1997, Churchill Livingstone).

측 다리의 동등한 체중지지와 함께 앞서 논의한 문제들을 악화시킬 수 있다. 이 점은 그림 10-9에 나와 있다. 여기서는 모든 직립 움직임 이행 시에 양측 다리의 동등한 체중지지와 대칭을 목표로 삼아야 한다.

개인의 보행 능력은 적절한 퇴원 시기를 결정할 때 주로 검토하는 요소이며, 환자가 사회 및 직업 기능을 회복할 수 있는지 여부를 결정한다(Hornby 등., 2011). 또한 보행 속도는 장애 수준을 예측하는 데 사용될 수 있다. 보행 속도가 0.8 m/sec 이상이면 지역 사회에서 이동할 수 있지만, 0.4 m/sec 미만이면 집에서만 보행해야 한다(Duncan 등, 2011; Schmid 등, 2007).

그러나 물리치료사가 비정상적인 운동 패턴을 감지했을 때는 보행의 이점을 평가하는 것이 중요하다. 반복과 실습이 운동 학습과 신경 가소성에 필수적이기 때문이다. 현재의 증거에 따라 살펴보면 일반적인 물리치료 요법 기간 동안 환자가 내딛는 평균 발걸음 수는 약 300~800보인 반면, 신경 피부 재생을 유도하기 위해서는 수천 걸음이 필요하다. 또한 데이터에 따르면 조기 보행 훈련 프로그램이 보행과 비보행 과제의 향상을 촉진한다(Hornby 등, 2011). 주 물리치료사는 어떤 유형과 강도의 중재가 환자에게 가장 기능적인 결과를 제공할 것인지를 결정해야 한다. 치료사는 손으로 환자를 인도해 준다.

다양한 지면 위로 걷기

환자는 일반적인 바닥에서 보행을 시작해야 한다. 이 활동은 물리치료실에서 가장 자주 수행한다. 그러나 환자는 일반적으로 보행하는 경우가 흔하기 때문에 양탄자와 기타 유형의 바닥에서 빠르게 보행 진행을 해야 한다. 환자가 보행 중에 평균 수준의 동적 균형을 유지하고 침범된 다리로 앞으로 잘 나아갈 수 있게 되면 다른 유형의 지형에서 바깥 보행을 시작해야 한다. 보도, 잔디 및 자갈길에서 걷는 것이 환자가 지역사회로 다시 진입하기 시작할 때 유익하다. 궁극적으로는 혼잡한 쇼핑몰에서 걸을 수 있거나 환경적 장벽을 넘고 걸어 나갈 수 있어야 한다.

푸셔 증후군

이 장의 앞부분에서 설명한 것처럼 일부 환자는 푸셔 증후군을 나타낼 수 있다. 앞서 설명한 치료 중재는 이 상태의 환자에게 적절하다. 다리로 체중을 지지하는 동안 수행해야 하는 특정 활동으로는 적절한 촉각 및 고유감각 입력 제공하기, 앉기와 서기 자세에서 치료사가 팔을 이용한 시각적 신호나 도움을 받아 정중선 유지하기, 활동 수행 중 양손 통합하기가 있다(Karnath와 Broetz, 2003). 치료사의 몸이나 테이블 같은 것으로 환자의 침범되지 않은 측에 고정된 저항을 가하면 환자가 정렬을 교정하고 적절한 운동 전략을 재학습하는 데 필요한 감각 되먹임을 제공할 수 있다(Davies, 1985). 보행 훈련을 하는 동안 치료사는 보조기구 높이를 낮추어 환자가 침범되지 않은 쪽으로 체중을 지지하게 해야 한다.

보조기

환자는 어느 단계에서든 안정상태에 도달할 수 있으며 다양한 운동기능을 가질 수 있다. 회복은 보통 몸쪽에서 더 먼 곳으로 진행된다. 따라서 많은 환자는 손과 발목 기능을 정상으로 회복하지 못한다. 발목 발등굽힘이 감소하거나 사라지면 환자의 보행 활동이 어려워질 수 있다. 환자가 발을 들어 발가락 끌림을 방지하려고 할 때 보행 치우침이 나타난다. 환자가 발뒤꿈치를 딛기 위해서 앞정강근을 활성화할 수 없고, 보행 주기의 유각기에 상대적인 발등굽힘을 유지할 수 없는 경우에는 일부 유형의 보조기가 필요할 수 있다.

물리치료사는 보조기 사용에 대해 다양한 견해를 갖고 있다. 어떤 물리치료사는 모든 환자에게 보조기를 추천하고, 다른 물리치료사들은 보다 더 선택적으로 보조기를 추천한다. 한편 보조기가 정상적인 움직임 패턴을 보여줄 수 있는 환자의 능력을 방해할 수 있으므로 보조기를 추천하지 않는 물리치료사들도 있다. 물리치료 보조사와 감독 물리치료사는 환자에게 보조기를 추천할 때 적용할 철학에 대해 논의해야 한다. 환자가 몇몇 유형의 보조기를 사용할 때 혜택을 누릴 수 있는지 여부를 평가하는 가장 간단한 방법 중 하나는 발등굽힘과 바깥돌림이 나타난 발을 에이스 랩(ace wrap)으로 감싸는 것이다. 치료사는 환자의 구두를 에이스 랩으로 감싼다. 이렇게 하면 발을 지지할 수 있고, 보행 연습 시에 보다 더 중립적인 발목 위치를 유지할 수 있다.

다양한 맞춤형 보조기 및 신발 삽입물을 사용할 수 있다. 이들 중 많은 것들을 병원에서 물리치료사가 제작할 수 있다. 이런 기구의 제작에 대한 설명은 이 책의 범위를 벗어난다. 그러나 보조기가 많은 환자에게 유용한 장비가 될 수 있다는 것은 기억해 두어야 하는 중요한 사실이다. 주 물리치료사와 물리치료 보조사는 보조기가 치료학적으로 유익한지를 결정하기 위해 환자의 요구를 고려해야 한다. 환자가 훈련 보조기를 사용할 수 있는 기회가 있고, 물리치료 보조사 및 물리치료사 감독관이 환자와 협력할 수 있는 기회가 있을 경우에는 긍정적인 결과를 기대할 수 있다. 이러한 접근법에서는 환자를 위한 최상의 교정기 선택에 관해서 의사의 철저한 권고가 허용된다.

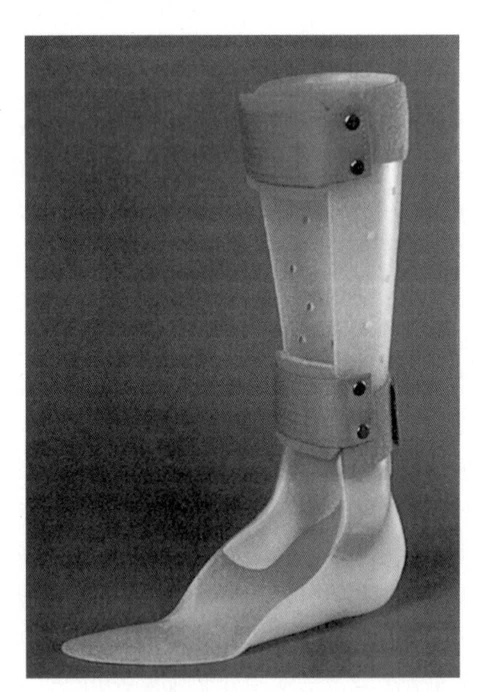

그림 10-10. 이러한 경직성 폴리프로필렌 발목-발 보조기는 서기 자세에서 정강 조절 능력을 제공한다(From Nawoczenski DA, Epler ME: *Orthotics in functional rehabilitation of lower limb*, Philadelphia, 1997, WB Saunders).Livingstone).

조립식 발목-발 보조기. 뇌혈관 장애 환자의 경우, 발목-발 보조기(Ankle-Foot Orthosis, AFO)는 가장 자주 처방되는 보조기나 교정기다. 그림 10-10은 AFO를 보여 준다. 환자는 병원이나 물리치료실에 있는 플라스틱 조립식 보조기로 조기 보행을 시작할 수 있다. 이러한 플라스틱 훈련 보조기는 비교적 저렴하고 환자의 발목과 발을 중립 위치나 발등굽힘이 약간 나타나는 위치로 유지하는 데 기여한다. AFO는 일반적으로 소형과 중형, 대형, 초대형 크기로 나오고, 오른쪽, 왼쪽 다리용이 있다. 환자는 보조기를 착용하고 나서 신발을 신는다. 보조기에 발을 넣으면 발가락을 끌지 않고 걸을 수 있고, 발뒤꿈치가 어느 정도 지면에 닿는다. 그러나 고정된 발 위쪽의 정강이 움직임이 어렵고, 앉기에서 일어서기로의 이행 능력이 영향을 받을 수 있다. 앉기에서 서기로 이행하는 동안 종아리 보호대(calf strap)를 느슨하게 하면 이 문제를 완화하는 데 도움이 된다. AFO는 환자를 위한 훌륭한 훈련 도구다. 치료 중 보조기를 사용하면 물리치료 보조사는 발목 조절 개선이 환자의 보행 방식에 미치는 영향을 알 수 있다.

뒤엽 부목. 뒤엽 부목은 발등굽힘과 발바닥 굽힘을 제한해서 발목 움직임을 조절하는 플라스틱 보조기이다. 보행주기의 입각기에 보조기 뒷부분이 약간 구부러진다. 환자가 다리로 전진함에 따라서 보조기가 반동하고, 발을 들어 올려 발처짐을 예방한다.

피부 자극 검사. 일부 AFO는 조립식이기 때문에 각 환자 다리의 독특한 뼈조직과 물렁조직 구조에 맞지 않는다. 따라서 붉게 변하는 곳이 나다날 수 있고, 압력을 가할 수 있는 잠재적 부위도 고려해야 한다. 이러한 문제는 환자의 감각 저하 또는 결핍 때문에 심각해질 수 있다. 환자가 처음으로 보조기나 교정기를 사용하기 시작하면 착용 시간을 제한하는 것이 좋다. 처음에는 10~15분 동안 착용하거나 의사와 함께 도보 시 1분 동안 착용할 수 있다. 물리치료 보조사는 보조기를 제거하고 환자의 피부에 붉어진 곳이 있는지 확인해야 한다. 환자가 보조기를 수용하고 견딜 수 있으면 착용 시간이 늘어날 수 있다. 환자는 발을 자주 검사하라는 지시를 따라야 한다. 피부 검사는 뇌졸중에

부차적으로 감각 저하를 보이거나 당뇨병 또는 순환 장애가 있는 환자에게 매우 중요하다. 환자는 압력 궤양의 발병을 피하기 위해 자주 AFO를 벗고 피부를 점검해야 한다. 환자가 보조기를 독립적으로 제거할 수 없는 경우에는 보호자이 도와주어야 한다.

맞춤형 발목-발 보조기. 조립식 플라스틱 AFO 외에도 맞춤형 조립 고정식 AFO도 사용할 수 있다. 이러한 종류의 보조기는 교정기 전문가가 제작해야 한다. 교정기 전문가는 보조기 및 교정기 제조 전문 의료 공급자이다. 이들은 환자 발을 석고로 본떠서 보조기를 제작한다. 보조기는 중립 위치 또는 발등굽힘이 약간 나타난 위치로 만들어진다. 맞춤형 보조기는 대개 환자에게 잘 맞는다. 그러나 몇 가지 문제가 있다. 이 유형의 보조기는 비싸다는 것이 단점이다. 경우에 따라서는 엄두도 못 낼 정도로 비용이 많이 들 수도 있다. 또한 회복 과정에서 환자의 단계에 따라 오늘 주문한 보조기가 다음 주나 환자가 퇴원할 때는 필요하지 않게 될 수도 있다. 치료사는 환자의 재활 기간이나 환자가 외래 치료를 시작할 때까지 기다렸다가 맞춤형 보조기를 주문한다. 그래야만 가장 잘 맞는 보조기를 제작할 수 있기 때문이다. 그러나 재활 기간이 짧아짐에 따라서 이 문제는 더욱 어려워지고 있다.

관절형 발목-발 보조기(articulated ankle-foot orthoses). 맞춤형 보조기의 다른 유형이 있다. 굴절형 발목관절이 있는 보조기도 환자에게 처방할 수 있다. 이러한 종류의 보조기는 치료사와 교정기 전문가에게 개별 환자의 발목관절 운동 정도를 변경할 수 있는 기회를 제공한다. 이 보조기는 발뒤꿈치로 딛기를 어려워하는 환자를 위해서 발등굽힘이 약간 나타난 위치로 고정할 수 있다. 발등굽힘이 나타난 보조기는 무릎 과다폄 경향이 있는 환자에게 도움이 된다. 발등굽힘이 약간 나타나면 무릎도 약간 구부러져 움직인다. 굴절형 보조기는 또한 발목의 위치를 선택해서 정할 때 치료사에게 유연성을 제공한다. 그림 10-11은 굴절형 AFO를 보여 준다.

앞에서 설명한 것처럼 발목은 잠글 수 있다. 그러나 대부분의 치료사들은 환자의 필요를 충족시키기 위해 보조기를 개별적으로 조정하려고 한다. 환자의 발등굽힘이 약하거나 아예 나타나지 않을 때는 뒤쪽 정지를 사용하여 환자의 발바닥 굽힘을 제한할 수 있다. 환자의 발바닥 굽힘근이 약하거나 앞정강이를 과도하게 움직이면 전방 정지를 사용할 수 있다.

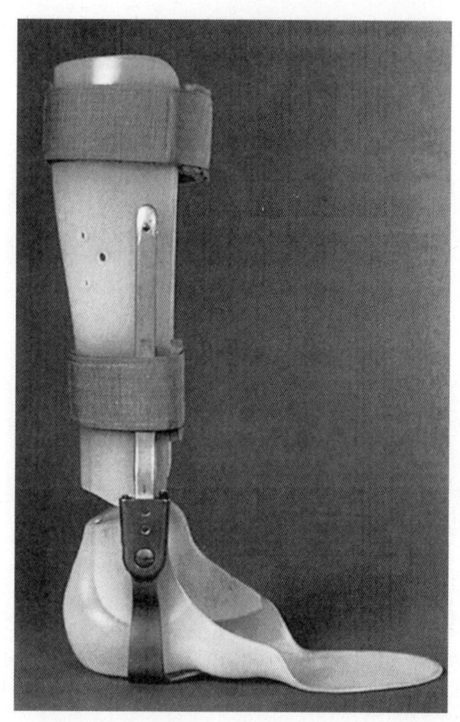

그림 10-11. 환자 관리의 다양성을 개선하기 위해서 이중 조정 가능한 발목 관절을 통합하기 위해 고정형 폴리프로필렌 발목-발 보조기 덮개를 조정할 수 있다(From Nawoczenski DA, Epler ME: *Orthotics in functional rehabilitation of lower limb*, Philadelphia, 1997, WB Saunders).

굴절형 보조기는 몇 가지 장점이 있다. 예를 들어 보조기는 환자의 회복 기간 동안 수차례 조정하고 변경할 수 있다. 처음에 침범된 발목이 약할 때는 발목관절을 고정시켜 환자에게 안정성을 제공할 수 있다. 환자가 상태가 나아져 더 적극적으로 움직일 수 있게 되면 발목관절을 조정하여 환자가 가능한 발등굽힘을 잘 할 수 있는 기회를 더 많이 제공할 수 있다. 한편 발바닥 굽힘을 제한하도록 보조기를 조정할 수 있다. 이러한 유형의 자세잡기는 환자가 발뒤꿈치 딛기를 위해서 적극적으로 발등굽힘을 하도록 격려하나, 환자가 피곤할 때는 수동적인 자세잡기를 제공할 수도 있다. 환자가 능동적인 움직임을 허용하지 않는 보조기를 착용하면 약한

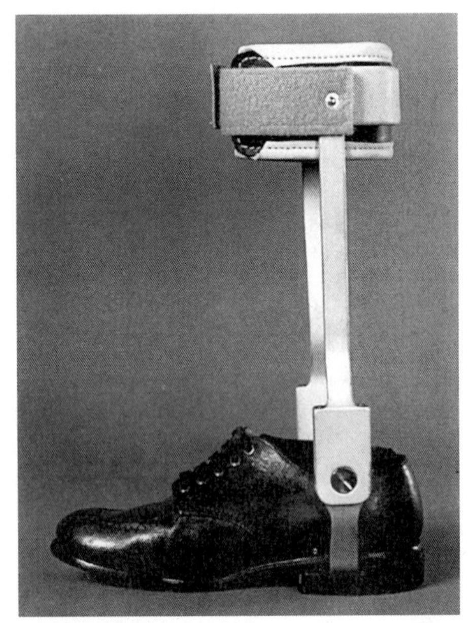

그림 10-12. 양채널 조절형 발목잠금 발목-발 보조기는 광범위한 조정성을 보이지만 미용적 측면에서는 매력적이지 않다(From Nawoczenski DA, Epler ME: *Orthotics in functional rehabilitation of lower limb*, Philadelphia, 1997, WB Saunders).

근육 집단을 강화하는 능력을 잃을 수도 있다.

금속 직립 보조기는 환자의 구두에 부착할 수 있는 굴절형 AFO 유형이다. 그림 10-12는 금속 직립 보조기를 보여 준다. 이러한 유형의 보조기는 방금 소개한 굴절형 플라스틱 보조기와 유사하다. 금속 직립은 수년 동안 선택 받아온 보조기이다. 그러나 플라스틱 보조기의 경량성과 미용성에 밀려서 대체되었다. 이러한 보조기 시스템은 굴절형 AFO와 유사한 발목 운동 진행에 이점을 제공하나, 환자는 모든 경우에 대해 한 쌍의 신발만 사용할 수 있다.

일반적인 종아리신경과 앞정강 근육에 가하는 전기 자극은 일부 환자에게 효과적인 보조기 역할을 할 수 있다. 상업적으로 이용 가능한 전기 자극 장치(Ness L300)를 사용할 수 있고, 보행 주기의 유각기 동안 능동적인 발등굽힘이 없는 환자에게 이 장치를 권장할 수 있다(Teasell와 Hussein, 2014). 환자는 종아리 위에 작은 전기 자극 장치를 달고, 뒤꿈치 스위치가 있는 신발을 착용한다. 환자가 다리를 흔들기 위해 들어 올리면 자극이 가해져 발목의 발등굽힘이 일어난다. 발뒤꿈치가 땅에 닿으면 자극이 종결된다(Senelick, 2011).

발달 순서 따르기

발달 순서에 따른 자세와 움직임 이행은 치료사들 사이에서 인기있는 선택이다. 환자에게 한 자세에서 다른 자세로 이행하는 연습을 시키는 것은 치료적일 뿐만 아니라 기능적이다. 팔꿈치 짚고 엎드리기에서 네발기기 자세로, 네발기기 자세에서 양 무릎 서기(tall-knelling) 자세로, 양 무릎 서기에서 반 무릎 서기 자세로, 반 무릎 서기에서 서기 자세로 이행하는 움직임은 일상생활의 많은 활동에 사용된다. 이러한 운동 이행을 독립적으로 도움을 받아 연습하는 것은 환자의 운동조절, 균형 및 심폐 기능에 달려 있다. 성인은 모든 자세를 매일 순서대로 수행하지 않기 때문에 모든 환자가 발달 순서 상의 모든 구성 요소를 연습하고 완벽하게 수행할 필요는 없다.

무릎 서기와 반 무릎 서기 자세는 환자가 병원에서 하는 연습이 중요하다. 이러한 자세는 환자가 넘어져서 바닥에서 일어나야 하는 경우에 필요한 이행 자세이다. 환자는 가정에서 넘어지면 어쩌나 하는 불안과 걱정이 자주 생겨난다. 바닥에 앉았다 일어나는 왕복 이행을 연습해서 환자가 보건 시설에서 퇴원하자마자 넘어져도 환자와 가족은 필요한 조치를 편안하게 받아들여야 한다.

경고 발달 상 순서를 따르는 동안 신중하게 환자를 관찰해야 한다. 어렵고 도전적인 자세에서 환자가 피로감을 느끼는지, 심장 합병증 징후가 있는지 관찰해야 한다. 호흡곤란, 발한, 심박수나 혈압 증가는 환자의 활동이 너무 어려울 수 있다는 신호다. 따라서 네발기기와 양 무릎 서기, 반 무릎 서기처럼 어려운 자세를 선택할 때는 신중하게 생각해야 한다. 환자가 발달 상 순서 내의 자세들을 견디지 못하면 물리치료 보조사는 주 물리치료사와 협의하여 환자의 목표를 다루는 다른 치료 중재를 선택해야 한다. ▼

엎드리기 자세

엎드리기 자세는 많은 노인 환자들, 특히 관절염과 심폐 기능 변화에 노출된 노인 환자들이 극히 어려워하는 자세다. 환자가 엎드린 자세를 견딜 수 있으면 여러 가지 활동을 수행할 수 있다. 완전히 엎드린 자세에서는 무릎을 구부린 상태에서 무릎 굽힘과 엉덩이 폄을 수행할 수 있다. 많은 환자들이 넙다리뒤근 조절 감소에 부차적으로 엉덩이 중립을 유지한 채로 중력에 저항해 무릎 굽힘을 시작하기 어려워한다. 환자는 무릎이 구부러지는 것과 동시에 엉덩이를 굽히는 경향이 있다. 무릎 굽힘을 동반한 엉덩이 폄은 환자가 넙다리뒤근에 최소한의 도움을 받아 큰볼기근을 활성화할 수 있어야 가능해진다. 대체가 매우 흔하기 때문에 환자의 수행을 면밀히 관찰해야 한다.

환자가 엎드리기 자세를 견딜 수 있다면, 팔꿈치와 어깨로도 체중을 지지할 수 있기 때문에 팔꿈치 짚고 엎드리기도 훌륭한 치료 자세가 된다. 어깨에 등척성 교대와 율동적 안정화라는 PNF 기술을 적용하면 근위부 조절을 개발하는 데 도움이 된다. 환자가 손을 편안하게 이완시키기 어려워하면 손이나 짧은 팔 공기 부목을 사용해서 손가락 폄을 동반한 손목의 비교적 중립적인 자세로 유지할 수 있다.

팔꿈치 짚고 엎드리기에서 네발기기 자세로 이행

팔꿈치 짚고 엎드리기에서 사점 자세 혹은 네발기기 자세로 이행하려면 환자가 침범된 팔을 펴서 유지하고 그 팔로 체중을 지지할 수 있어야 한다. 네발기기 자세는 훨씬 어려운 자세이기 때문에 의학적 합병증이 없거나 제법 온전한 환자만 취해야 한다. 치료사가 환자의 뒤에 서거나 무릎을 꿇고 환자의 허리를 잡아주면 환자가 그 자세를 취하기가 훨씬 쉬워지는 경우가 있다. 이때 물리치료 보조사는 환자의 체중을 발쪽으로 옮길 수 있다. 환자가 이 과제를 수행할 때는 팔을 곧게 펴는 것이 좋다. 환자가 적절한 팔꿈치 폄을 유지하는 데 필요한 세갈래근 조절이 부족하면 긴 팔 공기 부목을 사용할 수 있다. 이전에 언급한 바와 같이 손목과 손가락을 펴고 엄지손가락을 벌린 상태에서 환자가 팔을 쭉 펴서 체중을 유지하도록 하는 것이 바람직하다. 환자가 이 자세를 능동적으로나 수동적으로 달성할 수 없는 경우에 물리치료 보조사는 환자의 손가락이 구부러지더라도 그대로 두어야 한다. 이런 환자의 손가락을 펴서 당기면 관절 불완전탈구가 일어날 수 있기 때문이다.

네발기기 활동. 환자가 네발기기 자세를 취하면 그 자세를 유지한다. 이 자세에서 앞뒤, 왼쪽, 오른쪽으로 체중을 이동한다. 그러나 이 활동을 지나치지 않게 조절해서 수행해야 한다. 중재 10-36, A에 묘사 된 바와 같이, 환자의 어깨나 골반 부위에 등척성 교대와 율동적 안정화 기술을 적용할 수 있다. 운동조절이 증진된 환자의 경우에는 중재 10-36, B에서 볼 수 있듯이 한쪽 상하지 들기와 뻗기 운동을 할 수 있다. 물리치료 보조사는 이러한 활동을 수행하는 동안 조심스럽게 환자의 반응을 관찰해야 한다. 침범된 쪽이나 침범되지 않은 쪽으로 체중이 과도하게 치우칠 수 있다. 환자의 세갈래근이 약하면 침범된 팔이 꺾일 수 있다.

기기. 대부분의 보통 사람들이 배밀이로 알고 있는 손과 무릎으로 기는 자세도 환자의 치료 기간 동안 연습할 수 있다. 기기는 반대쪽 팔다리로 지지하면서 상반적인 상하지 활동을 연습할 수 있는 자세다. 환자는 한쪽 팔을 움직이고, 이어서 반대쪽 다리, 다시 반대쪽 팔을 움직이고, 마지막으로 남은 다리를 움직여야 한다. 기는 동안 일어나는 상반적 팔다리 움직임은 보행에 필요한 움직임 기술과 밀접한 관련이 있다. 기기는 환자가 집에서 넘어졌을 때 사용해야 하는 이동 방식이기 때문에 병원에서 연습하기 좋은 활동이다. 환자는 가구로 기어가서 다시 똑바로 일어설 수 있다. 기기 동작의 난이도를 높이려면 물리치료 보조사가 중재 10-36, C에서처럼 환자의 골반이나 엉덩이에 저항을 가할 수 있다.

네발기기에서 양 무릎 서기로 이행

환자는 네발기기 자세에서 양 무릎 서기로 이행할 수 있다. 환자는 체중을 뒤로 이동시킨 다음 몸통을 수직으로 세워야 한다. 물리치료 보조사는 환자가 완벽하

중재 10-36 네발기기 자세 활동

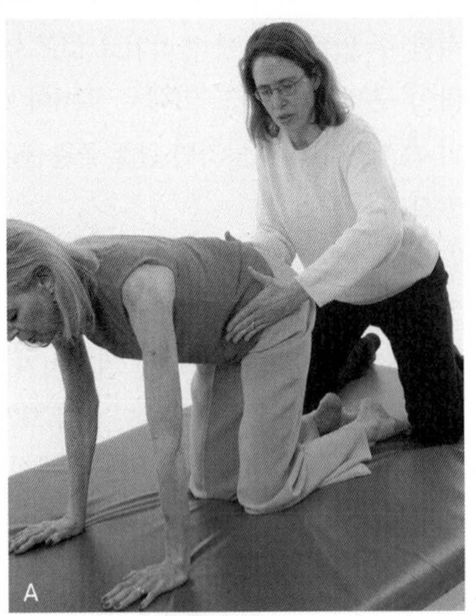

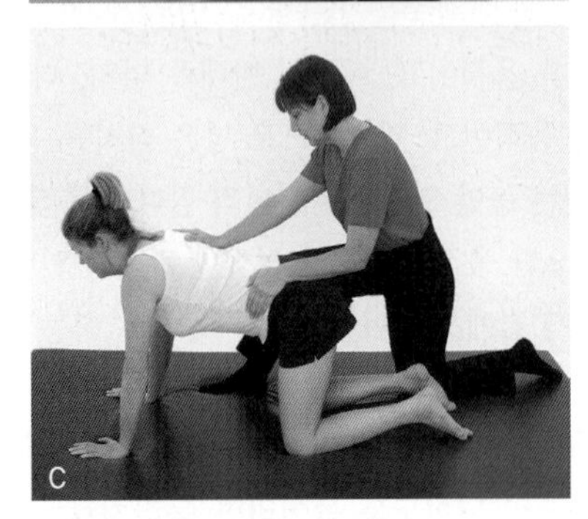

A. 유지-등척성 교대와 율동적 안정화
B. 팔 뻗기
C. 기기-저항 가하기

게 직립 자세를 취할 수 있도록 몸통 앞 어깨에 도움을 제공해야 할 수 있다. 엉덩이 및 몸통 폄근이 약한 환자는 무릎 폄을 돕기 위해 허벅지를 밀어 올릴 수 있다. 양 무릎 서기 자세를 유지하려면 몸통의 적절한 균형과 근육 조절력을 가져야 한다. 환자가 무릎 서기 자세에서 불안정하다면 균형을 잡아주기 위해서 환자 앞에 작은 테이블이나 롤을 놓을 수 있다. 물리치료 보조사는 팔 체중지지를 통해 추가적인 몸통지지를 제공해서 환자의 안전감을 향상시키고 균형을 향상시킬 수 있다.

양 무릎 서기 활동

환자가 양 무릎 서기 자세를 취하고 있을 때 환자의 어깨와 다리이음뼈에 등척성 교대와 율동적 안정화 기술을 적용할 수 있다. 중재 10-37, A는 이러한 기술을 설명한다. 이러한 기술은 근위부의 안정성 발달을 돕고 균형과 조절력 향상을 촉진할 수 있다. 9장에서 설명했듯이 D_1 및 D_2 대각선 패턴과 들어올리기 및 자르기를 포함하여 팔 PNF 패턴을 수행할 수 있다. 양측 들어올리기와 내려치기 패턴을 수행하는 이점은 상당히 많은 몸통 움직임, 특히 굽힘과 돌림을 통합한다는 것이다. 정원 가꾸기와 집 청소와 같은 기능 활동도 이 자세로 할 수 있다.

이 자세에서 수행할 수 있는 또 다른 활동은 뒤꿈치 앉기로 이행하는 것이다. 이 연습에서는 중재 10-37, C에서 설명한 것처럼 환자가 양 무릎 서기에서 뒤꿈치 앉기로 이행한다. 이 운동을 통해 환자는 일어서기에서 앉기로의 이행과 계단 넘기를 포함한 많은 기능 활동에 필요한 기술인 네갈래근의 편심성 조절을 익힐 수 있다. 환자는 또한 양 무릎 서기 자세에서 앞뒤로 무릎 걷기를 수행할 수 있다. 치료사는 무릎 보행 중 환자의 다리 움직임의 질을 관찰해야 한다. 하체, 특히 엉덩이는 굽힘을 통해 앞으로 나아가야 한다. 엉덩이 올림이나 휘돌림은 권장되지 않는다.

특별 주의 사항 환자가 이러한 모든 발달 자세를 수행하는 동안 물리치료 보조사는 환자를 적절히 보호해야 한다. 환자의 균형이 흐트러지기 때문에 균형을 잃고 넘어질 수 있다. ▼

중재 10-37 양 무릎 서기 활동

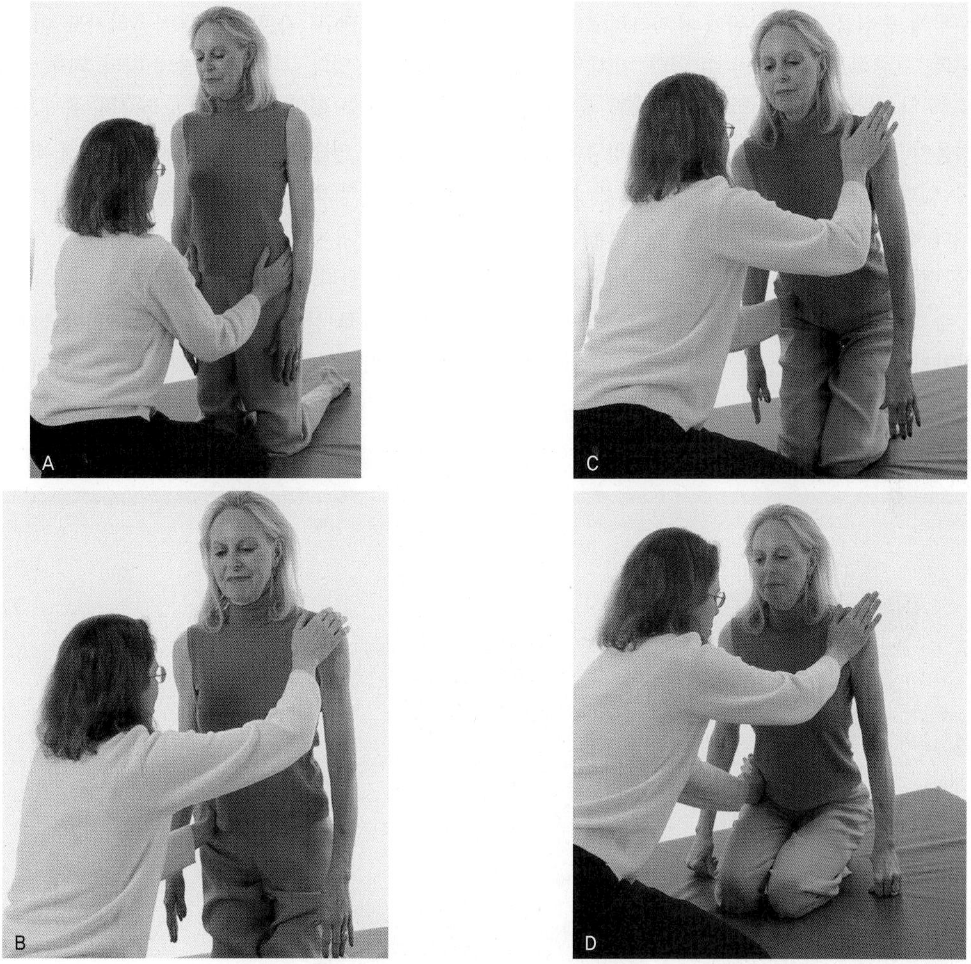

A. 등척성 교대
B–D. 고유 수용성 신경근 촉진법을 이용해 무릎 서기에서 뒤꿈치 앉기로 이행

양 무릎 서기에서 반 무릎 서기로 이행

무릎 서기에서 반 무릎 서기로의 이행은 많은 환자에게 어렵다. 이행을 시작하려면 환자는 체중을 지지하는 쪽의 몸통을 신장시키면서 한쪽으로 체중을 조절해서 이동시킬 수 있어야 한다. 반 무릎 서기 자세를 취하려면 체중을 지지하는 쪽 몸통이 앞으로 나아간다(foot–flat position must shorten). 체중이 실리지 않은 쪽의 몸통도 돌아가야 한다. 움직이는 쪽의 엉덩이는 올라가서 약간 벌어져야 한다. 환자가 다리를 앞으로 내딛을 때 움직이는 무릎은 구부러져 있어야 한다. 환자가 다리를 앞으로 내딛을 때 환자는 바닥에서 발을 들어올리기 위해 발을 중립에서 발등굽힘이 약간 일어나는 위치로 유지해야 한다. 다리를 바닥이나 매트에 잘 닿게 유지하려면 적절한 발목 운동범위가 필요하다. 환자는 이 어려운 자세를 취하기 위해 다리를 전진시키는 데 있어서 신체적 도움을 필요로 한다. 환자가 처음에는 더 강한 침범되지 않은 다리를 앞으로 움직여서 반 무릎 서기를 하는 편이 훨씬 더 쉽다.

반 무릎 서기 활동

환자는 반 무릎 서기 자세의 위치를 유지해야 한다. 환자는 무게 중심을 기저면 위에 유지하려고 시도하면서 왼쪽, 오른쪽으로 흔들릴 수 있다. 비대칭 체중 지지 또한 나타날 수 있다. 환자가 자세를 유지하는 데 어려움이 있는 경우에는 스위스 공을 엉덩이 아래에 둘 수 있다. 능동적인 엉덩이 폄 조절은 반 무릎 서기 자세에서 연습할 수 있다. 환자는 물건을 잡으려고 손을 뻗으면서 고정된 앞쪽 발 앞뒤로 체중을 이동시킬 수 있다. 앞서 설명한 다른 발달 상의 자세들과 마찬가지로 일단 환자가 반 무릎 서기 자세를 취하면 PNF 기법인 등척성 교대와 율동적 안정화를 적용하여 안정성과 균형 조절을 촉진할 수 있다. 능동적인 팔 운동, PNF 자르기와 들어올리기도 이 자세에서 수행할 수 있다. 시간이 지남에 따라 환자는 침범되지 않은 다리와 침범된 다리를 모두 사용해서 반 무릎 서기 자세를 연습해야 한다. 이처럼 자세를 바꾸는 이행도 습득해야 하는 중요한 기술이다. 환자가 독립적으로 자세를 유지하고 자세를 바꿀 수 있게 되면 서기로 진행해야 한다. 처음에 환자는 중재 10-38, A와 B에 묘사된 대로 물리치료 보조사의 도움을 받거나 기구 또는 벽에 기대야 할 수 있다. 똑바로 일어서기를 완

중재 10-38 반 무릎 서기 활동

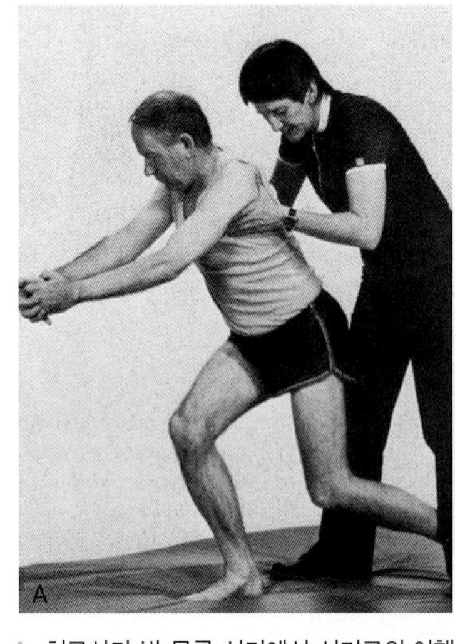

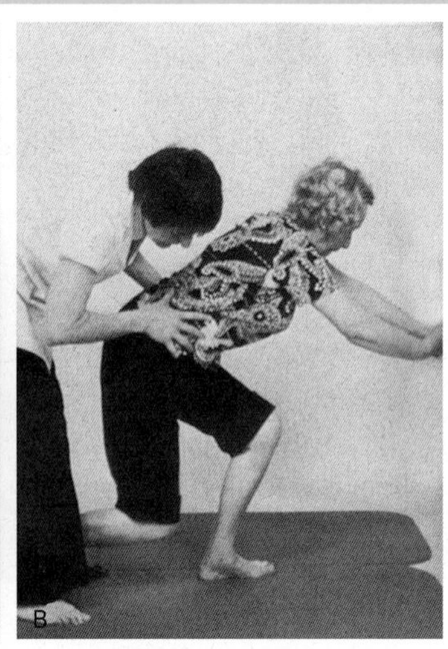

A. 치료사가 반 무릎 서기에서 서기로의 이행을 촉진한다(왼쪽 반신마비).
1. 치료사가 환자에게 반 무릎 서기 자세에서 양손을 맞잡으라고 지시한다.
2. 서기 자세에서 치료사가 환자의 겨드랑에 맨손 접촉을 가해서 대각선 앞쪽 위로 체중을 이동시킨다.
3. 환자가 발 앞쪽 너머로 몸을 일으켜 세운다.

B. 골반을 이용한 반 무릎 서기 촉진
1. 치료사는 환자에게 서서 양손을 맞잡으라고 지시한다.
2. 치료사는 반 무릎 서기를 준비하기 위해서 환자가 한 다리를 다른 다리 뒤쪽에 두도록 도와준다.
3. 치료사는 환자의 골반에 맨손 접촉을 가해서 환자를 반 무릎 서기 자세로 낮춘다.

주의 사항: 환자는 더 강한 침범되지 않은 쪽 다리를 내밀어 반 무릎 서기 자세를 취하는 것이 훨씬 쉽다. 환자가 근력과 운동조절력을 키워나가면서 침범된 다리로 반 무릎 서기를 하는 활동도 이러한 중재의 진행에 넣을 수 있다.

(**A.** from O'Sullivan SB, Schmitz TJ: *Physical rehabilitation laboratory manual focus on functional training*, Philadelphia, 1999, FA Davis; **B and C.** from Davies PM: *Steps to follow: a guide to the treatment of adult hemiplegia*, NewYork, 1985, Springer Verlag.)

료하려면 환자가 고정된 발 앞쪽으로 체중을 이동시킬 수 있어야 한다. 이 전제 조건은 발목에 필요한 자세 조절과 운동범위를 요구한다. 환자가 반 무릎 서기 자세로 이행을 보다 더 능동적으로 조절하게 되면 치료사는 지지를 줄여야 한다. 운동조절력이 훨씬 뛰어난 환자의 경우에는 환자의 엉덩이와 골반에 압력을 가해서 이 활동에 수동으로 저항을 가할 수 있다.

변형된 발바닥 걷기 자세

여기서 논의할 마지막 발달상 자세는 변형된 발바닥 걷기이다. 발바닥 걷기 자세에서 환자는 팔과 다리 모두로 체중을 지지한다. 발바닥 걷기는 아이들이 똑바로 일어서려고 시도할 때 실험하는 자세이다. 그러나 대부분의 성인들이 규칙적으로 자주 취할 수 있는 자세는 아니다. 변형된 발바닥 걷기 자세에서는 팔과 다리로 체중을 지지하기 때문에 환자에게 치료 효과가 있다. 팔다리 체중지지는 어깨와 엉덩이 관절에 각각 고유감각 압력을 제공하고 긴장 감소를 돕는다. 또한 치료사는 환자가 이 자세를 취할 때 어깨 또는 골반을 압착해 내려서 감각 인식과 운동 동원을 증가시키고 싶어 할지도 모른다.

이 자세에서 환자는 앞뒤, 옆으로 움직일 수 있다. 이러한 활동은 처음에는 환자가 능동적으로 수행할 수 있으며, 연습을 통해 물리치료 보조사는 이 운동에 저항을 가할 수 있다. 등척성 교대를 사용해 안정화를 높일 수 있다. 이 자세에서 환자는 앞뒤로 발걸음 내딛기를 포함한 다리 진행을 시작할 수 있다. 무릎 굽힘과 폄, 반쯤 쪼그려 앉기 같은 무릎 조절 활동도 연습할 수 있다. 환자는 이 자세에서 자기 돌봄 및 가사 활동을 포함한 기능적 활동을 수행할 수 있다.

중간 회복기에서 후기 회복기

환자의 부상, 회복 단계, 연령 및 보험 상태에 따라 환자 재활의 다음 단계를 중간 회복기에서 후기 회복기라고 부른다. 이 단계에서 물리치료 보조사의 중재는 여러 가지 다른 연습 상황에서 시행될 수 있다. 이러한 서비스들은 숙련된 관리나 아급성 병동, 재활 센터, 환자의 가정, 혹은 외래 환자 클리닉에서 제공할 수 있다. 치료 환경에 관계없이 환자의 주요 목표는 여전히 기능적 기술의 성취에 초점을 맞춘다. 매트 활동은 계속할 수 있지만, 보다 더 어려운 운동 유형을 선택해서 실시해야 한다. 물리치료 보조사와 주 물리치료사는 보행 훈련 시간을 증가시킬 뿐만 아니라 앉기와 서기 자세에서 수행하는 운동을 환자에게 시키고 싶어 한다. 누워서 운동하는 시간은 최소화해야 한다.

중간 회복기에 적합한 중재는 환자의 운동과 기능의 복귀에 따라 다양하다. 주 물리치료사의 정기적인 재검사를 통해 물리치료 보조사는 각각의 회복 단계에 적절한 중재에 관한 지침과 피드백을 받는다. 환자가 기능적 활동을 보다 더 독립적으로 수행할 수 있기 때문에 물리치료팀은 환자의 치료 계획에 보다 더 난이도 높은 활동을 포함시키고 싶어 한다.

환경장벽 넘기

계단, 연석 및 경사로를 포함한 환경장벽을 넘는 문제를 해결해 주는 활동을 고려해야 한다.

계단

환자는 계단 넘기를 배울 때 다음 순서로 지시를 받아야 한다.

난간을 이용하는 환자는 더 강한 침범되지 않은 발을 먼저 내딛어 계단을 오른다. 이어서 침범된 발이 그 뒤를 따라간다. 이러한 순서는 환자가 모든 계단을 넘어갈 때까지 계속된다. 중재 10-39는 계단을 지나가는 환자를 보여 준다. 물리치료 보조사는 환자가 균형을 잃거나 넘어지지 않도록 환자를 주의 깊게 관찰해야 한다. 물리치료 보조사가 계단을 오르는 환자를 뒤에서 지켜주는 것이 더 안전하고 쉬울 수도 있다.

난간을 잡고 계단을 내려갈 때는 환자의 침범된 발이 먼저 나가야 한다. 중재 10-40은 환자가 계단을 내려가는 모습을 보여 준다. 물리치료 보조사는 체중을 수용하기 시작하는 침범된 다리의 반응을 관찰한다. 환자는 침범된 다리를 내려놓는 동안 다리가 비교적 펴지는 상태를 유지하기 위해서 다리 조절력을 충분히

중재 10-39 계단 오르기

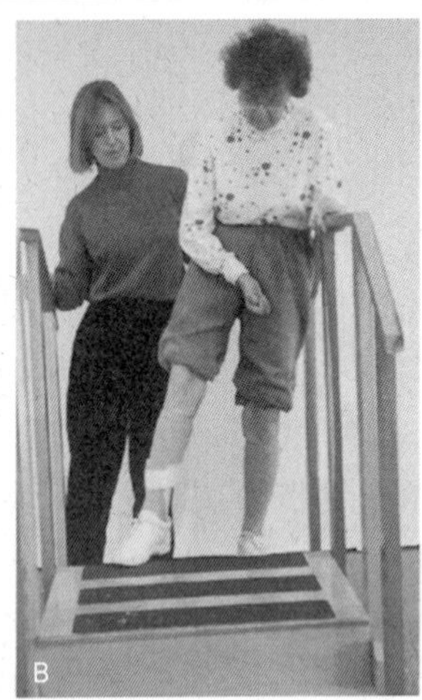

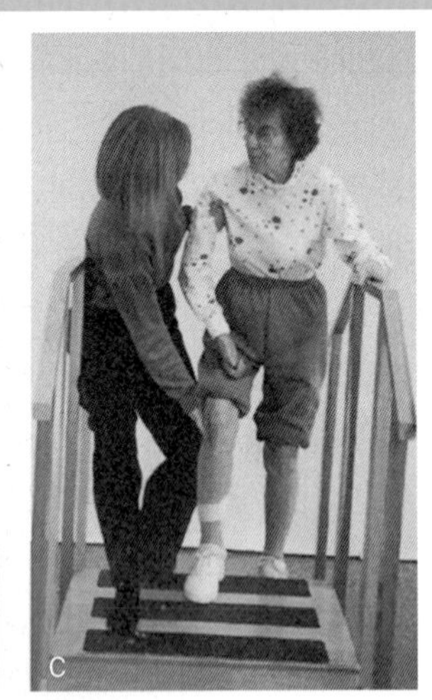

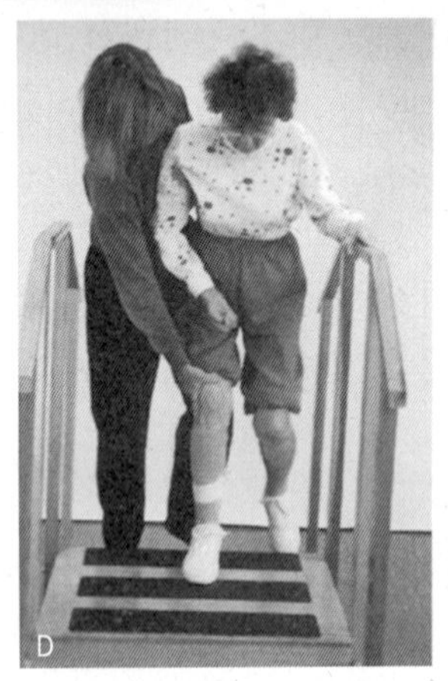

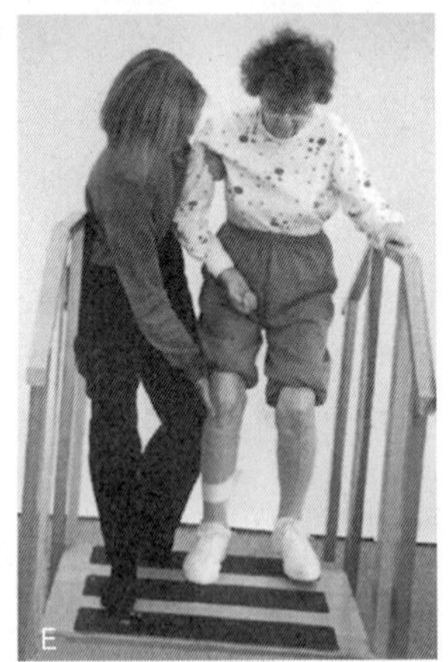

A와 B. 오른쪽 반신마비 환자가 다리를 들어 올려 내딛기 시작한다. 이 환자는 무릎을 굽히고 엉덩이를 휘돌려 올릴 때 골반 올림과 몸통의 강한 왼쪽 이동을 동반한 패턴을 수행하기 시작한다.

C. 치료사는 왼손으로 겨드랑 잡기를 해서 몸통 정렬을 바로 잡아 주고, 오른손으로 환자가 엉덩이와 무릎을 굽히며 왼다리를 들어 올리는 법을 배우도록 도와준다.

D와 E. 치료사는 오른손으로 먼 넙다리뼈를 잡아 환자가 오른 다리를 펴서 앞으로 움직이는 법을 가르쳐 준다. 왼손으로는 환자의 몸통을 앞쪽 위로 움직여 준다. 이때 환자의 왼 다리가 펴지면서 위로 올라간다. 치료사가 오른 다리를 사용하도록 도와줄 때 환자는 왼팔에 지나치게 체중을 실어 의지하지 않는다.

(From Ryerson S, Levit K: *Functional movement reeducation: a contemporary model for stroke rehabilitation*, New York, 1997, Churchill Livingstone.)

갖추고 있어야 한다. 앞서 언급한 바와 같이 폄 상승효과 패턴은 많은 환자에게서 흔히 볼 수 있다. 이러한 폄 패턴은 계단 오르기 중에 침범된 다리가 펴지도록 유도할 수 있다. 환자가 계단을 내려갈 때 물리치료 보조사는 환자를 앞서 보호하고 싶어 할 것이다. 물리치료 보조사가 환자의 무릎에 맨손 자극을 제공해야 할 수도 있다. 계단 내려올 시 젖힌 무릎을 예방하기 위해서 침범된 무릎을 살짝 굽혀 유지해야 한다.

경고 계단 훈련 중에는 항상 안전벨트를 착용해야 한다. ▼

중재 10-40 계단 내려가기

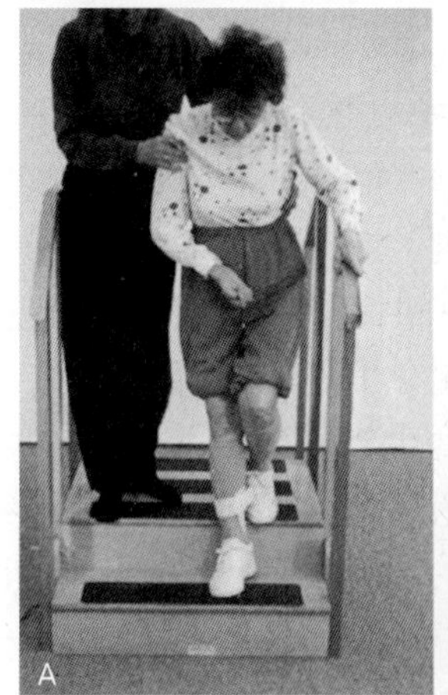

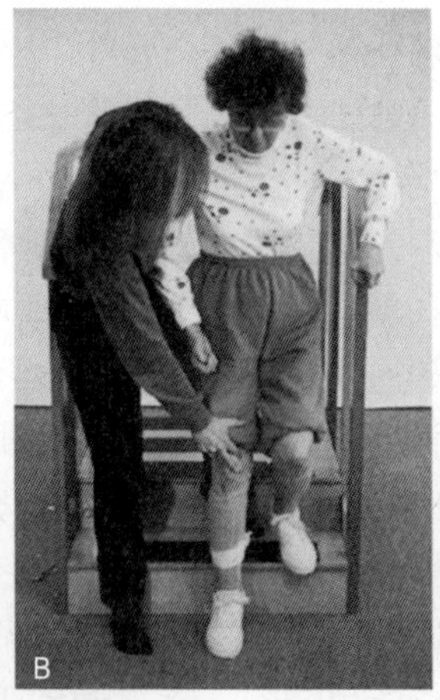

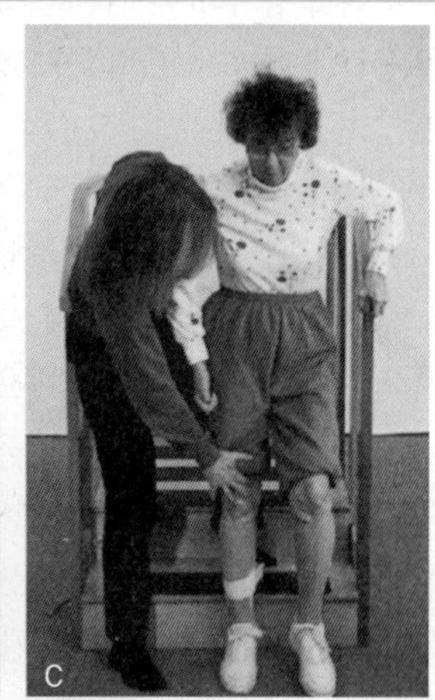

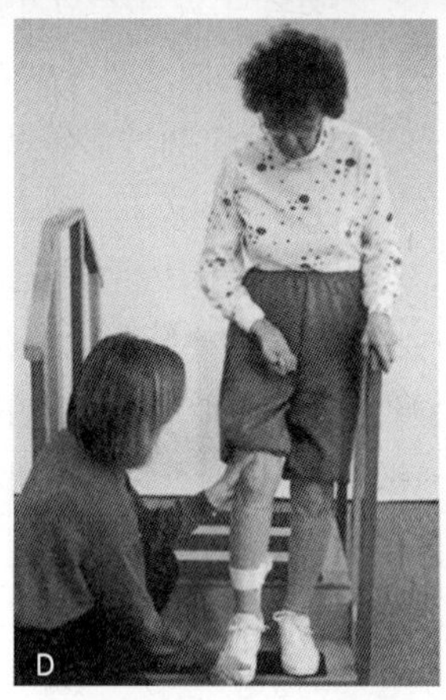

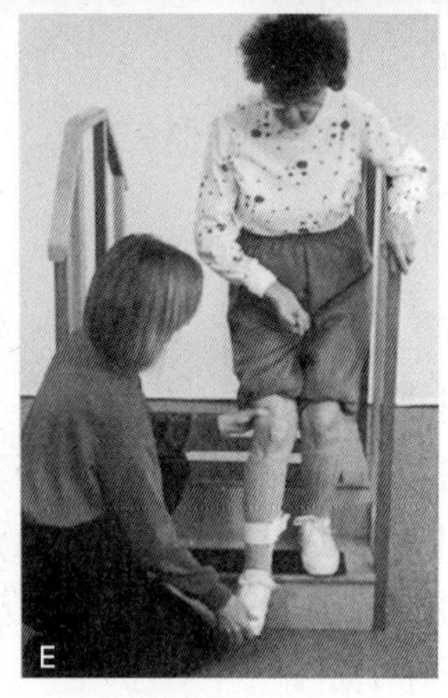

A. 환자는 오른 다리를 먼저 내민다. 오른 다리는 계단에 닿을 때 모아진다. 이러한 다리 모음은 반신마비된 측으로 쓰러질것 같은 느낌을 준다.

B와 C. 치료사는 왼손으로 겨드랑 쥐기를 해서 환자의 몸통과 골반을 지지해 준다. 환자에게 오른발이 바닥에 닿고 왼발이 아래로 내려갈 때 몸통 위를 골반 위쪽으로 펴야 한다는 사실을 상기시킨다.

D와 E. 치료사는 오른 다리의 앞쪽 움직임 패턴을 재교육할 때 환자가 몸통을 조절하게 둔다.

(From Ryerson S, Levit K: *Functional movement reeducation: a contemporary model for stroke rehabilitation*, New York, 1997, Churchill Livingstone.)

지팡이로 계단 오르기. 환자가 보조기구를 계단에서 사용할 경우 순서는 동일하다. 계단을 올라갈 때는 먼저 침범되지 않는 발, 이어서 침범된 다리, 마지막으로 지팡이가 움직인다. 계단을 내려갈 때는 가능하다면 환자가 지팡이와 침범된 다리를 동시에 낮추고 나서 침범되지 않은 다리를 내린다.

특별 주의 사항 환자를 위해 선택한 지팡이의 유형에 따라 지팡이가 계단에 맞을 수도 있고 그렇지 않을 수도 있다. 일자 지팡이와 좁은 기반 쿼드 지팡이는 그대로 사용할 수 있다. 넓은 기반 쿼드 지팡이는 계단에서 안전하게 사용하려면 옆으로 돌려야 한다. 편측보행기는 계단에서 안전하게 사용할 수 없다. 가능하다면 환자는 지역 사회 독립성을 나타내는 기능적 독립 측정(FIM) 점수에 따라 12~14계단을 넘는 것이 좋다. ▼

연석과 경사로

연석 넘기는 계단 하나 넘기와 유사하다. 경사로 넘기는 경사 정도와 등급에 따라서 도전적인 과제가 될 수 있다.

가족 참여

가족 구성원은 환자를 집에서 돕기 위해 필요한 기술을 연습해야 하며, 병원에서 책임지고 재설명을 해야 한다. 가족 구성원들이 이러한 활동을 실천하는데 적극적으로 참여하도록 격려한다. 가족 구성원은 그러한 활동을 관찰하기만 해도 그 활동에 자신감을 얻을 수 있다. 환자와 환자 가족 모두는 숙련된 치료사와 함께 그러한 과제들을 수행하는 것이 가장 좋다. 이러한 연습을 통해 치료사는 기술에 대한 피드백을 제공하고, 환자 및 보호자이 가정에서 겪을 수 있는 잠재적인 문제점을 파악할 수 있다.

소근육 기술

흔히 이 회복 과정에서는 환자가 먼쪽 관절 구성 요소들을 완전히 조절하려고 한다. 손목, 손가락 및 발목은 협응된 움직임을 수행할 수 없다. 이러한 기술을 강조하는 운동이나 활동은 환자의 치료 계획에 포함되어야 한다. 손의 운동 복귀 수준에 따라서 환자는 소근육 운동을 완료할 수 있다. 옷 입기와 목욕하기, 단장하기 과제는 소근육 운동조절이 필요하기 때문에 손의 협응을 향상시키는 데 자주 사용한다. 또한 일상생활의 활동은 기능 지향적이다. 환자의 취미나 관심분야를 파악하면 치료 중재를 결정하는 데 도움이 된다. 치료사가 의미 있고 기능적 관련성이 있는 과제를 선택할 수 있다면 물리치료 보조사는 일반적으로 환자가 그 활동을 훨씬 잘 수행하는 모습을 볼 수 있을 것이다. 요리, 원예, 작문, 컴퓨터 작업, 공예는 팔의 소근육 운동조절과 기민성을 촉진할 수 있는 활동의 몇 가지 예일 뿐이다. 환자가 가능하면 팔을 사용하도록 권장해야 한다. 침범된 팔로 소근육 운동을 완료하는 데 필요한 운동조절이 부족하면 침범된 팔로 체중을 지지하거나 그 팔을 보조로 사용해야 한다.

고급 다리 운동

다리 기능을 향상시키기 위해 고안된 운동도 수행할 수 있다. 그러나 다른 치료 중재의 선택은 환자의 운동 복귀 수준에 달려 있다. 일단 환자가 일어서서 보행을 하면, 누워서 하는 운동은 제한해야하고, 보다 도전적인 닫힌 사슬(closed chain) 운동을 강화 및 훈련 목적으로 사용해야 한다. 엉덩이와 무릎 조절을 지속적으로 개선하기 위해 환자는 높낮이 조절(high-low) 매트 테이블로 이동할 수 있다. 테이블 높이가 올라가면서 침범된 다리를 바닥에 짚어 체중을 지지할 때 환자는 엉덩이와 무릎을 뻗을 수 있다. 지지받아 일어선 자세에서는 다음과 같은 운동을 할 수 있다. 침범된 쪽과 침범되지 않은 쪽 엉덩이를 벌리고 서기, 무릎 펴고 엉덩이 펴기, 엉덩이 굽힘이나 행진, 엉덩이를 중립 위치에 두거나 약간 펴고 무릎 굽히기가 있다. 다른 고급 운동으로는 반쯤 쪼그리고 앉기, 저항을 받으며 보행하기, 물체를 밀거나 옮기는 것이 있다. 이러한 운동들의 이점은 정상 다리의 상승효과 패턴과 직접적으로 반대되는 방식으로 다리 근육을 활성화시키고, 한쪽 체중지지를 허용해 균형 및 협응 기술을 촉진한다는 것이다.

고급 발목 운동

침범된 발목의 관절운동범위를 다루는 운동도 포함되어야 한다. 능동적인 발목 발등굽힘 운동에 어려움을 겪고 있는 환자는 발아래에 롤링 핀을 놓고 롤링 핀을 앞뒤로 움직일 수 있다. 이 기술은 환자가 앉거나 서 있을 때 수행할 수 있다. 환자가 비교적 능동적인 발등굽힘과 발바닥 굽힘 운동을 하는 경우, 발로 바닥을 두드리거나, 바닥에 원이나 알파벳을 그리고, 작은 공을 앞으로 걷어 차올릴 수 있다. 수행할 수 있는 추가 활동으로는 무릎을 약간 굽히고 뒤꿈치 올리기와 능동적인 발목 가쪽 들림, 탄성 밴드로 저항을 받는 운동이 있다. 환자는 또한 틸트 보드, 보수(BOSU) 볼 또는 BAPS (Biomechanical Ankle Platform System) 보드 위에 서서 능동적인 발목 운동을 할 수 있다.

협응 운동

팔과 다리의 협응을 개선하는 운동도 수행해야 한다. 환자가 앉아서 수행하는 표준 협응 테스트에는 손가락 코에 대기, 환자의 손가락을 치료사 손가락에 대기, 교대로 코를 손가락에 대기(alternating nose to finger), 손가락 맞섬, 양측 엎침과 뒤침 활동이 있다. 다리 협응 운동으로는 교대로 발뒤꿈치를 무릎에 대기, 발뒤꿈치를 발가락에 대기, 발가락을 검사자 손가락에 대기, 발뒤꿈치를 정강이에 대기가 있다. 이러한 운동을 환자의 치료 계획에 통합하는 것은 팔과 다리의 운동 복귀 정도에 따라 달라진다.

균형 운동

서기 자세에서 환자와 함께 균형 및 협응 운동을 수행할 수 있다. 환자의 정적 균형을 향상시키기 위해 수행할 수 있는 운동의 예로는 좁은 지지 면에 두 발로 서기, 한 발을 다른 발 앞쪽에 두고 일렬로 서기, 한 발로 서기가 있다. 또한 환자의 균형 전략은 환자의 무게 중심을 예기치 않게 이동시켜 관찰해야 한다. 앞서 설명한 바와 같이 물리치료 보조사는 적절한 발목, 엉덩이 및 내딛기 전략이 나타나는지를 관찰해야 한다. 균형 반응은 동요에 대한 정상적인 반응이거나 환자의 지지 기반과 관련해서 환자의 무게 중심이 갑자기 변경되는 것이다. 적절한 발등굽힘을 보이지 않는 환자는 발목 전략을 시작하거나 수행할 수 없다. 제한된 체력을 가진 환자는 균형이 깨졌을 때 낙상을 방지하기 위해 엉덩이 및 보호 내딛기 반응을 보일 수 없다.
뇌혈관 장애 발병 이후 환자에게 사용할 수 있는 균형 및 이동성 평가 도구가 많이 있다. 버그 균형척도(Berg Balance Scale)는 뇌혈관 장애 환자들을 포함해 노년층의 균형을 측정하는 도구 중 하나이다. 최대 점수는 56이며 점수가 45 미만이면 낙상 위험이 있다는 뜻이다.
이동성을 평가하고 재활 환경에서 임상적으로 사용하는 기타 평가 도구로는 이동성과 보행을 평가하고 환자의 기능적 능력을 결정하는 데 사용하는 일어나서 걷기 검사(Timed Up와 Go Test)와 6분 걷기 검사(6-Minute Walk Test)가 있다(Teasell와 Hussein, 2014). 치료사는 뇌혈관 장애 발병 이후 환자를 위한 균형 평가 도구에 관한 추가 정보를 얻기 위해서 www.rehabmeasures.org와 www.ebrsr.com를 방문해 보는 것이 좋다.

동적 균형 활동

환자의 동적 균형에 도전하기 위해 수행할 수 있는 활동의 다른 예로는 평평하지 않은 표면 위를 걷기, 일자로 걷기, 평균대 걷기, 옆으로 걷기, 뒤로 걷기, 다리 꼬아 걷기(braiding, 두 다리를 교차하며 옆으로 걷기), 작은 공 던지고 잡기, 풍선 때리기, 제자리 행군하기가 있다. 이것들은 모두 다리를 움직이는 동안에, 던지기 및 붙잡기를 수행하며 팔을 움직여 균형 잡힌 자세 기반을 유지하는 것을 목표로 할 때 수행할 수 있는 유용한 활동이다.
수행할 수 있는 추가 활동으로는 속도나 방향을 변경하는 보행 활동이 있다. 급격한 정지 및 출발, 원을 그리며 걷기, 장애물 코스에서처럼 물체를 타넘거나 돌아가면서 걷기, 물건을 들고 걷기, 발뒤꿈치나 발가락으로 걷기 등은 환자의 균형과 협응 능력을 시험하는 도전적인 과제이다.

이중 과제 교육

치료사는 환자가 견딜 수 있는 이중 과제 훈련을 수행하도록 하는 것이 좋다. 이러한 과제는 운동과 인지 과제의 동시 수행을 통합하고, 균형이나 이동성 활동을 하는 환자의 집중력을 요구한다(Allison와 Fuller, 2013). 예를 들어 폼 위에 서서 공을 던지고 잡거나 골대에 농구공 넣기, 혹은 걷기와 같은 신체 활동을 하면서 대화하기가 있다. 이러한 과제는 정상적인 일상 활동을 모방하고, 환자 및 치료사가 활동 수행의 인지 및 운동 측면을 인식하도록 돕는다.

고급 균형 운동

보다 까다로운 활동이 필요한 환자의 경우, 물리치료 보조사는 환자의 시각적 되먹임을 제거하고 환자가 눈을 감은 채 평평한 표면에 서게 할 수 있다. 이렇게 할 수 있는 환자는 눈을 뜬 상태에서 다른 종류의 표면(폼) 위에 서기로 나아가고, 이어서 눈을 감은 상태에서 동일한 활동을 수행한다. 치료사가 환자를 얼마나 돕는지를 측정해야 하지만 고급 균형 활동 중에 환자를 가까이서 인도하는 것이 매우 중요하다. 육체적으로 너무 많이 도와주면 환자는 도움에 의지하게 되고, 균형을 유지하고 향상시키기 위해 필요한 자세 수정을 시도하지 않는다.

움직이는 표면에서 하는 동적 앉기와 서기 균형 운동

움직이는 표면은 환자의 동적 균형을 조정하는 또 다른 수단이 된다. 스위스(치료용) 공과 보수 공, 경사보드는 역동적인 균형을 유지해야하는 환자에게 효과적으로 사용할 수 있다.

스위스 공. 스위스 공을 사용하는 경우 환자에게 맞는 크기의 공을 선택해야 한다. 환자는 공에 앉아 두발을 바닥에 댈 수 있어야 한다. 또한 엉덩이와 무릎 및 발목은 90-90-90 각도를 유지해야 한다. 환자는 공의 도움을 받아 몸통을 똑바로 세우는 자세를 취할 수 있다. 적절한 자세를 취하려면 환자가 능동적으로 복부 근육을 수축시켜 어깨를 엉덩이와 나란히 유지해야 한다. 또한 환자는 무릎을 발 위쪽에 두어야 한다. 공으로 수행해야 하는 첫 운동 가운데 일부는 골반 이동성을 다루는 것이다. 환자는 공에 앉아 있는 동안 골반 앞뒤 기울임과 왼쪽, 오른쪽 기울임을 분리할 수 있다. 바깥쪽 이동 시에는 체중을 지지하는 쪽의 몸통이 신장되고, 반대쪽 몸통이 짧아진다. 환자가 골반을 움직이면서도 공 위에서 균형을 유지할 수 있게 되면 팔다리 움직임을 추가하는 방향으로 진행할 수 있다. 환자는 공에 앉아서 팔의 상반적인 팔 움직임과 제자리 행진, 한쪽 무릎 굽히기 같은 운동을 할 수 있다. 환자의 균형이 향상되면 환자는 PNF 내려치기와 들어올리기 또는 몸통 돌림 운동을 수행할 수 있다. 공 위에 엎드리는 자세에 관한 논의는 11장에서 소개하겠다.

공은 움직일 수 있는 표면은 안정성 측면에서 불확실성을 제공한다. 공이 갑자기 움직이면 환자는 지지 면과 관련해 무게 중심을 재조정하기 위해서 예상치 못한 빠른 자세 반응을 할 수 있어야 한다. 많은 환자들은 이런 식으로 자세 반응을 조절할 능력이 부족하다. 앞에서 언급했듯이 환자가 공 위에 있을 때는 환자를 주의 깊게 인도해야 한다. 이미 어느 정도의 몸통 조절을 보여 주는 환자에게만 이러한 활동을 시도해야 한다.

경사 보드. 경사 보드는 또 다른 유형의 움직이는 표면이다. 치료사는 성인 환자가 자세 반응을 취하기 위해서 있을 수 있는 도구로 종종 보드를 사용한다. 공과 마찬가지로 치료 계획의 일부로 경사 보드를 선택하려면 환자가 상당히 좋은 동적 균형 이외에 일정량의 몸통과 팔다리 조절력을 갖추어야 한다. 보행 보조 장치가 필요한 환자는 경사 보드 활동에 적합한 후보자가 아니다. 환자가 보드에서 수행하기를 원하는 동작을 치료사가 몸소 보여 주면 도움이 된다. 환자가 보드 위에서 균형을 잡으려고 할 때 보드가 움직일 거라는 조언을 해야 한다. 환자는 보드 위에서 도움을 받아야 한다. 치료사가 환자 앞에 서서 환자의 손을 잡아 주는 것이 가장 쉽다. 때로는 환자가 보드에 올라설 때 다른 누군가가 보드를 잡아 줘야 할 수도 있다. 보드에 올라선 환자는 그림 10-13에서와 같이 움직일 수 있는 표면에 적응해야 한다. 한쪽에서 다른 쪽으로 환자의 체중이 약간 이동하면 보드가 움직인다. 초기에는 보드 위에서 균형 잡힌 자세를 유지하기가 어렵다. 환자는 안정성을 향상시키려고 보드 위에서 균형 잡기뿐만 아니라 무릎 조절에 신경 쓸 필요가 없도록 무릎을 편 상태로 고정시킨다. 물리치료 보조사가 이 현상을 발견한다면, 이 활동이 환자에게 너무 어려울 수 있다는 뜻일지도 모른다. 이때는 주 물리치료사와 의논을 해야 한다.

환자가 경사 보드에 적응하는 동안 물리치료 보조사는 균형 지원을 위해 환자의 팔을 계속 잡고 있어야 한다. 물리치료 보조사가 환자가 상대적으로 안정적이고 안전하다고 판단하면 환자가 좌우로 약간씩 체중 이동을 하도록 도울 수 있다. 물리치료 보조사는 맨손 접촉을 통해 환자의 체중 이동 편향(excursion) 등급을 평가할 수 있다.

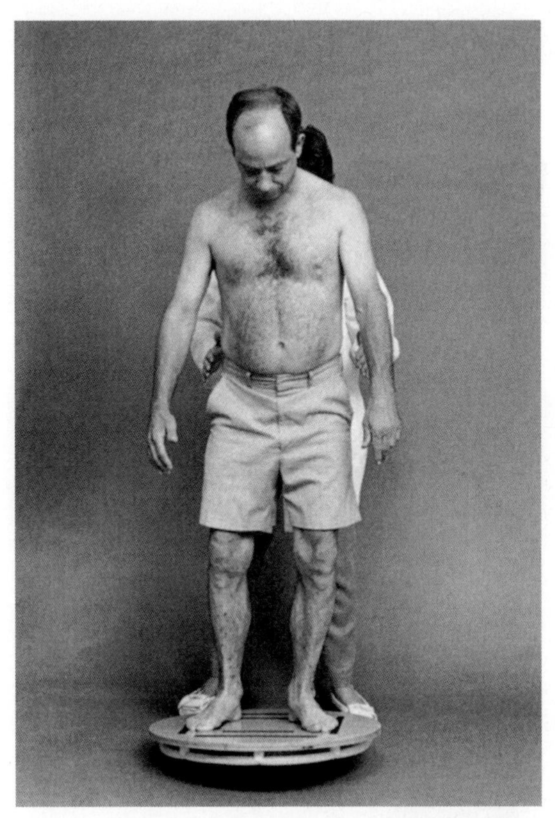

그림 10-13. 환자는 조정 가능한 경사 보드에서 균형 반응의 유형과 진동 속도를 높일 수 있다(From Duncan PW, Badke MB: Stroke rehabilitation: *recovery of motor control, Chicago*, 1987, Year Book).

관찰. 환자가 체중을 오른쪽으로 이동하면 물리치료 보조사는 환자가 몸통과 머리를 오른쪽으로 움직여 오른쪽 몸통을 신장시키기를 바란다. 중재 10-41은 경사 보드에 있는 환자를 보여 준다. 팔의 위치 이외에 다리의 위치도 주시해야 한다. 때로는 환자가 균형이 깨졌다고 믿는다면 팔로 과도한 보상을 할 것이다. 반대쪽(아래 방향)에서 보호 폄을 동반한 위쪽의 폄과 벌림이 분명하게 나타날 수 있다. 환자가 보드 위에서 보다 더 편안해지면, 체중을 능동적으로 좌우로 옮기기 시작할 수 있다. 환자는 체중 이동을 적절히 조절해야 한다. 환자는 침범된 다리로 모든 체중을 지지하게 될까봐 두려워서 침범된 쪽으로의 체중 이동을 제한한다. 환자는 또한 보드 위에서 양쪽 다리에 동일한 체중을 싣는 중립 위치를 유지하려고 노력할 수 있다.

경사 보드에서 앞뒤로 체중 이동하기. 보드의 위치는 환자가 앞뒤로 체중 이동을 할 수 있도록 변경할 수 있다. 이번에도 환자는 보드 위에서 도움을 받아야 한다. 이 보드 운동의 장점은 환자가 능동적으로 발목 발등굽힘과 발바닥 굽힘 운동을 할 수 있다는 것이다. 보드가 뒤로 움직일 때, 환자는 양쪽 발목에서 발등굽힘을 보인다. 능동적인 발등굽힘을 어려워하거나 균형 조절을 위한 발목 전략을 수행하는 데 어려움이 있는 환자에게 이 운동이 효과적일 수 있다. 경사 보드를 선택하려면 환자가 상당히 높은 수준의 운동 기능을 갖추고 있어야 하고, 발목 움직임과 자세 반응의 미세 조정이 필요하다.

재활을 완료한 후 집으로 퇴원한 환자의 경우에는 동적 균형 부족이 이 집단의 강력한 낙상 예측인자로 확인되었다(Lubetzky-Vilnai와 Kartin, 2010). 연구에 따르면 뇌졸중 후 환자에게 균형 훈련을 시키는 것이 좋다. 체계적인 검토 결과, 기립 균형 운동을 하는 환자의 균형 능력이 향상되었다. 수행된 구체적인 활동으로는 정적인 서기 활동과 손 뻗기 과제, 앉기에서 서기로 이행, 걷기, 계단 오르기, 지지면 변경 등이 있었다. 개인적 환경이나 집단 환경에서 이러한 운동을 반복하면 환자는 균형 능력을 향상시킬 수 있었다(Lubetzky-Vilnai와 Kartin, 2010).

비정상적 긴장 관리

회복기에 비정상적인 긴장이 나타날 수 있다. 경직과 상승효과 패턴의 우세는 환자의 능동적인 운동 시도를 방해할 수 있다. 현재는 외과적, 약리학적 또는 물리적 치료 중재로 긴장 증가를 영구적으로 없앨 수는 없지만, 물리치료사 및 물리치료 보조사는 단기간 동안 긴장을 보다 쉽게 관리할 수 있다. 우리의 목표는 환자가 능동적인 운동이나 기능적 업무를 수행할 수 있을 만큼 오랫동안 비정상적인 긴장을 감소시키는 것이다. 그렇게 하면 환자가 쉽게 움직일 수 있고 보다 더 정상적인 감각 경험을 할 수 있다. 비정상적인 움직임 패턴은 비정상적인 감각 되먹임에 반응해서 발달한다. 따라서 비정상적인 움직임 패턴은 환자가 이동할 때마다 강화된다.

중재 10-41 경사 보드 사용하기

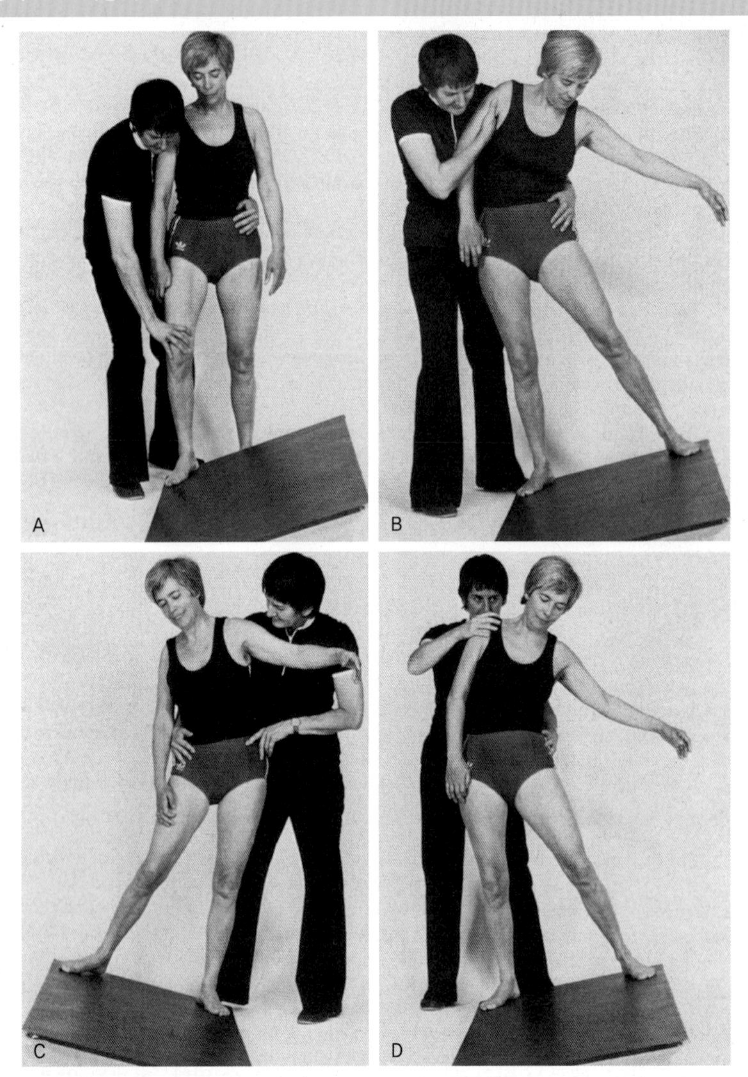

경사 보드 옆으로 움직이기(오른쪽 반신마비)

A. 먼저 마비된 발로 보드에 올라선다. 치료사는 환자의 무릎을 앞으로 밀어 준다.
B. 마비된 쪽으로 체중을 이동시킨다. 치료사가 몸통 한쪽을 길게 늘이고, 환자의 엉덩이를 펴서 유지시킨다.
C. 체중을 침범되지 않은 다리로 이동시킨다. 치료사는 자세를 바꿔서 환자가 자기 앞쪽으로 오게 한다.
D. 치료사는 지지 정도를 줄인다.

(From Davies PM: *Steps to follow: a guide to the treatment of adult hemiplegia*, New York, 1985, Springer Verlag.)

앞에서 언급했듯이, 항경련(antisapsm) 패턴으로 환자의 자세를 잡아 주면 비정상적인 긴장을 감소시키는 데 도움이 될 수 있다. 몸통 하부 돌림이나 팔다리의 율동적 돌림을 적용하는 것처럼 율동적 돌림에 고정적인 수동적 움직임을 적용하는 것이 이롭다. 율동적 돌림 이후에 체중지지를 통합하는 활동을 하면 환자에게 좀 더 정상적인 자세 기반을 제공하는 데 매우 유용할 수 있다. 팔과 다리로 체중을 지지하는 것은 긴장을 감소시키는 우수한 치료 방법이다. 환자의 비정상적인 긴장을 관리하는 데 도움이 될 수 있는 다른 활동으로는 PNF 대각선 패턴(내려치기 및 들어올리기 패턴 포함)과 더 약한 대항근 두드리기 및 진동, 경련성 근육 힘줄에 직접적으로 힘줄 압력 가하기, 공기 부목 착용하기, 얼음 연장 사용, 기능적 전기 자극, 바이오피드백이 있다. 이러한 치료 중재는 환자에게 유익할 수 있다. 종종 하나를 시도한 다음에 그 감각적 중재에 대한 환자의 반응을 등급화 할 필요가 있다. 다시 말하면, 간단하게 긴장 감소 기법을 적용하는 것만으로는 충분하지 않다. 환자의 긴장은 치료적 기법으로 감소시켜야 하지만, 환자는 이동 중에 보다 더 정상적인 감각 되먹임을 경험할 수 있도록 움직임 이행이나 기능적 과제를 제공받아야 한다. 이 개념은 궁극적으로 바람직한 운동을 강화시켜야 하며, 기능 개선으로 이어져야 한다.

신경 가소성

신경 가소성의 원리와 치료 계획과의 관계에 대해서는 2장과 3장을 참조하기 바란다. 그러한 관계는 다음 중재에 대한 토의의 기반이 될 것이다. 억제 유도 운동치료는 학습된 미사용의 영향을 줄이기 위해 고안된 중재다. 학습된 미사용은 환자가 침범된 측면을 이동하려고 하다가 실패할 때 나타난다. 환자는 실패한 운동 시도 후에 실패와 좌절을 경험할 수 있다. 결과적으로, 환자는 기능적 업무를 완료하기 위해 침범되지 않은 팔다리를 사용하여 이러한 경험을 보상하려고 시도한다. 시간이 지남에 따라 환자는 침범된 말단을 무시하고 사용하지 않는다(Bonifer와 Anderson, 2003). 억제 유도 운동치료(Constraint-induced movement therapy, CIMT)는 신경 과학 및 행동 기법에 기반을 둔 치료 접근법이다. CIMT에는 다음과 같은 세 가지 구성 요소가 있다. (1) 2~3주 동안 침범된 팔다리로 과제 특화적 훈련 반복하기, (2) 깨어 있는 시간 동안 침범된 팔다리 사용하기(때로는 침범된 팔다리를 제한해야 할 때도 있음), (3) 병원에서 개선된 점을 환자의 가정환경에서도 발휘할 수 있도록 행동 전략 사용하기가 그것이다(Taub와 Uswatte, 2006). 임상 환경에서 CIMT를 사용할 때는 환자의 침범되지 않은 팔을 장갑이나 글러브를 착용하여 억제하거나 움직이지 못하게 한다. 이렇게 하면 환자가 기능적 과제를 완수하기 위해 침범된 팔을 반복적으로 사용하도록 강제할 수 있다(Liepert, 2000). 물리치료사 또는 작업치료사는 전형적으로 하루 6시간에서 7시간 정도 치료하고, 치료사는 구두 신호 및 촉각 신호를 제공할 뿐만 아니라 원하는 과제를 수행하기 위해 환자의 손을 잡고 이끌어줄 수 있다. 대부분의 연구 조사 포함 기준에 따르면 피험자가 적어도 10도의 손가락 폄과 20도의 손목 폄을 할 수 있어야 한다. 경증에서 중증 장애 환자들이 긍정적인 결과를 보였다는 보고가 있다(Umphred 등, 2013, Taub와 Uswatte, 2006). CIMT를 사용하면 환자와 치료사 모두가 어려움을 느낀다. 이 중재를 시행하려면 시간과 노동력이 많이 들고, 강도와 실습 일정을 고수하려는 환자의 고집도 문제가 될 수 있다.

걷기 개선이 환자들의 흔한 목표 가운데 하나이기 때문에 보행 훈련은 뇌혈관 장애 발병 이후 환자 치료 계획의 중요한 구성 요소이다(Mulroy 등, 2010). 체중지지 트레이드밀 훈련(Body-weight support treadmill training, BWSTT)은 뇌혈관 장애 환자의 보행 치료에 효과적인 중재이다(그림 10-14). 독립적으로 설 수 없는 개인조차도 안전한 환경에서 내딛기 연습을 할 수 있다(Hornby 등, 2011). BWSTT의 경우 환자가 트레이드밀에서 걷을 때 오버 헤드 하니스(overhead harness)가 환자 체중의 30%~40%를 지지해 준다. 치료사는 환자의 골반을 안정시키고, 환자가 움직이는 트레이드밀 위에서 팔다리를 전진시키도록 돕는다. 환자에게 유사한 보행 기회를 제공그러나 치료사의 도움이 덜 필요한 다른 로봇 시스템을 사용할 수도 있다. 이 중재의 효과를 평가하기 위해 수행한 연구에 따르면 보행 속도, 지구력 및 균형 향상이 입증되었다(Fulk, 2004, Hornby 등, 2011). 전형적인 물리치료 중재와 비교해서 체중지지 트레이드밀 보행의 효과에 대해 상반되는 증거가 있다. 무작위 대

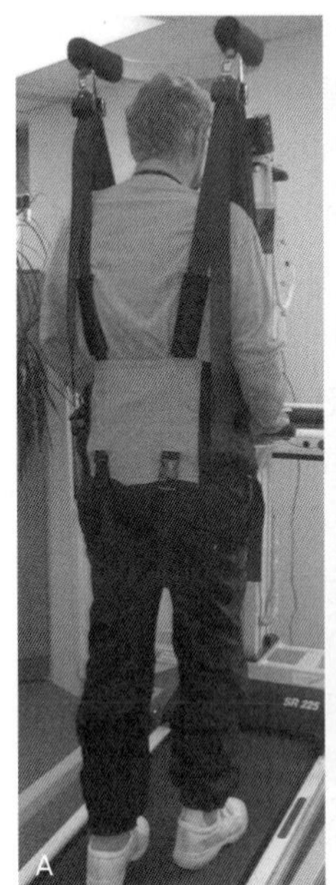

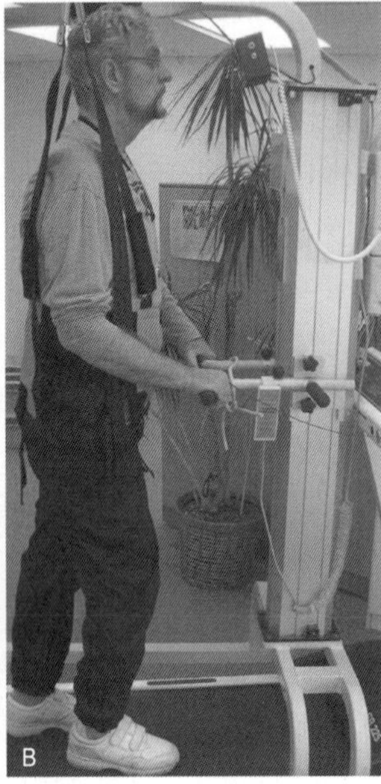

그림 10-14. **A와 B.** 오른쪽 반신마비 환자가 부분 체중지지 트레이드밀 훈련을 하는 모습(From Umphred DA, Lazaro RT, Rollere ML, Burton GU: *Neurological rehabilitation*, ed 6. St. Louis, 2013, Elsevier, p. 744).

조 연구인 LEAPS 임상 실험에서 BWSTT는 관절 운동 범위와 유연성 및 근력 강화 운동, 균형 및 협응 활동, 매일 걷기 격려로 구성된 가정 내 물리치료 서비스와 비교했을 때 탁월한 보행 결과를 가져오지 못했다(Duncan 등, 2011). 이러한 상반된 정보에도 불구하고 보다 더 전통적인 물리치료 중재와 비교해서 보행을 향상시키는 BWSTT를 지원하는 움직임이 진행되고 있다. 또한 BWSTT는 과제 특화적 중재들의 전제를 지원한다(Teasell와 Hussein, 2014, Mulroy 등, 2010). 치료사는 환자를 위한 적절한 치료 계획을 수립할 때 환자의 목표와 과제 특화적 훈련 원칙을 계속 고려해야 한다.

퇴원 준비

환자의 회복 및 가정 상황(가족 지원 포함)에 따라서 물리치료사와 물리치료 보조사는 환자가 집이나 다른 유형의 의료 시설로 퇴원하는 계획을 세워야한다. 이 계획은 초기 검사 중에 세우기 시작해서 환자의 치료 기간 내내 계속 되어야 한다.

환자의 가정환경 평가

초기 검사 동안, 주 물리치료사는 환자의 가정환경에 관한 질문을 해야 한다. 퇴원 문제를 해결할 때 고려해야 할 요소는 아파트(계단이나 엘리베이터 포함), 집, 트레일러 또는 다른 유형의 구조물 등 환자가 거주하는 거주 유형을 포함한다. 임대한 집은 영구적으로 구조를 변경할 수 없기 때문에 환자나 중요한 관계자들에게 집의 임대나 소유 여부를 묻는 것이 중요하다. 집 출입구도 평가해야 한다. 계단 수와 높이 및 상태, 난간이나 낙하지점(landing area)의 존재 여부, 진입로 또는 주차장 근접성, 문이 열리는 방향은 환자가 안전하게 가정 환경으로 복귀할 수 있도록 계획하는 데 도움이 된다.

다음은 외부 접근성에 대한 일반적인 고려 사항 목록이다. 이러한 지침은 치료사가 환자의 기존 주거지 환경 변화를 제안할 때 참고할 수 있는 사항들이다.

1. 계단은 7인치(17.78 cm)보다 높거나 11인치(27.94 cm)보다 깊어서는 안된다.
2. 난간의 최대 높이는 34~38인치(86.36~96.52 cm) 사이여야 한다.
3. 난간 하나는 계단 발치와 꼭대기 너머로 최소 12 인치(30.48 cm)까지 뻗어나가야 한다.
4. 경사로가 필요한 경우, 휠체어에 권장되는 등급은 임계 높이로 12인치 경사로이다.
5. 경사로는 너비가 최소 36인치(91.44 cm)여야 하고, 미끄러지지 않는 표면으로 덮어야한다.
6. 너비가 32~34인치(81.28~86.36 cm)인 문은 사용 가능하고, 대부분의 휠체어를 수용한다.
7. 높은 출입구 문턱은 제거해야 한다.
8. 비만 환자의 경우에는 추가적인 공간 및 장비를 고려해야 한다(Schmitz, 2014).

환자의 집과 관련된 많은 정보는 가족이 제공할 수 있다. 많은 시설에서 가정과 가정의 접근성에 대해 가족 구성원이 완료할 수 있는 체크리스트를 사용한다. 어떤 경우에는 재활 팀이 집 밖으로 나가서 가정 평가를 수행해야 할 수도 있다. 이러한 평가는 주 물리치료사와 물리치료 보조사, 작업 치료사 또는 이들 팀의 조합이 수행할 수 있다. 가족 구성원들도 이러한 평가에 포함되기 때문에 주택 개조나 장비 요구에 관한 정보가 제공될 수 있다.

환자의 집에 대해 필요한 다른 정보로는 특히 침실과 욕실의 실내 접근성이 있다. 환자가 장애물을 넘기 위해 필요한 공간은 환자의 보행 상태에 달려 있다. 휠체어를 돌릴 공간과 이동을 위해 가구 근처에 휠체어를 둘 공간이 필요하다. 치료사는 환자의 침실에 충분한 이동 공간이 있는지, 스탠드나 침대 옆 탁자가 어디에 있는지, 침대 옆에 변기나 소변기를 둘 필요가 있는지를 기록하고 싶어 한다. 욕실 출입구의 너비도 측정해야 한다. 욕실 문이 다른 내부 출입문보다 좁기 때문이다. 화장실에서 볼일을 보는 환자의 안전을 보장하기 위해서는 높은 변좌와 손잡이가 필요할 수 있다. 환자와 주 보호자과 이야기하면 환자의 목욕 패턴에 대한 정보를 얻을 수 있다. 핸드 스프레이 부착 이외에 욕조 벤치 또는 샤워 의자를 제안할 수 있다.

실내 접근성에 대한 다른 고려 사항으로는 양탄자 유형이 있다. 낮고 촘촘한 양탄자는 휠체어 이동을 손쉽게 해주기 때문에 추천된다. 모든 깔개는 보행하는 환자의 안전을 위협할 수 있으므로 제거해야 한다. 부엌의 디자인도 관찰해야 한다. 싱크대 높이와 수납함 손잡이를 주의 깊게 살펴야 한다. 자주 사용하는 물건은 손으로 쉽게 잡을 수 있도록 수납함 하단에 넣어둔다.

물리치료 보조사는 퇴원 시 환자의 주요 교통수단에 대해 환자에게 물어보고 싶어할 것이다. 이 정보는 연습하기에 가장 적합한 이동 차량을 식별하고 환자를 위한 후속 관리를 계획하는 데 도움이 된다. 가족이 있든 없든 상관없이 모든 환자는 퇴원하기 전에 자동차 이동 연습을 해야 한다. 또한 가족 구성원은 휠체어를 차에 싣고 내리는 안전한 기법들을 교육 받아야 한다.

재활 서비스를 위한 추가 권장 사항은 환자가 의료시설에서 퇴원하기 전에 제공해야 한다. 주 물리치료사는 환자를 재검사해야 하며, 물리치료 보조사의 의견을 참조해 장비 및 추가 물리치료 요법을 환자 담당의에게 제안해야 한다. 환자의 퇴원을 적절하게 계획하면 환자가 재활 환경에서 가정과 지역 사회로 쉽게 이행할 수 있다.

환자의 가정 운동 프로그램 개발 또한 퇴원 계획 과정의 중요한 구성 요소이다. 물리치료 서비스에서 퇴원하는 다른 환자들과 마찬가지로 환자의 기능을 유지하고, 이차 합병증 발병을 예방하기 위해서는 여러 가지 중요한 운동이나 활동을 파악해 놓아야 한다. 그러나 환자의 가정 운동 프로그램 수행이 환자의 전반적인 건강 상태를 유지하기에 충분하지 못하다는 사실을 기억해두는 것도 중요하다. 2004년 미국 심장 학회(American Heart Association)는 체력 단련 프로그램과 유산소 운동의 이점을 인식한 뇌혈관 장애 발병 이후 개인을 대상으로 운동 권장 사항을 발표했다. 이 지침에 따르면 개인이 주당 3~7회 유산소 훈련에 참여해야 한다. 이때 최대 산소 소비와 심박 수의 40~70%를 소비하는 강도로 20~60분 동안 연속으로 운동을 해야 한다. 주요 근육 집단을 목표로 하는 저항 운동도 프로그램의 구성 요소가 되어야 하고, 매주 2~3일씩 각각 10~15회 반복해야 한다(Gordon 등, 2004). 점진적 저항 운동이 환자 기능에 영향을 끼치는지는 여전히 불확실하지만(Foley 등, 2013), 경직을 증가시키지 않으면서도 반신마비된 근육의 강도를 증가시키는 것으로 나타났다. 치료사로서 뇌졸중 결과를 개선하고 향후 심장 혈관 사건의 위험을 줄이기 위해 환자의 가정 프로그램에 체력 단련을 포함시키는 것이 중요하다는 사실을 인식해야 한다(Tang과 Eng, 2014). 심폐 훈련(팔다리운동기(ergometry), 트레드밀 훈련, 리컴번트 스테핑(recumbent stepping) 훈련, 수족 운동, 순환 훈련)과 저항 운동, 심폐 훈련과 근력강화 결합 프로그램이 걷기 속도와 지구력뿐만 아니라 감각 운동 기능을 향상시켰다는 증거가 있다(Tang과 Eng, 2014; Billinger 등, 2012; Gordon 등, 2004).

경고 환자가 체력단련 프로그램을 시작하기 전에 담당의가 환자의 안전을 확보하기 위해 환자의 참여를 승인해야 한다. ▼

뇌혈관 장애 환자의 물리치료 관리는 신경 생리학적

접근법을 기반으로 한 것에서 운동 학습과 뇌 손상 후 변화 및 적응 능력을 다루는 것으로 진화했다. 보상과 건강관리 시스템의 변화로 주 물리치료사는 가능한 최상의 기능적 결과를 환자에게 제공할 수 있는 관리 계획 개발에 부지런히 참여해야 한다. 치료사는 환자가 능동적으로 활동 수행에 참여하도록 유지해야 하며, 과제 자체, 훈련의 강도, 제공된 피드백 및 연습 세션의 구조를 고려해야 한다. 이러한 요소들이 치료 세션의 계획과 실행에 포함될 때, 치료사는 가능한 최상의 치료를 환자에게 제공할 수 있다.

결론 요약

뇌혈관 손상을 경험한 성인은 물리치료를 받는 환자의 상당수를 구성한다. 초기 손상의 유형과 정도에 따라서 환자는 다양한 문제를 가질 수 있으며, 이러한 문제의 범위는 매우 다양할 수 있다. 이 장에서는 환자가 수의적 운동조절과 기능적 능력을 향상시키도록 돕기 위해서 다양한 치료 중재를 제시했다. 이런 환자들을 다루는 물리치료사 및 물리 치료사보조사들의 주요 중재 목적은 의미 있는 기능적 활동을 수행하고 따라서 삶의 질을 향상시키는 환자의 능력을 향상시키는 것이다. ■

검토사항

1. CVA (뇌혈관 장애) 환자의 주요 손상을 기술한다.
2. CVA 발달의 위험 요소는 무엇인가?
3. 상지와 하지의 굽힘과 폄 상승효과 패턴을 설명한다.
4. 환자 자세잡기의 이점에 대해 토론한다.
5. CVA 환자의 급성 치료 물리 치료 관리에는 어떤 유형의 중재가 포함되어야하나?
6. 앉아있는 환자와 함께 수행해야 할 적절한 물리 치료 중재는 무엇인가?
7. 급성 CVA 발병 이후 환자의 보행 훈련 순서를 설명한다.
8. 고급 동적 서기 균형 운동 네 가지를 말해본다.
9. 환자가 집으로 퇴원을 준비할 때 고려해야 하는 환경적 요소들은 무엇인가?
10. 체중지지 트레이드밀 보행의 이점에 대해 논의한다.
11. 신경가소성 원칙들을 CVA 환자의 치료 계획에 통합해 넣을 수 있는 방법을 설명한다.

사례 연구 재활 시설 초기 검사와 평가

이력

차트 검토

환자는 67세의 은퇴한 남성 회계사이다. 아내가 갑각류에 대한 알레르기 반응이라고 생각하고 구토하는 남편을 데리고 3일 전에 응급실에 왔지만, 베나드릴(Benadryl)은 효과가 없었다. 결국 환자는 병원에 입원했다. 초기 컴퓨터 단층 촬영(computed tomography) 스캔으로는 상당한 질량과 정상 크기의 심실의 증거를 찾지 못했다. 촬영한 CT 스캔에서는 좌심실 동맥의 분포에서 허혈성 경색과 양립 가능한 좌측 이마엽의 이상이 밝혀졌다. 과거의 병력에는 고혈압, 고지혈증, 그리고 허리 통증이 포함된다. 환자는 현재 아테놀올(Atenolol 25 mgqd)과 심바스타틴 20 mgqd 및 아기 아스피린을 복용하고 있다. 입원 당시의 혈액 검사 결과에서는 정상적인 혈액 요소 질소, 전해질 및 혈액 가스가 나타났다. 요추 천자 결과는 음성이었다. 심전도 검사에서는 오래된 무증상 경색이 나타났다.

인정되는 진단: 환자는 결과적으로 오른쪽 반신마비를 가져오는 중간 대뇌 동맥 분포의 왼쪽 뇌혈관 장애(CVA) 3일 후에 입원 환자 재활 유닛에 입원했다. 또한 환자는 경미한 만성 폐색성 폐 질환, 천식의 병력 및 경미한 폐기종을 보인다.

검사 및 치료를 위한 물리치료 주문이 들어갔다.

주관적 검토

환자는 구두로 의사소통을 할 수 없다. 머리를 끄덕이거나 흔들어서 예나 아니오를 표현해 의사소통을 할 수 있다. 초기 조사에서 아내한테서 남편의 사회 활동 이력을 알아낸다. 환자는 1층짜리 집에서 건강한 아내와 함께 살고 있다. 집에는 난간이 없는 계단 두 개가 입구에 있다. 양탄자, 기와 및 경재 마루가 있다. 샤워실에는

사례 연구 **계속**

손잡이나 샤워 의자가 없다. 환자에게는 두 딸이 있는데 둘 다 도시에 살고 있다. 환자의 목표는 집으로 돌아가 걷고 의사소통, 할 수 있게 되는 것이다. 이것은 아내의 목표이기도 하다. 아내는 남편을 돌보는 데 도움이 되는 이웃과 친구들이 있다고 말한다. 환자는 입원한 이후로 많이 자고 있지만, 뇌혈관 장애 발병 전에는 아내와 함께 운동을 위해 걷고, 캠핑을 하고, 딸을 방문하고, 골프를 좋아했다. 환자는 뇌혈관 장애 발병 전에 건강이 좋았다. 환자는 치료를 수행하기 위해 동의 여부를 묻는 질문에 동의의 뜻으로 고개를 끄덕였다. 아내도 남편의 치료 참여에 동의한다.

객관적 검토

외양, 휴식 자세 및 장비

환자는 압력 완화 매트리스 위의 침대에 누워 있다. 오른쪽 어깨는 안쪽으로 돌아가 모여 있는 상태이다. 오른쪽 팔꿈치는 최대 굽힘 상태에 있다. 오른쪽 손목과 손가락도 구부러져 있다. 오른쪽 엉덩이가 펴져서 벌어지고, 안쪽으로 돌아가 있다. 오른쪽 무릎이 펴지고, 오른쪽 발목 발등굽힘과 안쪽 들림이 나타난다. 왼쪽 사지가 환자 옆에 놓여 있다. 환자는 폴리 카테터를 이용하고 있다.

체계적 고찰

의사소통/인식: 환자는 예나 아니오 같은 한 단어 대답을 제외하고 구두로 의사소통할 수 없다. 예/아니오라고 답할 수 있는 질문에 의존해서 고개를 끄덕여 대답한다.

심혈관/폐: BP = 114/71 mmHg, HR = 58 bpm, RR = 11호흡/분, 2회 흉부 호흡–2회 가로막 호흡패턴 사용한다.

외피: 팔(UE)와 다리(LE) 모두 손상되지 않았다. 부종이 없다.

근골격: 왼쪽(L)팔 및 다리의 총 운동범위(ROM) – 손상되지 않았다. 오른쪽(R) 팔 및 다리의 총 ROM은 손상되었다. 왼쪽(L) 팔 및 다리 총 근력은 손상되지 않았다. 오른쪽(R) 팔 및 다리 근력 손상되었다.

신경근육: 보행과 이행, 균형이 손상되었다. 운동 기능: 오른쪽(R) 팔 및 다리가 손상되었다. 왼쪽(L) 팔과 다리는 손상되지 않았다.

심리사회적: 의사소통장애가 있다. 방향감 x 3 – 손상되지 않았다. 표현력이 부족한 의사소통 능력이 학습 장애를 발생시켰다. 안전 및 예방 조치, 일상생활 활동(ADL) 및 자세 인식에 관한 교육이 필요하다.

테스트와 측정: 인체측정: 신장 180.3 cm, 체중 81.6 kg, 체질량지수 25(20–24 정상).

각성, 주의력, 인지: 환자의 정신이 기민하게 깨어 있다. 종종 초점을 잃지만 자기 이름을 들으면 다시 관심을 보인다. 1단계 명령에 일관되게 응답할 수 있다.

뇌신경 통합성: 두 학생 모두 빛에 대해 정상적인 반응을 보인다. 주변 시야의 범위는 기능적 한계(WFL) 내이다. 수평, 수직, 대각선상의 매끈 눈 따라보기는 WFL되고, 양측 눈에서 대칭적이다. 얼굴 감각이 있다. 얼굴 움직임이 손상되지 않았다. 목젖과 혀는 정중선에 있다.

운동범위: 오른쪽(R) 팔의 능동적 움직임은 굽힘 및 폄 상승효과의 1/4로 제한된다. 수동적 ROM은 (R) 팔에서 WFL이지만 율동적 회전은 팔을 완화시키는 데 사용된다. (R) 다리는 발목과 무릎 앞쪽을 손으로 잡아 주는 최소한의 도움을 받아 전체 굽힘 상승효과를 통해서 움직일 수 있다. 오른쪽 다리는 굽힙 상승효과에서 전체 폄 상승효과로 능동적으로 움직인다. 가능한 다른 능동적 움직임은 없다. (R) 다리의 수동적 ROM은 WFL이다.

반사 통합성: 깊은 힘준 반사(DTR) 3+ (R)두갈래근, 위팔노근(brachioradialis), 무릎 및 아킬레스 반사. 모든 DTR 2는 왼쪽에 나타난다. 바빈스키(Babinski)는 오른쪽에 나타나고 왼쪽에는 없다. 관련 반사 또는 원시 반사가 없다. 오른쪽 어깨 안쪽 돌림근과 모음근, 오른쪽 두갈래근과 오른쪽, 손목 및 손가락 굽힘근에서 긴장이 중간 정도 증가한다. 오른쪽 엉덩이 모음근과 안쪽 돌림근, 폄근, 오른쪽 무릎 폄근에서 긴장이 최소로 증가한다. 오른쪽 발목 발바닥쪽 굽힘근과 안쪽 들림근에서도 근긴장이 최소로 증가한다.

운동 기능, 조절: 교각 자세를 비대칭적으로 수행하고, 환자의 오른쪽 골반을 당겨 뒤쪽으로 기울이고 오른쪽으로 돌린다. 교각 자세는 발꿈치를 통해 무릎에 압착을 가하고, 오른쪽 큰볼기근을 맨손으로 두드려 개선시킨다.

자세: 눕기에서는 팔과 다리를 앞서 설명한 대로 배치해 놓고 환자의 머리를 오른쪽으로 돌린다. 앉아있을 때는 왼쪽으로 기울어지고, 머리가 앞으로 쏠리며, 어깨가 둥글게 모아지고, 척추 후만증이 심해지며, 골반이 뒤로 기울어진다. 오른발은 왼발 앞쪽에 발뒤꿈치가 들린 채로 놓인다. 환자는 앉아서 스스로를 지탱하기 위해 왼쪽 팔을 사용한다.

신경운동 발달: 환자는 양측에서 머리 바로잡기를 보여 준다. 몸통 바로잡기는 오른쪽에서 지연되지만 왼쪽에서는 정상적으로 나타난다. 오른쪽에서 보호 반응이 나타나지 않는다.

감각 통합성, 지각: 왼쪽의 가벼운 촉각 감각은 온전하다. 오른손등 쪽과 손바닥의 가벼운 촉각 감각은 손상되었다. 발의 등 쪽, 뒤꿈치 및 볼, 오른쪽 다리의 아래쪽 3분의 1 부위도 손상되었다. 오른쪽 손목, 손가락, 발목 및 발가락 원위에서 고유감각이 손상되

(계속)

사례 연구 계속

었다.

통증: 환자는 통증을 구두로 표현하지 않는다. 통증 척도는 사용하지 않는다.

근육 수행: 오른쪽 팔은 초기 휴식 위치에서 능동적인 움직임을 거의 보이지 않는다. 환자는 회복 위치에 놓이자마자 자신의 오른쪽 팔을 움직여서 어깨 안쪽 돌림과 모음, 팔꿈치 굽힘 및 손목과 손가락 굽힘을 보여 준다. 오른쪽 엉덩이, 무릎 굽힘근, 발목 발등 굽힘근, 몸통 근육이 약하고, 근육 동원이 어려워서 움직임을 시작하는 능력이 감소한다.

걸음걸이, 보행, 균형: 침대 이동성: 오른쪽 무릎에서 발목 쪽으로 압착을 가하기 위해 최소 한 명의 도움을 받아 다리를 구부리고 누운 자세에서 좌우로 구른다. 환자에게 구르기를 하는 동안 양손을 맞잡아 깍지를 끼고 정중선에 두라고 지시한다. 환자가 침대에서 체중 이동과 골반 움직이기를 돕기 위해서 반대쪽 엉덩이와 어깨에 맨손 신호를 제공받으려면 최소 한 명의 도움이 필요하다.

앉기 균형: 오른쪽 팔이 체중을 지지하면서 신장되지 않으면 환자는 왼쪽으로 기운다. 환자가 양쪽 팔을 사용해서 스스로를 지탱하게 되면 똑바로 앉는 데 상시 대기 보조자(Stand-by assist, SBA)가 필요하다. 그러나 균형을 잃지 않고 체중을 이동하거나 외부 교란을 견디지는 못한다. 환자가 앉아서 눈을 감으면 몸이 크게 흔들린다.

이행: 눕기에서 앉기로 이행하기: 보조자 한 명이 환자가 오른쪽 다리를 침대 위로 올렸다 밖으로 내리도록 적절하게 도와주고, 환자의 어깨 움직임을 이끌어준다. 앉기에서 서기로 이행하기: 보조자 한 명이 적절하게 도움을 주어 양발을 벌리고 서서 환자의 오른쪽 무릎을 차단한다.

서서 돌기 이행: 최대 보조자 수는 한 명. 환자가 돌아서서 앉기 위해 세 걸음을 내딛을 때 환자의 오른쪽 무릎이 두 차례 꺾인다. 환자는 뒤로 기울어지기 때문에 구두 및 맨손 신호를 제공받아야 똑바로 설 수 있다.

서기 균형: 환자는 왼쪽으로 기울어지며 똑바로 서려면 보조자 한 명한테서 적절한 도움을 받아야 한다. 환자의 오른 무릎이 꺾이지 않도록 막기 위해 맨손 보조가 필요하다. 환자는 또한 자신의 중심을 뒤쪽으로 이동시키는 경향이 있는데, 이로 인해 안전하지 않은 직립 자세로 몸을 뒤로 기울일 수 있다. 엉덩이 폄을 돕고 똑바로 서기를 촉진하기 위해 언어 및 촉각 신호를 환자의 엉덩이에 제공한다.

걸음걸이: 환자는 평평한 표면에서 1인의 최대 도움을 받아 5피트 x 1까지 움직일 수 있다. 환자는 오른쪽 엉덩이 올림을 감소시키고 전진을 돕기 위해 오른쪽 엉덩이에 촉각 신호를 제공받아야 한다. 오른쪽 무릎 폄을 돕고 체중 이동을 시작하려면 맨손 신호가 필요하다. 이 날짜까지는 환자의 상태에 부차적인 계단은 평가하지 않았다.

휠체어 이동성: 환자는 보조자 1인의 적절한 도움을 받아서 왼쪽 사지를 이용해 휠체어를 20피트까지 움직여 나갈 수 있다.

자기 돌봄: 환자는 자발적인 움직임이 부족하기 때문에 자신의 오른쪽 팔로 몸단장하는 활동에 의존한다. 또한 앉기와 서기 균형이 부족해서 옷을 입고, 신발 끈을 매고, 목욕을 할 수 없다.

평가/감정

환자는 우측 반신마비 및 감각 결손이 있고, 중간 대뇌 동맥 분포에 왼쪽 뇌혈관 장애 발병 3일 후 67세 남자이다. 환자는 무기력하고 약간 피로감을 느끼더라도 생리학적 조치를 변경하지 않고 45분간의 초기 검사를 완료할 수 있다.

기능적 독립 측정(FIM): 침대 이동은 2, 휠체어 이동은 2, 도보/휠체어는 1, 계단은 평가되지 않음.

브룬스트롬 단계: 오른쪽 팔 레벨 3, 오른쪽 다리 수준 3

문제 항목

1. 오른쪽 팔과 다리의 수의적 움직임 감소
2. 기능적 이동성 감소(침대 이동성, 이동 및 보행)
3. 앉기 및 서기 균형 감소
4. 우측 팔과 다리의 감각 의식 감소
5. 자기 돌봄 활동 수행 능력 감소
6. 구두로 의사소통하는 능력 감소
7. 환자와 가족의 재활 과정에 대한 이해 부족

진단: 환자는 성인기에 획득한 중추신경계의 비진행성 장애와 관련된 운동 기능 및 감각 통합성 손상과 더불어 신경근 손상을 보여 준다. 환자는 신경근 APTA 가이드 패턴 5D를 보여 준다.

예후: 환자는 손상과 기능 제한 및 장애의 한도 내에서 가정, 공동체 및 여가 환경에서 최적의 운동 기능, 감각 통합성 및 최고 수준의 기능을 입증해 보인다. 재활 치료 시 물리치료 방문 횟수는 최대 60회다. 오른쪽 다리와 가족 지원의 운동 복귀 수준에 부차적으로 환자의 진술된 재활 목표 달성 잠재력은 좋은 편이다.

단기 목표(1주까지 달성)

1. 1인의 최소 도움을 받아 분절적으로 좌우로 구른다.
2. 최소 도움을 받아 눕기에서 앉기로 이행한다.
3. 1인의 최소 도움을 받아 앉기에서 서기로 이행한다.
4. 1인의 중간 도움을 받아 서서 돌기 이행을 수행한다.
5. SBA의 도움을 받아 골반 중립과 직립 자세로 매트 또는 침대

(계속)

사례 연구 계속

가장자리에 앉아 왼쪽 팔로 ADL을 수행한다.
6. 능동적으로 오른쪽 팔을 자기 입에 가져가 먹기 활동을 수행한다.
7. 치료를 받기 위해 독립적으로 휠체어를 밀고 나아간다.
8. 1인의 중간 도움을 받아 평평한 지면에서 보조기구를 이용해 20피트까지 걷는다.

장기 목표(3주까지 달성)

1. 독립적으로 좌우로 구른다.
2. 독립적으로 눕기에서 앉기로 이행한다.
3. 독립적으로 앉기에서 서기로 이행한다.
4. 1인의 상시 도움을 받아 서서 돌기를 이행한다.
5. 독립적으로 앉아서 신발을 신고 벗고 바지를 입는다.
6. 카운터/싱크대 등을 팔로 지지하고 5분 동안 서 있다. SBA 1인의 도움을 받아 자기 돌봄을 수행한다.
7. 옷을 입고, 자기 돌봄 업무를 수행하기 위해 적절한 역학을 사용하여 오른쪽 팔을 머리 위로 능동적으로 들어올린다.
8. 평평한 면에서 수정된 독립성 수준으로 최소 제한적 보조기구를 사용해 최소 150피트를 걷는다.
9. 가족은 이동과 걸음걸이로 환자를 돕기 위해서 정확한 기법들을 이해하고 있음을 증명해 보인다.
10. 환자가 독립적으로 가정 운동 프로그램을 수행한다.

계획

치료 일정: 물리치료사(PT)와 물리치료 보조사(PTA)는 월요일부터 토요일까지 하루에 두 번씩 45분간 환자를 다음 3주 동안 치료한다. 이 계획은 환자와 그의 아내와 논의해 합의한 것이다. 치료 시간에는 자세잡기와, 조기 어깨 및 엉덩이 관리, 기능적 이동 훈련, 집중 보행 훈련, 환자/가족 교육 및 퇴원 계획에 중점을 둔다. 물리치료사는 환자를 재검토하고 필요하다면 계획을 1주일 내에 변경한다. 입원 환자 재활에서 예상되는 퇴원 시기는 3주 후이다.

협응, 의사소통 및 문서화: 물리치료사와 물리치료 보조사는 환자, 아내, 의사, 언어 병리학자 및 작업 치료사와 정기적으로 의사소통을 한다. 또한 물리치료사는 퇴원 날짜, 검사 결과, 가정용 보조기구 사용 및 퇴원 후 계속되는 치료 또는 서비스에 관해 알린다. 재활 결과는 매주 문서화 한다.

환자 · 고객 지시: 환자와 그 가족은 가정 운동 프로그램에 대해서 구두 및 서면으로 지시를 받는다. 환자와 그의 가족은 이동과 보행 기술을 배운다. 환자의 상태에 관한 교육은 아내에게 제공한다. 퇴원하기 전에 가정 평가를 하도록 권장한다.

절차적 중재

1. 자세잡기
   a. 오른쪽 측면 인식을 높이고 상승효과 패턴의 우세를 줄이기 위해 오른쪽 팔과 다리를 회복 위치에 두고 영향 받은 쪽으로 돌아눕는다.
   b. 긴장을 줄이기 위해서 오른쪽 팔과 다리를 회복 위치에 두고 왼쪽으로 돌아눕는다.
2. 어깨 및 엉덩이 조기 관리
   a. 어깨뼈의 이동성과 정상적인 어깨뼈 율동을 촉진하기 위해 옆으로 누워서 어깨뼈를 내민다: (1)어깨뼈와 위팔에 임상의의 손을 대기 시작하고, 어깨 관절을 통해 압착을 가한다. (2) 환자가 조절력을 얻을 때, 환자의 오른팔을 베개로 지지하고, 치료사가 오른쪽 손바닥으로 압착을 가할 때까지 맨손 접촉을 더 먼쪽으로 움직인다.
   b. 오른쪽 팔에서 ROM을 증가시키기 위해 눕기 자세에서 이중 팔을 올린다.: (1) 왼손과 오른손을 깍지 껴서 잡고 오른손 엄지가 왼손 엄지 위로 올라간다. (2) 왼쪽 팔이 오른팔을 도와서 팔을 머리 위로 올린다. (3)여기서 능동 보조 ROM으로 진행하고, 마지막으로 능동 ROM으로 나아간다.
   c. 교각 자세: (1) 뒤꿈치 체중지지를 개선하기 위해서 무릎을 통해 압착을 가한다. 시트를 이용해서 대칭적 골반 움직임을 개선할 수도 있다. 이어서 앉기 및 서기 균형을 보조하는 코어 안정성을 위해 율동적 안정화와 등척성 교대, 주동근 반전과 더불어 교각 자세를 취한다. (2) 매트 위에서 엉덩이 폄을 시작한다.: 처음에는 오른쪽 엉덩이를 굽히고, 나아가 엉덩이를 중립에 위치시키기 시작해 엉덩이 폄근 근력을 높이고, 보폭을 넓힌다. (3) 발과 무릎 아래에 공을 놓고 눕는다.: 몸통 회전과 골반 뒤쪽 기울임, 골반 앞쪽 기울임을 통해 몸통 –골반–엉덩이 조절을 개선해 앉기와 서기 균형을 증가시킨다. (4) 앉기 자세에서 PNF 내려치기와 들어올리기를 한다.
3. 운동조절을 위한 촉진 및 억제
   a. 오른쪽 큰볼기근에 맨손 접촉을 가한 교각 자세로 대칭적 골반 움직임을 촉진하고, 발뒤꿈치 체중지지를 촉진하기 위해 무릎에 압착을 가한다.
   b. 오른쪽 팔에 공기 부목을 사용한다: (1) 앉기 자세에서 환자가 오른쪽 팔로 체중을 지지하게 하고, 몸을 가로질러 손을 뻗어서 고유감각을 촉진하고 굽힘 상승효과를 억제하도록 한다. (2) 왼쪽 팔을 몸을 가로질러 뻗어서 물체(유리, 음식, 옷 등)를 잡는다.

(계속)

사례 연구 계속

c. 일어설 때 뒤꿈치 체중지지를 촉진하기 위해서 앉기 자세에서 오른쪽 무릎을 압착을 가한다.
d. 직립 자세와 앉기에서 일어서기로의 이행을 준비하기 위해 골반 중립을 촉진하려고 앉기 자세에서 척추 옆에 맨손 접촉을 가한다.
e. 직립 자세를 개선하기 위해서 서기 자세에서 양쪽 볼기근에 맨손 접촉을 가한다.
f. 팔의 폄을 촉진하기 위해서 세갈래근을 두드리고, 두갈래근에 연장된 힘줄 압력을 가한다.
g. 굽힘 상승효과에서 경직된 팔을 빼내기 위해서 근위 및 원위부로 율동적 회전을 시작한다. 긴장을 억제한 이후에 손 뻗기 과제를 통합한다.
h. 직립 자세를 촉진하기 위해 서기 자세에서 거울을 옆에 놓는다.
i. 체중지지에서 과도한 무릎 굽힘을 방지하기 위해 오른쪽 무릎 앞쪽이나 뒤쪽에 맨손 접촉을 가한다.

4. 기능적 이동성 교육
a. 몸통과 복부를 활성화하기 위해 대각선 패턴을 이용해 눕기에서 앉기로 이행하는 연습을 한다.
b. 더 높은 표면에서 시작하여 더 낮은 표면으로 진행하면서 앉기에서 서기로 이행하는 연습을 시작해 서로 다른 각도로 네갈래근(quads)를 활성화하고 근육 동원 타이밍을 향상시킨다.
c. 이행을 준비하기 위해서 엉덩이 끌기로 침대 가장자리까지 이동하도록 돕기 위해 앉기 자세에서 가쪽으로 체중을 이동한다.
d. 골반 중립과 직립 자세로 정적으로 앉은 다음 동적으로 움직이면서 기능적인 활동을 수행하려면 공을 옆으로 전달하면서 체중을 이동시켜야 한다.
e. 동적인 앉기 균형 활동과 체중 이동, 안정성 한계 너머로 손 뻗기, 바닥으로 손 뻗기(신발을 신고 벗을 때) 같은 ADL을 중립 골반과 직립 몸통을 유지하면서 독립적으로 수행할 수 있고, 환경 내에서도 안전하게 보행할 수 있다.
f. 팔꿈치 짚고 엎드리기: 어깨뼈 안정성과 조절을 촉진하기 위해 등척성 교대와 율동적 안정화를 적용한다.
g. 동적인 서기 균형 활동은 체중 이동으로 시작해 양쪽 다리를 이용해 앞뒤로 걷기, 옆으로 걷기, 반쯤 쪼그려 앉기, 장애물 피해가기, 보행을 개선시켜 주는 계단 넘기로 진행되고, 이후에는 보조기구 사용으로 넘어간다.
h. 유각기에 근력과 조절 증진에 필요한 엉덩이 중립과 무릎 굽힘과 더불어 양쪽 팔다리 체중지지를 증진하기 위해 변형된 발바닥 걷기를 한다.
i. 평평한 지면에서 휠체어를 움직인다. 휠체어 부속품 조작에 관한 지시를 받는다.
j. 바닥으로 이행한다. 엎드리기와 네발기기, 양 무릎 서기, 반 무릎 서기, 서기 자세를 이용해 이행한다.
k. 보행 훈련: 체중지지 트레이드밀 보행을 하루에 한 번 45분 동안 시작한다. 보조기구를 사용하고 맨손 접촉의 도움을 받아 지상 보행으로 진행해 나간다. 환자가 견딜 수 있을 때 계단 오르기를 시작한다.

5. 가족 교육
a. 가족 교육 날짜를 잡는다.
b. 자세잡기와 이행, 자동차 이동 및 보행과 관련하여 가족과 상의한다.
c. 환자의 상태, 잠재적인 합병증, 회복의 장벽, 건축 구조적 변경 필요성, 안전 문제 및 장기 후유증 가능성을 가족에게 가르쳐 준다.

6. 퇴원 계획
a. 권장된다면 가정 평가를 수행한다.
b. 보조기구, 욕조 의자 및 높은 변좌 등 필요한 의료 장비를 확보한다.
c. 근력 강화 운동과 유산소적 조절운동을 포함한 환자 및 가정 운동 프로그램을 가르친다.

고려 사항

- 환자의 치료 계획에 어떤 유형의 근력 강화 운동을 포함해야 하나?
- 유산소적 조절 운동은 환자의 치료 프로그램에 어떻게 포함시킬 수 있는가?
- 환자의 가정 운동 프로그램의 일부로 포함되는 활동이나 연습 유형은 무엇인가?

참고 문헌

Abe H, Kondo T, Oouchida Y, Yoshimi S, Satora F, Shin-Ichi I: Prevalence and length of recovery of pusher syndrome based on cerebral hemisphere lesion in patients with acute stroke, *Stroke* 43:1654–1656, 2012.

Allison LK, Fuller K: Balance and vestibular dysfunction. In Umphred DA, Lazaro RT, Roller ML, Burton GU, editors: *Neurological rehabilitation*, 6 ed., St. Louis, 2013, Elsevier, pp 653–709.

American Physical Therapy Association Direction and supervision of the physical therapist assistant, HOD 06-05-18-26, Alexandria, VA, 2012, American Physical Therapy Association House of Delegates: standards, policies, positions, and guidelines.

American Stroke Association. Heart disease and stroke statistics at a glance. Available at www.heart.org/ldc/groups/ahamah-public/wcm/sop/smd/documents/downloadable/ucm_470704.pdf December 2014. Accessed April 23, 2015.

Baldrige RB: Functional assessment of measurements, *Neurol Rep* 17:3–10, 1993.

Billinger SA, Mattlage AE, Ashenden AL, Lentz AA, Harter G, Rippee MA: Aerobic exercise in subacute stroke improves cardiovascular health and physical performance, *J Neurol Phys Ther* 36:159–165, 2012.

Bobath B: *Adult hemiplegia*, ed 3, Boston, 1990, Butterworth-Heinemann, pp 9–66.

Bohannon RW, Smith MB: Interrater reliability of a modified Ashworth scale of muscle spasticity, *Phys Ther* 67:206–207, 1987.

Bonifer NM, Anderson KM: Application of constraint-induced movement therapy on an individual with severe chronic upper- extremity hemiplegia, *Phys Ther* 83:384–398, 2003.

Centers for Disease Control and Prevention. Stroke in the United States. Available at www.cdc.gov/stroke/facts.htm, March 2015. Accessed April 23, 2015.

Craik RL: Abnormalities of motor behavior. In *Contemporary management of motor control problems [Proceedings of the II STEP Conference]*, Alexandria, VA, 1991, Foundation for Physical Therapy, pp 155–164.

Cumming TB, Thrift AG, Collier JM, et al.: Very early mobilization after stroke fast tracks return to walking: further results from the Phase II AVERT randomized control trial, *Stroke* 42:153–158, 2011.

Davies PM: *Steps to follow: a guide to the treatment of adult hemiplegia*, Berlin, 1985, Springer Verlag, pp. 266–284.

Dieruf K, Poole JL, Gregory C, Rodriguez EJ, Spizman C: Comparative effectiveness of the GivMohr sling in subjects with flaccid upper limbs on subluxation through radiographic analysis, *Arch Phys Med Rehabil* 86:2324–2329, 2005.

Duncan PW, Badke MB: Measurement of motor performance and functional abilities following stroke. In Duncan PW, Badke MB, editors: *Stroke rehabilitation: the recovery of motor control*, Chicago, 1987, Year Book, pp 199–221.

Duncan PW, Sullivan KJ, Behrman A, et al.: Body-weight support treadmill rehabilitation after stroke, *N Engl J Med* 354:2026–2036, 2011.

Foley N, Peireira S, Teasell R, Nerissa C, Richardson M, McIntyre A: *Mobility and the lower extremity*, Evidence-Based Review of Stroke

Rehabilitation (Chapter 9), Updated December 2013. Available at www.ebrsr.com/sites/default/files/CHapter-9_Mobility-and-Lower-Extrem_FINAL_16ed.pdf. Accessed September 15, 2014.

Fulk GD: Locomotor training with body-weight support after stroke: the effects of different training parameters, *J Neurol Phys Ther* 28:20–28, 2004.

Fuller KS: Stroke. In Goodman CC, Boissonnault WG, Fuller KS, editors: *Pathology implications for the physical therapist*, St. Louis, 2009, Elsevier, pp 1449–1476.

Gordon NF, Gulanick M, Costa F, et al.: Physical activity and exercise recommendations for stroke survivors, *Circulation* 109:2031–2041, 2004.

Granger CV, Hamilton BB: The uniform data system for medical rehabilitation report of first admissions for 1992, *Am J Phys Med Rehabil* 73:51–55, 1994.

Hornby TG, Straube DS, Kinnaird CR, et al.: Importance of specificity, amount, and intensity of locomotor training to improve ambulatory function in patients poststroke, *Top Stroke Rehabil* 18:293–307, 2011.

Ibrahim M, Wurpel J, Gladson B: Intrathecal baclofen: a new approach for severe spasticity in patients with stroke, *J Neurol Phys Ther* 27:142–148, 2003.

Johnstone M: *Restoration of normal movement after stroke*, New York, 1995, Churchill Livingstone, pp. 49–74.

Karnath HO, Broetz D: Understanding and treating pusher syndrome, *Phys Ther* 83:1119–1125, 2003.

Kelly-Hayes M, Robertson JT, Broderick JP: The American Heart Association stroke outcome classification, *Stroke* 29:1274–1280, 1998.

Kleim JA, Jones TA: Principles of experience-dependent neural plasticity: implications for rehabilitation after brain injury, *J Speech Hear Res* 51:S225–S239, 2008.

Liepert L, Bauder H, Miltner HR, et al.: Stroke rehabilitation constraint-induced movement therapy, *Stroke* 31:1210–1216, 2000.

Light KE: Clients with spasticity: to strengthen or not to strengthen, *Neurol Rep* 15:63–64, 1991.

Lubetzky-Vilnai A, Kartin D: The effect of balance training on balance performance in individuals poststroke: a systematic review, *J Neurol Phys Ther* 34:127–137, 2010.

Maitland GD: *Peripheral manipulation*, ed 2, Boston, 1977, Butterworths, pp 3–31.

Mulroy SJ, Klassen T, Gronley JK, Eberlly VJ, Brown DA, Sullivan KJ: Gait parameters associated with responsiveness to treadmill training with body-weight support after stroke: an exploratory study, *Phys Ther* 90:209–223, 2010.

National Institute of Neurologic Disorders and Stroke, National Institutes of Health [NIH]: *Stroke: challenges progress, and promise, February 2009:* 1–33, February 2009. Available at www.stroke.nih.gov/documents/NINDS_StrokeChallenge_Brochure.pdf.

National Institute of Neurological Disorders and Stroke: *Complex regional pain syndrome fact sheet*, June 2013, Available at www.ninds.nih.gov/disorders/reflex_sympathetic_dystrophy/detail_reflex_sympathetic_dystrophy.htm. Accessed April 30, 2015.

National Stroke Association: *Depression*. Available at www.stroke.org/we-can-help/survivors/stroke-recovery/post-stroke-conditions/emotional/depression, 2014a. Accessed September 14, 2014.

National Stroke Association. Hemorrhagic stroke. Available at www.stroke.org/understand-stroke/what-stroke/hemorrhagic-stroke, 2014b. Accessed April 23, 2015.

National Stroke Association: *Rehabilitation therapy after a stroke*. Available at www.stroke.org/we-can-help/stroke-survivors/just-experienced-stroke/rehab, 2014c. Accessed April 25, 2015.

O'Sullivan SB: Strategies to improve motor function. InO'Sullivan SB, Schmitz TJ, Fulk GD, editors: *Physical rehabilitation*, 6 ed., Philadelphia, 2014a, FA Davis, pp 393–443.

O'Sullivan SB: Stroke. In O'Sullivan SB, Schmitz TJ, Fulk GD, editors: *Physical rehabilitation*, 6 ed., Philadelphia, 2014b, FA Davis, pp 645–719.

Ostrosky KM: Facilitation vs motor control, *Clin Manag* 10:34–40, 1990.

Rehabilitation measures data base. Fugl-Meyer assessment of motor recovery, berg balance scale. Available at www.rehabmeasures.org. Accessed 07 11, 2014.

Rehabilitation measures data base. Functional independence measure. Available at www.rehabmeasures.org/lists/rehabmeasures/dispform.aspxID889. Accessed July 11, 2014.

Roller ML: The pusher syndrome, *J Neurol Phys Ther* 28:29–34, 2004.

Roth EJ, Harvey RL: Rehabilitation of stroke syndromes. In Braddom RL, editor: *Physical medicine and rehabilitation, Philadelphia*, 1996, WB Saunders, pp 1053–1087.

Ryerson SD: Movement dysfunction associated with hemiplegia. In Umphred DA, Burton GU, Lazaro RT, Roller ML, editors: *Neurological rehabilitation*, 6 ed., St. Louis, 2013, Elsevier, pp 711–751.

Sawner KA, LaVigne JM: *Brunnstrom's movement therapy in hemiplegia*, ed 2, Philadelphia, 1992, JB Lip-pincott, pp 41–65.

Schmid A, Duncan PW, Studenski S, et al.: Improvements in speed-based gait classifications are meaningful, *Stroke* 38:2096–2100, 2007.

Schmitz TJ: Examination of the environment. In O'Sullivan SB, Schmitz TJ, Fulk GD, editors: *Physical rehabilitation*, 6 ed., Philadelphia, 2014, FA Davis, pp 338–392.

Senelick RC: Technological advances in stroke rehabilitation: high-tech marries high touch, *US Neurology*: 2–4, 2011.

Smith MB: The peripheral nervous system. In Goodman CC, Boissonnault WG, Fuller KS, editors: *Pathology implications for the physical therapist*, 2 ed., Philadelphia, 2003, WB Saunders, pp 1170–1171.

Sullivan KJ: What is neurologic physical therapist practice today, *J Neurol Phys Ther* 33:58–59, 2009.

Tang A, Eng JJ: Physical fitness training after stroke, *Phys Ther* 94:9–13, 2014.

Taub E, Uswatte G: Constraint-induced movement therapy: answers and questions after two decades of research, *NeuroRehabilitation* 21:93–95, 2006.

Teasell R, Hussein N: *Brain reorganization, recovery and organized care*, Evidence-Based Review of Stroke Rehabilitation. Available at www.ebrsr.com/sites/default/files/Chapter%202_Brain%20Reorganization%2C%20Recovery%20and%20Organized%20Care_June%2018%202014.pdf. Accessed July 2014.

Teasell R, Hussein N: *Lower extremity and mobil-*

ity post stroke, Stroke Rehabilitation Clinician Handbook. Available at www.ebrsr.com/sites/default/files/Chapter%204A_Lower%20Extremity%20and%20mobility %20post%20stroke_ June%2018%202014.pdf. Accessed July 2014.

Umphred DA, Bly NN, Lazaro RT, Roller ML: Interventions for clients with movement limitations. In Umphred DA, Lazaro RT, Roller ML, Burton GU, editors: *Neurological rehabilitation*, 6 ed., St. Louis, 2013, Elsevier.

Uniform Data System for Medical Rehabilitation: *The FIM® instrument: its background, structure*, and usefulness, Buffalo, 2012, UDS. http://www.udsmr.org/Documents/The_FIM_Instrument_Background_Structure_and_Usefulness.pdf, Updated July 8, 2014. Accessed September 14, 2014.

Watchie J: Cardiopulmonary implications of specific diseases. In Hillegass EA, Sadowsky HS, editors: *Essentials of cardiopulmonary physical therapy*, Philadelphia, 1994, WB Saunders, pp 285–323.

Whiteside A: Clinical goals and application of NDT facilitation, *NDTA Network*: 2–14, Sept–Oct 1997.

CHAPTER

11 외상성 뇌손상

학습 목표 ***이 장을 학습한 후 학생들은 아래 사항에 대하여 이해하고 설명할 수 있다.***

1. 외상성 뇌손상의 원인과 기전을 확인한다.
2. 외상성 뇌손상과 관련된 이차적인 합병증을 나열한다.
3. 기능적 운동을 촉진하는 구체적인 치료 중재를 설명한다.
4. 인지적 결함을 개선할 전략을 논의한다.

서론

미국의 뇌손상 협회(Brain Injury Association of America)에 따르면 외상성 뇌손상(Traumatic Brain Injury, TBI)은 "뇌기능의 변화 또는 외력에 의한 뇌 병리의 다른 증거"다[Brain Injury Association of America (BIA), 2012]. TBI의 영향으로는 인지 능력, 운동 및 감각 결핍 장애, 행동 반응 및 감정 장애가 있다. 이러한 장애는 일시적이거나 영구적일 수 있으며, 개인뿐만 아니라 가족에게도 영향을 미칠 수 있다[질병 통제 및 예방 센터(Centers for Disease Control and Prevention, CDC), 2014].

매년 약 220만 명의 미국인이 뇌손상을 치료받고 있다. 그 중 28,000명은 경증에서 중증도의 TBI 진단을 받아 병원에 입원한다. 80,000명은 장기 장애 발병을 포함해서 기능이 현저히 떨어지는 TBI을 보인다. 5만 2천 명 이상이 손상으로 사망한다(CDC, 2014). TBI는 개인의 신체적, 인지적, 정신 사회적 기능의 평생 장애를 초래할 수 있으므로 공중 보건 상 중요한 질환으로 간주된다(CDC, 2014).

TBI의 경제적 영향도 중요하다. 직접 및 간접 의료비 예상 비용은 2010년에 765억 달러(CDC, 2014)였다. 급성 치료 입원 및 재활 비용은 연간 90~100억 달러다. TBI 환자를 보살피는 것과 관련된 평균 평생 비용은 600,000달러에서 1,875,000달러 사이이다. 그러나 이러한 수치는 손실된 임금과 사회봉사 프로그램과 관련된 비용을 포함하지 않은 것이기 때문에 가족 및 사회에 대한 총 비용을 과소평가할 수 있다(CDC, 2014). TBI의 가장 흔한 원인은 낙상(40.5%)이다. 그 다음으로는 원인 불명, 기타(19%) 요인, 물체에 맞음(15.5%), 자동차 사고(Motor Vehicle Accident, MVA, 14.3%), 폭행(10.7%)이 있다(CDC, 2014). 남성은 여성보다 2 : 1의 비율로 더 빈번하게 손상 받는다. 1~2세, 15~24세, 75세 이상 노인(CDC, 2014)이라는 세 가지 연령대에서 TBI 발병률이 절정에 이른다. 아기를 흔드는 등의 아동학대, 낙상, 자동차 사고 및 자전거 사고가 어린이의 뇌손상의 주요 원인이다. 아이들이 자전거 헬멧을 착용하면 심한 뇌손상 위험을 88%까지 줄일 수 있다(Fuller, 2009b).

TBI 발병 이후 개인의 결과를 예측하기는 어렵다. 뇌손상 이후 결과에 영향을 미칠 있는 몇 가지 요인으로는 (1) 충격이나 부상으로 나타나는 즉각적인 손상 정도와 (2) 글라스고우 혼수 척도(Glasgow Coma Scale), 특히 눈 개방과 운동 반응 범주에서 낮은 초기 점수, (3) 이차 뇌손상의 누적 효과, (4) 지적 능력, 교육 수준, 기억력과 같은 개인의 발병 전 인지 기능, (5) 약물 남용 유무, (6) 대인 관계 및 근무 경력의 수준과 같은 손상전 개인성향이 있다(Fulk and Nirider, 2014; Winkler, 2013; Bontke and Boake, 1996).

뇌손상 분류

개방 및 폐쇄 손상

뇌손상의 두 가지 주요 분류는 개방 손상과 폐쇄 손상

이다. 손상은 총상, 칼이나 다른 날카로운 물체에서 받은 것과 같은 상처 유형 때문에 발생한다. 두개골은 골절되거나 변위될 수 있다. 뇌손상은 물체의 출입 경로를 따라가는 것으로 보이므로 보다 더 국소적인 손상이 나타난다. 또한 개방 손상으로 수막이 손상되고, 뼈 조각과 모발 및 피부가 뇌 조직에 침투함에 따라 감염의 위험이 증가한다(Campbell, 2000). 폐쇄나 두개 내 손상은 두 번째 손상 유형이며, 여러 가지 하위 유형이 있다. 머리에 충격을 받았을 때 폐쇄 손상을 입었다고 하지만 두개골은 골절되거나 변위되지 않는다. 신경(뇌) 조직이 손상되고 경질막은 손상되지 않는다.

외상성 뇌손상의 하위 유형

뇌진탕

뇌진탕은 가장 흔한 유형의 TBI이며 개방 손상이나 폐쇄 손상으로 발생할 수 있다. 뇌진탕은 "의식 상실을 포함할 수도 있고 그렇지 않을 수도 있는 정신 상태(신체 및 인지 능력)의 변화를 유도하는 외상"(BIA, 2014)으로 정의된다. 뇌진탕의 증상으로는 현기증, 방향 감각 상실, 시각 흐림, 집중력 장애, 수면 장애, 메스꺼움, 두통, 균형 감퇴(BIA, 2014) 등이 있다. 후향성(손상 이전) 기억 상실이나 전향성(외상 후) 기억 상실이 나타날 수도 있다. 전향성 기억 상실증 환자는 손상 전의 사건을 기억하지 못하는 반면, 후향성 기억 상실증 환자는 새로운 정보를 습득할 수 없다(Bontke and Boake, 1996). 후향성 기억 상실 기간은 상해 중증도를 알려주는 임상적 지표로 간주된다(Fuller, 2009b). 뇌진탕으로 뇌 조직에 구조적 손상이 생기지는 않는다. 그러나 전단력(shearing forces) 때문에 시냅스가 파괴된다.

뇌진탕의 등급은 세 가지다. 1등급 뇌진탕 환자는 혼란스럽고 현기증을 느끼며, 명확한 사고를 하기 어렵고, 지시를 따르기 어렵다. 그러나 의식은 유지된다. 증상은 15분 이내에 사라진다. 2등급 뇌진탕은 기억상실증이 발생하지만 의식이 있는 것이 특징이며, 증상은 15분 이상 지속된다. 3등급 뇌진탕 환자는 몇 초 또는 몇 분 동안 의식을 잃고 신체적, 인지적 또는 행동 기능의 변화를 보인다. 뇌진탕은 매년 160-380만 명의 스포츠 및 레크리에이션 관련 뇌손상으로 발생한다고 추정되기 때문에 국민에게 중요한 건강 문제가 된다(Borich 등, 2013). 대부분의 뇌진탕 환자들은 완전히 회복할 수 있다(BIA, 2014). 스포츠 복귀를 포함한 뇌진탕 관리는 의료 전문가에게 중요한 문제이며, 언론에서 대중적인 토론의 대상이 되어 왔다. 신체적 및 인지적 휴식과 점차적인 활동 복귀가 권장된다(Borich 등, 2013). 미국 물리치료 협회(APTA)는 뇌진탕 위험과 평가 표준화, 복귀 지침과 관련된 법률 및 시행 지침을 승인했다. 운동선수는 증상이 사라지고 투약을 중단할 때까지 스포츠에 복귀해서는 안된다(Giza 등, 2013).

타박상

타박상은 또 다른 유형의 두개 내 손상이다. 타박상을 입으면 충격을 받은 뇌 표면에 멍이 든다. 뇌 표면의 작은 혈관들의 출혈로 멍이 드는 것이다. 충격을 받은 쪽에 생기는 타박상은 타격 병변(coup lesion)이라고 한다. 감속의 결과로 외상 반대쪽에서 발생하는 표면 출혈을 맞충격 병변(contrecoup)이라고 한다. 맞충격 병변과 관련하여, 가속은 더욱 심각한 혈관 경색과 부종 형성을 유발할 수 있다. 그림 11-1은 타격 병변과 맞충격 병변을 모두 보여 준다.

뇌 조직 손상에는 여러 가지 형태가 있을 수 있다. 손상의 범위는 손상의 성격과 머리에 영향을 주는 힘의 유형과 양에 따라 다르다. 상처가 있는 사람의 경우에는 충격 부위에서 국지적 뇌손상이 발생한다. 이차적 뇌손상은 두개골 골절에서 자주 볼 수 있는 뇌 조직 열상의 결과로 발생할 수 있다. 가속 및 감속 힘은 타격 병변이나 맞충격 병변을 유발할 수 있다. 뇌가 두개골 내에서 앞으로 움직이면서 극지 뇌손상(polar brain damage)이 발생할 수 있다. 이마엽과 관자엽이 가장 자주 영향을 받는다. 고속과 회전 손상은 뇌 조직이 머리뼈뇌 내에서 가속 및 감속하기 때문에 광범위 축삭 손상을 일으킬 수 있다. 대뇌겉질 아래 축

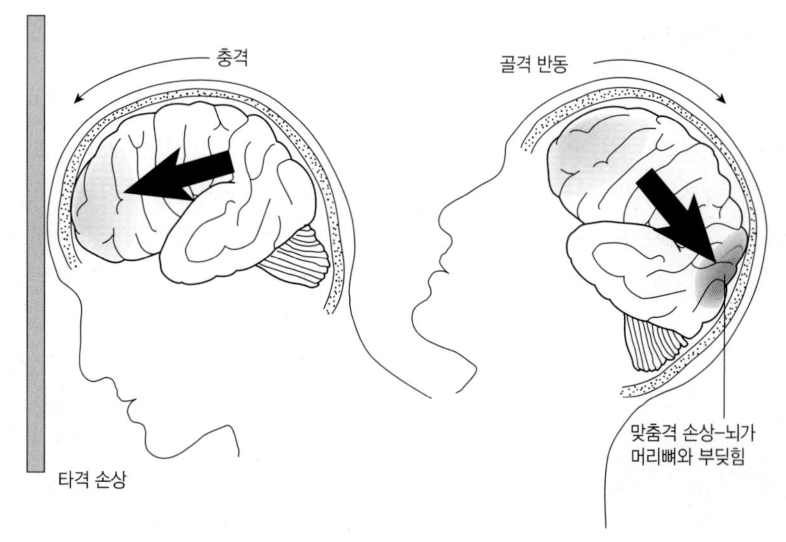

그림 11–1. 타박상 유형: 타격과 맞충격(From Gould BE: *Pathophysiology for the health–related professions*, Philadelphia, 1997, Saunders.)

삭이 절단되어 말이집 안에서 분열될 수 있다(BIA, 2014). 칼슘은 축삭 손상을 추가로 전파하는 세포로 들어간다(Lundy–Ekman, 2013). 이러한 광범위 축삭 손상은 대뇌반구에서 뇌줄기 활성화 중추를 차단할 수 있다(Bontke 등, 1992). 이러한 유형의 손상에 가장 취약한 영역은 뇌들보와 바닥핵, 뇌실 주위 백색질, 위소뇌다리이다(Lundy–Ekman, 2013).

혈종

혈종 형성을 동반한 혈관 출혈은 폐쇄형 뇌손상의 또 다른 유형이다. 표기법에 딱 맞는 두 종류의 혈종이 있다. 경질막과 뇌머리뼈 사이에서는 경질막바깥혈종이 형성된다(그림 11–2, A). 이러한 유형의 손상은 머리쪽에 충격을 받거나 자동차 사고로 심한 외상을 입은 후에 자주 나타난다. 관자뼈 내에서 중간 수막동맥의 파열은 경질막바깥혈종을 유발할 수 있다. 임상적으로, 이런 환자는 한동안 의식을 차리지 못하다가 정신이 맑아지고 명료해진다. 파열된 혈관에서 계속 출혈이 일어나면 혈종이 커진다. 이어서 환자의 상태가 급속히 악화된다. 개인의 생명을 구하거나 그 이상 상태를 악화시키지 않기 위해서는 머리뼈 절개술과 혈종 사출로 구성된 즉각적인 외과적 중재가 필요하다.

한편 경질막밑 혈종은 피질 연결 정맥의 파열로 일어나는 급성 정맥 출혈이다. 이 혈종은 경질막과 거미막 사이에서 발생한다. 정맥계에서 유출되는 혈액은 일반적으로 몇 시간에서 일주일 동안 천천히 축적된다. 이 유형의 손상은 낙상으로 머리에 타격을 입은 노년층에서 볼 수 있다. 증상은 뇌혈관 손상이 있는 사람에게서 나타나는 증상과 유사할 수 있다. 개인은 의식 감소, 같은 측 동공 확장, 반대쪽 반신마비를 경험할 수 있다. 더 작은 혈전은 몸에 의해 재흡수될 수 있지만, 큰 혈종은 수술로 제거해야 할 수 있다. 그림 11–2, B는 경질막밑 혈종의 위치를 보여 준다.

감금 증후군, 뇌손상 및 갑작스런 충격 증후군

감금 증후군과 후천적 뇌손상 및 갑작스런 충격 증후군을 포함해 뇌손상의 추가 범주도 언급해야 한다. 감금 증후군은 TBI 후 발생할 수 있는 희귀한 신경 장애이다. 이 질환의 특징은 눈의 움직임을 조절하는 근육을 제외한 모든 수의적인 근육의 완전한 마비이다. 개인은 의식을 유지하고 인지 기능을 발휘하지만 움직일 수는 없다. 이 질환의 예후는 좋지 않다. 후천성 뇌손상은 유전적, 선천적, 퇴행성 또는 출생 시의 외상으로 인한 것이 아니다. 후천성 뇌손상의 원인으로는

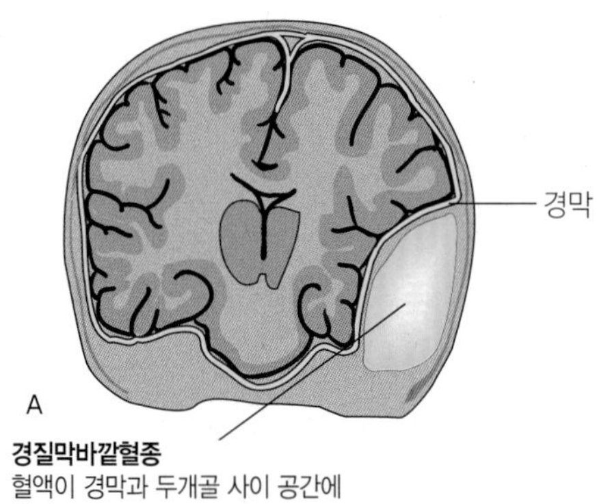

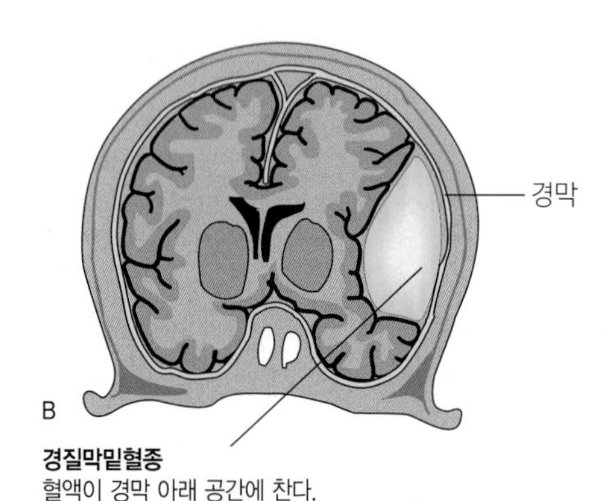

그림 11-2. 혈종 유형(From Gould BE: *Pathophysiology for the health-related professions*, Philadelphia, 1997, Saunders.)

기도 폐쇄, 익수(near-drowning), 심근경색, 뇌혈관 손상, 독소 노출, 감전 또는 낙뢰가 있다. 갑작스런 충격 증후군은 재발성 외상성 뇌손상으로도 알려져 있다. 이 증후군은 첫 번째 상처의 증상이 낫기 전에 두 번째 손상을 입었을 때 발생하고, 일반적으로 스포츠계에서 조기 복귀하는 젊은 운동선수와 관련이 있다. 이 경우 부종과 확산 손상이 나타날 가능성이 훨씬 크다(BIA, 2012).

이차적 문제

TBI 환자는 초기 손상에 대한 뇌 반응으로 이차적 대뇌손상을 입을 수 있다. 이 손상은 초기 손상 1시간 이내에 또는 수개월 후에 발생할 수 있다. 아래에서는 환자의 결과에 영향을 줄 수 있는 일반적인 이차적 문제에 대해 논의한다.

두개 내압 증가

두개내압(Intra-Cranial Pressure, ICP) 증가는 외상성 뇌손상 후 흔히 나타나는 증상이다. 심각한 손상을 입은 환자의 약 70%가 ICP 증가를 보인다(Campbell, 2000). 성인 두개골은 경직되어 있어 부종 형성이나 출혈에 따라 이차적으로 증가하는 체액을 수용할 정도로 확장되지 않는다. 그 결과 뇌 조직을 압박하고, 뇌 조직의 혈액 관류를 감소시키며, 뇌탈(헤르니아)을 유발할 수 있는 압력이 증가한다. 정상 ICP는 약 5~10 mmHg이다. 20 mmHg 이상의 압력은 비정상으로 간주되어 신경학적 및 심혈관 변화를 일으킬 수 있다. 환자의 ICP를 증가시킬 수 있는 활동으로는 목 굽힘과 타격 및 진동 기법 수행 및 기침이 있다(Fulk and Geller, 2001; Campbell, 2000). ICP 증가를 암시하는 징후와 증상은 (1) 반응성 감소와 (2) 의식 손상, (3) 심한 두통, (4) 구토, (5) 과민성, (6) 시각신경 유두부종, (7) 혈압 증가 및 심박수 감소를 비롯한 생체 신호 변화가 있다(VanMeter and Hubert, 2014; Gould, 1997; Jennett and Teasdale, 1981). 환자의 ICP 증가는 손상을 입은 첫 주 이내에 나타난다. 그러나 ICP 증가는 환자의 초기 손상 후 몇 달 또는 몇 주 내에 나타날 수도 있기 때문에 치료사가 이 상태의 징후와 증상을 인식하는 것이 중요하다. 영구적인 교정이 필요할 경우에는 ICP 증가 치료에 신중한 모니터링과 약리학적 약제(만니톨, Mannitol) 및 뇌실복강션트(ventriculoperitoneal shunt)가 포함된다(Fulop, 1998).

무산소 손상

뇌 조직은 적절한 산소 포화 수준과 대사 기능을 유지하기 위해 일정한 혈액 흐름을 요구한다(VanMeter and Hubert, 2014). 무산소 손상은 심장마비로 가장 자주 발생한다. 이러한 유형의 상해는 일반적으로 뇌 조직 내에 확산 손상을 일으킨다. 그러나 일부 영역은 해마의 신경세포(기억 저장과 관련된 영역), 소뇌 및 기저핵과 같은 국소적인 손상에 보다 취약한 것으로 나타났다. 이것은 이 환자 집단에서 나타나는 기억 상실 및 운동장애의 유병률을 설명해줄 수 있다(Bontke and Boake, 1996; Jennett and Teasdale, 1981).

발작

타박상 환자의 약 25%와 관통성 개방(penetrating open) 손상 환자의 50%는 즉시 발작을 일으킨다(국립 신경 장애 연구소(NINDS), 2014; Winkler, 2013). 발작은 "피질 신경 세포의 과도한 동시적 방전이 특징인 일시적인 생리학적 뇌기능장애를 반영하는 개별적 임상 사건"으로 정의된다(Hammond와 McDeavitt, 1999). 발작을 유발할 수 있는 사건으로는 스트레스, 영양 부족, 전해질 불균형, 약물 투약 또는 마약 사용 중단, 빛 깜박임, 감염, 수면 부족, 발열, 분노, 걱정 및 두려움이 있다(Fuller, 2009a). 특정 물리치료 중재는 발작 병력이 있는 환자에게는 금기 사항이다. 빠르게 돌기(spinning)와 같은 안뜰기관 자극 기술과 갑작스런 가속 및 감속 요소로 인한 불규칙한 움직임은 피해야 한다(O'Sullivan, 2001). 환자가 치료 중 발작을 일으킨다면, 물리치료사는 손상을 피하기 위해 환자를 마루로 옮겨야 한다. 환자의 신체적 증상, 호흡 상태 및 발작 기간을 관찰하는 것이 중요하다(Fuller, 2009a). 환자의 의사와 주 간호사의 통지가 필수적이다. 발작 후에 의식을 잃지 않는 환자는 가능한 흡인을 예방하기 위해 옆으로 눕혀야 한다(Davies, 1994). 약물은 환자가 보여주는 발작 유형에 따라 처방한다. 발작 활동을 조절하기 위해 투여되는 일반적인 약물에는 페니토인(phenytoin), 딜란틴(Dilantin)과 페노바르비탈(phenobarbital), 루미날(Luminal)이 있다. 페니토인은 외상 후 발작 장애 위험을 줄이기 위해 중상을 입은 환자에게 예방을 위한 조치로 손상 후 1~2주 동안 투여해야 한다(Fulk와 Nirider, 2014; Fuller, 2009a). 이러한 약물의 일반적인 부작용으로는 환자의 각성, 기억, 인지, 운동장애, 구토 장애, 이중 시력 및 간독성을 감소시킬 수 있는 진정 효과들이다. 카르바마제핀(Carbamazepin [Tegretol])은 내약성이 좋고, 해로운 부작용이 적은 또 다른 항정신병 약물이다(Naritoku and Hernandez, 1995). 물리치료사와 물리치료사 보조사가 고려해야 하는 중요한 사항은 환자의 각성이나 인식 수준이 비교적 낮으면 환경에 반응하는 능력이 영향을 받을 수 있다는 것이다(Bontke 등, 1992).

환자 검사 및 평가

글라스고우 혼수 척도

TBI 발병 후 응급실로 이송된 환자는 손상의 정도를 파악하기 위한 평가를 받는다. 글라스고우 혼수 척도(Glasgow Coma Scale, GCS)는 개인의 각성 수준과 대뇌피질의 기능을 평가할 때 사용한다. 이 척도는 동공 반응, 운동 활동 및 언어 구사 능력을 구체적으로 평가한다(VanSant, 1990a)(표 11-1). 이 평가 점수는 3에서 15까지이며, 점수가 높을수록 뇌손상이 심하지 않고 생존 기회가 더 많다는 것을 의미한다. 3 또는 4점을 받아 응급실을 통해 입원한 사람들은 종종 생존하지 못한다. 점수가 8 이하이면 환자가

표 11-1 글라스고우 혼수 척도*

개안반응	점수
자발적으로 눈을 뜸	4
말소리에 눈을 뜸	3
통증 자극에 눈을 뜸	2
반응 없음	1
운동 반응	점수
구두 명령에 따름	6
국소적 반응을 보임	5
통증에 회피 반응을 보임	4
제피질 자세	3
제뇌 자세	2
반응 없음	1
언어 반응	점수
지남력이 있음(oriented)	5
대화에 혼란이 있음	4
적절하지 못한 단어 사용	3
이해할 수 없는 소리 내기	2
반응 없음	1

*총 점수는 개안 반응과 운동반응, 언어 반응의 점수를 합한 것이다.
Modified from Jennett B, Teasdale G: *Management of Head Injuries*. Philadelphia, 1981, FA Davis, p. 78.

혼수상태에 있고 심각한 뇌손상을 입었음을 나타낸다(Winkler, 2013). "GCS 점수에 나타나 있듯이 무의식의 깊이와 지속 기간이 TBI 결과를 예측하는 가장 강력한 변수라는 것은 반복적으로 증명되었다(Bontke and Boake, 1996)."

외상성 뇌손상의 심각성 분류

TBI는 경증, 중등증, 중증으로 분류된다. 경증 TBI 환자는 GCS가 13 이상이고, 의식 상실 시간이 20분 미만이며, 컴퓨터 단층 촬영 검사는 정상으로 나온다. 경증 TBI 환자들은 급성 치료 시설에 도착했을 때 깨어 있지만, 어지럽거나 혼란스러울 수 있으며 두통과 피로를 호소할 수 있다. 중등도 TBI 환자는 GCS 점수가 9~12이다. 병원 입원 시에는 혼란스럽고 질문에 적절하게 답변할 수 없다. 많은 중등도 TBI 환자들은 영구적인 신체적, 인지적, 행동적 결손을 가지고 있다. 중증 TBI 환자는 3에서 8점을 받고, 혼수상태에 있다. 대부분의 중증 TBI 환자들은 영구적인 기능 및 인지 장애를 가지고 있다(Bontke and Boake, 1996).

환자 문제 영역

TBI의 임상적 발현은 다양할 수 있는데, 발생할 수 있는 확산성 신경 손상에 이차적으로 나타난다. 이 환자 집단에서 흔히 볼 수 있는 문제는 다음과 같다. (1) 의식 수준 감소와 (2) 인지 장애, (3) 운동 또는 움직임 장애, (4) 감각 문제, (5) 의사소통 결핍, (6) 행동 변화, (7) 관련 문제가 있다.

의식 수준 감소

각성 또는 의식의 감소, 변화 수준은 TBI 환자한테서 빈번하게 나타난다. 흥분은 깨어 있거나 정신이 명료한 원시 상태다. 망상 활성화 시스템은 개인의 각성 수준을 책임진다. 인식이란 개인이 내부 및 외부 환경 자극을 의식하고 있음을 의미한다. 의식은 인식 상태를 말한다. 혼수상태라는 용어는 인식 수준이 감소한 것으로 묘사된다. 혼수상태는 환자가 내부 환경 또는 외부 환경에 자극받지도 않고 반응하지도 않는 무의식 상태이다(NINDS, 2014).

환자가 혼수상태에 있을 때는 눈이 감겨 있고, 자발적인 활동을 시작할 수 없으며, 수면과 각성 주기를 뇌파에서 구별할 수 없다. 혼수상태는 수면–각성 주기가 돌아오면 3~4주 이상 지속되지 않으며, 호흡, 소화 및 혈압 조절과 같은 뇌기능이 회복된다. 뇌줄기 반사와 수면–각성 주기 회복을 보이지만 의식을 차리지 못하는 환자는 식물 상태에 있다고 한다(Lehmkuhl and Krawczyk, 1993). 이 단계의 개인은 각성 시기를 경험할 수 있으며, 눈으로 따라가는 반응 없이 자발적으로 눈을 뜨기도 한다. 심장박동수나 호흡수 증가, 발한 또는 비정상적인 자세와 같은 통증에 대한 일반적인 반응이 분명하게 나타날 수 있다. 개인은 외부 환경이나 내부 필요성을 인식하지 못한다(NINDS, 2014; Rappaport 등, 1992). 지속적 식물 상태는 30일 이상 식물 상태에 있는 사람을 가리키는 용어이다. 성인은 일반적으로 지속적 식물 상태(NINDS, 2014)에 있을 때 의식을 회복할 확률이 50%이다. 최소 의식 상태는 각성 손상의 또 다른 상태이며, 자기 자신과 환경에 대한 모호한 인식이 특징이다. 환자는 유해한 자극이나 소리의 위치를 알아낼 수 있으며, 한 물체에 시선을 고정할 수 있다(Fulk and Nirider, 2014).

무응답을 정의하는 다른 용어들도 사용한다. 혼미(Stupor)는 환자가 상당한 감각자극을 받은 이후에만 각성할 수 있는 일반적인 무반응 상태이다. 둔화(Obtundity)는 대부분의 시간 동안 잠을 자는 사람들한테서 분명하게 나타난다. 이러한 사람들이 흥분할 때는 환경에 무관심하고 감각자극에 느리게 반응한다. 섬망(Delirium)은 지남력 상실과 두려움, 감각자극 오인으로 분류된다. 이 단계의 환자는 불안하고 시끄럽고 사회적으로 부적절할 수 있다. 의식 혼탁(clouding of consciousness)은 혼란스럽고 산만하며 기억력이 떨어지는 상태이다 (Winkler, 2013).

의식 회복은 지남력(orientation)과 최근 기억이 향상되는 점진적 과정이다. 단계별 진전은 다양하며, 환자는 어떤 단계에서도 고원(plateau) 상태에 이를 수 있다(Winkler, 2013).

인지 결손

각성과 반응 결핍과 더불어 많은 TBI 환자들은 인지적 결손도 경험한다. 인지 기능 부전은 지남력 상실과 주의력 결핍, 기억 상실, 실행 기능 상실(계획 및 조직력, 오류 인식, 문제 해결 및 추상적 사고 부족) 및 감정적인 반응 조절 불가능을 포함할 수 있다. 개인의 심각한 인지적 결손은 재활 과정에서 필수적인 새로운 기술을 습득하는 능력에 큰 영향을 미친다(VanSant, 1990a, b). 이러한 현상을 잘 보여주는 사례는 다음과 같다.

입원 환자 재활 센터에서 물리치료 서비스를 받는 환자는 환경 장벽을 넘고, 복잡한 소근육 운동 과제를 수행하기 위해 보조 기구 없이 독립적으로 보행할 수 있었다. 그러나 자신의 이름을 기억할 수 없었고, 가족을 확인할 수 없었으며, 시간이나 장소를 인지하지 못했다. 환자는 종종 외부 환경에 혼란스러워하고 부적절한 단어나 가공된 이야기로 자신의 기억 공백을 채운다. 이 환자의 인지적 결점은 신체적 한계보다 전반적인 기능적 독립성과 안전성에 훨씬 더 큰 문제가 된다는 것이다. 이러한 장애를 다루는 중재 전략은 이 장의 뒷부분에서 소개한다.

운동 결함

TBI 환자에게 영향을 미치는 두 번째 주요 영역은 운동기능이다. 환자가 의식을 잃었을 때 이동성이 약화된다. 환자는 능동적인 움직임을 시작할 수 없다. 비정상적인 자세 또한 종종 뇌줄기 손상의 결과로 간주된다. 가장 흔하게 나타나는 두 가지 비정상 자세는 제뇌 경직과 겉질제거경축이다. 제뇌 경직에서는 환자의 다리가 펴진다. 엉덩이는 모아져 안쪽으로 돌아가고, 무릎이 펴지며, 발목 발바닥쪽굽힘이 일어나고, 발이 뒤쳐진다. 팔은 안쪽으로 돌아가고, 어깨가 펴지며, 팔꿈치가 펴지고, 아래팔이 엎쳐지며, 손목과 손가락이 구부러진다. 엄지손가락은 손바닥 안에 간힐 수 있다. 제뇌 경직은 중간뇌 영역의 신경 절단으로 나타난다. 안뜰 바닥핵은 폄근의 근원을 제공한다. 겉질제거경축(decorticate rigidity)은 어깨 모음과 안쪽 돌림, 팔꿈치 굽힘, 아래팔 엎침, 손목 굽힘, 다리 폄을 동반한 팔 굽힘으로 나타난다. 겉질제거경축은 적색핵 수준 이상의 장애로, 특히 바닥핵과 시상 사이의 장애로 나타난다. 심각한 손상을 입은 환자는 비정상적인 패턴에 지배될 수 있다. 환자가 이 자세에서 벗어날 수 없고, 수의적인 능동적 움직임이 불가능할 때 문제가 발생한다(VanSant, 1990a).

TBI 환자는 비정상적인 자세 이외에 다른 유형의 운동장애를 나타낼 수도 있다. 근긴장 이상뿐만 아니라 일반적인 약화와 움직임 개시 어려움을 보일 수 있다. 수의적인 운동조절 없는 원시 및 긴장성 반사 재발도 환자가 한 자세에서 다른 자세로 바꾸는 능력에 영향을 줄 수 있다. 긴장성 미로 반사와 비대칭 긴장목 반사, 대칭 긴장목 반사, 긍정적 지지 반사 및 굽힘근 수축 반사는 능동적인 움직임을 시작하는 환자의 능력을 억제할 수 있다. 운동 순서, 운동 실조, 불협응, 정적 및 동적 균형의 감소도 환자의 기능적 운동 수행 능력을 저해할 수 있다.

감각결손

감각결손은 TBI 환자한테서도 나타난다. 사상판(cribriform plate)이나 앞쪽 오목(anterior fossa) 골절에 이차적으로 후각이 상실되거나 손상될 수 있다(Campbell, 2000). 피부(촉각 및 운동감각) 감각 인식이 손상되거나 사라질 수 있다. 또한 영향을 받은 뇌 영역에 따라서 시각적, 지각적, 고유 감각 장애가 발생할 수 있다.

의사소통 결핍

TBI 환자는 종종 초기에 의사소통 능력이 상실되거나 심하게 손상된다. 환경에 대한 인식 감소는 상호 작용 기회를 제한할 수 있다. 심한 운동장애가 있는 환자는 비정상적인 긴장이나 자세 때문에 의사소통을 시작할 수 없다. 구두 의사소통 이외의 메커니즘을 탐구해야 한다. 눈 깜빡임, 머리 끄덕임 또는 손가락 움직임은 '예/아니오'로 답할 수 있는 유일한 방법일 수 있다. 물리치료사와 물리치료 보조사는 종종 물리치료 도중에 환자가 처음으로 의사소통에 성공한다는 사실을 발견한다. 비정상적인 긴장을 관리하고 정상적인 운동 패턴을 촉진하는 데 사용되는 억제 기술은 환자가 기본적인 욕구를 전달하기 위한 수단으로 동작이나 구두 반응을 사용하기 시작할 수 있게 해 준다.

행동적 결함

TBI 발병 이후에 행동 문제가 분명하게 나타날 수 있다. 이러한 결함은 종종 오래 지속되고 사회적 장애를 낳는다. 환자는 성격과 기질의 변화로 쇠약해질 수 있다. 환자는 신경증, 정신병, 성욕 감소, 무관심, 과민 반응, 불안정성, 공격성 및 낮은 좌절감을 나타낼 수 있다. 이러한 성격 변화는 재활 전문가뿐만 아니라 보호자 및 가족 구성원에게도 어려움을 안겨줄 수 있다. 치료사는 환자의 행동 문제를 해결하기 위해서 적절한 전략을 개발하고 제안해 줄 수 있는 환자의 신경심리학자와 상의해야 한다.

관련 문제

이 인구 집단에서 언급되어야 하는 마지막 영역은 개인이 경험할 수 있는 관련 문제 영역이다. TBI 환자의 약 40%는 다른 손상을 입는다(Campbell, 2000). 정형외과적 손상뿐만 아니라 심각한 의학적 합병증은 실제 뇌손상으로 이어지는 외상 사건 중에 발생할 수 있다. TBI 환자는 골절, 열상, 심지어 척수손상까지 나타날 수 있다. 이러한 관련 문제는 개개인의 치료에 영향을 미치며 재활을 더욱 어렵게 만든다.

물리치료 중재: 급성 치료

TBI 환자의 물리치료는 환자가 의학적으로 안정되자마자 급성 치료 환경에서 시작해야 한다. 중재의 초기 목표는 다음과 같다. (1) 환자의 각성 수준을 증가시키고, (2) 이차적 장애의 발달을 막으며, (3) 환자 기능을 개선하고, (4) 환자와 가족에게 손상에 관한 교육을 제공하는 것이다. 급성 의료 시설에서의 환자 체류 기간은 짧을 수 있다. 특히 환자가 어떤 의학적 합병증을 보이지 않은 경우에는 응급 치료 입원의 평균 기간이 2주 미만일 수 있다.

자세잡기

가장 중요한 조기 치료 중 하나는 환자의 자세잡기다. 자세잡기는 TBI 환자가 비정상적인 긴장 및 자세를 나타낼 수 있으므로 필수적이다. 눕기 자세는 간호 및 자기 돌봄 수행을 촉진하기 때문에 많은 TBI 환자들이 취하는 자세이다. 눕기는 또한 긴장미로 반사의 영향을 가장 많이 받고, 폄근 긴장의 우세가 분명하게 드러나는 자세이다. 중재 11-1과 11-2는 자세잡기 실례를 보여 준다. 옆으로 눕기와 반쯤 엎드리기 자세는 긴장미로 반사의 영향이 감소하기 때문에 더 바람직하다. 호흡기 합병증 발병 가능성 때문에 이런 환자의 자세를 잡아줄 때는 주의를 기울여야 한다. 종종 TBI 환자는 기계 환기를 받거나 기관 절개술을 받을 수 있다. 환자는 가슴과 이마 아래에 베개나 쐐기를 놓고 엎드리는 자세를 취할 수 있다. 이러한 자세는 환자의 기도를 유지해 준다. 환자가 엎드려 있거나 누워 있는 상태에서 팔을 가볍게 벌리고 바깥쪽으로 돌리면 비정상적인 근육 긴장을 억제할 수 있다(Davies, 1994).

치료사는 환자가 제뇌 자세나 겉질제거 자세를 취하지 않도록 해야 한다. 간호 요원과 환자의 가족은 환자 자세잡기에 대해 교육을 받아야 한다. 환자가 최적의 자세를 유지할 수 있도록 단단한 수건과 작은 볼스터 또는 하프 롤을 사용해야 한다. 베개와 다른 부드러운 물체는 환자가 밀어버릴 수 있기 때문에 피해야 한다. 이러한 것들은 신장 반사를 유발하고 비정상적인 자세를 악화시킬 수 있다.

이 환자들에게 나타나는 비정상적인 근육 긴장은 중요할 수 있다. 구축은 특히 팔꿈치와 발목에서 빠르게 진행될 수 있다. 관절 운동범위 운동, 정적 부목 사용과 더불어 적절한 자세잡기는 제약을 가할 수 있는 합병증을 완화할 수 있다.

딴곳뼈되기

딴곳뼈되기(Heterotopic ossification)는 TBI 발병 후 발생할 수 있는 관절을 둘러싼 물렁 조직 및 근육의

중재 11-1 옆으로 눕기 자세잡기

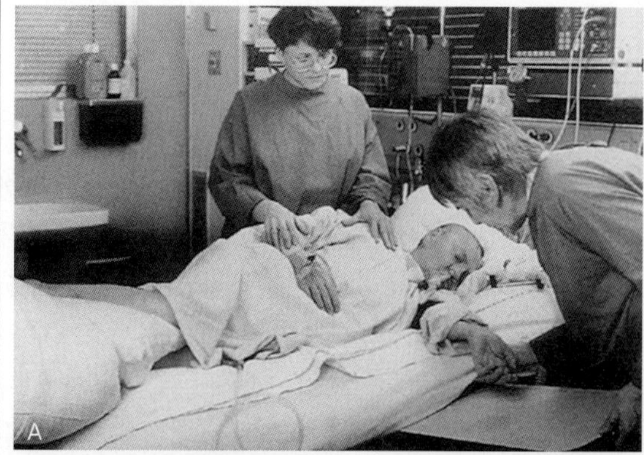

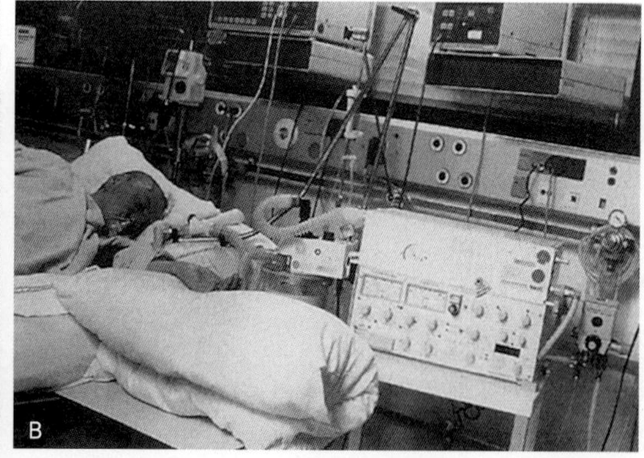

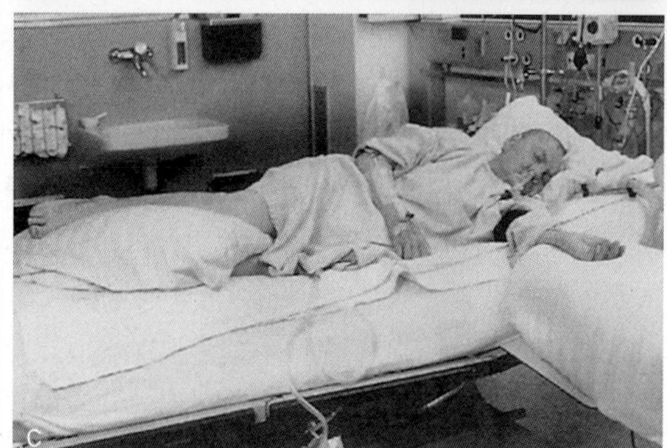

A. 발판 한쪽 끝이 매트리스 아래로 들어간다.
B. 돌돌 만 베개로 환자의 펴진 팔을 지지한다.
C. 교정한 자세에서 팔이 잘 지지되고 있다.

(From Davies PM: *Starting again: early rehabilitation after traumatic brain injury or other severe brain lesion,* New York, 1994, Springer-Verlag.)

중재 11-2 엎드리기 자세잡기

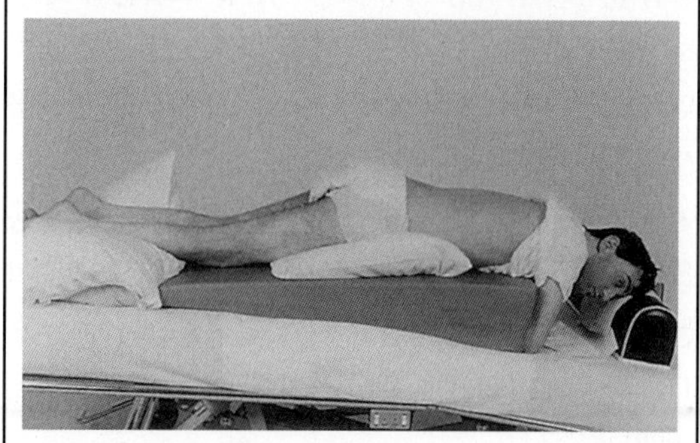

심각한 구축에도 불구하고 이 환자는 각각 다른 지지물의 도움을 받아 엎드릴 수 있다.

(From Davies PM: *Starting again: early rehabilitation after traumatic brain injury or other severe brain lesion,* New York, 1994, Springer-Verlag.)

비정상적인 뼈 형성이다. 이 문제의 근원은 알 수 없다. 그러나 뇌 또는 척수손상 후 이 상태가 나타난다. 모든 딴곳뼈되기 사례에서 공통분모는 장기간 부동(immobilization)이다. TBI 환자의 이 질환 발생률은 11%에서 76% 사이이다(Hammond and McDeavitt, 1999; Varghese, 1992). 환자는 운동범위 상실과 움직임 시 통증, 국부적 부종 및 홍반을 보일 수 있다(Davies, 1994). 치료사는 환자가 이 상태를 앓고 있다 싶을 때 증상을 의사에게 알려야 한다. 컴퓨터 단층 촬영(CT) 스캔으로 최종 진단이 이루어진다. 영향을 받는 일반적인 관절로는 엉덩이, 무릎, 어깨, 팔꿈치가 있다. TBI 환자의 경우에는 엉덩이가 가장 영향을 많이 받는 일반적인 관절이다. 딴곳뼈되기를 치료하는 효과적인 치료법이 없기 때문에 상태 진단 후 물리치료를 지속할지에 대한 논란이 일고 있다. 대부분의 전문가들은 관절운동범위 운동을 계속해서 관절

굳음증을 예방할 수 있고, 자세잡기와 부목 사용, 비정상적인 근긴장 관리가 도움이 될 수 있다는 데 동의한다(Varghese, 1992). 약리학적 치료에는 에티드로네이트 디소듐과 비스테로이드성 소염제가 포함된다(Goodman, 2009c).

반사 억제 자세

반사 억제 자세는 카렐 보바스(Karel Bobath)와 베르타 보바스(Berta Bobath)가 처음으로 논의했다. 이 두 사람은 뇌성마비 아동들과 그 아동들의 비정상적인 자세를 관찰한 후, 환자의 자세를 정반대 패턴으로 잡아주면 긴장 반사 때문에 나타나는 비정상적 긴장의 영향을 없앨 수 있다고 믿었다. 반사 억제 자세는 긴장미로 반사, 비대칭 긴장목 반사 및 대칭 긴장목 반사를 위해 개발된 것이다. 처음에 이 두 사람은 이러한 자세들을 정적인 자세로 사용했다. 그러나 그들의 치료 접근법이 발달하면서 능동적 움직임이 반사 억제 자세에 중첩되었다. 이러한 자세들은 이제 비정상적인 긴장을 억제하는 데 사용되고 있으며, 근긴장을 좀 더 잘 관리할 수 있는 수준이 되면 치료사는 정상적인 운동 패턴을 촉진한다(Bobath and Bobath, 1984).

환자 인식을 증진하는 활동

이 급성 회복 단계에서는 환자의 인지 수준을 높이는 활동을 채택한다. 이러한 활동은 혼수상태에 있는 환자에게도 중요하다. 환자가 구두나 움직임으로 응답할 수 없더라도 제공되는 정보를 듣거나 이해할 수 없다고 간주해서는 안된다. 실제로 치료사는 환자가 모든 것을 듣고 이해할 수 있다고 가정해야 한다. 재활 팀의 모든 구성원은 환자의 이름, 현재 거주하고 있는 시설 및 환자가 의학적 중재를 받는 이유를 환자에게 알려야 한다. 재활 팀은 환자에 대한 적절한 지남력 정보를 설명하는 스크립트를 개발하여 팀 구성원과 환자 간의 상호 작용에 일관성을 가진다. 치료를 하고 대화를 할 때 환자에게 익숙한 주제를 언급하는 것이 유익하다. 치료사는 환자를 다룰 때 자신들이 하는 일을 반드시 환자에게 설명해야 한다. 정중하고 개인적인 태도로 환자와 의사소통하는 것은 또한 환자와 그 가족에게 이 직업의 핵심 가치를 보여주는 것이다.

감각자극

혼수상태에 있는 환자에게 감각자극을 사용하는 것은 계속 검토 중이다. 코크레인 리뷰에 따르면 감각자극 사용이 사람의 각성 수준을 촉진시킨다는 주장을 지지하거나 그 주장에 이의를 제기하는 증거가 없다(Fulk and Nirider, 2014). 과거에는 감각 양상 사용이 환자의 각성과 반응 수준을 높이고 환자의 혼수상태 탈출을 촉진한다는 근거가 있었다(Bontke 등, 1992). 감각자극은 환자의 각성 수준과 환경 내에서 자극을 감지하고 주시할 수 있는 환자의 능력을 평가할 때 재활 팀을 돕는 중요한 역할을 한다(Bontke 등, 1992). 청각, 후각, 촉각, 운동감각, 안뜰 및 구강 자극은 평가 및 중재 목적으로 가할 수 있다.

반응이 없는 환자에게 감각자극을 줄 때, 노출 시간을 제한하는 것이 가장 좋다. 단기간의 자극이 가장 좋다. 과도한 자극은 환자를 동요시켜 피로를 증가시킬 수 있다. 또한 환자가 가장 흥분했을 때 감각자극에 대한 반응을 주시하는 것이 중요하다. 치료사는 운동범위 운동과 움직임 이행 또는 이동을 도와준 후에 환자의 반응을 지켜볼 가능성이 더 크다. 한 번에 하나의 감각자극만을 가해야 한다. 치료사가 촉각 자극을 사용하는 경우 다른 감각 입력을 제공해서는 안된다. 여러 가지 입력을 제공하면 어떤 자극이 환자의 반응을 이끌어 냈는지 결정할 수 없다. 자극을 받은 환자는 응답할 수 있는 적절한 시간도 제공받아야 한다. TBI 환자의 응답 시간은 크게 증가 할 수 있다(Krus, 1988).

서로 다른 감각 양상에 대한 환자의 반응을 관찰해야 한다. 재활 팀은 한 가지 유형의 자극이 반응을 효과적으로 이끌어 내기를 바란다. 다양한 환자 반응의 예로는 심박수, 혈압 또는 호흡수의 변화, 발한, 긴장 증가나 감소, 머리 돌림, 안구 운동, 찡그리기, 또는 발성이 있다. 커피, 박하 또는 암모니아와 같은 다른 냄

새가 있는 작은 약병을 환자의 코 아래로 통과시킬 수 있다. 다른 질감(면, 페인트 붓, 사포)과 같은 촉각 자극을 환자의 피부 부위에 적용할 수 있다. 유해한 자극은 환자가 다른 형태의 자극에 반응하지 않는 경우에만 사용한다. 환자의 손톱 밑을 압박하고, 핀으로 환자를 찌르거나 환자의 피부를 약간 꼬집어서 통증 반응을 유도할 수 있다. 밝은 색상의 물체, 친숙한 그림 또는 물건을 환자에게 제시해서 시각적 자극을 줄 수 있다. 얼음과 구강 면봉, 설압자로는 구강 자극을 줄 수 있다. 마지막으로 운동범위 운동과 자세 변화를 시행해 운동감각 입력에 대한 환자의 반응을 평가할 수 있다(Krus, 1988). 특정 자극에 대한 반응이 관찰되면 팀원은 시간 경과에 따른 반응의 일관성을 모니터해서 추세 및 환자 개선 상태를 기록할 수 있다.

치료사의 목소리를 환자의 반응에 영향을 미치는 도구로 사용할 수도 있다. 인식이 높아지고 있는 환자의 경우 부드러운 목소리로 말하면 환자를 진정시킬 수 있다. 반면 무기력한 환자의 경우, 환자의 이름을 부르고 시끄러운 목소리로 짧고 간결하게 명령을 내리면 환자를 흥분시킬 수 있다.

인지 기능

란초로스 아미고(Rancho Los Amigos) 인지 기능 척도는 환자의 인지 기능 수준을 측정하고 설명하는 도구다. 표 11-2는 각 범주의 주요한 환자 반응을 보여준다. 단계는 1단계부터 시작되고, 1단계 환자는 어떤 유형의 자극에도 반응하지 않는 반면, 10단계 환자는 맑은 정신으로 지역 사회 내에서 독립적으로 기능할 수 있다. 이 척도는 환자와 환자의 회복을 분류하는 쉬운 방법인 것처럼 보일지도 모르지만 일부 개인은 한 단계에서 다른 단계로 넘어갈 때 한 가지 범주 이상의 행동이나 반응을 보일 수 있다. 또한 모든 환자가 각 단계를 모두 거치는 것은 아니며, 일부 환자는 주어진 단계에서 고원상태에 이를 수 있다. 이러한 문제에도 불구하고, 이 척도는 개인의 인지 기능을 분류하는 훌륭한 수단으로 남아 있다. 란초 척도가 환자의 신체적 기능을 다루지 않는다는 사실을 기억하는 것도 중요하다.

환자 반응은 일반화되거나 국지화될 수 있다. 일반화된 응답은 일관성이 없고 비목적적이다. 호흡수 변화, 발한, 피부색 변화, 닭살 등의 생리학적 변화가 있을 수 있다. 일반 반응은 사지 움직임의 양적 변화와 긴장이나 비정상적인 자세 증가, 혹은 자극을 받아 위축됨을 포함한 대근육 움직임으로 나타날 수도 있다. 발성 또는 증가된 구강 움직임은 일반화된 환자 반응의 특징이기도 하다. 일반화된 반응을 보이는 환자는 가해지는 자극에 관계없이 비슷한 방식으로 반응하는 경우가 많다(VanSant, 1990a).

감각 반응을 국지화하는 능력을 가진 환자는 가해지는 자극에 특수하게 반응할 것이다. 이러한 유형의 감각 처리를 보여주는 환자는 간단한 한 단계 명령을 따를 수는 있다. 그러나 응답은 지연되고 일관되게 나타나지 않는다(VanSant, 1990a). 예를 들어 물리치료사가 환자의 오른쪽 어깨를 건드리고 환자에게 그와 똑같은 행동을 하라고 요청할 때가 그렇다. 환자는 잠시 후에 오른팔을 뻗어 치료사의 어깨를 만질 수 있다.

환자 및 가족 교육

환자 및 가족 교육은 물리치료 중재의 중요한 구성 요소다. TBI는 개인의 가족 및 친구뿐만 아니라 환자 본인에게도 파괴적이다. 처음에는 대부분의 가족이 압도당하고 환자에게 대응하는 방법을 알지 못할 수도 있다. PT와 PTA가 가족에게 지원과 정확한 정보를 제공하는 것이 중요하다. 가족 구성원은 환자의 외모와 인지 기능 및 신체 기능의 변화에 대해 교육 받아야 한다. 이 정보는 초기에 급성 치료 환경에서 가족과 공유할 수 있지만, 환자가 새로운 시설로 옮겨질 때 강화되고 지속적으로 업데이트되어야 한다. 각 단계에 대한 기대와 가능한 진전 상태도 다루어야 한다. 가능한 한 빨리 가족 구성원이 환자의 진료에 참여하도록 권장해야 한다.

입원 환자 재활 기간 동안의 물리치료 중재

일단 환자가 의학적으로 안정되면, 더 집중적인 중재

표 11-2 **인지 기능 수준**

인지 기능 수준	행동 묘사
1단계 – 무반응: 완전 의존	시각, 청각, 촉각, 고유감각, 안뜰, 혹은 통증 자극을 가했을 때 관찰할 수 있는 행동 변화가 전혀 나타나지 않음.
2단계 – 일반적 반응: 완전의존	통증 자극에 일반화된 반사 반응을 보임. 반복되는 청각 자극에 활동 증가나 감소 반응이 나타남. 외부 자극에 일반화된 생리적 변화와 대근육 움직임, 의미 없는 발화 반응이 나타남. 자극의 유형과 위치에 상관없이 상기의 모든 반응이 동일하게 나타날 수 있음. 반응이 상당히 지연될 수 있음.
3단계 – 국소적 반응: 완전의존	통증 자극에 위축이나 발화가 나타남. 청각 자극에 다가가거나 청각 자극을 피하기 위해 몸을 돌림. 강한 빛이 시야를 가로지를 때 눈을 깜빡임. 시야를 스쳐지나가는 물체를 따라감. 튜브나 벨트를 당기면 불편해 함. 간단한 명령에 일관적이지 못하게 반응함. 자극 유형에 직접적으로 관련된 반응을 보임. 몇몇 사람들(특히 가족과 친구)에게는 반응하지만 다른 사람들에게는 반응하지 않음.
4단계 – 혼돈/흥분: 최대 도움 필요	맑은 정신에 활동 상태가 향상됨. 벨트나 튜브를 제거하려고 의도적으로 시도하거나 침대 밖으로 기어나가려고 함. 앉기와 손 뻗기, 걷기와 같은 운동 활동을 수행할 수 있지만 분명한 목적이 없거나 다른 사람의 지시에 따라 행동함. 대안을 유지하는 시간이 극히 짧고 보통 의미가 없으며, 주의력이 분산됨. 단기 기억 부재 자극이 사라진 후에도 소리나 비명을 지를 수 있음. 공격적인 행동이나 도피 행동을 보일 수 있음. 환경적 사건과 상관없이 기쁨과 적대감을 교대로 드러냄. 치료 노력에 협조할 수 없음. 활동이나 환경에 부적절하거나 모순되는 발화를 자주 함.
5단계 – 혼돈, 부적절한 비흥분 상태: 최대 도움 필요	명료한 정신에 흥분하지 않지만 목적 없이, 혹은 집으로 가려는 희미한 바람에서 이리저리 방황함. 외부 자극과 환경적 구조 부족에 흥분할 수 있음. 사람과 장소, 혹은 시간을 인지하지 못함. 빈번하게 짧은 시간 동안 의도 없이 주의력 유지함. 현재 기억이 심각하게 손상되어 진행 중인 활동에 반응해서 과거와 현재를 혼동함. 목표 지향적이고, 문제 해결적이며, 스스로를 통제하는 행동이 나타나지 않음. 외부 지시 없이는 종종 물체를 부적절하게 사용함. 구조화되고 신호를 받았을 때 이전에 배운 과제를 수행할 수 있음. 새로운 정보를 습득할 수 없음. 간단한 명령에 적절하게 반응하고, 외적 구조와 신호에 상당히 일관적으로 반응함. 외적 구조가 없는 간단한 명령에 무작위로 무의미한 반응을 보임. 외적 구조와 신호를 제공받을 때 짧은 시간 동안 사회적이고 자발적인 수준의 대화를 나눌 수 있음. 외적 구조와 신호를 제공받지 못할 때는 현재 사건들에 관해서 부적절한 이야기를 하고 잡담하는 수준에 머묾.

(계속)

표 11-2 계속

인지 기능 수준	행동 묘사
6단계 – 혼돈, 적절: 중간 도움 필요	사람과 장소, 시간을 일관적이지 못하게 인지함. 산만하지 않은 환경에서 적절한 재방향 설정을 받아 30분 동안 극히 친숙한 과제들을 수행할 수 있음. 현재 기억보다 옛날 기억이 훨씬 더 깊이 남아 있고 상세함. 몇몇 직원들을 어렴풋이 알아봄. 최대 도움을 받아서 보조 기억 보조 기구를 이용할 수 있음. 자신과 가족, 기본적 욕구에 대한 중간 반응을 인식함. 중간 도움을 받아 과제 완수의 장애물을 해결함. 감독 하에 오래된 것(–자기 돌봄)을 배움. 재학습한 친숙한 과제(자기 돌봄)로의 이월(carryover)을 보여줌. 약간의 이월을 보이거나 이월 없이 최대 도움을 받아 새로운 것을 배움. 손상과 장애, 안전 위험을 의식하지 못함. 간단한 지시를 일관적으로 따름. 극히 친숙하고 구조적인 상황에서 적절한 구두 표현을 함.
7단계 – 자동적, 적절: 최소 도움을 받아 일상생활 기술을 수행함	극히 친숙한 환경에서 사람과 장소를 일관적으로 인지함. 중간 도움을 받아 시간을 인지함. 과제를 완수하기 위해 최소 도움을 받아 산만하지 않은 환경에서 적어도 30분 동안 극히 친숙한 과제에 집중할 수 있음. 최소 감독을 받아 새로운 것을 배움. 새로운 것으로 이월할 수 있음을 증명해 보임. 친숙한 개인적 및 가정 일상을 완수하기 위해서 걸음을 내딛기 시작하지만 자신이 했던 일을 잘 떠올리지 못함. 개인적인 일상과 가정의 ADL을 수행함에 있어서 각 단계의 정확성과 완벽성을 살펴볼 수 있고, 최소 도움을 받아 계획을 수정할 수 있음. 자신의 상태를 피상적으로 인식하지만 구체적인 손상과 장애를 인식하지 못하고, 그 때문에 가정생활과 지역 사회생활, 직장 생활, 여가 생활에서 ADL을 정확하고도 안전하고, 완벽하게 수행하는 자신의 능력에 어떤 제한이 가해지는지를 인식하지 못함. 가정에서의 일상과 지역 사회 활동을 안전하기 수행하기 위해서 최소 감독을 받음. 비현실적인 미래 계획을 세움. 결정이나 행동의 결과를 생각하지 못함. 능력을 과대평가함. 타인과 욕구와 감정을 인식하지 못함. 대립적/비협력적 적절한 사회적 상호 작용 행동을 인지하지 못함.
8단계 – 목적의식 있음, 적절: 상시 도움	사람과 장소, 시간을 일관적으로 인지함. 산만한 환경에서 1시간 동안 독립적으로 친숙한 과제들을 집중해서 완수함. 과거와 현재 사건들을 떠올리고 통합할 수 있음. 보조 기억 장치를 이용해 일일 일정과 할 일 목록을 떠올리고, 차후에 사용할 중요한 정보를 상시 도움을 받아 기록함. 친숙한 개인적 일상과 가정과 지역 사회, 직장, 여가 시의 일상을 상시 도움을 받아 완수하기 시작하고, 그 단계를 밟아나감. 새로운 과제 · 활동을 배우자마자 도움을 필요로 하지 않음.

(계속)

표 11-2 계속

인지 기능 수준	행동 묘사
	과제 완수를 방해받을 때 손상과 장애를 의식하고 인정하지만 적합한 교정 행동을 취하려면 상시 도움을 받아야함. 최소 도움을 받아서 결정이나 행동의 결과를 생각함. 능력을 과대평가하거나 과소평가함. 타인의 욕구와 감정을 인정하고, 최소 도움을 받아서 그에 적절하게 반응함. 우울해함. 짜증을 부림. 좌절감을 잘 견디지 못함. 쉽게 화를 냄. 따지기 좋아함. 자기중심적. 평소답지 않게 의존적. 독립적. 부적절한 사회적 상호 작용 행동이 나타날 때 그러한 행동을 인지하고 인정할 수 있고, 최소 도움을 받아 교정 행동을 취함.
9단계 – 목적의식 있음, 적절: 요구 시 상시 도움	과제들을 독립적으로 교대 수행하고, 적어도 연속 2시간 동안 그 과제들을 정확하게 완수함. 보조 기억 장치를 이용해서 친숙한 개인적 과제와 가정, 직장, 여가 생활 과제를 완수하기 시작하고, 그 단계를 밟아나가며, 요구를 받을 때 도움을 받아서 친숙하지 않은 개인적 과제와 가정, 직장, 여가 생활 과제를 독립적으로 완수하기 시작함. 과제 완수에 방해가 될 때 손상과 장애를 인식하고 인정하며, 적절한 교정 행동을 취하지만 아직 발생하지 않은 문제를 예측해서 피할 조치를 취하려면 상시 도움을 받아야 함. 요구받았을 때 결정이나 행동의 결과를 도움을 받아 숙고해 볼 수 있음. 능력을 정확하게 측정하지만 과제 요구에 적응하기 위해서는 상시 도움이 필요함. 타인의 욕구와 감정을 인정하고, 상시 도움을 받아 그에 적절하게 반응함. 우울한 기분이 계속 지속될 수 있음. 쉽게 짜증을 낼 수 있음. 좌절감을 잘 견디지 못할 수 있음. 상시 도움을 받아서 자신의 사회적 상호 작용의 적절함을 살펴볼 수 있음.
10단계 – 목적의식 있음, 적절: 수정된 독립성	모든 환경에서 다양한 과제들을 동시에 다룰 수 있지만 정기적인 휴식이 필요함. 자신의 보조 기억 도구를 구해서 만들고 유지할 수 있음. 친숙할 뿐만 아니라 친숙하지 않은 개인적 과제와 가정, 지역 사회, 직장, 여가 생활 과제들을 모두 독립적으로 수행하기 시작하고, 그 단계를 밟아나가지만 그 과세들을 완수하려면 일반직인 소요 시간과 보상 전략의 두 배 이상이 필요할 수 있음. 손상과 장애가 일상생활 과제를 수행하는 능력과 문제를 예측해서 피하기 위해 조치를 취하는 능력에 미치는 영향을 예측하지만 그 과제들을 완수하려면 일반적인 소요 시간과 보상 전략의 두 배 이상이 필요할 수 있음. 결정이나 행동의 결과를 독립적으로 생각할 수 있지만 적절한 결정이나 행동을 선택하려면 일반적인 소요 시간과 보상 전략의 두 배 이상이 필요할 수 있음. 타인의 욕구와 감정을 인식할 수 있고, 그에 적절한 태도로 자동적으로 반응함. 정기적으로 우울한 기분이 나타날 수 있음. 아프거나 피로하고, 감정적인 스트레스를 받을 때 짜증을 내고 좌절감을 잘 견디지 못함. 일관적으로 적절한 사회적 상호 작용 행동을 취함.

ADL, 일상생활 활동

From Rancho Los Amigos: Revised Assessment Scales, Original Scale authored by Chris Hagen, PhD, Danese Malkmus, MA, and Patricia Durham, MA, Communication Disorders Service, Rancho Los Amigos Hospital, 1972. Most recent revised scale in 1997 by Chris Hagen

가 필요한 환자를 재활 환경으로 이송시킬 가능성이 크다. 이 단계에서의 주요 환자 문제는 다음과 같다. (1) 운동범위 감소 및 구축 발생 가능성이 있고, (2) 근긴장과 비정상적인 자세가 증가할 수 있으며, (3) 환경에 대한 인식 및 대응력이 감소하고, (4) 원시 긴장 반사가 나타나며, (5) 직관적인 기능 이동성 및 내성이 감소하고, (6) 지구력 감소와 (7) 감각 인식 감소가 나타나며, (8) 의사소통 능력이 손상되거나 사라지고, (9) 현재 상태에 대한 지식이 감소한다.

자세잡기

적절한 자세잡기는 재활 과정에서 중요한 치료 요소이다. 급성 치료 중재를 다룬 단락에서 논의한 것처럼, 자세잡기는 모든 의료 제공자가 많은 주의를 기울여야 하는 것이다. 피부의 손상이나 폐렴을 예방하기 위해 2시간마다 환자의 자세를 바꾸어야 한다. 적절한 자세잡기는 환자의 휴식 자세, 비정상적인 근육 긴장과 원시 반사의 존재 여부에 의존한다. 옆으로 눕기와 엎드리기가 가장 바람직한 두 가지 자세이다. 환자가 의학적으로 안정화되면 휠체어에 앉아 직립 자세에 적응하는 것이 중요하다. 앉기 자세는 환자의 자세 바꾸기와 지구력, 기관지 위생에 이롭다. 낮은 수준에서 기능을 수행하고, 머리와 몸통을 조절하지 못하는 환자에게는 기울임 기능이 있는(tilt-in-space) 휠체어가 필요할 수 있다. 기울임 기능이 있는 휠체어는 리클라이닝 휠체어와 달리 허리, 무릎 및 발목을 90도 각도로 유지하면서 몸통을 기울여 준다. 이러한 기울임 기능은 몸통 위치를 잡아주고, 적절한 정렬을 유지하는 데 도움이 되고, 환경 변화와 환자가 받는 운동감각 변화를 허용하기 때문에 유용하다. 이 유형의 휠체어 및 착석 시스템의 결점은 환자의 시야를 바꾼다는 것이다. 시선이 위로 향하게 되어 환자가 자신의 환경 내에서 개인이나 사물을 볼 수 없게 된다.

표준 휠체어는 평균적인 몸통과 머리 조절 능력을 갖춘 개인에게 만족스러울 수 있다. 의자에 단단히 고정된 랩 트레이(lap tray)가 환자의 팔을 지지하고 올바른 앉은 자세를 유지하는 데 도움을 준다. 중재 11-3은 표준 휠체어에 앉은 환자를 보여 준다. 앉기 활동이 시작될 때 환자를 주의 깊게 관찰해야 한다. 부동과 눕기 자세잡기 연장으로 기립성 저혈압 및 피로를 포함해 합병증이 분명하게 나타날 수 있다. 또한 피부가 눌리거나 손상되지 않도록 환자의 피부 상태를 조심스럽게 살펴봐야 한다. 환자의 자세를 잡아줄 때 치료사는 10장에서 논의 한 자세잡기 기본 개념을 기억해야 한다. 자세잡기를 시작할 때는 먼저 골반과 팔이음뼈를 포함한 환자의 근위부를 올바르게 정렬한다. 그러고 나서 치료사는 더 먼 부위를 다룰 수 있다. 초기에 보다 더 가까운 관절을 중재하면 더 먼쪽의 긴장에 영향을 가하는 데 도움이 된다. 휠체어 또는 침대에서의 자세잡기가 좋지 않으면 구축이 발생하고, 비정상적인 근긴장이 증가할 수 있다.

중재 11-3 휠체어 추진

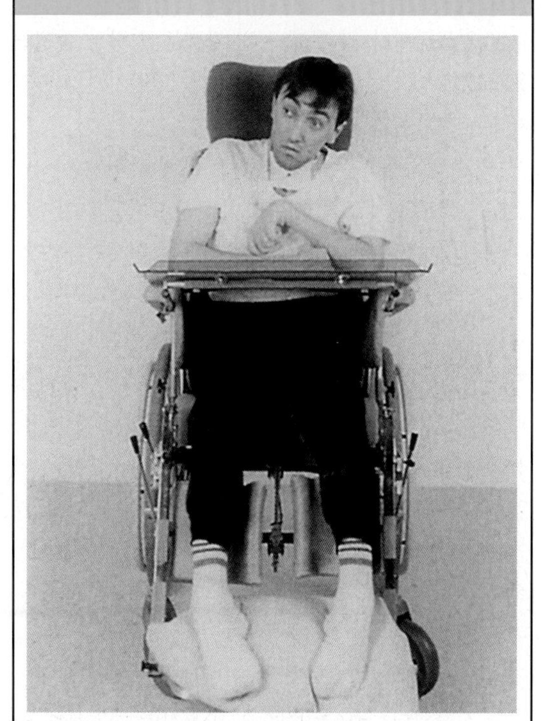

심각한 구축이 있는 환자에게는 휠체어에 똑바로 앉고 엎드리는 것이 중요한 일이다.

(From Davies PM: *Starting again: early rehabilitation after traumatic brain injury or other severe brain lesion,* New York, 1994, Springer-Verlag.)

휠체어 추진

환자가 휠체어에 앉아 있는 자세를 견딜 수 있게 되면 스스로 휠체어를 움직이기 시작할 수 있다. 처음에는 치료사가 환자의 손을 잡아 주거나 이끌어 주면서 환자를 도울 필요가 있다. 환자가 더욱 능숙해지면 휠체어를 독립적으로 추진하고 시설 주변에서 안전하게 몰고 다니는 것을 목표로 삼는다.

운동범위

운동범위 운동은 구축 형성의 가능성을 최소화하기 위해 재활 초기 단계에서 중요하다. 대부분의 TBI 환자는 광범위한 문제 목록을 가지고 있으므로 가능한 효율적으로 중재해야 한다. 개별 관절 스트레칭은 시간이 많이 걸리고 단기적인 이점이 제한적일 수 있다. 대신 환자의 유연성을 높이기 위해 다른 발달 상 자세와 위치를 사용하여 더 큰 치료 효과를 얻을 수 있다. 예를 들어 엎드리기나 양 무릎 서기 자세는 엉덩이 굽힘근을 스트래칭하는 데 사용할 수 있다. 네발기기와 앉기 자세는 볼기근과 네갈래근을 늘리는 데 사용할 수 있다. 발로 체중을 지지할 때는 틸트 테이블 위에 서기나 무릎을 통해 아래로 압착 가하기로 장딴지근과 가자미근의 신장을 도울 수 있다. 그러나 넙다리뒤인대와 아킬레스건을 보다 더 적극적으로 수동으로 늘리려면 치료 시간 전부를 이러한 중재에 소모해야 한다.

기능적 위치 또는 발달 상 자세는 정적인 스트레칭과 동일한 목표를 충족시킬 때마다 사용해야 한다. 비정상적인 긴장과 자세로 인해 기형이나 굽힘이 생기면 집중적인 스트레칭이 필요할 수 있다. 이러한 개인을 위한 보다 더 효과적인 중재는 정적 부목이나 연속적인 석고붕대 사용일 수도 있다. 석고붕대는 운동범위 제한이나 구축에 따라서 관절에 착용하고 7~10일 동안 착용한다. 따라서 관절과 물렁 조직이 장기간 동안 신장된다. 목표는 이후의 연속적인 석고붕대 착용과 스트레칭을 통해 구축을 감소시키는 것이다. 원하는 결과를 얻으려면 3~4개의 석고붕대를 착용해야 할 수도 있다(Booth 등, 1983). 마지막 석고붕대는 영구적인 부목으로 사용할 수 있도록 두 판으로 나눠어져야 한다. 연속적인 석고붕대에 잘 반응하는 부위로는 발목과 무릎, 팔꿈치 및 손목이 있다. 석고붕대를 한 환자를 다루는 치료사는 환자가 통증이나 불편함을 말로 표현할 수 없으므로 석고붕대에 대한 환자의 반응을 주시해야 한다. 발가락이나 손가락의 피부 변색은 석고붕대가 너무 단단하다는 것을 뜻할 수 있다. 너무 느슨한 석고붕대는 아래로 떨어질 수 있다. 환자가 석고붕대를 완전히 벗어 던져버린 경우도 드물지 않다. 연속적인 석고붕대 적용에 관한 자세한 설명은 이 본문의 범위를 벗어난다(Davies, 1994).

인식 개선

환자 치료 계획의 또 다른 중요한 측면은 자아와 환경에 대한 인식을 높이는 것이다. 환자의 인식을 향상시키는 것은 다양한 감각자극의 관리를 통해 가장 자주 수행된다. 환자에게 사용할 수 있고 자극에 대한 환자의 반응을 식별하거나 분류하는 데 도움이 되는 평가 도구는 라파포트 혼수 척도(Rappaport Coma/Near-Coma Scale, CNC)이다. 이 도구는 식물 상태의 특징적 수준에서 기능하는 심각한 뇌손상 환자의 인식 및 반응성의 작은 변화를 측정하기 위해 개발되었다. CNC는 청각, 시각, 후각, 촉각 및 고통스러운 자극에 대한 환자의 반응을 관찰한다. 또한 환자의 발성 시도, 위협에 대응하는 능력 및 1단계(one-step) 명령을 수행할 수 있는 능력을 평가한다. 이 평가 도구는 시설 입원 시에 사용되며, 정기적인 간격으로 반복 사용해 환자의 진행 상태를 기록한다. 여러 분야에서 이 테스트를 사용할 수 있다. 검사 항목의 점수가 정해지고, 환자의 인식 수준이나 반응도는 혼수상태 부재(1단계)에서 극심한 혼수상태(4단계)로 분류된다. 연구 결과에 따르면 CNC 점수가 2.0 이하이고 집중 재활 프로그램에 참여한 환자는 개선 가능성이 높다(Rappaport 등, 1992).

앞서 언급했듯이 환자가 반응을 보이지 않는 것 같더라도 치료사가 하고 있는 일을 환자에게 설명하는 것이 중요하다. 환자를 주변 환경과 시설 입소와 관련한 환경으로 안내하는 것은 인지 수준을 높이는데 도움이 될 수 있다. 많은 뇌손상 재활 팀은 환자를 환경에 적응시키는 데 도움이 되는 환자 스크립트를 개발한다. 이 집단에서 나타나는 다른 인지 결손을 관리하기 위한 전략은 이 장의 뒷부분에서 논의한다.

가족 교육

지남력과 인식을 통해 환자를 도울 수 있는 방법을 환자의 가족들에게 가르치는 것이 중요하다. 가족들에게 환자가 좋아하는 그림, 음악 또는 다른 물건들을 가져오라고 격려하면 도움이 될 수 있다. 그러나 환자에게 과도한 자극을 주지 않도록 주의해야 한다. 환자를 자극하기 위해 가족들은 종종 음악을 틀거나 환자가 오랜 시간 동안 텔레비전을 보도록 방치한다. 우리들 중에서 하루 24시간 동안 음악을 듣거나 텔레비전을 보는 사람은 거의 없다. 환자가 감각 양상에 익숙하지 않도록 제공하는 자극의 양과 강도를 다양하게 하는 것이 중요하다.

가족 구성원은 또한 환자 자세잡기와 수동적 운동범위 운동을 돕도록 지도받고 격려 받아야 한다. 환자의 상태가 진행됨에 따라서 가족은 침대 이동성, 이동, 휠체어 추진 및 자기 돌봄 활동을 지원할 수 있다. 손상을 피하기 위해 환자를 움직일 때 적절한 신체 역학을 가족에게 지시하는 것이 중요하다. 또한 팀은 환자의 인지 회복에 관한 교육을 가족에게 제공해야 한다. 환자가 보이는 행동을 핸들링 위해 사용할 수 있는 전략과 함께 환자가 정해진 방식으로 행동하거나 반응하는 이유를 가족에게 알려주는 것이 중요하다. 팀이 환자의 퇴원을 준비할 때, 가족에게는 환자가 이용할 수 있는 지원 서비스에 대한 정보를 제공해야 한다.

기능적 이동성 교육

기능적 이동성 과제는 중재의 또 다른 중요한 측면이다. 환자는 이동성의 모든 측면에서 의존적이다. 초기에는 PT나 PTA가 재활 팀의 다른 구성원과 함께 환자를 다루어야 할 수도 있다. 환자의 기능 수준이 매우 낮으면 두 사람의 도움이 유용할 수 있다. 그러나 비용 절감을 추구하는 현재 상황에서 치료사는 자원을 효율적으로 사용해야 한다. 예를 들어 물리치료사 및 작업치료사와 비교하여 물리치료 보조사와 재활 보조원이 환자를 치료하는 것이 비용 측면에서 보다 효율적일 수 있다. 이러한 유형의 환자 관리 결정을 내리기 전에 환자의 상태와 시력 수준 및 제공할 중재를 고려해야 한다.

치료사는 비정상적인 긴장이나 자세를 억제하는 데 시간을 할애해야하므로 기능적인 활동을 시도할 수 있다. 비정상적인 긴장을 억제하는 방법은 10장에서 논의했고, 연장된 신장과 체중지지, 압축, 느린 율동적 회전, 힘줄 압력(tendon pressure) 등이 있다. 이러한 기술은 이 환자 집단에서도 효과적으로 작용한다. 몸통 상하부 회전과 앉기, 엎드리기, 서기와 같은 신체 전체 자세와 위치는 비정상적인 긴장을 감소시키는 데에 효과적이다. 앉기나 옆으로 눕기 자세에서 흔들기를 포함한 느린 안뜰 자극은 비정상적 긴장을 줄이거나 동요하거나 극도로 흥분한 환자를 좀 더 편안하게 만드는 데 효과적일 수 있다(O'Sullivan, 2014). 10장에서 언급했듯이 비정상적인 근긴장이 감소하면 운동 재학습을 촉진하기 위해 정상적인 운동 패턴과 과제 특화적 훈련을 장려해야 한다.

중증 TBI 환자는 자세 및 운동조절이 부족하다. 이들은 수의적인 움직임을 시작할 수 없으며, 비정상적인 근육 긴장과 반사 작용에 지배당하고, 몸통 움직임과 사지 움직임을 분리하기 어려워한다. 또한 자동적인 자세 조정을 수행할 수 없다(VanSant, 1990a). 결과적으로, 이들 환자의 물리치료 계획에서 초기에는 자세 조절력 발달을 강조해야 한다. 환자가 팔다리를 조절할 수 있기 전에 머리와 몸통을 조절해야 한다. 기능적 운동의 발달에 관해서 10장에서 논의한 원리는 이 환자 집단에도 적용 가능하다. 웨지나 볼스터 위에 엎드린 환자에게 치료적 중재를 실시하면 머리와 몸통 조절을 할 수 있는 훌륭한 기회를 제공할 수 있다. 이러한 자세는 환자가 중력에 대항해 목 폄근을 움직이고, 긴장미로 반사를 억제하도록 한다. 엎드리기 자세는 이러한 반사를 보이는 환자의 굽힘근 긴장을 높인다. 폄근 긴장이 상당히 높은 환자도 공 위에 엎드릴 수 있다. 공 위에서 환자의 위치를 옮기고 유지하는 것은 어려운 일이지만 비정상적인 긴장을 감소시키는 데 중대한 영향을 미친다. 환자가 공 위에서 자세를 잡고 나면 비정상적인 긴장의 영향을 더욱 줄이기 위해 부드럽게 흔들기를 수행할 수 있다. 이 자세는 발작 장애와 ICP 증가 환자에게는 금기이다. 또한 모든 환자가 엎드리기 활동 중에 적절한 환기를 하고 있는지를 주의 깊게 관찰해야 한다.

학습이 잘 되고 자동으로 반복되는 활동을 되풀이 하는 것이 유익하고 운동 학습을 촉진한다. 환자가 새로운 운동 과제를 배울 때는 어려움을 겪지만, 예전에 수천 번 해 본 활동에는 잘 반응한다. 세수하기, 양치하기, 머리 빗기, 걷기와 같은 일반적인 일일 활동은 환자들에게 의미가 있고, 환자들이 수천 번 해보았기 때문에 능동적으로 시도하려고 한다. 이러한 과제를 수행하는 동안, 물리치료사나 물리치료 보조사는 환자의 능동적인 움직임 시도를 볼 수 있다. 치료사가 환자의 사지팔다리나 몸의 움직임을 안내하는 핸드오버핸드(hand-over-hand) 기법이나 치료적 인도 기법이 효과적이다. 환자는 기능적 운동 패턴을 수행하면서 고유 감각 및 운동감각 되먹임을 받는다(Davies, 1994). 중재 11-4는 핸드오버핸드 기법으로 환자를 돕는 가족 구성원을 보여 준다.

시각은 치료 중에 사용할 수 있는 중요한 감각 양상이

중재 11-4 핸드오버핸드 인도하기(세수)

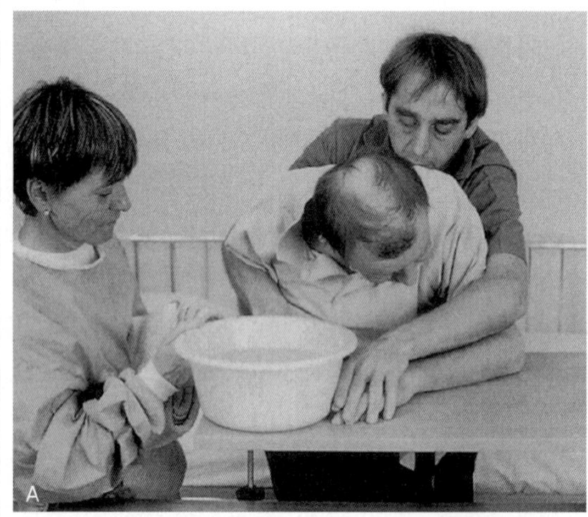

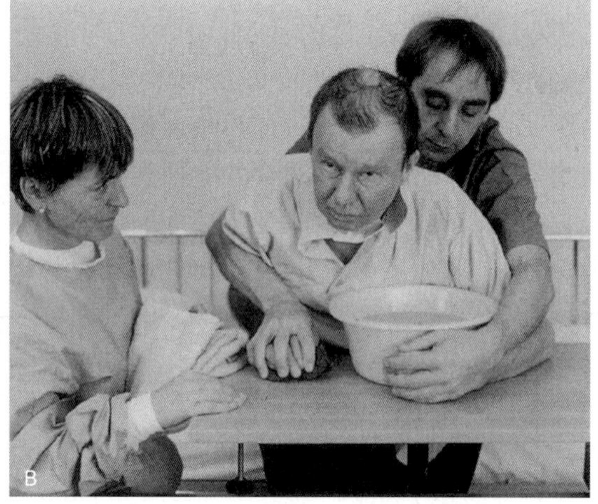

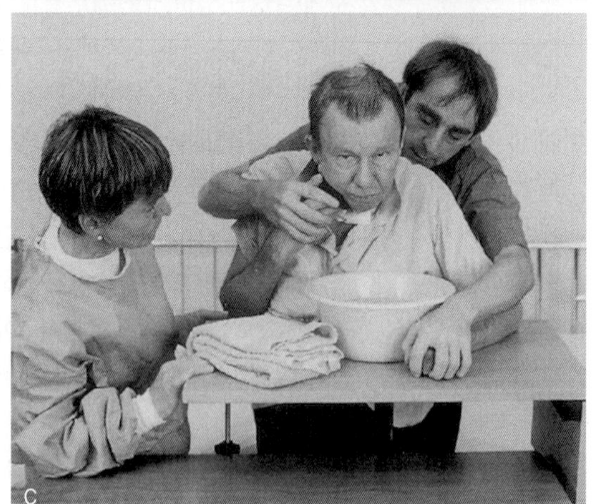

A. 환자의 아내가 지켜보고 있을 때 과제를 제시한다.
B. 핸드오버핸드 인도 중에 환자가 고개를 든다.
C. 환자가 세수를 할 때 능동적인 목과 몸통 폄이 일어난다.

(From Davies PM: *Starting again: early rehabilitation after traumatic brain injury or other severe brain lesion*, New York, 1994, Springer-Verlag.)

다. 시각적 추적을 유지하거나 대상과의 시각적 접촉을 유지하는 활동은 머리 조절의 발달을 돕는다. 예를 들어 환자가 앉기 자세에서 머리를 똑바로 세우지 못하면 환자에게 치료사와 눈을 마주 치거나 특정 물체를 보라고 권할 수 있다. 시각은 구르기나 돌기를 하는 환자의 움직임을 안내하는 데 이용할 수 있다.

앉기 활동

앉기는 치료하는 동안 강조해야 하는 중요한 자세다. 앉기는 각성을 증가시킬 수 있으며, 환자의 자세 정렬과 바로잡기 반응 및 평형 반응에 대한 도전을 제공한다(VanSant, 1990b). 환자를 눕기에서 앉기로 이행시키는 것은 10장에서 논의한 것과 같은 방법으로 수행할 수 있다. 중재 11-5는 앉기로의 진행을 보여 준다.

기능 수준이 낮은 환자는 두 사람의 도움을 필요로 할 수 있다. 머리와 상체를 담당하는 사람과 몸통 하부와 다리를 옮기는 사람이 필요하다. 환자의 인지 수준과 근육의 긴장 변화는 자세가 변경될 때 기록해야 한다. 강한 폄근 긴장과 자세잡기를 보이는 환자는 몸을 똑바로 세웠을 때 굽힘과 긴장저하를 보일 수 있다.

환자가 매트 테이블의 가장자리에 똑바로 앉았을 때 활동 목표는 몸통과 머리를 똑바로 하고 골반을 중립시키는 것이다. 환자의 몸통에 비정상적인 긴장이 나타나기 때문에 앉기 활동 시에는 두 사람이 필요하다. 한 사람이 환자 뒤에서 몸통과 머리 조절을 돕는 동안 다른 치료사는 환자를 마주보고 환자의 골반과 팔다리 위치, 일반적인 인식을 잡아 준다. 환자의 무릎에 큰 공을 올려 팔을 지지하면 몸통 조절이 약하거나 긴장이 저하된 환자에게 도움이 될 수 있다. 공은 몸통 안정화를 유지하는 데 있어서 치료사를 돕고 환자에게 지지를 제공할 수 있다. 이 자세에서 환자는 부드럽게 앞뒤로 체중을 이동할 수도 있다. 체중 이동은 환자의 자세 반응을 평가하는 메커니즘을 제공하고, 운동감각 입력을 통해 인지도를 높인다. 무릎 구부려 앉기 자세에서 수행하는 몸통 굽힘은 운동범위를 유지해 준다. 이 활동은 중재 11-6에 나와 있다.

다른 앉기 활동들도 사용할 수 있다. 팔로 체중을 지지하면 비정상적인 근육 긴장이 감소하고, 근위 관절의 안정성이 촉진된다. 환자의 상태가 진행됨에 따라서 손 뻗기 활동과 던지고 잡는 과제, 양말과 신발 신기 같은 일상생활 활동을 앉기 자세에서 수행할 수 있다. 중재 11-7은 앉기 자세에서 환자와 함께 수행하는 팔 활동의 예를 보여 준다.

여러 감각 및 구두 신호로 환자를 과도하게 자극하지 않도록 주의해야 한다. 한 번에 한 사람만 환자와 이야기해야 한다. 구두 정보에 대한 환자의 이해를 극대화하기 위해 환자와 상호 작용할 사람이 환자를 마주보아야 한다. 이 접근법은 환자가 여러 출처에서 구두 정보를 받을 가능성을 최소화한다. 또한 지시 사항은 간략해야하며 간단한 용어로 말해야 한다.

이동

10장에서 논의한 반신마비를 가진 환자를 옮기는 기술을 TBI 환자에게도 사용할 수 있다. 앉아서 돌기 이행은 기능 수준이 낮고 몸통 조절이 부족한 환자에게 권장한다. 중재 11-8은 환자의 앉아서 돌기를 돕는 치료사를 보여 준다. 환자의 상태에 따라서 좌우 양쪽 방향으로 서서 돌기를 시도해야 한다.

서기 활동

서기 자세는 체중지지 및 감각 입력을 촉진하면서 기능적 과제를 완수할 기회를 제공할 수 있는 또 다른 우수한 자세이다. 환자의 기능이 부족한 경우, 서기 자세를 유지하는 데 필요한 안정화를 제공하기 위해 처음에는 틸트 테이블을 사용해야 할 수도 있다. 환자는 틸트 테이블 위에서나 스탠딩 프레임을 이용해서 똑바로 서기 자세에 적응할 수 있다. 환자가 틸트 테이블에 서 있는 동안 인식과 인지를 높이는 활동을 수행할 수 있다. 환자는 틸트 테이블 위에서 CNC를 사용해 다른 감각 양상들을 쉽게 관리할 수 있다. 직립 자세는 환자의 각성 수준을 높이는 역할을 한다. 세안 또는 칫솔질과 같은 일상생활의 단순한 활동도 가능해진다. 조기 서기 활동 중에는 환자의 생체 신호를 살펴보고 환자의 생리 상태를 평가하는 것이 중요하다.

중재 11-5 눕기에서 앉기로 이행

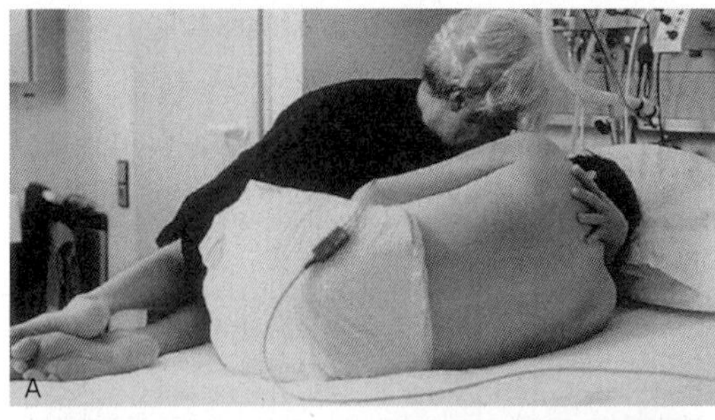

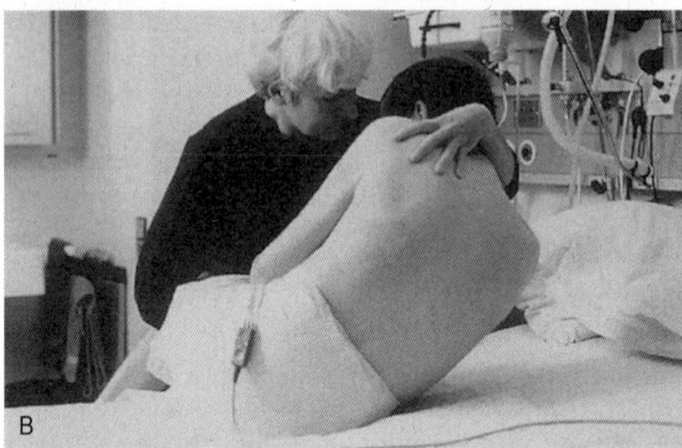

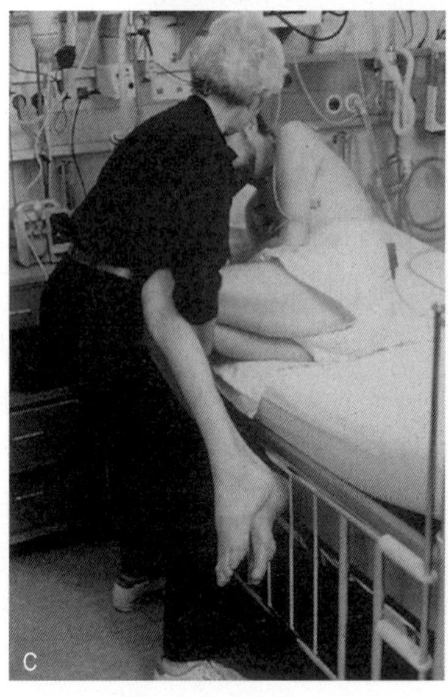

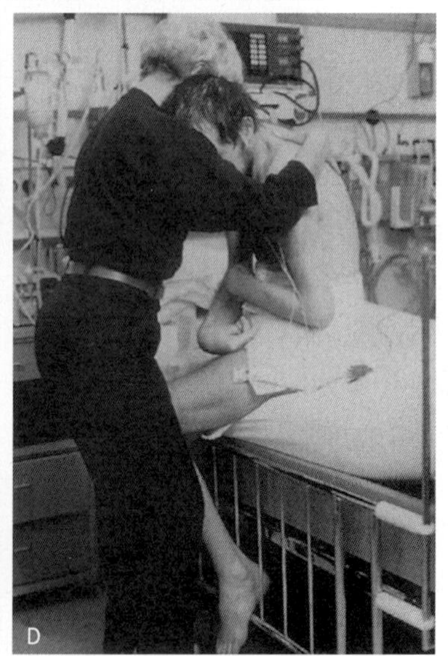

A. 치료사의 한쪽 팔이 환자의 구부러진 무릎 주위에 위치한다. 다른 쪽 팔은 환자의 목 아래로 들어간다.
B. 환자의 두 다리가 침대 가장자리 너머로 이동해서 구부러진 상태를 유지한다.
C. 환자의 몸통을 지면과 수직이 되도록 들어올린다.
D. 환자의 머리와 몸통을 지지해주면서 환자의 양 무릎이 앞으로 미끄러지지 않도록 한다.

(From Davies PM: *Starting again: early rehabilitation after traumatic brain injury or other severe brain lesion,* New York, 1994, Springer-Verlag.)

중재 11-6 앉기에서 몸통 굽힘

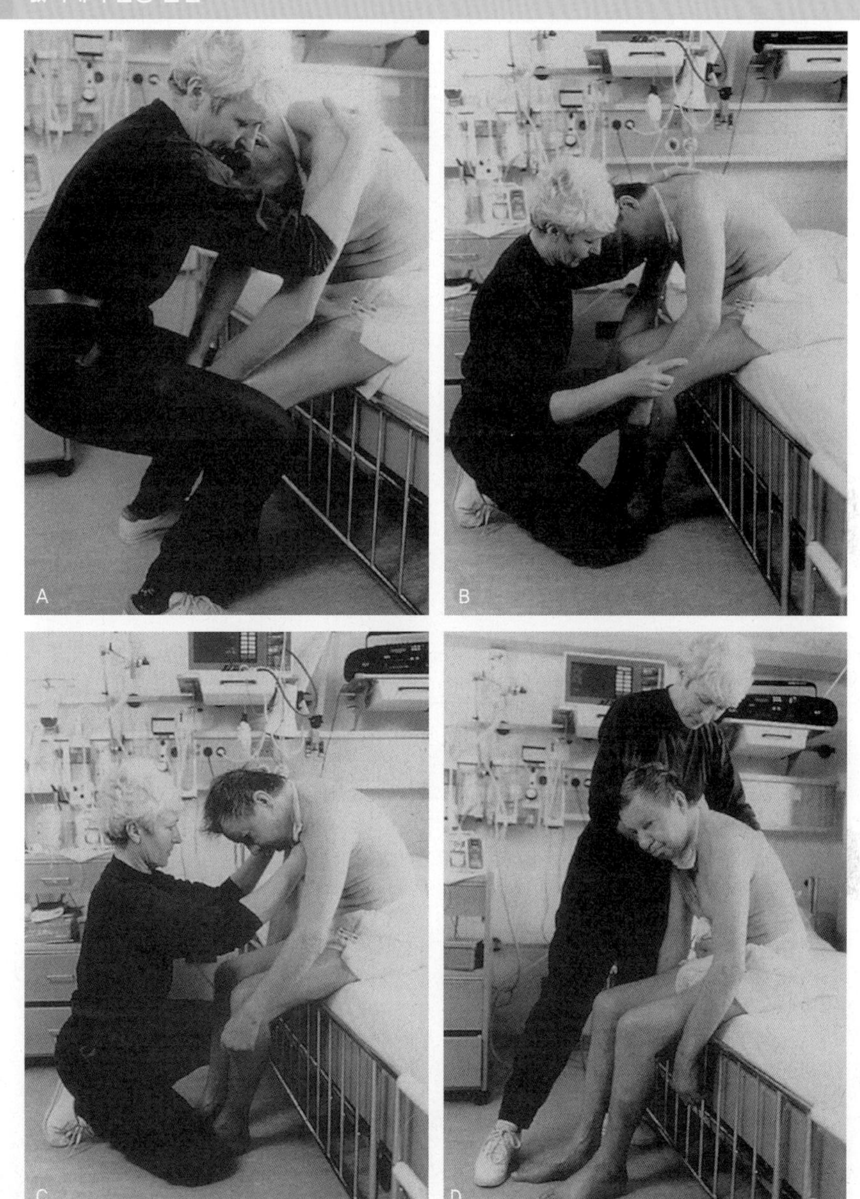

A. 치료사가 환자의 양 무릎을 차단할 때 환자가 몸통을 앞으로 굽힌다.
B. 환자가 양손을 발을 향해 뻗는다.
C. 환자가 도움을 받아 몸통을 똑바로 세운다.
D. 환자가 도움을 받아 경추를 편다.

(From Davies PM: *Starting again: early rehabilitation after traumatic brain injury or other severe brain lesion,* New York, 1994, Springer–Verlag.)

중재 11-7 앉기 활동

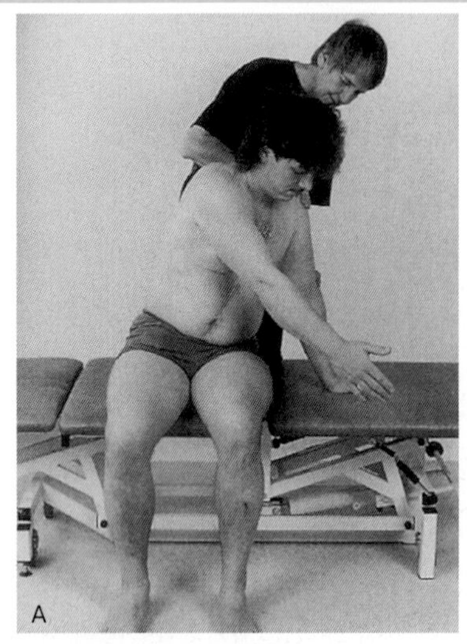

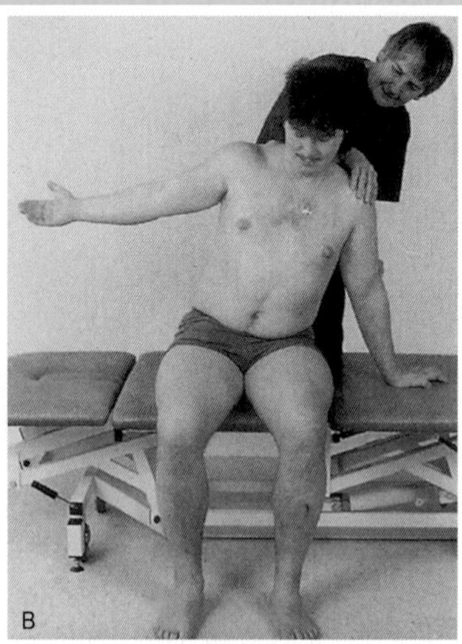

A. 팔로 체중을 지지하고 몸통을 앞쪽으로 돌린다.
B. 반대쪽 팔을 벌려서 몸통을 뒤로 돌린다.

(From Davies PM: *Starting again: early rehabilitation after traumatic brain injury or other severe brain lesion,* New York, 1994, Springer-Verlag.)

중재 11-8 앉아서 돌기 이행

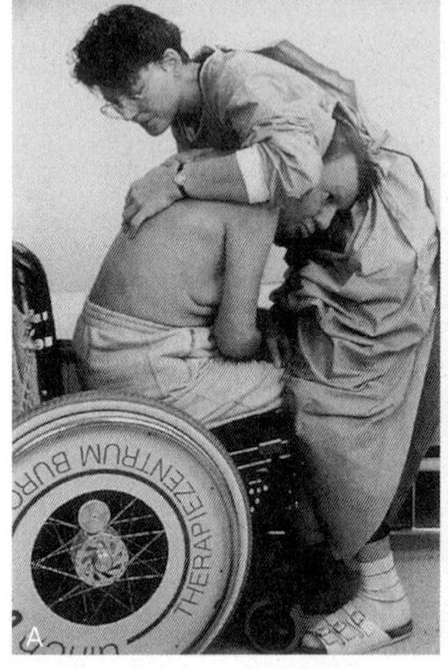

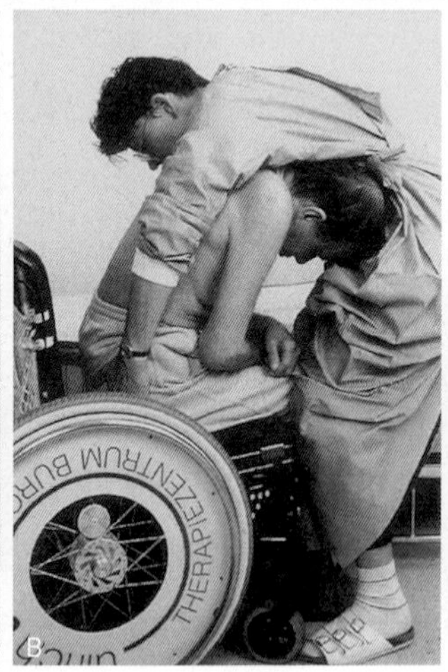

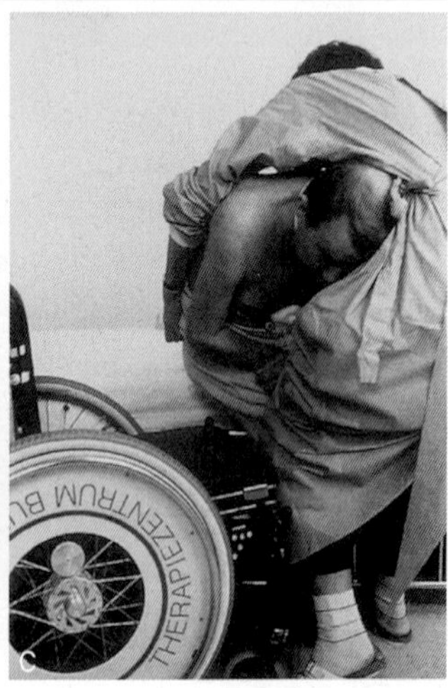

환자의 몸통을 앞으로 굽혀서 환자를 이동시킨다.
A. 치료사가 환자의 몸통을 굽히고 옆구리로 환자의 머리를 지지해 준다.
B. 치료사가 한 손을 환자의 대퇴 돌기 아래에 놓는다.
C. 치료사가 자신의 무릎으로 환자의 무릎을 누르면서 환자의 엉덩이를 돌려 침대 위로 들어올린다.

(From Davies PM: *Starting again: early rehabilitation after traumatic brain injury or other severe brain lesion,* New York, 1994, Springer-Verlag.)

중재 11-9 무의식 환자의 서기

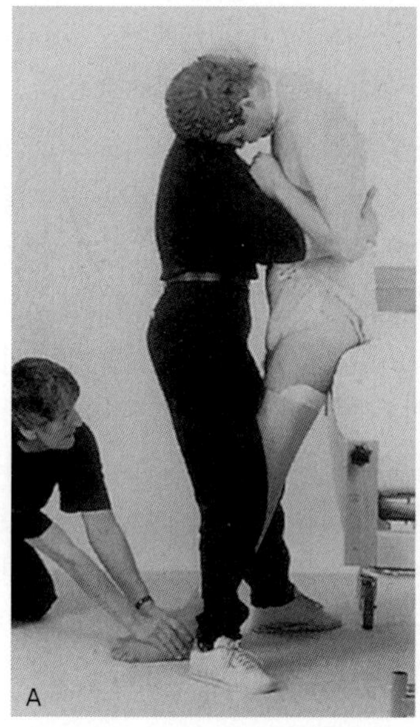

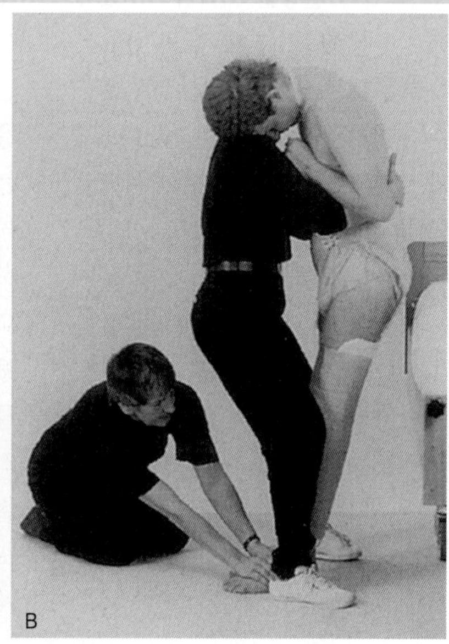

A. 시작 위치: 앞쪽으로 미끄러지지 않도록 발을 단단하게 잡는다.
B. 치료사가 핵심 조절 지점들을 이용해 환자를 지지한다.

(From Davies PM: *Starting again: early rehabilitation after traumatic brain injury or other severe brain lesion,* New York, 1994, Springer–Verlag.)

중재 11-10 서기 자세의 환자 지지하기

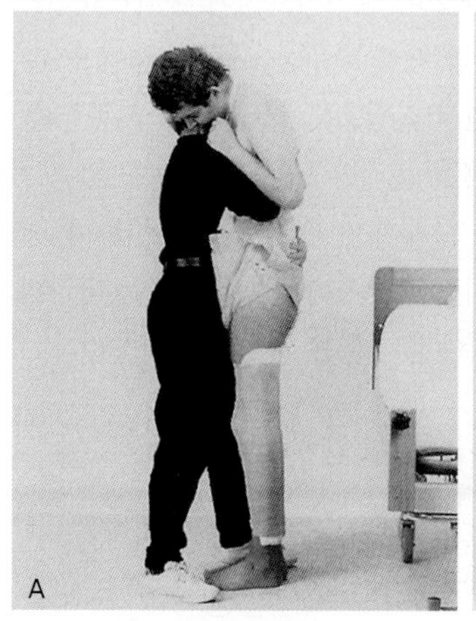

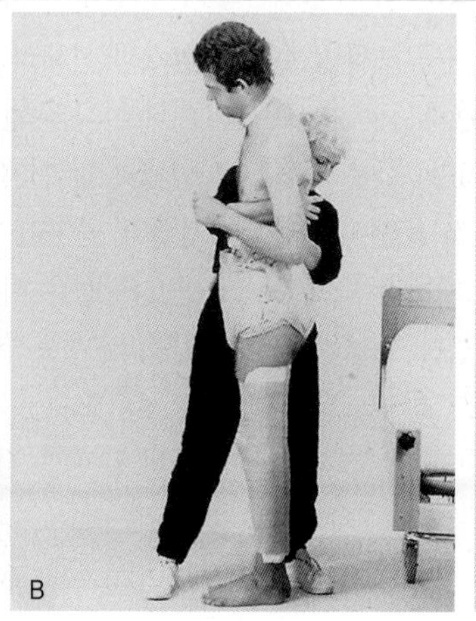

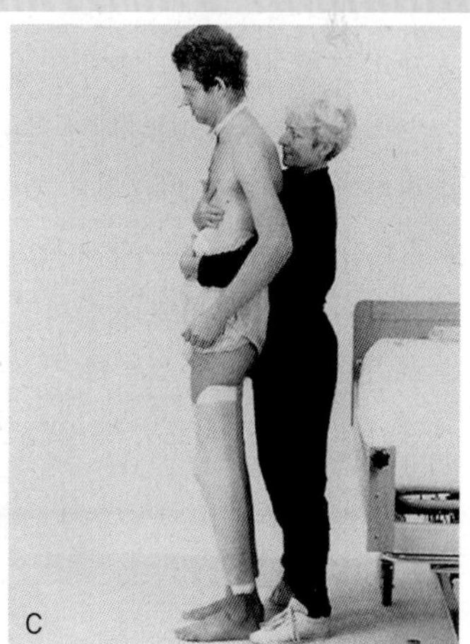

A. 체중을 환자 발 앞쪽으로 옮긴다.
B. 치료사가 환자 뒤로 돌아간다.
C. 치료사가 환자의 골반과 몸통에 촉각 신호를 제공해 폄을 유도한다.

(From Davies PM: *Starting again: early rehabilitation after traumatic brain injury or other severe brain lesion,* New York, 1994, Springer–Verlag.)

환자의 상태에 따라서 침대 옆에서나 매트 테이블에서 적절한 도움을 받아 서기 활동을 시작할 수 있다(특정 기술에 대해서는 10장 참조). 침대 옆 탁자와 식료품 카트 또는 높이 조절 매트 테이블은 보행 전 활동을 시작할 때 팔을 지지하기 위해 사용할 수 있다. 시설의 보행 훈련 철학에 따라서 체중지지 트레이드밀 훈련(Body Weight Support Treadmill Training, BWSTT)은 과제 특화적 보행 훈련을 증진하기 위해 사용할 수 있다. 그러나 BWSTT가 TBI 환자의 걸음걸이와 균형을 개선하기 위한 최고의 방법이라고 하기는 어렵다. TBI 인구 집단에 대한 중재의 효과성에 관해서는 추가적인 연구가 필요하다(Bland 등, 2011). 중재 11-9는 의식이 없는 환자의 서기를 보여 준다. 중재 11-10은 환자의 서기 활동을 도와주는 다양한 사례를 보여 준다.

치료 계획

관리 계획을 수립 할 때, 주 PT는 환자의 인지 상태와 운동 학습 단계를 고려해서 적절한 치료 중재를 선택해야 한다. 운동 과제 연습은 환자의 피로를 고려해서 휴식 기간을 두고 이어져야 한다. 외적 되먹임은 초기 단계에서 환자의 활동 수행을 돕는 데 유용하다. 중재의 초점은 보상적 접근 또는 회복적 접근을 포함할 수 있다. 보상이란 말뜻 그대로 대체 수단과 전략을 사용하여 환자에게 기술을 가르치는 것이다. 회복적 접근법을 구현할 때, 치료사는 과제 특화적 훈련 과정과 신경 가소성의 원리를 통해 정상적인 기능적 움직임을 회복하려고 시도한다. 회복적 접근법을 겨냥한 활동의 예로는 억제유도 치료법과 BWSTT (Fulk, Nirider, 2014)가 있다.

물리적 환경

이 환자 집단을 다룰 때는 물리적 환경에 주의를 기울여야 한다. TBI 환자는 환경 내에서 감각자극에 과장된 반응을 보인다. 조명과 소음 수준 및 참석자 수를 반드시 확인해야 한다. 전형적인 물리치료실에서 이루어지는 활동의 양을 생각해 본다. 많은 사람들이 참석하고 있으며, 사람들의 말소리와 배경 음악 및 구내 방송장치가 청각 자극을 가한다. TBI 환자는 환경에서 외부 자극을 걸러낼 수 없다. 과도한 감각자극은 환자를 과대 자극하여 혼란이나 부정적인 행동 반응을 유발할 수 있다(Persel and Persel, 1995). 환자는 이러한 유형의 환경에서 더욱 동요되고, 공격적이거나 산만해질 수 있다. 또한 인지 스트레스가 증가하면 신체 수행 능력이 악영향을 받는다(Wright and Veroff, 1988). 많은 시설들에는 이런 환자들을 위한 보다 작은 사적인 치료 공간이 있다.

물리치료실의 체계는 TBI 환자에게도 중요하다. 일상적인 일정과 일관된 치료 팀 및 치료 시 일정 수준의 순서 설정은 환자가 손상과 재활 환경에 적응하는 데 도움이 된다. 또한 새로운 정보와 과제를 배우기 위해서는 반복과 연습이 필요하다.

과제의 물리적 구성 요소와 인지 구성 요소를 치료 중재에 통합하기

종종 TBI 환자 치료의 가장 어려운 측면 중 하나는 과제의 물리적 구성 요소와 인지 구성 요소를 통합하는 것이다. 인지적 결손은 흔히 점점 더 심신을 약화시키고 치료하기 어렵다. 물리치료사와 물리치료 보조사는 환자의 신체적 한계를 다루는 치료 중재에 능하다. 그러나 환자의 인지 결핍으로 훨씬 더 큰 어려움을 겪고, 신체적 및 인지적 문제를 모두 해결할 수 있는 적절한 강도의 중재를 설계하는 데 종종 어려움을 겪는다. 다음 사항들은 이러한 환자한테서 나타나는 다양한 인지 기능 및 행동장애를 다루는 지침으로 사용한다.

인지 및 행동 장애

지남력 상실

TBI 환자는 종종 장소나 시간에 혼란을 느낀다. 종국에는 환자가 올바른 응답을 할 것이라고 희망하면서 지남력을 잃은 환자에게 질문을 하는 보호자을 볼 수 있다. 이 장애를 다루는 더 나은 접근법은 치료 도중에 환자에게 정확한 정보를 제공하는 것이다. 본질적으로 치료사는 환자에게 누락된 정보를 채워 준다. 앞에서 설명한 것처럼 스크립트 또는 달력을 사용하면 지남력 상실을 효과적으로 처리할 수 있다. 환자의 지남력 수준이 향상되지 않으면 환자가 암기 노트 같은 특정 유형의 출처에서 정보를 독립적으로 검색할 수 있는 전략을 채택해야 한다. 암기 노트의 내용은 다양하다. 달력과 일간 일정 및 이름, 나이, 주소, 병력을 포함한 환자 관련 정보와 함께 환자, 가족 구성원 및 보호자의 사진이 환자의 암기 노트에 들어갈 수 있다. 환자의 상태가 향상됨에 따라 암기 노트에 정보를 기록하는 일을 환자에게 넘길 수 있다. 이것은 치료 시간에 환자가 무엇을 하는지를 가족 구성원에게 보여줄 수 있는 훌륭한 수단이다(Fulk and Geller, 2001). 또한 환자의 사진과 비디오 및 오디오 녹음은 환자의 수행 능력 변화를 기록하는 데 사용하는 다른 수단이다.

주의력 결핍

주의력 결핍도 TBI 집단에서 흔히 나타난다. 환자는 10~15초라는 짧은 시간 동안에도 과제에 집중하기 어려울 수 있다. 이러한 결핍은 치료 시에 심각한 문제가 된다. 회복 과정 초기에 치료사는 구두 지시를 간단하게 내려야 한다. 간결한 구두 지시에 이어 환자 이름을 부르면 환자의 주의를 끌 수 있다. 치료사는 수많은 다른 중재를 계획하고 준비하고 싶어 할 수도 있다. 치료사가 여러 가지 활동을 준비할 수 있다면 치료는 보다 효율적으로 시행될 것이고, 환자는 나중에 기존 활동으로 성공적으로 돌아갈 수 있다. 환자의 상태가 진행됨에 따라서 치료사는 스톱워치나 타이머를 이용해 환자가 특정 활동 수행 중에 집중할 수 있도록 격려할 수 있다. 예를 들어 환자는 미리 정해진 시간 동안 고정 자전거를 탈 수 있고, 치료사는 치료 시간을 늘리려고 할 수 있다. 이러한 접근법은 환자 진행을 주시하는 훌륭한 수단이다.

기억 손상

거의 모든 TBI 환자는 손상 이후에 어느 정도의 기억 손상을 보인다. 기억은 정보를 정리해서 이미 기억되어 있는 비슷한 항목 및 사건과 연관시킬 수 있는 적극적인 과정이다(Bleiberg, 2009). 이미 논의한 바와 같이, 일일 플래너와 휴대 전화, 컴퓨터 또는 암기 노트를 사용하는 것이 좋다. 컴퓨터 일정 관리 프로그램과 시계 및 전자 페이징 시스템을 사용할 수 있다. 이러한 장치는 중요한 시간과 사건을 환자에게 상기시키기 위해 알림을 울린다. 환자가 기억력 손상을 보인다면 지역 사회에서의 기능을 도와주는 보상 전략의 사용에 관한 지시를 받아야 한다.

문제 해결 능력 결핍

문제 해결 능력 결핍도 분명하게 나타날 수 있다. 환자는 일상적인 문제를 해결하기 위해 정보를 정리하고 순서를 정하는 데 어려움을 겪을 수 있다. 이들은 판단력이 부족하거나 추상적 사고를 어려워할 수 있다. 결과적으로, 유머는 추상적 개념이기 때문에 치료 시에 유머를 사용하는 것은 적절하지 않을 수 있고, 환자를 혼란시킬 수 있다. 환자에게 활동을 완료하는 척하라고 지시하는 것도 권장하지 않는다. 치료사는 필요한 도구나 환경 설정 없이 환자가 연습할 수 있는 활동을 설계하는 경우가 많다. 보다 현실적인 활동을 설계하면 훨씬 더 큰 치료 효과를 얻을 수 있다. 예를 들어 환자가 정원을 좋아한다면 냄비, 화분, 정원 도구를 사용하는 것이 환자 계획을 세우고 과제를 수행하는 훌륭한 방법이다. 안전 문제도 중요한 고려 사항이다. 환자는 자신의 장애를 인식하지 못하거나 뜨거운 난로의 의미, 혹은 현관에 나타난 낯선 사람의 의미를 이해하지 못할 수 있다. 재활 기관의 범위 내에서 안전에 주의를 기울여야하는 상황을 조성하면 환자가 집에 돌아갈 때 도움이 될 수 있다. 또한 이러한 유형의 문제 해결 활동은 퇴원 시 지속적인 감독이 필요한지 여부를 확인하는 데 도움이 된다.

문제 해결 능력 결핍을 해결하기 위해 개인이 수행해야 할 다양한 활동을 조직하고 순서를 정하는 과제 카드 사용과 같은 다른 전략을 사용할 수도 있다. "왜"와 "-라면"이라는 질문 유형을 사용해 개인의 판단력과 간단한 문제 해결 능력을 평가할 수도 있다.

몇몇 TBI 환자는 지형학적 지남력 문제를 명백하

게 나타낼 수 있다. 이러한 종류의 결핍을 가진 환자는 시설 주변을 돌아다니거나 길을 찾을 수 없다. 경로 찾기 과제들을 사용할 수 있다. 환자가 시설을 통과할 때 간판이나 그림과 같은 표지나 신호를 길잡이로 사용하는 것이 좋다. 환자의 상태에 따라 환자의 문제 해결 능력에 도전하면서 역동적인 균형을 핸들링 위해 장애물 코스 및 미로를 구성할 수 있다(Krus, 1988).

행동적 결함

TBI 환자는 행동 문제를 나타낼 수 있다. 보다 일반적인 행동장애 중 일부는 동요 및 과민반응, 감정적인 반응의 통제 감소, 결핍 거부(denial fo deficits), 충동 및 억제 부족이다(Krus, 1988). 이러한 행동 문제의 생리학적 원인을 고려하면 치료사는 이 환자들을 보다 효과적으로 치료할 수 있다. 환자의 혼수상태, 환자의 피로, 또는 활동 요구가 지나치게 심해서 동요와 과민반응을 유발하거나 증가시킬 수 있다. 기억을 거의 또는 전혀 하지 못하고, 가족과 친구들을 인식하지 못하며, 약간의 신체적인 제한이 있다면 어떨지 상상해 보자. 왜 TBI 환자가 동요하고 짜증낼 수 있는지 살펴볼 수 있는 편이 훨씬 나을 것이다. 일관된 일정과 환경 구조 및 환자의 점유 상태를 유지하면 환자의 지남력 상실을 관리하는 데 도움이 된다. TV사용을 제한할 것을 권장한다. 환자는 텔레비전 프로그램에서 보는 사건들 때문에 쉽게 혼란스러워할 수 있으며, 텔레비전 프로그램을 현실과 구별하는 데 어려움이 있을 수 있다.

과민 반응이나 열악한 감정 조절을 보이는 환자의 경우, 치료사 또는 보조사는 그러한 행동을 무시하고 긍정적인 행동을 강화하거나 환자에게 그러한 행동이 부적절하다는 사실을 알릴 수 있다. 치료사가 적절한 긍정적 대안을 제공하는 것이 바람직하다. 환자는 적절한 반응을 스스로 선택할 수 없기 때문이다. 때로는 환자에게 두 가지 활동 중 하나를 선택하게 해서 부적절한 반응을 다른 곳으로 유도하고 환자가 상황을 어느 정도 조절할 수 있게 한다.

집단 치료 활동은 일부 행동 및 인지 문제 치료에 도움이 될 수 있다. 또래 지원과 다른 사람의 행동을 적절하게 모방하기, 순응 압력(pressure to comform)은 환자가 자신의 결점을 인식하도록 도와줄 수 있다.

공격적인 행동

이 환자 집단을 다루는 일부 치료사들이 우려하는 것은 가끔씩 나타나는 환자들의 공격적이고 전투적인 행동이다. 이러한 가능성 때문에 많은 재활 시설 직원들은 위기 중재를 다루는 인증 프로그램에 참석해야 한다. 란초로스 아미고스 인지 기능 척도는 동요하고 혼란스러워하는 수준의 환자 반응에 대해 논의한다. 공격적이고 투쟁적인 행동이 발생할 수 있지만, 일반적인 일은 아니다. 목표는 환자가 스스로의 행동을 조절하도록 돕는 것이다. 환자가 스트레스와 불안을 유발하는 상황을 다루는 능력을 갖추도록 돕는 것이 행동을 관리하는 첫 단계다.

TBI 환자는 대개 내부 및 외부 환경의 스트레스 요인 모두를 핸들링 어려워한다. 물리적 공격성을 포함한 행동 변화는 환자가 두려워하거나 위협을 받거나 피로를 느끼면 발생할 수 있다. 환자가 스트레스와 좌절감을 성공적으로 관리할 수 없는 경우에는 위기 상황이 발생할 수 있다. 위기 상황에서는 교감신경계가 반응하고 신체적 및 인지적 변화가 발생한다. 심박수, 혈압 및 호흡률은 증가하지만 인지 능력은 저하된다. 의사소통 기술, 추론 및 판단력이 저하된다. 따라서 물리치료사와 물리치료 보조사는 환자가 스트레스 요인을 다루도록 돕고 위기 발생을 방지하는 방법을 인식해야 한다. 위기와 행동 관리에 대한 몇 가지 모델이 개발되었다. 많은 시설들이 TBI 환자 치료에 관련된 직원들에게 위기 훈련 프로그램을 제공한다. 이 인구 집단을 다루는 사람은 이 코스 중 하나에 참석해야 한다.

처음에 환자가 불안해하고 과도한 자극을 받는다면 환자를 도와서 그 자극을 제거하는 것이 좋다. 환자가 활동 수행 중에 좌절감을 느낄 경우에는 그 활동의 난이도를 평가해서 너무 무리한 활동이라면 활동 강도를 줄인다. 환자의 짜증을 유발할 수 있는 사건이나 원인을 치료사가 찾아내기 불가능할 수도 있다. 환자가 불안해하거나 괴로워할 때 치료사는 환자의 목소리 변화뿐만 아니라 왔다 갔다 하거나 발로 바닥을 두드리고, 손을 쥐어짜는 등의 신체적인 변화를 느낄 수 있다. 그러한 변화가 발생하면 환자를 그 상황에서 빼내고 감정적인 지원을 지속적으로 제공하며, 환자에게 다른 과제를 제시하는 것이 좋다. 환자가 증가된 에너지를 배출할 수 있도록 해주면 환자를 진정시킬 수 있다. 지남력 재설정은 지남력 상실이 심각한 행동장애의 근본 원인이 되기 때문에 유용할 수 있다(Campbell, 2000, Persel and Persel, 1995).

이러한 중재가 환자의 긴장을 완화하는 데 도움이 되지 않으면 위기 상황이 발생할 수 있다. 위기 상황에서 환자는 구두 및 신체 반응에 대한 통제력을 상실할 수 있으며, 파괴적이고 공격적인 행동을 보일 수 있다. 환자는 자신이나 타인에게 위험할 수 있다. 이런 상황이 발생하면 의료 서비스 제공자도 매우 불안해진다. 물리치료사와 물리치료 보조사가 침착하지 않으면 위기 상황이 더욱 악화될 수 있다. 그러한 사건에 휩쓸려 과도하게 스트레스를 받는 경우에는 그 상황에서 벗어나야 한다. 환자가 위기에 처한 후에는 자신이나 타인에게 해를 가하지 않도록 환자를 보호해야 한다. 가능하다면 방문객을 제한한다. 환자가 회복되면 치료사는 다시 감정적인 지원을 제공해야 한다. 환자와 치료적 교감을 회복하는 것이 좋다. 환자는 결국 자신의 본래 행동 상태로 돌아간다. 일단 환자가 위기의 모든 단계를 거치고 나면 환자와 중재를 실시한 의료 서비스 제공자는 위기 이후 고갈 상태(postcrisis drain)나 우울증을 보인다. 이것은 초기 에피소드가 끝난 후 몇 시간 동안 지속될 수 있으며, 피로와 위축으로 나타난다. 이러한 경험 이후에는 환자가 휴식을 취하는 것이 가장 좋다. 일단 환자가 휴식 상태로 돌아오면, 치료사는 사건과 발생한 증상을 환자와 함께 숙고해 보기를 원할 것이다. 에피소드를 유발한 사건이나 사물 또는 개인에 대해 환자에게 질문하는 것은 가치가 있는 일이다. 치료사가 환자를 지원하고 돌본다는 사실을 환자에게 확신시키는 것도 중요하다. 재활 팀이 스트레스를 유발하는 물건이나 계기를 식별할 수 있다면 환자의 반응을 최소화하는 방법을 사용할 수 있다(Persel and Persel, 1995).

재활 팀의 모든 구성원은 선동적이거나 공격적인 행동을 보이는 환자가 자신의 환경을 구조하고 조절할 필요가 있음을 보여 준다는 사실을 기억해야 한다. 의료 서비스 제공자는 그 사건을 개인적으로 받아들일 이유가 없다. 사건에 개인적인 감정을 싣게 되면 환자-치료사 관계에 영향을 줄 수 있으며, 궁극적으로 제공하는 치료에도 영향을 줄 수 있다.

운동 손상과 중재

TBI 환자 치료의 인지적 측면을 토론하는 데 많은 시간이 소요되었다. 뇌혈관 손상 이후 환자에 대해 이전에 논의했던 많은 물리적 중재가 이 환자 집단에게도 적절하다. 기능적 이동을 촉진하기 위해 사용한 중재뿐만 아니라 앞서 제시한 움직임 이행도 사용할 수 있다. 실습생들과 숙련된 치료사는 가장 까다로운 환자가 운동 능력은 뛰어나지만 인지 능력이 떨어지는 환자라고 보고하곤 한다. 높은 신체 수준에서 기능하는 환자를 위한 중재에 대한 리뷰가 제공되고 있다. 이 환자들에게는 높은 수준의 도전적인 균형 활동을 제시한다. 이런 환자는 선택적 운동 패턴을 수행하고 인지 과제에 참여하면서 자세 안정성을 유지해야 한다. 공과 볼스터, 틸트 보드 또는 균형 시스템과 같은 움직일 수 있는 표면을 사용할 수 있다. 공을 가지고 수행할 수 있는 연습은 다음과 같다.

1. 균형 유지
2. 머리 위로 양팔 들어올리기
3. 고유감각 신경근육 촉진 대각선 패턴 수행하기
4. 몸통을 돌리거나 가쪽으로 구부리기
5. 양팔 상반적으로 움직이기
6. 골반 앞쪽 기울임과 뒤쪽 기울임 수행하기
7. 행진하기나 무릎 폄 운동하기
8. 원을 그리며 튀어 오르기
9. 앉기에서 눕기로, 앉기에서 공 위에 엎드리기로

이행하는 움직임을 포함해서 보다 더 어려운 운동들도 연습할 수 있다.

볼스터는 정적인 자세잡기나 환자에게 움직일 수 있는 표면을 제공하는 데 사용한다. 환자는 볼스터에 걸터앉아서 체중 이동을 하고 일어서는 연습을 할 수 있다. 틸트 보드는 체중 이동 및 평형 반응을 연습하는 데 사용할 수 있다. 환자는 운동 능력에 따라 틸트 보드에 앉거나 서 있을 수 있다. 환자의 정적 및 동적 균형을 시험하는 또 다른 도전적인 활동으로는 한 발 서기와 발뒤꿈치-발가락으로 걷기, 평균대 걷기, 돌기, 갑자기 멈추고 출발하기, 다리 꼬아 걷기(양발을 교차시키면서 옆으로 걷기), 장애물을 넘거나 돌아가기, 물건 들고 걷기, 환경적 장애물 넘기, 점프하기, 깡충깡충 뛰기가 있다.

활동의 감각적 구성 요소도 활동의 난이도를 높이기 위해 수정할 수 있다. 조명을 변경할 수 있다. 환자는 폼이나 바닥 매트에서 과제를 수행하라는 지시를 받거나 발을 통해 전해지는 고유감각 입력을 변경하기 위해 신발과 양말을 벗을 수 있다. 환자는 조용한 환경에서 과제를 수행하다가 시끄러운 곳, 심지어는 혼잡한 곳으로 장소를 옮길 수 있다. 여기서는 환자가 제시된 운동 과제에 집중하는 능력에 초점을 둔다.

심혈관 및 유산소적 조절운동은 좋은 운동 능력을 가진 환자에게 좋은 운동이다. 트레이드밀 걷기와 사이클링, 수영, 유산소 프로그램은 모두 심혈관 반응을 개선하고 환자의 협응을 시험하는 도전적이고 유용한 활동이다. 이전에 언급한 바와 같이, 많은 TBI 환자는 쇠약한 상태이며, 유산소 운동은 환자의 심혈관 건강 수준을 향상시키는 좋은 방법이다. 운동은 또한 스트레스 관리에 사용할 수 있다. 환자를 위한 운동 프로그램을 설계할 때는 장애인을 위한 2008년 신체 활동 지침을 따르라고 권장한다. 일주일에 두 번 일반 근력 강화 프로그램과 결합하여 적당한 강도로 주당 150분이 권장된다(미국 보건 복지부, 2008).

과제의 물리적 및 인지적 구성 요소 통합하기

인지 및 운동 과제를 동시에 수행하는 이중 과제 훈련은 TBI 환자에게 유익한 것으로 나타났다(Fritz and Basso, 2013). 환자는 대화에 참여하거나 간단한 수학 계산을 수행하는 동안 보행 기술을 연습할 수도 있고, 트레이드밀에서 걸으면서 읽기를 시도할 수도 있다. 이중 과제를 수행하기가 어렵거나 불가능한 경우는 환자의 안전 문제와 관련이 있을 때이다(Scherer 등, 2013).

환자의 치료 계획은 신체적 및 인지적 도전을 포함하는 활동으로 구성되어야 한다. 던지기 및 잡기, 장애물 코스를 통과하기, 지도 보고 길 찾기는 고도의 운동 과제와 인지 과제를 수행하는 것이다. 이전에 언급한 균형 활동도 수행할 수 있으며, 반복 계산과 같은 추가 인지 구성 요소를 통합할 수 있다. 제공되는 구조나 신호의 양을 줄이거나 과제의 복잡성을 높이는 것은 보조사가 환자의 인지 능력을 시험할 수 있는 방법이다. 일부 시설에서는 모방 도시 환경(쉬운 거리 Easy Street)에 접근할 수 있다. 지역 사회에서 접하게 될 식료품 가게와 은행, 패스트푸드 카운터 및 환경 장애물을 환자의 실습을 위해 사용 가능하다. 지역 사회로 외출하는 것은 신체 및 인지 과제를 수행하는 또 다른 치료 방법이다. 많은 시설은 재활의 다양한 단계에서 환자의 외출을 준비한다. 레스토랑, 동물원 또는 볼링장 체험은 지역 사회 견학의 일반적인 실례다. 이러한 외출에서 환자는 치료 시에 배운 기술을 연습하도록 권장 받는다. 이러한 외출의 이점은 치료사가 환자를 도울 수 있고, 환자가 집으로 퇴원했을 때 어려워할 수 있는 점을 평가할 수 있다는 것이다.

퇴원 계획

퇴원 계획은 TBI 환자에게 중요한 치료 요소이다. 가장 적절한 퇴원 장소를 결정해야 한다. 모든 환자가 완전하게 회복해서 이전과 동일한 삶을 살 수 있다고 가정하는 것은 비현실적이다. 많은 환자들은 집에서 감독을 받거나 광범위 치료 시설, 거주형 요양보호 시설로 퇴원하더라도 후속 관리를 필요로 한다. 환자 퇴원 계획에는 환자, 가족 및 재활 팀의 적절한 구성원이 포함되어야 한다. 적응 기구 조달, 환자의 집에서 요구되는 환경 개조 및 가정 보건 서비스는 환자가 시설에서 퇴원하기 전에 준비해야 한다. 일부 환자는 재활 시설에서 퇴원 한 후에 추가 서비스가 필요할 수 있다. 환자의 신체적, 인지적 및 행동적 제한을 개선하기 위해서는 포괄적인 외래 환자 물리치료 서비스, 일일 치료 프로그램 및 지역 사회 재진입을 다루는 주거 프로그램이 계속 필요할 수 있다.

결론 요약

TBI 환자를 치료하는 것은 매우 힘들고 보람있는 일일 수 있다. 외상성 뇌손상을 경험한 환자는 혼수상태에서 수의적으로 운동하지 못하는 상태, 높은 운동 기능에 상당한 인지 장애를 보이는 상태에 이르기까지 그 상태가 다양할 수 있다. 많은 물리치료사들과 물리치료 보조사들은 중재의 인지적 요소를 가장 어렵게 여긴다. 가능한 최고 수준의 치료를 환자에게 제공하기 위해 치료사는 운동 및 인지 문제를 동시에 해결할 수 있어야 한다. 신체적 및 인지적 과제와 운동 학습 및 과제 특화적 훈련의 원리가 결합된 창조적 중재는 환자의 기능적 능력을 향상시키고, 환자가 가능한 이전의 생활 방식을 재개할 수 있도록 도와주는 가장 효과적인 치료가 될 것이다. ■

검토사항

1. 경막하 혈종의 임상 양상을 기술한다.
2. 두개 내압(ICP) 증가의 징후와 증상은 무엇인가?
3. 혼수상태 환자와 지속적인 식물 상태 환자를 구별한다.
4. 외상성 뇌손상(TBI) 환자를 위한 급성 물리치료 중재의 네 가지 목표를 열거한다.
5. 란초로스 아미고 인지 기능 척도의 10단계를 정의한다.
6. 인지 기능 감소 환자를 위한 핸드오버핸드 모델의 이점을 토론하다.
7. 물리적 환경이 환자의 중재 반응에 어떻게 영향을 미칠 수 있습니까?
8. 환자는 심각한 지남력 상실과 주의력 결핍을 보이고 있다. 물리치료사가 환자의 치료를 돕기 위해 어떻게 중재할 수 있는가?
9. 환자는 치료 중에 쉽게 동요되고 좌절한다. 때로는 전면적인 위기 상황에 빠질 수도 있다. 물리치료사는 이러한 에피소드를 최소화하기 위해 무엇을 할 수 있는가? 위기 상황이 발생할 경우 물리치료사는 어떻게 해야 하나?
10. TBI 환자가 우수한 운동 능력을 가지고 있다. 보조기구 없이 독립적으로 걸을 수 있으며 독립적으로 이동할 수 있다. 이 환자는 간혹 균형을 잃는다. 환자의 인지 능력은 훨씬 심각하게 손상된 상태다. 지남력을 상실했고, 기억력 손상을 보인다. 이 환자를 위해 신체적 및 인지적 구성 요소를 통합하는 네 가지 치료 활동을 알아본다.

사례 연구 재활 팀 초기 시험 및 평가

이력

차트 검토

환자는 인디애나 출신의 25세 이혼남이다. 환자는 자영업 건설업자로 풀타임으로 일한다. 그는 자동차 사고(MVA)로 작은 시골 병원에서 대학 병원으로 이송되었다. 환자는 현장에서 의식을 잃었으며 응급실에 도착할 때까지 그 상태 그대로였다. 머리 CT에서는 왼쪽 두정엽 영역을 침범한 상당한 두피 혈종의 증거와 오른쪽 두정엽 영역의 최소 혈종이 나타났다. CT에서는 마루뼈 중앙 왼쪽의 함몰골절이 양성으로 나왔고, 두개강 내의 심각한 이상은 관찰되지 않았다. 두개골 엑스레이 결과에서는 좌측 마루뼈 골절이 양성으로 나왔다. 흉부 X선 촬영에서는 경증 우세 위세로칸(superior mediastinum)이 나타났고, 좌가측 가슴벽을 따라서 국소적으로 흉막 비대가 보였는데 이는 비전위성 갈비뼈 골절과 관련된 것처럼 보였다. 환자는 용적호흡기(volume ventilator)를 사용했다. 일주일 후 인공호흡기를 떼고 나서 기관 절제술을 받았다. 현재는 테그레톨(Tegretol)과 자나플렉스(Zanaflex), 아티반(Ativan)을 복용하고 있다.

검사 및 치료를 위한 물리치료(PT)를 접수해 놓았다.

(계속)

사례 연구 **계속**

주관적

환자는 구두로 의사소통을 할 수 없다. 머리를 끄덕이거나 흔들어서 예나 아니오를 표현해 의사소통 할 수 있다. 초기 조사에서 아내한테서 남편의 사회 활동 이력을 알아낸다. 환자는 1층 집에서 건강한 아내와 함께 살고 있다. 집에는 난간이 없는 계단 두 개가 입구에 있다. 양탄자, 기와 및 경재 마루가 있다. 샤워 실에는 손잡이나 샤워 의자가 없다. 환자에게는 두 딸이 있는데 둘 다 도시에 살고 있다. 환자의 목표는 집으로 돌아가 걷고 의사소통 할 수 있게 되는 것이다. 이것은 아내의 목표이기도 하다. 아내는 남편을 돌보는 데 도움이 되는 이웃과 친구들이 있다고 말한다. 환자는 입원한 이후로 많이 자고 있었지만, CVA 발병 전에는 아내와 함께 운동을 위해 걷고, 캠핑을 하고, 딸을 방문하고, 골프를 좋아했다. 환자는 CVA 발병 전에 건강이 좋았다. 환자는 치료를 수행하기 위해 동의 여부를 묻는 질문에 동의의 뜻으로 고개를 끄덕였다. 아내도 남편의 치료 참여에 동의했다.

주관적 검토

환자는 반응을 할 수 없고, 초기 검사 당시 정보를 제공하는 가족이 없었다. 환자에 관한 정보는 차트를 검토해서 얻었다. 검사에 대한 사전 동의를 얻을 수 없었다.

객관적 검토

외양/휴식 자세/장비: 환자는 머리를 정중선에 두고 병원 침대에 누워 있다. 손목과 손가락이 구부러지고, 어깨가 안쪽으로 돌아가 벌어지며, 다리가 모아져 펴지는 제뇌 자세를 취하고 있다. 환자는 굽 낮은 최고의 테니스 신발을 신고 있다. 기관 절개술을 해서 카테터와 정맥 주사기를 꽂고 있다.

체계적 고찰

인지/의사소통: 환자는 신음 소리를 내고 다른 말을 하지 않는다.

심혈관/폐: BP=135/80 mmHg, HR=140 bpm, RR=40 bpm으로 속도가 빠름(rapid)

외피: 왼쪽 귀 주변에 얼룩 출혈, 두피에 열상이 있음.

근골격계: 양측 손상됨.

신경근육: 왼쪽 팔의 목적없는 움직임이 한 번 나타남. 양측 팔과 다리의 수의적 움직임을 추적함. 걸음걸이와 보행, 균형이 손상됨.

심리사회적: 환자에게는 가족(부모)과 친구같은 공정한 지원 시스템이 있음.

테스트와 측정

인체 계측: 신장 190.3 cm, 체중 81.6 kg, BMI 지수 22 (20–24 정상).

각성, 주의력, 인지: 환자의 정신이 맑다. 그러나 사람, 장소 또는 시간을 인지하지 못한다. 자극에 위축될 수 있고, 1단계 명령을 일관성 있게 따르지 못할 수 있다. 소리가 나는 곳을 바라볼 확률은 2/3, 명령에 반응하여 눈을 뜰 확률은 1/4, 깜박이는 불빛에 부분적으로 국소적 반응을 보일 확률은 2/3, 치료사의 얼굴을 부분적으로 추적할 확률은 1/3이다. 위협에 반응하여 눈을 깜박일 확률은 3/3, 어깨를 두드리는 자극에 양측 팔꿈치를 구부리며 움츠릴 확률은 3/3, 손톱 밑에 가해지는 압력에 위축이 지연될 확률은 3/3, 건강한 귀를 잡아당기는 자극에 위축이 지연될 확률은 3/3이며, 비언어적 발성(신음 소리와 끙끙대는 소리)을 한다.

뇌신경 통합성: 빛에 반응해서 눈을 찡그린다. 3/3의 확률로 눈을 찡그리면서 유해한 자극에 위축된다.

운동범위: 팔의 수동적 관절가동 범위는 억제 후 기능 제한 범위 내에 있다. 엉덩이 굽힘은 양측 모두 90도 각도이며, 양쪽 발목은 중립 위치에 5도 부족한 위치에 있다. 능동적인 엉덩이 및 무릎 굽힘과 양측 팔꿈치 굽힘이 30도 각도로 나타난다.

반사 통합성: 양측 무릎, 두갈래근, 발목 DTRs 3+, 바빈스키는 양측에 나타남. 비대칭 긴장 목반사가 오른쪽에 나타남. 엉덩이 폄근과 장딴지가자미근의 긴장 증가가 현저함. 엉덩이 안쪽 돌림근과 엉덩이 모음근, 세갈래근, 아래팔과 손가락 굽힘근의 경미한 긴장 증가가 수동적인 운동범위 운동 시에 양측에서 나타남. 팔다리 또는 몸통의 율동적 회전으로 긴장이 감소함. 환자가 앉기로 이행할 때 다리의 폄근 긴장이 증가함.

운동 기능: 1인의 최대 도움을 받아 좌우로 구른다. 1인의 최대 도움을 받아 옆으로 눕기에서 앉기로 이행할 때 다리에서 폄근 긴장이 증가했다. 1인의 최대 도움을 받아 앉기에서 눕기로 이행한다.

자세: 환자의 머리는 정중선에 있다. 눕기 자세에서 양측 어깨 모음과 올림, 안쪽돌림, 팔꿈치 폄, 손가락 및 손목 굽힘을 동반하는 폄 자세를 보여 준다. 또한 엉덩이 폄과 모음, 안쪽 돌림, 무릎 폄과 발목 발바닥쪽굽힘을 양측에서 보여 준다. 지지하고 앉기 자세에서는 둥글게 오므린 어깨와 굽은 머리와 목, 흉부 후만증, 양측 팔 폄, 양측 다리 폄을 보인다.

근육 수행: 환자가 복잡한 명령을 따르지 않아서 평가하지 못했다.

신경근육 발달: 환자의 목을 아래쪽으로 쓰다듬어주면서 환자의

(계속)

사례 연구 **계속**

삼키기를 촉진한다. 머리와 몸통 바로잡기는 나타나지 않았다. 보호 반응을 보이지 않는다.

걸음걸이, 보행, 균형: 환자는 양호하게 균형을 유지한다. 머리와 몸통을 정중선에 유지하기 위해 1인의 적절한 도움이 필요하다. 환자는 침대 옆에서 2인의 최대 도움을 받으며 약 1분 간 서 있었다. 엉덩이를 펴고 몸통을 똑바로 세우려면 도움이 필요하다. 걸음걸이는 평가하지 못했다.

감각 통합성: 환자는 고통과 촉각 자극에 일관되게 반응하지 않지만 환자가 반응할 수 없기 때문에 정확하게 평가할 수는 없다.

자기 돌봄: 환자는 모든 돌봄 활동에서 의존적이다.

평가/감정

환자는 MVA 결과로 외상성 뇌손상을 입은 25세의 남성이다. 감각자극 및 구두 명령에 일관성 없는 반응을 보이므로 란초 척도의 인지 기능 수준 2/3단계에 해당하는 것으로 평가된다. 환자는 제한된 능동적 움직임과 제뇌 자세를 보인다.

글라스고우 혼수 척도로 개안 반응이 4점, 운동 반응이 4점, 구두 반응이 2점으로 총 11점이다.

라파포트 혼수 척도(Rappaport Coma/Near-Coma Scale) 점수는 1.80이며, 이는 거의 혼수상태를 나타낸다.

FIM: 이동 1, 보행 1

문제 항목

1. 기능적 이동성 측면에서 의존적이다.
2. 앉기 자세에서 머리 조절력이 부족하다.
3. 앉기와 서기 자세에서 머리와 몸통 조절이 좋지 않다.
4. 의사소통 능력 부족
5. 감각자극에 대한 인식 저하 및 일관되지 않은 반응
6. 의지적 움직임 감소

진단: 환자는 혼수상태, 혼수상태에 가까운 상태 또는 식물 상태와 관련된 각성 손상과 운동범위 및 운동조절 손상을 보여 준다. 환자는 신경근 APTA 가이드 패턴 5I를 보여 준다. 란초 척도의 인지 기능 수준은 II/III단계다.

예후: 3개월 동안 환자는 최적의 각성과 운동범위 및 운동조절과 이차적 손상의 최소화를 보여줄 것이다. 재활 치료 목표를 달성할 수 있는 잠재력은 환자의 인지 능력 감소와 운동장애 다음으로 양호한 편이다.

단기 목표(1주까지 달성)

1. 몸통과 골반의 분리를 보여 주면서 1인의 최소 도움을 받아 침대 양쪽으로 구르기를 한다.
2. 1인의 최소 도움을 받아 눕기에서 앉기로 이행하고, 1인의 중간 도움을 받아 앉기에서 서기로 이행한다.
3. 자기 돌봄 활동을 수행하는 중, 5분 동안 앉아서 머리를 조절한다.
4. 환자는 한단계의 명령에 4번 중 3번을 일관되게 반응한다.
5. 총 시간의 75% 동안 눈 깜빡임이나 손 움켜쥐기 같은 행동으로 원하는 것과 필요한 것을 전달한다.
6. 핸드오버핸드 기법으로 1인의 최소 도움을 받아 앉기 자세에서 자기 돌봄 활동을 수행하기 위해 양측의 팔 운동을 시작한다.

장기 목표(3주까지 달성)

1. 침대 이동성과 이동 측면에서 독립성을 확보한다.
2. 1인의 최소 도움을 받아 롤링 워커를 이용해 50피트를 걷는다.
3. 총 시간의 100% 동안 필요한 것을 일관적으로 전달한다.
4. 감독 하에 집으로 돌아간다.
5. 독립적으로 가정 운동 프로그램(HEP)을 수행한다.

계획

치료 일정: 물리치료사(PT)와 물리치료 보조사(PTA)는 주 5일 동안 하루에 두 번 환자를 만나고, 토요일과 일요일에는 60분 동안 환자를 치료한다. 가능한 협동 치료로는 작업요법을 고려한다. 치료 시간에는 환자의 인지 수준, 자세잡기, 기능적 이동 훈련 (체중지지 트레이드밀 훈련 및 환자 및 가족 교육 포함), 퇴원 계획 등을 포함시켜야 한다. 환자는 매주 재평가를 받는다.

협응, 의사소통, 문서화: PT와 PTA는 가능한 환자와 가족과 정기적으로 의사소통을 한다. PT는 재활 팀과 소통한다. 재활 결과는 매주 문서화한다.

환자 · 고객 지시: 환자의 부모는 적절한 이동과 기능적 이동성 중재에 대한 교육을 받는다. 환자의 상태 및 이차 합병증 예방 교육이 가족에게 제공된다. 가족은 환자의 일상생활, 이동 및 기능적 이동 활동을 돕기 위해서 교육에 참여한다. 퇴원하기 전에 HEP의 교육이 진행된다.

절차적 중재

1. 의사소통
   a. 눈 깜빡임이나 손 움켜쥐기 같은 의사소통 행동 방식이 개발되어 환자는 방문객과 재활 팀과 '예/아니오'로 의사소통을

(계속)

사례 연구 **계속**

한다.

2. 인지 재훈련
   a. 사진, 오락, 관심사, 일일 치료, 식사, 의료 중재 및 수면을 모두 기록하는 암기 노트를 만든다.
   b. 이 노트는 환자의 지남력을 돕기 위해 다른 중재와 함께 사용한다.
   c. 환자의 혼란이 감소하고, 환자가 더 적은 구조를 견딜 수 있을 때까지 구조화된 환경을 유지한다.
   d. 환자는 더욱 산만한 환경에 견딜 수 있을 때까지 혼란을 최소화하면서 조용한 환경에서 치료를 받는다.
   e. 사람, 장소, 현재 사건 및 시간을 인지하는 지남력은 치료 기간 내내 빈번하게 연습한다.
3. 자세잡기
   a. 환자는 오른쪽 비대칭 긴장 목 반사의 영향을 방지하기 위해 옆으로 눕기(양측 방향) 자세를 취한다.
   b. 제뇌 자세의 영향을 줄이기 위해 눕기 자세에서 팔을 머리 위로 굽히고, 양손을 침대에 대고 체중을 지지하며, 무릎 아래에 롤을 놓고 다리를 굽힌다. 웨지 위에서 엎드리기 자세를 취할 수도 있다.
   c. 팔다리와 몸통에 율동적 회전을 가해서 경직을 감소시켜 자세잡기와 움직임 이행을 가능하게 한다.
   d. 바텁 업 자세(bottom-up position)는 치료사와 함께 팔다리에 상반적 율동적 회전을 제공해서 몸통 상하부의 분리를 증진해 제뇌 자세를 감소시키는 것이다.
4. 기능적 이동성 훈련
   a. 환자가 활동을 수행할 수 있을 때 1인의 최대 도움 → 1인의 중간 도움 → 1인의 최소 도움 → 1인의 상시 도움 순으로 도움을 받아 양측으로 구르기를 한다.
   b. 눕기← → 앉기 이행, 앉기 ← → 서기를 환자 상태가 진행됐을 때 1–2인의 최대 도움 → 1인의 중간 도움 → 1인의 최소 도움 순으로 도움을 받아 이행한다.
   c. 팔을 구부려 침대 또는 매트 가장자리에 앉고, 머리를 지지해 주는 치료사와 함께 무릎 높이의 테이블을 짚고 체중을 지지하면서 암기 노트를 작성하고 팔 활동을 완료한다.
   d. 기울임 기능이 있는 휠체어로 이동하고, 환자가 견딜 수 있을 때 일반 휠체어로 이동한다.
   e. 자기 돌봄 활동을 증진시키는 핸드오버핸드 기법들과 팔 PNF 기법들을 이 자세에서 1인의 손 지지를 받는 환자에게 사용한다.
   f. 세수는 얼굴에 대한 감각 인식을 높이기 위해 수행한다.
   g. 환자는 이 자세에서 암기 노트를 볼 수 있다.
   h. 환자는 볼스트 위에 엎드려서(종대로 엎드리기) 팔다리로 체중을 지지한다.
   i. 팔꿈치 짚고 엎드리기 자세에서 좌우로 체중을 이동시켜 고유감각 입력을 증가시킨다.
   j. 뒤쪽 목 근육 두드리기를 포함한 촉진 기법들을 사용해서 머리와 목 폄을 촉진한다. 환자가 머리를 조절할 수 있게 되면 이러한 기법들을 줄여 나간다.
   k. 지남력을 높이기 위해 환자가 엎드려서 암기 노트를 사용할 수 있다.
   l. 환자의 인식 증가와 다리 유연성, 직립 자세를 견디는 지구력 증가를 위해 팔꿈치 짚고 엎드리기에서 네발기기 자세로 와 양 무릎 서기 자세로 이행한다.
   m. 환자는 상지를 볼스터 위에 두고, 다리를 입각기에 놓고 발바닥 걷기를 한다. 고유감각 입력을 증가시키고 자세 반응을 촉진하며 보행을 준비하기 위해 모든 방향으로 체중 이동을 수행한다.
   n. 발바닥 걷기와 연계해서 암기 노트를 사용하거나 다른 인지적 과제에 도전한다.
   o. 매일 20~30분 동안 BWSTT에 참여하고, 환자가 견딜 수 있을 때 지상 보행으로 진행한다.
   p. 1–2인의 최대 도움 → 1인의 중간 도움 → 1인의 최소 도움 → 1인의 상시 도움 순으로 도움을 받으며 롤링 워커로 보행 연습을 한다.
   q. 관심 있는 물건이나 장소를 향해 걸어가라는 지시를 따른다. 환자가 가정에서 필요할 수 있는 신문이나 물건을 가지러 걸어가도록 시켜서 이 활동에 지남력 향상 훈련을 통합시킨다.
   r. 환자의 상태에 따라서 모의 쇼핑을 보행 활동에 포함시킬 수 있다.
   s. 환자는 더 많은 인지적 도전을 위해 구두로 항목을 만들거나 구두로 들은 항목을 기억해야 한다.
5. 동적 균형 활동
   a. 서기 자세에서 골대에 공을 던져 넣고 그 횟수를 센다.
   b. 보행 중에 물건을 운반한다.
6. 퇴원 계획
   a. 보호자의 감독 하에 집으로 퇴원한다.
   b. 필요한 경우에 가정 평가를 한다.
   c. 필요에 따라 장비를 확보한다.
   d. 집에서 돌봐줄 적절한 보호자을 얻을 수 없는 경우에는 양로원으로 퇴원한다
   e. 직업 재활 기관에 연락한다.

(계속)

사례 연구 **계속**

고려 사항

- 치료사는 기능적 활동의 수행을 어떻게 촉진할 수 있는가?
- 운동 학습 환자를 돕기 위해 어떤 다른 치료적 중재를 사용할 수 있는가?
- 유산소적 조절 운동은 환자의 치료 프로그램에 어떻게 포함시킬 수 있는가?
- 환자의 가정 운동 프로그램의 일부로 포함시킬 수 있는 활동이나 연습 유형은 무엇인가?

참고 문헌

American Physical Therapy Association: *Position paper: protecting student athletes from concussions act of 2013 (HR 3530)*. Available from www.apta.org/PolicyResources/PositionPapers/Concussions StudentAthletes. Accessed November 3, 2014.

Bland DC, Zampieri-Gallagher C, Damiani DL: Effectiveness of physical therapy for improving gait and balance in ambulatory individuals with traumatic brain injury: a systematic review of the literature, *Brain Inj* 25:664–679, 2011.

Bleiberg J: *The road to rehabilitation.* Part 3. Guideposts to recognition: cognition, memory, and brain injury, Brain Injury Association of America, 2009.

Bobath B, Bobath K: The neuro-developmental treatment. In Scrutton D, editor: *Management of the motor disorders in children with cerebral palsy: clinics in developmental medicine*, Philadelphia, 1984, JB Lippincott, pp 6–16.

Bontke CF, Boake C: Principles of brain injury rehabilitation. In Braddom RL, editor: *Physical medicine and rehabilitation*, Philadelphia, 1996, Saunders, pp 1027–1051.

Bontke CF, Baize CM, Boake C: Coma management and sensory stimulation, *Phys Med Rehabil Clin N Am* 3:259–272, 1992.

Booth BJ, Doyle M, Montgomery J: Serial casting for the management of spasticity in the head-injured adult, *Phys Ther* 63:1960–1966, 1983.

Borich MR, Cheung KL, Jones P, et al: Concussion: current concepts in diagnosis and management, *JNPT* 37:133–139, 2013.

Brain Injury Association of America: *Mild brain injury and concussion*, 2014. Vienna, VA, www.biausa.org/mild-brain-injury,htm. Accessed October 1, 2014.

Brain Injury Association of America (BIA): *About brain injury*, 2012. Vienna, VA. Available at www.biausa.org/about-brain-injury, Accessed October 1, 2014.

Campbell M: *Rehabilitation for traumatic brain injury physical therapy practice in context*, London, 2000, Churchill Livingstone, pp 17–45.

Centers for Disease Control and Prevention: *Traumatic brain injury in the United States: fact sheet*, Updated February 2014. Available at www.cdc.gov/traumaticbraininjury/get_the_facts.html. Accessed November 3, 2014.

Davies PM: *Starting again: early rehabilitation after traumatic brain injury or other severe brain lesion*, New York, 1994, Springer- Verlag, pp 23–44, 65–68, 86–88, 316–352, 361–364.

Fritz NE, Basso DM: Dual-task training for balance and mobility in a person with severe traumatic brain injury: a case study, *J Neurol Phys Ther* 37:37–43, 2013.

Fulk GD, Gellar A: Traumatic brain injury. In O'Sullivan SB, Schmitz TJ, editors: *Physical rehabilitation assessment and treatment*, ed 4, Philadelphia, 2001, FA Davis, pp 783–819.

Fulk GD, Nirider CD: Traumatic brain injury. In O'Sullivan SB, Schmitz TJ, Fulk GD, editors: *Physical rehabilitation*, ed 6, Philadelphia, 2014, FA Davis, pp 859–888.

Fuller KS: Epilepsy. In Goodman CC, Fuller KS, editors: *Pathology implications for the physical therapist*, ed 3, Philadelphia, 2009a, Saunders, pp 1532–1546.

Fuller KS: Traumatic brain injury. In Goodman CC, Fuller KS, editors: *Pathology implications for the physical therapist*, ed 3, Philadelphia, 2009b, Saunders, pp 1477–1495.

Fulop ZL, Wright DW, Stein DG: Pharmacology of traumatic brain injury: experimental models and clinical implications, *Neurol Rep* 22:100–109, 1998.

Giza CC, Kutcher JS, Ashwal S, et al: Summary of evidence-based guidelines update: evaluation and management of concussion in sports; report of the Guideline Development Subcommittee of the American Academy of Neurology. Published July 2013. Available at ptnow.org/PracticeGuidelines. Accessed April 2015.

Goodman CC: Soft tissue, joint, and bone disorders. In: Pathology: implications for the physical therapist, ed 3, Philadelphia, 2009c, Saunders, pp. 1238–1239.

Gould BE: *Pathophysiology for the health-related professions*, Philadelphia, 1997, WB Saunders, pp. 320–376.

Hammond FM, McDeavitt JT: Medical and orthopedic complications. In Rosenthal M, Griffith ER, Kreutzer JS, et al., editors: *Rehabilitation of the adult and child with traumatic brain injury*, ed 3, Philadelphia, 1999, FA Davis, pp 53–73.

Jennett B, Teasdale G: *Management of head injuries*, Philadelphia, 1981, FA Davis, 122-131.

Krus LH: Cognitive and behavioral skills retraining of the brain-injured patient, *Clin Manage* 8:24–31, 1988.

Lehmkuhl LD, Krawczyk L: Physical therapy management of the minimally-responsive patient following traumatic brain injury: coma stimulation, *Neurol Rep* 17:10–17, 1993.

Lundy-Ekman L: *Neuroscience fundamentals for rehabilitation*, ed 4, 2013, St. Louis, p 445.

Naritoku DK, Hernandez TD: Posttraumatic epilepsy and neurorehabilitation. In Ashley MJ, Krych DK, editors: *Traumatic brain injury rehabilitation*, Boca Raton, FL, 1995, CRC Press, pp 43–65.

National Institute of Neurological Disorders and Stroke: *Traumatic brain injury: hope through research*, Updated July 22, 2014, Published February 2002. Available at www.ninds.nih.gov/disorders/tbi/detail_tbi.htm. Accessed October 2, 2014.

O'Sullivan SB: Strategies to improve motor control and motor learning. In : O'Sullivan SB, Schmitz TJ, Fulk GD, editors: *Physical rehabilitation, assessment, and treatment*, ed 4, Philadelphia, 2001, FA Davis, pp 405–408.

O'Sullivan SB: Strategies to improve motor control and motor learning. In O'Sullivan SB, Schmitz TJ, Fulk GD, editors: *Physical rehabilitation*, ed 6, Philadelphia, 2014, FA Davis, pp 393–443.

Persel CS, Persel CH: The use of applied behavior analysis in traumatic brain injury rehabilitation.

In Ashley MJ, Krych DK, editors: *Traumatic brain injury rehabilitation*, Boca Raton, FL, 1995, CRC Press, pp 231–273.

Rappaport M, Dougherty AM, Kelting DL: Evaluation of coma and vegetative states, *Arch Phys Med Rehabil* 73:628–634, 1992.

Rehabilitation of persons with traumatic brain injury, *NIH Consens Statement* 16(Oct 26–28):1–41, 1998.

Scelza W, Shatzer M: Pharmacology of spinal cord injury: basic mechanism of action and side effects of commonly used drugs, *J Neuro Phys Ther* 27:101–108, 2003.

Scherer MR, Weightman MM, Radomski MV, Davidson LF, McCulloch KL: Returning service members to duty following mild TBI: exploring the use of dual-task and multi-task assessment methods, *Phys Ther* 93:1254–1267, 2013.

U.S. Department of Health and Human Services: *2008 Physical Activity Guidelines for Americans*. Available at www.health.gov/paguidelines/guidelines. Accessed October 2, 2014.

VanMeter KC, Hubert RJ: *Gould's pathophysiology for the health professions*, ed 5, St. Louis, 2014, Elsevier, pp. 331, 342–344.

VanSant AF: *Traumatic head injury: an overview of physical therapy care I (Topics in Neurology)*, Alexandria, VA, 1990a, American Physical Therapy Association, pp 1–10.

VanSant AF: *Traumatic head injury: an overview of physical therapy care II (Topics in Neurology)*, Alexandria, VA, 1990b, American Physical Therapy Association, pp 1–7.

Varghese G: Heterotopic ossification, *Phys Med Rehabil Clin N Am* 3:407–415, 1992.

Winkler PA: Traumatic brain injury. In Umphred DA, Lazaro RT, Roller ML, Burton GU, editors: *Neurological rehabilitation*, ed 6, St. Louis, 2013, Elsevier, pp 753–790.

Wright KL, Veroff AE: Integration of cognitive and physical hierarchies in head injury rehabilitation, *Clin Manag* 8:6–9, 1988.

CHAPTER

12 척수손상

학습 목표 ***이 장을 학습한 후 학생들은 아래 사항에 대하여 이해하고 설명할 수 있다.***

1. 척수손상의 원인, 임상 양상 및 가능한 합병증에 대해 이해할 수 있다.
2. 척수손상의 완전한 유형과 불완전한 유형을 구별할 수 있다.
3. 다양한 수준의 척수손상에 대해 토론할 수 있다.
4. 근육 신경지배의 분절 수준을 척수손상 환자의 기능 수준과 연관지을 수 있다.
5. 척수손상 환자의 폐 운동, 근력 운동 및 매트 활동을 교육할 수 있다.
6. 보행 훈련 및 휠체어 이동성 중재를 환자에게 적절하게 교육할 수 있다.

서론

매년 12,000건의 척수손상(SCI)이 발생한다. 미국에서는 현재 273,000명 넘는 척수손상환자가 살고있다 (국립 척수손상 통계 센터, National Spinal Cord Injury Statistical Center, 2013). 척수손상은 16세에서 30세 사이의 청년한테서 가장 많이 발생한다. 그러나 미국의 인구가 계속해서 증가함에 따라 손상 당시 평균 연령도 42.6세까지 증가했다. 척수손상 환자의 약 81%는 남성이다 (National Spinal Cord Injury Statistical Center, 2013). 척수손상의 병인은 계속 변화하고 있다. 이전에는 자동차 사고 및 스포츠 활동이 가장 흔한 손상 원인이었다. 최근 통계에 따르면 미국에서 척수손상의 가장 흔한 원인은 자동차 사고(36.5%), 낙상(28.5%), 폭력(14.3%) 및 스포츠 관련 손상(9.2%)이다 (국립척수손상통계센터, National Spinal Cord Injury Statistical Center, 2013).

척수손상 환자의 기대 수명은 척수손상이 없는 사람들보다 여전히 낮으며, 1980년대 이후 이 통계는 개선되지 않았다. 척수손상 환자는 일생동안 장애에 시달리고, 생명을 위협하는 의학적 합병증을 경험할 수 있다. 평균 기대 수명에 영향을 미칠 수 있는 잠재적인 사망 원인에는 폐렴과 패혈증이 있다. 이 사람들을 위한 의료비용은 수십억 달러에 달한다. 목손상 환자의 평생 의료비용은 약 460만 달러이며, 마비된 환자의 경우는 220만 달러이다. 이 수치는 많은 보험 증권이 허용하는 최대 보험 혜택을 초과할 수 있다. 직접적인 의료비용 외에도 임금 손실, 직원 복리 후생 및 생산성 비용과 관련된 간접비(연간 70,575 달러)가 든다(National Spinal Cord Injury Statistical Center, 2013).

병인

척수손상의 원인을 이해하려면 해당 영역의 해부학을 검토해야 한다. 말초 신경계(PNS)에는 31쌍의 척수신경이 있다. 목에서 시작되는 7쌍의 척수 신경은 그 각각의 목뼈 위로 뻗어 나온다. 여덟 번째 목뼈가 없기 때문에 C7과 T1 사이에서 척수 신경 C8이 뻗어 나온다. 나머지 척수 신경 뿌리는 대응하는 척추뼈 아래로 뻗어 나온다. 이것은 L1까지 유지된다. 이 시점에서 척수는 말총(cauda equina)으로 알려진 신경 뿌리의 덩어리가 된다. 그림 12-1은 분절 및 척추의 수준을 보여 준다.

척수의 특정 부위는 다른 부위보다 손상되기 쉽다. 목뼈에서 C1, C2 및 C5에서 C7까지의 척수 분절이 종종 손상되며, 등허리에서는 T12에서 L2가 가장 자주 영향을 받는다. 척추 기둥의 생체 역학은 이러한 상황을 강조한다. 움직임(회전)은 이러한 분절에서 가장 크며, 이 영역들 내에서 불안정성을 초래한다. 또한

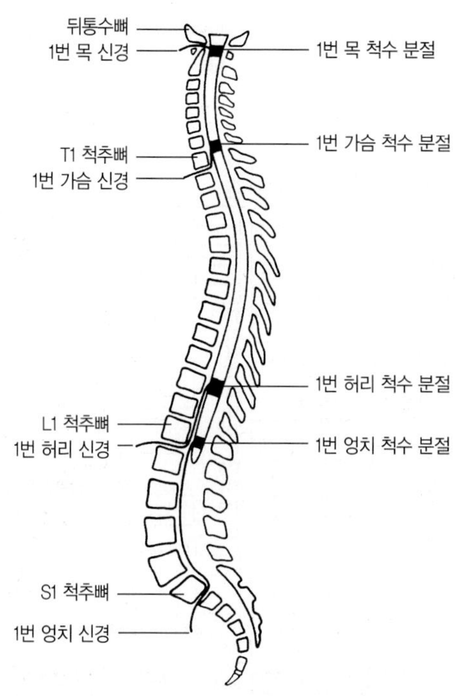

그림 12-1. 분절과 척추뼈 수준 비교. 1번에서 7번 척수 신경은 대응하는 척추뼈 위쪽으로 뻗어 나오고, 남은 척수 신경은 그 아래로 뻗어 나온다(From Fitzgerald MJT: *Neuroanatomy: basic and clinical, Clinical neuroanatomy and related neuroscience*, ed 4, London, 2002, WB Saunders).

다량의 신경 세포체가 이곳에 모여 있기 때문에 이 영역의 척수가 훨씬 크다. 그림 12-2는 이 구성을 보여준다.

손상 수준 명칭

개인의 손상 수준 명칭을 정하기 위해 의료 전문가는 먼저 관련된 척추 또는 뼈대 부위를 식별한다. 예를 들어 목뼈 손상은 C, T는 가슴 손상, L은 허리 손상으로 명명된다. 이어서 신경지배를 받는 마지막 척수 신경근 분절의 명칭을 정한다. 따라서 환자가 목 부위에 상처를 입고, 두갈래근을 신경지배받으면 병변은 C5 손상으로 분류된다. 의료 관계자는 환자가 겪을 수 있는 침범 정도를 설명하기 위해 다음과 같은 용어를 사용한다. 목뼈에 손상을 입은 사람들은 팔다리마비로 분류하는 것이 선호되는 용어이다. 팔다리마비는 팔, 다리, 몸통, 골반 장기 손상을 포함한다. 등뼈 손상으로 하반신마비가 생길 수 있다. 하반신마비로 팔 기능

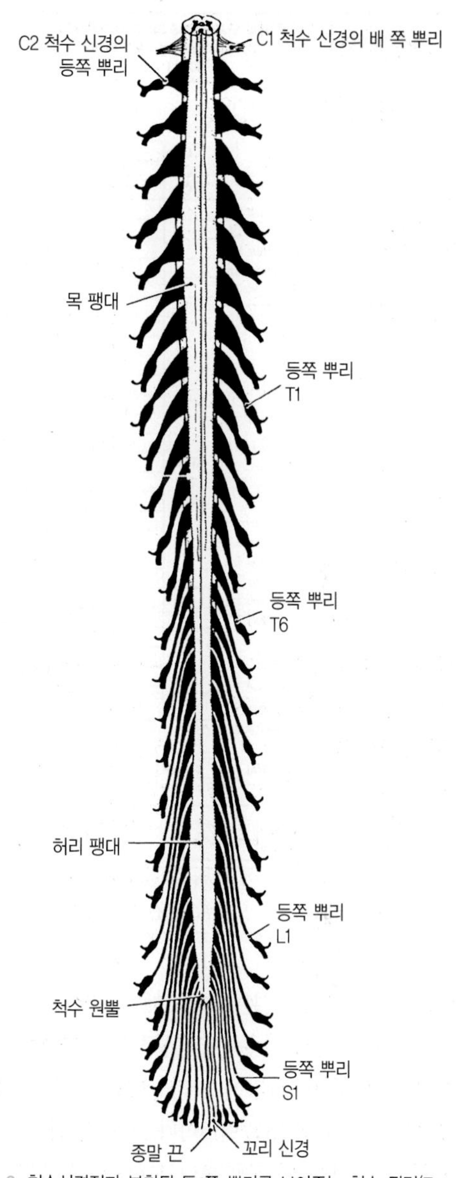

그림 12-2. 척수신경절과 부착된 등 쪽 뿌리를 보여주는 척수 뒷면(From Carpenter MB, Sutin J: *Human neuroanatomy*, ed 8, Baltimore, 1983, Williams & Wilkins.)

이 억제되지만 다리, 몸통, 골반 장기 침범 정도는 다양하다. L1 이하의 손상은 말총(cauda equina) 손상이라고 한다(Burns 등, 2012).

미국 척수손상 협회(American Spinal Injury Association, ASIA)는 의료 서비스 제공자가 손상 수준을 지정하는 데 도움이 되는 표준을 개발했다. 척수 상해 평가 도구의 신경 분류를 위한 ASIA 국제 표준은 치

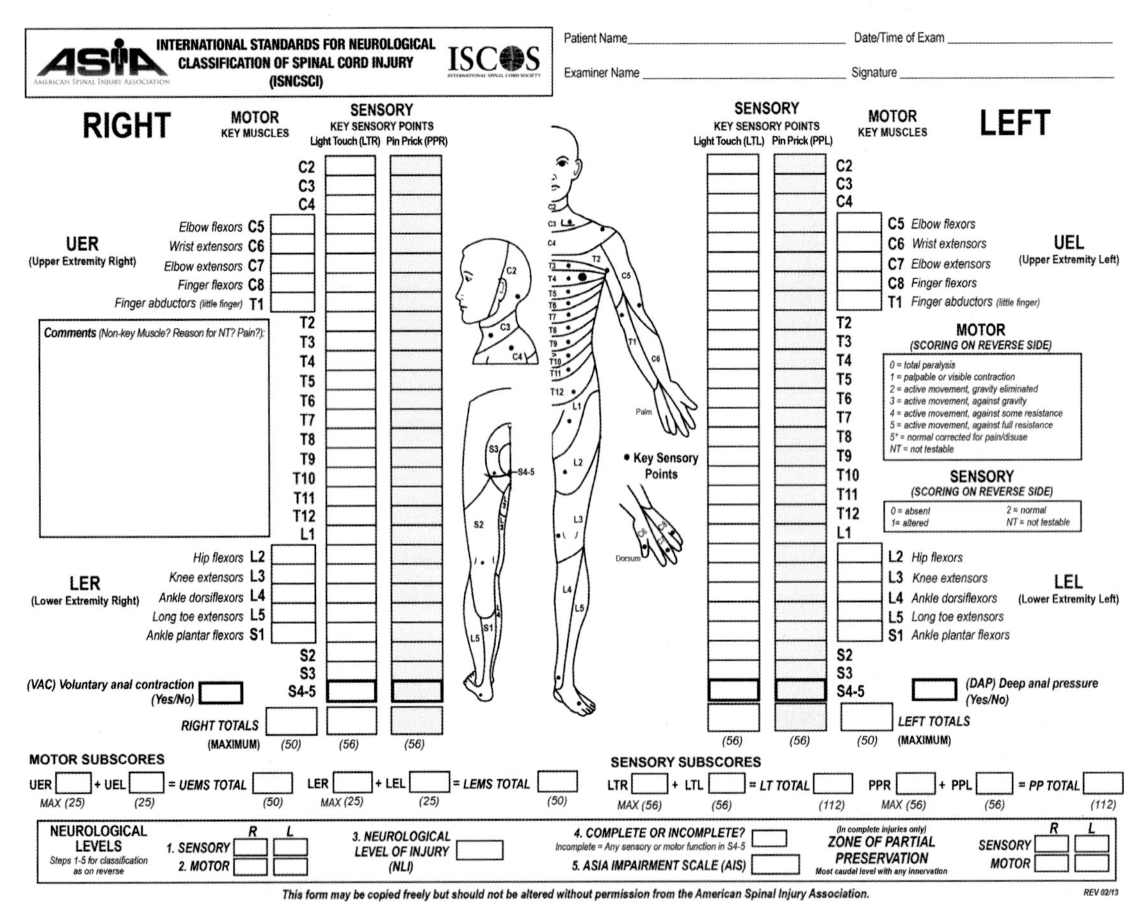

ASIA AMERICAN SPINAL INJURY ASSOCIATION
INTERNATIONAL STANDARDS FOR NEUROLOGICAL CLASSIFICATION OF SPINAL CORD INJURY (ISNCSCI)
ISCOS INTERNATIONAL SPINAL CORD SOCIETY

Patient Name ______ Date/Time of Exam ______
Examiner Name ______ Signature ______

RIGHT

MOTOR KEY MUSCLES

SENSORY KEY SENSORY POINTS
Light Touch (LTR) Pin Prick (PPR)

C2
C3
C4

UER (Upper Extremity Right)
Elbow flexors C5
Wrist extensors C6
Elbow extensors C7
Finger flexors C8
Finger abductors (little finger) T1

Comments (Non-key Muscle? Reason for NT? Pain?):

T2
T3
T4
T5
T6
T7
T8
T9
T10
T11
T12
L1

LER (Lower Extremity Right)
Hip flexors L2
Knee extensors L3
Ankle dorsiflexors L4
Long toe extensors L5
Ankle plantar flexors S1

S2
S3
S4-5

(VAC) Voluntary anal contraction (Yes/No)

RIGHT TOTALS (MAXIMUM) (50) (56) (56)

• Key Sensory Points

LEFT

SENSORY KEY SENSORY POINTS
Light Touch (LTL) Pin Prick (PPL)

MOTOR KEY MUSCLES

C2
C3
C4

UEL (Upper Extremity Left)
C5 Elbow flexors
C6 Wrist extensors
C7 Elbow extensors
C8 Finger flexors
T1 Finger abductors (little finger)

T2
T3
T4
T5
T6
T7
T8
T9
T10
T11
T12
L1

MOTOR (SCORING ON REVERSE SIDE)
0 = total paralysis
1 = palpable or visible contraction
2 = active movement, gravity eliminated
3 = active movement, against gravity
4 = active movement, against some resistance
5 = active movement, against full resistance
5* = normal corrected for pain/disuse
NT = not testable

SENSORY (SCORING ON REVERSE SIDE)
0 = absent 2 = normal
1 = altered NT = not testable

LEL (Lower Extremity Left)
L2 Hip flexors
L3 Knee extensors
L4 Ankle dorsiflexors
L5 Long toe extensors
S1 Ankle plantar flexors

S2
S3
S4-5

(DAP) Deep anal pressure (Yes/No)

LEFT TOTALS (MAXIMUM) (56) (56) (50)

MOTOR SUBSCORES
UER + UEL = UEMS TOTAL LER + LEL = LEMS TOTAL
MAX (25) (25) (50) MAX (25) (25) (50)

SENSORY SUBSCORES
LTR + LTL = LT TOTAL PPR + PPL = PP TOTAL
MAX (56) (56) (112) MAX (56) (56) (112)

NEUROLOGICAL LEVELS
Steps 1-5 for classification as on reverse
R L
1. SENSORY
2. MOTOR

3. NEUROLOGICAL LEVEL OF INJURY (NLI)

4. COMPLETE OR INCOMPLETE?
Incomplete = Any sensory or motor function in S4-5
5. ASIA IMPAIRMENT SCALE (AIS)

(In complete injuries only)
ZONE OF PARTIAL PRESERVATION
Most caudal level with any innervation
R L
SENSORY
MOTOR

This form may be copied freely but should not be altered without permission from the American Spinal Injury Association.
REV 02/13

그림 12-3. 척수손상 신경 분류 ASIA 표준(From American Spinal Injury Association: *International standards for neurological classification of spinal cord injury, revised*. Atlanta, GA, 2013, American Spinal Injury Association.)

료사가 척수손상을 분류하는 데 사용하는 도구이다(그림 12-3). 신경 수준은 "정상적인 감각과 운동기능이 각각 입 쪽(rostally)에 나타난다는 전제 하에 손상되지 않은 감각과 항중력(3이나 그 이상)근육 기능 강도를 갖는 척수의 가장 꼬리 부분(ASIA, 2013)"으로 정의된다. 신경 수준은 누워 있는 자세에서 핵심 피부분절(dermatomes, 감각 영역)과 근육분절(myotomes, 근육)을 테스트해서 결정한다. 환자의 감각 수준은 가벼운 터치와 핀 찌르기로 감각을 평가하여 결정한다(ASIA, 2013).

정상 근육 기능은 도수근력평가(MMT)를 통해 양호 등급(3/5)을 받은 가장 낮은 수준의 핵심 근육으로 정의된다. 단 이 수준 이상의 핵심 근육이 온전한(정상은 5/5) 근력을 유지할 때 그렇다. ASIA는 이러한 근육들이 척수의 명명된 분절의 신경지배를 일괄적으로 받고, 임상 환경에서 검사하기 쉽기 때문에 이 근육들을 선택했다(ASIA, 2013). 표 12-1은 ASIA에서 제시한 팔과 다리의 핵심 근육을 나열했다. 예를 들어 팔꿈치 폄근(C7)은 중요한 근육 집단이다. C7 신경지배 환자는 팔꿈치를 펴서 가쪽으로 밀어 올리는(push up)(push up) 능력 때문에 슬라이딩 보드 없이 독립적으로 이동할 수 있다. ASIA 표준은 또한 근육들이 하나 이상의 척수 분절의 신경지배를 받고 있음을 인정한다. 따라서 하나의 근육 또는 근육 집단에 하나의 척추 신경을 대응시키는 것은 적절하지 않고, 과도한 단순화를 낳는다. 추가적인 신경지배가 없는 상황에서 척추 신경 하나의 신경지배는 근육 약화를 초래할 것이다(Burns 등, 2012). 손상 부위 아래 최대 세 분

표 12-1	최상의 기능 개선을 보장해줄 수 있는 ASIA 핵심 근육 식별
수준	**핵심 근육**
C5	팔꿈치 굽힘근
C6	손목 폄근
C7	팔꿈치 폄근
C8	손가락 굽힘근
T1	손가락 벌림근
L2	엉덩이 굽힘근
L3	무릎 폄근
L4	발목 발등굽힘근
L5	엄지발가락 폄금
S1	발목 발바닥 굽힘근

Data from American Spinal Cord Injury Association: *International standards for neurological classification of spinal cord injury, revised*. Atlanta, GA, 2013, American Spinal Injury Association

절까지는 운동기능이나 감각기능이 부분적으로 신경 지배를 받을 수 있다. 검사할 특정 근육 분절이 없는 부위에서는 운동 수준이 감각 수준과 일치하는 것으로 추정된다. 단 그 수준 이상의 근육들이 정상 근력(ASIA, 2013)을 지니고 있다고 판명되어야 한다.

손상의 매커니즘

외상 충격은 척수손상의 일반적인 원인이다. 외상은 압축, 관통 손상 및 과다폄 또는 과다굽힘으로 촉발될 수 있다. 결과적으로 척수손상은 일시적이거나 영구적일 수 있다. 척추뼈몸통과 관련된 손상을 입으면 척수손상이 일어날 수도 있다. 척추뼈 불완전탈구(척추뼈몸통 분리), 압축 골절 및 골절탈구는 침범이나 척수의 추가적인 압축으로 척수손상을 유발할 수 있다. 척추에 심한 손상을 입으면 척수가 부분적으로 또는 완전히 절단될 수도 있다.

목뼈 굽힘 및 회전 손상

목뼈 부위에서 가장 흔한 유형의 손상은 굽힘과 회전이 관여한다. 이런 종류의 힘이 가해지면 척추 인대가 파열되고, 가장 위쪽의 척추가 아래쪽으로 옮겨진다. 추간판뿐만 아니라 심한 경우에는 앞세로인대가 파열될 수 있다. 척수 절단은 종종 이러한 유형의 손상과 관련이 있다. 후방 자동차 사고는 굽힘 및 회전 손상을 일으킨다. 그림 12-4, A는 손상의 굽힘 및 회전 메커니즘의 예를 보여 준다.

목뼈 과다굽힘 손상

순수한 과다굽힘력은 척추뼈몸통의 앞쪽에 압축 골절을 일으켜서 뒤세로인대를 늘린다. 그러나 인대는 손상되지 않는다. 뼈구조로 유지되는 힘은 척추뼈몸통의 쐐기형 골절을 유도한다. 이러한 유형의 상해는 앞척추동맥이 종종 절단을 일으켜 불완전한 전두엽 증후군을 초래한다. 정면충돌이나 머리의 뒤쪽 타격은 이러한 유형의 손상 원인이다. 그림 12-4, B는 그 실례를 보여 준다.

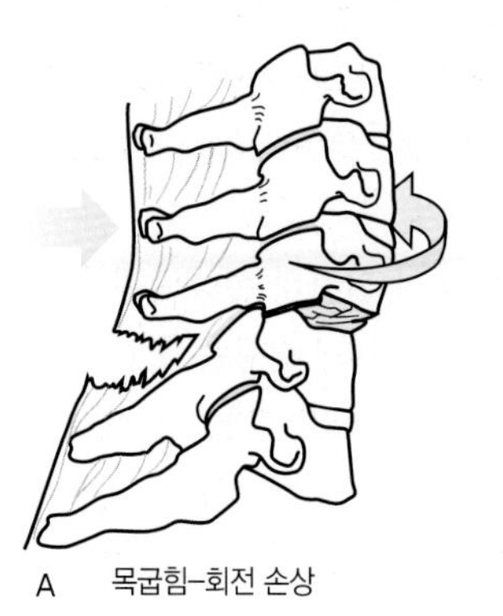
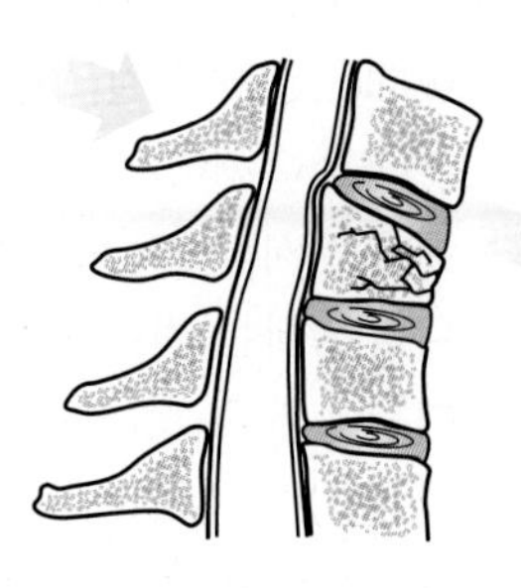
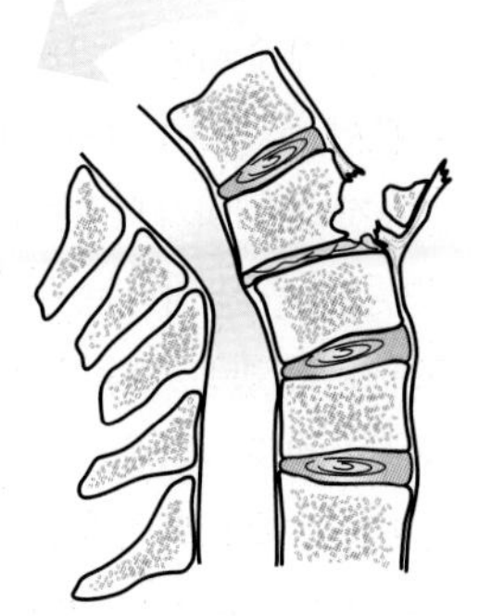
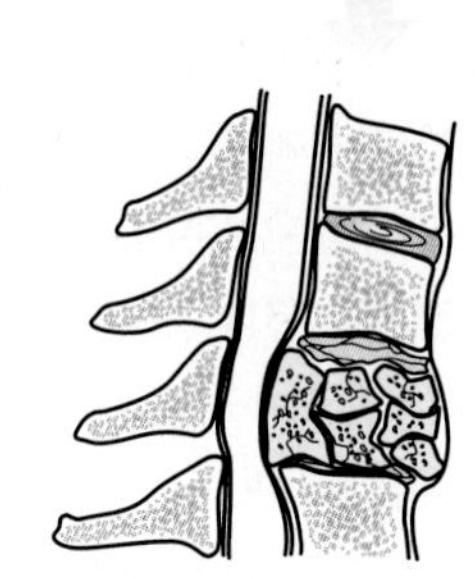

A 목굽힘-회전 손상

B 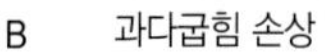 과다굽힘 손상

C  과다폄 손상

D 압축 손상

그림 12-4. A-D, 척수손상 유형

목뼈 과다폄 손상

과다폄은 노인의 경우에 가을에 발생한다. 종종 고정된 물체에 턱이 부딪히면서 목의 과다폄이 일어난다. 이런 유형의 힘은 앞세로인대를 파열시키고, 추간판을 압축하고 파열시킨다. 척수가 황색 인대와 척추뼈 몸통 사이에서 압축되어 중추 신경 손상이 일어날 수 있다. 그림 12-4, C는 그 실례를 보여 준다.

압박 손상

수직 압박력은 목뼈나 허리뼈를 손상시킬 수 있다. 다이빙 사고는 압박과 굽힘력을 가해서 손상을 유발한다. 상승된 표면에서 낙상하면 이러한 유형의 손상이 일어날 수 있다. 수직 압박 시 척추뼈 끝판의 골절과 척추뼈 몸통으로 이동하는 속질핵의 움직임을 관찰할 수 있다. 뼈조각이 생겨나 바깥으로 옮겨질 수 있다. 세로인대는 늘어나지만 손상되지 않는다(그림 12-4, D).

골다공증, 골관절염 또는 류마티스관절염의 영향을 받아 생기는 압박 손상은 고령자의 척수손상을 유발할 수 있다. 이러한 상태를 초래하는 병리학적 과정에 대한 논의는 본문의 범위를 벗어난다.

의료 중재

급성 척수손상 후, 환자는 움직이지 않아야하고 외상센터로 옮겨야 한다. 급성 의학 관리의 진보는 외상 후 출혈 및 허혈의 영향을 감소시켜서 초기 상해의 범위를 제한할 수 있는 약리학 적 중재의 관리를 포함해 혈류를 향상시킨다. 코르티코스테로이드인 메칠프레드니솔론(Methylprednisolone)과 아편 수용체를 차단하는 약물은 출혈성 쇼크의 영향을 줄일 수 있다(Fuller, 2009).

일단 환자가 의학적으로 안정되면 의사의 일차적인 관심사는 척추 또는 신경근 손상을 방지하는 척수 안정화가 된다. 수술을 집도하는 상황은 다음과 같다. (1) 뼈 척추 구조의 정렬을 복원하고, (2) 신경 조직을 감압시키며, (3) 융합 또는 기구조작으로 척추를 안정화시키고, (4) 기형을 최소화하며, (5) 개개인에게 조기에 이동성 기회를 부여할 때 수술을 한다(Somers, 2010). 몇 가지 다른 안정화 절차가 외과 의사에게 제공된다. 환자의 의학적 상태가 손상받기 쉬울 때는 잠정적으로 뼈대당김을 사용할 수 있다. 당김은 골절 조각의 중첩을 줄이고 척추 정렬을 도울 수 있다. 환자가 의학적으로 안정되면 의사는 수술 예약을 할 수 있다. 수술 중에 골절 조각들을 융합한다. 이 절차에서는 엉덩뼈능선에서 골 이식을 하고, 내부 고정 장치를 삽입할 수 있다. 어떤 상황에서는 수술을 지시하지 않고, 침범된 목뼈 분절을 안정화시키기 위해서 헤일로 재킷(halo jacket), 딱딱한 목 칼라(cervical collar) 또는 딱딱한 척추 재킷(rigid body jacket)과 더불어 모든 외과적 고정 장치를 사용할 수 있다. 뼈 융합은 보통 6~8주 사이에 완료된다. 그림 12-5는 다양한 유형의 척추 보조기를 보여 준다.

손상 후 병리학적 변화

처음에는 손상 후, 척수의 회색질로 출혈이 발생한다. 실제 손상으로 축삭 괴사가 일어난다. 부종은 백색질 내에서 발생하며, 다양한 피부 감각은 대뇌겉질에 전달하고 겉질에서 신체로 운동 자극을 전달하는 신경섬유에 압력을 가한다. 이차적인 조직 파괴와 외상으로 손상당한 부위가 확장될 수 있다. 국소 빈혈, 저산소증 및 생화학적 변화는 백색질과 회색질에 필요한 산소를 빼앗는다(Somers, 2010). 말이집(myelin sheathes)이 붕괴하기 시작하고, 축삭 돌기가 줄어들기 시작한다. 면역계는 또한 단핵구와 포식세포가 "세포자멸이나 프로그램 된 세포 사망을 유발하는 화학물질을 방출해서" 추가 세포 사망에 기여한다고 한다(Fuller, 2009). 결국 손상 부위 주변에 흉터가 생긴다(Fuller, 2009).

처음 24시간에서 48시간 동안 환자의 손상 수준을 모니터링 하는 것이 매우 중요하다. 손상은 혈관 변화 때문에 한 두 단계로 올라갈 수 있다. 기능 상실이 초기 손상 수준 위쪽으로 두 개 이상의 척수 분절에서 명백하게 나타난다면 척수의 여러 곳이 손상되었음을 의미할 수 있다. 이 경우에는 환자의 주 간호사 및 의사에게 즉각 통보해야 한다.

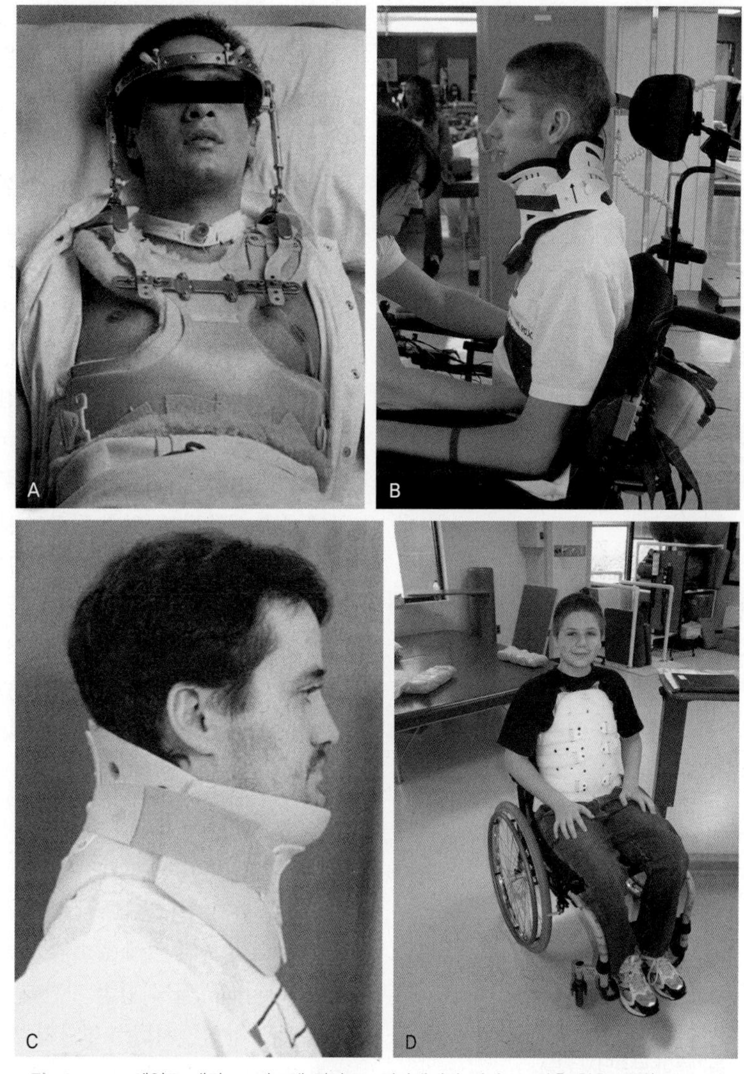

그림 12-5. **A.** 헤일로 재킷 **B.** 아스펜 칼라 **C.** 필라델피아 칼라 **D.** 맞춤 척추 재킷(B-D, From Umphred DA, editor: *Neurological rehabilitation, Umphred's neurological rehabilitation*, ed 6. St Louis, 2013, Elsevier, pp. 464, 466.)

척수손상 직후, 환자는 척수 쇼크를 보인다. 이 상태는 고등 겉질 센터와 척수 사이의 경로가 차단되면서 나타난다(Fulk 등, 2014). 척수 쇼크의 특징은 이완 시기와 무반사, 창자 및 방광 기능의 손실, 동맥 혈압의 감소와 손상 수준 이하의 온도 조절 능력 저하를 포함한 자율 신경 손상이다. 척수 쇼크는 일반적으로 약 24~48시간 동안 지속된다. 그러나 일부 연구에 따르면 몇 주까지 지속될 수 있다고 한다. 반사적 활동이 억제되어 척수손상 시에는 환자의 손상 수준을 정확하게 평가할 수 없다. 척수 쇼크가 해소되면 병변 수준 이하에서 반사 작용이 다시 일어나고, 손상 후 1-6개월 사이에 최고점에 도달하며, 운동로와 감각로가 복구되면 이 부분의 기능도 분명하게 나타날 것이다(Fulk 등, 2014).

병변 유형

척수손상은 완전과 불완전이라는 두 가지 주요 유형으로 분류된다. 임상적 증상의 방대한 차이 때문에

ASIA 장애 등급(AIS)은 환자의 장애와 관련해서 의료 전문가들의 원활한 의사소통을 위해 개발되었다(Fulk 등, 2014). AIS는 표 12-2에 요약되어 있다.

완전 손상

완전 손상이 일어나면 손상 수준 아래와 S4 및 S5의 가장 낮은 엉치 분절에서 감각과 운동기능이 사라진다. 완전 손상은 완전한 척수 절단과 척수 압축 또는 혈관 손상의 결과로 가장 자주 발생한다. 일부 감각이나 운동기능(또는 둘 모두)을 가진 가장 꼬리 부분은 부분 보존 지역으로 정의된다. 이 상태는 완전 손상에만 적용된다(Burns 등, 2012).

불완전 손상

불완전 손상은 신경 손상 수준 아래(엉치 보존)와 S4 및 S5의 가장 낮은 엉치 분절에서 약간의 운동기능이나 감각기능이 부분적으로 보존된 손상이다. 항문주의 감각이나 외항문 괄약근의 자발적인 수축은 불완전한 손상을 나타낸다(Burns 등, 2012). 조사학자들은 40.6% 이상의 환자가 불완전한 팔다리마비를 앓고 있고, 18.7%가 불완전한 마비를 앓고 있다고 추정했다(National Spinal Cord Statistical Center, 2013).

불완전한 손상의 임상 양상은 매우 다양하여 예측할 수 없다. 손상된 척수 부위와 손상되지 않은 척수 부위의 수는 보존된 운동 및 감각기능의 양을 결정한다. 여러 임상 결과는 불완전한 손상의 진단을 확인하는 데 도움이 된다. 엉치 감각 보존이 그러한 결과 중 하나다. 엉치로는 척수 내에서 가장 안쪽으로 이어지기 때문에 종종 보존된다. 엉치 감각이 보존된 환자는 항문 주위의 감각과 곧창자(rectal) 괄약근에 대한 수의적인 통제력 중 모두 또는 둘 중 하나를 가질 수 있다(Finkbeiner와 Russo, 1990). 이렇게 보존된 운동 및 감각기능은 정상적인 장, 방광 및 성 활동을 제공할 수 있기 때문에 환자에게 큰 기능적 이점을 줄 수 있다.

불완전한 손상을 입은 환자한테서 나타나는 또 다른 임상적 결과는 비정상적 긴장이나 근육 경직이다. 수동적 신장에 대한 저항, 클로누스, 깊은 힘줄 반사 증가, 근육 경련이 나타날 수도 있다. 내림 가시끝(supraspinal) 경로의 억제 감소와 체중지지와 관련된 감각 정보 상실, "골지 힘줄 기관에서 나오는 들신경의 하행 촉진 상실", 시냅스 말단의 발아 및 손상에 대한 먼쪽 신경세포에 대한 반응 증가가 앞서와 같은 결과를 설명해줄 수 있다(Somers, 2010).

표 12-2 ASIA 손상 척도

등급	손상
A = 완전	S4-S5 엉치 분절에서 운동기능이나 감각기능이 보존되지 않음
B = 감각 불완전	S4-S5 엉치 분절을 포함하는 신경 수준 아래에서 감각기능은 보존되지만 운동기능은 보존되지 않음. 신체 양측의 이 운동 수준 아래 세 수준 이상까지 운동기능이 보존되지 않음
C = 운동 불완전	이 신경 수준 아래로 운동기능이 보존되고, 이 신경 수준 아래에서 핵심 근육 기능의 절반 이상이 3 이하의 근육 등급을 받음
D = 운동 불완전	이 신경 수준 아래로 운동기능이 보존되고, 이 신경 수준 아래에서 핵심 근육 기능의 최소 절반이 3이나 그 이상의 근육 등급을 받음
E = 정상	모든 분절에서 운동기능과 감각기능이 정상이며, 환자는 상기의 장애를 가지고 있었다.

From American Spinal Cord Injury Association: *International standards for neurological classification of spinal cord injury, revised*. Atlanta, GA, 2013, American Spinal Injury Association.

브라운 세커드 증후군

브라운 세커드(Brown-Séquard) 증후군은 척수의 절반을 침범한 손상으로 발생한다(그림 12-6, A). 총상 또는 찔린 상처, 관통 손상이 흔한 원인이다. 겉질척수로와 척수 뒤기둥 내의 섬유가 척수 수준에서 교차하지 않기 때문에 환자는 손상된 측면의 운동기능과 고유감각 및 진동을 상실한다. 통증과 온도 감각은 손상된 부위의 반대측 몇 분절 아래에서 나타나지 않는다. 이 분포에서 통증과 온도 감각의 상실 이유는 가

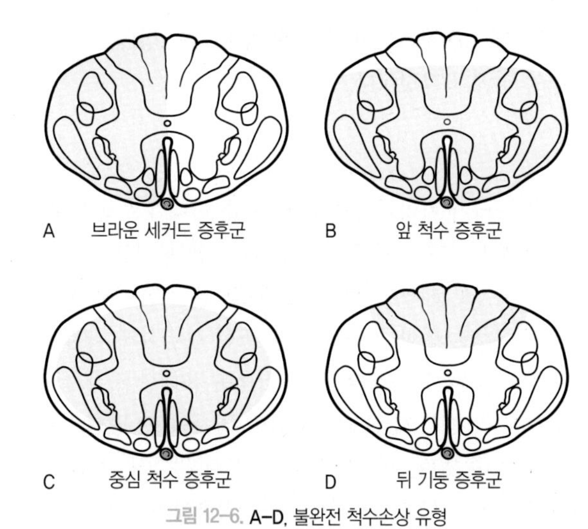

그림 12-6. A-D, 불완전 척수손상 유형

쪽 척수시상로가 같은쪽 척수에서 몇 분절 위로 올라가 반대 측과 교차하기 때문이다(Fuller, 2009). 가벼운 촉각 감각은 이런 환자들에게 보존될 수도 있고 아닐 수도 있다. 이 유형의 손상에서 회복될 예후는 양호하다. 많은 사람들이 일상생활 활동(ADL)을 독립적으로 수행하고, 대변 및 방광을 억제할 수 있게 된다.

앞 척수 증후군

앞 척수 증후군(Anterior Cord Syndrome)은 목척추뼈 골절이 일어나는 목뼈의 굽힘 손상으로 발생한다. 앞 척수 또는 앞 척추 동맥이 손상될 수 있다(그림 12-6, B). 환자는 대뇌 겉질 척수로 및 척수시상로 손상으로 손상 수준보다 양측 아래에서 운동, 통증 및 온도 감각을 상실한다. 척수 뒤기둥은 손상되지 않은 상태로 유지되므로 환자는 손상 수준 아래에서 위치 감지 및 진동을 감지할 수 있는 기능을 유지한다. 기능적 복귀에 대한 예후는 모든 수의적인 운동기능이 상실되기 때문에 제한적이다.

중심 척수 증후군

중심 척수 증후군은 가장 흔한 다른 종류의 불완전한 손상이다. 이 유형의 척수손상은 과다폄 손상의 결과인 점진적 협착 또는 압축으로 발생할 수 있다. 중심부 회색 물질로 출혈이 일어나면 척수가 손상될 수 있다(그림 12-6, C). 특징적으로 팔은 다리보다 더 심하게 침범된다. 이것은 목신경로(cervical tract)가 회색질에서 보다 더 중앙에 위치하기 때문이다. 중심 척수 손상은 척수시상로와 대뇌겉질로, 척수 뒤기둥이라는 세 개의 다른 운동로와 감각로를 손상시킨다. 감각 결손은 가변적이다. 이러한 경로들의 엉치 부위가 보존되면 창자, 방광 및 성기능이 보존된다. 많은 환자가 보행할 수 있다. ADL의 기능적 독립성은 환자가 되찾는 팔 신경지배의 양에 달려 있다.

뒤기둥 증후군

뒤기둥 증후군이나 척수 뒤 증후군은 종양이나 혈관 경색으로 척수 뒤 동맥이 손상되어 나타나는 희귀한 불완전 손상이다(그림 12-6, D). 이러한 유형의 손상 환자는 고유감각과 진동을 감지하는 능력을 잃어버린

표 12-3 불완전 척수손상 유형

유형	원인	결과
브라운 세커드 증후군	관통 손상, 총상이나 자창	손상 부위와 같은 쪽의 운동기능과 고유 감각, 진동 상실
앞 척수 증후군	목척추뼈의 골절 탈구를 동반한 굽힘 손상	손상 수준 아래 양측에서 운동과 통증, 온도 감각 상실
중심 척수 증후군	진행성 협착증이나 과다폄 손상	다리보다 훨씬 많이 침범된 팔의 세 경로 모두가 손상됨
뒤 기둥, 혹은 뒤 척수 증후군	종양이나 혈관 경색으로 뒤 척수 동맥 협착	양측에서 고유감각과 진동 상실
말총 손상	L1 아래의 골절 탈구로 인한 직접적 외상	위와 아래 운동 신경이 이완과 무반사, 방광 및 창자 기능 상실을 포함한 가능한 신호를 보냄
척수원뿔 손상	척수와 엉치 측면과 허리신경뿌리 손상	다리 이완과 무반사 창자와 방광 기능 몇몇 사람들의 경우에는 엉치 반사가 온전하게 남아 있음

다. 움직이고 통증을 느낄 수 있는 능력은 그대로 유지된다.

척수원뿔 증후군

척수원뿔(conus medullaris)에 손상을 입은 환자는 이완성 마비와 무반사 대장 및 방광 기능을 보인다. 어떤 경우에는 엉치 반사가 나타난다.

말총 손상

말총(cauda equina) 손상은 환자가 L1 척추뼈 아래쪽의 골절 탈구로 직접적인 외상을 입은 후에 발생한다. 이러한 유형의 손상은 종종 불완전한 낮은 운동 신경 병변을 초래한다. 이완과 무반사, 창자 및 방광 기능의 손실은 일반적인 임상 징후이다. 침범된 말초 신경근의 재생은 가능하지만 초기 손상 정도에 달려 있다. 표 12-3은 불완전한 손상 환자의 병인과 임상 결과를 요약한 것이다.

신경뿌리 이탈

척추뼈구멍의 신경 뿌리 손상은 말초 신경 손상으로 이어질 수 있다. 신경 뿌리 이탈은 손상 부위 근처나 다양한 신경근에서의 운동 또는 감각기능 보존 또는 복귀를 기술하는 용어다. 따라서 초기 손상 수 개월 후에 말초 신경에 신경지배를 받는 근육의 기능이 개선되거나 회복될 수 있다. 그러나 이렇게 증가하는 운동이나 감각 복귀를 척수 기능의 복귀로 오인해서는 안된다.

척수손상의 임상 양상

척수손상 환자의 임상 양상은 다양하다. 손상의 수준과 근육, 남아 있는 감각기능에 따라 많은 것이 달라진다. 또한 손상이 완전한지, 불완전한지도 고려해야 한다. 일반적으로 척수손상 환자한테서는 다음과 같은 징후나 증상이 나타날 수 있다. (1) 운동 마비나 손상 혹은 병변 수준 이하의 불완전 마비, (2) 감각 상실(감각기능은 손상 수준 아래 두 개 척수 분절까지 그대로 유지될 수 있음), (3) 심폐 기능 장애, (4) 체온 조절 손상, (5) 경직, (6) 방광 및 창자 기능 장애, (7) 성기능 장애가 그것이다.

척추 쇼크 해소

척추 쇼크가 가라앉은 후 손상 수준 아래에서 반사 활동이 재개된다. 복귀되는 가장 빠른 반사는 엉치 수준 반사다. 그 결과로 반사성 창자 및 방광 기능이 회복될 수 있다. 굽힘근 위축 반응 또한 분명하게 나타날 수 있다. 처음에 이러한 반사 작용은 유해한 자극으로 유도하고, 회복이 진행됨에 따라 덜 유해한 방법으로 유도할 수 있다. 시간이 지남에 따라 팔 또는 다리의 경련은 신경지배가 부족한 근육 집단에서 발생할 수 있다. 먼저 다리의 굽힘근 경직이 종종 안뜰척수로의 가로막힘에 이차적으로 발생한다. 시간이 갈수록 폄근 긴장이 대체로 우세해진다(Decker와 Hall, 1986). 추가적인 근육 경직과 단축이 정적인 자세잡기와 근육 불균형으로 분명하게 나타난다. 예를 들어 환자가 휠체어에 똑바로 앉아서 보내는 시간이 많아지면서 엉덩 굽힘근의 경직이 일어날 수 있다.

합병증

척수손상에 이어서 합병증이 발생할 수 있다. 가능한 이차적인 합병증을 조심스럽게 예방하면 환자의 재활 잠재력과 삶의 질을 향상시킬 수 있다.

압력궤양(pressure ulcer)

척수손상 이후 가장 흔한 합병증 중 하나는 압력 궤양이다. 환자가 체중을 이동하거나 압력을 줄여야하는 필요성을 인식하지 못하면서 압력 영역이 뼈 돌출부위에 나타난다. 또한 콜라겐 분해의 변화와 말초 혈류의 감소로 피부가 손상되기 쉬워진다(Somers, 2010). 과도한 압축의 결과로 발생하는 열린 상처를 치료하다보면 입원 기간과 의료비용이 증가한다(Fulk 등, 2014). 의료 서비스 제공 전문가들에게는 압력 궤양 예방이 가장 중요하다. 환자는 압력 해소 기법을 배워야하고, 가족이나 보호자는 환자의 체중 이동 활동을 돕는 방법을 배워야 한다. 환자는 앉아 있을 때 15~

20분마다 1분 동안 압력을 해소해야 한다(Somers와 Bruce, 2014). 가능한 환자는 휴대용 거울로 피부 검사를 독립적으로 수행해야 한다. 피부 검사 시 신체적 도움이 필요한 환자는 다른 사람들에게 피부 검사를 지시해야 한다. 전단력(sheer force)과 외상의 가능성을 줄이기 위해 기능성 활동을 수행하는 동안 보호용 패드를 덧댈 수도 있다. 환자에게 약간의 감압 효과를 제공하기 위해서는 특수 침대, 매트리스, 맞춤 휠체어, 쿠션, 다리 부목 및 패딩을 포함한 장비가 필요할 수 있다.

자율 신경 반사 장애(Automatic Dysreflexia)

자율 신경 반사 장애는 T6 이상에서 손상을 입은 환자에게 나타난다. 이러한 병적인 자율 신경 반사는 교감 신경계의 불안정성 때문에 일어난다. 모든 교감 유출은 T6 수준 아래에서 발생한다. 결과적으로 목과 가슴 윗부분 손상으로 숨뇌에서 교감 신경으로 내려보내는 흥분 및 억제 입력이 상실된다. 자율 신경계 반응은 병변의 수준 아래에 가해지는 유해한 감각 자극으로 배출된다. 이러한 유해한 감각 입력은 자율 신경 자극, 혈관 수축 및 환자 혈압의 급격한 상승을 유발하는 원인이 된다. 일반적으로 혈압이 높아지면 목동맥팽대(carotid sinus)와 대동맥의 압력 수용기가 자극을 받아 말초 혈관 저항이 조절되고, 결과적으로 혈압이 낮아진다. 이러한 환자의 상태 때문에 환자의 혈압을 낮추기 위해 손상 수준 아래로 자극을 가할 수는 없다. 따라서 유해 자극을 제거하거나 환자가 의학적 중재를 받지 않으면 고혈압이 지속된다. 이 상태는 콩팥 장애, 발작, 지주막하 출혈을 포함한 치명적인 합병증을 유발할 수 있고, 치료하지 않고 방치할 경우 사망에 이를 수도 있다. 자율 신경 반사 장애의 흔한 원인으로는 방광이나 장의 팽만, 장 막힘(impaction), 요도 감염, 유해한 피부 자극, 압력 염증, 콩팥 기능 장애, 환경 온도 변화, 환자의 엉덩이에 가하는 수동 신장이 있다(Somers, 2010).

자율 신경 반사 장애의 증상으로는 중증 고혈압, 심한 두통, 느린 맥, 병변 수준 이하의 혈관 수축, 손상 수준 위쪽의 혈관 확장(홍조)과 발한 과다, 수축된 눈동자, 닭살(털 세움, piloerection), 흐린 시력, 콧물이 있다. 이러한 징후나 증상은 즉시 인식하고 반드시 치료해야 한다. 가장 먼저 해야 할 일은 유해한 자극의 원인을 찾는 것이다. 종종 환자의 카테터가 꼬여 있거나 카테터 주머니가 꽉 차 있을 수도 있다. 문제의 원인을 즉시 식별할 수 없는 경우, 환자를 앉히거나 세워서 환자의 혈압을 낮춘다. 환자의 생체 신호를 주시해야 한다. 니트로글리세린 패치, 강력한 혈관 확장제 또는 니페디핀(nifedipine), 니트레이츠(nitrates) 및 캅토프릴(captopril)을 포함한 항고혈압제 투여는 환자의 혈압을 낮추는 데 도움이 될 수 있다(Fulk 등, 2014). 환자의 주 간호사와 의사에게 가능한 한 빨리 통보해야 한다. 재발하는 에피소드의 예방과 환자 및 가족 교육이 중요하다. 환자가 이 상태를 조절할 수 있도록 도우려면 약물 치료나 외과적 중재가 필요할 수 있다.

자세성 저혈압

또 다른 합병증은 자세성 저혈압(Postural Hypotension)이다. 척수손상 환자는 종종 저혈압을 일으킨다. 효과적인 뼈대 근육 펌프가 결여되고, 다리의 혈관 반응(vasoresponse)이 없으면 정맥류가 생긴다. 결과적으로 신체에서 순환하는 혈액의 양이 감소하면 일회 박출량과 심장 박출량이 감소한다. 자세성 저혈압은 환자가 앉기로 이행했을 때와 서기 자세를 취할 때, 혹은 운동할 때 발생할 수 있다. 따라서 치료 활동 중에 혈압 반응을 주의 깊게 살펴봐야 한다. 바로 선 자세에서 활동을 시작하기 전에 복대(abdominal binder)를 적용하면 환자의 자세가 바뀔 때 발생할 수 있는 배 안의 압력 하락을 최소화하여 복귀정맥혈(venous return)을 개선한다. 또한 탄력 있는 스타킹을 착용하면 다리의 정맥 폐쇄를 예방할 수 있다. 의약품(혈압 강하제 또는 광물성 코르티코이드)을 복용해서 환자의 혈압을 높이고, 혈량 저하 시에는 수분 섭취를 늘려 상태를 관리할 수 있다(Somers와 Bruce, 2014).

통증(Pain)

통증은 척추 손상 후 흔히 나타나는 문제다. 척수손상 환자의 26%에서 96%가 만성 통증을 경험하는 것으로 보고되었다(Fulk 외, 2014). 통증은 재활에 참여하는 환자의 능력을 제한할 수 있으며, ADL 수행 능력과 수면 및 전반적인 삶의 질에 부정적인 영향을 미칠 수 있다. 두 가지 유형의 통증으로는 통각과 신경병증이 있다. 통각 통증은 근육뼈대계 구조(근육, 뼈, 힘줄)와 관련되어 있고, 초기 손상과 염증, 좋지 못한 핸들링와 자세잡기, 또는 근육 경련의 결과로 발생할 수 있다. 시간이 지남에 따라 척수손상환자(SCI) 환자는 근육뼈대계 통증과 특히 팔에서 과사용 통증 증후군이 나타날 수 있다. 보편적인 증상으로는 돌림근띠 파열과 어깨 충돌, 가쪽위관절융기염, 손목굴 증후군 및 손목 힘줄염이 있다. 이러한 과다 사용 손상은 휠체어 추진과 이동 및 압력 완화를 포함한 기능적 작업을 완료하는 데 필요한 반복적인 팔 운동 및 체중지지 상태 때문에 발생한다(Somers, 2010, Fulk 등, 2014).

신경병 통증은 중추 신경계 및 말초 신경계 손상으로 발생하며, 초기 손상 수준 이상 또는 미만에서 발생할 수 있다. 손상 부위 위쪽의 신경병 통증은 압박 또는 포착(entrapment) 시 말초 신경 손상으로 생겨난다. 통증의 성격은 다양할 수 있고, 지속적이거나 간헐적일 수 있으며, 날카롭게 쏘는 듯 하거나 타는 것 같을 수 있다. 신경병 통증의 치료는 의료 서비스 제공자들에게 어려운 일이다. 의료 중재에는 통증의 성격과 약리학적 관리에 대한 환자 교육이 포함된다. 의사는 이브프로펜[ibuprofen, 모트린(Motrin)], 나프록센[naproxen, 나프록신(Naprosyn)] 및 인도메타신[indomethacin, 인도신(Indocin)]을 포함한 아세트아미노펜이나 다른 비스테로이드성 소염제, 가바펜틴(Neurontin), 프레가발린(Lyrica) 및 발프로산(Depakote)과 같은 항경련제, 항우울제 아미트립틸린[amitriptyline, (Elavil)], 진통제(트라마돌)를 처방할 수 있다. 심리적 통증 관리 기술과 경피 전기 신경 자극, 침술 및 정신적 이미지도 만성 통증 관리에 도움이 될 수 있다(Fulk 등 2014; Somers, 2010).

구축(Contracture)

환자는 손상 이후와 오래 앉아 있어서 나타나는 굽힘근 반사로 굽힘 구축을 보이는 경향이 있다. 관절 주위의 근육 불균형으로 구축 형성이 쉬워질 수도 있다. 구축 예방은 최대한의 기능을 유지하는 것이 중요하다. 환자는 독립적으로 또는 가족이나 보호자의 도움을 받아 수행 할 수 있는 좋은 스트레칭 프로그램을 통해 교육을 받아야 한다. 게다가 모든 환자에게 엎드린 자세에서 프로그램을 정기적으로 수행하도록 권장해야 한다. 환자는 엉덩굽힘근을 늘리기 위해 매일 적어도 20분 이상 엎드려 있어야 한다. 엎드린 자세는 또한 엉덩뼈결절에 가해지는 압력을 완화시키고, 엉덩 부위에 환기를 시켜줄 수 있다.

딴곳뼈되기(Heterotopic Ossification)

딴곳뼈되기는 또 다른 잠재적인 이차 합병증이다. 뼈는 손상 수준 이하의 물렁조직에서 형성될 수 있다. 보통 딴곳뼈는 엉덩이나 무릎과 같은 큰 다리 관절에 인접해 나타난다. 딴곳뼈되기의 정확한 원인은 알려져 있지 않지만 경련과 외상, 완전 손상, 요로 감염으로 추정되고 있다. 딴곳뼈되기의 임상적 징후로는 관절 운동범위 제한, 부기, 따뜻함 및 통증이 있고, 열이 있거나 없을 수도 있다. 이 상태의 관리는 약리학적 중재와 더불어서 비스포스포네이트와 이용 가능한 범위를 유지하기 위한 물리치료와 관절범위 운동, 심각한 제약을 받는 환자의 경우에는 외과적 절제술을 수반한다(Fulk 등, 2014; Somers, 2010).

깊은 정맥 혈전증(Deep Vein Thrombosis)

깊은 정맥 혈전증 흔하고 치명적인 합병증이다. 위험은 손상 후 처음 2~3개월 동안 가장 큰 것으로 나타난다. 이 기간 동안에 환자는 움직일 수 없고, 의학적으로 연약한 상태이기 때문에 손상 후 처음 몇 달 동안은 혈액 응고를 예방하기 위해 경구용 와파린(Coumadin)이나 정맥 내 헤파린과 같은 예방적 항응고제를 복용할 수 있다. 폐색전증 위험을 줄이기 위해서는 대정맥 필터의 수술적 삽입도 필요할 수 있다. 정기적인 선회 프로그램과 침대에 앉기와 휠체어로 이동하기를 포함하는 조기 이동성은 정맥 고임(venous pooling)을 예방하는 데 중요하다. 다리에 탄성 지지물과 순차적 압축 장치를 사용하면 환자의 정맥 복귀를 도울 수 있다.

골다공증(Osteoporosis)

골다공증은 칼슘 대사의 변화 때문에 척수손상 후에 나타날 수 있다. 정확한 병인은 분명하지 않지만, 체중지지와 제한된 근육 활동의 기회 감소가 골밀도 감소에 기여하는 것으로 추정된다. 뼈의 질량 감소도 골절 위험을 증가시키며, 모든 환자의 46%가 골절을 경험할 정도로 발병률이 높다(Somers, 2010). 조기 이동과 치료적 서기 활동, 기능적 전기 자극 사용, 칼슘 보충제 투여 및 좋은 식이 요법 관리는 이러한 잠재적 합병증의 발달을 최소화 할 수 있다(Fulk 등, 2014).

호흡기 손상(Respiratory Compromise)

환자의 호흡 기능이 저하되면 심각하고 때로는 생명을 위협하는 합병증이 발생할 수 있다. 이러한 합병증은 호흡과 움직이지 않는 근육의 신경지배가 감소하면서 발생한다. 목뼈 신경 뿌리 C3에서 C5에 신경지배를 받는 가로막은 주요한 들숨 근육이다. 따라서 높은 목뼈 손상 환자는 마비나 가로막 근육의 약화로 인해 이차적으로 스스로 호흡하는 능력을 상실할 수 있다. 바깥갈비사이근은 들숨을 돕고, T1에서 시작하여 분절적으로 신경지배를 받는다. 또한 갈비뼈를 들어 올리고 가슴 안의 크기를 증가시키는 역할을 한다. T12 미만의 마비 환자는 바깥갈비사이근의 신경지배를 받고, 가슴과 가로막을 똑같이 사용해 정상적인 호흡 양상을 나타낼 수 있어야 한다. 이것은 2가슴 2가로막 호흡 패턴이라고 한다(Wetzel, 1985). 복부는 호흡에 필요한 다른 중요한 근육 집단이다. 상복부 근육은 T7에서 T9의 신경지배를 받고, 하복부는 척추 분절 T9에서 T12의 신경지배를 받는다. 복부는 환자가 기침하기와 같은 강제 날숨을 시도할 때 활성화된다. 기침을 하기 위해서 충분한 양의 근력을 생성할 수 없는 환자는 기관지 분비물의 축적에 감염되기 쉽다. 이로 인해 많은 사람들이 폐렴, 무기폐 및 호흡기 손상을 일으킬 수 있다. 호흡 근육의 약화로 흡기 노력이 감소하고 운동을 견딜 수 있는 환자의 능력이 저하될 수 있다. 이는 궁극적으로 기능 활동에 대한 지구력에 영향을 미친다.

다중 중재는 호흡 기능 장애의 영향을 최소화하기 위해 사용한다. 이러한 중재로는 직립 자세 조기 적응과 복부 코르셋 및 복대로 복부 구조물 자세로 보조, 환자 및 보호자에게 도움 받아 기침하는 법 가르치기, 가로막 근력강화, 유발 폐활량 측정(incentive spi-romety) 기술이 있다. 이러한 기술에 대한 자세한 설명은 이 장의 치료 단락에서 소개한다.

방광과 창자 기능 장애(Bladder and Bowel Dysfunction)

방광과 창자 기능 장애는 임상적 결과나 척수손상의 합병증으로 간주될 수 있다. 척수손상 환자는 종종 이러한 영역의 기능을 잘 발휘하지 못하고, 요로 감염은 척수손상 환자의 주요 사망 원인이다(Fulk 등, 2014). 방광은 아래쪽 엉치 분절, 특히 S2에서 S4의 신경지배를 받는다. 척수 쇼크 기간 동안 방광은 이완되거나 무반사 상태다. 일단 척수 쇼크가 끝나면 손상 위치에 따라 두 가지 상황이 발생할 수 있다. 환자의 손상 부위가 S2보다 높으면 엉치 반사가 온전하게 나타나고, 환자는 과다 반사성이나 경직성 방광을 가지고 있다고 한다. 이 상태에서 방광은 내부의 압력이 일정 수준에 도달할 때 반사적으로 비워진다. 환자는 방광 비우기를 돕기 위해 두덩위 부위에 특정 피부 자극 기술을 가할 수 있다. 환자의 상처가 말총이나 척수원뿔에 있는 경우 환자는 무반사(nonreflexive) 또는 이완성 방광(flaccid bladder)이 있다고 한다. 엉치 반사가 온전하게 나타나므로 방광은 이완되고, 미리 정해진 시기에 수동적으로 방광을 비워야 한다(Fulk 등, 2014). 방광 훈련 프로그램은 환자 재활 프로그램의 중요한 구성 요소다. 간헐적인 카테터 삽입과 시간제 배뇨 프로그램 및 맨손 자극을 사용해 방광을 비우고, 환자에게 카테터가 필요 없어 질 수가 있다. 요로 감염의 예방을 돕기 위해 잔뇨량을 관찰해야 한다(Fulk 등, 2014).

장의 기능 장애는 많은 환자들에게 중요한 관심사이며, 환자의 사회 활동 참여와 전체적인 삶의 질을 바라보는 환자의 관점에 영향을 줄 수 있다. S2 이상 수준에 손상을 입은 환자의 경우에는 경직성이나 반사성 창자를 갖게 된다. 항문이 가득 차면 대변이 반사적으로 비워진다. S4에서 S2에 손상을 입은 환자는 이완되거나 무반사 상태의 장을 가지고 있고, 장이 반사적으로 비워지지 않기 때문에 막힘이나 실금이 나타날 수 있다(Fulk 등, 2014).

정기적인 창자 프로그램의 수립은 환자의 포괄적 치료 계획의 일부이기도 하다. 환자는 대개 규칙적인 장 비우기 일정에 따라 생활한다. 고섬유질 다이어트와 충분한 수분 섭취, 대변 연화제 사용, 맨손 자극 또는 배변은 환자의 장 프로그램 확립에 도움이 될 수 있다(Fulk 등. 2014).

재활 팀은 환자의 방광 및 창자 훈련 계획을 숙지해야 한다. 이러한 활동을 하도록 지정된 시간에 치료 일정을 넣어서는 안된다.

성기능 장애(Sexual Dysfuntion)

척수손상 발병 이후 환자의 공통 관심사는 손상이 성관계에 미치는 영향이다. 앞에서 언급했듯이 신체 기능은 환자의 운동 수준에 달려 있다. 위운동신경 손상을 입은 남성은 엉치 반사가 손상되지 않은 상태에서 반사 발기(외부 자극에 반응해 나타남)를 일으킬 수 있다. 정신성 발기는 겉질 수준에서 인지 활동을 통해 가능하다. 사정 능력은 아래와 위운동 신경 손상 환자 모두에게 제한적이다. 따라서 남성은 생식 능력에 심각한 변화를 경험하게 된다. 약물과 국소 약물 및 기계 장치의 발전으로 발기 기능을 향상시킬 수 있다. 척수손상 여성들은 월경을 계속하기 때문에 임신할 수 있다. 출산 준비가 된 임산부들은 진통의 시작을 알리는 자궁 수축(신경 수준에 따라 다름)을 느낄 수 없기 때문에 예방 조치로 병원에 입원하는 경우가 많다(Fulk 등, 2014).

물리치료사(PT)와 물리치료 보조사(PTA)는 환자와 이 정보에 관해 편안하게 이야기를 나누어야 한다. 이런 환자를 다루는 물리치료사와 보조사들은 성행위와 관련된 질문을 직접적으로 받을 수 있다. 이때는 정직하고 정확하게 질문에 대답해야 한다. 이런 종류의 질문에 편하게 대답하기 어려우면 대신할 수 있는 사람을 환자에게 소개해 주어야 한다.

경직(Spasticity)

경직은 척수손상의 일반적인 후유증이다. 경직의 유병률은 목뼈 및 불완전 손상, 특히 ASI B 및 C (Somers, 2010)로 분류된 환자 집단에서 더 높다. 연구에 따르면 긴장 증가는 척수 신경 및 척수 경로에 대한 척추 중심(겉질, 적색핵, 그물체 조직 및 안뜰핵)의 잔류 영향 때문에 일어난다(Craik, 1991). 중증 및 여러 합병증을 경험한 환자가 더 심한 경직을 보일 수 있다. 연구 학자들은 또한 유해한 자극이 비정상적인 근육의 긴장을 악화시키는 경향이 있음을 보여 주었다. 대부분의 경우, 물리치료사와 물리치료보조사는 비정상적인 근육 긴장의 영향을 줄이거나 최소화하는 방법에 초점을 맞춘다. 그러나 어떤 경우에는 긴장 증가가 환자에게 유리할 수 있다. 경직은 근육의 부피를 유지하고 위축을 예방하며 순환 유지를 도울 수 있다. 경직은 또한 환자가 충분한 신경지배와 충분한 몸통 조절을 갖추고 있을 때 이동성과 기본적인 침대 이동성 및 서기를 포함한 기능적 활동을 수행하는 데 도움을 줄 수 있다. 또한 경직은 항문 괄약근의 긴장을 증가시켜 환자가 창자 프로그램을 수행하는 데 도움이 될 수 있다.

경직은 관리하기 어려울 수 있다. 현재 비정상적인 긴장의 효과를 완전히 개선하는 치료법은 없다. 의사는 환자를 돕기 위해 여러 가지 중재를 권장할 수 있다. 감각 입력 증가에 기여하는 자극이나 요인을 제거하는 것이 유익하다. 물리치료 중재에는 자세잡기, 정적인 신장, 체중지지, 한랭 요법, 수중 요법, 기능적 전기 자극이 있다. 이러한 다른 치료 중재는 이 장의 치료 단락에서 보다 심도있게 논의하겠다. 비정상적 긴장의 상당한 증가를 보이는 일부 환자에게는 약리학적 중재가 필요할 수 있다. 가장 일반적인 구강 약물은 근육 수축력을 목표로 하는 단트롤렌 나트륨과 중추 신경계에서 γ- 아미노 부티르산 수용체를 표적으로 하는 바클로펜(리오레살) 및 디아제팜(발륨), 클로니딘(clonidine, 카타프레스(Catapres))은 척수의 알파 수용체에 대한 효과를 통해 경련을 감소시킨다(Somers, 2010). 이러한 모든 약물은 간독성, 느린맥, 진정, 주의력과 기억력 감소, 저혈압, 근력과 협응력 감소를 포함한 부작용을 보인다(Somers, 2010, 50, Katz, 1988, 1994, Scelza와 Shatzer, 2003, Yarkony와 Chen, 1996). 환자는 종종 이러한 약물을 복용하고 나서 부작용 때문에 사용을 중단한다.

경막 내 바클로펜 펌프와 보툴리누스 중독 주사는 또 다른 경직 치료법이다. 척수강 내 펌프와 더불어 펌프와 작은 카테터를 환자의 복벽 피부 아래에 이식한다. 그런 다음에 바클로펜을 척수의 지주막 아래 공간으로 직접 투입해서 필요한 투여량과 일부 부작용을 줄인다. 바클로펜은 카테터 배치 때문에 팔과 비교했을 때 다리의 긴장을 줄이는 데 더 효과적이라고 밝혀졌다(Katz, 1988; Scelza와 Shatzer, 2003). 보툴리눔 독소 A를 경직 근육에 직접 주사한다. 이 신경독은 신경근 접합부에서 아세틸콜린의 방출을 억제하여 일시적인 근육 마비를 유발한다(Cromwell과 Paquette, 1996).

외과 중재는 비정상적인 긴장 관리의 최종 유형이다. 신경절제술(neurectomies)과 신경뿌리절제술(rhizotomies), 척수절개술(myelotomies), 힘줄절단(tenotomies) 및 신경 차단과 운동점 차단은 비정상적인 긴장 관리와 환자를 돕기 위해 시행할 수 있다. 신경절제술은 신경을 절단하는 외과적 절제술이다. 신경뿌리절제술은 척수 신경의 등 쪽 뿌리나 감각 뿌리를 절단하는 수술 절차이다. 척수절개술에서 척수 내의 소엽을 절단한다. 힘줄절단술은 힘줄을 분리하는 수술이다. 신경 차단은 주사 가능한 페놀로 수행되며, 일시적으로(3개월에서 6개월) 경직을 감소시킨다. 이러한 절차에 대한 자세한 설명은 본문의 범위를 벗어난다(Katz, 1988, 1994; Yarkony와 Chen, 1996).

기능적 결과

척수손상 발병 이후 환자의 기능적 결과는 많은 요인에 따라 달라진다. 나이, 손상 유형 및 수준, 보존된 운동 및 감각기능, 환자의 전반적인 건강 상태 및 손상 전 활동 수준, 손상 전 상태, 체격, 지원 시스템, 재정적 보장, 동기 부여, 의료 및 재활 서비스 이용, 기존의 성격 특성은 모두 환자의 최종 결과에 중요한 역할을 한다(Somers와 Bruce, 2014, Lewthwaite 등, 1994). 운동 완전 손상(AIS A) 환자의 경우에 신경 수준은 환자의 최종 기능적 결과를 결정하는 가장 중요한 요소다(Somers와 Bruce, 2014).

분절의 신경지배를 받는 핵심 근육

척수손상 환자의 기능적 능력에 관해 이야기하기 전에 핵심 근육과 그 작용을 검토해야 한다. 신경지배된 주요 근육 집단은 환자가 일정 수준의 기능적 기술과 독립성을 달성할 수 있게 해 준다. 표 12-4는 각 척추 수준의 주요 근육을 강조해 보여 준다.

기능적 잠재력

연속적인 각 운동 수준은 환자에게 보다 큰 기능을 제공할 수 있는 잠재력을 제공한다. 기능적 활동을 수행하기 위해서는 근력이 적어도 양호 이상 수준이어야 한다(Alvarez, 1985). 표 12-5는 근력이나 관절운동범위 감소로 발생하는 환자의 운동 신경지배와 제한을 토대로 기능적 잠재력을 검토해 보여 준다. 각 수준에 대한 설명과 기능적 활동 달성을 위한 환자의 잠재력을 기술했다. 이러한 기능적 기대치는 지침으로만 삼아야 하고, 환자 목표나 관리 계획을 세울 때 개별적인 환자의 차이를 고려해야 한다는 점을 명심하기 바란다.

C1부터 C3까지

C4 이상의 손상을 입은 환자는 근육 신경지배가 제한적이다. 가로막은 C3의 신경지배를 최소한으로 받기 때문에 이 수준의 손상을 입은 대부분의 환자는 기계적 환기가 필요하다. 그러나 높은 수준의 목뼈 손상

표 12-4 ASIA 손상 척도

척수 수준	근육
C1-C2	얼굴근육, 부분 목빗근, 머리근육
C3	목빗근, 부분 가로막, 위등세모근
C4	가로막, 부분 어깨세모근, 목빗근, 등세모근
C5	어깨세모근, 두갈래근, 마름모근, 위팔노근, 작은원근, 가시아래근
C6	노쪽손목폄근, 큰가슴근(빗장뼈 부위), 대원근, 뒤침근, 앞톱니근, 약한 엎침근
C7	세갈래근, 노쪽손목굽힘근, 넓은 등근, 원엎침근
C8	자쪽손목굽힘근, 자쪽손목폄근, 몇몇 손 내재근을 지닌 환자도 있음
T1-T8	손 내재근, 갈비사이근 위쪽 절반, 큰가슴근(가슴뼈 부위)
T7-T9	상복부
T9-T12	하복부
T12	하복부, 허리네모근
L2	엉덩허리근, 약한 넙다리빗근, 약한 모음근, 약한 넙다리곧은근
L3	넙다리빗근, 넙다리곧은근, 모음근
L4	중간볼기근, 넙다리근막긴장근, 넙다리뒤인대, 앞정강근
L5	약한 큰볼기근, 긴발가락폄근, 뒤정강근
S1	큰볼기근, 발목발바닥 굽힘근(장딴지근, 가자미근)
S2	항문조임근

이 있는 환자는 가로막 신경에 대한 전기 자극을 견딜 수 있다(가로막 신경 조율). 가로막 신경에 대한 자극은 가로막을 수축시켜 환자의 기계적 환기 의존성을 감소시킨다(Atrice 등, 2013). C1에서 C3까지 손상을 입은 환자는 전일제 보호자이 필요하며, 모든 ADL과 침대 이성 및 이동 수행 시에 전적으로 의존적이다. 압력 해소와 휴식을 취하기 위해서는 기울임 기능이 있는 전동 휠체어가 필요하다. 환자가 친컵 장치나 턱받이로 조종하는 전동 휠체어를 사용하려면 적절한 호흡 지지나 목 운동범위를 갖추어야 한다. 친컵 장치를 사용할 때 환자는 얼굴 앞쪽의 빨대를 불거나 빨아 당겨서 휠체어를 움직인다. 몇몇 환자는 턱받이를 사용할 수 있다. 이 장치는 환자가 적어도 30도 정도의 능동적인 목 운동을 할 수 있어야 사용할 수 있다. C1에서 C3까지 손상을 입은 환자는 목뼈에 충분한 운동범위를 가질 수도 있고 가지지 못할 수도 있다.

기술의 진보로 모든 척수손상 환자, 특히 높은 수준의 손상을 입은 환자들의 능력이 향상되었다. 휠체어에서 작동할 수 있는 환경 제어 장치 덕분에 일부 환자는 집과 직장 환경을 제어할 수 있다. 이 컨트롤 유닛은 개인용 컴퓨터와 네트워크로 연결되어 기기, 조명, 스피커폰 등을 조작할 수 있다. 이 수준의 손상을 입은 사람들은 보호자과 보호자에게 제공된 지침을 통해 간병 방식을 지시할 권한을 갖고 있어야 한다. 이렇게 되면 환자는 자신의 상황과 보살핌에 관한 일정 수준의 독립성과 자율성을 제공받을 수 있다.

C4

C4 수준의 손상을 입은 환자의 가로막은 약간의 신경지배를 받을 수 있다. 이는 환자가 인공호흡기에 의존할 필요가 없다는 뜻이기 때문에 기능적 의미를 함축하고 있다. 가로막이 신경지배된 환자의 폐활량은 여전히 현저하게 감소한 상태다. 이 수준의 환자는 턱받이와 턱 조절 장치, 혹은 입 스틱을 사용해 전동 휠체어를 작동할 수 있어야 한다. 환자는 여전히 턱 제어 장치로 휠체어를 운전하기에 충분한 관절 운동 범위를 가져야 한다. 환경 조절 장치도 이런 환자들이 사용할 수 있다. 신경지배된 C4를 가진 환자는 모든 이동과 ADL 활동 시에 완전히 의존적이기 때문에 전일제 보호자이 계속 필요하다.

C5

신경지배된 C5를 가진 환자는 몇 가지 기능적 능력을 가지고 있다. 신경지배된 C5 환자는 어깨세모근과 두갈래근, 마름모근 기능을 가지고 있다. 그러나 이런 근육은 이 수준에서 신경지배를 받아도 정상적인 힘을 발휘하지 못할 수 있다. 각 환자는 서로 다른 운동능력을 가지고 있으며, 물리치료사는 근육 기능을 철저하게 검사해야 한다. 이처럼 신경지배된 핵심 근육 때문에 C5에서 신경지배를 받는 환자는 어깨를 구부

표 12-5 인지 기능 수준

수준	근육	현재 잠재력	제약
C4 위쪽	C1-C2: 얼굴 근육 C3: 목빗근, 위등세모근	폐활량 정상의 20%-30% 호흡조절기와 턱 조종 장치, 휴대용 인공 호흡기를 장착한 전동 리클라인 휠체어 전동 기울기 기능이 있는 휠체어에서 압력 안화 수행 가능 전일제 보호자 필요 구두로 자기 돌봄을 지시하는 능력 설정된 환경제어 장치 사용	인공호흡기에 의존 ADL 수행 시 의존적 침대 이동성과 이동 활동 시 의존적
C4	가로목 위등세모근	폐활량: 정상의 30%-50% 마우스 스틱이나 턱 조종 장치가 장착된 전동 휠체어 턱 조종 장치로 휠체어를 조종하려면 30° 목 운동이 필요함 침대 이동성 활동에서 최대 도움 필요 리클라인 전동 휠체어로 독립적인 압력 완화 가능 전일제 보호자 필요 구두로 자기 돌봄을 지시하는 능력 설정된 환경제어 장치 사용	팔 신경지배 없음 ADL 수행 시 의존적 침대 이동성과 이동 활동 시 의존적
C5	어깨세모근 두갈래근 마름모근 가쪽돌림근(소원근과 가시아래근)	폐활량: 정상의 40%-60% 손 조종 장치가 장착된 전동 휠체어 바퀴손잡이에 막대가 부착된 수동 휠체어 침대 이동성 활동 시 중간 도움 필요 이동(슬라이딩 보드나 앉아서 돌기) 시 최대 도움 필요 휠체어 뒤쪽에 부착된 루프로 압력 완화 시 독립적으로 앞쪽 상승 적응 기구(손목 부목)와 장치로 몇 가지 단장하기 과제를 독립적으로 수행할 수 있음 보호자 필요 환경제어 장치 사용	팔꿈치 폄근만 나타남 팔꿈치 굽힘 구축이 일어나기 쉬움 활동 완수에 필요한 에너지와 시간 고려하기 목욕과 옷입기 활동 시 의존적
C6	노쪽손목폄근 큰가슴근(빗장뼈 부위) 대원근	폐활량: 정상의 60%-80% 독립적인 구르기 독립적으로 체중 이동해서 압력 완화하기 독립적으로 슬라이딩 보드 이동이 가능하거나 최소 도움을 필요로 함 막대 달린 바퀴 손잡이로 변형된 독립적인 수동 휠체어 추진 적응 기구를 이용한 변형된 독립적인 먹이기 독립적인 상체 옷 입기 하체 옷 입기 활동 시 도움 필요 손 조종 장치로 자동차 운전 가능 집 밖에서 직업 활동 가능 굽힘근경첩 부목을 착용하고 잡기 오전과 오후에 돌봐줄 보호자 필요 변기로 이동 시 도움 필요	팔꿈치 폄이나 손 기능 부재 (구축이 일어나기 쉬움)

(계속)

표 12-5 계속

수준	근육	현재 잠재력	제약
C7	세갈래근 넓은 등근 원엎침근	폐활량: 정상의 80% 독립적인 생활 가능 가측 밀어올리기로 독립적인 압력 완화 가능 하지의 독립적인 자기 운동범위 이동과 휠체어 추진, 압력 완화, 상하체 옷 입기 활동 시 수정된 독립성	손가락 근육 부재 바닥으로 이동 시 중간이나 최대 도움 필요 휠체어를 바로 세울 때 도움 필요 경사로나 고르지 못한 곳에서 휠체어 추진 시 약간의 도움 필요
C8	노쪽손목굽힘근 노쪽손목폄근 손 내재근	C7 신경지배 환자와 동일한 잠재력 보유 독립적인 생활 휠체어를 타고 2–4인치 연석 넘어가기 휠라이하기	몇몇 손 내재근 기능 글쓰기, 소근육 협응 활동이 어려울 수 있음 바닥 이동 시 도움 필요
T1-T8	손 내재근 갈비사이근 상부 절반 큰가슴근(가슴뼈 부위)	수동 휠체어로 모든 수준과 표면(6인치 연석)을 독립적으로 넘기 평행봉(T6–T8)에서 보조기 착용하고 치료적 보행하기	하복부 근육 기능 부재 바닥 이동과 휠체어 바로잡기 시 최소 도움을 받거나 독립적
T9-T11	복부	휠체어 이동성 활동 시 독립적 가능한 보조기와 보조기구 착용하고 치료적 보행하기 T10 폐활량 100%	엉덩 굽힘근 기능 부재
T12-L2	허리네모근	가정 보행 서기 활동과 보조기 착용하고 보행 시 독립적	네갈래근 기능 부재 지역 사회 보행 시 휠체어 사용
L3 이하	L3: 엉덩허리근과 곧은근	보조기 착용하고 지역 사회 보행	큰볼기근 기능 부재
L4-L5	네갈래근, 안쪽 넙다리뒤인대	지역 사회 보행 시 발목–발 보조기와 지팡이만 필요할 수 있음	
S1-S2	S1: 발바닥 굽힘근, 큰볼기근 S2: 항문조임근	굴절형 발목–발 보조기를 착용하고 보행하기	장과 방광 기능 부재

ADLs, Activities of daily living.

려 90도 각도로 벌리며, 팔꿈치를 구부리고, 어깨뼈를 모을 수 있어야 한다. 어깨를 구부리고 벌리는 능력은 환자가 팔을 들어 올려 구르기를 촉진할 수 있고, 손을 입으로 가져갈 수 있음을 의미한다. 그러나 세갈래근은 신경지배를 받지 않기 때문에 팔꿈치를 펼 수 없다. 환자는 수동 제어 장치로 전동 휠체어를 조작할 수 있다. 소수의 환자가 바퀴손잡이가 달린 수동 휠체어를 추진할 수 있다. 수동 휠체어도 추진할 수 있지만, 이 활동과 관련된 높은 에너지 비용을 고려해야 한다. 이러한 이유로 전동 휠체어는 이 수준에서 신경지배를 받는 환자가 선호하는 수단이다.

C5에서 신경지배를 받는 환자는 몇 가지 자기 돌봄 활동을 독립적으로 할 수 있지만 수행자 또는 가족 구성원이 이런 환자의 활동을 설정해주어야 한다. 또한 환자는 자기 돌봄 활동을 수행하기 위해 부목 및 내장 ADL 장치를 포함한 적응 장비를 사용해야 한다. 우리의 경험에 따르면, 환경 설정 이후에 환자가 독립적으로 자기 돌봄 활동을 수행할 수 있다하더라도, 과제를 완료하는 데 시간과 에너지가 너무 많이 필요해서 종종 그 과제를 정기적으로 수행하지 못한다. C5 수준에서 신경지배를 받는 환자는 슬라이딩 보드로 최소한의 도움을 받아 휠체어에서 이동할 수 있고, 침대

이동 시에는 도움을 필요로 한다. 이들은 휠체어에서 앞으로 몸을 기울이거나 휠체어 뒤쪽에 있는 푸시 핸들 위로 팔을 올려 체중을 이동시켜서 독립적으로 압력을 완화할 수 있다. 마름모근은 팔의 자기 돌봄 활동과 팔꿈치 짚고 엎드리기와 팔 뻗어 지지하고 다리 펴고 앉기 같은 기능적인 자세를 취할 수 있도록 제한적인 어깨뼈 안정화를 제공한다. 밴(van)을 타고 적응형 손 조절 장치로 운전할 수 있다.

C6

C6에서 신경지배를 받는 환자는 더 큰 기능적 능력을 가지고 있다. 손목 폄근과 큰가슴근 및 큰원근 신경지배 때문에 구르기와 먹기, 상체 옷 입기를 독립적으로 할 수 있다. 환자는 바퀴손잡이를 사용해 수동 휠체어를 독립적으로 추진할 수 있어야 하고, 슬라이딩 보드 이동도 독립적으로 수행할 수 있는 잠재력을 지니고 있다. 환자는 아침과 저녁에 자기 돌봄 활동을 할 수 있으며, 일부 환자는 이동 시, 특히 이동좌변기 사용 시에 도움을 필요로 한다. 다리 옷 입기 활동 시에도 도움이 필요하다. 이 수준에서 신경지배를 받는 환자는 적응형 제어장치가 달린 자동차를 운전할 수 있고, 가정 바깥에서 일에 종사하여 소득을 벌어들일 수 있다.

C7

C7 손상 환자는 이 수준에서 신경지배를 받는 세갈래근 덕분에 독립적으로 살아갈 잠재력을 갖고 있다. 세갈래근의 힘으로 이동 중에 팔을 이용해 몸을 들어 올릴 수 있다. 또한 압력 완화를 위해 휠체어에서 윗몸 일으키기를 할 수 있다. 상체와 다리 옷 입기를 포함한 자기 돌봄 활동을 독립적으로 할 수 있다. 휠체어에서 침대 또는 매트로 이동할 때 처음에는 슬라이딩 보드로, 나중에는 보드를 사용하지 않고 독립적으로 움직여야 한다. 추가적인 기능적 능력으로는 독립적인 압력 완화와 다리에 대한 자체 관절운동범위, 적응형 손 조절장치가 달린 표준 자동차 운전이 있다.

C8

C8에서 신경지배를 받는 환자는 독립적으로 생활할 수 있다. C7 수준에서 신경지배를 받는 환자가 할 수 있는 모든 것을 수행할 수 있다. 약간의 손가락 제어 기능을 추가하면 휠라이를 할 수 있고, 휠체어를 탄 채로 2~4인치 연석을 넘어갈 수 있다.

T1부터 T9까지

T1에서 T9까지 신경지배를 받는 환자들의 능력은 하나의 집단으로 묶어서 살펴보겠다. 가슴 부위의 운동 복귀가 증가함에 따라 환자는 갈비사이근의 신경지배가 증가하기 때문에 분비물을 제거하는 능력을 포함하여 몸통 조절과 호흡 기능 향상을 보여 준다. 이러한 환자는 모든 수준과 표면에서 수동 휠체어를 조작할 수 있으며, 휠체어에서 바닥, 바닥에서 다시 휠체어로 이동할 수 있어야 한다. T1에서 T9 수준까지 신경지배를 받는 환자는 평행봉에서 보조기와 물리적 도움을 받아 생리학적 서기와 제한된 치료적 보행을 할 수 있는 후보가 될 수도 있다. 치료적 보행은 서기와 체중지지의 생리학적 이점을 누리기 위한 걷기로 정의할 수 있다. 보행에 관한 단락에서 이 개념을 보다 더 자세하게 다룬다.

T10~L2

T10~L2 수준에서 신경지배를 받는 환자는 T1에서 T9까지 신경지배를 받는 환자의 능력과 유사한 능력을 가진다. 수동 휠체어 추진이 전형적인 기능적 이동성 수단임에도 불구하고, 가정에서는 보조기구와 보조기를 이용해 걸어 다닐 수 있다.

L3에서 L5

네갈래근은 L3에서 부분적으로 신경지배를 받는다. 다리의 신경지배는 환자의 보행 활동 능력을 향상시킨다. 이 수준에서 신경지배를 받는 환자는 가정에서 독립적으로 보행할 수 있어야 하고, L3수준에서는 지역 사회 보행을 독립적으로 할 수 있다. 무릎-발목-발 보조기 또는 발목-발 보조기가 필요하다. L4와 L5 수준에서 손상을 입은 환자는 걸음걸이를 포함한 모든 기능적 활동을 독립적으로 수행해야 한다. 몇몇 유형의 보조기와 보조기구를 이용해 지역 사회에서 보행할 수 있다.

물리치료 중재: 급성 치료

척수손상 환자의 급성 치료 관리의 목표는 다음과 같다.

1. 구축 및 기형 예방
2. 근육 및 호흡 기능 향상
3. 직립 자세에 적응하기
4. 이차 합병증 예방
5. 통증 관리
6. 환자 및 가족 교육

환자의 초기 물리치료 검사에는 환자의 호흡 기능, 근력, 근긴장, 반사 활동, 피부 상태, 심장 기능 및 기능적 이동성 기술에 대한 정보가 포함된다. 물리치료사는 환자의 일차적 장애, 기능 제한 및 활동 제한을 해결하기 위한 치료 계획을 세운다. 이 초기 단계에서 중재는 호흡 운동, 선택적 근력 강화 및 운동범위 운동, 기능적 이동 훈련, 환자의 직립 자세 내성 개선 활동, 환자 및 가족 교육에 중점을 두어야 한다.

목뼈 또는 등뼈 손상을 입은 환자는 즉시 수술 안정화를 취하지 않을 수 있다. 따라서 물리치료사가 중환자실에서 환자를 보살필 수 있다. 불안정한 척추를 가진 환자에게 물리치료 중재를 시행하는 것이 적절한지는 의사가 신중하게 평가해야 한다. 환자의 상태가 예민하고 환자가 예기치 못한 반응을 보일 수 있으므로 이 단계에서는 물리치료사가 환자를 치료하는 것이 가장 좋다. 물리치료보조사 또는 팀의 다른 구성원과 공동으로 치료하는 것이 적절할 수 있다.

호흡 운동

급성 단계에서 수행하는 운동은 호흡 기능의 최대화를 강조해야 한다. 환자의 현재 근육지지 수준에 따라 많은 것이 달라진다. C4에서 T1까지 신경지배를 받는 환자의 경우에는 가로막의 힘과 효율성을 높이는 데 중점을 둔다. 이 환자들은 가로막 기능을 수행할 수 있고, 종종 가로막 호흡 패턴을 보여 준다. 가로막이 약한 경우에는 목빗근과 목갈비근 같은 보조 근육 사용이 두드러질 수 있다. 호흡 기능을 평가하는 좋은 방법은 상복부 부위의 상승을 관찰하는 것이다. 복부 영역의 과장된 움직임은 가로막이 작동하고 있음을 나타낸다. 그림 12-7에서처럼 물리치료보조사는 이 부위에 손을 얹어 실제 움직임의 양을 측정할 수 있다. 환자가 이 운동을 어려워할 경우에는 가로막 수축이 일어나기 전에 신속한 신장을 가하면 반응을 촉진하는 데 도움이 될 수 있다. 환자가 상복부 부위를 최소 2인치 이상 움직일 수 있다면 가로막의 힘이 양호한 편이다(Wetzel, 1985). 이 근육을 더욱 강화하기 위해 물리치료보조사는 호흡의 흡기 단계에서 맨손 저항을 가할 수 있다. 환자가 흡기 도중에 가로막에 가해지는 저항에 맞설 수 있다면 근육의 힘이 좋은 것이다. 맨손 저항의 강도는 주의 깊게 결정해야 한다. 조기에 환자는 가로막 약화로 호흡 곤란을 경험할 수 있다. 또한 호흡기 근육의 피로가 분명하게 나타날 수 있다. 치료사는 목 부위 관찰로 보조 근육 사용에 관한 귀중한 정보를 얻을 수 있다. 환자는 종종 가로막이 약할 때 보조 근육을 광범위하게 사용한다. 빗장꼭지돌기와 목갈비근, 또는 넓은 목근(platysma)의 확연한 수축은 보조 근육이 사용되고 있음을 뜻한다.

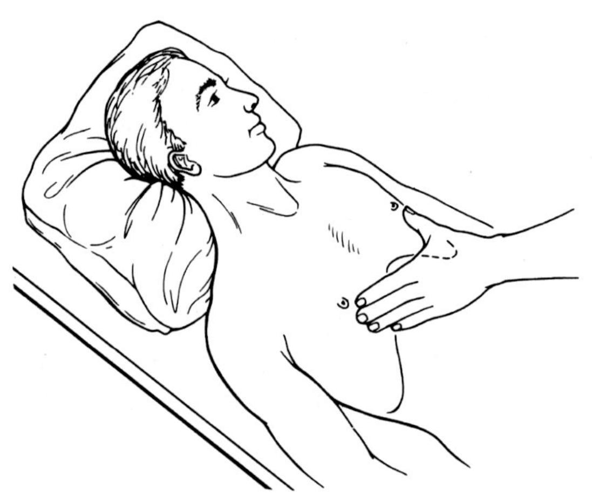

그림 12-7. 가로막 호흡을 위한 손 위치(From Myers RS: Saunders Manual of Physical Therapy Practice. Philadelphia, 1995, WB Saunders.)

개구리 호흡법

C1~C3 수준의 손상을 입은 환자와 C4 수준 손상을 입은 일부 환자는 기계 환기가 필요하다. 이 환자들은 인공호흡기를 떼고 짧은 기간 동안 호흡할 수 있는 기술을 배워야 한다. 개구리(Glossopharyngeal) 호흡은 높은 수준의 팔다리마비 환자한테서 배울 수 있는 기술이다. 환자는 숨을 들이 마시고 입을 다물고 입천장을 올려서 공기를 가두고 "아"나 "이크"라고 말하는 것이다. 이어서 후두가 열리고, 이때 혀가 열려있는 후두를 통해 폐로 공기를 밀어 넣는다. 이 기술은 장비 고장, 정전, 샤워 또는 다른 예기치 않은 상황으로 환자가 짧은 시간 동안 인공호흡기를 떼야 할 때 매우 유용하다. 이 기술은 기계 환기가 재개될 때까지 환자가 적절한 호흡지지를 받을 수 있도록 해 준다.

가쪽 확장

갈비사이근(T1에서 T12까지)에서 신경지배를 받는 환자의 경우에는 가쪽 확장이나 기저부 호흡(basilar breathing)을 강조해야 한다. 환자가 가슴 벽을 옆으로 확장하려고 시도 할 때 심호흡을 하도록 권장한다. 물리치료보조사는 환자의 가슴 벽 옆에 손을 올려놓고 움직임의 양을 측정할 수 있다. 맨손 저항은 환자가 갈비사이근의 힘을 얻는 대로 적용할 수 있다. 환자가 T12(바깥갈비사이근, external intercostals)를 통한 신경지배를 받는 경우에는 2가로막, 2가슴 호흡 패턴으로 진행하는 것이 바람직하다.

유발 폐활량 측정(incentive spirometry)

폐시스템의 기능을 향상시키는 데 사용할 수 있는 또 다른 활동은 유발 폐활량 측정이다. 환자의 침대 옆에서 병불기는 심호흡을 촉진할 수 있다. 폐활량은 휴대용 폐활량계로 측정할 수 있다. 폐활량은 최대 흡입 후 배출되는 최대 공기량이다. 인공호흡기의 변화를 기록하기 위해 환자의 폐활량은 재활 기간 내내 측정할 수 있다(Wetzel, 1985). 또한 호흡 기능을 향상시키기 위한 수단으로 호흡률을 바꾸고 호흡을 유지하라고 환자에게 지시할 수 있다.

가슴 벽 신장

가슴 벽 내에서 경직과 근육 경직이 발생할 수 있다. 맨손 가슴 신장은 가슴 확장을 위해 권장할 수 있다. 물리치료보조사는 한 손을 환자의 갈비뼈 아래에 놓고 다른 손을 가슴 꼭대기에 놓을 수 있다. 그런 다음에 양손을 쥐어짜는 것처럼 움직이면서 가슴 위쪽으로 움직인다. 그러나 이 절차는 갈비뼈 골절이 있는 경우에는 금기다(Wetzel, 1985). 중재 12-1은 이 기술을 수행하는 치료사를 보여 준다.

자세성 배출

타진법과 진동을 사용한 자세성 배출은 분비물 제거에 도움이 될 수 있다. 많은 시설에서 이러한 활동을 담당하는 호흡 치료사를 고용한다. 그러나 물리치료사나 물리치료보조사는 환자의 기관지 위생(분비물 제거)을 책임지는 의료 서비스 제공자가 될 수 있다. 체위 배출 자세는 8장에 요약되어 있다.

물리치료는 환자에게 도움 받아 기침하기 기술을 가르치는데, 이 기술은 중요한 역할을 한다. 복부 신경지배가 부족한 환자의 경우에는 분비물을 배출할 수 있는 방법을 찾아내는 것이 중요하다. 환자가 도움 받아 기침하기 기술을 독립적으로 수행할 수 없는 경우에는 보호자이나 가족 구성원이 그 기술을 배워야 한다. 이러한 기술은 다음 단락에서 설명하겠다. 좋은 기관지 위생 상태를 유지하면 폐렴과 같은 이차적인 합병증 예방에 도움이 된다.

기침

기침은 개인이 낼 수 있는 힘의 양에 따라 세 가지 범주로 분류된다. 기능성 기침은 분비물을 제거할 정도로 충분히 강한 것이다. 약한 기능성 기침은 상기도를 깨끗하게 할 정도로 적절한 힘을 발생시킨다. 비기능적 기침은 기도에서 기관지 분비물을 제거하는 데 효율적이지 못한 것이다(Wetzel, 1985).

도움 받아 기침하기 기법

환자의 기침 능력을 돕는 방법은 여러 가지가 있다.

중재 12-1 가슴 벽 신장

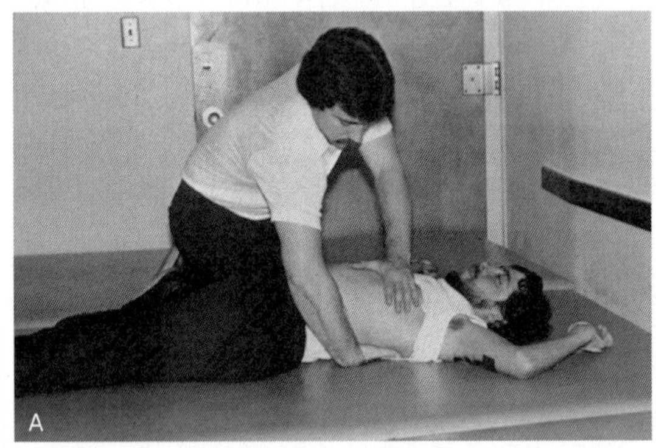

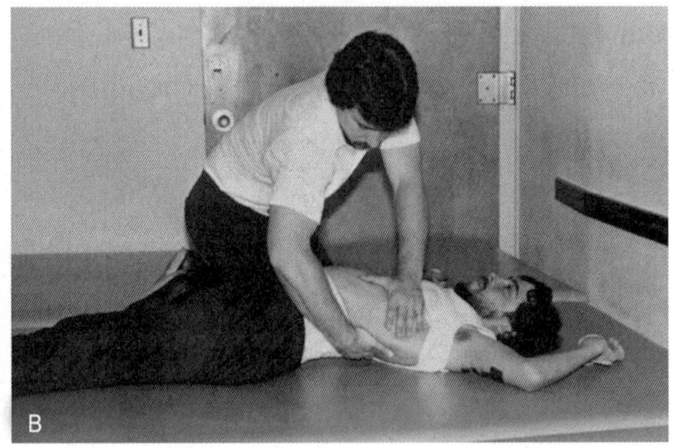

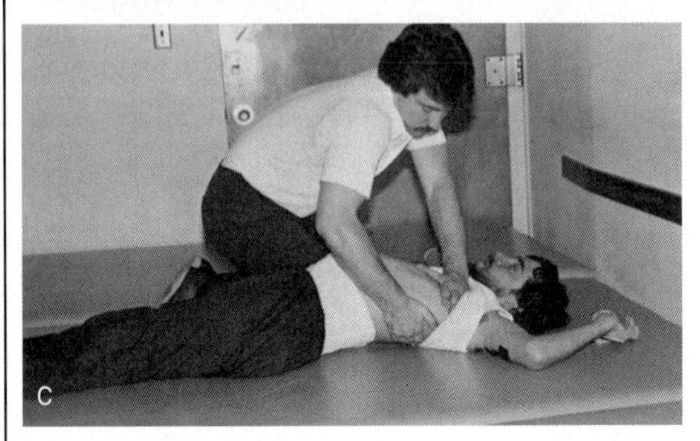

A. 맨손 가슴 신장의 시작 위치는 한 손을 환자의 갈비뼈 아래에, 다른 손을 환자의 갈비뼈 꼭대기에 올려놓는 것이다.
B. 맨손 신장을 위해 치료사가 양손으로 환자의 가슴을 쥐어짜는 것 같은 움직임을 취한 후 나타나는 양손의 종료 위치다.
C. 치료사가 맨손 가슴 신장을 위해 환자의 가슴 위로 양손을 움직여 나간 후, 마지막 손 위치는 치료사의 위쪽 손이 환자의 빗장뼈 바로 아래에 놓이는 것이다.

(From Adkins HV, editor: *Spinal cord injury*, New York, 1985, Churchill Livingstone.)

환자의 의료 상태에 따라서 이러한 기법들은 급성 치료 환경이나 재활 초기 단계에서 처음 사용하기 시작할 수 있다.

기법 1. 환자는 2~3회 흡입하고, 두 번째나 세 번째 흡입 시 기침을 시도한다. 가슴 내 압력이 높아지면 환자가 분비물을 배출하는 데 더 큰 힘을 발휘할 수 있다.

기법 2. 환자는 아래팔을 복부에 올려놓는다. 기침을 시도하면서 힘의 생성을 돕기 위해 팔을 아래로 잡아당긴다. 이 기법은 눕기 자세나 앉기 자세에서 완료할 수 있다. 이 기법은 기침을 시도할 때 환자가 무릎 쪽으로 몸을 숙이는 방식으로 수정할 수도 있다. 이는 중재 12-2, A에 나와 있다.

기법 3. 팔꿈치 짚고 엎드리기 자세에서 환자는 어깨를 들어 올리고 목을 펴서 숨을 들이마신다. 이어서 기침을 하면서 목을 아래로 굽히고 팔꿈치에 기댄다.

기법 4. 환자가 이전에 언급한 도움 받아 기침하기 기법을 습득할 수 없는 경우에는 보호자이 환자의 분비물 배출을 도울 수 있다. 수정된 하임리히법(Heimlich)은 보호자이 두 손을 환자의 갈비뼈 바로 아래쪽 복부 위에 올려놓고, 환자가 기침을 할 때 아래위로 저항을 가하는 것이다(중재 12-2, C).

운동범위

운동범위 운동은 재활 초기 단계에서 중요한 구성 요소다. 팔다리마비 환자의 경우에는 어깨, 팔꿈치, 손목 및 손가락의 신장이 중요하다. 헤일로를 착용하고 움직이지 못하는 환자는 어깨의 능동적 또는 수동적 운동범위에 제약을 받을 수 있다. 헤일로 조끼를 어깨에 걸치면 어깨 굽힘과 벌림이 약 90도로 제한된다. 팔다리마비 환자의 기능을 최대화하려면 다음과 같은 어깨 관절운동범위가 필요하다. 약 60도의 어깨 폄과 90도 어깨 바깥 돌림이 바람직하다. 환자가 눕기에서 다리 뻗고 앉기로 이행하려면 어깨 폄이 필요하다. 환

중재 12-1 도움 받아 기침하기 기법

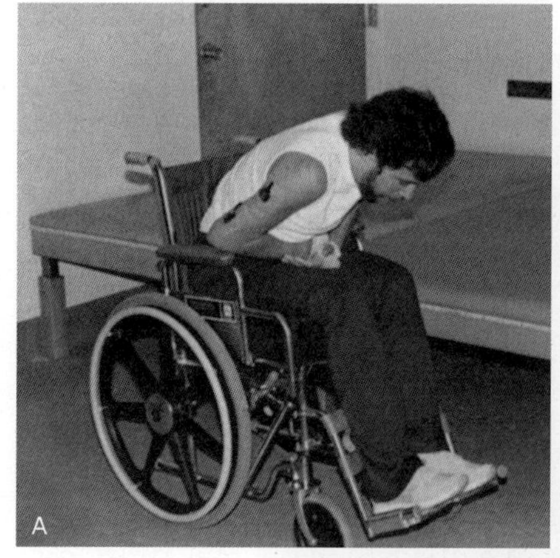

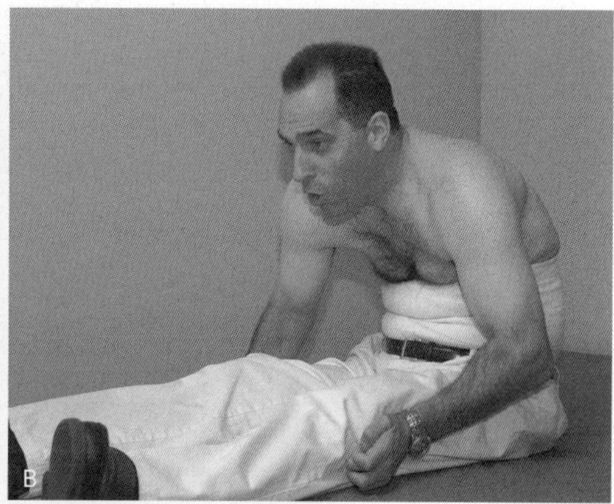

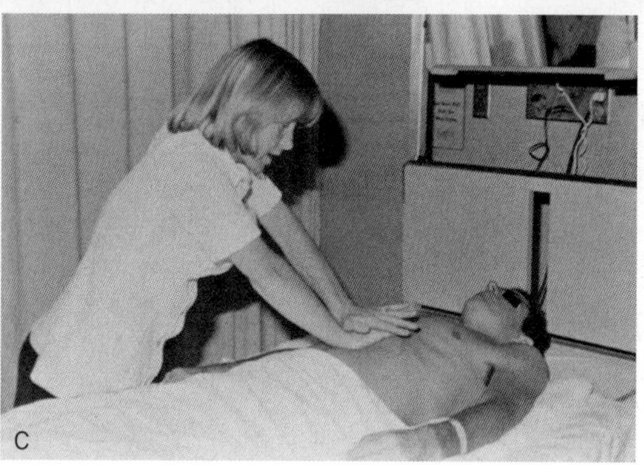

A. 자기 손을 이용해 기침하는 환자
B. 다리 뻗고 앉기 자세에서 도움 받아 기침하기
C. 치료사가 실시하는 보조 기침 기법

*(From Sisto SA, Druin E, Sliwinski MM: *Spinal cord injury: management and rehabilitation*, St Louis, 2009, Mosby.)
†(From Adkins HV, editor: *Spinal cord injury*, NewYork, 1985, Churchill Livingstone.)

자가 팔꿈치 잠금 조작을 수행해 앉기 자세를 취하려면 어깨 바깥 돌림이 필요하다. 전체 팔꿈치 폄은 환자가 다리 뻗고 앉기 자세를 취하기 위해 팔꿈치 잠금을 사용할 수 있도록 해주는 필수 요소다. 세갈래근의 신경지배가 부족한 환자(C5 및 C6 팔다리마비 환자)는 기능적 잠재력을 개선하기 위해서 팔꿈치 잠금 기전(elbow locking mechanism)을 사용한다.

적절한 아래팔 엎침은 영양공급에 필수적인 요소다. 손가락 기능이 부족한 환자는 90도 손목 폄이 필요하다. 손목이 펴질 때 수동 불충분(passive insufficiency)은 힘줄고정(tenodesis)(그림 12-8)이라고 하는 손가락 굽힘근의 속박성 굽힘을 유발한다. 힘줄고정은 환자가 수동이나 능동 손목 폄을 이용해 두꺼운 손잡이가 달린 물체를 잡을 수 있도록 할 때 기능적으로 사용할 수 있다. 이러한 기능적 운동의 결과로, 손목 폄과 함께 외재성 손가락 굽힘근의 신장은 피해야 한다. 손가락 굽힘근이 과도하게 신장되면 환자는 힘줄 고정 쥐기를 수행하는 능력을 잃는다. 손을 펴고 매트 위에 앉아 있으면 손가락 굽힘근이 과도하게 신장된다. 환자가 몸쪽 손가락뼈 사이 관절과 먼쪽 손가

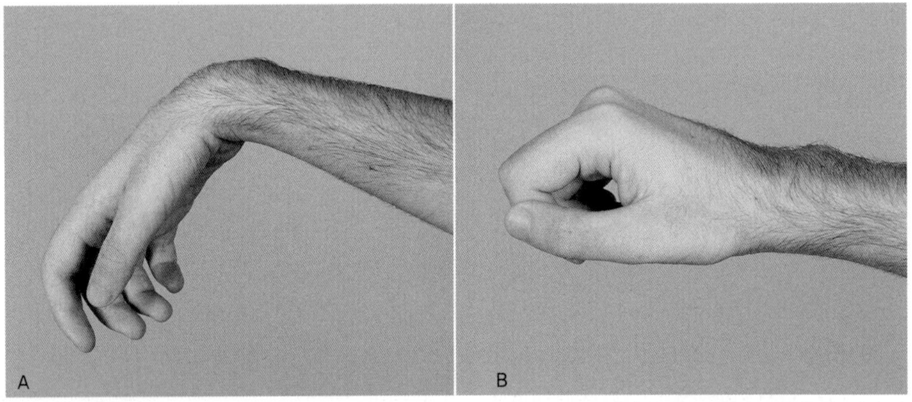

그림 12-8. 팔다리마비 손 기능의 기본 원칙. **A.** 중력의 도움을 받아 손목을 굽힌 채 손가락들과 엄지를 수동적으로 펴서 줌. **B.** 수의적 손목 폄과 더불어 엄지와 손가락들을 수동적으로 오므려 줌. 힘줄 고정 손 기능은 가벼운 물체를 쥐는 데 충분한 힘을 제공한다.

락뼈 사이 관절의 굽힘을 유지하도록 권장해야 한다. 엄지 샅(web space)을 과도하게 넓히는 것도 피해야 한다. 왜냐하면 엄지 벌림근과 굽힘근 경직으로 힘줄 고정 시에 검지와 중지가 맞닿을 수 있기 때문이다. 이때 환자들은 엄지손가락을 기능적 활동을 위한 갈고리로 사용할 수 있다.

헤일로를 제거하자마자 치료사는 목 폄근을 과도하게 늘리지 않아야 한다. 목 폄근의 신장은 머리를 앞으로 기울이는 경향이 있다. 이러한 머리 위치는 환자의 균형을 깨뜨리고, 보조 근육 사용을 억제해 환자의 호흡 기능을 제한할 수 있다.

수동적 운동범위

수동적 운동범위는 마비된 다리로 수행해야 한다. 넙다리뒤인대는 특별히 주의해서 살펴야 한다. 넙다리뒤인대의 필요한 범위는 환자의 팔다리의 길이에 따라 다르지만 다리 뻗고 앉기 자세를 유지하고 다리 옷 입기에 필요한 수동적 넙다리뒤인대 이완의 바람직한 범위는 110도다. 다리를 쭉 뻗을 때 물리치료보조사는 환자의 골반이 안정되어 있는지 확인해야 한다. 허리 근육 구조의 가벼운 경직은 환자의 구르기와 이동 및 앉기 자세 유지에 도움이 되기 때문에 바람직하다. 허리 경직은 환자에게 어느 정도의 수동적 몸통 안정성을 제공한다. 또한 경직된 등 유지와 적절한 넙다리뒤인대 유연성은 환자가 휠체어에 앉아있을 때 엉치에 체중 실어 앉기 자세와 압력 문제를 유발할 수 있는 골반 뒤쪽 기울임을 예방해 준다.

중력과 긴장의 증가로 환자가 구축을 보이기 쉽기 때문에 엉덩이 폄근과 굽힘근 및 회전근의 신장이 필요하다. 휠체어에 타고 내리는 이행을 수행하려면 100도의 엉덩이 굽힘 범위가 필요하다. 다리 옷 입기를 수행하려면 45도 엉덩이 바깥 돌림이 필요하다. 재활 초기에는 호흡 저하 때문에 엉덩굽힘근을 신장시키기 위해서 환자에게 엎드리기 자세를 잡아줄 수 없다. 엎드리기 자세는 가로막 작동 능력을 저해할 수 있다. 그러나 환자가 안전하게 이 자세를 유지할 수 있게 되면 즉시 시작해야 한다. 발목 발바닥 굽힘근 신장은 이동 시에 발의 수동적 안정성을 제공하고, 휠체어 발판에 발을 적절하게 배치시키고, 환자가 보행할 경우에 보조기를 사용하는 데 필요하다. 표 12-6은 수동 운동범위 요구 사항을 검토해 보여 준다.

경고 환자의 목뼈가 불안정한 경우 목뼈의 움직임을 피하기 위해 어깨의 수동 운동범위 운동을 90도 굽힘과 벌림으로 제한해야 한다. 허리뼈의 불안정성은 90도 무릎 굽힘과 60도 무릎 폄으로 제한된 수동적 엉덩이 굽힘을 필요로 한다(Somers, 2010). 수동적으로 곧게 뻗은 다리를 들어 올리는 것은 움직임을 생성하지 않는 범위(골반을 들어 올리는 것)로 제한되어야 한다. 척추가 안정되면 보다 더 적극적인 운동범위 운동을 시작할 수 있다. ▼

근력 강화 운동

근력 강화 운동은 환자 재활의 또 다른 필수 구성 요소다. 급성 단계에서는 골절 부위의 스트레스와 피로를 피하기 위해 조심스럽게 근육을 강화해야 한다. 처음에는 근육 약화에 이차적으로 중력 중립(항중력) 자세에서 근력운동을 해야 할 수도 있다. 중재 12-3, A와 B는 중력 중립화된 자세에서 세갈래근의 근력을 강화하는 모습을 보여 준다. 골절 부위의 안정성에 따라서 팔다리마비 환자의 어깨뼈와 어깨, 하반신마비(paraplegia) 환자의 엉덩이와 몸통에 저항을 가하는 것은 금기일 수 있다. 물리치료사가 환자의 치료 계획을 세울 때는 양측 팔 운동을 통합한 운동이 이롭다. 예를 들어 직선 면에서 수행하거나 고유감각 신경근육 촉진 패턴으로 수행하는 양측 팔 운동은 환자에게 많은 이점을 제공한다. 이러한 유형의 운동은 종종 더 효율적으로 수행되고 팔 운동 중에 척추에 가해지는 비대칭 힘을 감소시킨다. 팔다리마비 환자가 강화해야 할 핵심 근육은 앞어깨세모근과 어깨 폄근 및 두갈래근이다. 하반신마비 환자의 경우에 강조해야 할 핵심 근육은 어깨 내림근과 세갈래근 및 넓은 등근이다. 이러한 재활 초기 단계에서 물리치료보조사는 맨손 저항을 약화된 근육을 강화시키는 주요 수단으로 사용할 수 있다. 또한 벨크로 웨이트(Velcro weights)나 신축성 밴드(elastic band)를 사용할 수도 있다(중재 12-3, C 및 D). 환자의 상태가 진행됨에 따라서 이 물건들을 환자의 침대 옆에 두면 환자가 하루 중 다른 시간에 운동을 할 수 있다. 이러한 물건 중 하나를 환자를 위해 남겨두기로 했다면 환자가 그 물건을 독립적으로 사용할 수 있는지 확인한다. 환자의 손 기능이 감소하면 이러한 장치 중 하나를 적용하는 것이 어려울 수 있다. 하반신마비 환자는 상당히 혹독한 팔 운동을 수행할 수 있다. 바벨과 운동기구, 프리 웨이트 및 신축성 밴드를 저항 운동에 사용할 수 있다.

표 12-6 운동범위 요구 사항

움직임	필요한 범위
어깨 폄	60도
어깨 바깥 돌림	90도
팔꿈치 폄	팔꿈치 전체 폄
아래팔 엎침	아래팔 전체 엎침
아래팔 뒤침	아래팔 전체 뒤침
손목 폄	90도
엉덩이 굽힘	100도
엉덩이 폄	10도
엉덩이 바깥 돌림	45도
수동으로 곧게 펴서 들어 올린 다리	110도
무릎 폄	무릎 전체 폄
발목 발등굽힘	중립

직립에 순응

맨손 신장과 근력 강화 운동 이외에도 환자는 앉기 활동을 시작해야 한다. 초기 외상 및 이차적인 질환 때문에 환자는 며칠이나 몇 주 동안 눕기 자세로 움직이지 못했을 수도 있다. 결과적으로 환자는 기립성저혈압을 경험할 수 있다. 처음에는 간호와 물리치료가 환자의 침대 머리를 들어 올리는 데 중점을 둘 수 있다. 직립 활동을 수행하는 동안 환자의 활력 징후를 주시해야 한다. 기준 맥박, 혈압 및 호흡률을 기록해야 한다. 이전에 언급했듯이, 환자의 혈압이 80/50 mmHg 이하로 떨어지지 않는 한, 콩팥 관류가 적절하다(Finkbeiner와 Russo, 1990). 환자가 침대 머리가 들린 상태에서 앉아 있을 수 있다면 다리 받침대를 들어 올린 상태에서 리클라이닝 휠체어에 앉을 수 있다. 종종 환자는 병상시트나 기계식 리프트를 사용해 휠체어로 옮긴다. 침대 높이와 헤일로 유무에 따라서 병원 침대를 오르내리는 것이 어렵다. 환자가 앉기 자세를 잘 견딜 수 있게 되면, 시간과 고도를 증가시킬 수 있다. 환자가 직립 자세에 익숙해지도록 틸트 테이블을 사용할 수도 있다(그림 12-9).

다리로 체중을 지지하면 골다공증의 영향이 감소하고, 장 및 방광 기능이 향상되고, 나타날 수 있는 비정상적인 근육의 긴장이 감소되는 등 많은 치료 상의 이점을 누릴 수 있다. 이러한 직립 활동 중 환자는 혈압 조절을 돕기 위해 복대, 신축성 스타킹 또는 신축성

중재 12-3 세갈래근과 팔 근력강화

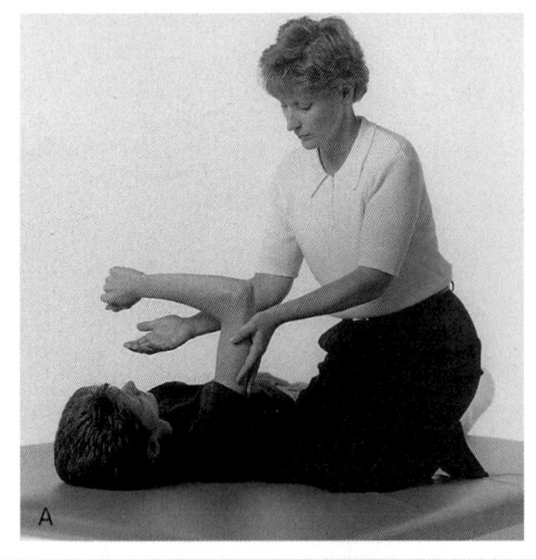

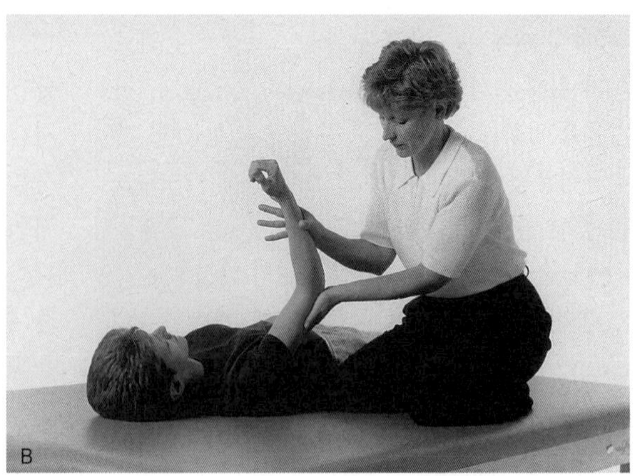

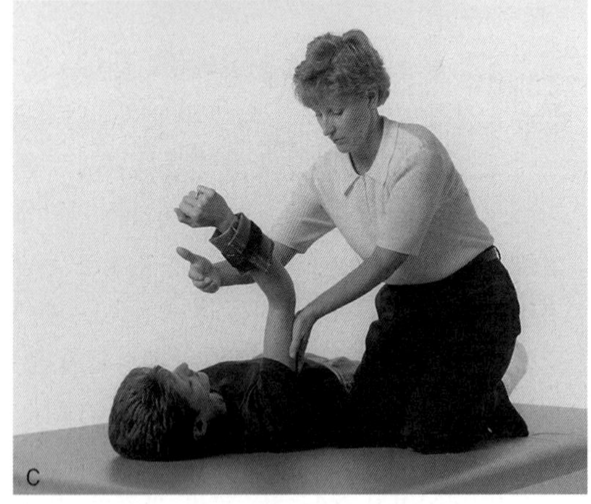

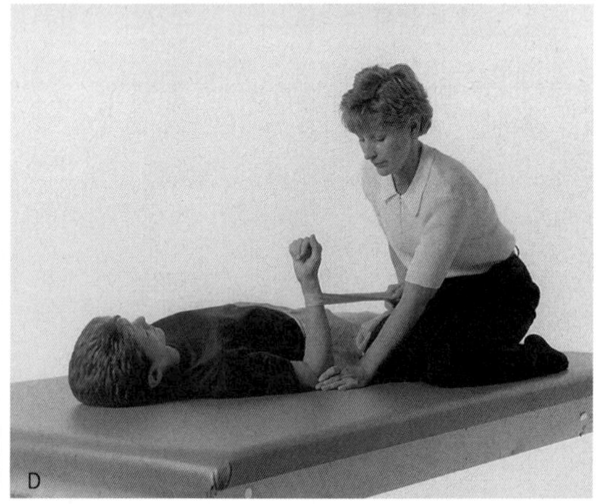

A. 중력 중립화 자세에서 세갈래근 강화하기. 환자의 아래팔을 신중하게 인도해야 한다. 팔 약화로 환자의 손이 얼굴 쪽으로 굽을 수 있다.

B. 세갈래근 강화 운동 시에 추가 저항을 가하기 위해 벨크로 웨이트를 사용한다.

C. 두갈래근 강화를 위해 탄성 밴드를 사용한다.

랩을 착용해야 할 수도 있다. 복대는 중력의 영향을 최소화하여 직립 활동 중에 복부 내용물을 지탱할 수 있다. 복대 꼭대기는 두 개의 가장 낮은 갈비뼈를 덮어야하며, 밑 부분은 환자의 위앞엉덩뼈가시에 놓여야 한다. 복대는 더 먼쪽 끝이 더 가늘어야 한다. 탄력 있는 랩 또는 탄성 스타킹은 다리의 골격근 작용이 없는 상태에서 정맥 복귀를 돕는다. 환자는 직립 자세잡기를 조기에 시도할 때 자율 신경반사 장애가 있는지 조심스럽게 관찰해야 한다.

입원 환자 재활 기간 동안의 물리치료 중재

환자가 의학적으로 안정되면 종합 재활 센터로 옮긴다. 대부분의 환자는 급성 치료 센터에서 약 11일을 보낸다. 환자의 회복을 위한 입원 환자 재활 단계에는 기능적 잠재력을 극대화하는 데 중점을 둔다. 입원 환자 재활의 평균 체류 기간은 약 36일이다(National Spinal Cord Injury Statistical Center, 2013). 급성 회복 단계에서 시작했던 활동은 계속한다. 중재는 호흡 기능, 운동범위, 자세잡기, 신경지배된 근육의 근력을 최대화하는 데 초점을 맞추어야 한다. 추가적인 중재

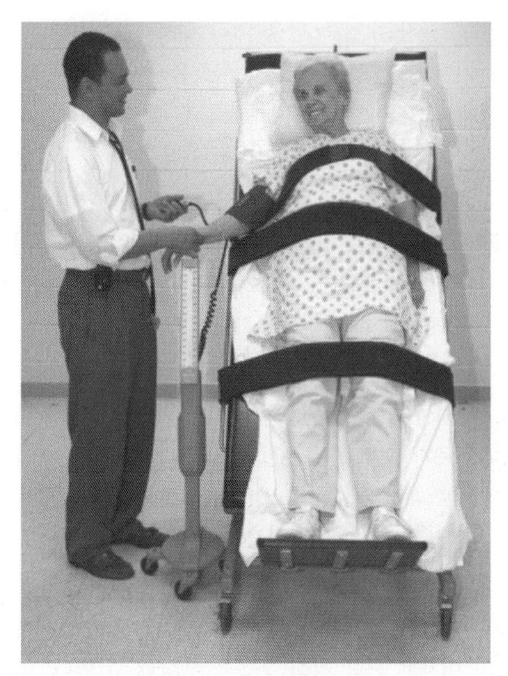

그림 12-9. 환자가 점차적으로 직립 자세를 견딜 수 있도록 돕기 위해 틸트 테이블을 사용한다(From Fairchild SL: *Pierson and Fairchild's principles and techniques of patient care*, ed 5. St. Louis, 2013, Elsevier).

는 환자의 운동조절 발달과 자기 돌봄 활동 습득, 보행(적절한 경우)을 포함한 기능적 활동 습득, 유연성 및 전반적인 체력을 개선하는 치료적 운동, 환자 및 가족 교육과 훈련, 보조기구 추천을 돕기 위해서 지원한다.

물리치료 목표

이 단계에서의 중재 목표는 다양하고 많다. 환자의 신경지배 수준과 그 결과로 나타나는 근육 능력에 따라서 많은 것이 달라진다. 이 단계의 환자 회복 목표는 다음과 같다.

1. 핵심 근육 집단의 근력 증가
2. 독립적인 피부 검사와 압력 완화
3. 넙다리뒤인대와 어깨 폄근의 수동 운동범위 증가
4. 폐활량 증가
5. 침대와 휠체어에서의 직립 자세 내성 증가
6. 독립적인 이동이나 독립적으로 보호자에게 지시하기
7. 독립적인 침대와 매트 이동성 확보나 독립적으로 보호자에게 지시하기
8. 평평한 표면에서 독립적으로 휠체어 추진하기
9. 독립적으로 자동차 운전하기(적절한 경우에만)
10. 집과 학교나 직장으로 복귀하기
11. 독립적으로 가정 운동과 체력 단련 프로그램 수행하기
12. 환자 및 가족 교육과 지도

환자의 동기 및 운동 수준과 진료 팀 및 재활 팀의 철학에 따라 보행에 관한 목표가 적절할 수 있다.

관리 계획 개발

주 물리치료사는 환자 관리 계획을 수립할 책임이 있다. 환자의 목표를 달성하기 위해 선택한 치료 중재는 보상과 회복이라는 두 가지 접근법으로 구분할 수 있다. 보상 접근법은 환자가 손상되지 않은 근육 강화를 포함한 보상 전략을 사용해 새로운 운동 능력을 배운다는 것을 전제로 삼는다. 또 다른 보상 전략으로는 머리-엉덩이 관계와 같은 근육 대체와 추진(momentum) 및 원리 사용, 적응 기구 및 환경 개조의 통합이 있다. AIS A 또는 B(수의적인 운동기능이 손상 부위 아래에 있는 경우)로 분류된 환자는 기능적 기술을 얻기 위해 보상적 접근법을 사용해야 한다. 척수손상 재활 시 회복 접근법을 사용할 때는 기능적 기술 습득에서 정상적인 운동 패턴을 사용하는 환자의 능력에 중점을 둔다. 이전의 운동 능력을 재학습하고 보상 전략의 사용을 제한하는 것은 회복 접근법의 기초가 된다. 기능적 이득은 어느 한 가지 접근법을 독점적으로 사용하거나 두 가지를 통합해서 사용할 때 얻을 수 있다(Somers와 Bruce, 2014, Somers, 2010).

기능적 기술 숙달 외에도, 물리치료사는 환자의 특정 행동을 촉진하고 싶어 할 것이다. 척수손상 환자는 능동적인 문제 해결사가 되어야 한다. 환자는 남아있는 신경지배된 근육을 사용해 움직이는 방법을 결정해야 한다. 또한 응급 상황에서 해야 할 일을 알아야 한다. 예를 들어 환자가 휠체어에서 떨어져 다시 휠체어에 오를 수 없을 때는 누군가에게 지시할 수 있어야

한다. 치료 시에는 과제를 구성 요소별로 나누어야 하고, 물리치료보조사는 환자가 자신의 운동 문제에 대한 해결책을 찾을 수 있도록 해야 한다. 환자는 이 활동을 완벽하게 연습해야 하지만, 그 활동을 완료하기까지의 모든 단계도 밟아 나가야 한다. 예를 들어 팔꿈치 짚고 엎드리기에서 다리 뻗고 앉기로의 이행을 연습한다. 또한 환자는 역으로 이행하는 법도 배워야 한다. 일단 환자가 원하는 최종 자세에 도달하면 그 자세에서 벗어나 다시 시작 자세로 돌아가는 연습을 해야 한다.

척수손상 환자는 재활 중에 성공을 경험해야 한다. 그러므로 환자에게 성공할 수 있는 기회를 제공해주는 활동을 선택해야 한다. 도전적이고 어려운 활동을 드문드문 섞어야 한다. 선택한 치료 활동은 환자가 운동 조절의 다른 자세와 단계 사이의 기술 균형을 개발하는 데 도움이 된다. 환자는 좀 더 도전적인 것을 시도하기 전에 한 자세의 움직임을 완벽하게 익히지 않아도 된다. 마지막으로 관리 계획 내의 중재는 다양해야 한다. 가능한 환자 관리 계획의 다른 구성 요소로는 풀 치료와 매트 프로그램, 기능적 이동성 활동, 집단 활동 및 근력 강화가 있다.

조기 치료 중재

매트 활동

치료 초기에 환자는 구르기를 해야 한다. 이러한 일을 독립적으로 배우는 것은 압력 궤양 예방에 도움이 된다. 환자가 구르기를 연습하는 동안 물리치료보조사는 환자의 엎드리기 자세를 잡아줄 수도 있다. 앞서 언급했듯이 엎드리기는 압력 완화와 엉덩 굽힘근 신장에 좋은 훌륭한 자세다. 환자가 헤일로를 착용하고 있다면 구르기를 할 때 물리치료보조사의 도움이 필요하다. 환자가 엎드렸을 때 환자의 가슴 아래에 웨지를 미리 놓아두는 것이 바람직하다. 환자가 헤일로를 착용하지 않는다면 다음과 같은 방법으로 구르기를 촉진할 수 있다.

1단계. 환자는 머리와 목을 구부리고 머리를 오른쪽에서 왼쪽으로 돌려야 한다.

2단계. 환자는 양측 팔을 머리 위로 펴면서(약 90도 어깨 굽힘) 양측 팔을 좌우로 움직여야 한다.

3단계. 환자는 추진력을 가해서 셋 셀 때 머리를 바라는 방향으로 굽혀 돌리면서 양팔을 같은 방향으로 움직여야 한다.

4단계. 이 활동을 보다 더 쉽게 할 수 있도록 사전에 환자의 발목을 교차시켜놓을 수 있다. 이러한 사전 배치는 환자가 다리를 보다 쉽게 움직일 수 있도록 한다. 왼쪽으로 구르려면 환자의 오른쪽 발목이 왼쪽 발목 위로 올라가야 한다. 중재 12-4는 구르기 순서를 완료한 환자를 보여 준다. 환자가 커프 웨이트(cuff weight)를 손목에 착용하면 추진력이 증가하고 구르기를 촉진할 수 있다.

환자가 누워 있다가 굴러서 엎드리기 자세를 취하자마자 어깨뼈 근육 강화 운동을 수행할 수 있다. 어깨 폄과 어깨 모음, 어깨 모음을 동반한 어깨 내림은 어깨뼈 안정근을 강화하기 위해 수행할 수 있는 세 가지 공통적인 연습이다. 중재 12-5는 이러한 유형의 운동을 수행하는 환자를 보여 준다.

엎드리기

환자는 엎드리기 자세에서 팔꿈치 짚고 엎드리기 자세를 시도할 수 있다. 팔꿈치 짚고 엎드리기는 머리와 목 조절을 촉진하고, 오목위팔 관절과 어깨뼈 근육 몸쪽부의 안정성을 요구하기 때문에 이로운 자세이다. 환자가 팔꿈치 짚고 엎드리기 자세를 취하려면 물리치료보조사의 도움을 받아야 할 수 있다. 물리치료보조사는 환자의 어깨 아래 앞쪽에 손을 올려놓고 들어 올릴 수 있다(중재 12-6, A). 환자의 가슴이 들어 올려 지면 물리치료보조사는 환자의 어깨 또는 어깨뼈 부위 뒤쪽으로 손을 움직여야 한다. 환자가 독립적으로 자세를 잡으려고 시도하는 경우, 팔꿈치를 몸통 가까이에 두거나 어깨 근처에 손을 놓도록 지시해야 한다. 환자는 머리와 몸통 상부를 들어 올리면서 팔꿈치로 매트를 밀어 누르라는 지시를 받는다. 팔꿈치를 어깨 아래에 놓으려면 팔꿈치 정렬을 바로잡기 위해서 체중을

중재 12-4 누워서 굴러 엎드리기

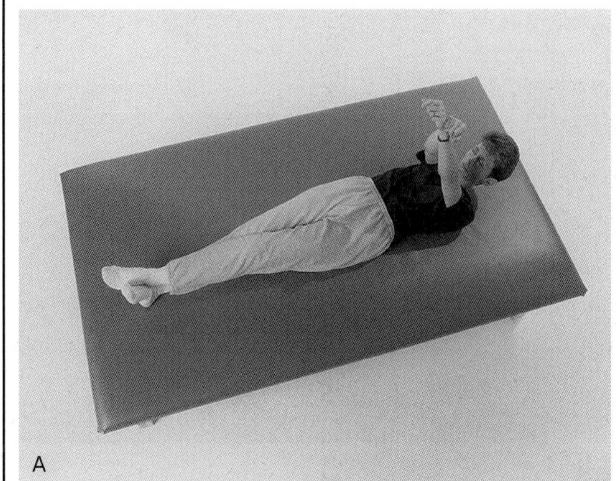

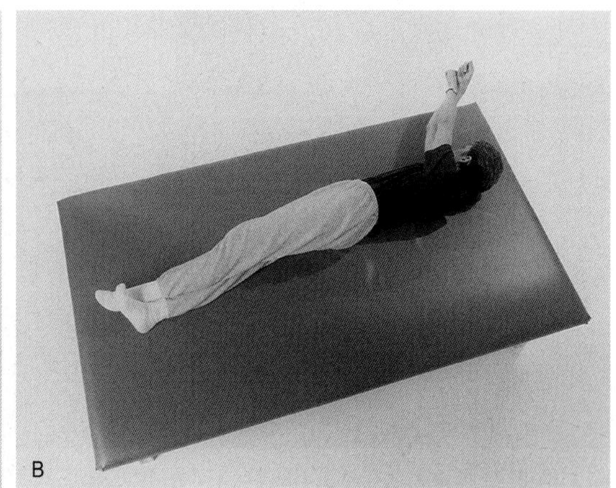

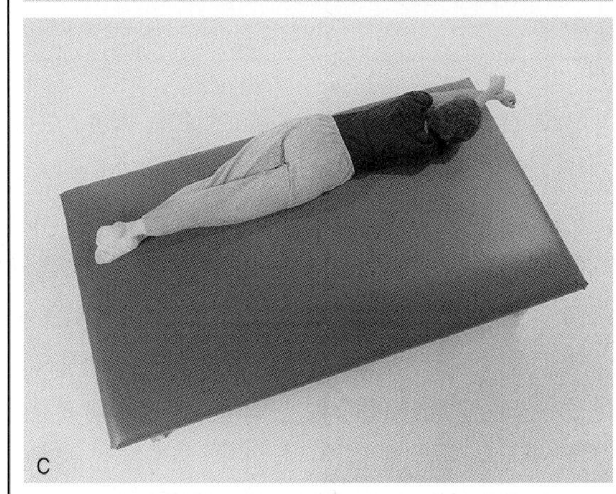

A. 환자가 머리를 굽히고, 추진력을 내기 위해 팔을 수평으로 모으면 누워서 굴러 엎드리기를 촉진할 수 있다. 환자의 다리는 교차시켜서 엉덩이에 쏠리는 체중을 이동시켜 구르기를 돕는다.

B와 C. 환자는 추진력을 가해서 셋 셀 때 머리를 바라는 방향으로 굽혀 돌리면서 양팔을 같은 방향으로 움직여야 한다.

중재 12-5 어깨뼈 근력 강화

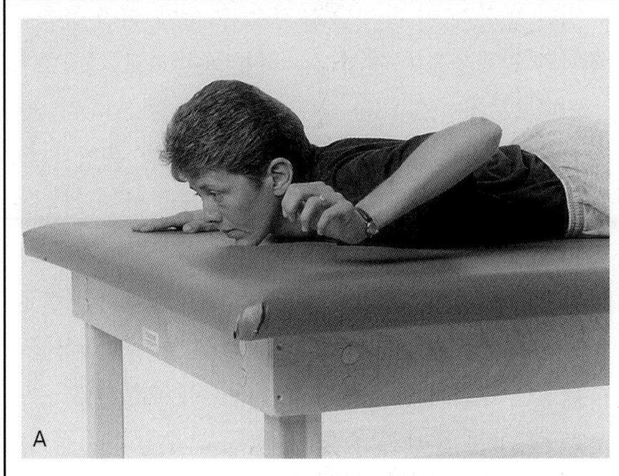

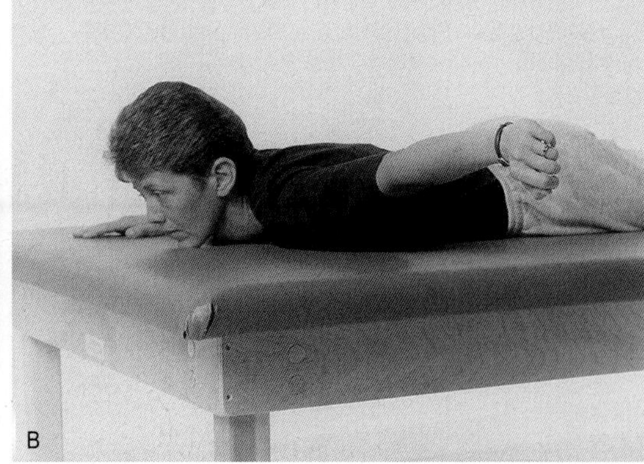

엎드리기 자세에서 어깨뼈 근력 강화 운동을 할 수 있다.

중재 12-6 엎드리기에서 팔꿈치 짚고 엎드리기로 이행

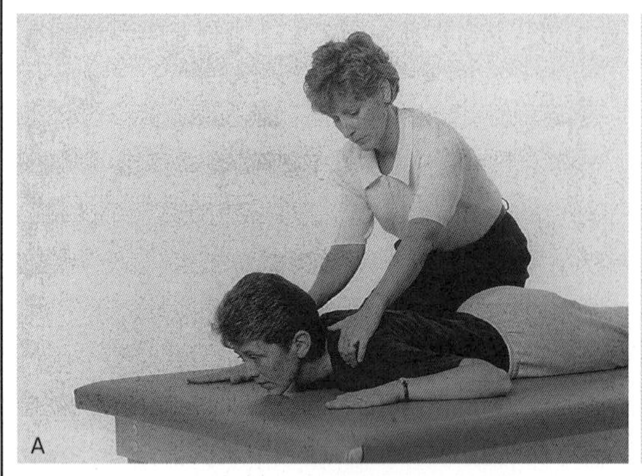

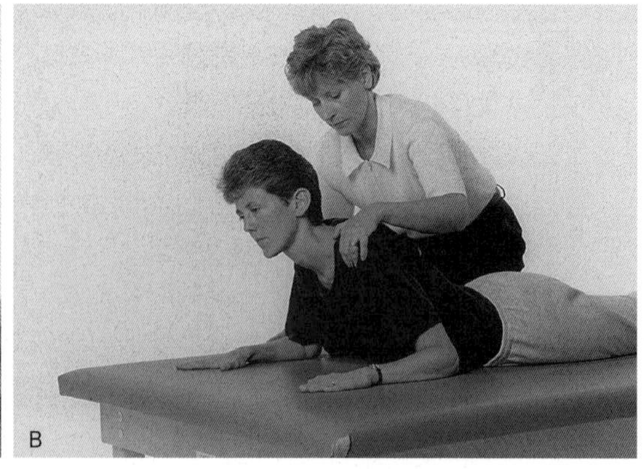

A. 보조사는 환자가 팔꿈치 짚고 엎드리기 자세를 취하도록 도와줘야 한다.
B. 한 쪽에서 다른 쪽으로 체중을 이동하면 팔꿈치를 올바르게 정렬할 수 있다.

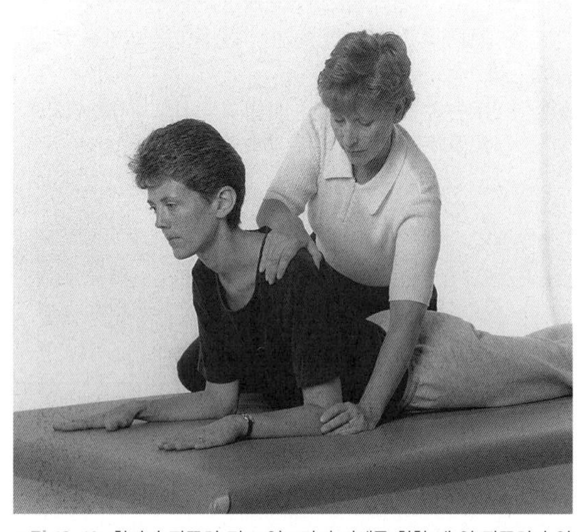

그림 12-10. 환자가 팔꿈치 짚고 엎드리기 자세를 취할 때 양 팔꿈치가 양 어깨 바로 아래에 놓여야 한다. 물리치료 보조사는 어깨 근육 구조의 긴장 유지와 안정화를 개선하기 위해서 어깨를 통해 아래쪽으로 힘(압착)을 가한다.

한 쪽에서 다른 쪽으로 이동시켜야 한다. 이러한 체중 이동은 머리를 오른쪽이나 왼쪽으로 움직여서 수행한다. 물리치료보조사는 이러한 활동 중에 적절한 방향으로 체중 이동을 촉진할 수 있다(중재 12-6, B).

팔꿈치 짚고 엎드리기

팔꿈치 짚고 엎드리기 자세에서 활동을 시작하기 전에 환자는 그림 12-10과 같이 올바른 정렬을 취해야 한다. 환자는 또한 어깨 인대에 매달리는 자연적인 경향에 대응하기 위해서 어깨뼈를 약간 벌리고 아래쪽으로 회전해야 한다. 물리치료보조사는 올바른 자세를 유지할 수 있도록 환자의 어깨뼈에 맨손 신호를 제공해야 할 수도 있다. 어깨뼈를 안정키기 위해서는 어깨를 통해 아래 방향으로 압축을 가하거나 마름모근을 두드려야 한다. 압축은 근육의 긴장 유지를 촉진한다. 팔꿈치 짚고 엎드리기 자세에서 환자는 좌우와 앞뒤로 체중 이동을 연습해야 한다. 환자가 좋은 정렬을 유지하고, 이 자세에서 운동할 때 어깨가 처지는 것을 피하도록 권장해야 한다.

일단 환자가 이 자세를 유지할 수 있게 되면 몸쪽 조절과 안정성을 증가시키는 다른 운동으로 진행할 수 있다. 등척성 교대와 율동적 안정화를 교대로 수행할 수 있다. 등척성 교대를 수행하려면 물리치료보조사가 좌우, 앞뒤로 맨손 저항을 가할 때 바라는 위치를 환자에게 유지하라고 지시해야 한다. 중재 12-7, A는 이 운동을 보여 준다. 치료사가 회전력을 제공할 때 환자는 율동적 안정화와 더불어서 작용근과 대항근 패턴의 등척성 수축을 동시에 수행한다. 중재 12-7, B는 환자와 함께 이 활동을 수행하는 물리치료보조사를 보여 준다. 팔꿈치 짚고 엎드리기 자세에서 수행할 수 있는 다른 활동으로는 한 팔 들어올리

중재 12-7 등척성 교대와 율동적 안정화

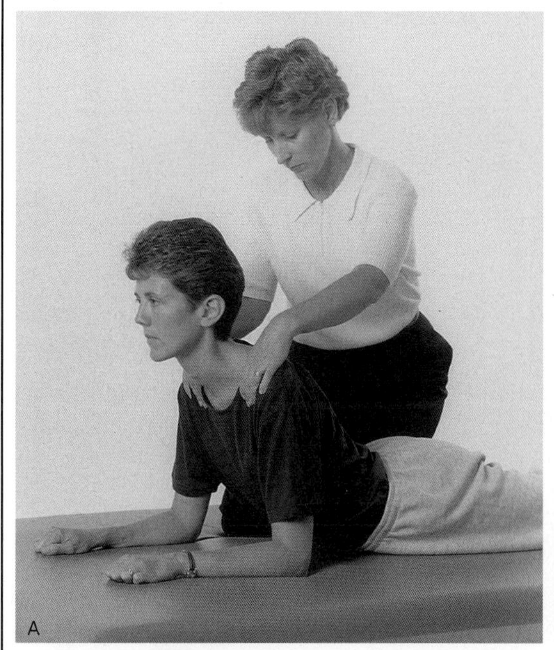

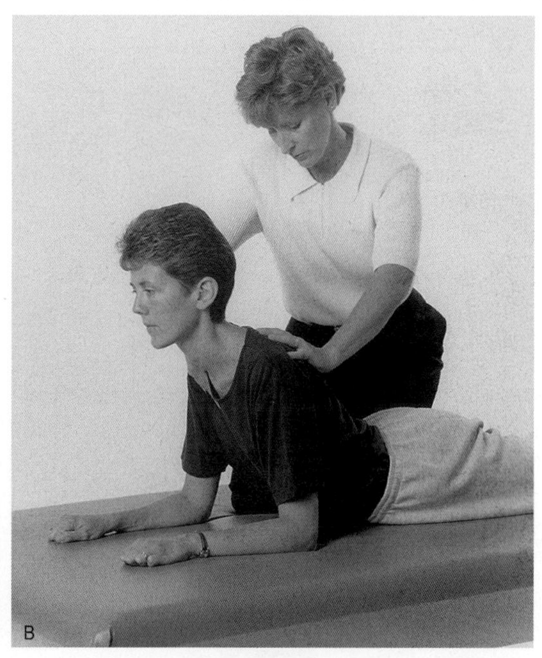

A. 물리치료 보조사가 팔꿈치 짚고 엎드리기 자세를 취한 환자에게 등척성 교대를 시행하고 있다. 환자에게 이 자세를 유지하라고 지시하면서 뒤쪽에서 힘을 가한다.

B. 팔꿈치 짚고 엎드리기 자세에서 율동적 안정화를 수행한다. 물리치료 보조사는 작용근과 대항근에 등척성 수축을 동시에 가하고 있다. 환자가 이 자세를 유지할 때 카운터로테이션 힘을 점진적으로 가한다.

중재 12-8 기타 어깨뼈 근력강화 운동

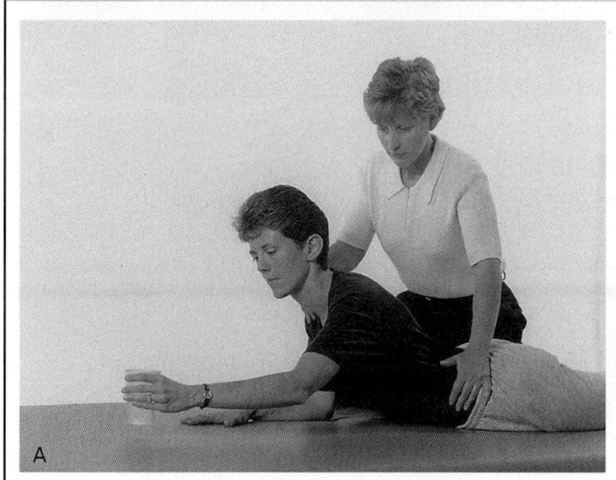

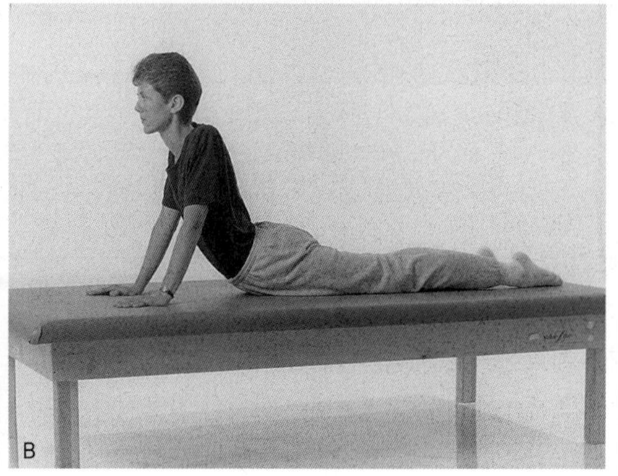

A. 환자가 기능적 물체를 향해 손을 뻗는다. 물리치료 보조사는 체중을 지지하는 어깨가 무너지지 않도록 안정시킨다.

B. 하반신마비 환자가 엎드려 팔굽혀 펴기를 수행한다.

중재 12-9 눕기에서 팔꿈치 짚고 눕기로 이행

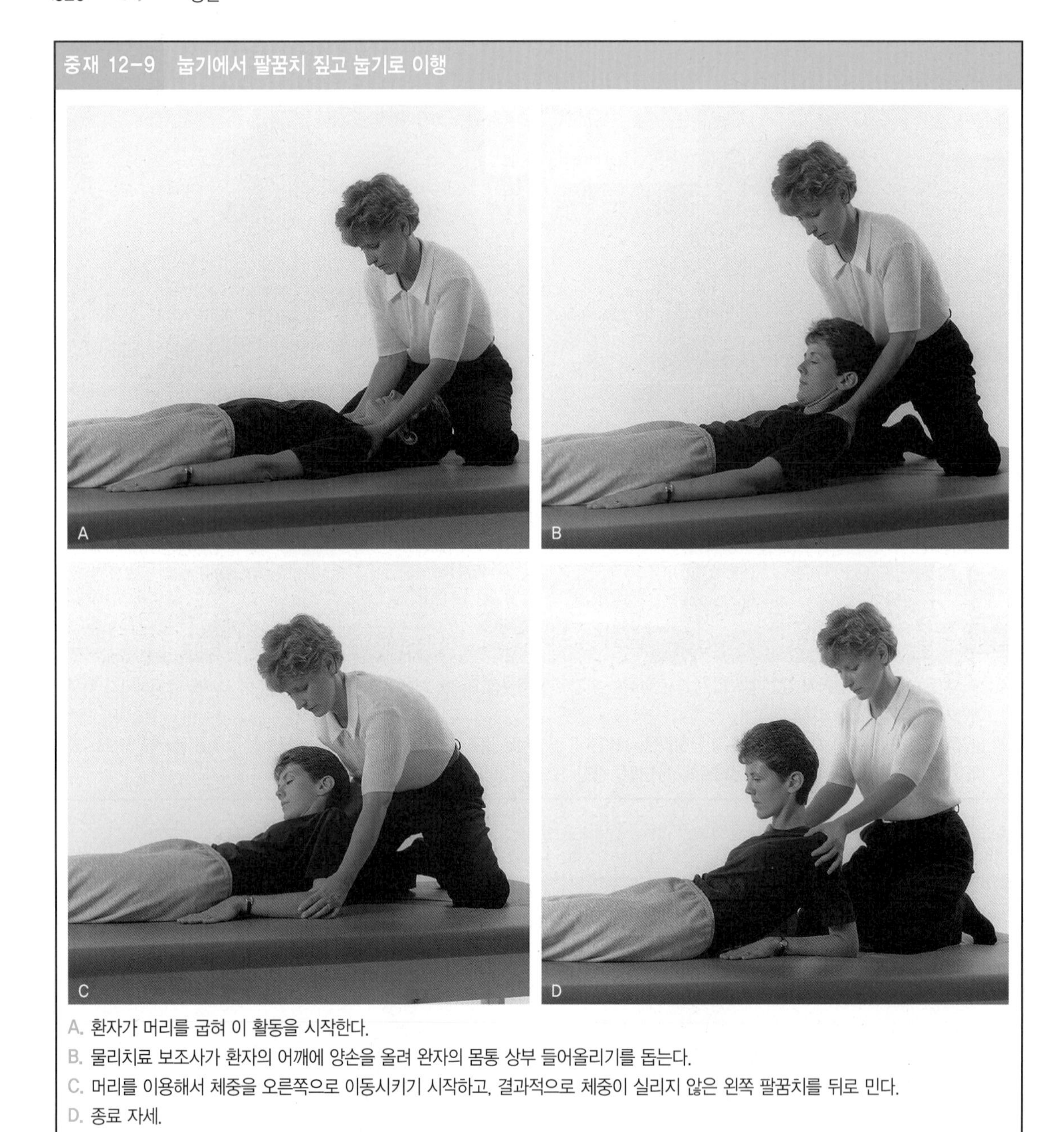

A. 환자가 머리를 굽혀 이 활동을 시작한다.
B. 물리치료 보조사가 환자의 어깨에 양손을 올려 완자의 몸통 상부 들어올리기를 돕는다.
C. 머리를 이용해서 체중을 오른쪽으로 이동시키기 시작하고, 결과적으로 체중이 실리지 않은 왼쪽 팔꿈치를 뒤로 민다.
D. 종료 자세.

기, 한 팔 뻗기, 톱니근 근력 강화가 있다(중재 12-8, A). 톱니근을 강화하기 위해서 환자는 팔꿈치로 매트를 찍어 누르고, 어깨를 들어 올려 둥글게 오므리면서 턱을 당기라는 지시를 받는다. 하반신마비 환자의 경우, 물리치료보조사는 중재 12-8, B에서처럼 엎드려 팔굽혀펴기에 관한 지침을 제공할 수 있다.

엎드리기에서 눕기로 이행

팔꿈치 짚고 엎드리기 자세에서 눕기 자세로 돌아갈 수 있다. 환자는 한쪽 팔꿈치로 체중을 이동시키고 머리를 같은 방향으로 펴서 돌린다. 이때 환자는 체중이 실리지 않은 팔을 뒤로 던진다. 이때 생긴 추진력이 눕기 자세로 굴러서 돌아가는 움직임을 촉진한다.

중재 12-10 눕기에서 팔꿈치 짚고 눕기로의 독립적인 이행

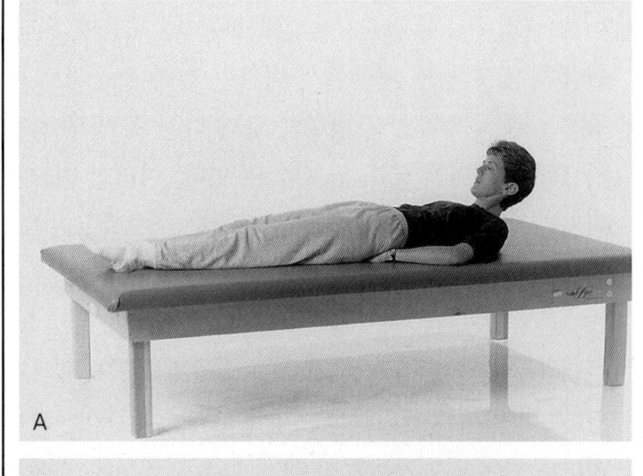

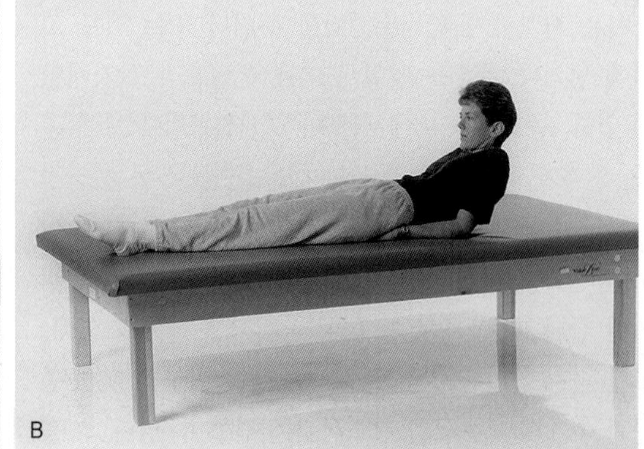

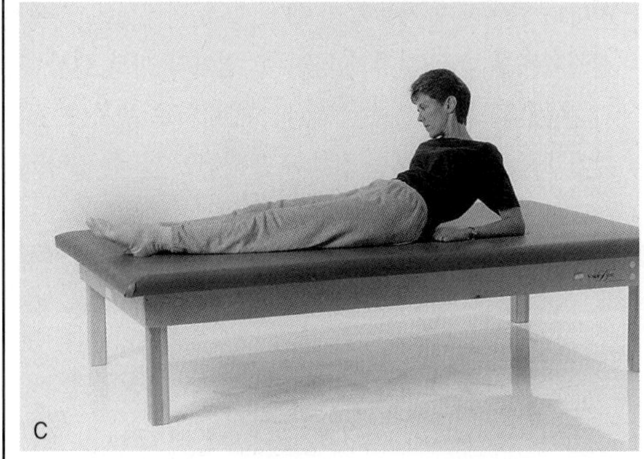

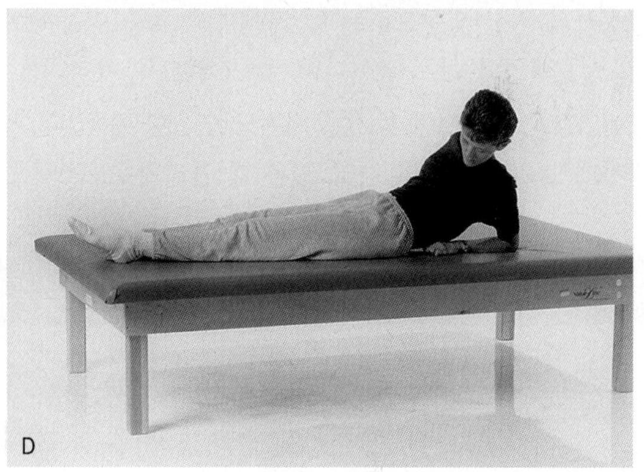

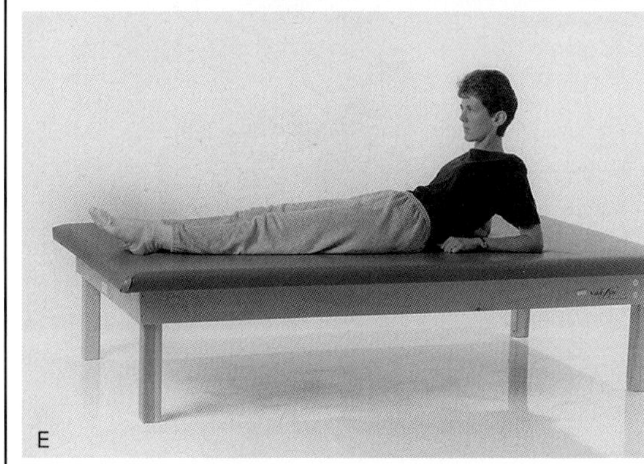

A. 환자가 양손을 미리 엉덩이 아래에 넣어놓는다.
A. 환자가 목을 굽힌다.
C와 D. 머리를 이용해 체중을 이동시키기 시작하면서 팔꿈치를 뒤로 민다.
E. 종료 자세.

팔꿈치 짚고 눕기

팔꿈치 짚고 눕기 자세의 목적은 환자의 침대 이동성을 돕고 오랫동안 앉을 수 있도록 준비하는 것이다. C5 및 C6 수준에서 신경지배를 받는 환자는 도움을 받아야 팔꿈치 짚고 눕기 자세를 취할 수 있다. 중재 12-9는 환자가 눕기 자세에서 팔꿈치 짚고 눕기로 이행하도록 돕는 물리치료보조사를 보여 준다. 환자가 이러한 자세를 취하는 법을 배우기 위해 여러 가지 기술을 사용할 수 있다. 등 위쪽 아래에 베개나 볼스터를 놓으면 환자가 이러한 활동을 하는 데 도움이 될 수 있다. 이 기술은 환자가 자세에 적응하도록 도와주고, 앞 어깨 주머니(anterior shoulder capsule) 신장을 돕는다. 환자가 눕기에서 팔꿈치 짚고 눕기로의 이행을 좀 더 독립적으로 수행할 수 있을 때 물리치료보조사는 환자에게 엄지손가락을 주머니 또는 벨트 고리에 넣거나 양손을 엉덩이 아래에 넣으라고 지시할 수 있다. 중재 12-10에서는 이러한 접근법을 보여 준다. 환자가 이 과제를 수행할 때는 한 팔로 몸을 안정시키면서 두갈래근의 역작용을 이용해 다른 팔을 뒤로 당긴다. 물리치료사와 물리치료보조사는 이 움직임이 끝날 때 환자의 팔 위치를 잡아줄 필요가 있다. 일단 환자가 팔꿈치 짚고 눕기 자세를 취하면 어깨 폄근과 어깨뼈 모음근을 강화하기 시작할 수 있다. 이를 달성하기 위한 활동으로는 이 자세에서 체중 이동하기, 엎드리기로 다시 돌아가기, 다리 뻗고 앉기로 진행이 있다. 누워서 윗몸 일으키기도 연습할 수 있다. 환자가 눕기 자세를 취하고 있을 때 물리치료보조사는 환자의 뒤쳐진 아래팔을 몸 앞에 놓고, 환자가 수정된 윗몸 일으키기 자세를 취하도록 한다. 이 운동은 어깨 굽힘근과 두갈래근을 강화하는 데 도움이 된다. 팔꿈치 짚고 눕기 자세에서 환자는 한쪽 팔꿈치로 체중을 이동시켜서 같은 방향을 보며 다른 쪽 팔을 몸을 가로질러 뻗어서 굴러 엎드릴 수 있다. 이러한 기술은 환자가 엎드리기 자세를 취하는 또 다른 방법이 된다.

다리 뻗고 앉기

다리 뻗고 앉기는 팔꿈치 짚고 눕기 자세에서도 취할 수 있다. 이 자세는 팔다리를 모두 뻗고 앉는 자세로, 팔다리마비 환자에게 기능적 자세다. 이 자세에서는 C7에서 신경지배를 받는 환자가 다리 옷 입기와 피부 검사, 자기 운동범위를 수행할 수 있다. 물리치료 보조사는 환자가 처음에 이 자세를 잡도록 도와줘야 할 수 있다. 다

중재 12-11 팔꿈치 짚고 눕기에서 다리 뻗고 앉기로 이행

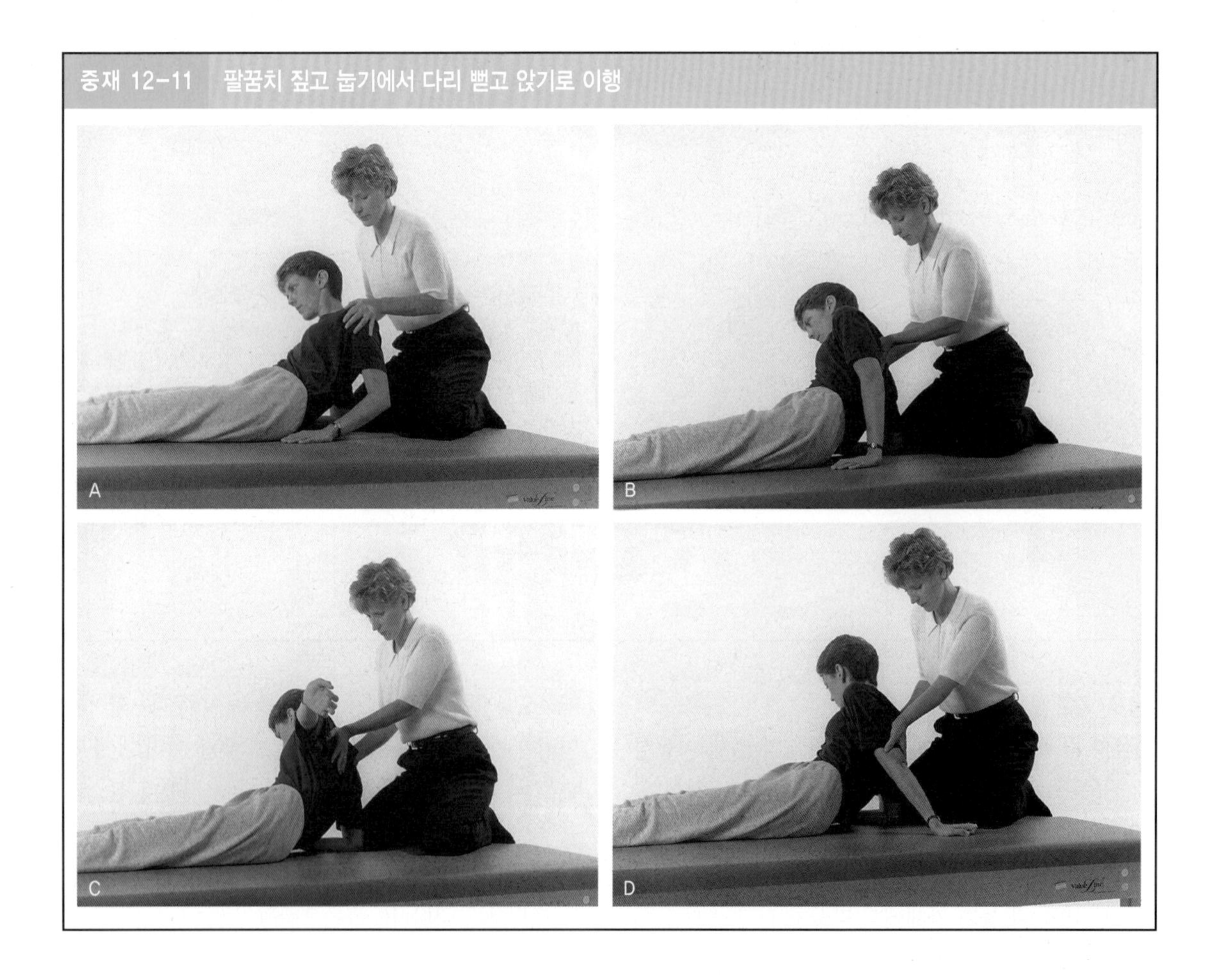

중재 12-11 계속

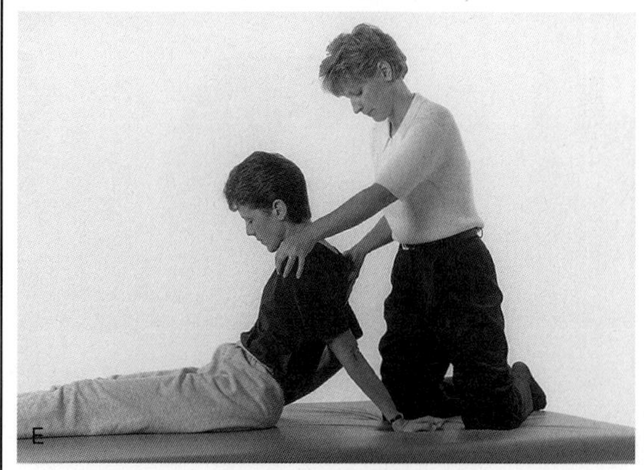

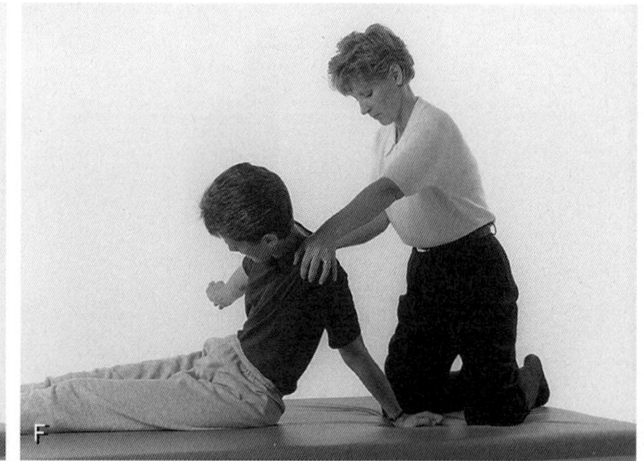

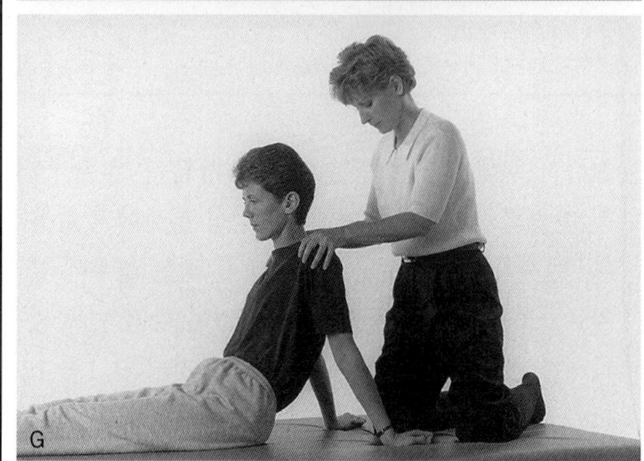

A와 B. 팔꿈치 짚고 눕기 자세에서 환자는 체중을 한 쪽으로 이동시키면서 머리도 같은 방향으로 움직인다.
C. 한쪽 팔꿈치에 체중을 싣고, 다른 팔을 엉덩이 뒤로 던져 펴고 바깥쪽으로 돌린다.
D. 체중이 실리자마자 어깨 바깥 돌림과 내림이 나타날 때의 관절 뼈정렬 때문에 그쪽 팔의 팔꿈치가 생체 역학적으로 잠겨 펴진다.
E. 환자가 정중선으로 체중을 다시 옮긴다.
F. 환자가 한쪽 팔꿈치를 잠그자마자 다른 쪽 팔로 같은 움직임을 반복한다.
G. 종료 위치.

리 뻗고 앉기 자세를 취하는 기법은 다음과 같다.

1단계. 팔꿈치 짚고 눕기 자세에서 몸무게를 한쪽으로 이동시킨다. 환자의 머리가 이 움직임을 따라가야 한다(중재 12-11, A 및 B).

2단계. 한쪽 팔꿈치에 체중을 실으면서 어깨 폄과 바깥 돌림을 수행하며 다른 쪽 팔을 엉덩이 뒤로 던진다(중재 12-11, C). 손이 표면에 닿으면 어깨를 빠르게 올렸다가 내려서 팔꿈치가 펴지도록 유지한다. 팔꿈치는 생체 역학적으로 고정된다(중재 12-11, D 및 E).

3단계. 환자는 자신의 체중을 정중선으로 이동시킨다(중재 12-11, E).

4단계. 환자가 팔꿈치를 한쪽에 고정하자마자 다른 쪽 팔로 그 움직임을 반복한다(중재 프로그램 12-11, F 및 G).

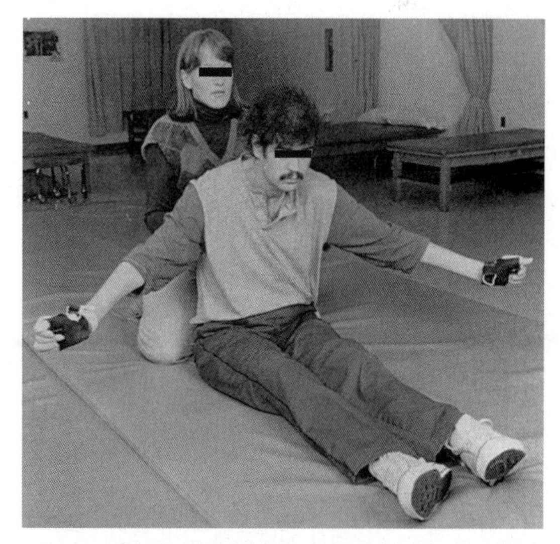

그림 12-11. 다리 뻗고 앉기 자세에서는 환자들에게 수많은 기능적 활동들을 준비시키기 위해서 항상 균형 활동을 강조해야 한다(From Buchanan LE, Nawoczenski DA: Spinal cord injury and management approaches, Baltimore, 1987, Williams & Wilkins).

중재 12-12 다리 뻗고 앉기 자세로 밀어올리기

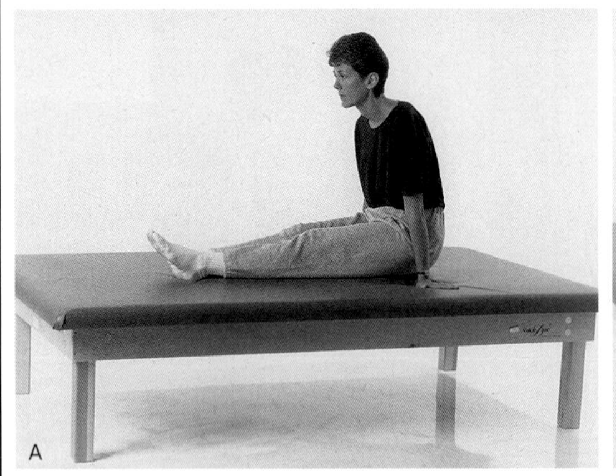

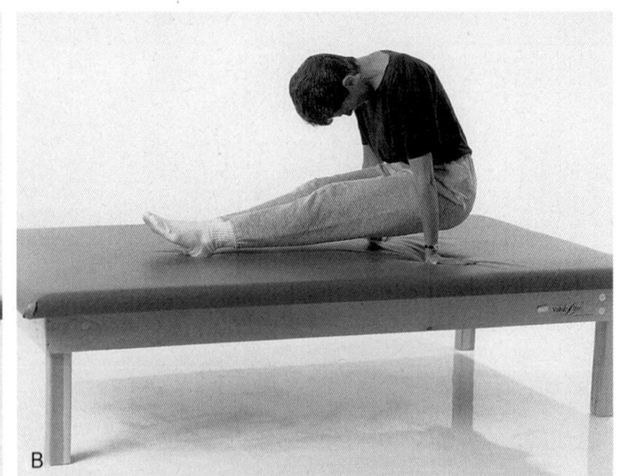

환자가 머리-엉덩이 관계를 이용해 덩덩이 들기를 돕는다.

특별주의 사항 손가락 굽힘근을 과도하게 잡아당기지 않도록 기능적 활동을 수행하는 동안 손가락 굽힘 상태(힘줄 고정)를 유지해야 한다. 이것은 중재 12-11, F 및 G에 나와 있다. ▼

처음에는 물리치료보조사가 팔의 움직임과 위치를 환자에게 알려야 할 수도 있다. 어깨에 필요한 운동범위가 부족한 환자는 이 움직임을 수행하기 어렵다. 앞서 언급했듯이 팔꿈치 굽힘 구축을 보이는 환자는 팔꿈치를 수동적으로 펼 수 없기 때문에 이 자세를 취하고 유지할 수 없다.

곧게 편 다리를 적어도 90~100도 각도로 수동적으로 올리지 못하는 환자는 다리 뻗고 앉기 활동을 삼가해야 한다. 적절한 넙다리뒤인대 운동범위를 확보하지 못한 환자는 허리가 과도하게 신장되고, 궁극적으로 기능적 능력이 저하된다.

C7 이하의 손상을 입은 환자도 다리 뻗고 앉기 자세를 취한다. 이 환자들은 세갈래근 신경지배를 받고 능동적인 팔꿈치 폄을 유지할 수 있기 때문에 다리 뻗고 앉기 자세를 쉽게 취할 수 있다. 환자가 해부학적으로 팔꿈치를 잠근 상태에서 편안하게 다리 뻗고 앉기 자세를 취하면 추가 치료 활동을 할 수 있다. 어깨 관절 주위의 공동 수축을 촉진하고 어깨뼈의 안정성을 촉진하기 위해 어깨에 맨손 저항을 가할 수 있다. 율동적 안정화와 등척성 교대는 안정성 향상에도 유용하다. 환자가 어깨세모근 신경지배를 받는 경우에 물리치료보조사는 환자가 팔의 지지 없이 다리 뻗고 앉기 자세를 취하도록 유도하고 싶어 할 것이다(그림 12-11). 환자는 엉덩이 뒤쪽에서 양손을 엉덩이 쪽으로 움직여, 무릎 앞쪽으로 뻗는다. 환자가 이 움직임을 안전하게 수행하려면 넙다리뒤인대 운동범위가 필수적이다. 일단 환자가 엉덩이 앞쪽 무릎 가까이에 손을 놓을 수 있다면, 한 손으로 체중을 지지하다가 나중에는 양손지지 없이 이 자세를 유지할 수 있다. 이 자세에서 환자는 자기 운동범위와 자기 돌봄 활동을 수행하는 법을 배운다. 물리치료보조사는 이 활동을 수행하는 동안 환자를 주의 깊게 보호한다. 또한 기립성 저혈압이나 자율 신경 반사증의 가능성을 최소화하기 위해 환자의 활력 징후를 주시해야 한다.

세갈래근 기능을 가진 환자의 목표는 다리 뻗고 앉기 자세에서 팔로 밀어올리기를 하는 것이다(중재 12-12). 이 활동을 하려면 보통 환자가 양호 이상의 세갈래근 근력을 지니고 있어야 한다. 환자는 이 운동을 완료하기 위해서 팔꿈치를 곧게 펴고 어깨를 내려서 엉덩이를 들어 올린다. 환자는 엉덩이를 좀 더 높이 들어올리기 위해서 머리와 몸통을 구부린다. 허리

중재 12-13 2인 들기

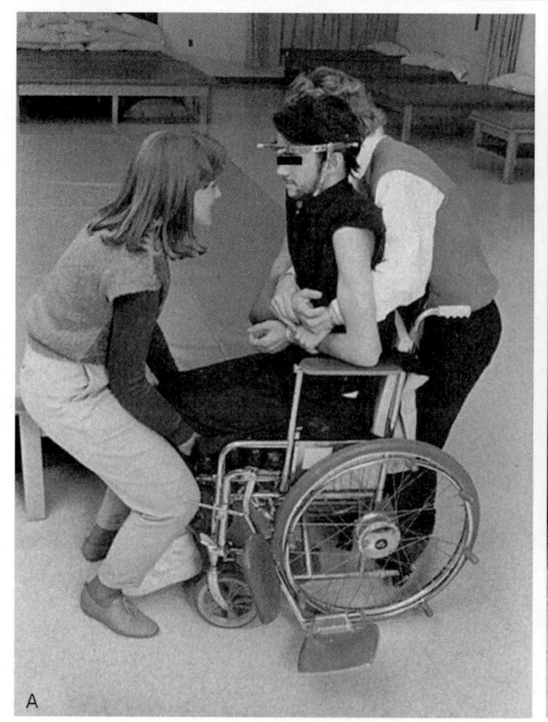

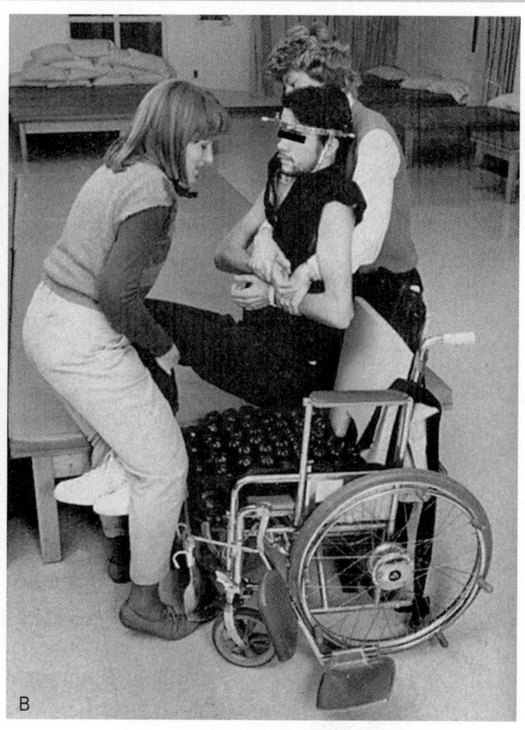

2인 들기 도중에 환자의 엉덩이가 휠체어에서 완전히 들리도록 주의한다. 이런 유형의 이동을 돕는 사람들에게는 좋은 신체 역학이 동등하게 중요하다.

(From Buchanan LE, Nawoczenski DA: *Spinal cord injury and management approaches*, Baltimore, 1987, Williams & Wilkins.)

경직도 이 동작에 도움이 된다. 환자는 이 기술(머리-엉덩이 관계)을 사용해 매트 위에서 움직인다. 이러한 관계는 환자가 기능적 활동을 완료하는 데 사용하는 보상 전략이다. 이 현상은 환자가 한 방향으로 머리를 움직이고 엉덩이를 정반대 방향으로 움직일 때 나타난다(Somers, 2010). 팔 팔굽혀 펴기는 휠체어를 오르내릴 때와 환자가 독립적으로 압력을 완화할 때 사용하는 수단이다.

이동

휠체어에 타고 내리는 이동 기술은 척수손상 환자에게 중요한 기술이다. 높은 목뼈(C1~C4 수준)에 손상을 입은 환자는 이동 시에 전적으로 의존적이다. 2인 들기나 의존적인 앉아서 돌기 이동, 혹은 호이어(Hoyer) 리프트를 사용해야 한다.

준비 단계. 이동하기 전에 환자와 휠체어는 올바른 위치에 있어야 한다. 휠체어는 매트 또는 침대와 평행하게 배치해야 한다. 브레이크를 잠그고 휠체어 발판을 뗀다. 물리치료보조사가 활동을 시작하기 전에 환자는 보행 벨트를 착용하고 있어야 한다.

2인 들기. 높은 수준의 팔다리마비 환자에게는 2인 들기가 필요할 수 있다. 이러한 유형의 이동은 중재 12-13에 나와 있다.

앉아서 돌기 이동. 의존적인 앉아서 돌기 이동 기법은 다음과 같다.

1단계. 환자는 휠체어를 타고 안전하게 이동해야 한다. 물리치료보조사는 환자를 앞으로 움직이기 위해 환자의 체중을 좌우로 이동시킨다. 환자의 엉덩이 아

중재 12-14 앉아서 돌기 이동

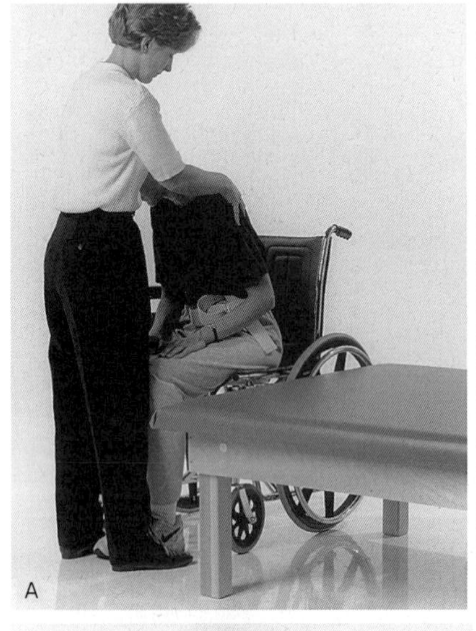

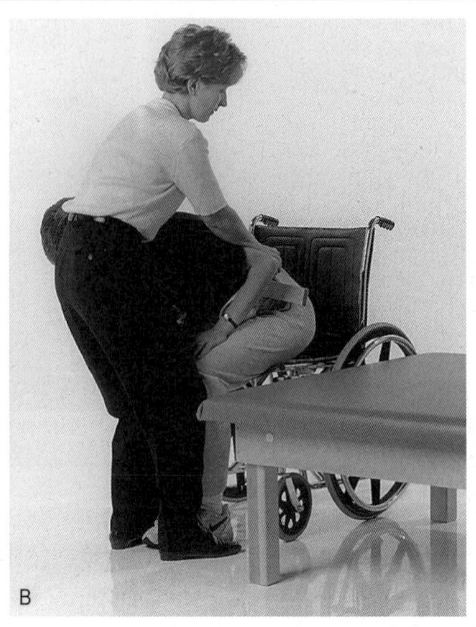

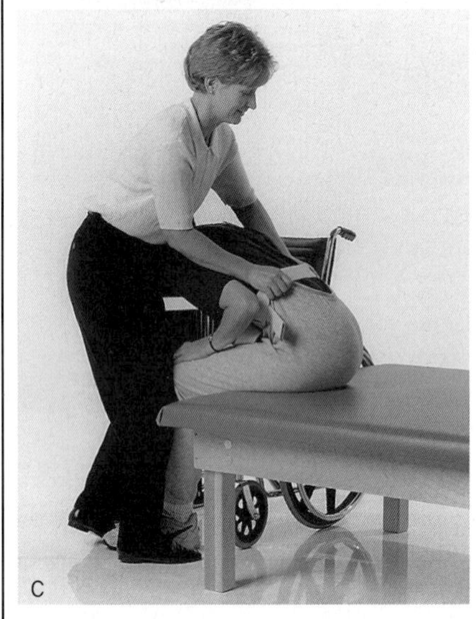

A. 물리치료 보조사는 환자가 휠체어에서 엉덩이 끌기를 하도록 돕는다.
B. 환자가 물리치료사 엉덩이 쪽으로 몸을 숙인다.
C. 환자의 엉덩이를 이동할 표면으로 옮긴다.

래 엉덩뼈결절 부위에 치료사의 양손을 얹는 것이 환자의 체중 이동을 돕는 가장 좋은 방법이다. 환자가 몸통을 똑바로 유지하기에 적절한 몸통 조절 능력을 가지고 있지 않기 때문에 물리치료보조사는 환자의 몸통 위치를 조심스럽게 주시해야 한다. 환자가 휠체어에서 몸을 앞으로 움직이면 매트 또는 침대에서 가장 가까운 팔걸이를 제거해야 한다.

2단계. 물리치료보조사는 환자의 발 위쪽으로 환자의 몸통을 구부린다. 물리치료보조사는 휠체어에서 멀리 떨어진 자기 엉덩이 쪽으로 환자를 끌어당긴다. 이렇게 하면 물리치료보조사는 대부분의 개인이 가장 많은 체중을 지지하는 부위에 가까워진다. 물리치료보조사는 또한 자신의 무릎 사이에 환자의 무릎을 끼워 보호한다.

3단계. 두 번째 사람은 환자의 뒤쪽 엉덩이와 몸통을 움직일 수 있도록 매트 테이블이나 환자 뒤쪽에

중재 12-15 수정된 서서 돌기 이동

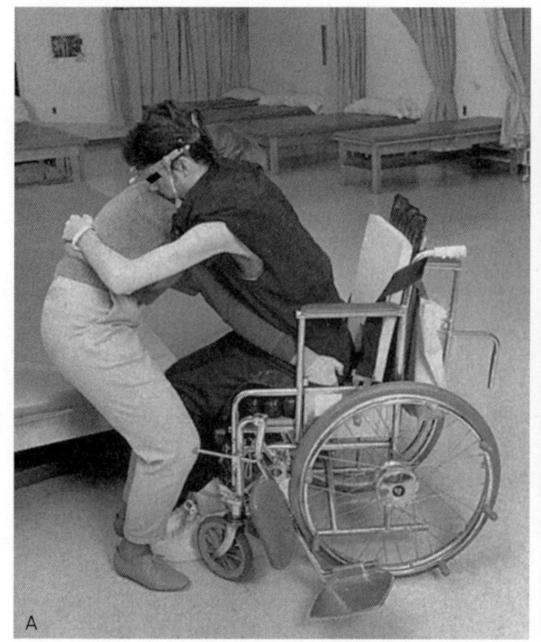

지렛대 원리와 좋은 신체 역학이 이러한 서서 돌기 이동을 촉진한다. 물리치료 보조사는 이 이동을 완료하는 환자를 양팔로 안아서 도와준다.

(From Buchanan LE, Nawoczenski DA: *Spinal cord injury and management approaches*, Baltimore, 1987, Williams & Wilkins.)

위치해야 한다.

4단계. 정해진 수를 헤아렸을 때 환자 앞쪽에 위치한 물리치료보조사는 환자의 체중을 앞으로 이동시키고 환자의 엉덩이를 이동할 곳으로 옮긴다. 손상 위험을 피하기 위해 환자의 발 위치도 주시해야 한다. 일반적으로 이동 종료 시에 나올 발 위치에 환자의 발을 미리 갖다 놓는 것이 이롭다.

5단계. 환자가 매트에 올라가면 환자 앞쪽에 위치한 물리치료보조사가 환자를 똑바로 세운다. 그러나 물리치료 보조사는 환자의 몸통 조절이 부족하기 때문에 환자에게서 손을 뗄 수 없다. 팔다리마비 환자가 필요한 신체적 보조를 못 받으면 균형을 잃고 쓰러질 수 있다. 중재 12-14는 물리치료보조사가 환자와 함께 앉아서 돌기 이동을 수행하는 모습을 보여 준다.

수정된 서서 돌기 이동. 수정된 서서 돌기 이동은 다리 신경지배를 받는 일부 불완전 손상 환자에게도 사용할 수 있다. 또한 다리 폄근 긴장이 있는 환자에게도 수정된 서서 돌기 이동을 사용할 수 있다. 이 전동을 완료하는 단계는 앞에서 설명한 것과 비슷하고, 10장에서 기술한 것과도 유사하다. 이러한 유형의 전동은 중재 12-15에 나와 있다.

에어리프트. 에어리프트 이동은 중재 12-16에 묘사되어 있고, 다리 폄근 긴장이 상당한 환자를 다룰 때 선호하는 이동 유형이다. 환자의 다리는 구부리고 의사의 허벅지 위에 놓인다. 환자는 휠체어에서 나와 이동할 표면으로 이동한다. 치료사는 허리 손상을 피하기 위해 신체 역학을 유지하고 다리를 들어야 한다. 이러한 유형의 이동은 엉덩이의 전단력을 방지하기 때문에 선호된다.

슬라이딩 보드 이동. 슬라이딩 보드로 이동을 지원할

중재 12-16 에어리프트 이동

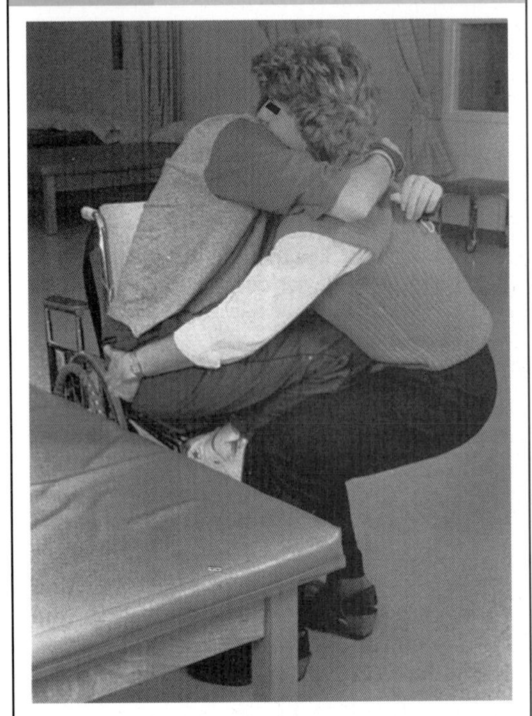

에어리프트 이동 시에 환자의 구부러진 두 다리가 치료사의 허벅지 위나 사이에 들어간다. 환자는 휠체어에서 흔들려 튀어나와 침대나 매트 위로 올려 진다. 환자의 체중은 치료사의 등이 아니라 두 다리로 지탱한다.

(From Buchanan LE, Nawoczenski DA: *Spinal cord injury and management approaches*, Baltimore, 1987, Williams & Wilkins.)

수도 있다. 의자는 가능한 이동할 표면에 가깝게 약 30도 각도로 사전 배치되어야 한다. 환사의 몸통이 무릎 앞쪽으로 구부러지면 물리치료보조사는 환자의 엉덩이 아래의 매트 테이블에 슬라이딩 보드를 놓을 수 있다. 물리치료보조사는 보드를 놓기 위해 환자의 엉덩이를 들어야 할 수도 있다. 치료사는 환자의 능동적 몸통 조절을 파악하고 있어야 한다. 이중 많은 사람들이 몸통을 똑바로 세워 유지할 수 없다. 보드가 적절한 위치에 놓이면 이동 중에 환자의 체중을 지탱할 수 있다. 또한 보드는 이동 시에 환자의 피부를 보호한다. 환자의 엉덩이는 여러 휠체어 부품에 부딪혀 있거나 긁힐 수 있다. 이것은 환자에게 위험할 수 있으며 피부가 손상될 수 있다. 중재 12-17은 물리치료보조사의 도움으로 슬라이딩 보드 이동을 수행하는 환자를 보여 준다.

특별주의 사항 높은 수준의 목뼈 손상 환자는 이동 시에 물리적으로 도움이 되지는 못한다. 그러나 과제 완료 시점에 보호자에게 구두로 지시를 할 수 있어야 한다. ▼

C6 팔다리마비 환자는 슬라이딩 보드를 이용해 독립적으로 이동할 수 있다. 환자가 이러한 유형의 독립성을 가질 가능성은 있지만 C6 팔다리마비 환자는 이동과 관련된 시간과 에너지 때문에 보호자이나 가족 구성원의 도움을 받는 경우가 많다. 휠체어에서 슬라이딩 보드로 이동할 때 환자는 휠체어 부품을 조작하고 슬라이딩 보드를 배치할 수 있어야 한다. 휠체어 브레이크 연장 막대기는 흔하고, 환자는 손목을 움직여 이 휠체어 부품을 조작할 수 있다. 발판과 팔걸이에도 연장 막대기가 달려 있어서 환자가 그러한 부품들을 독립적으로 사용할 수 있다. 팔을 과도하게 사용하는 손상을 예방하기 위해 환자는 매일 수행하는 이동 횟수를 제한하고 극단적인 관절 범위를 피하도록 지시 받아야 한다(Somers, 2010).

환자는 손가락 굽힘근의 경직을 이용해 보드를 적절한 위치로 움직일 수 있다. 환자는 또한 손목을 보드 끝에 놓고 손목 폄을 이용해 보드를 올바른 위치로 옮길 수 있다. 다리를 들어 올리면 엉덩이 밑에 슬라이딩 보드를 놓기가 훨씬 쉽다. 루프를 환자의 바지에 꿰매 붙이면 이 활동이 더욱 쉬워진다. 보드가 제 위치에 놓이면 환자는 다리의 위치를 변경할 수 있다(중재 12-18).

C6 팔다리마비 환자에게는 몇 가지 다른 이동 기술을 사용할 수 있다. 이 수준의 환자와 일할 때 가장 쉬운 방법으로 환자를 이송해야 한다. 이러한 움직임을 완수하기 위해서는 시행착오를 거치고, 환자가 능동적인 문제 해결에 참여하도록 하는 것이 가장 좋다. 물리치료사와 물리치료보조사는 환자에게 움직임 질문에 대한 모든 대답을 제공한다. 환자가 감독 하에 실

중재 12-17 슬라이딩 보드 이용

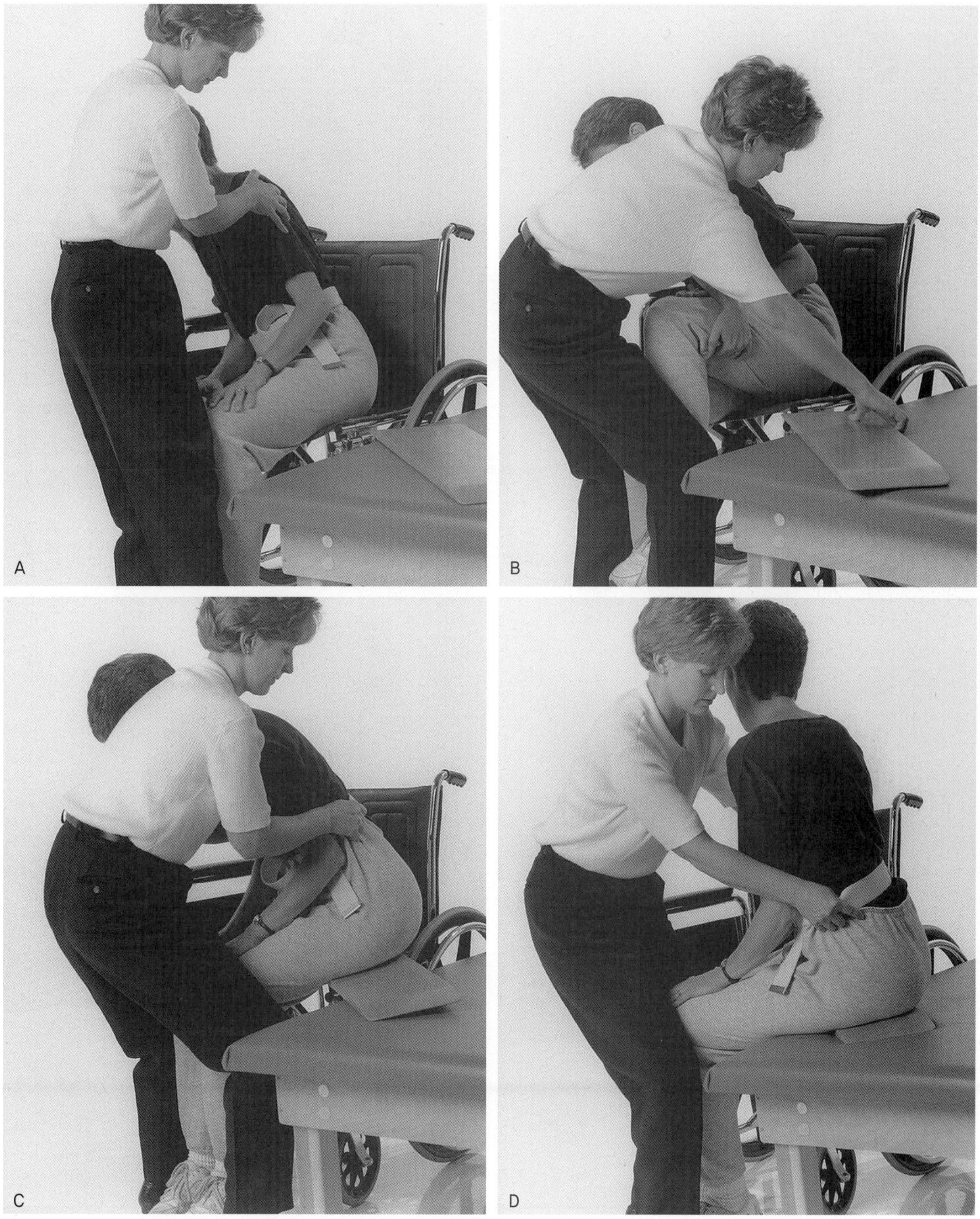

A

B

C

D

A. 환자의 체중을 이동할 표면에서 멀리 떨어진 쪽으로 옮긴다.
B. 환자의 허벅지를 보드 위로 들어올린다. 물리치료 보조사는 환자 앞쪽에서 환자의 다리와 몸통을 차단한다.
C와 D. 환자를 지지면으로 옮긴다.

중재 12-18 독립적인 슬라이딩 보드 이용

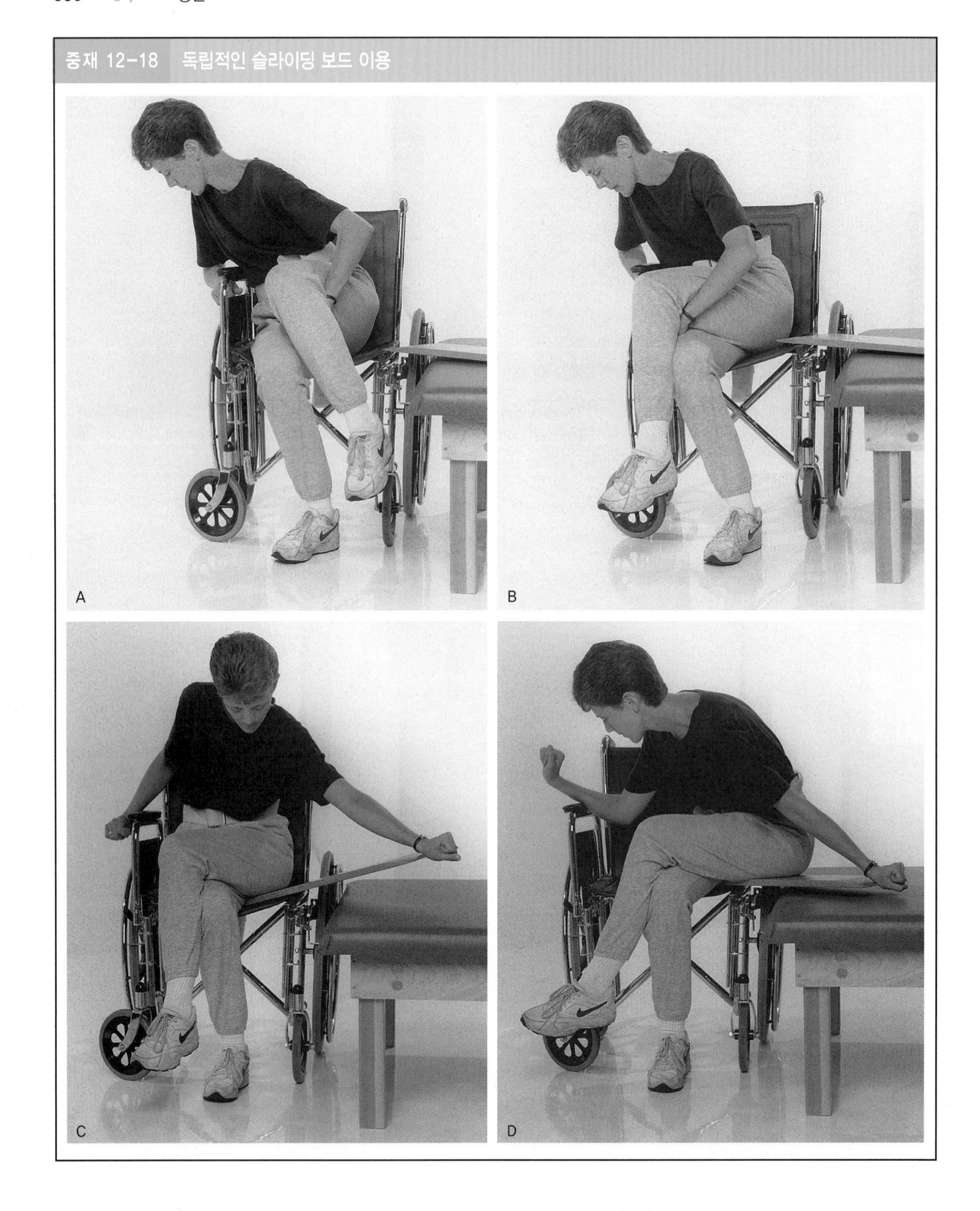

중재 12-18 계속

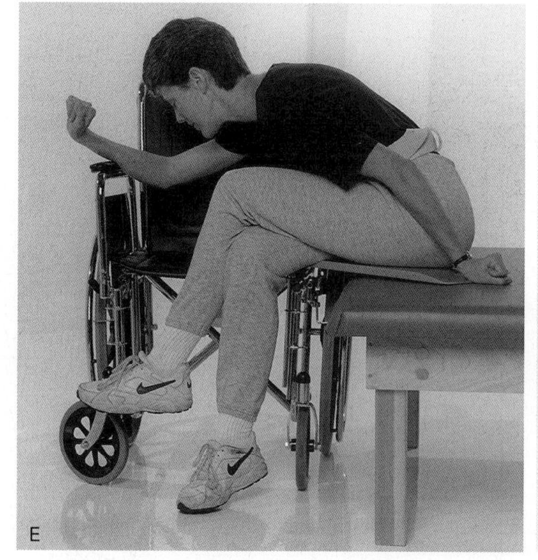

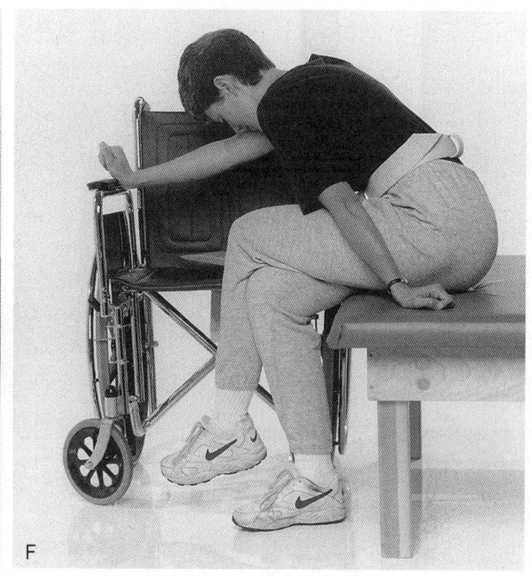

A와 B. 환자는 매트 치료대에서 가까운 다리를 다른 쪽 다리 위로 올려서 슬라이딩 보드 위로 올라갈 준비를 한다.
C. 환자는 매트 치료대에서 가까운 다리 쪽 엉덩이 아래에 슬라이딩 보드를 놓는다.
D. 휠체어 팔걸이에서 가장 가까운 아래팔을 밀고, 슬라이딩 보드를 아래로 밀어서 몸을 휠체어에서 들어올린다.
E. 환자는 치료대에 올라갈 때까지 보드 세로 방향으로 엉덩이를 미끄러뜨린다.
F. 휠체어 팔걸이를 계속 밀고, 다른 팔을 매트 치료대 위에 올려서 엉덩이 끌기로 보드에서 내려와 치료대 위로 올라간다.

험하고 스스로 몇 가지를 시도해볼 수 있다면 결과는 더 좋다.

팔꿈치 짚고 엎드리기 이동. 수정된 팔꿈치 짚고 엎드리기 이동은 환자가 사용할 수 있는 한 가지 방법이다. C6 팔다리마비환자는 여전히 휠체어에 있는 동안 자신의 머리와 몸통을 이동 반대 방향으로 회전시킨다. 이 자세에서는 두 팔꿈치를 구부려서 휠체어 팔걸이에 올려놓는다. 환자는 몸통을 앞쪽으로 구부리고 팔을 아래로 내려서 매트 또는 침대 위로 엉덩이 끌기로 이동한다. 일부 환자는 이동을 돕기 위해 머리를 사용할 수도 있다. 환자는 팔걸이에 이마를 놓고 휠체어에서 움직이면서 몸통의 안정성을 더 높일 수 있다. 환자가 매트 테이블 위에 오르면 팔을 무릎 아래로 넣고, 큰가슴근의 복장뼈 섬유를 사용해 몸통을 편다.

휠체어 밖으로 굴러 나가기. 휠체어 팔걸이를 제거한 후 환자는 몸통을 매트 테이블로 돌린다. 그런 다음 환자는 지지면에 다리를 올려놓는다. 손등이나 바지에 부착된 벨크로 루프를 사용해 다리를 지지면 위로 올릴 수 있다. 환자의 다리가 침대에 올라가면 실제로 환자는 휠체어에서 굴러 나온다. 환자는 옆으로 눕기 자세로 움직이거나 굴러서 팔꿈치 짚고 엎드리기 자세를 취할 수 있다.

가쪽 밀어올리기 이동. 환자가 세갈래근 기능을 보유하고 있는 경우, 슬라이딩 보드 유무에 관계없이 독립적으로 이동할 수 있는 가능성이 크게 높아진다. 앞서 언급했듯이 세갈래근 근력이 좋은 C7 손상 환자는 슬라이딩 보드 없이 가쪽 팔꿈치 펴기 이동을 수행할 수 있어야 한다. 처음에 이런 유형의 환자에게 지시 할 때 물리치료보조사는 슬라이딩 보드를 사용해야 한다. 환자는 보드를 허벅지 뒤쪽에 놓는다. 팔이 비교적 펴진 상태에서 환자는 팔을 아래로 내리고 엉덩이를 슬라이딩 보드에서 들어 올린다. 이동 시작 전에 환자의 발과 다리 위치를 미리 잡아놓는다. 두 발을 바닥에 놓고 이송 방향에서 멀리 회전시켜야 한다.

환자는 필요한 경우 휴식 장소로 보드를 사용하여 천천히 이동한다. 환자의 팔 힘이 향상됨에 따라 환자는 더 빨리 이동할 수 있고 슬라이딩 보드를 사용할 필요가 없다. 높은 수준의 하반신마비 환자도 가쪽 밀어올리기 이동을 수행할 수 있다. 환자의 다리 근력이 양호한 상태가 될 때까지는 서서 돌기 이동이 불가능하다.

중급 치료 중재

매트 활동

이 재활 단계에서 환자 관리 계획의 주요 구성 요소는 매트 활동을 포함한다. 매트 활동은 환자가 근력을 키우고 기능 이동성 기술을 향상시키는 데 도움을 주기 위해 선택한다. 구르기와 눕기에서 엎드리기로 이행, 눕기에서 다리 뻗고 앉기로 이행, 엎드리기에서 눕기로 이행을 포함한 앞서 설명한 기능적 이동성 활동은 환자가 과제를 능숙하게 완수할 때까지 계속 연습한다. 지금부터 보다 진보한 다른 매트 활동에 대해 자세히 설명하겠다.

독립적인 자기 운동범위

C7 팔다리마비 환자는 다리의 자기 운동범위 내에서 지시를 받아야 한다. 팔 지지 없이 다리 뻗고 앉기 자세를 취하는 것은 자기 운동범위 내에서 독립적이 되는 전제 조건이다. 첫 번째 운동은 넙다리뒤인대 신장이다. 두 가지 방법을 사용할 수 있다. 환자는 다리 뻗고 앉기 자세에서 발가락 쪽으로 몸을 기울일 수 있다. 환자는 팔꿈치를 무릎에 대서 다리 폄을 도울 수 있다. 허리 척추 앞굽음 유지는 허리 근육 조직의 과도한 신장을 예방하는 데 중요하다(중재 12-19).

두 번째 방법은 환자가 눕기 자세로 돌아가면서 무릎 아래에 손을 대고 뒤로 젖히는 것이다. 한 손은 무릎 앞쪽에, 다른 한 손은 발목에 대고 다리를 가능한 곧게 펴려고 하면서 들어올린다. 환자는 다리를 좀 더 신장하기 위해 가슴 쪽으로 더 가깝게 당길 수 있다. 환자가 손 쥐기 기능을 제대로 수행할 수 없는 경우에는 손목이나 아래팔 등을 사용해 이 활동을 완료할 수

중재 12-19 넙다리뒤인대 신장

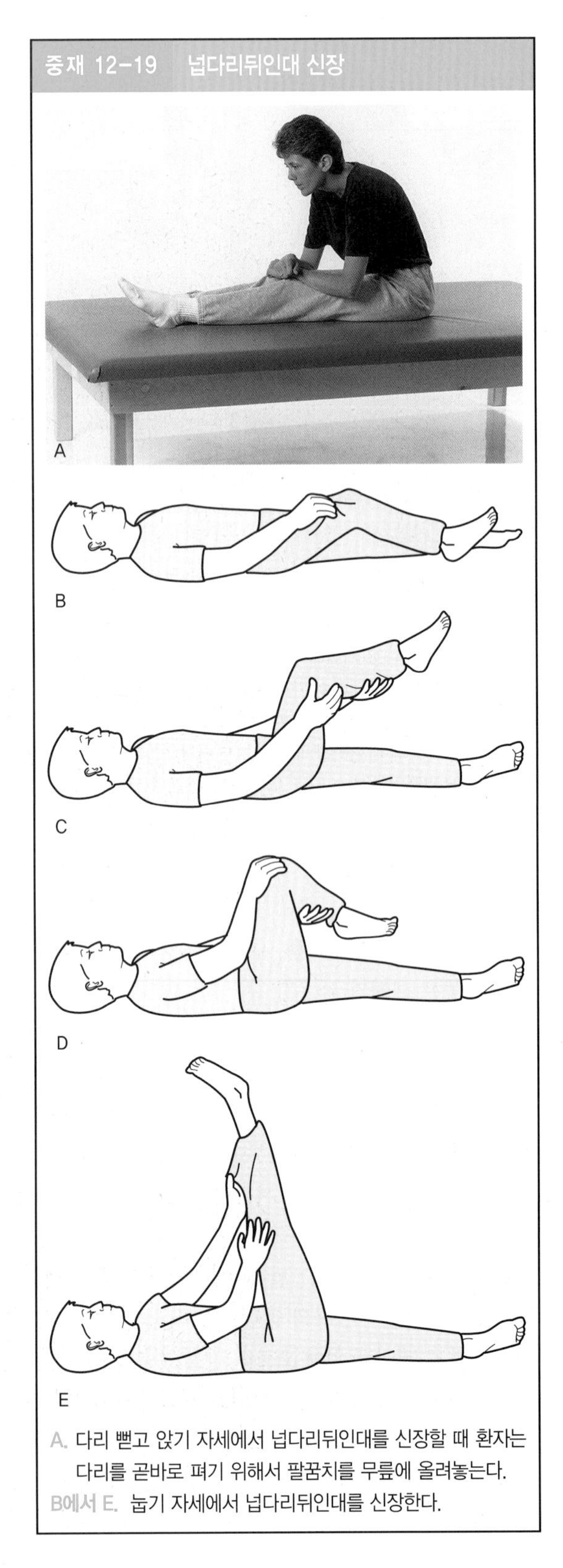

A. 다리 뻗고 앉기 자세에서 넙다리뒤인대를 신장할 때 환자는 다리를 곧바로 펴기 위해서 팔꿈치를 무릎에 올려놓는다.
B에서 E. 눕기 자세에서 넙다리뒤인대를 신장한다.

있다. 중재 12-19는 넙다리뒤인대 신장을 하는 환자를 보여 준다.

큰볼기근도 신장되어야 한다. 한쪽 팔로 균형을 잡으며 다리 뻗고 앉기 자세를 취한 환자는 자유로운 손을 같은 쪽 무릎 아래에 놓는다. 환자는 무릎을 가슴 쪽으로 당기고 자세를 유지한다. 다리가 원하는 위치에 놓이면 아래팔의 손바닥을 정강이 앞쪽에 대고 다리를 더 가까이 당길 수 있다. 이렇게 하면 큰볼기근이 추가로 신장된다(중재 12-20).

환자는 또한 매일 엉덩 굽힘근을 신장해야 한다. 이 활동은 하루의 대부분을 앉아서 보내는 사람들에게 특히 중요하다. 엉덩 굽힘근을 신장하는 가장 효과적인 방법은 엎드리기 자세를 취하는 것이다. 환자는 매일 최소한 20~30분 동안 엎드리기 자세를 취하는 것이 좋다. 휠체어에 타고 내릴 수 있는 환자는 침대나 바닥에서 이 활동을 할 수 있다.

엉덩이 벌림근과 모음근, 안쪽 돌림근과 바깥 돌림근을 신장하려면 앞에서 설명한 것처럼 다리 뻗고 앉기 자세를 취해야 한다. 무릎이 구부러진 위치로 올라온다. 환자는 손 지지 없이 천천히 안쪽 가쪽으로 다리를 움직여야 한다. 환자는 다리를 지지하기 위해서 무릎 아래에 팔을 넣어 유지할 수 있거나 손을 무릎 안쪽이나 가쪽 표면에 올릴 수 있다(중재 12-21).

발목 발바닥 굽힘근도 신장해야 한다. 환자는 신장하고 있는 발과 같은 쪽 팔로 몸을 지탱한다. 무릎이 약 90도 굽힘 된 상태에서 환자는 발바닥 표면에 반대쪽 손등이나 발바닥 표면을 댄다. 손의 위치는 환자의 손 기능 정도에 따라 달라진다. 손목 폄근이 강한 환자는 손목을 움직여 발목 발등굽힘근을 천천히 신장시킬 수 있다(중재 12-22). 손목과 손가락 기능을 가진 하반신마비 환자는 어려움 없이 이 활동을 완료할 수 있다. 무릎 굽힌 상태에서 발목 발등굽힘근을 신장하면 가자미근만 신장된다. 환자는 발바닥 표면에 접은 수건을 대고 다리 뻗고 앉기 자세를 취해 장딴지근을 신장시킬 수 있다. 수건 양쪽 끝 부분을 잡아당겨서 신장을 증가시킨다.

고급 치료 중재

고급 매트 활동

하반신마비 환자의 경우에는 고급 매트 운동을 하는 것도 적절하다. 무릎 구부려 앉기나 다리 뻗고 앉기 자세에서 환자는 앉기 균형을 유지하고 균형의 중심과 안정성의 한계를 찾는 연습을 할 수 있다. 앉기 균형을 유지하기 위해 팔을 사용하는 것은 환자의 운동 수준에 달려 있다. 환자가 자세와 균형을 유지하려고 시도하는 동안 체중 이동, 손 뻗기 및 기타 기능적 팔의 활동을 수행할 수 있다. 환자의 상태가 진행됨에 따라서 치료사는 표면을 변경할 수 있다. 수행할 수 있는 다른 고급 매트 활동에는 앉아서 흔들기(swing-through), 엉덩이 흔들기(swayer), 몸통 뒤틀고 올리기, 엎드려 팔굽혀 펴기, 네발기기 자세에서 앞으로 손 뻗기, 기기, 양 무릎 서기 등이 있다. 이러한 각 활동을 실행하는 데 사용하는 기법은 다음과 같다.

앉아서 흔들기:

1단계. 환자는 팔로 지지하며 다리 뻗고 앉기 자세를 취한다. 환자의 두 손은 환자의 엉덩이에서 약 6인치 정도 뒤쪽에 놓여야 한다.

2단계. 환자가 어깨를 내리고 팔꿈치를 편다. 엉덩이는 지지면에서 들어올려져야 한다.

3단계. 환자는 엉덩이를 양손 사이에서 흔든다.

엉덩이 흔들기:

1단계. 환자는 팔로 지지하며 다리 뻗고 앉기 자세를 취한다.

2단계. 환자는 한 손을 가능한 엉덩이에 가깝게 둔다. 다른 한 손은 다른 쪽 엉덩이에서 약 6인치 정도 떨어져 있어야 한다.

3단계. 환자는 엉덩이를 들어 올리고 엉덩이를 멀리 떨어진 손 쪽으로 움직인다.

4단계. 환자가 매트를 가로질러 옆으로 움직인다.

5단계. 환자는 양방향으로 움직이는 연습을 해야 한다.

중재 12-20 큰볼기근 신장

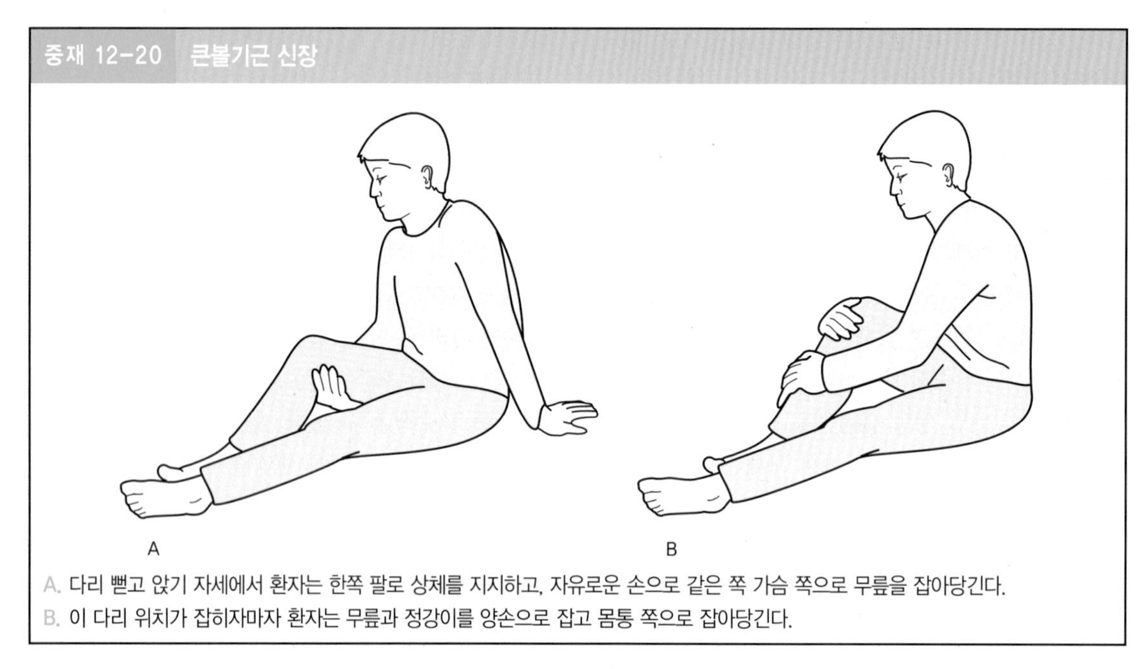

A. 다리 뻗고 앉기 자세에서 환자는 한쪽 팔로 상체를 지지하고, 자유로운 손으로 같은 쪽 가슴 쪽으로 무릎을 잡아당긴다.
B. 이 다리 위치가 잡히자마자 환자는 무릎과 정강이를 양손으로 잡고 몸통 쪽으로 잡아당긴다.

중재 12-21 엉덩이 돌림근 신장

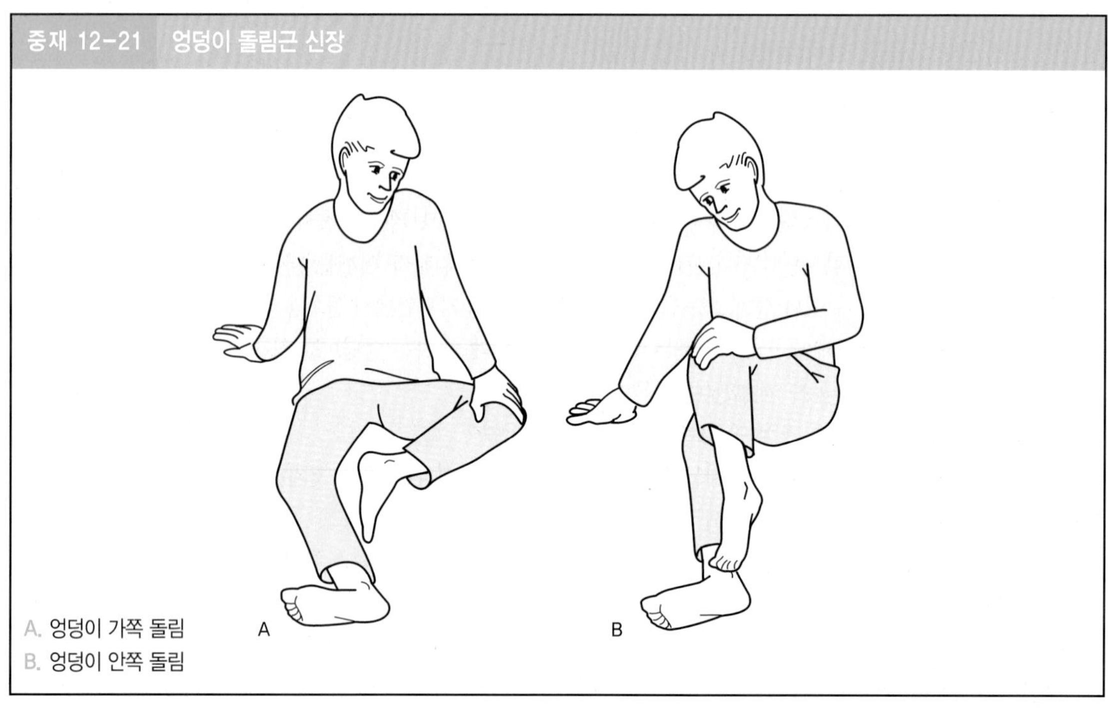

A. 엉덩이 가쪽 돌림
B. 엉덩이 안쪽 돌림

몸통 뒤틀고 올리기:

1단계. 환자는 옆으로 앉기 자세를 취한다.

2단계. 환자는 양손을 지지면에서 더 가까운 엉덩이 근처에 놓는다.

3단계. 환자는 팔꿈치를 곧게 펴서 엉덩이를 네발기기 자세로 올렸다가 매트 위로 내려온다.

4단계. 반대 측에서도 이 활동을 한다.

중재 12-22 발목 발등굽힘

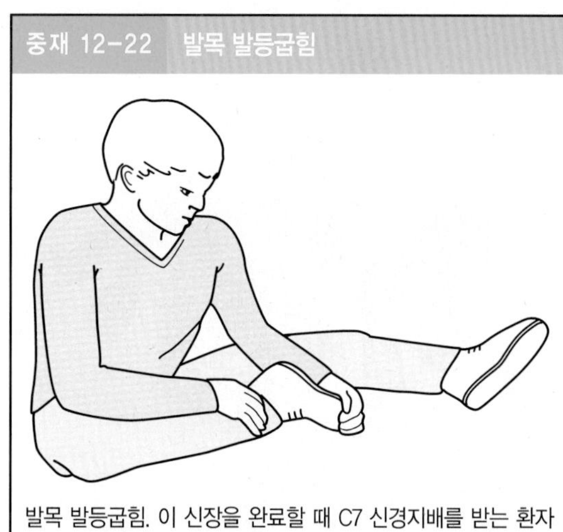

발목 발등굽힘. 이 신장을 완료할 때 C7 신경지배를 받는 환자들은 한쪽 팔을 뻗어서 몸통을 지지해야 한다.

엎드려 팔굽혀 펴기:
양손을 어깨 옆에 놓고 엎드린 자세에서 환자는 팔꿈치를 펴고 상체를 지지면에서 들어올린다.

앞으로 손 뻗기:

1단계. 환자는 네발기기 자세를 취한다. 일부 환자는 도움을 받아야 이 자세를 취할 수 있다. 환자가 팔꿈치를 펴는 동안 엎드리기 자세를 취하고 골반 뒤쪽으로 체중을 이동시켜서 이 자세를 취할 수 있다. 이때 도움이 필요할 수 있다. 환자가 허리나 엉덩이 주위에 보행 벨트를 하고 팔을 밀어 올릴 때 물리치료보조사는 일어서서 환자를 걸터앉아 환자의 엉덩이를 위로 당긴다.

2단계. 환자가 네발기기 자세를 유지하기 어려워할 때 환자의 복부 아래에 볼스터나 다른 물체를 놓을 수 있다. 다리 폄근 긴장이 증가한 환자는 주의 깊게 살펴야 한다. 환자가 엉덩이와 무릎을 구부릴 수 없으면 환자의 다리가 경직되어 펴질 수 있다.

3단계. 환자가 네발기기 자세를 유지할 수 있게 되면 앞뒤 안팎으로 체중을 이동할 수 있을 뿐만 아니라 등척성 교대와 율동적 안정화를 교대로 수행할 수 있다.

4단계. 환자는 또한 균형을 유지하면서 한쪽 팔을 앞으로 뻗는 연습을 할 수 있다.

5단계. 환자의 몸통 조직이 신경지배를 받는다면 환자는 등을 굽혀서 처지게 하는 연습을 할 수 있다.

기기:
환자의 기기 능력은 다리 근육의 신경지배에 달려 있다. 이 활동을 수행하기 위해서는 엉덩 굽힘근의 근력이 필요하다.

1단계. 환자는 네발기기 자세를 취한다.

2단계. 환자는 한쪽 팔과 반대쪽 다리를 교대로 움직여 나아간다.

양 무릎 서기:

1단계. 환자는 네발기기 자세를 취한다.

2단계. 의자, 벤치 또는 볼스터를 이용해 양 무릎 서기 자세로 몸을 들어올린다. 이때 엉덩이의 Y인대를 깔고 있어야 한다.

3단계. 처음에는 환자가 이 자세에서 균형을 잡기 위해 노력한다.

4단계. 환자가 균형을 유지할 수 있게 되면 등척성 교대와 율동적 안정화 및 손 뻗기 활동을 교대로 할 수 있다.

5단계. 환자는 무릎 높이 목발을 사용할 수 있다. 목발을 짚고 균형을 잡을 수 있고, 목발 하나를 들어올리고, 두 목발을 앞으로 전진시키고, 뒤로 당길 수 있다.

이러한 활동의 기능적 중요성이 널리 퍼져 있다. 앉아서 흔들기와 엉덩이 흔들기, 엎드려 팔굽혀 펴기 운동은 이동에 필요한 팔의 힘을 향상시키고, 보행을 도와준다. 몸통 뒤틀기 운동은 휠체어에서 바닥으로의 이동을 포함해 환자의 몸통 조절을 향상시킨다. 네발기기 자세에서 한쪽 손을 뻗으면 팔의 근력과 협응이 발달해 환자가 바닥에서 휠체어로 이동할 수 있는 능력이 향상된다. 네 발로 기면 환자의 몸통과 다리 근육 조절에 도움이 된다. 네발기기는 환자가 바닥에서 취할 수 있는 유용한 자세이기도 한다. 양 무릎 서기는 몸통 조절의 발달을 촉진한다. 또한 환자가 바닥에서 휠체어로 이동할 때 이용할 수 있고, 보행 전 활동이 되기도 한다. 이러한 중재를 시행할 때도 운동조절 단계(이동성, 안정성, 통제된 이동성 및 기술)를 고려해야 한다.

이동

휠체어에서 바닥으로 이동. 하반신마비 환자에게는 어떤 이유로 휠체어에서 벗어나게 될 때 휠체어에서 떨어지는 법과 다시 휠체어로 돌아가는 법을 알려줘야 한다. 또한 바닥은 엉덩 굽힘근 신장을 수행하기 좋은 장소다. 병원에서 물리치료사나 물리치료보조사는 그림 12-12에서와 같이 환자를 바닥 쪽으로 내려서 이 기술을 연습한다. 환자는 머리를 숙이고 휠체어에 팔을 올리라는 지시를 받아야 한다. 환자는 팔을 이용해 떨어지는 충격을 완화하려고 노력해야 한다. 팔의 폄은 손목 골절을 초래할 수 있다. 환자는 또한 다리가 올라와서 얼굴을 치지 않도록 한쪽 팔을 무릎에 올리고 싶어할 수도 있다.

환자가 바닥에 있을 때 휠체어로 다시 돌아갈 수 있는 방법이 몇 가지 있다. 환자가 휠체어를 바로 세워서 휠체어로 다시 돌아가는 것이 가장 쉽다. 환자가 휠체어 앞에서 지지하고 무릎 서기 자세를 취할 수 있다면 중재 12-23에서처럼 휠체어로 몸을 끌어올릴 수 있다. 환자가 적절한 팔 근력과 운동범위를 소유하고 있다면 다리 뻗고 앉기 자세로 휠체어에 다가가 어깨를 내리고 엉덩이를 올려서 휠체어에 다시 탈 수 있다. 이때 환자의 손은 엉덩이 근처에 위치한다. 이 시도에서 목을 굽히면 머리-엉덩이 관계를 통해 엉덩이를 들어 올리는 데 도움이 된다. 이러한 유형의 이동이 가능할지라도 많은 환자들은 성공적으로 이동을 완료할 수 있는 적절한 근력을 갖고 있지 않다. 병원에서는 작은 발판 의자나 여러 개의 매트를 사용해 이 기술을 연습할 수 있다. 다리 뻗고 앉기 자세에서는 먼저 발판으로 이동한 다음 휠체어로 다시 이동한다. 중재 12-24는 바닥에서 휠체어로 이동하는 환자를 보여 준다. 환자는 휠체어 앞바퀴를 앞으로 돌리고, 한 손은 앞바퀴에, 다른 한 손은 휠체어 좌석에 올려놓고 몸을 위로 밀어 올린다.

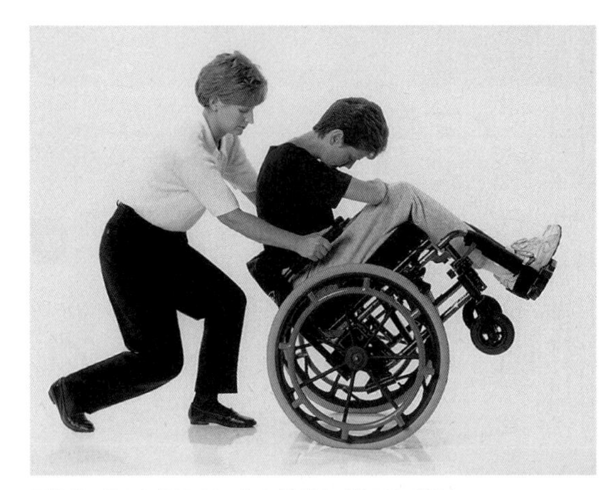

그림 12-12. 물리치료 보조사가 환자를 바닥으로 내린다.

휠체어 바로 세우기. 상체 근력이 좋은 사람은 기울어진 휠체어에 앉은 채로 휠체어를 바로 세울 수 있다. 이 활동을 성공적으로 수행하려면 바닥에 닿은 팔로 몸을 밀어 올리고, 머리와 몸통 상부를 이용해 체중을 이동시키고, 휠체어와 닿은 손을 잡아당기는 것이 아니라 밀어 내려야 한다는 사실을 기억해야 한다. 중재 12-25는 이 활동을 완료하는 사람을 보여 준다.

> 경고 이러한 활동을 수행하는 동안 경고를 해야 한다. 다리 및 엉덩이 감각이 부족한 환자들이 이 활동을 수행할 때는 그들의 다리 위치를 주시해야 한다. 이런 환자들은 우연히 날카로운 휠체어 부품에 부딪힐 수 있고, 이러한 손상으로 피부가 찢어질 수 있다. ▼

팔다리마비 환자는 휠체어에서 바닥으로 독립적으로 이동할 수 없지만 이 과제를 연습해야 한다. 이러한 환자들은 지역 사회에서 이러한 상황에 처했을 때 다른 사람들에게 자신들을 도와줄 수 있는 방법을 알려줄 수 있어야 한다.

고급 휠체어 기술

신경지배를 받고 근력이 있는 손가락 근육을 지닌 환자는 고급 휠체어 기술 교육을 받아야 한다. 지역 사

중재 12-23 양 무릎 서기에서 휠체어로 이동하기

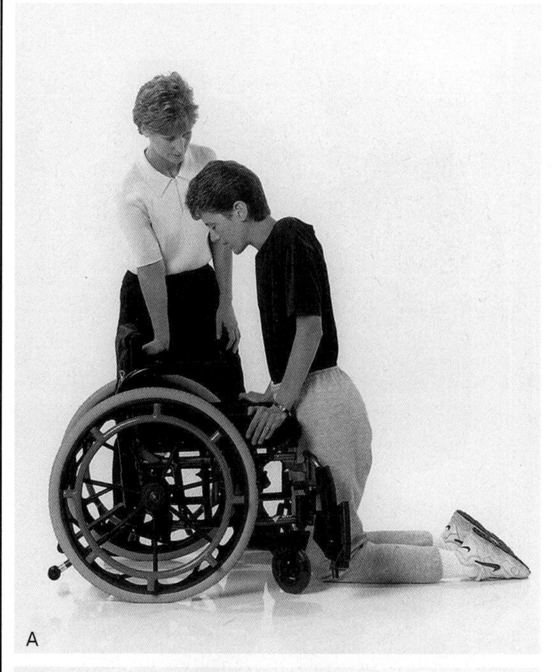
A

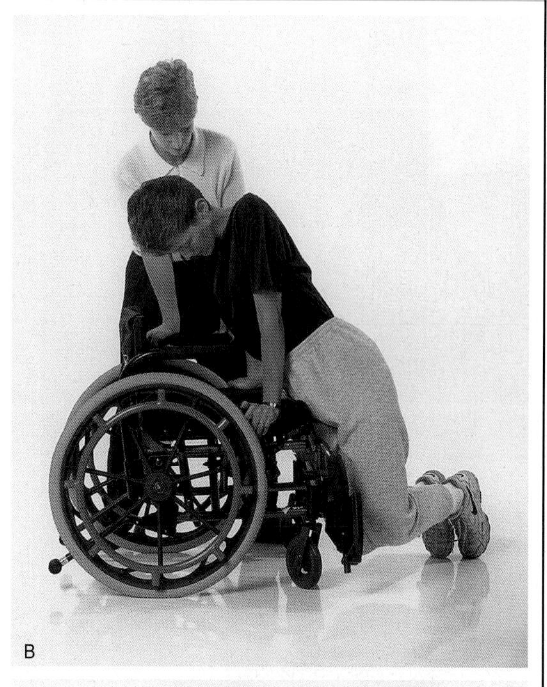
B

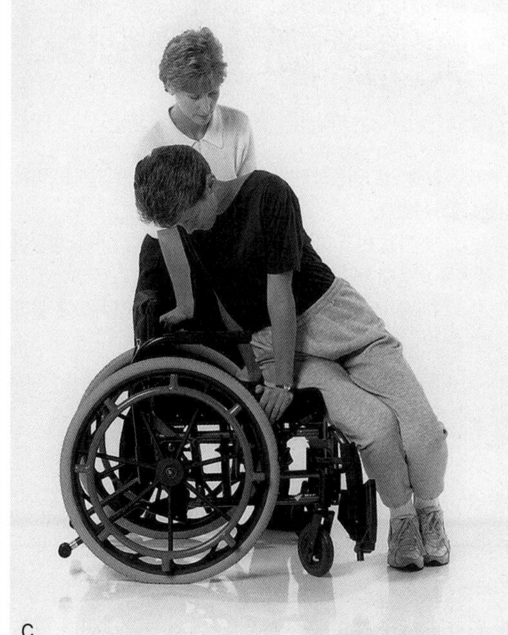
C

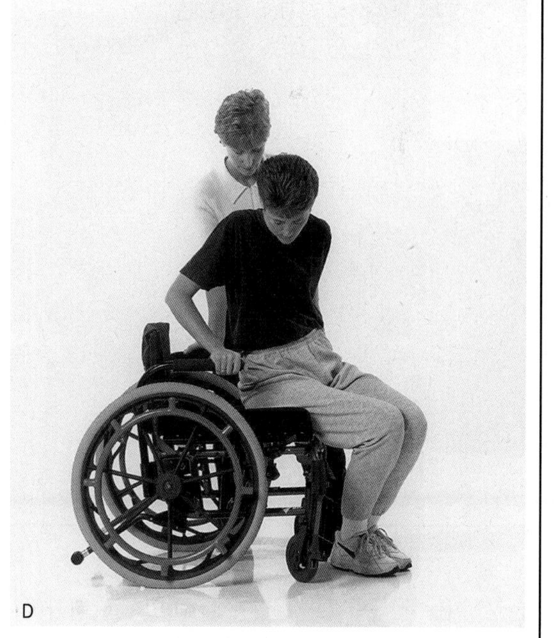
D

환자가 양 무릎 서기 자세에서 휠체어로 몸을 끌어올린다. 환자는 앉기 자세를 취하기 위해서 엉덩이 너머로 몸을 돌린다. 휠체어에서 내릴 때는 이 동작을 역순으로 행할 수 있다.

중재 12-24 다리 뻗고 앉기에서 휠체어로 이동하기

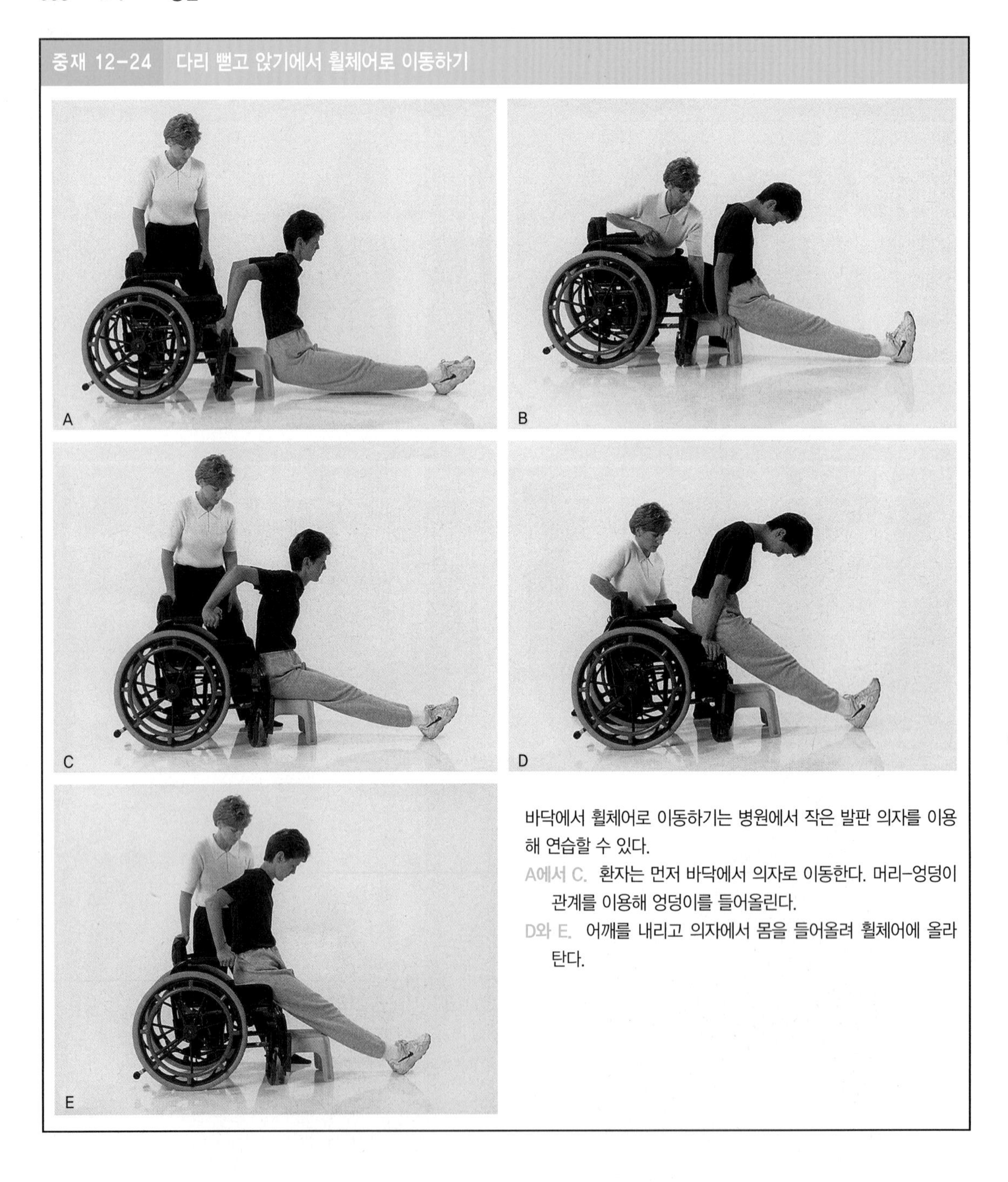

바닥에서 휠체어로 이동하기는 병원에서 작은 발판 의자를 이용해 연습할 수 있다.

A에서 C. 환자는 먼저 바닥에서 의자로 이동한다. 머리-엉덩이 관계를 이용해 엉덩이를 들어올린다.

D와 E. 어깨를 내리고 의자에서 몸을 들어올려 휠체어에 올라탄다.

회에서 가능한 독립적으로 활동할 수 있도록 휠라이와 연석 오르기와 내리기를 배워야 한다.

휠라이. 환자가 독립적으로 휠라이하는 방법을 배우기 전에 휠체어가 기울어진 위치에서(그림 12- 13) 균형점을 찾을 수 있어야 한다. 환자를 부드럽게 뒤쪽 바퀴 위로 기울일 때 균형점을 찾기가 가장 쉽다. 물리치료보조사는 휠체어가 가장 완벽하게 균형을 이루는 지점을 찾아야 한다. 환자는 휠체어 등받이에 등을 기대고 있어야 한다. 환자는 바퀴 손잡이를 꽉 움켜잡는다. 휠체어가 뒤로 기울기 시작하면 환자에게 바퀴 손

중재 12-25 휠체어에 앉은 채로 휠체어 바로 세우기

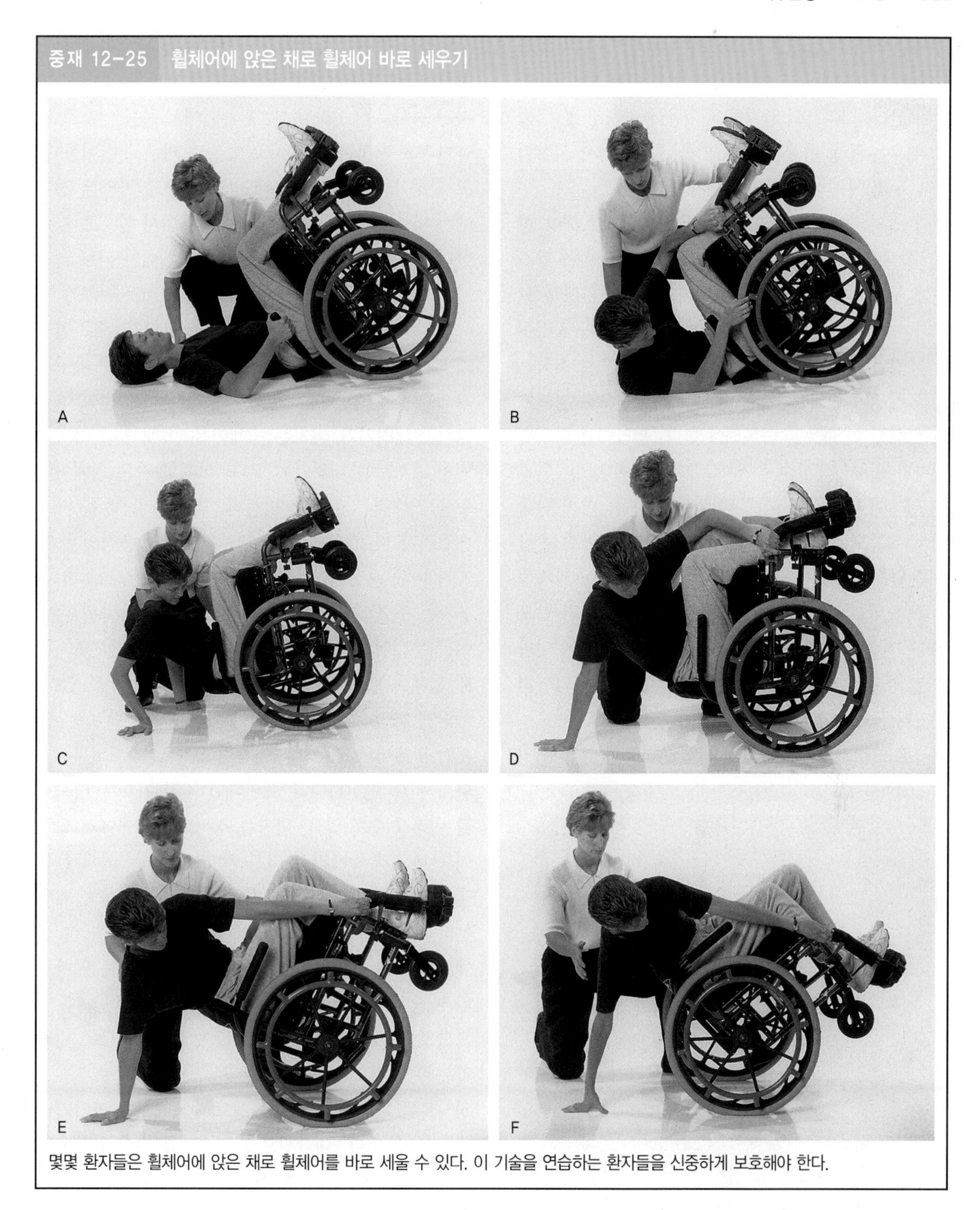

몇몇 환자들은 휠체어에 앉은 채로 휠체어를 바로 세울 수 있다. 이 기술을 연습하는 환자들을 신중하게 보호해야 한다.

잡이를 약간 뒤로 당기라고 지시해야 한다. 앞바퀴가 앞으로 떨어지기 시작하면 바퀴 손잡이를 앞으로 밀어야 한다. 대부분의 환자들은 처음에 균형점 찾는 법을 배우는 동안 몸을 앞으로 기울이거나 바퀴 손잡이를 너무 많이 당기거나 밀어서 보상한다.

연습 초기 단계에서 환자를 조심스럽게 보호해야 한다. 휠체어 바퀴 손잡이 근처에서 쉬면서 양손을 환자 뒤에 두고, 환자의 등받이 뒤에 서는 것이 환자를 보호하는 가장 좋은 자세다. 환자가 도움을 받아 휠라이를 유지할 수 있게 되면 이 자세를 독립적으로 취하는 법을 배워야 한다. 환자는 연석을 독립적으로 넘어가기 위해서 이 활동을 습득해야 한다. 휠라이를 하려면 환자가 휠체어에서 몸을 앞으로 기울여야 한다. 환자는 휠체어 바퀴 손잡이를 뒤로 당긴 다음, 어깨를 휠체어 뒤쪽으로 움직이는 동시에 재빠르게 바퀴 손잡이를 앞으로 민다. 의자의 빠른 전진과 더불어 환자의 체중이 뒤로 이동하면서 휠체어의 앞바퀴가 튀어 오른다. 연습을 하면서 환자는 이 자세를 취하는데 얼마나 많은 힘이 필요한지를 알게 된다. 결국에는 가만히 있거나 굴러가면서 휠라이를 할 수 있다.

경사로 오르기. 환자는 몸을 앞으로 기울인 자세로 경사로를 올라야 한다. 환자가 경사로를 넘으려고 시도하기 전에 경사로 길이와 경사도를 고려해야 한다. 환자가 경사로를 올라갈 때, 휠체어에서 몸을 앞으로 기울이라고 지시한다. 경사로가 길면 바퀴 손잡이를 길고 강하게 민다. 경사로가 비교적 짧고 가파른 경우에는 바퀴 손잡이를 짧고 빠르게 밀어서 앞으로 가속한다. 바퀴 손잡이를 미는 사이에 휠체어가 뒤로 굴러가지 않도록 휠체어 등급 보조 도구(grade-aid)가 필요할 수 있다. 이러한 보조 도구는 환자가 뒤로 밀리지 않고 바퀴 손잡이를 밀 수 있게 손 위치를 바꾸도록 도와주는 제동 장치의 한 유형이다.

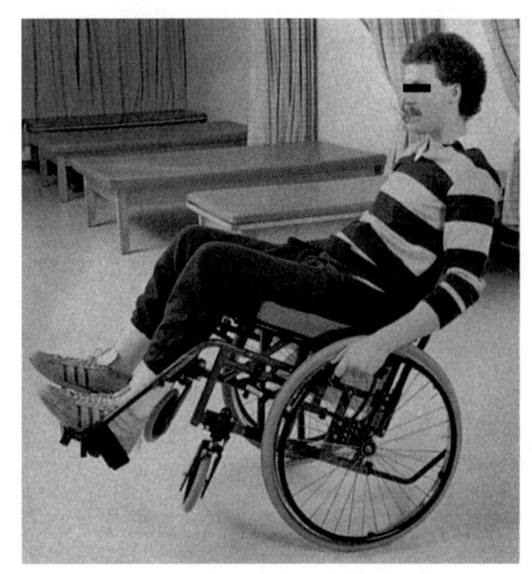

그림 12-13. 균형점 찾기는 휠라이를 시도해서 유지하는 전제 조건이다(From Buchanan LE, Nawoczenski DA: *Spinal cord injury and management approaches*, Baltimore, 1987, Williams & Wilkins).

경사로 내려가기. 환자는 휠체어를 탄 채 앞을 바라보면서 경사로를 내려가야 한다. 이때 환자는 휠체어에 등을 기대라는 지시를 받는다. 환자는 두 손을 바퀴 손잡이나 바퀴에 올려놓는다. 휠체어의 움직임은 환자가 바퀴 손잡이와 바퀴에 가하는 마찰로 조절한다. 환자는 휠체어가 똑바로 움직이도록 양쪽 바퀴 손잡이를 똑같이 움직여야 한다. 환자는 경사로를 내려갈 때 휠체어 브레이크를 부분적으로 사용할 수도 있다. 이렇게 하면 바퀴에 추가적인 마찰을 제공할 수는 있지만 휠체어의 제동 메커니즘이 고장 날 수도 있다.

환자가 더 안전하다고 느낀다면 후진 자세로 경사로를 내려갈 수도 있다. 환자는 경사로 꼭대기에서 휠체어를 바르게 놓으라고 지시받는다. 환자는 앞으로 몸을 기울여서 브레이크 근처의 바퀴 손잡이를 움켜잡는다. 그러고 나서 하강 중에는 바퀴 손잡이가 손 안에서 미끄러지게 둔다. 경사로 아래쪽에서는 앞바퀴와 발판이 경사로에 닿아 의자가 뒤로 기울어질 수 있으므로 조심해야 한다. 그림 12-14는 경사로를 내려가는 두 가지 방법을 보여 준다.

경사로는 대각선 또는 지그재그 방식으로 올라가거나 내려갈 수 있다. 대각선으로 경사로를 넘어가면 올라가는 동안 뒤로 굴러 내려가는 경향이 감소하고, 하강하는 동안 속도가 감소한다.

연석 오르기. 환자가 연석을 올라갈 때는 항상 앞으로 몸을 기울여야 한다. 환자가 이 활동을 독립적으로 하려면 휠체어의 앞바퀴를 올릴 수 있어야 한다. 환자는

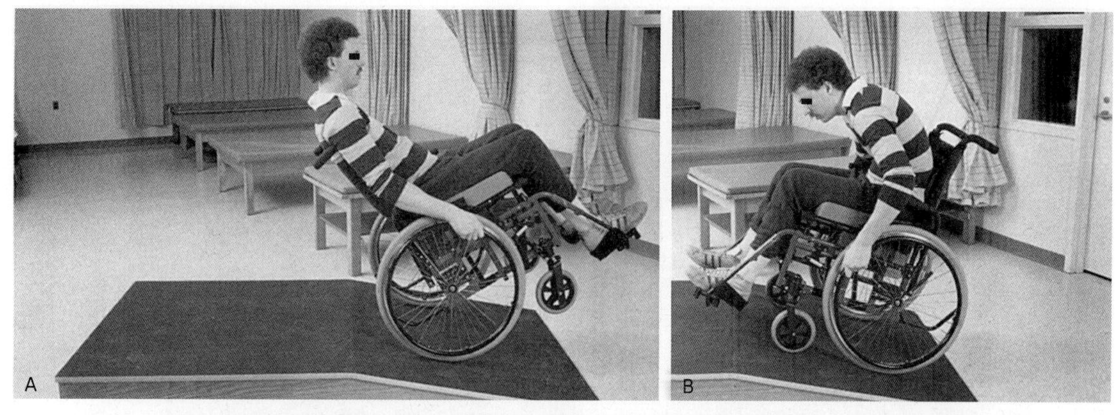

그림 12-14. **A.** 뛰어난 휠체어 이동성 기술을 지닌 사람은 휠라이 자세로 경사로를 내려갈 수 있다. **B.** 경사로를 가장 안전하게 내려가는 방법은 뒤로 내려가는 것이다. 이 사람은 뒷바퀴를 조절하면서 몸을 앞으로 기울여야 한다. 경사로를 올라갈 때도 이와 유사한 방법을 사용한다(From Buchanan LE, Nawoczenski DA: *Spinal cord injury and management approaches*, Baltimore, 1987, Williams & Wilkins).

연석에 다가가면서 휠라이를 해서 앞바퀴를 들어올린다. 앞바퀴가 연석을 넘어가면 환자는 몸을 앞으로 기울이고 바퀴 손잡이를 민다. 개별 구성 요소의 타이밍이 매우 중요하고, 이 과제 완료에 상당한 근력이 필요하기 때문에 환자가 이 활동을 습득하려면 연습을 많이 해야 한다. 중재 12-26, A와 B는 이 기술을 설명한다.

연석 내려가기. 환자에게 연석을 뒤로 내려가라고 지시하는 것이 가장 쉽다. 그러나 대부분의 치료사는 차량을 볼 수 없기 때문에 이 방법이 환자에게 더 위험하다는 데 동의한다. 이 기술을 수행할 때 환자는 휠체어를 연석 아래로 후진시킨다. 이때 다시 환자는 몸을 앞으로 기울이고, 브레이크 근처의 바퀴 손잡이를 잡는다. 이 활동을 수행하는 동안 발판의 위치도 반드시 관찰해야 한다. 휠체어가 내려갈 때 발판이 연석에 닿을 수 있다. 이 경우에 앞바퀴가 연석을 넘어갈 수 있도록 환자는 휠체어에 등을 기대야 한다(중재 12-26, C 및 D).

연석을 내려가는 두 번째 방법은 전진 자세로 내려가는 것이다. 환자가 이 방법을 시도하기 전에 기울어진 자세에서 휠라이와 앞으로 구르기를 수행할 수 있어야 한다. 환자가 연석에 다가갈 때 휠라이를 시도한다. 뒷바퀴가 연석 위로 구르거나 튀어 오르게 둔다. 뒷바퀴가 연석을 넘어가면 앞바퀴가 다시 땅에 떨어지도록 몸을 앞으로 숙인다. 체중을 뒤쪽으로나 앞쪽으로 너무 멀리 옮기면 휠체어에서 떨어질 수 있으므로 주의를 기울여야 한다. 나지막한 훈련용 연석을 오르고 내리는 연습으로 시작하는 것이 가장 쉽다. 이 기술을 완벽하게 수행하려면 처음에는 1~2인치 연석을 사용해야 한다.

통제된 이동성. 높은 수준의 팔다리마비 환자는 전동 이동성을 숙달해야 한다. 종종 장비 공급 업체는 시험용으로 전동 휠체어를 제공한다. 환자의 전동 휠체어 작동을 돕는 일도 치료의 일부가 되어야 한다. 다양한 유형의 전동 휠체어에 대한 설명과 작동 방법은 이 책의 범위를 벗어난다. 치료사는 장비 공급 업체와 협력해서 사용 가능한 여러 휠체어와 보조 장치에 대해 잘 알게 된다.

휠체어 쿠션. 매일 휠체어에 앉아 상당한 시간을 보내는 사람들도 휠체어 쿠션을 사용해야 한다. 개개인의 엉덩이에 가해지는 압력을 감소시키는 맞춤 쿠션을 사용할 수 있다. 그러나 압력을 완전히 제거해주는 쿠션은 없다. 그러므로 압력 궤양의 위험을 최소화하기 위해 하루 종일 몇 가지 유형의 압력 완화 운동을 계속해야 한다.

심폐 기능 훈련

심폐 기능 훈련도 환자의 재활 프로그램에 포함되어

중재 12-26 연석 오르기와 내려가기

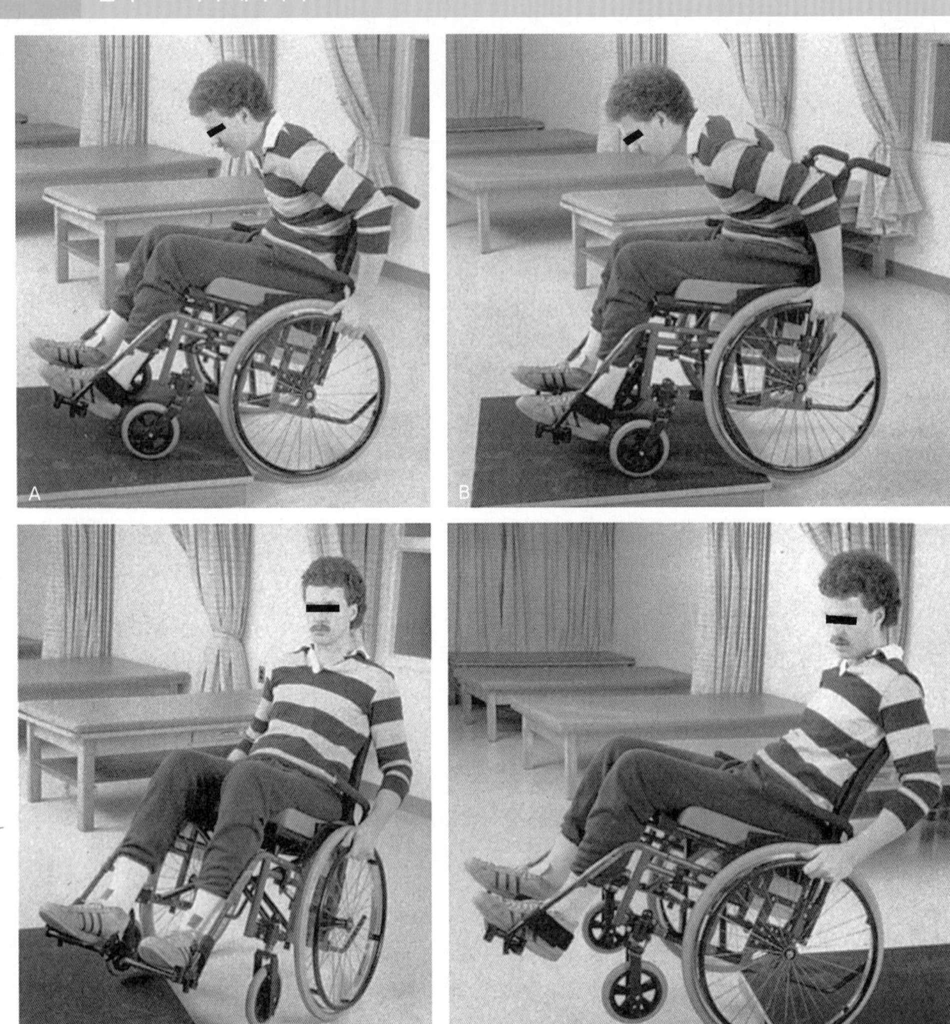

A와 B. 앞바퀴를 연석 위로 올리기 위해서 휠라이로 연석을 올라가고, 이어서 뒷바퀴를 위로 당겨 올린다. 이 활동에서는 타이밍과 뛰어난 상지 근력이 중요하다.

C. 연석을 내려갈 때는 뒷바퀴를 연석에서 평평하게 내리고, 앞바퀴를 들기 위해서 휠체어를 돌린다.

D. 통제된 휠라이 자세로 연석을 앞으로 내려갈 수도 있다.

(From Buchanan LE, Nawoczenski DA: *Spinal cord injury and management approaches*, Baltimore, 1987, Williams & Wilkins.)

야하며, 운동 수준에 따라 결정되는 환자의 운동 능력을 기반으로 해야 한다. 폐활량을 최대화하려면 인센티브 폐활량 측정과 가로막 근력 강화를 계속해야 한다. 지구력 훈련은 환자의 치료 계획에 통합될 수 있으며, 연장된 거리의 휠체어 추진과 팔 에르고메트리(암 바이크, arm bike), 수영 및 휠체어 유산소와 같은 활동을 포함할 수 있다. 이러한 활동으로 환자의 지구력을 향상시킬 수 있지만 팔 근육은 더 작아지고 다리 근육보다 짧은 시간 동안 더 높은 강도로 과제를 더욱 잘 수행 할 수 있다. 그러므로 이 근육들은 더 빨리 피로해진다(Decker와 Hall, 1986; Morrison, 1994).

척수손상 환자는 정상적인 심혈관 운동에 대한 반응이 부족하다. T4 이상의 손상을 입은 사람들은 일반적으로 운동 시 분당 130회 이하의 최대 심장 박동수를 보이지만, 하반신마비 환자는 일반 대중과 비교했을 때 심장 박동 반응이 증가할 것이다(Jacobs and Nash, 2004). 혈압, 심박수, 박출량, 발한 반응은 자율 교감 신경장애와 이에 따른 혈류 장애에 부차적으로 변경된다. 따라서 목표 심장 박동 수 사용은 척수손상 환자의 운동 강도를 측정하는 적절한 지표가 아닐 수도 있다. 혈압과 보그 운동자각척도(Borg Perceived Exertion Scale, 개인 운동 강도의 주관적 척도)를 포함해 환자의 운동 반응을 주시하는 추가 방법을 사용해야 한다(Borello−France 등, 2000).

그러나 유산소 훈련 효과는 여전히 가능하며, 환자는 고혈압, 당뇨병 및 콜레스테롤 상승과 같은 이차 합병증의 위험을 줄이기 위해 운동 프로그램의 혜택을 누릴 수 있다. 전반적인 건강 및 삶의 질 향상은 규칙적인 운동으로도 이룰 수 있다(Burr 등, 2012; Jacobs와 Nash, 2004, Lewthwaite 등, 1994). 척수손상 환자에 대한 운동 권고는 일반 대중과 크게 다르지 않다. 적당한 강도의 유산소 활동은 주당 150분, 활발한 강도의 운동은 주당 75분 동안 수행한다. 환자가 20~60분 동안 지속적으로 활동할 수 없을 경우에는 적어도 10분 동안 유산소 활동을 하는 것이 좋다(Department of Health & Human Services, 2008, Jacobs와 Nash, 2004). 증거에 따르면 심혈관 건강은 한 번에 긴 시간 치료하기보다는 짧게 여러 번 운동해서 달성할 수 있다(Lewthwaite 등, 1994). 유산소 운동의 빈도는 일주일에 최소 두 번이어야 하고, 여섯 번을 넘지 않아야 한다. 가능한 활동으로는 전기 자극을 통한 다리 사이클링, 체중지지 트레이드밀 보행, 팔 및 휠체어 에르고메트리, 서킷 트레이닝, 수영 및 휠체어 스포츠가 있다(척수손상 Action Canada, 2011, Somers, 2010). 근골격계 회복을 위해 1~2일 동안의 휴식 기간을 두고 운동을 해야 한다(Morrison, 1994).

서킷 트레이닝

연구학자들은 또한 하반신마비 환자의 서킷 트레이닝(운동기구 및 팔 에르고메트리를 이용한 웨이트 트레이닝) 효과를 연구했다. 일주일에 세 번씩 훈련 프로그램에 참여한 개인은 12주 동안 어깨 근력과 지구력이 크게 증가했다. 제이콥스 등(Jacob외, 2001)는 서킷 트레이닝이 하반신마비 환자의 체력 수준에 유익한 영향을 미친다고 주장한다. 또한 톱니근과 중앙 및 아래 등세모근, 어깨 바깥 돌림근을 대상으로 삼는 팔 강화 프로그램은 핵심 부위(가슴근, 위등세모근, 두갈래근의 긴 머리 및 어깨의 후낭)의 선택적 신장과 결합해서 반신마비 환자의 어깨 통증을 줄이고 기능을 개선하는데 효과적이다(Nawoczenski 등, 2006). 최대 강도의 다리 근력 강화 훈련은 만성 운동 불완전 척수손상 환자의 근력과 , 보행 및 균형 결과를 향상시키는 것으로 나타났다(Jayaraman 등, 2013). 미국 보건 복지부(2008) 지침에 따르면 최대 건강 혜택을 얻기 위해서는 일주일에 2일 이상 일반 전신 근육 강화 운동을 8회에서 10회(3세트로 진행) 반복하는 것이 좋다.

수중 요법

풀 요법은 환자의 전반적인 치료 계획에 추가할 만한 가치가 있는 것이다. 물은 중력과 마찰의 영향없이 운동하고, 보행 기술을 연습하기 위한 훌륭한 운동 수단을 제공한다. 많은 시설에는 환자를 위한 온수(92°~96° F) 치료 수영장이 있다. 따뜻한 물은 순환 증가, 심박수 및 호흡 수 증가와 혈압 감소를 비롯한 생리학적 효과를 제공한다. 또한 일반적으로 따뜻한 물에 몸을 담그면 몸이 이완된다. 물리치료사는 환자를 위한 풀 프로그램을 개발할 때 이러한 효과를 염두에 두어야 한다. 척수손상 환자를 위한 치료적 풀 프로그램을 설계할 때 물리치료사는 이러한 유형의 치료 중재의 다음과 같은 치료 효과를 고려해야 한다. 물에서 수행하는 활동의 이점은 아래와 같다.

1. 비정상적인 근육 긴장 감소
2. 근육 강화

3. 운동범위 증가
4. 폐 기능 개선
5. 서기와 체중지지 기회 제공
6. 양호 마이너스 수준의 근력으로 보다 더 쉽게 근육 운동 수행
7. 경직 감소

대부분의 환자가 물속에서 안전하게 운동할 수는 있지만 수중 프로그램에 금기 사항으로 여겨지는 몇 가지 상황이 있다. 이 프로그램에 참여해서는 안되는 환자의 건강 상태는 다음과 같다. 발열과 전염병, 기관절개술, 혈압 통제 불가, 1리터 미만의 폐활량, 요실금 또는 대장 요실금, 방수 드레싱으로 보호할 수 없는 열린 상처가 그것이다. 헤일로 견인 기구를 사용하는 환자는 머리를 물 밖으로 내밀 수 있고, 물을 담는 기구의 구성 요소들을 대체할 수 있는 한, 수영장으로 들어갈 수 있다. 배수 튜브를 고정하고 보관주머니를 다리에 부착하면 카테터를 착용한 사람도 수영장 프로그램에 참여할 수 있다(Giesecke, 1997).

풀 프로그램. 치료 시에 환자를 물로 데려 가기 전에 몇 가지 물류 요인을 고려해야 한다. 앞에서 언급했듯이 따뜻한 물이 바람직하다. 그러나 주어진 시설의 치료용 수영장은 많은 환자들을 수용해야 하기 때문에 온도가 더 낮을 수 있다. 척수손상 환자는 온도 조절 능력이 약해지기 때문에 이 요인을 고려해야 한다. 다른 시설에는 환자가 물속에서 과제를 수행할 때 준수해야하는 안전 절차와 관련된 특정 요구 사항이 있다. 이전의 수중 안전 경험이 필요할 수 있다. 안전을 위해 수영장에는 최소 인원이 필요하다. 치료를 위해 환자를 준비시키려면 물리치료사나 물리치료보조사가 프로그램의 이점에 대해 토론하고 일반적인 치료 프로그램을 설명해야 한다. 환자의 물 친화성도 고려해야 한다. 많은 사람들이 근본적으로 물을 싫어하며 수중 치료 경험을 불안하게 생각할 수 있다. 그러므로 환자를 안심시켜야 도움이 된다. 환자는 수영복을 입고 치료에 참여해야 한다. 카테터는 누출 가능성을 피하기 위해 막아 놓아야 한다. 또한 환자는 수행할 치료 활동에 따라서 양말과 팔꿈치 및 무릎 패드를 착용해야 한다. 일반적으로 감각 손상을 입기 쉬우므로 치료 중에 긁힐 수 있는 영역을 보호해야 한다.

수영장으로 들어가고 나가는 이동 방법은 다양할 수 있고, 기존의 장비 및 시설 유형에 따라 다르다. 리프트로 환자를 수영장으로 옮기거나 수영장에 경사로가 있을 수 있으며, 출입구가 휠체어나 샤워 의자 유형이다. 환자가 물에 들어가면 물리치료보조사는 환자를 주의 깊게 보호해야 한다. 팔다리마비와 하반신마비 환자는 운동과 고유 수용 및 가벼운 접촉 감각이 감소한다. 환자는 물속에서 자세를 유지하기 어려워할 수 있다. 때로 환자의 다리가 물 표면으로 떠오르면, 물리치료보조사는 환자의 발과 다리로 수영장 바닥을 짚고 체중을 지지하도록 잡아주기 어려울 수 있다. 물리치료보조사가 발로 환자의 발등을 부드럽게 압축하면 이 문제를 완화시킬 수 있다. 부양 조끼가 도움이 되며, 환자에게 안도감을 안겨 줄 수 있다. 환자가 물속에서 자신감을 갖게 되면, 시설 정책에 따라 허용될 경우 조끼를 제거할 수 있다.

풀 운동. 많은 수영장에는 물리치료보조사와 환자가 앉을 수 있는 구역이 있다. 이 곳은 팔을 강화할 수 있는 우수한 환경이 된다. 환자는 팔로 몸을 지지하고 팔을 물속에서 움직이며 물의 부력을 이용해 운동범위 운동을 완료한다. 환자는 또한 활동의 난이도를 높이기 위해서 물에서 다리를 들어 올리는 과제를 수행할 수 있다. 이 자세에서 앞뒤, 중간 어깨세모근뿐만 아니라 큰가슴근과 마름모근 운동을 할 수 있다. 세갈래근 근력 강화는 중력 중립 또는 지지 자세에서 할 수 있다. 팔 강화 운동 이외에도 앉기 자세는 환자의 앉기 균형과 신경지배된 몸통 근육을 시험하는 도전적인 역할을 한다. 몸통 강화를 위해 어깨 영역에 등척성 교대와 율동적 안정화를 교대로 적용할 수 있다. 환자가 물속에 있을 때 폐 기능 증가 운동을 연습할 수 있다. 환자가 물속에서 숨을 참거나 숨을 내뱉어 기포를 만들면 심폐 능력이 향상된다.

환자는 물속에서 수영장 벽 쪽에 서서 연습할 수 있다. 물리치료보조사는 몸통으로 환자를 보호하고, 다리를 이용해 환자의 다리 정렬을 적절하게 유지시켜

줘야 할 수도 있다. 엉덩이를 통해 아래로 압착을 가하는 것도 다리로 체중을 지지하는 데 도움이 된다. 일부 치료 풀에는 서기와 보행 활동을 돕는 평행봉이 있다. 불완전 손상 환자가 적절하게 신경지배를 받는 다리를 갖고 있다면 도움을 받아 보행할 수 있다. 이전에 언급했듯이, 이것은 약한 다리 근육을 강화하고 환자의 지구력을 향상시키는 훌륭한 방법이다. 킥보드 또한 사지 강화를 돕기 위해 사용할 수 있다.

부유하기와 수영하기. 팔다리마비나 하반신마비 환자는 물 위에 누워서 부유하는 법을 배울 수 있다. 부유하기는 일반적인 신체 이완뿐만 아니라 호흡을 돕는다. 환자는 개조형이나 적응형 수영법을 교육받을 수도 있다. 팔다리마비 환자는 변형된 배영 및 평영을 할 수 있다. 이러한 수영법을 사용하면 팔 근력 강화와 심혈관 건강 향상에 도움이 된다. 하반신마비 환자는 팔 근력과 심혈관 지구력을 향상시켜주는 자유형이나 접영을 배울 수 있다.

기타 고급 재활 중재

다른 치료 활동은 환자 관리 계획의 일부로 수행할 수 있다. 신경근 자극(NMS)은 근육 약화를 보이는 환자의 근력을 증가시키고 근육 피로를 감소시키는 데 사용할 수 있다. 신경근 자극은 불완전 손상으로 근육 신경통과 약화를 겪는 환자에게 제안한다. 신경근 자극의 다른 이점으로는 운동범위 제약 감소, 경직 감소, 근육 불균형 최소화, 보행을 시도하는 환자를 위한 자세잡기 지원 등이 있다. 치료사는 팔이나 다리의 에르고메트리를 돕기 위해 팔 또는 다리의 근육 조직에 NMS를 적용할 수도 있다.

이전에 언급했듯이 불완전 손상 환자는 기능을 저해하는 근육의 긴장이 증가한다. 따라서 환자 관리 계획의 한 구성 요소는 이 문제를 관리하는 것이다. 신장과 얼음, 풀 요법 및 기능적 전기 자극이 적절한 형태의 중재일 수 있다. 전기 자극은 증가한 근력을 개선하기 위해 대항근에 가하거나 피로를 유도하기 위해 작용근에 가할 수 있다. 비정상적인 긴장이 과도하게 증가한 환자는 이 장에서 앞서 언급한 것처럼 약리학적 중재를 받을 수도 있다.

보행 훈련

척수손상 환자가 자주 묻는 첫 번째 질문 중 하나는 다시 걸을 수 있는지 여부이다. 이 질문은 종종 손상 직후 급성 치료 센터에서 제기된다. 초기에는 척수 쇼크와 반사 활동 감소(depression)에 뒤이은 환자의 보행 가능성을 결정하기 어려울 수 있다. 그러나 일단 그러한 상태가 안정되면 많은 환자가 보행 가능성에 대한 답을 기대한다. 반 미덴도르프 등(van Middendorp, 2011년)의 연구에서는 환자의 연령과 네 가지 신경학적 검사(넙다리네갈래근과 장딴지근 운동 점수와 L3와 S1 피절의 가벼운 촉각 감각) 결과를 토대로 임상적 보행 예측 규칙을 개발했다. 환자의 운동 점수와 감각 상태 및 연령은 손상 후 독립적으로 걸을 수 있는 환자의 능력에 관한 조기 예후를 의료 서비스 제공자에게 알려줄 수 있다(van Middendorp 등, 2011).

보행 훈련에 대한 여러 가지 철학들이 있고, 재활 팀에 따라서 많은 것이 달라진다. 일부 의료 전문가는 환자에게 가능한 모든 기회를 포착할 잠재력을 부여하는 것이 최선이라고 생각한다. 이들은 보조기와 보조기구를 착용하고 걸을 수 있는 기회를 가졌던 대부분의 환자들이 너무 힘들다는 이유로 보행을 계속하지 않을 것이라고 생각한다. 물리치료사나 의료 팀의 도움 없이 환자가 보행에 대한 결정을 내리는 것이 가장 좋다. 다른 의료 전문가들은 보행을 시도하기 전에 환자의 엉덩 굽힘근이 충분히 강해야 한다고 생각한다. 보행 훈련에는 에너지 비용과 시간 및 재원이 많이 소모되기 때문이다. 높은 수준의 손상을 입은 대부분의 환자는 보조기와 보조 장치를 사용하여 보행을 시도한 후 에너지 소비와 활동 속도 감소 때문에 휠체어 이동을 선호한다(Cerny 등, 1980; Decker와 Hall, 1986, Somers, 2010).

척수손상 환자를 치료하는 보상 접근법 대 회복 접근법은 치료사의 보행 훈련 접근법에 가장 잘 설명되어 있다. 보조기와 보조기구, 기능적 전기 자극 및 로봇 외골격 사용은 수평면에서의 보행을 돕는 데 사용할 수 있는 보상 전략의 실례다. 부분 체중지지 트레이드밀 보행을 통한 이동 운동 훈련은 환자를 치료하는 회복 접근법의 훌륭한 실례다.

서기와 걷기의 이점

모든 척수손상 환자가 기능적 보행을 할 수 있는 것은 아니지만 치료적 서기의 이점은 문서화되어 있다. 서기는 골다공증 발병을 예방하고 방광 및 신장 결석 위험을 감소시키는 데에도 도움이 된다. 또한 서기 프로그램에 참여할 수 있는 사람들은 순환과 반사 활동, 소화, 근육 경직 및 피로감 개선을 보였다(Eng 등, 2001; Nixon, 1985). 환자의 보행 성공 가능성 평가에 대한 지침이 마련되었다. 고려해야 할 요소는 다음과 같다. (1) 재활 시설에서 퇴원한 후에도 보행을 계속하고자 하는 환자의 동기(보조기를 착용하고 보행을 시도한 일부 환자는 너무 어렵다는 이유로 보행 훈련을 계속하지 않으려고 함)와 (2) 환자의 체중과 체격(환자가 무거울수록 걷기가 더 어려워지고, 키가 큰 환자는 보조기를 착용하고 걷기가 훨씬 힘듦), (3) 엉덩이와 무릎 및 발목의 수동 운동범위(엉덩이와 무릎, 또는 발목 발등굽힘 구축은 보조기와 목발을 착용하고 걷는 환자의 보행 능력을 제한하고, 환자는 약 110도의 수동 넙다리뒤인대 운동범위가 있어야 보조기를 착용하고 넘어졌을 때 바닥에서 이동할 수 있음). (4) 경직 정도(다리 또는 몸통이 경직되면 보조기 착용이 어려워짐), (5) 환자의 심폐 상태(심폐 기능이 더 좋은 환자는 걷기에 필요한 에너지를 좀 더 쉽게 충족시킴), (6) 외피 시스템의 상태를 고려해야 한다. 환자와 보행을 논의할 때 재활 팀은 이러한 모든 요소를 고려해야 한다(Atrice 등, 2013; Basso 등, 2000).

환자의 운동 수준에 따라 다양한 종류의 보행 가능성이 설명되어 있다. 문헌은 특정 운동 수준과 보행의 가능성에 따라 다양하다. T2에서 T11까지의 손상을 입은 환자는 치료적 입원 또는 보행이 가능할 수 있다. 이것은 환자가 도움을 받아 물리치료실에서 서거나 보행할 수 있음을 의미한다. 그러나 기능적 보행은 불가능하다. 치료적 보행을 하는 사람은 앉기에서 서기로 이행하고, 평평한 표면 위를 걸을 때 도움이 필요하다. 이런 환자들은 생리학적 및 치료적 이익을 위해 치료적 보행을 한다. T12에서 L2 수준의 손상을 입은 환자는 가정에서 보행할 가능성이 있지만 L3에서 신경지배를 받는 환자는 지역 사회에서 기능적 보행을 할 수 있다(Atrice 등, 2013).

가정 또는 지역 사회에서 보행하는 환자는 가정에서 보조기 및 보조기구를 착용하고 보행할 수 있다. 이 수준의 환자는 독립적으로 이동하고, 다양한 질감의 평평한 표면을 거닐 수 있으며, 출입구 및 기타 사소한 건축 장벽을 넘어갈 수 있다. T12 이상의 완전한 손상을 입은 환자의 경우에는 보행 에너지 비용이 무산소 역치(nanaerobic threshold)보다 높고, 장기간 유지될 수 없다(Atrice 등, 2013). 세르니(Cerny 등, 1980)는 하반신마비 환자의 보행 속도가 정상 보행 속도보다 현저히 느리며, 보행 시 산소 소비가 50% 증가하고 심박수가 28% 증가해야 한다고 보고했다. 결과적으로 하반신마비 환자는 보조기 및 보조기구를 착용하고 보행하기를 중단하고 환경 장애물을 넘어 다니기 위해 휠체어를 사용한다(Cerny 등, 1980).

지역 보행은 L3 이하의 손상을 입은 환자에게 가능하다. 이 환자들은 보조기 및 보조 장치를 사용하거나 사용하지 않고 보행할 수 있다. 지역 사회 보행자는 지역 사회에서 독립적으로 보행할 수 있으며 모든 환경 장벽을 넘어 다닐 수 있다(Atrice 등, 2013; Decker and Hall, 1986).

보조기

보행 훈련을 받기로 결정한 하반신마비 환자는 몇 가지 보조기가 필요하다. 그림 12-15는 가장 일반적으로 처방된 다리 보조기를 보여 준다. 하반신마비 환자에게는 무릎-발목-발 보조기를 권장한다. 이 보조기에는 대개 허벅지 덮개와 잠금 장치가 있는 바깥 무릎 관절(드롭이나 베일 잠금 장치가 가장 일반적임)이 있다. 이런 보조기에는 종아리 밴드와 조절 가능한 잠금형 발목 관절이 있다. 스캇-크레이그(Scott-Craig) 무릎-발목-발 보조기는 하반신마비 환자에게 자주 처방한다. 이 보조기는 단일 허벅지와 전립선 밴드, 무릎 관절의 베일 잠금장치 및 개조형 발판으로 구성된다. 이 보조기의 디자인은 서 있는 환자에게 내장된 안정성을 제공한다.

상반 보행 보조기(reciprocationg gait orthosis)는 척수손상 환자에게 처방할 수 있는 또 다른 유형의 보조기다. 이 장치는 가슴 중앙과 골반을 지지해주기 때문에 몸통 조절력이 거의 없는 환자에게 사용할 수 있다. 상반 보행 보조기는 케이블 메커니즘으로 작동하는 바깥쪽 엉덩이 관절을 갖고 있다. 환자가 한쪽 팔다리로 체중을 이동시키면 케이블 시스템은 반대쪽 다리를 전진시킨다. 상반 보행 보조기를 사용하는 환자는 흔히 로프트스랜드 목발 대신 워커를 선호한다. 상반 보행 보조기는 척수수막탈출증으로 이차적인 근력 약화를 보이는 어린이에게 자주 처방한다. 이에 관한 자세한 내용은 7장을 참조하기 바란다.

척수손상 환자가 이용할 수 있는 새로운 유형의 교정 시스템도 나와 있다. 리워크(ReWalk) 시스템은 상반 보행 보조기와 유사하지만 컴퓨터 및 운동 센서와 인터페이스되는 로봇 바깥뼈대를 가지고 있어 환자가 앉기에서 서기로 보다 더 쉽게 이행하도록 해 준다. 이 시스템은 높은 수준의 가슴 부위 손상 환자가 사용할 가능성이 큰 것으로 보인다(fda.gov, 2014).

보행 준비

보행 훈련 여부는 환자와 재활 팀이 결정한다. 이전에 언급했듯이 환자의 운동 수준 및 기타 요인을 고려해야 한다. 운동 완전 손상 상태인 AIS A와 B환자는 회복적 치료 접근법으로 보행하기에는 충분한 다리 운동기능을 가지고 있지 않지만 보상 전략과 적절한 보조기 및 보조기구를 이용해 보행할 수 있다.

일반적으로 환자는 보행 훈련을 시작하기 전에 평평한 표면에서 매트 이동성, 휠체어-매트 이동 및 휠체어 이동을 독립적으로 할 수 있어야 한다. 많은 진료소는 영구 보조기를 처방해 제조하기 전에 환자에게 서기 연습을 시킬 수 있는 훈련용 보조기를 가지고 있다. 교정기 전문가는 환자를 위해 최선의 보조기를 파악하고 제작하기 위해 환자와 상의해야 한다.

특별주의 사항 재활 시설에서의 환자 체류 기간에 따라서 보행 훈련은 환자의 입원 치료가 끝날 때 시작할 수도 있고, 외래 환경에서 본격적으로 시작할 수도 있다. ▼

영구 보조기가 전달되면 첫 번째 보행 훈련을 시작할 때다. 가능하다면 교정기 전문가가 이 훈련에 참가해야 한다. 환자에게 보조기를 착용시키는 것이 첫 단계다. 매트 위에 다리 뻗고 앉아서 보조기를 착용하는 것이 가장 쉽다. 환자가 이 첫 번째 시도에서 보조기를 가능한 한 많이 착용하도록 권장해야 한다. 먼저 한 발을 신발에 넣고 무릎 관절을 잠그기 시작해야 한다. 이 활동을 수행하는 동안 넙다리뒤인대 운동범위가 110도에 다다라야 한다. 일단 무릎에 보조기를 차면 허벅지 패드를 조일 수 있다. 이어서 다른 발을 보조기에 넣기 시작해야 한다. 환자가 보조기를 모두 착용하면 치료사와 교정기 전문가(있을 경우)가 보조기가 잘 맞는지 검사한다. 보조기가 환자의 피부에 쓸려서는 안된다. 그렇게 되면 피부가 붉어지고 손상될 수 있다. 모든 것이 만족스러워 보이면 환자에게 휠체어로 이동해 평행봉에서 서기 활동을 시작하라고 지시한다. 보행 훈련과 보조기 제거가 완료되면 환자의 피부에 눌린 부위나 손상 부위가 없는지 확인한다.

평행봉 잡고 서기

환자가 해야 할 첫 번째 일은 서기로 이행하는 것이다. 치료사는 처음에 환자를 위해 이 동작을 시범적으로 보여 준다. 환자가 평행봉을 잡고 앞으로 당기는 것이 가장 쉽다. 이러한 이행을 준비하기 위해 환자는 휠체어를 앞으로 밀고 나갈 필요가 있다. 환자의 피부가 벗겨지지 않도록 환자를 위로 밀고 엉덩이를 앞으로 들어 올리는 것이 가장 좋다. 환자가 의자에서 앞으로 움직이면 치료사는 환자의 보조기가 잠겨 있는지 확인하고 싶어할 것이다. 이때 환자가 처음으로 일어서는 것이라면 두 사람의 도움을 받는 것이 가장 안전하다. 환자가 안전벨트를 착용하는 동안 한 사람이 환자 앞에 서고, 다른 사람은 환자의 옆이나 등 뒤에

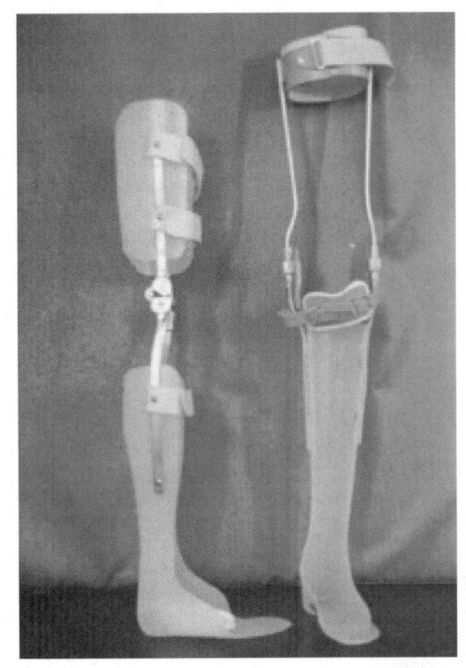

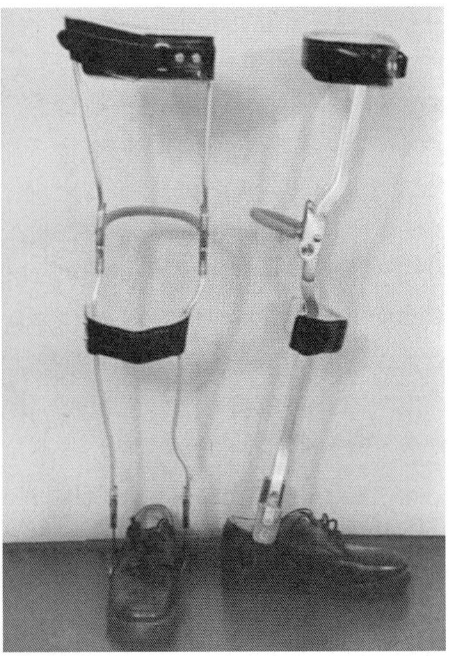

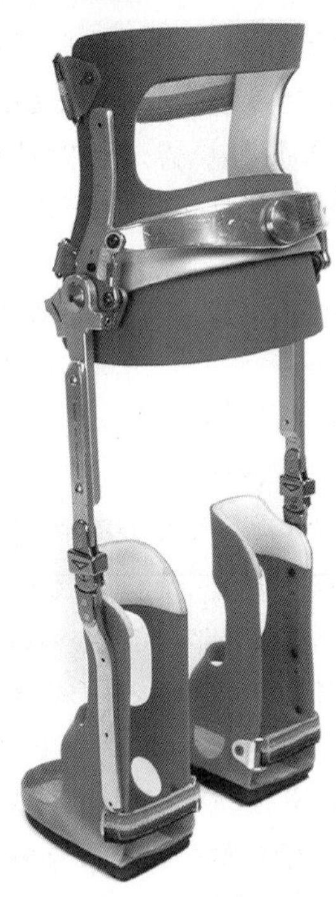

그림 12-15. **A.** 플라스틱과 금속 무릎-발목-발 보조기 결합 **B.** 스캇-크레이그 무릎-발목-발 보조기는 척수손상 환자를 위해 특별히 디자인한 것이다. 이 보조기는 이중 세움대와 잠금 장치와 베일 제어기가 있는 오프셋(offset) 무릎 관절, 허벅지 뒤쪽 밴드 하나, 경첩 달림 앞 정강 밴드, 앞뒤에 조절 가능한 핀 스탑(pin stop)이 있는 발목 관절, 뒤꿈치 쿠션, 특별히 디자인한 금속 발판으로 구성된다. **C.** 상반 보행 보조기는 주로 아동에게 사용하지만 성인에게도 사용한다. 이 보조기의 주요 구성요소는 본뜬 골반 밴드와 가슴 폄 보조기, 양측 엉덩이와 무릎 관절, 폴리프로필렌 허벅지 뒤쪽 껍질, 발목-발 보조기 부분, 양측 엉덩 관절 매커니즘을 연락하는 케이블로 구성된다(From Umphred DA, editor: Neurological rehabilitation, ed 6, St Louis, 2013, Elsevier).

선다. 셋을 셀 때 환자는 평행봉을 잡고 몸을 앞으로 당긴다. 환자를 돕는 사람들도 환자에게 이동을 완료하는 데 필요한 힘과 운동량을 제공한다.

똑바로 세워진 환자는 균형점을 찾아야 한다. 환자의 양다리는 약간 벌어져 있어야 한다. 허리는 과다폄 상태여야 한다. 어깨는 뒤쪽을 향하고, 손은 엉덩이 앞으로 나아가 평행봉을 잡고 있어야 한다. 기본적으로 환자는 엉덩이 부위와 골반 부위의 Y인대 위에 놓여야 있다. 다리의 보조기 및 자세잡기는 환자가 엉덩이 관절 뒤로 무게 중심을 움직일 수 있게 해 준다. 환자가 균형점을 찾을 수 있게 되면 결국 팔을 사용하지 않고 서서 균형을 유지할 수 있게 된다. 이 활동을 하는 동안 치료사는 환자 뒤에 있거나 옆에서 환자를 보호한다. 치료사는 보행 벨트를 잡고 환자의 위팔을 잡지 않도록 해야 한다. 치료사는 균형을 잡아주거나 회전하는 힘을 제공하지 않는 한 환자의 앞쪽 어깨를 잡아 지지해줄 수 있다.

환자는 균형점을 찾는 동안 처음에는 평행봉을 양손으로 잡아야 한다. 평행봉을 가볍게 잡아야 하며, 움켜쥐거나 잡아 당겨서는 안된다. 흔히 환자가 평행봉에 손을 올려놓는 것이 가장 좋다. 나중에는 환자가 한 손으로 균형을 잡고, 마지막에는 평행봉을 잡지 않고 균형을 잡을 수 있어야 한다. 환자는 궁극적으로 팔의 지지 없이 보조기를 착용하고 설 수 있어야 한다.

환자가 균형점을 찾고 유지하는 것이 편안하다고 느끼면 평행봉에서 팔굽혀 펴기를 연습할 수 있다. 환자는 양손을 앞으로 뻗고 어깨를 내리고 머리를 안으로 당기면서 평행봉을 밀어 내린다. 다리 보조기 유형과 스프레더 바의 유무에 따라서 치료사는 팔 굽혀 펴기 중에 환자의 다리 상태를 기록하고 싶어 한다. 이때는 흔히 양다리가 자유롭게 흔들린다. 스프레더 바를 보조기에 부착하면 다리가 하나의 단위로 움직인다. 팔굽혀 펴기 훈련은 환자가 앞으로 걸어갈 수 있는 전제 조건이다.

환자가 균형점을 유지하는 연습을 한 후에는 잭나이프를 연습해야 한다. 잭나이프는 환자의 상체와 머리와 골반을 앞으로 움직이는 것이다. 잭나이핑(jack-knifing)은 바람직하지 않은 것이지만 초기 보행 훈련에서는 평행봉에서 이 활동을 수행해야 한다. 환자는 양손을 앞으로 뻗어 상체를 허리 쪽으로 구부리고, 몸통을 평행봉 쪽으로 내린다. 그러고 나서 다시 몸을 똑바로 세운다. 일단 환자가 이 활동에 익숙해지면 잭나이프 자세로 낙하하는 연습을 할 수 있다. 환자는 양손을 엉덩이 뒤쪽으로 움직이거나 머리를 앞쪽으로 구부려 낙하를 시작할 수 있다. 치료사는 환자의 엉덩이와 골반을 뒤쪽으로 부드럽게 당겨서 잭나이프 자세를 취하도록 환자를 도울 수 있다.

잭나이프 자세는 환자가 보행 활동 중에 균형을 잃을 경우에 취할 수 있는 자세이다. 환자는 이 자세를 인식하고, 보행 중에 균형을 잃게 되어 이 자세가 나올 경우에 어떻게 해야 할지 알아야 한다. 보행 중에 이 자세가 나오면 머리와 몸통을 펴면서 팔꿈치를 곧게 펴고 싶어할 것이다.

보행 진행

환자가 균형점을 유지하고 발을 바닥에서 들어올리기 위해 팔굽혀 펴기를 수행할 수 있으면 평행봉에서 전방 보행을 시작할 준비가 된 것이다. 이렇게 되려면 어느 정도 시간이 필요한지 궁금할 것이다. 일반적으로 환자가 첫 번째 서기 및 보행 시도에서 몇 걸음을 내딛기를 바라지만 치료사는 서 있거나 보행 중인 환자의 반응을 면밀히 주시해야 한다. 피로, 기립성 저혈압, 심폐 지구력 저하 및 서기, 걷기와 관련된 불안에 환자가 쉽게 압도될 수 있다. 치료 중 생리적 반응을 주시하기 위해서 치료사는 환자가 일어서기 전에 환자의 기본 맥박, 호흡 및 혈압 판독 정보를 받아야 한다. 보행 훈련 중 생체 신호를 주의 깊게 주시하는 것도 치료의 일부가 되어야 한다. 또한 환자는 변덕스러운 기분이나 현기증을 느낄 때 즉시 보고해야 한다. 물리치료보조사는 평행봉에서 전진하기 전에 환자에게 균형점을 찾아야 한다고 지시해야 한다. 환자는 머리를 똑바로 들고 앞을 바라봐야 하며 그 다음에는 머리를 구부리고 양손을 아래로 누르면서 어깨를 내리고 다리를 바닥에서 들어올린다. 환자가 어깨를 내리고 팔꿈치를 곧게 펼 때 머리와 목을 펴서 중립 위치로 되돌려야 한다. 균형을 유지하기 위해 환자는 양손을 즉시 엉덩이 앞쪽으로 움직여야 한다. 환자가 다리를 들어 올린 후에도 양손을 같은 장소에 두고 유지한다면 잭나이프 자세를 취하는 것이다. 환자의 발이 바닥에 닿으면 어깨뼈를 뒤로 당기고 몸통 상부와 머리를 뒤쪽으로 움직여야 한다. 이 유형의 보행 패턴은 환자가 발을 양손과 같은 폭으로 움직이기 때문에 뛰기 보행이라고 한다. 환자는 평행봉 끝에 다다를 때까지 방금 설명한 단계를 반복해야 한다. "기울이고 들어 올리고 내려라"라고 구두 지시를 내리면 도움이 될 수 있다. 이 시점에서 누군가가 휠체어를 환자 뒤에서 당기거나 환자가 1/4 회전을 지지받을 수 있다. 환자가 너무 피곤하지 않으면 이 시점에서 계속해서 선회 기술을 배워야 한다. 중재 12-27은 보행 훈련을 위한 올바른 머리와 몸통의 위치를 보여 준다.

1/4 회전

1/4 회전을 완료하기 위해 환자는 양손을 바꿔 평행봉을 잡으면서 어깨를 내리고 다리를 들어 올린다. 방향을 바꾸기 위해서 기본적으로 2/4 회전을 완료한다. 환자는 양방향으로 회전을 연습해야 한다.

앉기

다시 앉기로 이행하기 전에 환자는 적절한 기술을 배워야 한다. 휠체어를 환자 다리 뒤로 당겨서는 안된다. 환자는 다리 보조기를 폄 상태로 잠그고 서기에서 앉기로 이행한다는 사실을 명심하기 바란다. 그렇기 때문에 휠체어가 환자로부터 최소 12인치 이상 떨어져 있어야 환자가 휠체어에 앉을 수 있다. 휠체어가 환자와 너무 가깝다면 휠체어를 뒤로 기울일 수 있다. 물리치료보조사는 환자가 평행봉을 양손으로 잡은 채로 몸을 낮추도록 한다. 시간이 지나면 환자는 평행봉을 잡지 않고 앉기에서 서기로, 서기에서 앉기로 이행하는 다른 방법들을 배우게 된다.

건너뛰기 보행 패턴

환자가 뛰기 보행 패턴에 익숙해지면 건너뛰기 패턴으로 진행할 수 있다. 이 기술은 뛰기 패턴과 동일하지만 다른 점은 환자가 다리를 좀 더 앞으로 전진시키고, 한 걸음을 내딛고 나서 멈추는 것이 아니라 양손을 다시 앞으로 움직여 한 걸음을 더 내딛는다는 것이다. 이 보행 패턴은 환자가 조금 더 빨리 앞으로 나아갈 수 있게 해주기 때문에 에너지 효율적이다.

기타 보행 패턴

환자의 다리, 특히 엉덩 굽힘근이 신경지배를 받을 경우, 환자는 4점이나 2점 보행 패턴을 사용할 가능성이 있다. 두 패턴 모두 팔다리를 움직이는 정상적인 상반 보행 패턴과 유사하다. 이 패턴은 표준화된 교재에 설명되어 있지만 여기서는 설명하지 않는다.

후진하기

환자는 또한 후진하는 법을 배워야 한다. 이것은 환자가 물리치료 부서의 평평한 표면에서 목발을 사용하기 시작할 때 중요하다. 처음에는 평행봉에서 후진하기를 수행해야 한다. 환자는 머리를 안으로 당기고 어깨를 내리고 팔꿈치를 뻗는다. 이 자세에서는 미니 잭나이프를 취하게 되고, 머리-엉덩이 관계 때문에 환자의 다리가 뒤로 움직인다. 환자는 이 순서를 여러 번 반복해서 원하는 거리만큼 뒤로 이동한다.

진보하는 환자

환자가 평행봉에서 여러 차례 보행을 연습한 후에는 외부에서 보행하기로 진행한다. 환자가 의존적이 될 수 있고, 덜 안전한 환경에서 지상 보행으로 전환하기가 어려울 수 있기 때문에 지체하지 말고 평행봉 보행에서 벗어나는 것이 좋다. 이러한 이행을 돕기 위해 환자가 평행봉을 잡고 걸어 다니는 동안 의사는 로프트스트랜드(캐나다 또는 팔뚝 목발) 목발을 소개할 수 있다.

휠체어에 타고 내리는 이행을 연습할 때는 주의를 기울여야 한다. 이 기술은 안전성을 높이기 위해 휠체어의 뒷부분을 벽 옆에 놓고 연습하는 것이 가장 좋다. 또한

중재 12-27 보행 진행

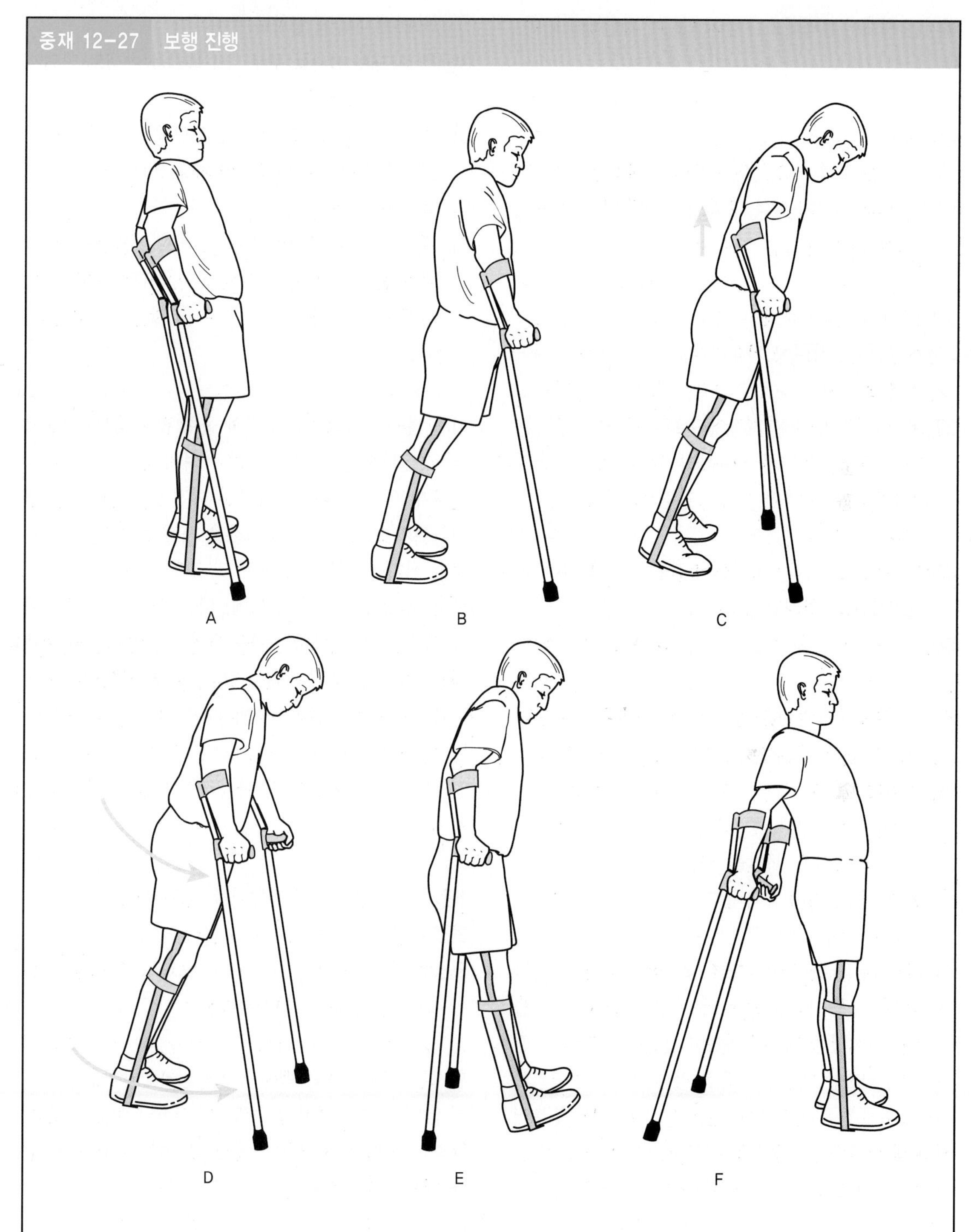

A. 환자가 균형점을 찾는다.
B. 환자가 목발을 앞으로 전진시킨다.
C. 환자가 머리를 안으로 당기고, 목발을 내리누른다.
D. 환자의 골반과 양다리가 앞으로 흔들린다.
E. 환자의 발이 바닥을 친다.
F. 환자가 머리를 들고 척주앞굽음 자세를 취한다.

환자는 휠체어 브레이크가 잠겨 있는지 확인해야 한다.

휠체어에서 일어서기

환자가 독립적으로 보행 활동을 할 경우에는 앉기에서 서기로 독립적으로 이행하는 법을 배워야 한다. 그 방법은 여러 가지가 있다. 처음에 설명한 방법이 아마도 가장 쉬울 것이다.

1단계. 휠체어를 벽에 대고 브레이크를 잠근다.
2단계. 바퀴 손잡이에 기대기 위해서 목발을 휠체어 뒤에 놓는다.
3단계. 환자가 휠체어 가장자리로 이동한다. 환자는 미니 팔굽혀 펴기를 완료해야 한다. 엉덩이 끌기로 앞으로 나아가면 피부가 불필요하게 손상될 수 있다.
4단계. 보조기를 잠근 상태에서 한쪽 다리를 다른 쪽 다리 위로 교차시킨다.
5단계. 고정된 발을 중심으로 돌아서 몸을 일으켜 일어선다.
6단계. 휠체어 팔걸이를 잡은 채 목발 하나를 짚은 다음, 다른 목발을 짚는다.
7단계. 목발이 제자리에 놓이면 휠체어에서 두 세 걸음 뒤로 이동한다. 중재 12-28은 다리 보조기와 로프트스트랜드 목발을 사용해 앉기에서 서기로 이행하는 단계를 보여 준다.

이러한 이행을 완료하는 다른 방법은 보조기 중 하나를 풀어서 그쪽 다리를 중심으로 도는 것이다. 이 기술은 이전에 설명한 것보다 엉덩이 관절에 부담이 덜 갈 수 있다. 환자는 이전에 언급한 것과 동일한 방식으로 서기로의 이행을 완료한다. 단, 서기 자세에서 구부러진 무릎의 관절을 잠글 필요가 있다. 환자는 앞으로 이동해서 휠체어에서 일어서기를 완료할 수도 있다.

1단계. 환자가 앞으로 움직여 휠체어 가장자리로 이동한다.
2단계. 목발 손잡이를 잡아 목발을 휠체어 앞바퀴 약간 뒤쪽 바닥에 평평하게 놓는다.
3단계. 환자는 머리를 구부리고 목발을 아래로 밀면서 휠체어 밖으로 나온다.
4단계. 일단 일어서면 서기 안정성에 필요한 척주앞굽음을 회복하기 위해 머리와 몸통을 빠르게 펴야 한다.
5단계. 균형을 회복했다 싶을 때까지 팔을 뒤쪽에 그대로 둔다. 그런 다음에 팔이나 목발을 앞으로 움직일 수 있다. 중재 12-29는 이 활동을 마치는 환자를 보여 준다.

이 방법을 수행하려면 근력과 균형 및 협응이 많이 필요하기 때문에 많은 환자들이 어려워한다.
환자가 서서 균형을 회복하면 이전에 설명한 것처럼 건너뛰기 보행 패턴으로 보행을 시작할 수 있다. 치료사는 환자를 뒤에서 보호하고, 그림 12-16에서처럼 한 손은 보행 보조용 벨트에, 다른 하나는 환자의 어깨 뒤에 댄다. 치료사는 과도한 촉각 신호를 환자에게 제공하지 않도록 주의해야 한다. 보행 벨트를 당기거나 환자의 팔의 움직임을 방해하면 실제로 환자가 균형 장애를 경험할 수 있다.
걷기에서 앉기 자세로 돌아가려면 다음과 같이 하는 것이 좋다.

1단계. 처음에 환자는 휠체어를 마주 본다.
2단계. 목발을 휠체어 뒤에 놓는다.
3단계. 두 무릎 관절 중 하나를 풀고, 그쪽 무릎 위로 회전하여 앉기 자세를 취한다.

환자는 스트레이트-백(straight-back) 방법을 사용하여 앉기 자세로 돌아갈 수 있다. 그러나 이 기술은 수행하기 어렵고, 휠체어 안정화를 도와줄 사람이 있을 때 사용하면 가장 좋다.

목발 짚고 보행 훈련하기

환자가 목발을 짚고 평평한 곳에서 보행 훈련을 시작하면 다시 균형점을 찾아야 한다. 환자는 잭나이프

중재 12-28 보조기 착용하고 앉기에서 서기로 이행

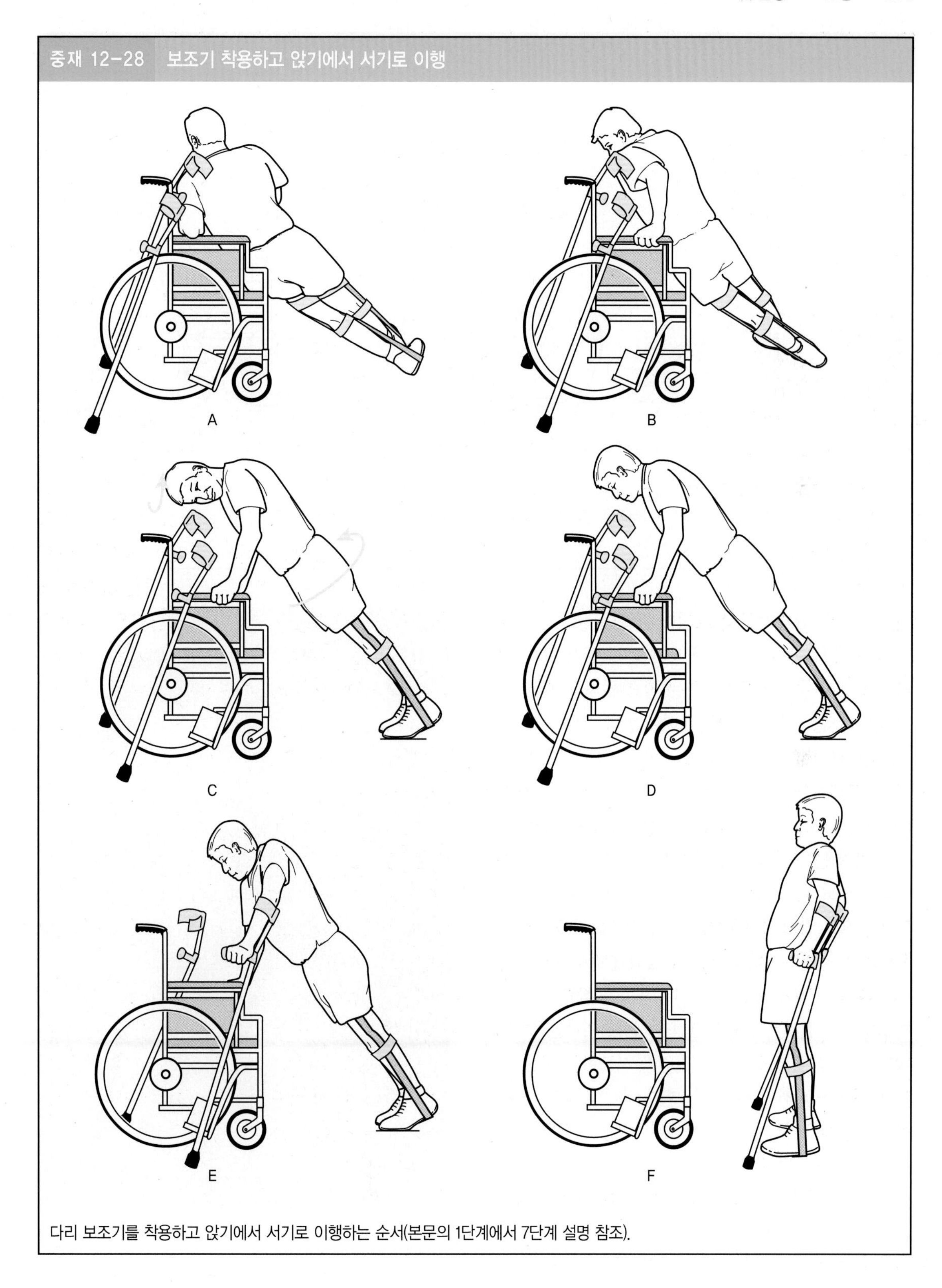

다리 보조기를 착용하고 앉기에서 서기로 이행하는 순서(본문의 1단계에서 7단계 설명 참조).

중재 12-29 휠체어에서 일어서기

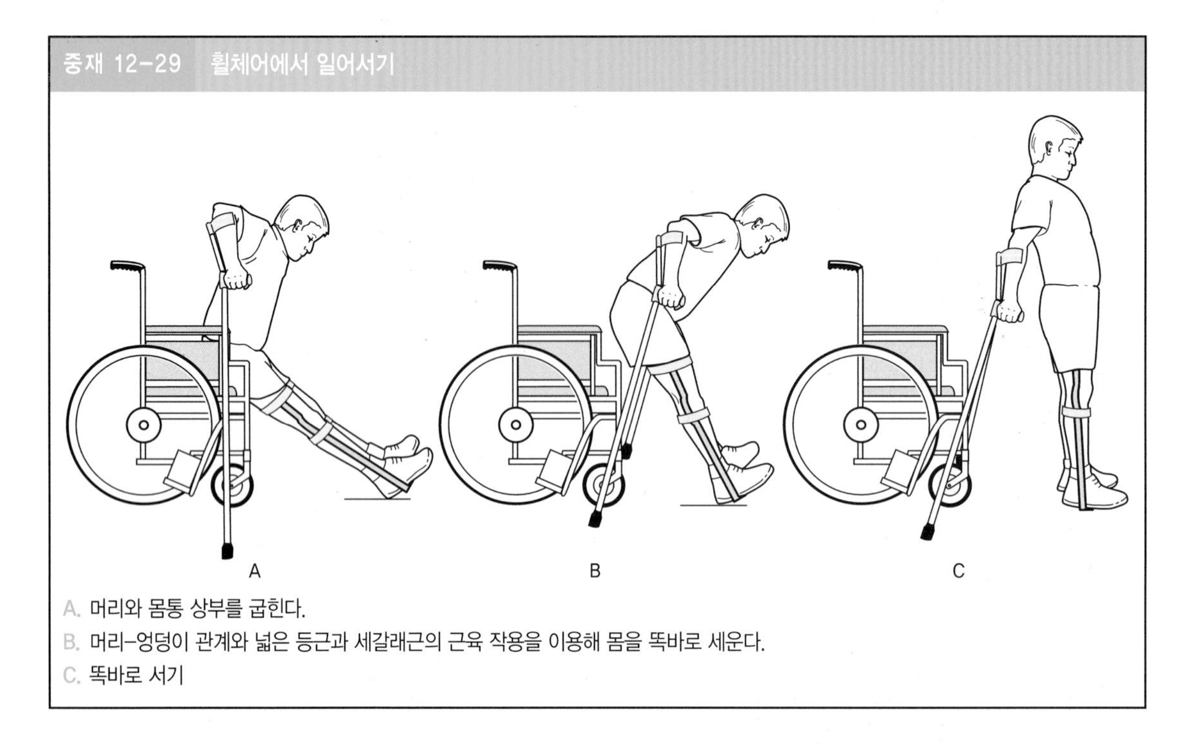

A. 머리와 몸통 상부를 굽힌다.
B. 머리-엉덩이 관계와 넓은 등근과 세갈래근의 근육 작용을 이용해 몸을 똑바로 세운다.
C. 똑바로 서기

를 방지하기 위해 양손을 엉덩이 앞쪽에 놓고 유지해야 한다. 처음에 치료사는 환자와 함께 뛰기 보행 패턴을 선택할 수 있다. 치료사는 필요에 따라 보행 벨트를 잡고 환자를 뒤에서 보호해야 한다. 일부 치료사는 처음에 보행 벨트를 잡고 환자의 어깨에 다른 손을 댄 채 환자를 옆에서 보호하는 것이 더 쉬울 수도 있다. 환자의 머리 자세잡기와 과도한 척주앞굽음 자세를 돕기 위해 언어 및 촉각 신호가 필요할 수 있다. 환자가 균형을 잃고 잭나이프를 시작하면 치료사는 환자의 골반을 앞으로 밀고 어깨를 뒤로 밀어 과다폄 자세를 다시 유도한다. 환자가 비교적 빨리 움직이기 때문에 치료사는 보폭을 더 크게 움직여야 한다. 환자가 점점 더 능숙해짐에 따라 건너뛰기 보행 패턴을 시작할 수 있다.

낙상. 목발을 짚고 보행하는 훈련을 시도하는 모든 환자는 손상을 피하기 위해 적절한 낙하 기술을 배워야 한다. 첫 번째 낙상 시도는 통제된 방식으로 완료해야 한다. 치료사라면 환자를 바닥 매트에 떨어뜨리고 싶을 것이다. 환자는 목발을 놓고 손잡이에서 손을 떼라고 지시 받는다. 환자는 손목을 다치지 않으려고 팔꿈치를 구부리고 바닥 쪽으로 손을 뻗는다. 시설에 크래

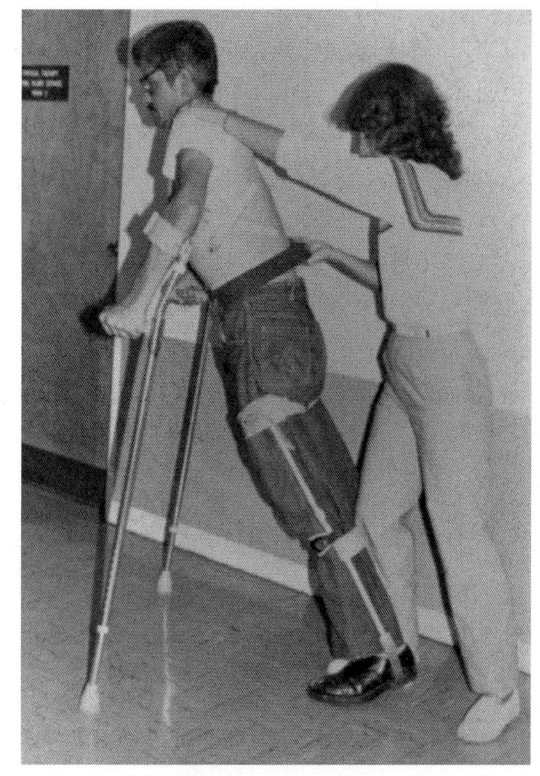

그림 12-16. T12 수준의 손상 환자가 균형을 잡고 다리로 보행하기 위해서 양측에 무릎-발목-발 보조기를 착용하고 균형을 잡는 모습(From Adkins HV, editor: *Spinal cord injury*, New York, 1985, Churchill Livingstone).

중재 12-30 바닥에서 일어나기

A. 환자에게 바닥에서 엎드리기 자세를 취하라고 지시한다. 환자에게 목발의 뾰족한 끝이 머리쪽에, 목발 손잡이가 엉덩이 쪽에 오도록 목발을 놓으라고 지시한다.

B. 환자가 발바닥 걷기 자세로 몸을 밀어올린다(이때 환자는 보조기가 모두 잠겨 있는지 확인한다).

C와 D. 환자가 한 손을 뻗어 목발 하나를 잡아 균형을 잡는 수단으로 사용한다. 이 목발을 어깨에 걸쳐놓는다.

E와 F. 환자가 바닥에 있는 목발을 안정점으로 사용해서 다른 목발을 향해 손을 뻗어 잡아서 아래팔에 끼운다.

G와 H. 환자는 목발을 짚고 균형을 회복한다.

시 매트(이 매트가 더 높고 부드러움)가 있으면 처음에는 이 매트에서 넘어지는 연습을 하는 것이 환자에게 좋은 출발점이 된다.

바닥에서 일어나기. 환자가 바닥에 넘어지는 연습을 한 후에는 바닥에서 일어나는 법을 배워야 한다. 이 활동을 돕기 위해 다음 단계를 사용해야 한다.

> 경고 이 이행은 벽 가까이에서 연습해야하므로 환자는 똑바로 일어설 때 기댈 곳이 있다. ▼

1단계. 환자는 마루에서 엎드리기 자세를 취하라고 지시 받는다.

2단계. 환자는 목발의 뾰족한 끝이 머리쪽에, 목발 손잡이는 엉덩이 쪽에 오도록 목발을 놓는다.

3단계. 환자가 발바닥 걷기 자세로 몸을 밀어 올린다(이때 보조기가 모두 잠겨 있는지 확인한다).

4단계. 환자는 목발 하나를 손으로 잡아서 뾰족한 끝을 바닥에 대고 똑바로 일어선다. 환자의 한 손은 목발 손잡이에 놓이고, 목발은 환자의 어깨에 걸쳐진다.

5단계. 환자는 바닥에 있는 목발을 안정점으로 사용해서 다른 목발을 향해 손을 뻗어 잡아서 아래팔에 끼운다.

6단계. 환자는 반대쪽 목발을 돌려서 목발의 아래팔 덮개에 팔꿈치를 놓는다.

7단계. 환자는 목발을 짚고 균형을 회복한다. 중재 12-30은 이 순서를 보여 준다.

환경 장벽 넘기

환자가 지역 사회에서 독립적인 보행을 할 경우, 교정기 및 보조기를 착용하고 경사로와 연석 및 계단을 넘어 다닐 수 있어야 한다.

경사로 오르기

1단계. 환자는 뛰기 보행 패턴으로 경사로 위로 올라간다.

2단계. 균형을 유지하기 위해 목발을 발 앞쪽으로 몇 인치 떨어진 곳에 놓고 유지한다.

3단계. 엉덩이 안정성을 높이려면 환자의 골반을 척주 앞굽음 자세로 앞으로 기울여야 한다.

경사로 내려가기. 수평면에서의 보행 기법과 동일한 기술을 사용할 수 있다. 건너뛰기 보행 패턴을 권장한다.

연석 오르기

1단계. 정면으로 연석에 다가간다.

2단계. 연석 가장자리 근처에서 균형을 잡고 서서 목발의 뾰족한 끝을 연석에 올려놓는다.

3단계. 몸을 앞으로 기울이고, 머리를 안으로 당겨 넣고, 팔꿈치를 펴며, 어깨뼈를 내려서(잭나이프) 다리를 연석 위로 올린다(환자의 발가락을 연석 높이까지 끌어올린다).

4단계. 환자는 연석에 발을 올리거나 연석을 넘어갈 수 있다.

5단계. 환자의 발이 연석에 닿으면 균형점을 회복해야 한다.

연석 내려가기

1단계. 정면으로 연석에 접근한다.

2단계. 연석 가장자리 근처에서 균형을 잡은 자세로 머리를 안으로 당겨 넣고 팔꿈치를 곧게 펴고 어깨뼈를 내려서 연석을 내려간다.

3단계. 환자의 다리가 흔들리면서 연석의 가장자리를 지나갈 때 팔꿈치와 어깨 근육을 편심성 수축시켜서 다리를 내린다.

4단계. 환자의 발이 바닥에 닿으면 균형점을 회복해야 한다.

미국 장애인 법에 따라 많은 공공 및 민간 건물의 접근성이 향상되었지만 많은 가정과 공동체 건물에는 특정 개인이 접근할 수 없다. 그렇기 때문에 환자에게 계단을 넘어가는 기법을 가르쳐주는 것을 검토한다.

계단 오르기. 환자는 연석 하나를 올라갈 때와 동일한 기법으로 계단을 오를 수 있다. 뿐만 아니라 계단을 뒤로 올라가는 대체 접근법을 배울 수 있다.

1단계. 환자는 등을 계단 쪽으로 돌려 서서 균형을 잡는다.

2단계. 목발을 위쪽 계단에 올려놓은 채 목발에 기대서 팔꿈치를 곧게 펴고, 어깨뼈를 내린다. 이렇게 하면 다리가 계단 위로 올라간다.

3단계. 환자의 발이 착지되면 골반을 앞으로 기울이기 위해서 목을 펴고 어깨뼈를 뒤로 당긴다.

환자는 필요한 계단을 모두 성공적으로 올라갈 때까지 이 단계를 반복한다.

계단 내려가기. 계단을 내려가야 하는 환자는 연석 내려가기 기술을 사용할 수 있다. 그러나 착지할 수 있는 공간이 제한되어 있으므로 조심해야 한다. 계단에서 헛발을 디디지 않도록 계단 길이를 정확하게 측정해야 한다.

체중지지 트레이드밀

기초 과학에 대한 연구는 척수손상로 인한 장애를 줄이기 위해 수행되었다. 동물 연구에 따르면 척수가 완벽하게 절단된 고양이가 훈련 후에 트레이드밀에서 걷는 능력을 회복할 수 있다고 한다. 이 연구는 "척수가 운동 중에 감각 정보에 통합되고 적응할 수 있음을 시사한다(de Leon 등, 2001)." 연구자와 치료사에게 특히 흥미로운 것은 척수에 존재하는 신경 세포 네트워크인 중추 유형 발생기(CPG)다. CPG는 보행을 생성하고 가시끝 입력에 의해 촉진된다. 그러나 CPG는 겉질의 영향이 없는 외부 자극에 의해 활성화 될 수 있다(Basso, 2000, Hultborn와 Nielsen, 2007). 보행 능력 회복을 이해하는 열쇠는 감각 피드백이 디디기(stepping)에서 하는 역할이다(Hultborn 와 Nielsen, 2007).

불완전 척수손상 환자를 위한 보행 훈련은 활동 의존성 가소성 및 자동 움직임 패턴의 원리에 기초한다. 손상 수준 이하의 신경계를 활성화시키면서 보상을 제한하는 데 중점을 둔 활동 의존적 중재는 이들 환자를 돌보는 계획의 중요한 구성 요소다. 보행 훈련은 가시끝 입력이 손상된 경우에도 지속적인 참여를 촉진하기 위해 나머지 척수손상 네트워크를 자극하는 적절한 감각 입력을 신경계에 제공한다(Harkema 등, 2012). 맨손 자극이나 전기 자극, 또는 로봇의 도움을 이용한 체중지지 트레이드밀 훈련(BWSTT)은 환자의 보행 거리 및 보행 속도를 개선시켰다(Field-Fote와 Roach, 2010, Harkema 등, 2012). 환자는 트레이드밀 위에서 하네스에 매달려 있으며, 이는 직립 자세를 잡아주고, 다리의 체중지지를 감소시켜준다. 환자 체중의 약 35%~40%를 지지해 준다. 트레이너는 트레이드밀이 움직이는 동안 환자의 다리 움직임을 도와줄 수 있다. 중재 12-31은 이러한 유형의 보행 훈련을 보여 준다. 트레이드밀의 움직임은 엉덩이를 당겨 펴주고 걷기 주기의 유각기를 촉진해 환자에게 걷기의 감각 경험을 제공한다. 0.8~1.0m/sec가 교육적으로 권장하는 트레이드밀 속도다. 환자의 상태가 진행됨에 따라서 트레이드밀 속도와 지원되는 체중의 양 및 환자의 걷기 시간을 늘릴 수 있다. 10장에서 제시한 개념을 검토하기 위해, BWSTT는 신경 장애 환자 치료에서 활동 의존적 신경 가소성의 전제와 과제 특화적 활동의 수행을 지원한다.

일부 연구에서 BWSTT와 지상 보행은 전기 자극과 결합된다. 전기 자극은 다리의 디디기를 촉진하기 위해 반사 기반 운동(굽힘근 수축 반응(flexor-withdrawal response))을 유도하고, 보조기로 사용될 수 있다. 이 접근법은 보행에 관여하는 척수 회로를 촉진하는 것으로 알려져 있다(Field-Fote와 Roach, 2011, Field-Fote와 Tepavac, 2002, Somers, 2010). 로봇 보조 BWSTT도 사용할 수 있는데 이는 환자에게 운동학적으로 적절한 다리 움직임을 제공한다. 그러므로 고유 감각 입력은 정확하고, 정확성에 대한 내적 기준 발달을 촉진해서 운동 학습을 향상시킨다고 한다(Field-Fote와 Roach, 2011). 치료사에게 육체적으로는 덜 힘들지만 다리 움직임의 수동적 성격과 운동이 시상면에서만 발생한다는 사실과 관련하여 로봇 보조 보행에 대한 몇 가지 우려가 있다. 중재 12-32에서는 로봇을 이용한 보행을 보여 준다(Somers, 2010).

하르케마(Harkema 등, 2012a)는 보행 훈련을 위한 네

중재 12-31 보행 훈련

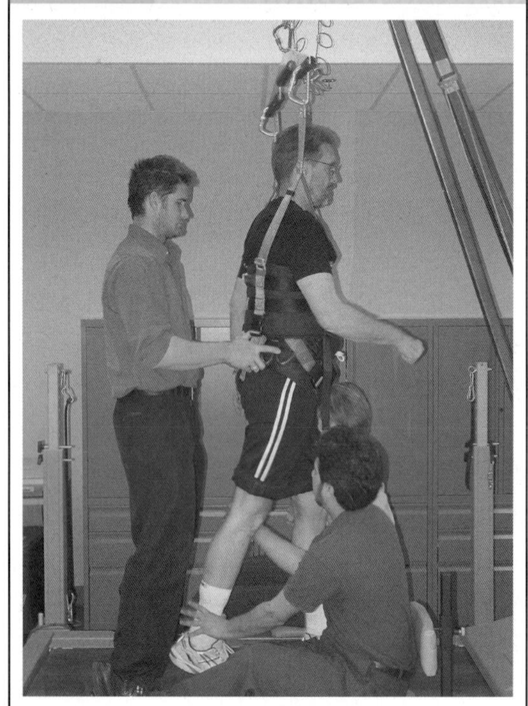

환자가 체중지지 트레이드밀 보행을 수행한다.

(From Sisto SA, Druin E, Sliwinski MM: *Spinal cord injury: management and rehabilitation*, St. Louis, 2009, Mosby.)

가지 기본 원리를 설명했다. 첫째, 팔 체중지지를 제한하면서 다리 체중지지를 극대화한다. 둘째, 활동과 관련된 감각 경험을 최적화한다. 셋째, 적절한 팔다리 운동을 촉진하고, 넷째, 독립성을 극대화하고 보상을 제한한다. 환자의 기능적 능력을 향상 시키려면 보행 훈련을 지상과 지역 사회에서 수행해야 한다. 운동 학습이 일어나려면 환자가 기술을 한 환경에서 다른 환경으로 이전할 수 있어야 한다.

최근에 필드-포테(Field-Fote)와 로치(Roach, 2011), 하르케마 등(2012b)가 실시한 연구에 따르면 집중 활동 기반의 보행 프로그램에 참여한 불완전 손상 환자의 경우에는 10m 걷기와 베르그 균형 점수 및 보행 속도를 포함한 결과 측정이 향상되었다.

퇴원 계획

이전에 언급한 바와 같이, 입원 환자 재활을 위한 체류 기간은 계속 감소한다. 따라서 환자가 물리치료를 처음 시작할 때 퇴원 계획을 세우기 시작해야 한다. 환자와 가족 구성원, 중요 인물 및 보호자을 포함한 환자의 재활 팀 구성원 모두가 이 과정에 참여해야 한다. 모든 관련 당사자들의 종합적인 노력으로 환자는 병원에서 이전의 가정과 직장으로 성공적으로 복귀할 수 있다.

퇴원 계획 과정에는 이상적으로 환자의 기능적 결과를 향상시키고 의료 서비스 시설에서 집으로 쉽게 전환할 수 있도록 도와주는 여러 가지 다양한 활동이 포함된다. 퇴원 계획 과정의 일부가 되어야하는 활동으로는 (1) 퇴원 계획 회의와 (2) 시범적 홈 패스(home pass), (3) 접근 가능성을 보장하기 위한 가정환경의 평가, (4) 직업 계획 개발, (5) 필요한 모든 적응 기구 및 보급품 조달, (6) 운전자 훈련(해당되는 경우), (7) 지역 사회 자원 이용 가능성에 관한 교육, (8) 추가 재활 서비스 및 장기간 건강 및 복지 서비스 필요성에 대한 권고가 있다.

퇴원 계획 회의

퇴원 계획 회의는 환자의 예상 퇴원 날짜보다 약 1~2주 전에 개최되어야 한다. 계속되는 의학 및 재활 치료 후속 조치를 다루어야 하며, 환자와 가족 모두가 이용할 수 있는 자원을 검토해야 한다. 이상적으로 환자는 포괄적인 후속 서비스를 이용할 수 있다. 미리 정해진 시간에 일상적인 재평가를 제공하는 척수 클리닉은 유용하다. 이러한 후속 방문 약속에서 많은 잠재적 장기 합병증이 발견되고, 성공적으로 관리된다. 불행히도 많은 환자가 이 환자 집단에게 장기 요양 보호를 제공하는 훈련받은 의료 전문가가 없는 지역으로 퇴원한다. 이러한 이유로 환자는 손상, 이차적 합병증 및 회복 가능성에 관해 교육을 받아야 한다.

퇴원 계획 회의 중에 특정 문제를 해결해야 한다. 관심 분야는 다음과 같다.

1. 환자의 태도 및 퇴원 계획에 대해 토의해야 한다.

중재 12-32 로봇 보조 보행 훈련

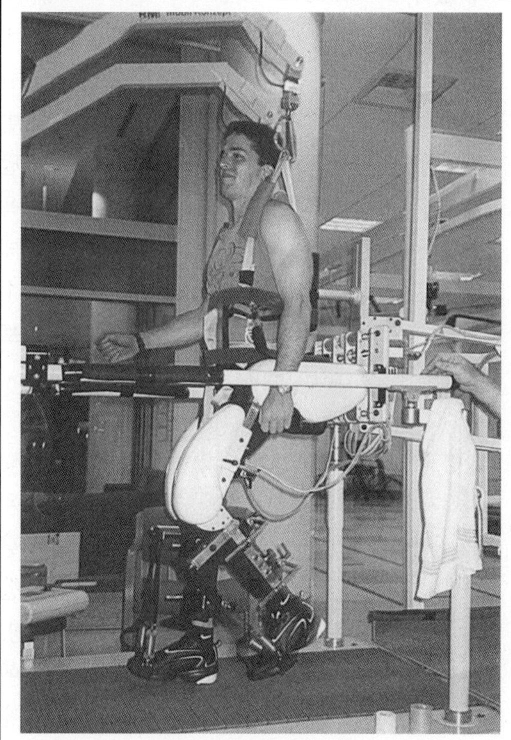

척수손상 환자가 위쪽의 하네스로 지지를 받아 로코매트 로봇 보조 보행 훈련 장치를 사용한다.

(From Sisto SA, Druin E, Sliwinski MM: *Spinal cord injury: management and rehabilitation*, St. Louis, 2009, Mosby.)

환자는 가정에서의 생활이 어떨지를 현실적으로 인식하고 있는가? 집으로의 퇴원이 가능한가?

2. 환자의 주 보호자이 척수손상 및 관리에 관해 갖고 있는 지식 기반과 이해도를 평가해야 한다. 보호자은 환자의 상태와 필요한 간호 수준을 이해하고 있는가?
3. 척수손상 환자가 겪는 의학적 문제 및 이차적인 합병증을 처리할 수 있는 의사의 유용성에 대해 논의해야 한다.
4. 환자가 필요로 하는 전문 간호 및 양성 간호의 양과 정도를 결정해야 한다. 환자가 개인 간병 비용을 지불하기 위한 재정적 수단(보험 또는 수입)을 가지고 있는가? 환자가 집에서 기능하기 위해 필요한 모든 적응 및 ADL 기구를 받았는가? 환자는 퇴원 전에 휠체어와 시트 쿠션을 포함한 장비를 받아야하므로 필요한 교육이나 수정은 시설에서 수행할 수 있다. 또한 의료 제공자와의 장기적인 관계가 제안된다.
5. 학교, 직장, 여가 활동 및 의사와의 진료 약속과 관련된 교통 문제를 확인해야 한다. 전동 휠체어를 사용하는 환자는 유압식 의자 리프트 기능이 있는 밴에 접근해야 한다. 운전을 재개하고자하는 환자는 개조형 손 제어기를 자동차에 설치해야 한다. 이러한 항목을 포함하는 시간표는 길 수 있다. 따라서 이 계획 과정을 조기에 시작하는 것이 좋다.
6. 환자의 집, 학교 또는 직장의 접근 가능성에 대해 설명해야 한다. 건축물 개조는 환자가 퇴원하기 전에 완료되어야 한다.
7. 지역 사회 자원의 접근성 및 환자와 그 가족에 대한 지원과 관련된 기타 문제를 논의해야 한다. 환자와 그 가족을 위한 후원 그룹은 많은 지역 사회에서 이용 가능하다. 이런 후원 그룹은 환자에게 정서적 지원과 사회적 배출구를 제공할 수 있다.

치료적 패스는 곧 퇴원할 환자에게 제공하고, 퇴원 계획 과정에 매우 유익하다. 패스를 받은 환자는 몇 시간 동안 또는 일부의 경우에는 가족 구성원의 보호를 받아 하룻 밤 동안 의료 시설에서 퇴원한다. 이 패스는 재활 기관에서 퇴원한 환자가 어떻게 기능하는지를 살펴보기 위해서 사용한다. 이 기간 동안 환자와 가족은 환자가 집에 있을 때 필요한 필수 기술을 연습할 수 있다. 또한 이 패스는 환자가 다양한 방의 접근 불가능과 같은 가정에서 발생할 수 있는 문제를 해결할 수 있는 기회를 제공한다. 뿐만 아니라 환자가 재활 환경의 안전한 범위 밖에서 기능을 수행할 때 필요한 자신감을 회복하는 데 도움이 된다. 많은 환자들은 재활 기관에서 퇴원하는 것을 두려워한다. 재활 병원이나 병동은 24시간 일상적인 진료가 가능하며, 유사한 문제와 신체적 결함이 있는 사람들의 안락한 환경으로 간주되고 있다.

패스 기간이 끝난 환자는 지속적인 중재 및 퇴원 계획

을 위해 재활 기관으로 돌아간다. 환자와 가족이 패스 기간에 관한 경험을 공유하면 추가 교육이 이루어지고, 문제가 해결될 것이다. 이와 함께 거주 환경에 대한 추가적인 환경 개조가 이루어져야 한다면, 개조 사항을 완료하는 데 필요한 정보를 제공한다.

퇴원 계획의 구성 요소로서 환자와 재활 팀은 직업 계획에 관해 논의할 필요가 있다. 직업 재활 전문가 또는 어떤 경우에는 심리학자를 찾아가면 환자가 장애에 적응하고 미래에 대해 낙관적인 태도를 갖는 데 도움이 될 수 있다. 대부분의 환자는 이 특정 시점에서 미래, 특히 직장에서의 자신의 위치를 생각할 준비가 되어 있지 않다. 그러나 직업 평가를 시작하고 환자의 학교 복귀 또는 직장 복귀에 관해 논의하는 것은 매우 긍정적이며, 그러한 활동에 다시 참여할 수 있다는 기대를 높이는 데 도움이 된다. 불행하게도 척수손상 환자의 34.9%만이 초기 손상 후 20년 동안 고용된 것으로 나타났다(National Spinal Cord Injury Statistical Center, 2013).

장비 조달

환자가 시설에서 퇴원하기 전에 환자가 필요로 하는 장비 확보에 대한 자세한 설명은 이 본문의 범위를 벗어난다. 고려해야 할 공통 항목 중 일부는 여기서 소개하겠다. 보다 자세한 정보는 작업치료사와 재활 팀과 상의해야 한다.

퇴원 시 환자가 필요로 하는 품목은 다음과 같다.

1. 휠체어: 유형 및 구체적인 요구 사항은 재활 팀이 결정한다. 전동 휠체어 대 수동 휠체어의 장점을 고려해야 한다. 일부 환자의 경우 비용 및 보상 문제가 우려될 수 있다.
2. 압력 완화를 돕는 휠체어 쿠션: 압력 완화 장치가 유익하지만, 규칙적으로 수행되는 압력 완화 또는 체중 이동 활동을 대신할 수는 없다. 적절한 휠체어 쿠션 선택은 쿠션 위로 이동하는 환자의 능력과 필요한 지원 정도에 따라 달라진다.
3. 병원 침대나 압력 경감용 침대: 집으로 퇴원해야 하는 높은 수준의 팔다리마비 환자에게는 병원 침대, 기타 특수 침대 또는 에어 매트리스가 필요할 수 있다.
4. ADL 적응 장비: 옷 입기를 돕는 드레싱 스틱, 바지 입기를 도와주는 바지에 부착된 루프, 이러한 물건들을 고정시켜주는 단추 및 지퍼 후크, 신발 신기를 돕는 벨크로 스트랩 및 신축성 있는 신발 끈, 욕실 브러시, 손으로 잡는 샤워 부착물 및 욕조 벤치가 필요할 수 있다. 팔다리마비 환자에게는 맞춤 가정용품과 칫솔 및 손잡이가 필요할 수 있다. 환자의 먹기 활동을 돕기 위해서는 손목 보호대(dorsal wrist support)나 유니버셜 커프(universal cuff)가 필요할 수 있다.
5. 환경 제어 장치: 가정의 개인용 컴퓨터, 전화 및 가전제품과 인터페이스가 가능한 환경 제어 장치를 권장할 수 있다. 이러한 전자 시스템을 통해 팔다리마비 환자는 환경을 일부 제어할 수 있다. 환경 제어 장치를 활성화하여 환자는 집 안의 조명, TV 또는 기타 가전제품을 켤 수 있다. 이 분야에 대한 전문 지식을 갖춘 재활 기술자 또는 기타 제공자에게 의뢰하는 것이 좋다.

가정 운동 프로그램

일부 환자의 경우 시설에서 퇴원하면 재활이 끝난다. 퇴원한 모든 환자가 후속 관찰 서비스를 받는 것은 아니다. 그러므로 감독 물리치료사와 물리치료보조사는 환자의 즉각적이고 장기적인 필요를 충족시킬 수 있는 가정 운동 프로그램을 설계해야 한다. 환자가 퇴원해서 가정 운동 프로그램을 매일 몇 시간씩 수행할 것이라고 예상하는 것은 타당치 않다. 개인은 매일 ADL을 완료하는 데 상당한 시간을 할애한다. 그러므로 물리치료 팀은 환자에게 가장 큰 기능적 이점을 제공하는 몇 가지 활동만 선택해야 한다.

가정 운동 프로그램 개발 시 고려 사항

환자를 위한 가정 운동 프로그램을 개발할 때 몇 가지 요소를 고려해야 한다. 다음은 환자의 가정 운동 프로그램을 완성하기 전에 자가 점검해야 하는 질문 목록이다.

1. 퇴원 시 환자가 수행할 수 있는 활동은 무엇인가? 환자가 독립적으로 이동할 수 있는가? 다른 기능적 기술에서 발전할 가능성이 있는가?
2. ADL을 완수하기 위해 환자가 필요로 하는 운동 및 심폐 기능은 무엇인가? 고려해야 할 영역에는 운동범위와 근력, 유연성, 균형 및 폐활량이 포함된다.
3. 환자는 어떻게 피부 보전 및 호흡 상태를 유지하고 이차 합병증을 예방할 수 있는가?
4. 일상적인 일과를 완수해서 환자가 유지할 수 있는 기술과 능력은 무엇인가? 예를 들어 옷 입기와 입욕은 팔과 다리의 운동범위를 유지하는 데 도움이 된다.
5. 일상적인 ADL 수행 중에 다루어지지 않기 때문에 특별히 관심을 기울여야 할 부분은 무엇인가? 고려해야 할 영역으로는 엉덩이 폄과 발목 발등굽힘, 심폐 내구력 유지가 있다.

환자의 운동 및 심폐 기능에 관한 이러한 자가 점검 외에도 환자와 가정 운동 프로그램을 설계할 때 가족 또는 보호자의 역할을 고려해야 한다(Nixon, 1985). 앞서 언급했듯이 척수손상 환자는 능동적인 문제 해결사가 되어야 하며, 스스로를 돌보고, 그 방법을 다른 사람에게도 지시할 수 있어야 한다. 자신의 치료와 관련하여 의사 결정을 내릴 때 다른 사람에게 의지하는 환자는 가정 운동 프로그램을 지휘하는 데 어려움을 겪을 수 있다. 움직이지 못하는 것과 구축이라는 발생 가능한 합병증을 이해하지 못하면 가정 운동 프로그램에 대한 관심이 부족해질 수 있다. 매일 신장 활동과 적극적인 휠체어 추진을 수행하면 환자가 최적의 기능적 독립 수준을 유지하는 데 많은 도움이 될 것이다.

가족 교육

이 장 전체에서 논의된 바와 같이, 가족 중재와 훈련이 가장 중요하다. 가족 교육은 환자의 재활 기간 동안 일찍 시작되어야 하며, 퇴원하기 며칠 전으로 연기되어서는 안된다. 가족이나 보호자는 환자 이동, ADL 작업, 피부 검사, 휠체어 이동성, 장비 사용 및 유지 관리, 운동범위 운동을 도와서 물리치료사와 물리치료보조사를 지원해야 한다. 가족 구성원들은 환자가 고통스러워하거나 추가적인 손상을 입을까봐 두려워하기 때문에 이러한 활동을 배우기 시작하는 가족 구성원들을 인내심 있게 가르쳐야 한다. 가족에게 환자를 육체적으로 돕는 방법을 가르치는 것도 중요하지만 손상과 잠재적인 합병증, 주의 사항, 안전 요인 및 예상되는 기능적 결과에 대해서도 교육해야 한다. 가족이나 보호자에게 정보를 소화하고 동화시킬 수 있는 적절한 시간을 주기 위해 주어진 시간 동안 교육을 하는 것이 가장 좋다. 환자가 퇴원해야하는 경우, 환자를 돌보는 일을 담당하는 모든 개인은 환자가 시설에서 퇴원하기 전에 필요한 기술들을 수행하는 능력을 증명해 보여야 한다.

지역 사회 재진입

환자가 퇴원을 준비할 때 고려해야 할 마지막 부분은 개인의 지역 사회 재진입이다. 환자에게 기능적 독립성과 이해관계가 보장되는 수준에서 이전에 수행한 활동을 재개하도록 권장해야 한다. 장애인을 위한 취업, 레크리에이션 활동, 스포츠 및 취미 분야에서 상당한 발전이 있었다. 척수손상 환자의 약 34.9%가 손상 후 20년 동안 고용되었다(National Spinal Cord Injury Statistical Center, 2013). 손상 후 고용에 긍정적으로 영향을 미치는 요인으로는 젊은 나이, 백인 남성, 높은 교육 수준, 동기 부여 및 이전 고용 활동이 있다(DeVivo와 Richards, 1992). 레크리에이션 및 스포츠 프로그램에 대한 철저한 검토는 이 본문의 범위를 벗어난다.

삶의 질

연구에 따르면 척수손상 환자의 대부분은 만족스러운 삶의 질과 정신사회적 복지를 달성한다고 한다(Lewthwaite 등, 1994). 손상이 시간이 지남에 따라 감소한 후 처음에는 우울증을 자주 경험하고 개인이 장애를 받아들인다는 증거가 제시되었다. 그럼에도 불구하고, 척수손상 환자는 건강한 성인과 비교했을 때 삶의 질이 떨어지며, 신체적 역할을 수행하는 능력의 제약이 가장 두드러지게 나타난다. 개인의 사회 지원 시스템은 손상에 대한 개인의 적응에 긍정적인 영향을 줄 수 있다. 손상의 신경학적 수준과 정도도 삶의 질에 미치는 영향을 결정하기 위해 연구해야 한다(Boakye 등, 2012).

장기적인 의료 관리 요구

미국의 인구가 노화할수록 척수손상 생존자도 노화한다. 조사학자들은 척수손상 환자의 40%가 45세 이상인 것으로 추정했다. 정상적인 노화 과정이 척수손상 환자의 기존 근골격계 및 심폐 기능 장애와 휠체어 추진력, 반복적인 팔 운동 및 보조 보행으로 인한 누적된 스트레스를 어떻게 가속화하는지에 대한 조사가 이루어지고 있다. 환자가 노령화됨에 따라 기능이 저하되고, 더 큰 도움을 필요로 할 수 있다. 피로, 약화, 의학적 합병증, 어깨 통증, 체중 증가 및 자세 변화는 기능 저하로 인한 것이다. 다행히도 이러한 기능 제한의 많은 부분은 적응 장비, 좌석 시스템 및 전동 휠체어의 조달을 포함한 물리치료 중재로 해결할 수 있다(Gerhart 등, 1993).

척수손상 환자와 함께 일하는 의료 서비스 제공자에게 중요한 점은 노화와 과다 사용과 관련된 많은 문제들을 교육, 건강 증진 및 건강 활동을 통해 예방할 수 있다는 것이다. 포괄적인 후속 서비스는 이들 개인에게 매우 중요하며, 이차 합병증의 발병률을 낮추고 이차 발병 위험을 감소시킬 수 있다(Gerhart 등, 1993; Somers와 Bruce, 2014).

결론 요약

척수손상 환자는 기능적 독립성을 최적화하기 위해 포괄적인 재활 서비스를 이용할 수 있다. 손상 직후에 시작하는 물리치료는 환자의 근력과 이동성 및 심폐 기능을 향상시키는 데 도움이 될 수 있다. 치료는 환자의 최적 회복에 추가 자원을 할애할 수 있는 광범위 재활 센터에 입원해서 계속해야 한다. 최고 수준의 기능적 독립성 달성을 돕기 위해 여러 가지 치료 중재 및 양식이 제공된다. 환자가 재활 과정에 적극적으로 참여하도록 강조하는 것이 필수적이다. 또한 의료 시설에서 가정으로의 성공적인 전환을 보장하기 위해 재활 초기부터 환자 및 가족 교육이 포함되어야 한다. 가정과 직장 또는 학교로 돌아가는 문제를 환자와 초기에 논의하면 환자의 지역 사회 복귀에 도움이 된다. 이 환자 집단에서 발생할 수 있는 잠재적인 이차 합병증을 없애거나 최소화하기 위해서는 적절한 장기적 추적 관찰이 절대적으로 필요하다. 신경계 가소성에 대한 이해가 대두되면서 물리치료에 대한 접근 방식이 변하고 있다. ■

검토사항

1. 척수손상의 가장 일반적인 네 가지 원인을 나열한다.
2. 완전한 척수손상과 불완전 척수손상을 구별한다.
3. 척수 쇼크의 특징은 무엇인가?
4. 자율신경반사 장애란 무엇인가? 이 상태를 겪고 있는 환자의 임상 양상을 기술한다.
5. C7 팔다리마비 환자의 기능적 잠재력은 무엇인가?
6. 폐 기능을 향상시키는 세 가지 물리치료 중재를 열거한다.
7. 재활 치료의 급성기 단계에서 물리치료 중재의 세 가지 주요 목표를 열거한다.
8. C6 팔나리마비 환자의 전형적인 매트 운동 프로그램에 대해 토론한다.
9. C7 팔다리마비 환자에게 가장 기능적인 휠체어 대 매트 이송 장치는 무엇입니까?
10. 치료 풀 프로그램의 이점을 열거한다.
11. 보조기를 사용하는 하반신마비 환자를 위한 보행 훈련 순서에 대해 토론한다.
12. 척수손상 환자 및 환자의 가족 교육을 위한 중요한 영역을 설명한다.

사례 연구 재활 팀 초기 시험 및 평가

이력

차트 검토

이 환자는 20세의 남자로 서핑 중에 얕은 물속으로 다이빙했다가 모래톱에 부딪힌 지 1주일 후에 에반스빌 의료센터(Evansville Medical Center)로 이송되었다. 그는 C5의 눈물방울 골절로 C6 불완전 팔다리마비로 진단받았다. 이 환자는 물을 마시고 의식을 잃었다. 처음에는 지역 병원으로 이송되어 가드너웰스 뼈견인기(Gardner–Wells tongs)를 사용했고, 흡인 폐렴 치료를 받았다. 의료 센터 입원 시 환자는 의식이 있었고 명료했다. 환자의 측면 기저에서 거품 소리가 나면서 숨소리가 약해졌다. 가벼운 접촉과 핀으로 꼬집기에 대한 반응은 항문 주위 감각을 비롯해 T1까지 손상되지 않았다. 고유감각은 모든 팔다리에서 손상되지 않았다. 전산화 단층 촬영에서 막힘이 나타나지 않았고 수술은 지시되지 않았다. X선 결과에서는 두 개의 갈비사이공간에서 가로막 움직임이 나타났다. 과거의 병력에는 어린 시절의 천식이 포함되며 다른 점은 눈에 띄지 않는다. 약물 치료: 필요에 따라 통증을 해소해 주는 타이레놀을 복용한다. 내일은 골절을 방지하고 재활 과정에 참여할 수 있도록 헤일로와 조끼를 착용해야 한다.

재활 치료실로 옮길 수 있는 검사와 치료를 위해 물리치료가 명령되었다.

주관적 검토

환자는 통증이 없지만 뼈견인기가 거슬린다. 파트 타임 대학생이며 부모와 함께 산다. 집은 난간이 있는 원스텝 출입식 1층 건물이다. 학교의 모든 건물에 엘리베이터가 있다. 환자의 목표는 집으로 돌아가 부모와 함께 살고, 혼자서 돌아다니는 법을 배우는 것이다. 그는 검사에 참여하는 것에 동의한다.

객관적 검토

외양, 휴식 자세, 장비: 환자는 머리를 뼈견인기에 넣고 침대에 누워 있다. 팔은 양쪽으로 펴져 있고, 다리도 펴져 있다. 그는 폴리 카테터를 가지고 있다. IV는 왼쪽 아래팔에 있다. 그는 공기 유동체 매트리스에서 휴식 중이다.

체계적 고찰

의사소통/인식: 환자는 경계심을 가지고 있고 지남력이 3배 수준이다. 의사소통 능력은 온전하다. 예/아니오 반응은 신뢰할 수 있는 수준이다. 100% 정확하게 복잡한 구두 명령을 따를 수 있다.

심혈관/폐: BP = 120/75mmHg, HR = 70bpm, RR = 16breaths/min.

외피: 피부는 손상되지 않았다. 붉은 부위가 없다. 압력 완하에 있어서 의존적이다.

근육뼈대계: 근력 및 운동범위(ROM)가 양측에서 손상됨. 자세상의 비대칭은 나타나지 않음.

신경근육: 양측 움직임 손상

심리사회적: 의사소통 장애가 있다. 방향감 x 3 – 손상되지 않았다. 표현력이 부족한 의사소통 능력이 학습 장애를 발생시켰다. 안전 및 예방 조치, 일상생활 활동(ADL) 및 자세 인식에 관한 교육이 필요하다.

테스트와 측정

인체 계측: 신장 172.3센티미터, 체중 72.5킬로그램, 체질량 지수 2(20–24 정상).

환기/호흡: 눕기 자세에서 폐활량 측정계로 측정한 폐활량이 1,000mL임. 호흡 패턴은 4가로막. 상복부 상승은 1. 기침은 기능적임.

운동범위: 수동적인 ROM: 팔(UE) 수동적 ROM은 목뼈 불안정으로 90도 어깨 굽힘과 벌림으로 양측에서 제한됨. 기능 제한(WFL) 내에서 어깨 안쪽 및 바깥쪽 수동 ROM. 팔꿈치와 손목, 손의 수동적 ROM은 WFL임. 다리(LE) 수동적 ROM은 WFL. 수동적 다리 곧게 펴서 들기는 60도 각도로 양측에서 제한됨.

능동적 ROM: 팔 능동적 ROM은 목뼈 불안정으로 90도 굽힘 및 벌림으로 양측에서 제한됨. 목뼈 불안정으로 목, 몸통, 어깨가 90도를 넘어서는 능동 ROM 없음. 양측 팔꿈치 굽힘은 WFL임. 양 손목 폄도 WFL. 다른 모든 관절: 능동 ROM 없음.

반사 통합성: 힘줄 반사: 두갈래근: 2 + 양측. 세갈래근 무륲, 아킬레스 건: 0, 양측. 양측에서 바빈스키 징후 나타남. 발목 발바닥 굽힘근과 넙다리뒤인대 긴장이 양측에서 약간 증가함.

운동기능: 환자는 통나무 구르기와 다른 모든 운동기능 수행 시 의존적이다.

신경운동 발달: 척추 불안정으로 자세 반응을 평가할 수 없음.

근육 성능: 모든 테스트는 기댄 자세에서 실시함. 목, 몸통 및 팔이음뼈 근육은 목뼈 불안정성으로 저항이 없는 경우에만 추적 및 위팔뼈 능동 운동으로 제한된다.

(계속)

사례 연구 계속

	Right	Left
목빗근	1/5	1/5
위등세모근	1/5	1/5
어깨세모근	1/5	1/5
근가슴근	3/5	3/5
큰원근	3/5	3/5
두갈래근	3/5	3/5
손목 폄근	3/5	3/5
세갈래근	0/5	0/5
손가락 굽힘근	0/5	0/5
손가락 벌림근	0/5	0/5
엉덩이 굽힘근	0/5	0/5

	Right	Left
무릎 폄근	0/5	0/5
발목 발등굽힘	0/5	0/5
긴 발가락 폄근	0/5	0/5
발목 발바닥 굽힘근	0/5	0/5

보행, 이동, 균형: 환자는 보행과 이동 시 의존적이다. 목뼈 불안정 때문에 기대는 자세만 취할 수 있다.

감각 통합성: T1 통해 가하는 가벼운 촉각 감각과 핀으로 찌르는 감각 온전함. 그 아래로는 감각 없음. 항문 감각 온전함. 고유감각은 모든 팔(UE) 및 다리(LE) 관절에서 온전함.

자기 돌봄: 모든 자기 돌봄 활동에서 의존적이다.

평가/감정

환자는 20세의 남자다. 1주 후에 C5 신경수준에서 불완전한 병변 및 중심성 척수 증후군을 보였다.

ASIA 손상척도: C 운동 불완전

기능성 독립 측정: 이동 1, 도보/휠체어 1 (휠체어), 계단 1

문제 항목

1. 호흡 기능 감소
2. 직립 자세에 대한 내성 감소
3. 손상되지 않은 모든 근육 집단의 근력 감소
4. 넙다리뒤인대의 수동 ROM 감소
5. 압력 경감 및 피부 검사 활동 시 의존적
6. 이동성과 ADL 활동 시 의존적
7. 환자 및 가족 교육 부족

진단

환자는 운동기능장애, 말초신경 통합성 및 척수의 비진행성 장애와 관련된 감각 통합성 장애를 보인다. 신경근 APTA 가이드 패턴 5H를 보인다.

예후

환자는 목뼈의 근력과 안정성이 향상됨에 따라 기능적 독립성과 기능적 기술 수준을 향상시킨다. 진술한 목표를 달성하기 위한 재활 잠재력은 좋다. 환자는 의욕적이며 가족 지원 및 재원이 좋은 편이다. 급성 치료에서 방문 물리치료: 재활을 계속하는 10회 방문에서 최대 150회까지 추가 방문.

단기 목표 (2 주)

1. 2시간 연속으로 휠체어에 똑바로 앉아 있는다.
2. 신경지배된 팔 근육의 근력 등급을 한 단계 증가시킨다.
3. 1인의 최소 도움을 받아 압력 경감 및 피부 검사를 수행한다.
4. 1인의 중간 도움을 받아 침대/매트 이동성 훈련을 수행한다.
5. 1인의 최대 도움을 받아 슬라이딩 보드로 측면 이동을 수행한다.
6. 1인의 최소 도움을 받아 25피트까지 막대 달린 바퀴손잡이로 휠체어를 추진한다.
7. 5분간 팔꿈치를 생체 역학적으로 고정한 상태로 다리 구부리고 앉기 자세에서 균형을 유지한다.
8. 도움 받아 기침하기 위해 1인의 중간 도움이 필요하다.

장기 목표 (6주, 가족과 가정으로의 예상 퇴원)

1. 가로막 강화 운동과 도움 받아 기침하기 기술을 독립적으로 수행한다.
2. 연속 8시간 동안 휠체어에 똑바로 앉아 있는다.
3. 신경지배를 받은 팔 근육의 강도를 5/5로 증가시킨다.
4. 다리 뻗고 앉기 자세를 취하기 위해 넙다리뒤인대의 수동 ROM을 90도 이상으로 올린다.
5. 압력 경감 및 피부 검사 시 독립적이다.
6. 침대/매트 이동성 훈련에서 독립적이다.
7. 수정된 팔꿈치 짚고 엎드리기 이행을 독립적으로 수행한다.
8. 수평면과 경사로에서 막대 달린 바퀴손잡이로 휠체어를 독립적으로 추진한다.
9. 1인의 최소 도움을 받아 ADL을 수행한다.
10. 추락 시 휠체어로 돌아갈 수 있는 방법을 지시할 수 있다.
11. 가족은 ADL, 이동, 가정 운동 프로그램 및 스트레칭으로 환자를 돕는 방법을 시연한다.

(계속)

사례 연구 **계속**

계획

치료 계획: PT와 PTA는 주 5일 간 하루에 두 번 45분 간 환자를 치료하고, 다음 6주 동안 토요일에 환자를 만난다. 치료에는 직립 자세에 대한 내성, 호흡 훈련, 근력 훈련, 스트레칭, 압력 경감 및 피부 검사, 기능 이동 훈련, 가족 교육 및 퇴원 계획이 포함된다. 주택 평가가 권장된다. 물리치료 팀은 매주 환자를 재평가한다.

협응, 커뮤니케이션, 문서화: PT와 PTA는 정기적으로 환자와 그의 가족들과 대화를 나눌 것이다. 급성 관리 PT는 재활 팀과 환자의 퇴원 문제를 논의한다. 물리치료 중재의 결과는 매일 기록한다.

환자 · 고객 지시: 환자와 그의 가족은 환자의 상태가 안정될 때 스트레칭 운동과 압력 제거 기술을 배워야 한다. 재활에서 환자의 가족은 환자의 ADL, 이동 및 기능 이동성 활동을 돕기 위해 가족 교육에 참여한다.

절차적 중재

1. 직립 자세에 대한 내성 개선
   a. 침대 머리 높이기, 바이탈 사인 주시, 이 자세를 유지하는 시간을 점차적으로 늘리기
   b. 발 받침대를 높이고 휠체어를 기울여 앉아서 바이탈 사인을 주시하고 시간을 늘리고 기울기 정도를 줄인다.
   c. 틸트 테이블에 서서 바이탈 사인을 주시하고 점차적으로 경사와 시간을 늘린다.
2. 호흡 훈련
   a. 맨손 가슴 벽 스트레칭
   b. 허핑 가르치기
   c. 눕기 자세에서 엎드리기, 다리 구부리고 앉기, 다리 뻗기 자세로 이행하면서 도움 받아 기침하기
   d. 맨손 저항으로 흡기 강화하고 웨이트 사용하기
3. 근력 강화 훈련
   a. 의사의 승인을 얻은 후 헤일로를 착용하고 목, 몸통, 팔이음뼈 근육의 등척성 근력 강화
   b. 저항이 없는 위팔뼈의 능동적 움직임 (굽힘 및 벌림은 90도에 국한됨)
   c. 세라밴드나 또는 커프 웨이트를 이용해 중력에 대항하는 두갈래근 근력 강화
4. 스트레칭
   a. 치료사가 넙다리뒤인대와 다른 다리 근육을 수동적으로 잡아당긴다.
   b. 침대에서 오버 헤드 슬링을 사용해 넙다리뒤인대 신장 연장하기
5. 피부 검사 및 압력 경감
   a. 압력 경감 및 피부 검사의 중요성 교육
   b. 환자가 침대에 있을 때를 위한 회전 일정 수행하기
   c. 자발적 자세잡기 프로그램 실행 – 하루에 3번 엎드리기 자세로 최소 20분
   d. 휠체어에서 체중 이동 기술을 가르치기 – 15~20분 동안 앉아 있다가 1분 압력 완화
   e. 거울을 사용한 피부 검사법을 가르치기
6. 기능 이동성 교육
   a. 매트 활동 – 웨지 위로 굴러서 엎드리면서 도움의 양을 서서히 줄인다.
   b. 팔꿈치 짚고 엎드리기로 이행
   c. 발달 상 자세에서 율동적 안정화, 등척성 교대 적용
   d. 팔꿈치 짚고 엎드리기 자세에서 체중 이동해 눕기로 이행
   e. 치료사의 손을 이용한 밀어올리기
   f. 팔꿈치 짚고 눕기로 이행
   g. 팔꿈치 짚고 눕기 자세에서 율동적 안정화, 등척성 교대, 체중 이동 수행
   h. 넙다리뒤인대 범위가 충분할 때 다리 뻗고 앉기로 이행
   i. 다리 뻗고 앉기 자세에서 팔꿈치 잠금과 율동적 안정화, 등척성 교대 가르치기
7. 이동 – 점진적인 도움 감소
   a. 팔꿈치를 잠근 상태로 슬라이딩 보드로 도움을 받아 이동하다가 팔꿈치 짚고 엎드리기 자세로 독립적으로 이동하기
   b. 침대에서 휠체어로 이동
   c. 휠체어에서 자동차로 이동
   d. 화장실로 이동
8. 휠체어 이동성 – 점진적으로 감소하는 도움
   a. 휠체어 부품(팔걸이, 발판 등)에 대한 교육 및 휠체어를 평평한 표면 위로 추진하는 방법 교육, 점차적으로 이동 거리 증가
   b. 휠체어로 경사로 오르내리기
   c. 휠체어에서 안전하게 넘어지는 방법 교육
   d. 넘어진 환자가 휠체어로 돌아가도록 돕는 방법을 보호자에게 가르치기
9. 가정 교육
   a. 가족 구성원에게 적절한 방법으로 교육을 제공하여 이동 지원
   b. 가족 구성원이 환자의 이동을 지원하게 함.
   c. 환자의 ADL을 돕는 방법을 가족에게 가르치기
   d. 가족이 ADL을 시범적으로 보여줌.
10. 배출 계획
    a. 가족의 도움으로 퇴원하는 것에 관해 재활 팀, 환자 및 가족의 다른 구성원들과 상의하기
    b. 필요에 따라 가정과 학교 평가 수행
    c. 유니버설 커프스, 슬라이딩 보드, 감압 베드와 같은 안전한 장비 확보

(계속)

사례 연구 계속

d. ROHO 쿠션, 막대 달린 바퀴손잡이, 압력 완화용 누름 손잡이, 스윙 어웨이 데스크 암, 발뒤꿈치 루프가 있는 스윙 어웨이 레그가 있는 경량 휠체어 구하기

e. 심폐 건강, 유연성 및 강화 문제를 해결하기 위해 가정 운동 프로그램 및 장기 피트니스 프로그램 교육하기

11. 환자가 운전 교육 및 직업 재활 교육을 받도록 함.

고려 사항

- 어떤 유형의 팔 강화 운동이 환자의 치료 계획에 포함되어야 하는가?
- 유산소적 조절 운동은 환자의 치료 프로그램에 어떻게 포함될 수 있는가?
- 환자의 가정 운동 프로그램의 일부로 포함될 활동이나 연습 유형은 무엇인가?

참고 문헌

Alvarez SE: Functional assessment and training. In Adkins HV, editor: *Spinal cord injury*, New York, 1985, Churchill Livingstone, pp 131–154.

American Spinal Injury Association (ASIA): *International standards for neurological classification of spinal cord injury*, Atlanta, GA, 2013, ASIA.

Atrice MB, Morrison SA, McDowell SL, et al: Traumatic spinal cord injury. In Umphred DA, editor: *Neurological rehabilitation*, ed 6, St Louis, 2013, Elsevier, pp 459–520.

Basso DM: Neuroanatomical substrates of functional recovery after experimental spinal cord injury: implications of basic science research for human spinal cord injury, *Phys Ther* 80:808–817, 2000.

Basso DM, Bebrman AL, Harkema SJ: Recovery of walking after central nervous system insult: basic research in the control of locomotion as a foundation for developing rehabilitation strategies, *Neurol Rep* 24:47–54, 2000.

Boakye B, Leigh BC, Skelly AC: Quality of life in persons with spinal cord injury: comparisons with other populations, *J Neurosurg Spine* 17(1 Suppl):29–37, 2012.

Borello-France D, Rosen S, Young AB, et al: The relationship between perceived exertion and heart rate during arm crank exercise in individuals with paraplegia, *Neurol Rep* 24(3):94–100, 2000.

Burns S, Biering-Sorensen F, Donovan W, et al: International standards for neurological classification of spinal cord injury, revised 2011, *Top Spinal Cord Inj Rehabil* 18(1):85–99, 2012.

Burr JF, Shephard RJ, Zehr EP: Physical activity after stroke and spinal cord injury, *Can Fam Physician* 58(11):1236–1239, 2012.

Cerny K, Waters R, Hislop H, et al: Walking and wheelchair energetics in persons with paraplegia, *Phys Ther* 60:1133–1139, 1980.

Craik RL: Abnormalities of motor behavior. In *Contemporary management of motor control problems: proceedings of the II step conference*, Alexandria, VA, 1991, Foundation for Physical Therapy, pp 155–164.

Cromwell SJ, Paquette VL: The effect of botulinum toxin A on the function of a person with poststroke quadriplegia, *Phys Ther* 76:395–402,

1996.

de Leon RD, Roy RR, Edgerton VR: Is the recovery of stepping following spinal cord injury mediated by modifying existing neural pathways or by generating new pathways? a perspective, *Phys Ther* 81:1904–1911, 2001.

Decker M, Hall A: Physical therapy in spinal cord injury. In Bloch RF, Basbaum M, editors: *Management of spinal cord injuries*, Baltimore, 1986, Williams & Wilkins, pp 320–347.

Department of Health & Human Services: *2008 physical activity guidelines for Americans summary*, October 2008: http://www.health.gov/paguidelines/guidelines/summary.aspx. Accessed November 30, 2011.

DeVivo MJ, Richards JS: Community reintegration and quality of life following spinal cord injury, *Paraplegia* 30:108–112, 1992.

Eng JJ, Levins SM, Townson AF, et al: Use of prolonged standing for individuals with spinal cord injuries, *Phys Ther* 81:1392–1399, 2001.

Field-Fote EC, Roach KE: Influence of locomotor training approach on walking speed and distance in people with chronic spinal cord injury: a randomized clinical trial, *Phys Ther* 91(1):48–60, 2011.

Field-Fote EC, Tepavac D: Improved intralimb coordination in people with incomplete spinal cord injury following training with body weight support and electrical stimulation, *Phys Ther* 82:707–715, 2002.

Finkbeiner K, Russo SG, editors: *Physical therapy management of spinal cord injury: accent on independence*, Fishersville, VA, 1990, Woodrow Wilson Rehabilitation Center, through Project Scientia, a grant from the Paralyzed Veterans of America, pp 51–58.

Fulk GT, Behrman AL, Schmitz TJ: Traumatic spinal cord injury. In O'Sullivan SB, Schmitz TJ, Fulk GT, editors: *Physical rehabilitation*, ed 6, Philadelphia, 2014, FA Davis, pp 889–963.

Fuller KS: Traumatic spinal cord injury. In Goodman CC, Fuller KS, editors: *Pathology implications for the physical therapist*, ed 3, St Louis, 2009, Saunders, pp 1496–1516.

Gerhart KA, Bergstrom E, Charlifue SW, et al: Long-term spinal cord injury: functional changes over time, *Arch Phys Med Rehabil* 74:1030–1034, 1993.

Giesecke C: Aquatic rehabilitation of clients with spinal cord injury. In Ruoti RG, Morris DM, Cole AJ, editors: *Aquatic rehabilitation, Philadelphia*, 1997, JB Lippincott, pp 134–150.

Harkema SJ, Hillyer J, Schmidt-Read M, Ardolino E, Sisto SA, Behrman AL: Locomotor training: as a treatment of spinal cord injury and in the progression of neurologic rehabilitation, *Arch Phys Med Rehabil* 93(9):1588–1597, 2012a.

Harkema SJ, Schmidt-Read M, Lorenz DJ, Edgerton VR, Behramn AL: Balance and ambulation improvements in individuals with chronic incomplete spinal cord injury using locomotor training-based rehabilitation, *Arch Phys Med Rehabil* 93 (9):1508–1517, 2012b.

Hultborn H, Nielsen JB: Spinal control of locomotion: from cat to man, *Acta Physiol (Oxf)* 189:111–121, 2007.

Jacobs PL, Nash MS: Exercise recommendations for individuals with spinal cord injury, *Sports Med* 34(11):727–751, 2004.

Jacobs PL, Nash MS, Rusinowski JW: Circuit training provides cardiorespiratory and strength benefits in persons with paraplegia, *Med Sci Sports Exerc* 33(5):711–717, 2001.

Jayaraman A, Thompson CK, Rymer WZ, Hornby GT: Short-term maximal intensity resistance training increases volitional function and strength in chronic incomplete spinal cord injury: a pilot study, *J Neurol Phys Ther* 37(3):112–117, 2013.

Katz RT: Management of spasticity, *Am J Phys Med Rehabil* 67:108–115, 1988.

Katz RT: Management of spastic hypertonia after spinal cord injury. In Yarkony GM, editor: *Spinal cord injury medical management and rehabilitation*, Gaithersburg, MD, 1994, Aspen Publishers, pp 97–107.

Lewthwaite R, Thompson L, Boyd LA, et al: Reconceptualizing physical therapy for spinal cord injury rehabilitation: physical activity for long-term health and function, *Infusions Res Pract* 1:1–9, 1994.

Morrison S: Fitness for the spinal cord population: establishing a program in your facility, *Neurol Rep* 18:22–27, 1994.

National Spinal Cord Injury Statistical Center: *Spinal cord injury facts and figures at a glance, Birmingham*, AL, March 2013, University of Alabama.

Nawoczenski DA, Ritter-Soronen JM, Wilson CM, Howe BA, Ludewig PM: Clinical trial of exercise for shoulder pain in chronic spinal cord injury, *Phys Ther* 86(12):1604–1618, 2006.

Nixon V: *Spinal cord injury: a guide to functional outcomes in physical therapy management*, Rockville, MD, 1985, Aspen Systems, pp 41–66, 177–188.

Scelza W, Shatzer M: Pharmacology of spinal cord injury: basic mechanism of action and side effects of commonly used drugs, *J Neurol Phys Ther* 27(3):101–108, 2003.

SCI Action Canada: *Physical activity guidelines for adults with spinal cord injury*, 2011. http://sciactioncanada.ca/docs/guidelines/Physical-Activity-Guidelines-for-Adults-with-a-Spinal-Cord-Injury- Health-Care-Professional.pdf, Accessed September 15, 2014.

Somers MF: *Spinal cord injury functional rehabilitation*, ed 3, Boston, MA, 2010, Pearson, pp 527–551, 67, 130, 136–153, 194– 198, 29–300, 345–346.

Somers MF, Bruce J: *Spinal cord injury*, 2014, Clinical Summaries American Physical Therapy Association. http://www.ptnow.org/ClinicalSummaries.aspx. Accessed September 15, 2014.

U.S. Food and Drug Administration. FDA allows marketing of first wearable, motorized device that helps people with certain spinal cord injuries to walk.

van Middendorp JJ, Hosman AJF, Donders ART, et al: A clinical prediction rule for ambulation outcomes after traumatic spinal cord injury: a longitudinal cohort study, *Lancet* 377(Mar):1004–1010, 2011.

Wetzel J: Respiratory evaluation and treatment. In Adkins HV, editor: *Spinal cord injury*, New York, 1985, Churchill Livingstone, pp 75–98.

Yarkony GM, Chen D: Rehabilitation of patients with spinal cord injuries. In Braddom RL, editor: *Physical medicine and rehabilitation*, Philadelphia, 1996, WB Saunders, pp 1149–1179.

CHAPTER

13 기타 신경계 질환

학습 목표 ***이 장을 학습한 후 학생들은 아래 사항에 대하여 이해하고 설명할 수 있다.***

1. 파킨슨병, 다발성경화증, 근육위축가쪽경화증, 길렝-바레 증후군, 또는 소아마비 후(postpolio) 증후군의 발생 빈도, 원인, 임상 증상을 설명한다.
2. 파킨슨병, 다발성경화증, 근육위축가쪽경화증, 길렝-바레 증후군, 또는 소아마비 후 증후군을 가진 환자의 전형적인 의료 및 수술 관리를 이해한다.
3. 파킨슨병, 다발성경화증, 근육위축가쪽경화증, 길렝-바레 증후군, 또는 소아마비 후 증후군을 가진 환자의 진행 정도나 단계, 활동 제한, 그리고 참여 제한에 맞는 적절한 특정 치료 중재를 알아야 한다.
4. 파킨슨병, 다발성경화증, 근육위축가쪽경화증, 길렝-바레 증후군, 또는 소아마비 후 증후군을 가진 환자의 기능 제한을 다루기 위한 환자 보호자를 위한 교육 전략을 논의한다.

서론

많은 신경계 질환은 파킨슨병(Parkinson's disease, PD)과 다발성경화증(multiple sclerosis, MS)과 같은 만성 질병이고, 일부는 근육위축가쪽경화증(amyotrophic lateral sclerosis, ALS)과 길렝-바레 증후군(Guillain-Barre's syndrome, GBS)처럼 진행성이다. 근육위축가쪽경화증은 위운동신경세포(upper motor neurons, UMN)와 아래운동신경세포(lower motor neurons, LMN)의 종말 퇴행성(terminal degenerative)질환이다. 소아마비 후 증후군(postpolio syndrome, PPS) 환자는 소아마비를 극복하고, 수십 년 후에 새로운 증상을 경험한다. 길렝-바레 증후군 환자들을 제외하고는 이러한 신경계 질환에서 회복될 것이라고 기대할 수 없다. 길렝-바레 증후군는 중추신경계(CNS) 현상과는 반대로 말초에서 나타나고, 신경의 말이집재생(remyelination)이 발생할 수 있다. 파킨슨병과 다발성경화증은 모두 진행성 질환이다. 그럼에도 불구하고 근육위축가쪽경화증을 제외하고 논의된 모든 신경계 질환자의 평균수명은 일반적으로 심하게 감소하지 않는다. 심호흡기계(cardiopulmonary system)가 침범되어 있거나 질병의 급속한 진행이 있는 몇 가지 경우는 예외가 될 수 있다. 환자가 진단받은 지 4년 이내에 사망하는 근육위축가쪽경화증이 대표적인 예외에 해당된다. 질병의 급성 혹은 만성 여부와 관계없이, 또는 회복이 병리학적 과정의 일부로 발생하는지와 상관없이 물리치료는 이러한 개인과 그 가족이 최상의 기능을 발휘하고 자신의 삶에 참여하도록 도울 수 있다.

중재 전략은 침범 수준과 질병 진행 단계 또는 경우에 따라서 회복 능력 단계와 관련되어야만 한다. 예컨대 다발성경화증, 파킨슨병, 또는 근육위축가쪽경화증의 초기 단계로 진단받은 환자는 중증 강도의 운동 프로그램에 참여할 수 있다. 반면 다발성경화증, 파킨슨병, 혹은 근육위축가쪽경화증의 후기 단계로 진단받은 사람은 그렇게 할 수 없다. 운동과 다른 물리치료 중재는 움직임 기능이상(movement dysfunction)의 유형과 심각성에 따라 특화되어야 한다. 예컨대 실조(ataxia, 움직임이 너무 많은 상태)를 보이는 다발성경화증 환자의 경우에는 이동성(mobility)보다 안정성(stability)이 더 중요하다. 하지만 신체, 특히 몸통이 경축(rigidity)된 파킨슨병 환자에게는 안정성보다 이동성이 더 중요하다. 근육위축가쪽경화증 환자는 근력 약화가 진행됨에 따라 혼자서 할 수 있는 것이 적어지게 된다. 그러므로 중재는 완전히 회복하거나 예방적인 방식으로부터 보상이나 고통 완화적인 방식으로 바뀌어야 한다. 피로는 이 장에서 논의하는 모든 신경계 질환에서 항상 발견되고 관련이 있으므로 피로 관리는 모든 치료계획의 필수적인 부분이 되어야 한다. 이장에서는 각 질환의 임상적 특징, 발병률과 병인(etiology), 물리치료 목표, 그리고 중재 사례를 제시하겠다.

파킨슨병

파킨슨병(PD)은 1817년 제임스 파킨슨(James Parkinson)이 진전 마비(shaking palsy)에 관해 쓴 수필에서 처음 기술되었다. 이 질환은 만성적인 진행성 신경계 질환으로 운동계(motor system)에 영향을 준다. 4가지 주요 증상은 운동완만증(bradykinesia, 움직임이 느려짐), 경축(rigidity), 떨림(tremor), 그리고 자세 불안정성(postural instability)이다. 이러한 증상은 흑색질(substantia nigra)에 저장되어 있는 신경전달물질인 도파민(domamin, DA)의 감소로 발생한다. 흑색질은 바닥핵(basal ganglia)의 구성 요소이다(2장의 그림 2-6 참조). 바닥핵은 주로 자세와 움직임 조절에 중요한 역할을 한다. 바닥핵의 병변은 약화나 마비를 일으키는 것이 아니라 움직임의 특성을 변화시킨다(Fullerand Winkler, 2009).

실제로 파킨슨증(parkinsonism)은 바닥핵의 기능장애를 포함한 장애 집단이다. 파킨슨증의 가장 흔한 유형은 일차성 파킨슨증(primary parkinsonism) 혹은 파킨슨병이다. 명백한 원인이 없기 때문에 특발성 파킨슨병(idiopathic Parkinson disease, IPD)으로도 알려져 있다. 파킨슨증의 다른 유형에는 이차성 파킨슨증(secondary parkinsonism)과 파킨슨-플러스 증후군(Parkinson-plus syndromes)이 있다. 이차성 파킨슨증은 다른 질환의 결과로 발생하며, 뇌염, 알코올 중독, 특정 독소에 대한 노출, 외상성 뇌 손상, 혈관 손상, 그리고 향정신성 약물 사용과 관련되어 있을 수 있다. 기분과 행동을 조절하는 약물을 장기간 사용하면 파킨슨병과 같은 증상 이 나타날 수 있다. 파킨슨 플러스 증후군에는 다계통(multisystem) 위축, 진행성 핵상 마비(progressive supranuclear palsy), 그리고 샤이-드래거 증후군(Shy-Drager syndrome)과 같은 질환이 포함된다. 이러한 증후군은 소뇌기능장애 및 자율 신경계 기능장애(dysautonomia)와 같은 다계통 퇴행의 다른 신경학적 징후뿐만 아니라 흑색질의 도파민 생성 신경세포 퇴행을 암시하는 일반적인 징후도 보인다.

파킨슨병은 미국에서 가장 흔한 움직임 장애 중 하나이다(Sutton, 2009). 가장 흔한 퇴행성 중추신경계 질환이기도 하다. 파킨슨병은 파킨슨증의 85%를 차지한다. 일차성 또는 특발성 파킨슨병에 관해서 많이 다루고 다른 유형의 파킨슨증에 관해서는 최소한만 언급하겠다. 미국의 경우 10만 명당 20.5명, 전 세계에서는 10만 명당 5명에서 24명이 파킨슨병에 걸린다. 파킨슨병는 나이가 들수록 더 흔해지기 때문에 베이비붐 세대가 나이가 들어감에 발생률이 증가하고 있다. 85세 이상은 3명당 1명꼴로 파킨슨병에 걸릴 위험이 있다(Aminoff, 1994). 미국에서는 적어도 백만 명이 파킨슨병을 앓고 살고 있다(Melnick, 2013). 발병의 평균 연령은 62.4세이며, 대다수의 경우는 50세에서 79세 사이에 파킨슨병에 걸린다. 40세 이전에 파킨슨병에 걸리는 확률은 10%이다.

파킨슨병의 병인은 아마도 여러 요소가 임상 실체(clinical entity)에 영향을 미치기 때문에 다요인적일 수 있다. 위험 인자는 연령 증가와 가족력이다. 파킨슨병의 극소수 사례가 전적으로 유전적이지만 유전적 요인에 대한 역할을 뒷받침하는 증거가 있다. 또한 살충제 및 제초제의 상당량 사용과 같은 환경 요인이 이 질병을 일으키는 데 한몫을 한다는 사실을 뒷받침해 주는 증거가 있다. 아마도 파킨슨병의 원인이 되는 유전적 요인과 환경적 요인 사이에는 상호 작용이 있을 것이다(Singleton 등, 2013).

병태생리학(Pathophysiology)

파킨슨병은 바닥핵 내 흑색질의 도파민 생성 신경세포의 질환이다. 흑색질은 색소가 있는 신경세포를 포함한 검질밑 회색질이다. 이 신경세포들은 쇠퇴하면서 색을 잃는다. 증상이 명백해지기 전에 신경세포가 70~80% 손실된다. 도파민 소실의 심각성은 환자가 보여주는 움직임의 느림이나 운동완만증과 매우 일치한다. 도파민 신경세포 손실 및 색소 침착 흑색질의 신경세포 내 루이소체(Lewy bodies) 생성은 특발성 파킨슨병의 특징이다. 루이소체에는 신경잔섬유(neurofilament)와 유리질이 들어있다. 이것들은 노화과정의 일부이며, 특정한 신경세포가 취약한 인구집단에서 볼 수 있다. 루이소체는 알츠하이머 병과 같은 다른 신경 퇴행성 질환에서 적은 수로 발견되지만 다른 뇌 영역에서도 발견된다.

도파민은 흥분성 및 억제성 신경전달물질이다. 바닥핵의 역할이 움직임의 시작뿐만 아니라 또 다른 움직임의 시작을 하기 위해 한 가지 움직임 순서를 해제하는 역할을 하기 때문에 바닥핵 회로가 변경된다. 도파민이 고갈됨에 따라 일부 경로는 불충분하게 활성화되고, 다른 경로는 과다활성화 된다. 불충분한 활성화는 움직임을 느리게 하고, 움직임의 타이밍에 영향을 미친다. 콜린성 계통은 도파민의 억제 부족으로 더욱 더 활성화된다. 아세틸콜린은 바닥핵의 작은 상호연결 신경세포로 사용되어진다. 증가된 콜린성 활성화는 아세틸콜린의 증가를 의미하며, 관절 양쪽 면에서의 근육 활성화를 증가시킨다. 이러한 결과로 경축 증상을 발생되고 더 나아가서 움직임 느림이나 운동완만증도 발생된다.

임상적 특징

임상적으로 파킨슨병 환자는 운동완만증, 경축, 떨림, 그리고 자세 불안정성을 보인다. 운동완만증은 특히 일상생활동작(ADL) 수행에서 분명하게 드러난다. 구강 움직임이 느려지면 말의 유창성이 떨어지거나 호흡 지원이 부적절해서 음성이 단조롭게 된다. 음식물 삼키기가 어려워질 수도 있다. 이런 환자는 글자를 따닥따닥 붙여서 작게 쓰게 되고, 이를 일컬어 소서증(micrographia)이라고 한다. 운동못함증(Akinesia)은 의자에서 일어나기, 침대에서 돌아눕기, 또는 단순하게 다리 교차시키기 같은 움직임을 시작하지 못하는 것이다. 운동이 느려짐에 따라 환자는 고정된 앞으로 구부러진 자세를 취하는 경향이 있으며, 중력에 대항하여 신체를 펴는 능력을 잃게 된다.

경축은 몸통과 팔다리에서 발생한다. 이러한 문제의 조기 징후는 걷는 동안 팔을 흔들지 못하는 것이다. 경축은 움직임의 속도에 관계없이 수동적 움직임에 대한 저항이다. 두 가지 형태의 경축인 납-파이프(lead-pipe) 경축이나 톱니바퀴(cogwheel) 경축이 파킨슨병 환자에게서 나타날 수 있다. 납-파이프 경축은 속도에 관계없이 모든 방향의 수동적 팔다리 운동에서 일정한 저항을 느끼는 것이다. 톱니바퀴 경축은 납-파이프 경축과 떨림(tremor)의 결합의 결과로 발생한다. 경축은 움직임의 저항을 증가시키고, 떨림은 움직임의 저항을 풀어준다. 결과적으로 톱니바퀴 경축은 수동적인 움직임에서 저항이 증가되었다가 갑자기 풀어지는 것과 같은 특징을 보이며 이는 덜컥거리며 톱니바퀴가 굴러가는 것과 같은 불규칙한 저항과 갑작스러운 움직임으로 나타난다. 몸통의 경직은 가슴벽 운동을 제한하여 호흡과 발성을 방해한다. 경축은 하루 종일 에너지 소비를 증가시킬 수 있으며, 이러한 환자들이 운동 후 피로를 느끼는 것은 이와 관련되어 있을 수 있다.

떨림은 흔히 파킨슨병의 첫 징후다. 떨림은 휴식 시에 나타나고, 수의적인 운동 시에 사라지기 때문에 활동떨림(intension tremor)과는 반대로 안정시떨림(resting tremor)으로 분류된다. 손 떨림은 규칙적인 리듬(초당 4~7회)을 가지며 "환약 말이(pill-rolling)" 떨림이라고도 한다. 떨림은 구강 부위 또는 머리, 목, 그리고 몸통의 자세 근육 내에서 발생 할 수도 있다. 떨림은 한쪽에서 시작되어 시간이 지남에 따라서 팔다리와 목 전체로 진행될 수 있다. 떨림은 일상생활동작을 거의 방해하지 않는다.

자세 불안정성은 파킨슨병 환자에게는 매우 심각한 문제이며, 개인의 활동과 삶의 참여를 제한하는 중요한 원인이다. 자세 폄 상실과 예상된 자세 방해와 예상치 못한 자세 방해에 대한 대처를 못하게 되어서 넘어질 수 있다. 낙상 가능성은 질병을 앓는 시간이 길어질수록 더욱 더 증가된다. 또한 파킨슨병 환자는 건강한 대조군보다 일상생활동작을 수행하는 동안 낙

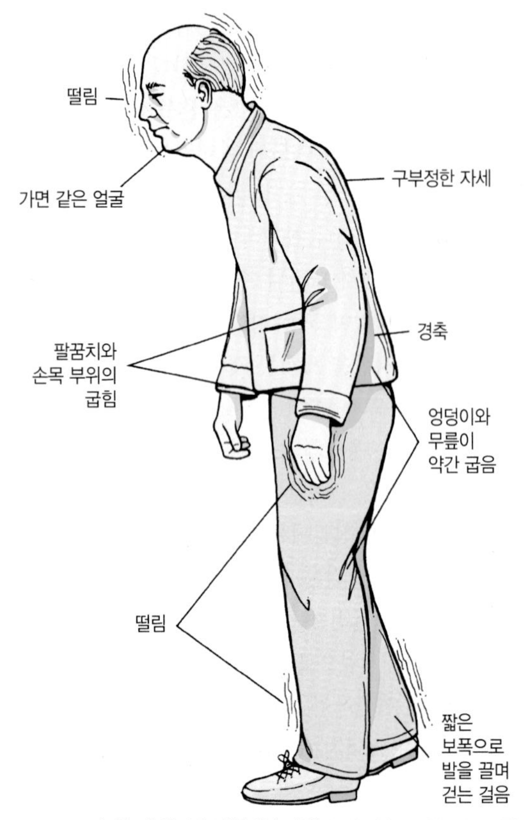

그림 13-1. 파킨슨병 환자의 전형적인 자세(Modified from Monahan FD, Neighbors M: Medical-surgical nursing: foundations for clinical practice, ed 2, Philadelphia, 1998, WB Saunders. In Copstead LEC, Banasik JL: Pathophysiology, ed 3, St. Louis, 2005, Elsevier Saunders.)

상을 피할 수 있다는 자신감이 낮게 나타났다(Adkins 등, 2003). 파킨슨병 환자들에서 증가된 낙상의 두려움이 보다 더 큰 낙상 위험에 노출되는지는 아직 확실하게 밝혀지지 않았다. 시공간 결핍(visuospatial deficits)과 균형에 관련된 감각정보의 느린 처리는 자세 불안정을 야기시킨다(Melnick, 2013). 파킨슨병 환자는 고유 감각과 운동 감각 입력을 정확하게 인식하지 못한다(Konczak 등, 2009). 균형을 잡을 때 엉덩이와 발목 전략을 혼합하여 사용하는 파킨슨병 환자는 부적절한 균형반응을 보인다(Horak 등, 1996; Horak 등, 2005). 선행적 자세 반응은 부족하거나 나타나지 않는 것으로 여러 연구에서 보고되었다(Glatt, 1989; Mancini 등, 2009). 비정상적인 자세 반응은 환경의 움직임으로부터 자기-움직임(self-movement)을 구분할 수 없기 때문에 발생한다. 파킨슨병 환자는 시각에 지나치게 의존해서 움직임 신호를 포착하고, 적절한 자세를 취하기 위해 속귀의 안뜰(vestibular) 정보를 사용할 수 없다(Bronstein 등, 1990).

파킨슨병의 다른 전형적인 특징에는 굽은 자세(flexed posture), 가면 같은 얼굴(masked face), 삼킴 곤란(dysphasia), 종종걸음(festinating gait), 동결현상(freezing episodes), 그리고 피로가 포함된다. 자세적 결핍(postural deficits)으로는 무게 중심을 앞쪽으로 이동시키는 머리, 목, 그리고 몸통의 굽힘이 있다(그림 13-1). 하지만 엉덩이와 무릎의 과다 굽힘은 체중을 좀 더 뒤쪽으로 옮기도록 도와줄 수 있다. 시간이 지남에 따라 이러한 자세 변화는 몸통 경축 때문에 고정되고 굽힘 근긴장이상(flexion dystonia)으로 묘사된다. 몸통 폄의 상실은 질병의 초기에 발생하며, 이어서 회전 상실과 팔 흔들기 상실이 나타난다. 얼굴이 딱딱해지고 얼굴 표정이 거의 또는 전혀 나타나지 않는다. 구강구조가 움직이는 능력을 상실함에 따라서 삼키기가 점점 어려워져서 영양 섭취에 대한 우려가 나타난다.

파킨슨병 환자는 발을 질질 끌면서 짧게 내딛고, 누군가를 따라잡으려는 것처럼 걸음 속도가 점점 빨라진다. 이런 걸음걸이를 일컬어 종종걸음(festination)이라고 한다. 앞으로 걷는 동안 종종걸음이 나타나면 전방돌진(propulsion), 뒤로 걷는 동안 종종걸음이 나타나면 후방돌진(retropulsion)이라고 한다. 짧은 보폭으로 느리게 발을 끌며 움직이기 때문에 발 간격(foot clearance)이 감소하고, 결과적으로 낙상 위험이 증가한다. 동결은 환자가 한 자세에 빠져나오지 못하게 되면 발생한다. 이것은 일반적으로 걷는 동안 발생하며, 출입구나 바닥표면 변화와 같은 환경적 상황에 의해 촉발될 수 있다. 동결현상은 팔을 움직이고, 말을 할 때, 또는 눈을 깜박일 때처럼 언제라도 발생할 수 있다. 종종걸음, 자세 기능이상(postural dysfunction), 그리고 걸음걸이 동결(freezing of gait, FOG)은 파킨슨병 환자한테서 나타나는 자세 불안정의 세 가지 원인이다.

피로

피로는 파킨슨병 환자가 활동을 지속적으로 유지하려고 노력하는 것을 힘들게 하기 때문에 자세 불안정을 유발시킨다. 피로는 환자의 50%에 영향을 미치며, 가장 큰 장애 원인 중 하나가 된다(Friedman와 Friedman, 2001). 파킨슨병 환자들은 하루 하루 진행됨에 따라 점점 무기력해진다. 활동의 감소를 동반하는 앉아서 생활하는 삶의 방식(sedentary lifestyle)은 전반적인 상태 악화(deconditioning)에 기여한다. 피로는 비치매성 파키슨병과 우울증을 앓고 있는 파킨슨병 환자의 높은 정서적 고통과 낮은 삶의 질과 밀접한 상관관계가 있다(Herlofson와 Larsen, 2003). 피로가 증가한 환자는 피로가 적은 환자보다 좌식 생활을 선호하거나 신체기능의 수준이 낮게 나타났다(Garber와 Friedman, 2003).

걸음걸이

파킨슨병 환자의 최대 3분의 1까지 초기에 자세 불안정성과 보행 장애(postural instability and gait disturbance, PIGD)를 보인다(O'Sullivan와 Bezkor, 2014). 보행 속도는 느려지고, 보폭이 좁아지며, 종종걸음으로 발을 끌게 된다. 팔 흔들기는 질병 진행 초기에 사라진다. 자세가 점점 더 앞으로 구부러지고 다리의 관절가동범위(range of motion, ROM)가 점점 더 제한된다. 뒤꿈치 닿기(heel strike)와 발가락 들림(toe-off)이 모두 사라지고, 발 간격이 감소한다. 일단 시작한 운동 프로그램을 변경할 수 없기 때문에 환경적 요구사항의 변화에 따라 보행 속도나 보폭을 변경하는 데 어려움이 있다. 운동완만증과 경축은 전형적인 보행과 회전 중에 나타나는 팔 흔들기와 몸통 회전 부재의 원인이다. 본드와 모리스(2000)는 걷는 동안 복잡한 과제를 수행하도록 요청 받았을 때 파킨슨병 환자의 보행 장애가 악화되었다는 것을 입증했다. 걷거나 달리는 동안에 운동 프로그램을 중단시키기에 어려움이 있는 파킨슨병 환자는 미끄러지고, 걸려 비틀거리고, 넘어지게 된다(Morris와 Iansek, 1997).

낙상

낙상은 파킨슨병 환자에게 매우 흔한 문제이다. 케르 등(2010)의 연구에서 초기 단계에 최적의 약물치료를 받은 파킨슨병 환자의 48%가 낙상을 경험했다고 해서 보고했다. 쉬래그 등(2002)은 지역사회에 기반한 파킨슨병 대상자의 64%가 자세 불안정으로 낙상한 경험이 있다고 보고하였다. 자가-선택(self-selected) 보행속도는 파킨슨병 환자의 낙상 위험을 예측하는 데 사용될 수 있다(Nemanich 등, 2013). 지역 사회에 거주하는 파킨슨병 노년층은 파킨슨병을 앓지 않는 지역 거주 노년층보다 낙상할 확률이 두 배로 높았다(Wood 등, 2002). 또한 이전의 낙상 경험, 질병 기간, 치매, 그리고 팔 흔들기 상실은 낙상 예측 인자이다. 따라서 이전에 낙상한 경험이 있는 파킨슨병 환자는 다시 낙상할 가능성이 높으며, 치매나 팔 흔들기가 없는 환자가 넘어질 가능성이 더 크다. 동결 현상은 낙상 위험을 증가시킨다(Bloem 등, 2004). 파킨슨병을 앓는 기간이 길수록 낙상 위험이 커진다.

표 13-1 혼과 야의 파킨슨병 척도

단계	증상 진행
0	질병의 증상 없음
1	편측(unilateral)만 증상이 나타남
1.5	편측과 척추가 침범
2	양측 증상, 균형 손상 없음
2.5	잡아당기기 검사(pull test)에서 회복력을 보이는 가벼운 양측 질병
3	균형 손상, 경증에서 중증도 질병, 신체적으로 독립적
4	심각한 장애가 있지만 아직 걷거나 지지없이 설 수 있음
5	의자차가 필요하거나 도움을 받지 못하면 침대에 누워 있음

Hoehn과 Yahr의 척도는 흔히 파킨슨병의 증상이 어떻게 진행되는지를 보여 줄 때 사용한다. 기존의 척도는 1단계에서 5단계까지이다. 여기에 0단계가 추가되었고, 1.5단계와 2.5단계는 이 인구집단의 상대적 장애 수준을 잘 보여주기 위해 제안되었다.

Modified from Goetz CG, Poewe W, Rascol O, et al: Movement Disorder Society Task Force report of the Hoehn and Yahr staging scale: Status and recommendations. MovDisord 19:1020.1028, 2004

계통적 발현(manifestation)

파킨슨병 환자의 절반은 바닥핵에서 신경화학적 변화로 인한 치매와 지적변화를 보인다(Fuller와 Winkler, 2009). 운동완만증, 우울증, 그리고 자율신경계 기능장애를 동반하는 치매는 이 질병의 계통적 발현이다. 운동완만증은 사고 처리(though process) 속도를 늦춘다. 일반적으로 주의력과 집중력 부족이 동반된다. 또한 낮은 동기와 수동성은 우울증이나 운동 부족으로 인한 감각 소실(sensory deprivation)과 관련이 있다. 우울증은 파킨슨병 환자한테서 흔히 나타나며, 일부 연구자는 우울증이 파킨슨병 발병 이전부터 나타날 수 있다고 생각한다(Fuller와 Winkler, 2009).

질병단계

Hoehn과 Yahr의 장애 분류(1967)(표 13-1)는 파킨슨병 침범의 심각성을 단계별로 보여준다. 질병의 진행을 더 잘 설명하기 위해 새로운 단계가 추가되었다. 0단계는 질병의 징후가 없음을 나타낸다. 1단계는 최소 질병, 5단계는 환자가 침대 혹은 의자차를 항상 사용하고 있음을 나타낸다. 0단계 이외에도 1.5단계와 2.5단계가 있다(Goetz 등, 2004). 보통 환자는 5년에서 30년 동안 질병의 점진적 진행을 보인다. 따라서 파킨슨병 환자의 기대 수명은 같은 연령대의 파킨슨병이 없는 사람보다 약간만 짧다(Weiner 등, 2001).

진단

파킨슨병 진단 검사는 없다. 따라서 환자의 징후와 증상 및 과거 병력에 대한 임상적 근거를 토대로 진단을 하게 된다. 네 가지 기본적인 특징 중 두 가지의 존재와 파킨슨병-플러스 증후군 배제가 보통 진단을 내리는데 사용된다(O'Sullivan 와 Bezkor, 2014). 파킨슨병-플러스 증후군은 전형적으로 파킨슨병 치료제에 반응하지 않는다. 동반질환(morbidities)이 없다면 신경 영상 및 검사실 결과는 일반적으로 정상이다.

표 13-2 신경장애 치료용 약물

약물 브랜드 명칭	사용법
Artane	파킨슨병의 마모 현상과 관련된 중등도 떨림과 근긴장이상
Avonex	RRMS
Betaseron	RRMS, CIS
베타세론	RRMS, CIS
Copaxone	RRMS, CIS
Cogentin	파킨슨병의 '마모' 현상
Cortisone, corticosteroids, prednisone	다발성경화증의 급성 발작 단축
Dantrium	경직(spasticity)
Ditropan	다발성경화증의 소변 못 참음과 빈뇨
Dantrium	경직
Eldepryl	MS의 소변 못 참음과 빈뇨
Eldepryl	파킨슨병 초기의 도파민 수준 향상
Immunoglobulins	길렝-바레 증후군 지속 기간과 심각도
Klonopin	다발성경화증의 심각한 떨림
Lioresal	경직
Novatrone	SPMS, PRMS, 고급 RRMS, IV 전달
Parlodel	파킨슨병의 '마모'와 운동 장애
Probanthine	다발성경화증의 소변 못 참음과 빈뇨
Provigil	다발성경화증의 피로
Rebif	RRMS
Requip	파킨슨병의 운동완만증, 경축, 그리고 운동 동요
Sinemet IR or CR	파킨슨병의 운동완만증과 경축
Symmetrel	파킨슨병의 운동완만증과 경축 다발성경화증의 피로, PPS
Tegretol	다발성경화증의 긴장성 경련(tonic spasm)
Tysabri	처음에는 RRMS 사용 안함, IV 전달
Urecholine	다발성경화증의 소변 정체(urinary retention)
Valium	다발성경화증의 야간 경련(night spasms)

CIS, clinical isolated syndrome; CR, controlled release; GBS, Guillain-Barre ' syndrome; IR, immediate release; MS, multiple sclerosis; PD, Parkinson disease; PPS, postpolio syndrome; PRMS, progressive relapsing multiple sclerosis; RRMS, relapsing-remitting multiple sclerosis; SPMS, secondary progressive multiple sclerosis.

의료 관리

파킨슨병 환자에 대한 의료관리의 주류는 약물치료이다. 데프레닐(deprenyl, Eldepryl) 또는 라사길린(rasagiline, Azilect)이라고도 하는 셀레진(Selegine)은 레보도파(L-dopa)를 투여할 필요성을 지연시키기 때문에 주로 진단 후 첫 약물로 사용된다. 이 모노아민 산화 효소(monoamine oxidate, MAO) 억제제는 도파민의 분해를 막아 파킨슨병의 진행을 늦추고, 최대 1년 동안 대체약물의 필요성을 지연시킨다고 한다(Sutton, 2009). 파킨슨병 치료의 주된 핵심은 감소된 도파민을 대체하기 위해 사용하는 레보도파이다. 레보도파는 경축을 완화시키고 움직임을 쉽게 하는 데 가장 효과적이다. 도파민은 혈액-뇌 장벽(blood-brain barrier, BBB)을 통과할 수 없기 때문에 투여할 수 없다. 레보도파는 혈액-뇌 장벽을 통과할 수 있다. 하지만 많은 레보도파가 뇌에 도달하기 전에 분해되기 때문에 과학자들은 레보도파에 카비도파(carbidopa)를 첨가해서 분해를 지연시킨다. 이렇게 하면 더욱 많은 레보도파가 바닥핵에 도달할 수 있고, 복용량을 줄일 수 있다. 시네메트(Sinemet)는 일반적으로 사용하는 카비도파와 레보도파의 브랜드명이다. 항콜린제(Anticholinergics)는 가용 도파민의 감소로 나타나는 아세틸콜린의 증가를 막는 약물이다. 항콜린제는 안정 시 떨림을 감소시키는 데 도움이 되지만 자세 불안정성을 포함한 다른 증상에는 거의 또는 전혀 영향을 미치지 않는다. 약품 목록과 용도는 표 13-2에 정리되어 있다. 물리치료사는 보조 물리치료사에게 환자 치료제의 가능한 부작용에 대해 살펴보라고 알려주어야만 한다.

불행하게도 장기간 사용하면 레보도파의 치료 효과가 떨어진다. 보통 이 약은 단지 4~6년 안에만 효과가 나타난다. 약물 효과가 감소함에 따라서 운동 동요(motor fluctuations), 운동이상증(dyskinesias), 그리고 근긴장이상(dystonia)과 같은 다른 운동 문제가 발생한다. 운동 동요는 레보도파가 더 이상 부드럽고 균일한 효과를 내지 못하기 때문에 증상이 증가하는 시기에 나타난다. 이러한 시기를 켜기/끄기 동요(on/off fluctuations)나 켜기/끄기 현상(on/off phenomenon)이라고도 한다. 운동이상증은 얼굴, 구강 구조, 머리, 몸통 또는 팔다리를 침범하는 불수의적 움직임이다. 운동이상증의 시기는 다양할 수 있다. 어떤 환자들은 약물 치료의 효과가 절정에 이를 때 운동이상증을 보일 수 있다. 이것이 가장 일반적인 패턴이다. 다른 경우에는 약물 복용 시작 지점이나 종료 지점에 운동이상증을 보인다. 약물 유발 운동이상증은 항파킨슨 약물 투여량을 줄임으로써 되돌릴 수 있다. 하지만 그 대신 떨림, 느린 움직임, 그리고 보행 장애가 악화된다. 따라서 일부 환자는 파킨슨병의 심한 증상보다 운동이상증을 선호한다. 근긴장이상은 장기간의 불수의적 수축으로 신체 부위가 비틀리거나 꼬이는 것이다. 환자는 갈퀴 발가락(toe clawing)이나 등, 목, 얼굴, 그리고 종아리 근육의 경련(cramping)을 보인다. 마모 현상(wearing-off phenomenon)은 약물의 효과 종료 시점에 자주 언급되는 움직임 퇴행이다. 치료사는 파킨슨병 환자가 복용하는 모든 약물과 부작용에 대해 잘 알고 있어야 한다. 약물 치료의 균형을 잡는 것은 이 환자 집단에서 매우 어려운 일이다.

수술적 관리

뇌심부자극술(Deep Brain Stimulation, DBS)은 파킨슨병 환자에게 가능한 부가적인 치료 방법으로 부각되었다. 증상을 유발하는 신경 신호를 막기 위해 뇌에 전극을 이식한다. DBS는 되돌릴 수 있기 때문에 이전에 사용된 외과적 절제 또는 구조 파괴보다 안전하다. 전극은 이식 가능한 심장 보조기와 상당히 유사하게 빗장 밑 피하에 배치하는 자극 박스와 함께 시상 밑핵(subthalamic nucleus, STN)에 이식한다. 자극은 환자가 켜고 끌 수 있다. 전달되는 자극의 양은 의사가 결정한다. 감염과 출혈은 잠재적인 수술 위험이다. DBS는 투약의 필요성을 줄여서 레보도파 장기복용과 관련된 운동이상증을 감소시킨다. 시상 밑 핵 뇌심부자극술(STN-DBS)의 장점에는 떨림, 경직, 그리고 운동완만증과 같은 모든 운동증상의 개선이 포함되지만, 보행에 관해서는 다양한 결과가 나온다(Kelly 등,

2006). 최근 연구에 따르면 일상 활동, 보행의 동결, 그리고 회전 수행력(turning performance)이 선택적으로 향상되었다(Rochester 등, 2012; Nui 등, 2012; Lohnes와 Earhart, 2012).

물리치료 관리

환자들을 떨림 우세, 운동완만증/운동못함, 그리고 경축/자세 불안정/보행 장애라는 세 가지 범주로 나눌 수 있다. 치료의 목표는 검사 시 나타나는 유형과 관련될 수 있지만 상당 부분이 중복되게 나타난다. 물리치료는 파킨슨병 환자의 약물치료에 대한 유익한 보조치료이다(de Goede 등, 2001; Melnick, 2013; Morris, 2000). 일차적인 물리치료 목표는 진행되는 병리에 맞서서 기능을 최대화하는 것이다. 따라서 조기 중재에 중점을 두어야 한다. 보행 시 운동감소증(hypokinesia) 또는 느림은 거의 모든 파킨슨병 환자에게 영향을 미친다. 장애가 진행됨에 따라 보폭(stride length)은 계속 짧아진다. 그러므로 보다 쉽게 움직일 수 있는 환자 전략을 가르치는 것이 가장 중요하다(Morris 등, 1998). 두 번째 목표는 전반적인 상태 악화, 경축과 관련된 근골격계 변화, 그리고 폄과 회전 상실과 같은 이차적인 합병증을 예방하는 것이다. 대부분의 파킨슨병 환자들은 호흡기 감염에 걸린다(Melnick, 2013). 파킨슨병 환자가 오랫동안 움직일수록 폐렴이 발생할 확률은 낮아진다. 물리치료 중재는 자세, 보행, 그리고 일반적인 활동 수준에 대한 예측 가능한 변화의 시작을 늦추는 데 초점을 맞추어야 한다.

보행 중재

물리치료사는 보행에 대한 장애의 원인을 확인하여 적절한 중재 전략을 선택해야 한다. 또한 물리치료 보조사는 선별된 보행 중재의 근거를 이해해야 한다. 물리치료 보조사의 주요 역할 중 하나는 환자와 보호자에게 좋은 자세와 일상적인 보행의 중요성 그리고 지속적인 활동의 장점을 가르쳐 주는 것이다.

움직임 과제 중 주의력을 향상시키기 위해 시각 및 청각 단서를 이용하는 것은 보행 운동감소증 치료에 도움이 되는 전략이다(Frazzitta 등, 2009; Nieuwboer 등, 2009). 막대(pole) 잡고 걷기는 운동 프로그램을 다양화시켜 더 빠른 보행을 이끌어 낼 수 있다. 바닥에 마커를 놓아두고 마커를 밟거나 넘어가라고 지시할 수 있다. 거울을 향해 걷는 것은 시각적인 되먹임을 이용해 몸통을 똑바로 세워 유지할 수 있게 해 준다. 이 전략은 초기 및 중간 단계에서 도움이 될 수 있다. 또한 보폭을 길게 하는 것에 대해 생각하기, 걷기 전에 걸어야 할 길을 마음속으로 되새기기, 그리고 걷는 동안에는 추가적인 정신적 혹은 이차적인 운동 과제를 피하는 것과 같은 주의력 집중 전략은 걷기를 향상시킬 수 있다(Morris 등, 2001). 과제와 상관없이 일반적으로 과제를 각 구성 요소로 분해해서 각 부분에 대해 개별적으로 집중 치료하는 것은 매우 유용한 전략이다(Morris, 2000). 종종 내딛기 주저(step hesitation)는 파킨슨병 환자의 보행 문제의 시작이다. 선행적 자세 조절(anticipatory postural adjustments, APAs)은 발을 내딛기 시작할 때 체중 이동의 변화를 인지하는 고유감각 인식에 의존한다(Mancini 등 2009). Mancini 등(2009)은 초기 및 치료를 하지 않은 파킨슨병 환자에서 안쪽 가쪽(medial lateral)의 선행적 자세 조절이 더 작다는 사실을 발견했다. 몸통 부위에서 가속도계를 사용해 APA를 측정할 수 있다. 고유 감각 결핍은 파킨슨병 환자한테서 운동장애 이전에 나타난다(Konczak 등, 2009). 파킨슨병 환자의 느린 걸음걸이는 짧은 보폭이 특징이다. 그러므로 치료 결과의 변화를 기록하는 방법은 중재 전후의 보폭을 측정하는 것이다. 측정 가능한 목표는 보폭을 일정량 늘리거나 정해진 거리 내에서 걸음걸이 수를 줄이는 것이다.

옆으로 걷기, 뒤로 걷기, 다리 꼬아 걷기, 그리고 다양한 리듬으로 행진하기와 같은 대체 보행 패턴을 연습한다. 또한 앞으로 나아갈 곳의 바닥에 표시를 해 두거나 발 디딜 곳에 발자국 표시를 해두면 행진이나 보행에 도움이 된다. 걷기에는 말초의 움직임 단서가 유용하다. 물리치료 보조사는 환자 옆에서 약간 떨어져 서서 걷기를 시작하라는 지시를 받은 환자에게 자신의 움직임을 보여 줄 수 있도록 한다. 자주 사용하는

중재 13-1 바로 누운 자세에서 회전 동작들

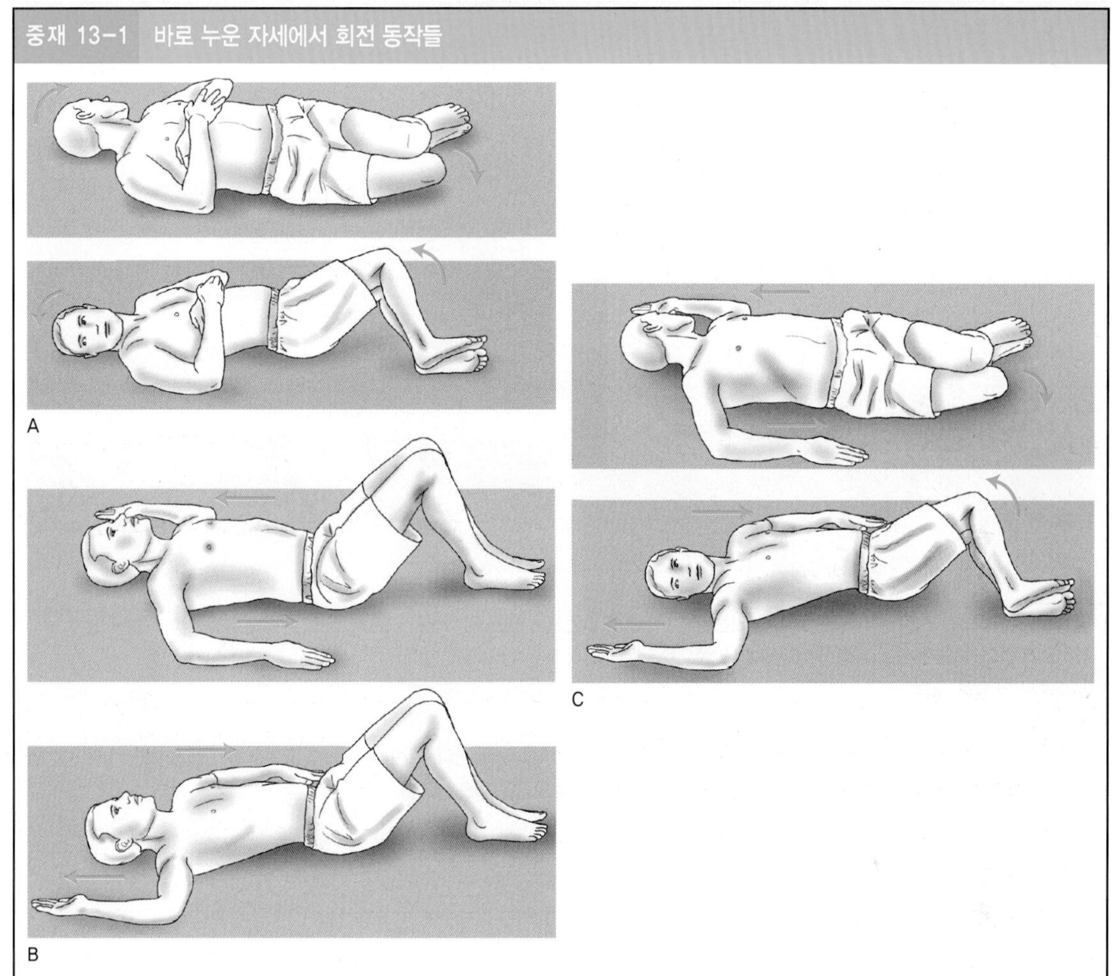

바로 누운 자세에서의 회전 운동 순서는 목과 몸통의 관절가동범위(ROM)를 증가시키기 위해 사용할 수 있다. 모든 운동은 결합해서 사용할 수 있다.

A. 머리를 가능한 ROM 내에서 천천히 좌우로 회전하고 다리는 반대 방향으로 회전하게 한다.

B. 어깨를 45도 벌리게 하고, 팔꿈치를 90도 구부리게 한다. 한쪽 어깨는 바깥쪽으로 회전을 하게 하고, 반대쪽 어깨는 안쪽으로 회전하게 한다. 안쪽과 바깥쪽으로 회전된 처음 자세에서부터 어깨가 천천히 앞뒤로 회전하게 한다.

C. 진전된 운동: 머리, 어깨, 그리고 다리가 한 자세에서 다른 자세로 동시에 회전하게 한다. 몸통 내에서 상호회전이 일어나게 머리는 엉덩이와 반대 방향으로 회전하게 한다. 얼굴쪽의 팔은 바깥쪽으로 회전하고, 반대쪽 팔은 안쪽으로 회전한다.

(Modified from Turnbull GI, editor: Physical therapy management of Parkinson's disease, New York, 1992, Churchill Livingstone, Fig. 9–11, p. 177.)

동결 치료 전략으로는 상자를 발로 차거나 동전을 줍는 것이 있다. 동결은 출입구와 같은 좁은 공간을 통과할 때 일어나는 경향이 있다. 하지만 개방형 환경에서도 발생할 수 있으므로 몇 가지 전략을 염두에 두어야 한다.

파킨슨병에 이차적으로 보행 장애를 보이는 환자들의 보조기구 사용에 관한 명확한 지침은 없다(Melnick, 2013). 물리치료사가 보조기구 사용의 효율성을 결정한다. 지팡이나 워커 사용은 팔다리의 협응 정도에 달려 있다. 누르는 브레이크와 바퀴가 달린 워커는 몇몇

중재 13-2 옆으로 누운 자세에서의 회전 동작들

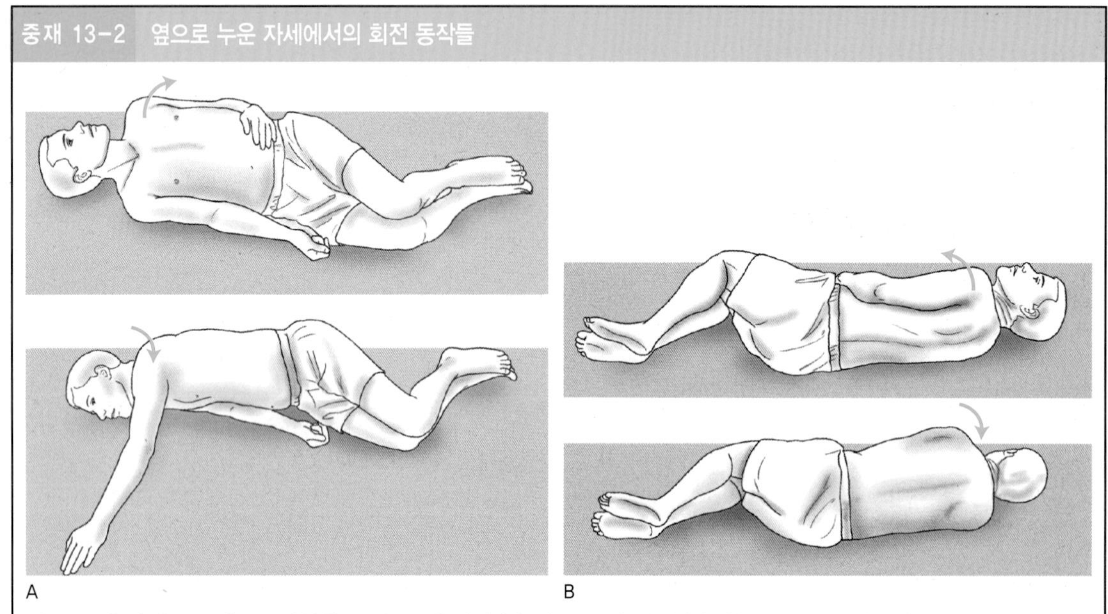

옆으로 누운 자세는 몸통을 스트레칭 할 수 있는 좋은 자세이다. 옆으로 누운 자세에서 가슴이 골반 자세와 상반되게 천천히 앞과 뒤로 회전하게 한다. 반면에 팔을 가슴에 상반되게 앞쪽으로 내밀었다가 뒤로 당겨지게 한다.

A. 움직임의 앞쪽 모습
B. 움직임의 뒤쪽 모습
C. 진전된 운동: 환자는 가슴을 앞으로 회전하게 하면서 골반을 뒤로 회전하게 한다. 그런 후에 가슴을 뒤로 회전하게 하면서 골반을 앞으로 회전하게 한다. 이러한 두 가지 움직임의 결합은 몸통의 상호회전을 일으킨다.

(Modified from Turnbull GI, editor: Physical therapy management of Parkinson's disease, New York, 1992, Churchill Livingstone, Fig. 9–11, p. 178.)

환자들에게 유용할 수 있지만, 반대로 후방지지 워커는 뒤쪽 방향으로 나아갈 때 균형을 잃는 환자에게 도움이 될 수 있다. 어떤 보조기구를 사용하던지 몸통 굽힘이 아니라 폄을 증진하도록 수정해야 한다. U 워커는 파킨슨병 환자를 위해 레이저를 쏘아 발 디딜 곳을 보여 준다. 같은 방식으로 레이저를 투사하는 안경 개발에 대한 연구가 진행 중이다. 동결 현상이 나타날 때는 지팡이가 유용 할 수 있다. 지팡이를 거꾸로 뒤집어 들어서 걷기를 계속하라는 신호로 사용할 수 있다. 현재까지 모든 보조기구가 누구에게나 맞는 것으로 밝혀진 것도 아니며, 모든 사람이 항상 보조기구를 사용해서 효과를 얻을 수 있는 것도 아니다.

자세 중재

몸통 폄과 회전이 질병 초기 과정에서 손실되기 때문에 손상 직후에 자세 폄근 강화 운동을 강조하는 것이 중요하다(Brigewater 와 Sharpe, 1998). 또한, 가슴근육이 짧아져서 흉부 몸통 폄이 일어나지 않으면 짧아지고 긴장된 가슴근육을 위한 스트레칭 운동을 권장한다. 보행 동안에 발바닥을 땅에 유지하고 걷고 정상적인 체중 이동을 하기 위해서 아킬레스건 스트레칭을 권장한다. 중재 13-1과 13-2에서 그림으로 묘사된 것처럼 몸통과 팔다리 회전 운동은 일상적으로 권장된다. 회전 운동은 진전된 단계에 있는 파킨슨병 환자의 소규모 집단에서 동결 발생을 감소하기 위해 사용된다(VanVaerenbergh 등, 2003). 율동적 개시(rhythmic initiation)라는 PNF 기법은 움직임을 시작하거나 움직인 동안에 ROM을 증가시키는 것을 돕기 위해서 사용할 수 있다(9장 참조). 이 기법은 환자가 돌아눕기(rolling)와 앉기 혹은 서기와 같은 기능적인 운동패턴을 수행할 때 가장 도움이 된다.

이완 기술은 경축과 피로를 치료할 때 사용한다(Melnick, 2013; O'Sullivan와 Bezkor, 2014). 부드럽고 느린 몸통 흔들기와 팔다리 회전은 경축을 감소시킨다. 이 기법은 앉기 자세에서 가장 많이 사용하는데 바로 누운 자세에서는 경축이 증가할 수 있기 때문이다. 또한 율동적 회전은 근위부의 근육이 원위부 근육보다 더 강하기 때문에 근위부에서부터 시작해야 하며 점차로 원위부로 적용한다. 경축이 감소한 후에는 운동이 더 쉬워지고, 피로가 덜 하다. 큰 움직임이 특히 유용하며, 전체 범위를 포괄해야 하고, 폄을 강조해야 한다. 양측 대칭적 움직임은 상호교차적인(reciprocal) 움직임보다 쉽다. 그 다음에 내려치기(chops)와 들어올리기(lift)와 같은 대각선 운동패턴으로 나아갈 수 있다(9장 참조).

심호흡은 이완을 촉진시킬 수 있다. 환자는 편안하게 지지된 바로 누운 자세를 취하게 하고 가로막을 이용해 천천히 깊게 심호흡하는 법을 배운다. 누운 자세에서 심호흡이 익숙해지면 가로막과 외측 가슴 확장(lateral chest expansion)에 집중하면서 앉기와 서기에서도 심호흡 운동을 시행한다. 몸통이 종종 경축되기 때문에 환자가 완전한 가슴벽 확장을 완수하기가 어려울 수 있다. 따라서 시각적인 되먹임, 스트레칭, 그리고 근력강화 운동으로 가슴벽의 경축과 자세 부정렬을 해결해야 한다. 예를 들어 양측 D_2 굽힘 PNF 패턴을 수행하면서 숨을 깊게 들이마시고, D_2 폄 PNF 패턴을 수행하면서 숨을 내쉬게 한다. 스트레칭과 유연성 운동은 가능하다면 매일 수행해야 하지만 최소한 일주일에 2~3일은 해야 한다. 각각의 동작 당 15~60초 동안 스트레칭 유지하기를 최소 4회 반복하는 것이 좋다(Protas 등, 2009). 폄 기능상실이 예측되기 때문에 목, 어깨, 몸통, 엉덩이, 무릎, 그리고 발목 관절의 스트레칭은 필수적이다. 환자가 편평하게 눕거나 일정 시간 동안 엎드리기 자세를 취할 수 있다면 유익할 수 있다.

스트레칭 프로그램을 수행할 때 변형이 고정적인지, 유동적인지를 인식하는 것이 중요하다. 파킨슨병 환자 중 일부는 영구적인 척추뒤굽음증을 지지하기 위해 여러 겹의 베개를 필요로 한다. 이런 환자들은 정상적인 자세 정렬을 회복할 수 없으며, 앉기와 바로 눕기에 대한 보상이 필요할 수밖에 없다. 고정형 구축이 되기 전에 모서리나 벽에서 가슴근육 스트레칭하기와 척추길이 방향으로 롤러, 받침, 혹은 말은 수건 위에 누워서 몸통뼈대 스트레칭하기는 모두 적절한 중재이다.

하루 종일 앉아서 일어서기, 걷는 동안 방향을 바꾸기, 돌아눕기, 말하면서 걷기, 책 옮기기, 그리고 식당 줄을 통과하는 것과 같은 움직임 전환을 통해 자동적으로 자세 조절을 한다. 천천히 움직이는 환자에게는 자세 불안전성이 제일 중요한 문제이고, 중증 질환 단계에 있는 환자는 경축이 가장 심한 문제이다. 파킨슨병 환자들은 똑바로 서기와 의자에서 일어서기 같은 간단한 자동 자세 조절을 수행하는 능력을 상실한다. 인지 코칭(cognitive coaching)은 파킨슨병 환자에게 자동적으로 수행했던 활동을 수행하는 방법에 대해 생각하게 해주는 좋은 도구가 될 수 있다. 머리를 앞뒤로 움직이라고 말해 주기만 해도 과제수행력 향상에 도움이 된다. 정확한 인지 전략은 움직임 과제와 어디서 연속성이 끊어지는지에 따라서 환자마다 달라질 수 있다. 운동학습 이론은 다양하고 적절한 환경에서 특정 과제 연습이 필요하다고 강조한다. 보호자나 간병인에게 치료에서 성공적이었던 인지 전략을 가르치는 것은 매우 중요하다.

리 실버만(Lee Silverman) 음성 치료(LSVT®) 빅(BIG)

BIG 훈련은 파킨슨병이 있는 환자가 더 많이 움직이도록 훈련하기 위해 음성과 함께 운동 훈련 원리를 적용하는 것이다. 전제는 파킨슨병을 가진 사람이 자신이 정상적으로 움직이고 있다는 것을 인식하지만 움직임이 얼마나 작은지는 인식하지 못한다는 것이다. BIG 움직임을 유도해서 스스로 생성한 움직임에 대한 환자의 운동감각(kinesthetic) 인식을 재설정한다. LSVT BIG를 사용하는 치료사는 이 치료 방법을 사

표 13-3 일일 과제 수행력 향상 전략

과제	전략
걷기	보폭을 넓혀서 걷도록 지시하기 양팔 흔들기 환자의 나이와 키에 적절한 보폭으로 바닥에 선 표시하기
돌아서기	환자에게 큰 원(arc)을 그리는 움직임 지시하기
일서서고 앉기	움직이기 전에 마음속으로 움직임 연습하기 움직이기 전에 몸을 부드럽게 앞뒤로 흔들기 발 위쪽에 체중이 실리도록 몸을 충분히 앞으로 기울이기 의자 높이를 올리거나 팔걸이 이용하기
몸을 뒤집어 침대에서 나오기	야간등 이용하기 가벼운 침대커버 이용하기 움직이기 전에 마음속으로 움직임 연습하기 각각의 움직임 순서를 유도하는 구두 신호 사용하기 쉽게 일어설 수 있도록 적절한 높이의 침대 이용하기
손 뻗기, 쥐기, 물체 조작하기, 쓰기	움직이기 전에 마음속으로 움직임 연습하기 특정 물체를 시각 신호로 사용하기 과제를 구성 요소로 나누기 각각의 움직임 순서를 유도하는 구두 신호 사용하기 집중을 방해하는 과제나 이차적인 과제를 동시에 수행하지 않기

From Morris ME: Movement disorders in people with Parkinson disease: A model for physical therapy. Phys Ther 80:578.597, 2000. Table 13-4 Exercises for Upper Extremity Function

표 13-4 팔 기능 향상을 위한 운동

과제	운동
단추 잠그기	크기와 모양이 각각 다른 단추로 연습하기
글씨 쓰기	가로세로 퍼즐 풀기, 쳐진줄 종이에 글쓰기, 서명하기, 다수의 글상자 채우기
손 뻗기/쥐기	모양과 크기, 무게가 다양한 컵을 향해 손을 뻗어 잡고 마시기
붓기	컵 하나를 들어 다른 컵에 물 붓기
열기/닫기	크기가 다양한 음식통 열고 닫기
올리기	무게가 다양한 단지와 상자를 다양한 높이의 선반에 올리고 내리기
소동작 기술	엄지와 검지로 쌀알을 집어 찻잔에 넣기 엄지와 검지로 지푸라기를 집어 음료수 캔에 넣기
옷 입기	'왼팔', '오른팔', '당기기' 같은 구두 신호를 사용해서 코트나 스웨터 입기와 같은 옷 입기 연습하기
누르기/밀기	앉거나 서서 가족과 친구, 지역 사업체에 전화하기 위해서 전화번호 버튼을 정확한 순서대로 누르는 연습하기
접기	냅킨을 접고, 접힌 종이를 봉투에 넣기

Modified from Morris ME: Movement disorders in people with Parkinson disease: A model for physical therapy. PhysTher 80:578.597, 2000, p. 588

용할 수 있는 인증 과정을 수료해야만 한다. 일정한 간격을 두고 이 코스를 재수강해서 자격을 유지해야 한다. 운동은 파킨슨병 환자의 질병 증상을 치료할 가능성이 있는 치료용 매개체이다(Farley 등, 2008). 파킨슨병 환자 18명이 일주일에 4번 이 중재프로그램에 참여해서 BIG 움직임과 BIG 스트레칭을 수행했다. 이 프로그램은 4주간 지속되었다. 환자들이 Hoehn와 Yahr의 기능장애분류에 기초한 질병의 중증도는 1단계에서 3단계로 다양했으며, 각 단계의 참여자 수는 비교적 동등했다. 연구 결과, 환자의 보행 속도와 손 뻗기가 향상되었다. 증상이 가벼운 환자들은 더 큰 변화를 보였다.

떨림은 대개 일상생활동작 기능을 방해하지 않기 때문에 느린 움직임, 자세 불안정, 그리고 보행 장애가 있는 경우가 아니면 떨림 환자들은 물리치료를 받지 않는다. 이런 환자와 보호자는 일어서기, 침대에서 돌아눕기, 혹은 걷는 동안 방향을 바꾸기 등과 같은 동결 현상과 느린 움직임에 대처하는 방법에 대한 전략을 배울 수 있다. 운동이상증은 치료적 중재가 어렵다(Morris 등, 2001).

피로는 파킨슨병 환자의 신체 기능의 중요한 결정요소이다(Garber와 Friedman, 2003). 피로는 비활동

(inactivity)의 원인이나 결과일 수 있다. 그러므로 유산소 운동은 환자가 파킨슨병 진단을 받자마자 시작해야 한다. 피로감이 클수록 파킨슨병 환자가 여가 활동에 참여하거나 낮에 돌아다니는 일이 적어진다. 또한 파킨슨병 환자들은 또래 동료들보다 활동량이 상당히 적다(Fertl 등, 1993). 하지만 Canning 등(1997)은 정기적인 유산소 운동으로 경증과 중등도 파킨슨병 환자들이 정상적인 운동 능력을 유지할 수 있다고 믿는다. 그러므로 유산소 요소를 움직임 중재에 통합하는 것이 좋은 방법이라고 제안하였다(Dean과 Frownfelter, 2012). 유산소 운동은 근골격계의 장점을 제공할 뿐만 아니라 환기를 최대화하여서 기도분비물을 잘 배출시킬 수 있게 한다.

운동 전략 및 결과

운동은 파킨슨병 환자를 위한 중재 전략의 초석이다. 운동은 신체 활동을 촉진하고 유연성을 유지하며 운동의 시작과 유동성을 향상시키며 자세 불안정성과 피로를 감소시킨다. 운동은 일상생활동작을 중심으로 해야 하며, 줄쳐진 종이에 글쓰기 연습하기에서부터 침대에서 몸 돌리고 침대에서 내려가기에 이르기까지의 범위를 포괄해야 한다. 기능적 향상은 주 2회 물리치료를 3개월 동안 시행한 후에 나타났다(Yekutiel 등, 1991). 환자들은 앉았다가 일어서는 시간을 단축할 수 있었다. 기능적 문제를 적응하기 위한 학습 전략이 기본 훈련 과정의 상당 부분을 차지한다. 걷기, 돌아서기, 일어서고 앉기, 뒤집기(turning over), 침대에서 내려오기 등과 같은 일상 과제 수행을 향상시키는데 사용되는 전략은 표 13-3에 자세하게 설명되어있다. 또한 Morris (2000)는 팔 기능 향상을 위한 운동을 표 13-4에 제시하였다.

다발성경화증

다발성경화증은 중추신경계의 만성 퇴행성 탈말이집(demyelinating) 질환이다. 이것은 20세에서 40세 사이의 젊은 성인에게 나타나는 질병이다. 여성 발병률은 남성 발병률의 2배이다. 이 질환은 경화플라크가 뇌와 척수에 형성되기 때문에 다발성경화증이라고 한다. 샤르코(Charcot)의 3징후라는 활동떨림(intention tremor)과 스캐닝식 발화(scanning speech, 비강세 음절에서의 강세 증가), 눈떨림(nystagmus)은 1869년 초에 기술되었다. 현재는 시신경염과 같은 시각 문제는 초기에 자주 나타난다. 하지만 환자마다 침범 정도에 따라 증상 표현이 일관되게 나타나지는 않는다. 자기공명영상(MRI)의 활용이 가능해지기 전에는 다발성경화증 환자를 진단하기가 어려웠다. 환자가 단 하나의 증상만을 나타내거나 증상이 경미하거나 시간이 지난 후에 증상이 약해질 수 있기 때문이었다.

다발성경화증은 미국에서 40만 명이 넘는 사람들에게 영향을 준다(Hassan-Smithand와 Douglas, 2011). 빈도는 100,000명당 4.2명으로 보고되었다(Hirtz 등, 2007). 미국, 캐나다 및 북유럽에서 발병률이 더 높다. 아마도 북유럽 사람들이 다른 인종 그룹보다 영향을 받기 쉽기 때문일 것이다. 아시아인과 에스키모인, 북미 및 남미 인디언의 발병률은 매우 낮다(Sutton, 2009). 미국 연구에 따르면 흑인 여성의 다발성경화증 발병률이 백인과 비슷한 발병률을 가진 흑인 남성보다 훨씬 높다(Langer-Gould 등, 2013). 하지만 다발성경화증은 전 세계적으로 퍼져있다. 온화한 기후에서 다발성경화증이 훨씬 더 많이 발병하고, 적도에 가까운 지역일수록 다발성경화증 발병률이 더욱 낮아졌다. 병인은 아직 알려지지 않았지만, 바이러스 감염과 자가면역 기능장애(autoimmune dysfunction)와 관련이 있다. 바이러스 감염은 다발성경화증 발병을 유발할 수 있으며, 면역 세포는 급성 다발성경화증 병변에서 나타난다(Fuller와 Winkler, 2009). 면역체계 기능장애에 대한 감수성은 유전되지만, 다발성경화증의 질병은 유전되지 않는다.

병태생리학

탈말이집 부분은 뇌와 척수의 백질(white matter)에서 나타난다. 말이집이 많이 집중되어 있는 신경계는 부분적으로 지방으로 구성되어 있기 때문에 흰색으로 보인다. 중추신경계(central nervous system, CNS)에서 희소돌기교세포(oligodendrocytes)가 말이집을 생성한다. 이들의 파괴로 축삭이 보호되지 않고 손상될 수 있다. 염증은 말이집을 파괴하고, 축삭을 손상시키며, 플라크를 형성할 수 있다. 플라크는 아교세포(glial cells)가 생성한 흉터 조직으로 대체 되고, 그 안에 있는 축삭 돌기(axons dendrite)는 퇴행된다(Fitzgerald와 Folan−Curran, 2002). 아교세포는 신경계의 결합조직(connective tissue)을 구성한다. 또한 다발성경화증 환자의 뇌 면역계 반응은 정상인보다 더 강하기 때문에 플라크 형성에 역할을 한다. 플라크는 MRI에서 나타날 수 있는 급성 또는 만성 병변의 일부이다. 신경계 영역에는 시신경과 뇌실주위 백질, 겉질(corticospinal) 척수로, 뒤 기둥(posterior columns) 및 소뇌다리(cerebellar peduncles)가 포함된다.

임상적 특징

감각 증상은 종종 다발성경화증의 첫 징후이다. 다발성경화증 환자는 "핀과 바늘(pins and needles)(감각이상, paresthesias)"로 찌르는 듯한 통증이나 비정상적으로 타들어 가는 듯하거나 쑤시는 것 같은 통증을 호소한다. 시각 증상은 이 질환에 걸린 환자의 80%에서 시력 저하, 시력의 회색 또는 흐릿함을 유발하는 시신경의 염증(신경염) 또는 이중시력(diplopia)을 유발하는 시신경의 염증(신경염)으로 나타날 수 있다. 눈 떨림 또한 흔한 증상으로 소뇌 또는 중앙안뜰 경로(central vestibular pathway)의 병변으로 발생한다. 눈 떨림은 휴식 시 안구의 진동 움직임이다. 눈 떨림 유형은 눈이 움직이는 방향에 따라 다르다. 수평 눈 떨림은 가장 흔한 유형으로 눈의 수직 움직임이나 회전 움직임도 보일 수 있다. 눈 떨림은 떨리는 움직임의 방향에 따라 명칭이 정해진다.

다발성경화증 환자는 운동 경로뿐만 아니라 감각 경로도 침범을 당한다. 전형적으로 한쪽 또는 양쪽 다리의 운동 약화(motor weakness)는 겉질 척수로 침범을 암시한다. 서툰(clumsiness) 손 뻗기는 목표물을 지나칠 수 있다. 굽힘 및 폄과 같은 교차적 움직임의 협응이 어려워 걷는데 어려움을 겪는다. 보행은 균형 부족과 휘청거림의 특징으로 나타난다. 소뇌의 백질이 침범당할 때는 실조 또는 일반적인 조화로운 운동불능(incoordination)이 분명하게 나타난다. 팔다리나 몸통의 자세적 떨림은 앉거나 서 있을 때 분명하게 나타날 수 있다. 조화로운 구강 운동이 어려워서 말하기와 삼킴에 장애가 생길 수 있다. 스캐니싱 발화(scanning speech)는 말하는 중간에 긴 일시중지가 생겨서 말이 느려지고 유창성의 부족이 나타난다. 적절하고 조화로운 호흡하기와 식사하기가 잘 안되는 환자에서는 흡인(aspiraion) 위험이 커진다.

피로

피로는 다발성경화증 환자의 주요 문제이다. 약 700명의 다발성경화증 환자를 대상으로 한 연구에서 언급된 것처럼 피로는 보행 장애가 발생하기 훨씬 전에 가장 빈번하게 보고되는 증상이다(Aronson 등, 1996). 피로가 질병의 주요 증상이지만 질병의 심각성과의 관계는 약하다. 다시 말해서 질병이 심한 환자에게서 피로가 심해지는 것은 아니다. 사실 피로는 종종 질병의 진행 정도에 비례하지 않는다. 십 년간의 연구에도 불구하고 다발성경화증의 피로에 관한 근본적인 병태생리학적 과정은 아직 분명하지 밝혀지지 않고 있다. 다발성경화증 환자의 피로를 측정해 주는 실험적이거나 생리학적 지표는 없다. 피로는 열에 의해 악화된다. 이것은 건강한 사람들이나 다른 진행성 신경계 질환이 있는 환자들에서 나타나는 피로와 구별된다. Uhthoff 현상은 열과 관련된 시각 흐림, 감각이상 증가, 또는 감당하기 힘든 피로를 말한다. 체온이 정상으로 회복될 때 증상이 사라진다면 거짓 공격(pseudoattack)으로 간주된다.

피로는 일상생활동작을 완료하고 직업을 계속 수행할 수 있는 능력에 중대한 영향을 미친다. 다발성경화증의 피로감은 삶의 질(quality of life, QOL)과 일반적 그리고 정신적 건강(Bakshi, 2003)을 어떻게 인지하는지와 밀접하게 연관되어 있기 때문에 환자의 피로에 대한 인식을 이해하는 것이 매우 중요하다. 메타분석에서 운동은 행동을 수정하고, 다발성경화증 환자의 삶의 질에 긍정적인 영향을 주는 것으로 밝혀졌다(Motland Gosney, 2008). Cakit 등(2010)은 운동이 우울증을 감소시킨다고 보고하였으며, Dalgas 등(2010)은 기분, 피로감, 삶의 질을 향상시킨다고 보고하였다.

인지 손상

다발성경화증 환자의 절반 정도가 어느 정도의 인지 손상을 경험한다(O'Sullivan와 Schreyer, 2014). 이러한 손상은 경증에서 중증도까지 다양하며 문제 해결, 단기 기억, 시공간 지각 및 개념 추론을 포함할 수 있다. 다행히도 단지 10% 만이 일상생활동작을 방해할 정도로 심각하다. 종종 다발성경화증 환자들은 피로 수준이 높으면 인지능력이 저하되는 것과 관련시키는 경우가 많지만, 연구에 따르면 피로 수준이 인지 수행력에 영향을 미치지 않는 것으로 나타났다(Parmenter 등, 2003). 이마엽의 병변은 판단과 추론과 같은 실행상의 뇌 기능에 영향을 줄 수 있기 때문에 환자의 인지 능력을 저하시킬 수 있다. 지능이나 치매의 전반적인 악화는 드물지만 질병이 빠르게 진행되는 유형인 경우에는 발생할 수도 있다.

만성질환을 앓고 있는 사람들은 우울증이 발생하기 쉽고, 다발성경화증 환자들은 일반 인구에서보다 우울증이 더 많이 발생한다(Patton 등, 2000; Berg 등 2000). 이 연구에서 보고된 우울증 발병률은 14%에서 54%에 이른다. 한 연구에서는 무력감이 높을수록 피로감과 우울감이 더 심해진다고 보고하였다(van der Werf 등, 2003). 피로와 우울증은 유사한 요인들로 중재할 수 있다. 또한, 우울증은 정서적 안정성과 관련이 있다. 다발성경화증 환자는 1분 동안 행복감이 넘치고 다음 순간에는 통제 할 수 없을 정도로 우는것과 같은 정서적 불안정성을 보일 수 있다.

자율신경계 장애

다발성경화증 환자의 장 및 방광 문제는 자율신경계의 침범을 암시한다. 방광이 완전하게 비워지지 않아서 소변 정체(urinary retention)가 일어나고, 박테리아 성장에 알맞은 배양 배지가 될 수 있다. 장 및 방광의 반사 조절이 손상되어 변비 또는 부적절한 비우기, 빈뇨 및 야간뇨(야간 빈뇨)가 발생할 수 있다. 성기능 장애는 물론 장 및 방광 조절의 완전한 소실이 질병의 후기 단계에서 나타날 가능성이 있다. 이 방광 문제를 치료하는데 사용되는 일부 약물은 표 13-2에서 찾아볼 수 있다.

질병 과정

질병의 진행 과정은 매우 다양하기 때문에 예측할 수 없다. 다발성경화증의 대부분은 악화 및 완화 기간이 정해진 재발-완화 다발성경화증(relapsing-remitting multiple sclerosis, RRMS)이다. 악화는 증상이 급성으로 심각하게 나빠졌을 때 발생하고 그 다음에 시간이 지나면서 증상이 안정화되면서 완화되거나 회복된다. 증상이 완전히 해소되거나 신경학적 결손이 남을 수 있다. 질병 초기에 발병과 재발하기까지의 시간은 1년 이상 걸릴 수 있다. 질병이 진행됨에 따라 발병 사이의 시간이 단축 될 수 있다. 재발-완화 과정에도 불구하고, 증상이 안정적으로 보이는 때에도 질병이 활발하게 진행된다는 증거가 있다(Miller 등, 1988). 많은 RRMS 환자들이 이차 진행성 다발성경화증으로 발전한다.

다발성경화증의 세 가지 형태는 일차 진행형, 이차 진행형, 그리고 진행성 재발형이다. 일차 진행형(primary progressive multiple sclerosis, PPMS)은 재발이 없고 끊임없는 진행이 특징이다. 이 유형은 드물고, 다발성경화증 환자의 약 10%에서만 영향을 미친다. 이차 진행형(Secondary progressive multiple sclerosis, SPMS)은 재발과 완화로 시작되지만, 수시 재발과 경미한 완화로만 진행 된다. 진행성 재발형(progressive relapsing multiple sclerosis, PRMS)은 발병 초기부터 점진적으로 진행되지만, 완전회복 여부와 관계없이 명확하고 급격한 악화를 보인다.

진단

다발성경화증 진단의 토대는 CNS 백질의 다발성 병

변, 명확한 시간(일시적) 간격, 그리고 10세에서 50세 사이의 발병이라는 임상적 증거를 기초로 한다. 일반적으로 뇌척수액은 더 많은 양의 말이집 단백질과 올리고클론 띠(oligoclonal bads)를 찾기 위해 검사한다. 전자는 급성 현상 중에 상승하여 면역계의 병력을 암시한다. 올리고클론 띠는 다발성경화증에만 국한되지 않는다. 감각 경로가 침범되면 감각 유발 전위(evoked sensory potential)를 기록해서 탈말이집의 추가적인 증거로 제공할 수 있다. 시력이 종종 영향을 받으므로 시각 유발 전위(visual evoked potential)을 평가하는 것이 진단 과정에서 도움이 될 수 있다. MRI는 다발성경화증의 진단을 확인하는 데 도움이 되는 최상의 도구다. MRI는 크고 작은 병변을 시각화할 수 있다. 적절한 조영제를 사용하여 병변이 새로운 것인지, 활동적인지를 알 수 있다. 다발성경화증에 대한 맥도널드(McDonald) 기준은 더욱 더 쉽게 진단을 내리기 위해 사용한다(Polman 등, 2011).

의료 관리

약물은 다발성경화증 관리의 핵심이다. 대부분의 질병 조절제(disease-modififying agents, DMAs)는 재발-완화 증상을 보이는 가장 흔한 형태의 다발성경화증을 위해 개발된 합성 면역체계 조절제이다. 이 약은 식품 의약품 안전청(Food and Drug Administration)의 승인을 받았지만 다른 유형의 다발성경화증에는 오프라벨(off-label, 의사가 허가사항이 아닌 적응증에 대하여 의약품을 처방하는 것)로 사용되어진다. DMA의 목적은 질병을 조절하고 빈도와 심각성을 줄이는 것이다. 아보넥스(Avonex), 베타세론(Betaseron) 및 코팍손(Copaxone)은 질병을 조절한다. 코팍손은 발병 빈도를 줄이는 것으로 나타났다. 모든 약물이 주사로 주입된다. 아보넥스는 매주, 베타세론은 격일, 코팍손은 매일 주사를 맞는다. 이 약물들은 현재 RRMS 환자의 표준 치료제로 인정받고 있다. 티사브리(Tysabri)와 노반트론(Novantrone) 같은 새로운 약물은 지속적인 관찰이 필요하기 때문에 환자가 의료 센터에 있는 동안 정맥 내 주사로 주입해야 한다. 환자에게 가장 적합한 약물을 찾기 위해서 여러 가지 DMA를 시험해 봐야 할 수도 있다.

다발성경화증 환자는 침범된 신경계의 영역을 반영하는 무수히 많은 증상이 나타날 수 있다. 약리학적으로 치료되는 일반적인 증상으로는 근육 경련, 경직, 근력 약화, 피로감, 시각적 증상, 비뇨기 증상, 통증 및 우울증 등이 있다. 다발성경화증 환자에게 처방할 수 있는 약물 목록은 표 13-2를 참조하기 바란다. 근육 경련 또는 경직과 관련된 증상은 약물치료 외에도 물리치료 중재로 관리할 수 있다.

물리치료 관리

다발성경화증 환자의 재활 목표는 다음과 같다.

1. 진행을 최소화한다.
2. 기능적 독립성의 최적 수준을 유지한다.
3. 이차적인 합병증을 예방하거나 줄인다.
4. 호흡 기능을 유지한다.
5. 에너지 보존/피로 관리
6. 환자와 보호자 교육

이러한 목표는 기능에 미치는 영향을 최소화하는 방식으로 환자의 증상을 관리해서 획득하게 된다.

약화

다발성경화증의 가장 흔한 신경증상은 근력 약화, 경직 및 실조이다. 근력 약화는 겉질 척수로나 소뇌를 침범하는 병변에서 직접적으로 발생할 수 있다. 그뿐만 아니라 이차적으로 비활동과 전반적인 신체상태의 악화가 발생하기도 한다. 따라서 근력 강화가 물리치료의 중요한 목표이며, 운동은 이차적인 장애가 발병하기 전에 일찍 시작해야만 한다(O'Sullivan와 Schreyer, 2014). 여러 종류의 운동을 할 수도 있지만 낮은 강도에서 중간 강도의 운동만 가능하다. 훈련 효과를 얻으려면 잦은 반복이 필요하다. 피로 때문에 휴식과 운동의 섬세한 균형을 이루어야 한다. 운동 사이에 1~5분의 휴식을 취하는 짧게 하는 운동 방법을 권장한다. 과로와 과열은 피해야 한다.

다발성경화증 환자의 힘과 지구력을 증가시킬 수 있

중재 13-3 스트레칭 동작들

바로 누운 자세에서 수건을 이용해 아킬레스건과 넙다리뒤근육 정적인 스트레칭:

A. 환자는 단단한 바닥에 다리를 구부리고 눕는다. 그런 다음에 한쪽 다리는 구부리고, 반대쪽 다리는 들어 올리게 한다. 들어올린 다리의 발 주변을 수건으로 감싼다. 수건의 양쪽 끝을 잡고 천천히 부드럽게 당겨서 발목의 발바닥굽힘근을 스트레칭 한다. 이 스트레칭 자세를 30초에서 60초 동안 유지한다.

B. 넙다리뒤근육를 스트레칭 하기 위해서 들어 올린 다리를 가능한 최대 범위까지 천천히 곧게 펴게 한다. 이 스트레칭 자세를 30초에서 60초 동안 유지한다. 반대쪽 다리도 똑같이 시행한다.

바로 누운 자세에서 치료사가 넙다리뒤근육의 정적인 스트레칭:

C. 환자는 단단한 바닥에 바로 눕는다. 치료사는 다리 곧게 펴서 들기(straight leg raise)에서처럼 환자의 무릎을 편 상태로 한쪽 다리를 들어 올린다. 최대한 들어 올린 마지막 자세를 30초에서 60초 동안 유지한다. 다른쪽 다리는 그림에서처럼 구부리거나 펴게 한다. 만일 허리에 당김이 느껴진다면 요추 염좌를 피하기 위해서 스트레칭 하지 않은 다리를 구부려야 한다. 치료사는 이 자세에서 고유감각 신경근육 촉진 기법(PNF)인 유지 이완을 사용해서 추가 관절가동범위를 획득할 수 있다(이 기법 설명은 9장을 참고하기 바람).

(계속)

중재 13-3 계속

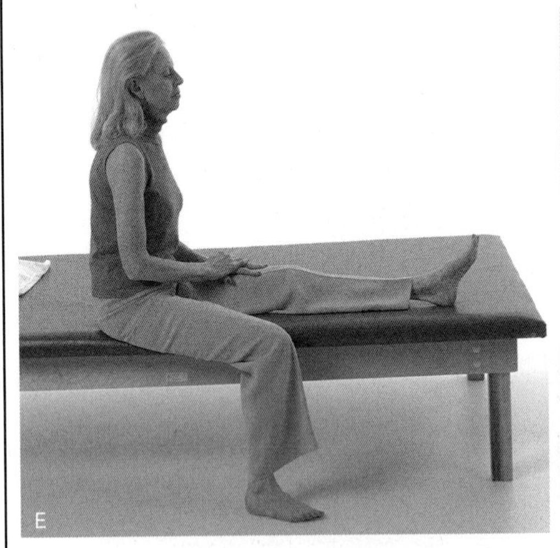
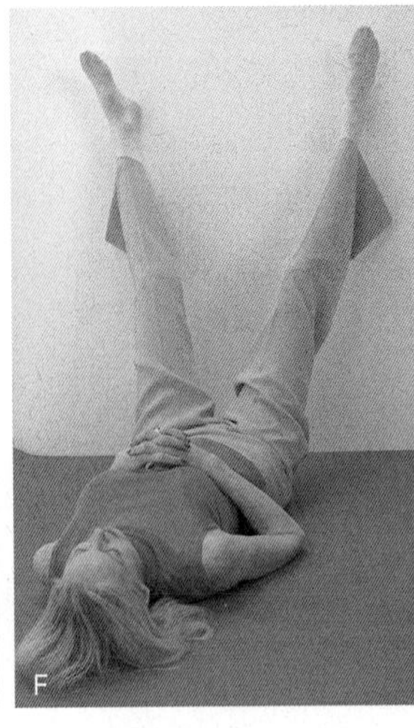

앉기 자세에서 의자를 사용한 넙다리뒤근육 스트레칭:

D. 환자는 의자나 다른 안정적으로 높은 물체 위에 한쪽 다리의 발뒤꿈치를 올려놓고 앉는다. 환자는 몸통을 똑바로 세우고 허리의 전만 자세를 유지하면서 가능한 최대범위까지 앞으로 구부리게 한다. 올려진 다리의 발목을 향해 한 손이나 양손을 뻗게 한다. 넙다리뒤근육 스트레칭을 최대화하기 위해서 가능한 무릎을 곧게 펴게 한다. 다른쪽 다리도 똑같이 시행한다. 이 자세에서 아킬레스건을 스트레칭 할 때는 중재 13-3, A에서처럼 수건으로 발을 감싸고 천천히 부드럽게 당겨서 발목의 발바닥굽힘근을 스트레칭 한다. 가능한 무릎을 곧게 펴게 한다.

낮은 매트에 앉은 자세에서 넙다리뒤근육 스트레칭:

E. 환자는 한쪽 다리를 바닥에, 다른쪽 다리는 매트 위에 올려놓고 낮은 매트에 앉는다. 몸통은 똑바로 세우고, 허리가 아니라 엉덩 관절 부위에서 넙다리뒤근육이 스트레칭 되도록 몸을 앞으로 기울인다. 한 손이나 양손을 발목을 향해 뻗을 수 있다. 이 자세에서도 수건으로 아킬레스건을 스트레칭 할 수 있다(중재 13-3, A 참조). 이 자세를 30초에서 60초 동안 유지한 후에 반대쪽 다리도 똑같이 시행한다.

벽을 이용해 넙다리뒤인대와 고관절 신장하기:

F. 환자는 두 다리로 벽을 지지하게 하고 등을 바닥에 대고 바로 눕는다. 넙다리뒤근육을 최대한 스트레칭 하기 위해서 엉덩이를 가능한 최대범위까지 벽에 가까이 가져간다. 이 자세를 취하고 풀 때 도움이 필요할 수 있다. 환자가 골반을 들어 올리거나 등을 구부려지게 하면 안된다. 환자가 두 다리를 양쪽 바깥으로 벌릴 때 엉덩이 모음근이 스트레칭 된다. 환자의 능력에 따라서 두 다리를 한꺼번에 혹은 한 번에 한쪽 다리씩 이동시킬 수 있다. 두 다리를 천천히 분리하고, 이렇게 스트레칭을 시행한 자세를 30초에서 60초 동안 유지하게 한다.

벽에 대고 넙다리뒤근육 스트레칭:

G. 환자는 바닥에 등을 대고 눕는다(출입구에서 하는 것이 좋음). 환자의 한쪽 다리가 출입구 바깥으로 튀어나가게 된다. 무릎은 그림에서처럼 굽히거나 곧게 펼 수 있다. 스트레칭 할 다리는 무릎을 펴서 벽이나 문틀에 세워 놓게 한다. 환자는 스트레칭을 최대화하기 위해서 벽/문틀에 엉덩이를 가능한 최대범위까지 가까이 가져간다.

다(Cakit 등, 2010; Dalgas 등, 2010). 저항 훈련은 등속성 또는 점진적 저항 모드나 물을 이용할 수 있다. 기능적 움직임에는 거의 항상 회전 구성 요소가 있기 때문에 환자가 PNF 패턴을 적용해 운동을 보다 기능적으로 만들 수 있다. 또한, 회전은 긴장을 줄이는 데 도움이 된다. PNF 대각선 유형에서의 저항은 환자의 능력에 맞게 등급을 나누어야 한다. 근위부 근육의 근력 강화에 중점을 두어 기능적 활동을 하는 동안에 에너지 소비를 줄일 수 있다. 또한 전반적인 상태 악화를 예방하거나 치료하기 위해서 유산소 운동을 해야 한다.

다발성경화증 환자들은 운동 시에 정상적인 심혈관계 반응을 보이는 것으로 나타났다. 단기 운동 프로그램도 다발성경화증 환자의 유산소성 적응도(aerobic fitness), 건강 지각, 피로 및 활동 수준에 긍정적인 영향을 미쳤다(Mostertand Kesselring, 2002). 이들 연구자들은 정기적인 유산소 훈련을 재활프로그램의 일부로 추천했다. 질병이 진행됨에 따라 자율 심혈관계 기능이상 가능성이 증가하기 때문에 환자가 유산소 훈련프로그램에 참여하기 전에 낮은 등급의 점진적인 운동 검사를 받아야 한다. 낮은 등급의 점진적인 운동 검사는 심장재활과 마찬가지로 정립된 프로토콜을 사용해 트레이드밀이나 자전거 에르고미터를 사용하여 증가하는 부하에 반응하는 환자의 상태를 평가한다.

다발성경화증 환자의 중심체온이 증가하면 임상 증상이 일시적으로 증가할 수 있다. 사전 냉각(precooling, 체온을 낮추는 것)은 운동 중 중심체온 증가를 예방하는 데 효과적이라고 보고하였다(White 등, 2000). 열을 피하려면 시원한 환경에서 운동을 수행해야한다. 선풍기와 같은 추가 냉각 장치 및 개인용 냉각 기구도 사용할 수 있다. 열 민감도는 다발성경화증 환자의 피로와 관련이 있다. 다발성경화증 환자의 경우 80~85℉(26.5~29.5℃)의 시원한 수영장에서 운동을 하는 것이 좋다. 물은 균형 잡기를 도와주면서 지지해 주어서 다발성경화증 환자의 운동에 효과적인 매개체가 될 수 있다(Roehrsand Karst, 2004).

다발성경화증 환자는 질병 진행과 관련된 피로감을 경험할 수 있다. 이차적으로 피로는 전반적인 상태 악화와 호흡근 약화 및 과사용과 관련이 있다. 피로를 느끼게 하는 운동은 금기이다. 훈련의 불연속적인 일정에 따라 최대 수준 이하로 운동하는 것이 가장 안전하다. 최대하 수준은 연령별 예측 심박수(220-나이)의 85% 이하 혹은 점진적인 운동 검사에서 달성하는 최대심박수의 85% 이하이다. 상태가 악화된 환자의 경우, 최대심박수의 50~60%에서 시작하면 유산소 조절 운동이 가능하다. 불연속적인 훈련일정은 피로를 예방하거나 줄이기 위해 충분한 휴식시간을 갖는다. Borg 척도를 사용한 환자의 심박수, 혈압, 그리고 인지된 노력(perceived exertion)은 운동반응을 관찰하는 방법으로 사용되어야 한다. 소아미비 후 증후군에서도 피로 하지 않은 운동프로토콜을 논의해야 한다.

경직

운동치료 전에 항상 스트레칭을 해야 한다. 특히 근육의 긴장도가 증가되어 있는 경우에는 스트레칭은 운동 준비에 없어서는 안될 부분이다. 위운동신경세포(UMN) 병터에 의해 이차적으로 경직을 보이는 다발성경화증 환자는 감소된 움직임과 활동으로 인해 유연성이 감소된다. 느리고 정적인 스트레칭은 반동(bouncing) 없이 시행해야 한다. 환자와 보호자는 특히 목 부위, 넙다리뒤근육(hamstring), 그리고 아킬레스건에 대한 자가-스트레칭을 배워야만 한다. 느리고 율동적인 회전과 결합된 자가-스트레칭은 관절가동범위를 증가시키는데 효과적이다. 근육이 새로운 길이에 적응할 수 있도록 30초에서 60초 동안 새로운 스트레칭 자세를 유지해야 한다. 유지이완(hold relax) 및 수축이완(contract relax)과 같은 PNF 기법을 사용해서 ROM을 증가시킬 수 있다. PNF 기법에 대한 더 자세한 정보는 9장을 참고하기 바란다.

경직이 나타나는 근육 집단은 환자마다 다르다. 하지만 발다닥굽힘근, 엉덩관절모음근, 그리고 넙다리네갈래근이 다리에서 자주 침범된다. 넙다리뒤근육 스트레칭은 중재 13-3에서 볼 수 있듯이 여러 가지 방법으로 수행할 수 있다. 바로 누운 자세와 앉기 자세에서의 정적인 스트레칭도 있다. 엉덩관절굽힘근과 넙다리뒤근육도 하루에 20~30분 동안 단단한 표면에서 엎드리기 자세를 취하는 프로그램을 사용해 유연하게 유지할 수 있다. 엎드리기 자세를 취할 수 없는 경우에는 기립경사대(tilt table)를 사용할 수 있지만, 엉덩이와 무릎 폄을 유지하려면 스트랩으로 고정이 필요하다. 근긴장도를 관리하기 위해 직립자세로 체중을 지지하면 약간의 효과를 얻을 수 있다. 아킬레스건은 기립경사대를 이용해 수동적으로 늘릴 수 있다. 발목에서 발바닥 굽힘 구축이 나타나는 경우에는 기립경사대의 발 받침대의 각도를 조절하거나 경사판(wedge)을 사용해서 발바닥 전체로 체중을 지지하도록 할 수 있다. 시간이 지남에 따라 상태가 호전되면 경사판의 크기를 줄일 수 있다.

하부 몸통 회전은 몸통과 근위부의 다리이음뼈(pelvic

중재 13-4 몸통 하부의 율동적 회전

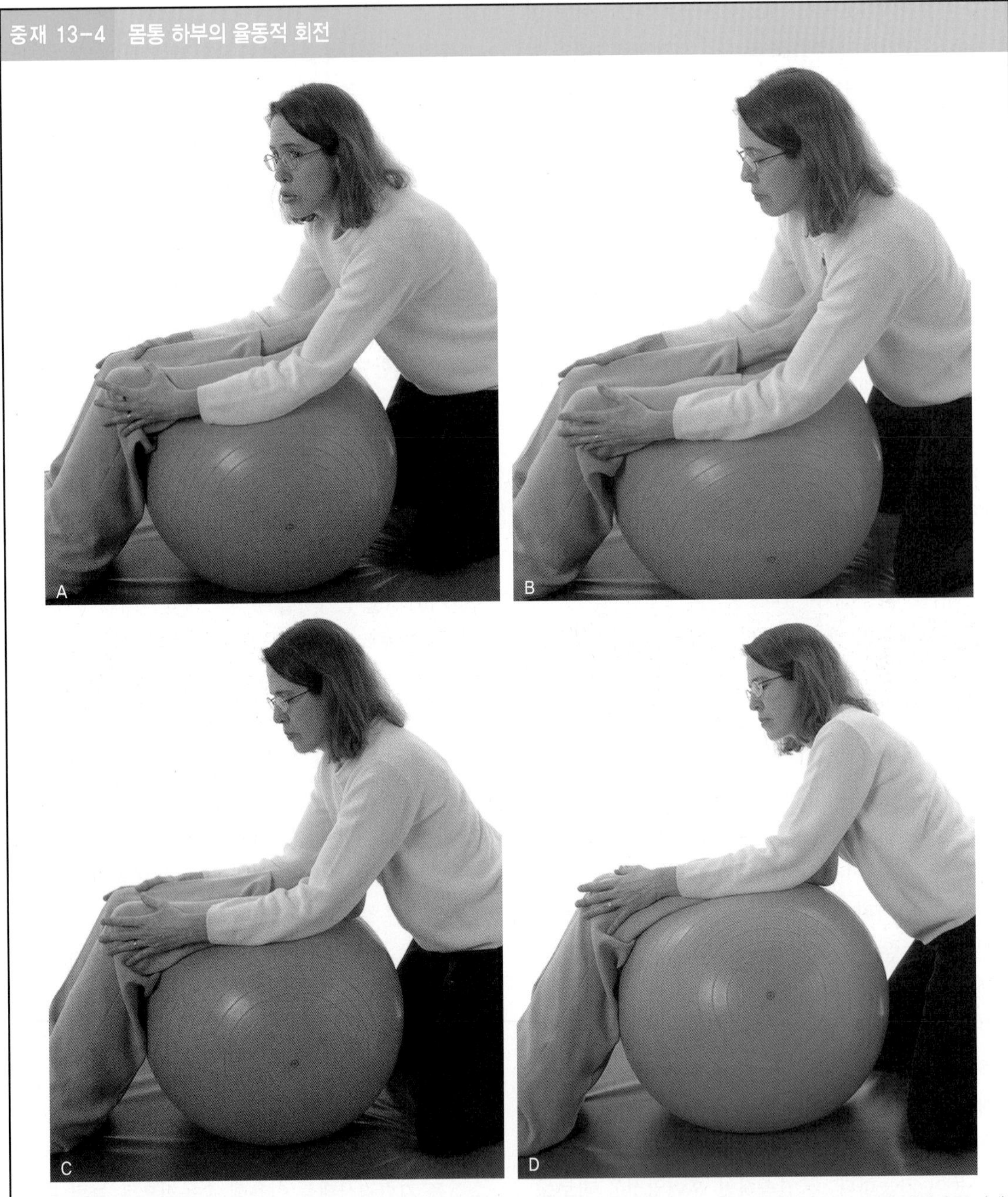

환자는 단단한 바닥에 눕는다. 치료용 공을 이용해서 환자의 다리를 지지한다. 공은 다리를 지지할 정도로 충분히 커야 하지만 동시에 엉덩이와 무릎 굽힘을 유지할 수 있도록 충분히 작아야 한다. 이 기법은 돌아눕기(rolling)와 앉기 같은 기능적 움직임을 위한 준비로서 사용한다.

A. 치료사는 환자의 무릎과 다리를 공 위에 올려놓고, 손으로 환자의 무릎 바깥쪽에 단단히 지지한다.
B. 치료사는 공 위에 지지된 환자의 다리를 한쪽 방향으로 천천히 부드럽게 회전시킨다.
C. 치료사는 환자의 다리를 움직여서 중앙으로 돌아오게 한다.
D. 그런 다음에 아직도 공으로 지지받고 있는 환자의 하지를 반대쪽 방향으로 천천히 부드럽게 회전시킨다. 회전량이 커질수록 더 많은 몸통 회전이 일어난다.

중재 13-5 네발기기(four-point) 자세에서 옆으로 앉기로의 움직임 이동

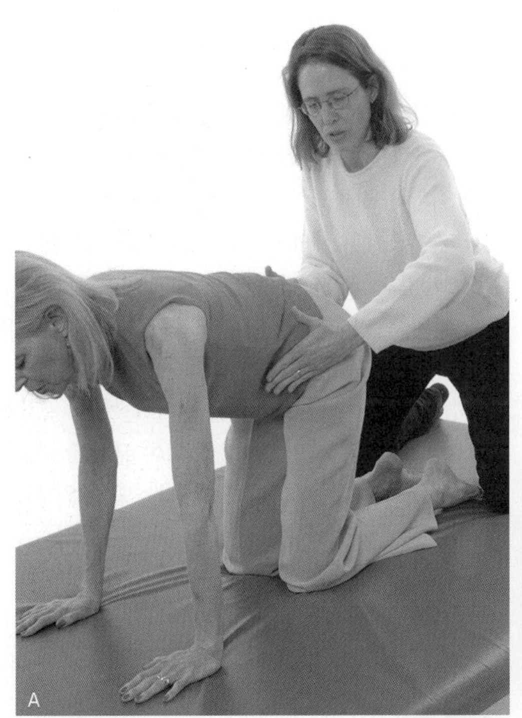

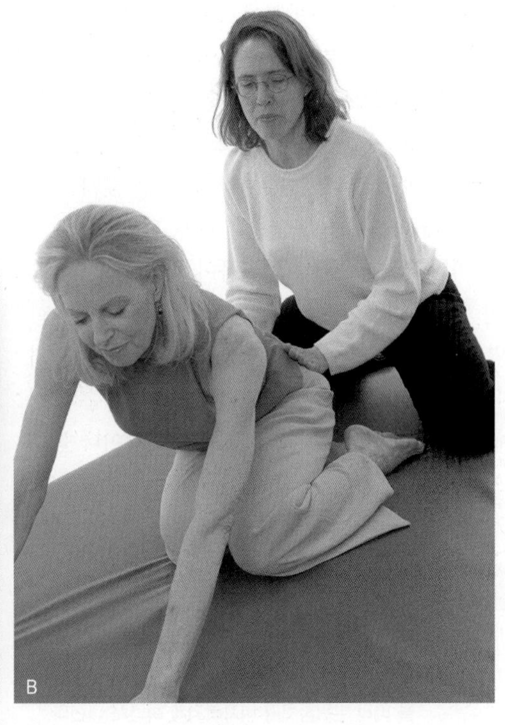

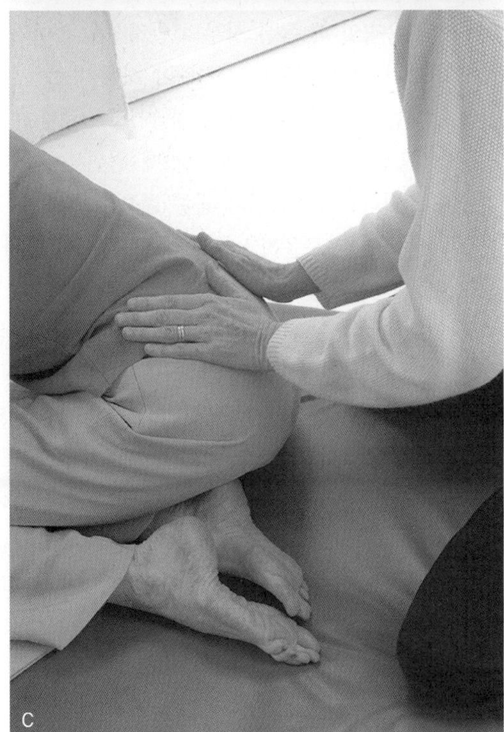

네발기기 자세에서 옆으로 앉기로 이동하는 움직임은 몸통 회전을 연습할 때 사용할 수 있다. 치료사는 환자가 옆으로 앉거나 혹은 네발기기 자세로 돌아오는 움직임의 이동 동안에 손의 위치로 움직임의 신호를 제공한다.

A. 환자는 네발기기 자세에서 시작한다.

B. 치료사는 환자가 네발기기 자세에서 옆으로 앉기 자세를 취하도록 대각선 뒤쪽으로 회전하도록 움직임을 이끌어준다.

C. 그런 다음에 치료사는 환자가 옆으로 앉기 자세에서 네발기기 자세로 돌아오도록 움직임을 이끌어준다. 처음에는 도움을 받아서 시행하고 나중에는 저항을 주면서 움직임을 시행한다.

girdle) 근육의 긴장을 줄이는데 매우 효과적이다. 변형된 무릎 구부리고 누운 자세(modified hook lying)에서 공을 사용하는 운동방법이 중재 13-4에 나와 있다. 환자의 다리를 구부려서 공 위에 올려서 지지하게 한 후에 물리치료 보조사가 공과 환자의 다리를 잡고 양쪽으로 움직여 몸통 회전을 유도한다. 중재 13-5에서 볼 수 있듯이 네발기기 자세에서 옆으로 앉기 자세로 이동할 때 몸통 회전을 연습할 수도 있다. 이 환자는 네발기기 자세를 취할 때 도움이 필요할 수 있고, 가능한 범위 내에서 이동하는 동안 보호를 받아야 한다. 옆으로 앉기를 할 수 없을 경우에는 베개나 웨지를 이용해서 가능한 범위까지 움직이게 한다. 손의 위치는 다양하게 위치할 수 있다. 손은 지지면이나 높은 벤치에 올려놓을 수 있다. 후자의 경우에는 무릎 서기에서 옆으로 앉기로 움직임 이동을 할 수 있다.

표 13-5 프렌켈(Frenkel) 운동

자세	움직임
눕기	1. 한쪽 다리를 구부리고 편다. 테이블 위의 직선을 따라 발뒤꿈치가 미끄러지게 하면서 내린다. 2. 테이블 위에 무릎을 구부려 발뒤꿈치를 바닥에 댄다. 엉덩 관절을 부드럽게 벌리고 모은다. 3. 무릎과 엉덩 관절을 펴고, 테이블 위로 다리를 미끄러지게 하면서 벌리고 모은다. 4. 발뒤꿈치를 테이블에서 떼고 엉덩이와 무릎을 구부리고 편다. 5. 한쪽 발뒤꿈치를 반대쪽 다리의 무릎에 올리고, 발뒤꿈치로 정강이를 따라 발목 쪽으로 부드럽게 미끄러뜨려 내렸다가 다시 무릎으로 올린다. 6. 발뒤꿈치를 테이블 위로 미끄러지게 하면서 두 다리를 구부렸다 편다. 7. 한쪽 다리를 구부리고 다른 쪽 다리는 편다. 8. 한쪽 다리를 구부리고 펴면서 다른 쪽 다리는 벌리고 모은다.
앉기	1. 발을 치료사의 손에 올려놓는다. 매 시도마다 자세를 변경하면서 시행한다. 2. 다리를 들어올리고, 발을 바닥에 표시된 발자국에 올려놓는다. 3. 몇 분 동안 가만히 앉아 있게 한다.

Modified from Umphred DA: Neurological rehabilitation, ed 5. St. Louis, 2001, Mosby, p. 735.

실조증

실조증을 보이는 다발성경화증 환자는 정적인 자세나 자세 안정성을 조절하기 어렵다. 환자가 침범되지 않은 몸통과 다른 팔다리에 체중을 지지할 수 있는 자세를 취하는 것은 안정성을 제공하는 데 도움이 된다. 특히 항중력 자세에서 한쪽 팔다리를 중간범위에 유지시키고 체중을 지지하면서, 천천히 조절된 체중 이동을 하는 것은 효과적이다. 이러한 환자들의 안정성 한계는 매우 불안정하다. 특히 엎드리기 자세 진행(prone progression)과 같은 발달 단계는 풍부한 치료 아이디어를 제공할 수 있다. 이 문제에 도움이 되는 PNF 기술로는 지속적으로 감소되는 움직임의 범위에서 교대적인 등척성 수축(alternating isometric), 율동적 안정화(rhythmic stabilization), 그리고 느린 반전 유지(slow reversal hold)가 포함된다.

기능적 움직임 이동은 다발성경화증 환자의 안전성 확보에 중점을 둘 때 매우 중요하다. 환자가 앉기에서 서기로 움직일 때 몸통 상부의 안정성을 높이기 위해서 환자가 팔로 체중을 지지해야 하는가? 뻗지 않은 팔로 체중을 지지 할 때 환자가 더 부드럽게 손을 뻗는가? 팔꿈치로 체중을 지지할 때 원위부를 보다 더 쉽게 조절하는가? 허리와 몸통 주변에 무게(weight)를 사용하면 이로운가? 무게 벨트와 조끼의 사용은 고유 감각 인식을 높이고, 앉고, 서고, 걸을 때 안정성을 강화한다. 가벼운 원위부 무게의 사용은 손을 뻗는 동안 팔과 보행 중에는 다리의 협응 능력을 증가시키기 위해서 사용해왔다. 이러한 무게의 사용은 고유 감각 인식은 향상시킬 수 있지만 제거됐을 때 반동(rebound) 현상이 발생된다. 무게를 제거한 후에 거리계산이 잘 안되는 움직임(dysmetric movement)(지나치기)이 악화되는 것처럼 보일 수 있으므로 원위부 팔다리에 무게를 착용하기로 결정할 때는 주의를 기울여야 한다. 원하는 효과를 얻기 위해 최소한의 무게를 사용하고, 팔다리가 아닌 몸통 뼈대(axial skeleton)(몸통)에 무게를 싣는 것이 좋다. 팔다리에 세라밴드

표 13-6 발목-발 보조기(AFO) 사용 지침

AFO 유형	이점	단점	상대적인 금기증
표준 폴리프로필렌	에너지 절약 발가락과 발 들림 개선 안전성 개선 입각기 중간에 무릎 조절 개선 무릎 과다폄 피함 발목 안정성 증가	앉았다 일어설 때 정강이 전진에 방해가 됨	중간이나 심한 경직 발의 심각한 부종 심각한 엉덩근육 약화 (2/5) 혹은 그 이하
발목 관절이 있는 폴리프로필렌	위의 이점 모두 포함 앉았다 일어설 때 정강이 전진 보행 시 보다 정상적인 발목 움직임 쪼그려 앉을 수 있음 발바닥 발바닥 굽힘 정지 혹은 발등 굽힘 보조		위와 동일
발목 관절이 있는 양쪽 금속 지지	위의 이점 모두 포함 내반이나 외반을 교정하는 끈이 있을 수 있음 팔다리 부피의 유의한 변동 수정 가능		무게(weight) 부족한 미용

(Data from Schapiro R: Multiple Sclerosis: A Rehabilitation Approach to Management. New York, 1991, Demos Publications; Edelstein JE, Wong CK: Orthotics. In O'Sullivan SB, Schmitz TJ, Fulk GD, editors: Physical Rehabilitation, ed 6. Philadelphia, 2014, FA Davis, pp. 1325.1363; and Lusardi MM, Bowers DM: Orthotic decision making in neurological and neuromuscular disorders. In Lusardi MM, Jorge M, Nielsen CC: Orthotics and Prosthetics in Rehabilitation, ed 3. Philadelphia, 2013, Saunders, pp. 266.307.)

(TheraBand)를 감싸면 손 뻗기와 팔을 무릎 쪽으로 가져오기와 같은 운동에서 양쪽 방향 움직임에 저항을 제공할 수 있다. 물론 단계별 도수 저항으로도 똑같은 효과를 낼 수 있지만 환자가 손을 뻗고 싶을 때마다 물리치료 보조사나 간병인이 도와줘야하기 때문에 실용적이지 않다.

균형훈련은 정적 및 동적 중재를 통합한다. 하지만 움직여질 수 있는 불안정한 지지면은 환자와 물리치료 보조사 모두에게 더 큰 도전을 제공한다. 환자는 항상 안전해야 하며, 추가로 지지해줄 사람이 필요하다. 경사판, 생체역학적 발목플랫폼시스템(biomechanical ankle platform system, BAPS) 보드, 공 또는 밸런스 마스터(balancemaster)의 사용은 모두 권장할 수 있지만 항상 안전을 최우선적으로 고려해야 한다. 움직여질 수 있는 불안정한 지지면은 움직임을 조절하려고 할 때 사용하고 안정성이 확보되지 않는 경우에는 움직이지 않는 안정한 지지면을 권장할 수 있다. 사용할 수 있는 또 다른 변형 방법으로는 팔다리 한쪽이나 양쪽을 움직이는 불안정한 지지면에 놓고 앉는 것이다. 예를 들면 환자가 낮은 테이블에 손을 지지하고 앉게 한 후에 발을 경사판이나 BAPS 보드 위에 올려놓게 한다. 또 다른 변형 방법은 DynaDisc나 공기가 들어 있는 디스크(inflatable disc) 위에 환자가 앉게 한 후에 발은 바닥을 위치하고 손으로 지지하게 한다. 골반 부위에서 균형 장애를 잘 조절할 수 있게 되면 손의 지지를 제거할 수 있다.

프렌켈 운동(Frenkel exercises)은 눕기, 앉기, 서기, 그리고 걷기라는 네 가지 표준자세에서 시행되어지는 전형적인 협응 운동이다. 비록 다리에 대해서만 기술되었지만, 팔에 대한 것도 유사하게 개발되어질 수 있다. 이러한 운동은 시간을 균등하게 사용하면서 천천히 수행하도록 고안되었다. 처음에는 환자의 팔다리의 지지해주어야 한다. 그 이후에 운동이 도움을 받는 수준에서 독립적인 수준으로, 한쪽(unilateral)에서 양쪽(bilateral)으로 진행해 나갈 수 있다. 이 운동의 전체 목록은 표 13-5에 제시되었다.

실조증이 있는 환자에게 보행은 어렵다. 즉각적인 보상으로 지지면이 넓어지며, 안정성을 높이기 위해 무릎은 가끔 뻣뻣해진다. 어떤 환자들은 무릎을 구부리는 보상으로 신체의 무게 중심을 낮추게 한다. 또한 증가된 자세 동요에 대응하기 위해서 양팔을 사용하기도 한다. 증가된 자세 동요는 앉은 자세에서 나타나기도 하는데, 안정성을 확보하기 위해서 팔을 뻗어 기대야 한다. 이러한 어려움에도 불구하고 대다수의 다발성경화증 환자는 20년 후에도 걸을 수 있다(Schapiro, 2003).

이동성(mobility)에 관해 선택할 수 있는 것은 다양하고 많다. 실조증 환자들에게는 무게가 가중된 워커(weighted walker)가 안정성과 이동성을 제공하기 때문에 최상의 선택이 될 수 있다. 손 브레이크와 좌석이 있는 바퀴 달린 워커를 사용하면 자주 휴식을 취할 수 있다. 피로가 최우선 문제이거나 떨림과 약화로 인해 표준 의자차 추진이 어려운 경우에는 전동 스쿠터나 다른 형태의 전동 이동성 기구를 사용할 수 있다. 의자차는 안전을 위해 안전벨트와 더불어 일반적인 앉은 자세 지침을 참조해 처방해야 한다. 의자차에 의존할 경우에는 항상 추가적으로 압력 완화를 위해 쿠션을 사용해야 한다. 삼륜 스쿠터를 사용하면 의자차를 사용하는 것보다 사회적 편견을 덜 받을 수 있다.

또한, 보조기의 선택도 여러 유형이 있다. 아마도 다발성경화증 환자가 사용하는 가장 일반적인 유형의 보조기는 발목-발 보조기(AFO)이다. AFO를 사용하면 에너지 절약, 발/발가락 들림 개선, 발목의 보다 큰 안정성 제공, 무릎 과다폄 조절, 그리고 전반적인 보행 패턴의 향상이 나타난다. AFO 사용 지침은 표 13-6에 나와 있다. 물리치료사와 교정전문가(orthotist)로 구성된 재활팀은 최종 권고안을 작성한다. 발목 움직임이 상실된 경우 발바닥 중앙이 볼록하게 튀어나온 라커 신발 보조기(Rocker clogs)가 보행에 도움이 되는 것으로 밝혀졌다(Perry 등, 1981). 다발성경화증 환자들에서 HKAFO (엉덩이-무릎-발목-발 보조기)의 형태인 상호적인 보행 보조기(reciprocal gait orthosis, RGO)가 사용되어진다.

추가적인 고려사항

일부 다발성경화증 환자들은 감정적인 불안정성을 보인다. 행복감에서 울음에 이르기까지 기분이 다소 불안정한 모습을 보인다. 이처럼 급격한 행동 변화는 치료 기간을 완전히 방해하지 않도록 침착하고 확고한 방향으로 관리되어야만 한다. 이런 환자들에게는 심리적 중재가 도움이 될 수 있다. 환자가 지속적으로 눈 떨림을 보일 때도 다루기 어려운 상황이 발생한다. 환자는 눈의 움직임 양을 최소화하기 위해 머리를 신전시킨다. 기울어진 머리 자세는 교정하지 않아야 한다. 보상이 제거될 수 있고 환자의 균형에 부정적인 영향이 줄 수 있기 때문이다. 다른 환자들은 갑작스러운 머리 움직임으로 현기증을 경험할 수 있다. 이런 상황에서 환자가 균형을 잃지 않도록 움직임을 시도하기 전에 머리를 더 천천히 움직이거나 실제로 고정을 해야 한다.

요약

운동은 다발성경화증 환자를 위한 물리치료 중재의 중요한 부분이다. 휴식과 균형을 이룬 운동은 만성질환을 앓고 있는 환자의 삶의 질을 향상시킬 수 있다. 증상은 신경계의 침범 부위에 따라 다르지만, 피로가 전반적으로 만연한 문제이다. 피로가 스트레스와 관련되어 있든, 열과 관련되어 있든지와 상관없이 움직임이 점차 없어지게 되고 이는 너무나 빠르게 사용하지 않음으로 인한 전반적인 상태 악화의 악순환에 빠지게 된다. 따라서 규칙적인 운동은 환자들의 기능을 유지하는 데 필수적이다.

근위축성 가쪽경화증

근위축성 가쪽경화증은 위운동신경세포(UMN)와 아래운동신경세포(LMN) 모두를 침범하는 말기 진행성 질환이다. 이것은 일반적으로 루게릭병(LouGehrig's)으로 알려져 있다. UMN은 겉질과 겉질척수로에서 퇴화되며, LMN은 뇌줄기(뇌신경 핵)와 척수의 앞뿔 세포에서 퇴화한다. 이에 따른 UMN 및 LMN 침범 징후는 분명하게 나타날 것이다. LMN 소실은 근육 위축과 약화(amyotrophy, 근위축증), 겉질척수로 및 겉질 숨뇌로의 파괴로 이어지며, 이는 가쪽경화증(UMN 증상)을 유발한다(Hallum와 Allen, 2013). 근육 약화는 근육위축가쪽경화증의 주요 징후이다(DallBello-Haas, 2014).

발병률과 병인학

근육위축가쪽경화증는 성인한테서 가장 흔한 운동 신경 질환으로, 10만 명당 3~5명 꼴로 발병한다. 미국에서는 근육위축가쪽경화증 환자가 3만 명으로 추정되며, 10만 명당 4~10명이 근육위축가쪽경화증에 걸린다(DallBello-Haas, 2014). 근육위축가쪽경화증는 대개 60대 중반에서 60대 후반 사이에 나타난다. 남성이 여성보다 발병률이 약간 더 높다. 근육위축가쪽경화증의 원인은 유전된 형태를 제외하고는 알 수 없다. 유전되는 경우의 약 20%에 해당하는 사람은 자유라디칼을 제거하는 효소 생산에 관여하는 유전자 돌연변이를 가지고 있다. 근육위축가쪽경화증 환자의 대다수는 가족력이 없다. 근육위축가쪽경화증의 원인에 관한 이론으로는 단백질접힘오류(protein-folding error), 신경독성, 프로그램된 세포사멸(세포자멸사 apoptosis), 자가면역반응 등이 있다(Hallum와 Allen, 2013; Dal Bello-Haas, 2014).

임상적 특징

근육위축가쪽경화증은 팔다리 마비나 숨뇌 마비로 시작될 수 있다. 대부분의 근육위축가쪽경화증(70%~80%) 환자들은 팔이나 다리의 비대칭성 약화를 보인다. 이들 중 소수(20%~30%)는 삼키기나 말하기가 어려워진다. 혀에서 근섬유다발수축(fasciculation, 근육섬유 수축)이 일어날 수 있다. 근육위축가쪽경화증의 가장 초기 징후에는 근육 경련과 약화, 위축 및 피로가 있다. 근위부 증상 이전에 원위부에서 증상이 나타나면서 점점 퍼져 나간다. 초기에 뇌신경의 손상이 나타나지 않는다면 혀의 움직임, 씹기, 삼키기와 같은 숨뇌 징후들(bulbar sings)은 대부분 질병 진행 후기에 나타난다.

근육위축가쪽경화증를 진단하는 명확한 실험실 검사는 없다. 하지만 근육위축가쪽경화증 환자의 70%에서 크레아틴 인산활성효소(creatine phosphokinase)의 수준이 상승했다(Ilzecka와 Stelmasiak, 2003). 진단은 UMNs와 LMNs의 징후와 증상 조합을 기반으로 하며, 근전도 검사와 신경 전도 속도 검사, 신경학적 영상, 신경 및 근육 생검으로 보완한다. 개정된 El Escorial 기준에 따르면 "확실한" 근육위축가쪽경화증 진단은 3개 부위에서의 LMN + UMN 결과가 나타나야 한다(Brooks 등, 2000). 이 부위에는 숨뇌, 목, 가슴, 또는 허리엉치(lumbosacral)가 포함된다.

전형적인 근육위축가쪽경화증에는 감각 침범이나 안구 근육 침범이 없다. 척수 소뇌와 감각 시스템은 손상되지 않는다. 이전에는 인지적 결손이 있을 시에는 근육위축가쪽경화증 진단을 배제했다. 하지만 경증에서 중증에 이르는 인지 문제가 이 질병의 일부라는 생각이 우세하다(Lomen-Hoerth 등, 2003). 근육위축가쪽경화증 환자의 절반 이상이 인지 기능 장애를 가지고 있다(Woolley 와 Jonathan, 2008). 치료사는 운동을 잘 따라 하지 못하거나 약물 권고 그리고 말을 유창하게 수행하지 못하는 것과 같은 실행 기능 지연을 보이는 근육위축가쪽경화증 환자들에게는 인지 침범을 의심해야 한다(Abrahams 등, 2000). 소그룹의 근육위축가쪽경화증 환자들은 실행 기능 저하는 물론 행동과 성격의 변화가 특징적으로 나타나는 이마관자엽치매(frontotemporal dementia, FTD) 증상이 나타난다. FTD는 근육위축가쪽경화증 이전에 나타나거나 근육위축가쪽경화증와 함께, 혹은 이후에 나타날 수 있다. 이 두 질환의 중첩은 신경 병리학에 대한 통찰력을 얻기 위해 연구되어지고 있다(Giordano 등, 2011). 근육위축가쪽경화증와 함께 FTD 진단을 받으면 평균 생존 기간이 감소한다(Olney 등, 2005).

근육위축가쪽경화증은 지속해서 진행되므로 단계는 초기, 중기 및 후기로 생각하는 것이 가장 좋다. 연구를 위해 보다 단계를 세분화하여 나누기도 하지만 중재를 위한 틀을 제공하기에는 세 단계가 가장 좋다. 초기에는 특정 근육군에서 경증에서 중등도까지의 약화가 나타난다. 환자들에서 근력 약화가 나타나기 전에 운동 신경세포의 80%가 상실됐을 가능성이 있다는 것을 인지하고 있어야 한다. 따라서 걸음 걸이, 일상생활동작, 혹은 말하기(speech)에 극단적인 영향이 없을 수도 있다(Hallum와 Allen, 2013). 초기 단계의 끝 무렵에는 일상생활동작 및 이동성에서 어려움을 겪는다. 중간 단계에서는 이동성이 계속 감소하여서 장거리 이동에 휠체어가 필요해진다. 일상생활동작은 계속 힘들어진다. 통증은 ROM 감소, 자세 불량 또는 경직 때문에 나타난다. 후기 단계에서는 이동 및 일상생활동작 활동 시 완전한 의존과 구음 장애 및 삼킴곤란, 호흡기 손상 및 통증이 두드러진다. 환자는 침대에서 벗어나지 못할 수도 있다. 환기 근육, 가로막, 갈비사이근 및 보조 근육이 약해짐에 따라 호흡부전으로 사망에 이른다.

의료 관리

근육위축가쪽경화증에 대한 치료법은 없으며, 의료 관리는 증상 관리에 중점을 둔다. 다학제 진료는 근육위축가쪽경화증 환자와 보호자에게 가장 적절하고 포괄적인 치료를 제공할 수 있다. 리루졸(Riluzole, Rilutek)은 현재 근육위축가쪽경화증 치료를 위해 승인된 유일한 질병 치료제이다. 근육 경련, 경직, 침 흘림 및 우울증에 대해서는 다른 약물을 처방할 수 있다. 숨뇌 침범으로 발생하는 삼킴과 영양 문제는 말-언어 병리학자와 영양사 또는 등록 영양사가 가장 잘 관리한다. 피부경유 내시경 위창냄(percutaneous endoscopic gastrostomy, PEG) 튜브를 통한 음식물 섭취를 질병 중간 단계에서 고려할 수 있다. 일부 환자들은 병의 후기 단계에서 침습성 기계 환기를 선택한다.

물리치료 관리

질병의 초기 단계에서 환자는 활동 제한을 예방하기 위해 예방 운동 프로그램에 참여할 수 있다. 초기 단계의 근육위축가쪽경화증 환자에서 중등도의 체중 지지와 중등도의 저항 운동을 시행한 환자군과 스트레칭만을 한 대조군과 비교했을 때, 중증도의 운동을 시행한 환자군에서 기능이 향상되는 것으로 나타났다(Dal Bello-Haasetal, 2007). 진행성 신경근 질환을 앓는 다른 환자들 연구에서 근육위축가쪽경화증 집단을 위한 몇 가지 운동 제안과 지침이 나왔다. 일반적인 제안은 다음과 같다. (1) 심한 원심성(eccentric) 운동을 피하고, (2) 중등도 저항을 가해 도수근력검사(manual muscle testing, MMT) 등급이 5점 기준에서 3점 혹은 그 이상으로 근력을 높인다. (3) 근육의 MMT 등급이 5점 기준에서 3점 혹은 그 이상인 경우에는 과사용이 문제가 되지 않는다. 질병이 진행됨에 따라 이동성이 감소하므로 약한 근육을 중점으로 지지 관리하고 가정과 직장의 환경을 변경하는 전략이 필요하다. 일부 환자는 목과 흉추 상부를 지지하기 위해 개인 맞춤형 보조기를 사용한다. 매트리스 또는 휠체어 쿠션과 같은 압력 완화장치에 대한 필요성을 평가하는 것은 적절하다. 지금까지 논의된 모든 질병과 마찬가지로 휴식과 활동 사이의 균형은 필수적이다. 근육위축가쪽경화증 환자의 호흡기계 관리는 호흡근이 약해짐에 따라 흡인 가능성과 기도 확보의 어려움에 대한 예방 및 교육에 맞춰야 한다. 물리치료사는 근육위축가쪽경화증 환자와 가족이 이 치명적인 질병에 대처할 수 있도록 도와주는 매우 중요한 역할을 할 수 있다.

길렝-바레 증후군

길렝-바레 증후군는 소아마비가 거의 근절 된 현재 급성 전신 약화의 가장 흔한 원인이다. 이것은 광범위한 탈말이집(demyelinating) 염증성 다발성 신경뿌리병증(polyradiculoneuropathies)을 나타내기 때문에 증후군이라고 정의된다. 길렝-바레 증후군에는 여러가지 형태가 있다. 병리학 및 전기 생리학적 소견에 따라 후천성 염증성 탈말이집 다발성 신경뿌리병증(acquired inflammatory demylinating polyradiculoneuropathy, AIDP)과 급성운동축삭신경병증(acute motor axonal neuropathy, AIM) 이라는 두 가지 주요 하위그룹이 있다. 말초신경계의 일부인 뇌신경도 침범될 수 있다. 길렝-바레 증후군 환자의 70%에서 안면신경마비가 나타난다(van Doorn 등, 2008). 뇌신경을 침범하는 길렝-바레 증후군의 또 다른 변종은 밀러-피셔(Miller-Fisher) 증후군으로 눈 근육 마비, 실조증, 그리고 무반사(arelexia)가 나타난다. 신경뿌리(신경뿌리병증)와 말초신경(여러 신경병증)이 영향을 받아 이완성마비가 일어나기 때문에 길렝-바레 증후군는 전형적인 LMN 장애다.

발병률과 병인학

길렝-바레 증후군는 드물지만 10만 명당 1.2~2.3명의 발병률을 보인다(Hughes와 Cornblath, 2005). 이 질환은 모든 연령 집단, 어린이와 성인 모두에서 발생한다. 대부분의 길렝-바레 증후군 환자들은 근력 약화와 감각 변화가 나타나기 전에 호흡기계나 위장관 질병을 앓은 경험이 있다. 이것은 감염 후 질환이다. 위장염의 가장 흔한 원인균인 캄필로박터 제주니(Campylobacter jejuni)가 가장 흔한 감염 인자이다. 특정 바이러스와 박테리아, 수술 및 예방 접종이 길렝-바레 증후군와 관련되어 있지만 원인이 되는 인자는 하나도 없다. 전반적으로 예후가 양호한 반응성 자기한정 자가면역질환(self-limited autoimmune disease)이다.

병태생리학

길렝-바레 증후군의 병태생리학은 자가면역 반응을 포괄하기 때문에 복잡하다. 감염으로 유발된 면역 반응은 신경 조직과 교차 반응을 일으킨다. 말이집이 파괴되면 염증이 발생된다. 이러한 급성 염증성 병변은 증상 발현 후 며칠 이내에 나타난다. 신경 전도는 느려지고 완전히 차단될 수 있다. 말초 신경계에서 말이집을 생성하는 슈반(Schwann) 세포가 파괴되더라도 축삭은 가장 심한 경우를 제외하고는 그대로 남아있는다. 원래 탈말이집 이후 2~3주 이내에 슈반 세포가 증식을 시작하고, 염증이 가라앉으며, 말이집 재생(remyelination)이 시작된다. 길렝-바레 증후군는 급성 마비의 가장 흔한 원인이지만 정확한 병인은 아직 명확하지 않다. 탈말이집 진행은 길렝-바레 증후군의 AMAN 유형과 AIDP 유형에 따라서 각각 다르다. AMAN 길렝-바레 증후군 환자는 더 빠른 진행성을 가지며, 최하점(nadir)에 일찍 도달할 수 있다. 최하점은 질병의 심각성이 가장 안 좋은 지점이다. 길렝-바레 증후군 환자를 축삭 유형이나 비축삭 유형으로 분류하는 유일한 방법은 전기진단이다(Hiraga 등, 2003).

임상적 특징

길렝-바레 증후군는 원위에서 시작하여 근위부위로 진행하는 대칭적인 상행 진행성 운동 기능의 상실을 특징으로 한다. 원위부위 감각 손상은 발가락 감각 이상(타는 듯하고 얼얼한 느낌)이나 감각과민(hypesthesias, 비정상적인 접촉 민감성)으로 나타난다. 감각 침범은 다양하며, 대개 운동침범만큼 심각하지는 않다. 운동과 감각 변화의 진행은 팔다리에 국한될 수 있으며, 약화의 진행은 가로막과 뇌신경을 손상시킬 수 있다. 가로막은 환기의 주요 근육이다. 어깨 올림근 약화와 목 굽힘은 가로막 약화와 병행된다. 가로막은 목신경뿌리 3, 4, 5에 신경 지배를 받는다. 가로막이 침범된 사람은 호흡 보조 장치에 의존해야 한다. 또한 길렝-바레 증후군 환자의 50%는 혈압의 급격한 변동과 정맥순환 부전으로 인한 혈액 정체(pooling of blood), 빠른맥(tachycardia), 그리고 부정맥과 같은 자율신경계 변화를 경험한다.

환자가 호소하는 통증은 근본적으로 근육에서 나타나는 근육통으로 보고되었다. 통증은 조기 증상일 수 있으며, 지속적인 중재가 필요하다. 감각저하(Hypesthesias)로 침대 시트를 사용하는 것이 불편할 수 있다. 통증은 관리하기 어려울 수 있으며, 두려움과 불안을 증가시킬 수 있다. 통증의 원인은 불분명하지만 통증이 탈말이집된 신경에서부터 자발적으로 전달 될 수 있다(Sulton, 2002).

길렝-바레 증후군 환자의 절반은 말하기 어려움(구음장애)과 삼킴 곤란(연하 장애)을 유발하는 약화의 형태로 구강-운동 침범을 보인다. 다른 의사소통 수단과 흡인을 방지하기 위한 조치가 필요할 수 있다. 안면신경(뇌신경 VII)은 자주 침범되고, 양측 얼굴 약화가 흔하게 나타난다. 이중시력(복시)은 뇌신경 III, IV 및 VI 침범에 부가적으로 나타나는 눈 근육 약화로 발생할 수 있다. 뇌신경마비는 숨뇌 마비(bulbar palsy)라고 한다. 뇌신경의 대다수가 숨뇌나 뇌줄기를 빠져나가기 때문에 뇌신경 침범은 숨뇌 마비라고 한다. 깊

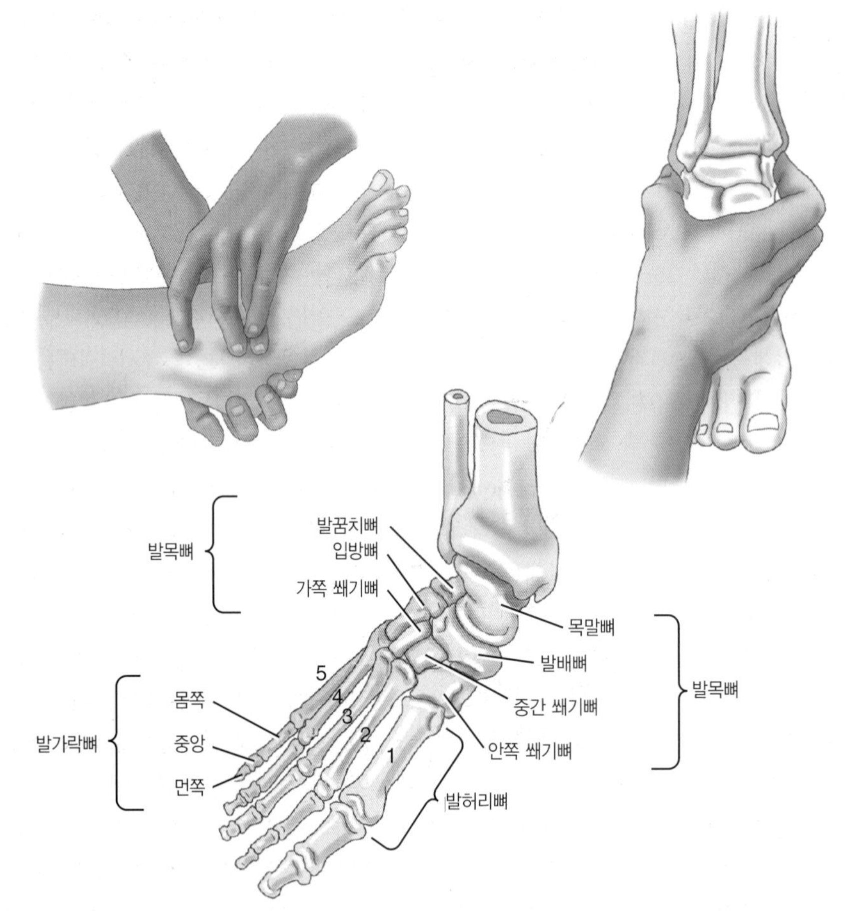

그림 13-2. 아킬레스건을 스트레칭 하기 전에 목말밑(subtalar) 중립 위치 찾기. 환자가 바로 누운 자세에서 치료사가 한쪽 손으로 발뒤꿈치를 잡는다. 다른 손의 엄지, 검지, 그리고 약지로 환자의 4, 5번째 발허리뼈 머리를 잡는다. 발등 위 목발뼈의 양쪽을 촉진한다. 수동적으로 저항이 느껴질 때까지 발등굽힘을 한다. 이 자세에서 발목을 뒤침과 엎침을 한다. 목발뼈가 안쪽과 바깥쪽으로 각각 돌출된다. 목발뼈의 돌출이 없는 자세가 목발밑 중립자세이다.

은 힘줄 반사는 말초신경의 탈말이집 때문에 나타나지 않게 되므로 무반사가 LMN 장애의 핵심 특징이 된다.

의료 관리

혈장분리교환술(Plasmapheresis), 혈장교환술(plasma exchange, PE), 혹은 정맥내 면역글로불린(IVIGs)의 주입은 길렝-바레 증후군 치료에도 동등하게 효과적이라는 것이 밝혀졌다(Van Doorn 등, 2008; Van Koningsveldt 등, 2007). 하지만 IVIG가 유용성과 큰 편의성 때문에 선호되는 치료법이다(Hughes 등, 2006). 이러한 중재 중 하나는 증상 발병 후 첫 번째나 두 번째 주 이내에 질병 경과를 단축하기 위해 시작되어야 한다(Van Doorn 등, 2008). PE나 IVIG 치료법 사용에도 불구하고, 심각한 영향을 받는 환자의 20%는 6개월 후에 보행이 불가능해진다(Hughes 등, 2007).

길렝-바레 증후군에는 급성, 정점 지속(plateau) 및 회복의 세 단계가 있다. 첫 번째 단계는 4주까지 지속된다. 이 시기에 증상이 나타난다. 이 환자들의 80%는 감각이상(paresthesias), 70%는 무반사, 그리고 60%는 모든 팔다리의 약화를 보인다. 시간이 지나면서 핵심 증상을 보이는 환자는 거의 100%에 가깝다. 정점 지속 단계는 증상의 안정화로 정의된다. 증상이 나타나기는 하지만 진행되거나 악화되지 않는다. 두 번째 단계도 최대 4주까지 지속될 수 있다. 마지막으로 회복 단계는 환자가 호전되기 시작할 때 분명하게 드러난다. 환자의 80%는 1년 내에 회복하지만 신경학적인 후유증이나 잔류 결손이 있을 수 있다. 회복 단계는 몇 개월에서 몇 년까지 지속될 수 있다. 결과가 좋지 않은 경향이 있는 환자는 호흡 보조 장치가 필요하고, 탈말이 집화의 급속한 진행을 보이며, 근전도(EMG)에서 낮은 원위 운동 진폭을 보였다(Ropper 등 1991). 후자의 결과는 발생한 축삭손상의 양을 반영한다.

물리치료 관리

급성기(acuta phase)

급성 단계에서는 보조적 관리가 필수적이다. 호흡기계가 침범되었을 가능성이 있기 때문에 길렝-바레 증후군 환자들은 입원치료를 받으며, 집중치료실에서 긴 시간을 보낼 수 있다. 보통 증상이 점점 진행되는 급성 단계 동안에는 물리치료사가 환자를 치료하는 것이 가장 적절하다. 환자의 호흡기 근육이 침범되면 인공호흡기 장치가 필요하고 중환자실(intensive care unit, ICU)에 입원해야 한다. 급성기 동안의 물리치료 목표는 급성 징후 및 증상의 최소화, 폐기능 지지, 피부 괴사 및 구축 형성 방지, 그리고 통증 관리이다. 운동은 통증과 과도한 피로감 없이 할 수 있는 움직임으로 제한한다(Hallum와 Allen, 2013).

물리치료 보조사가 물리치료사의 감독 하에 수동관절가동범위 운동과 적절한 자세취하기(positioning)을 시행하면 치료사는 물리치료 보조사가 환자의 호흡 상태 변화에 주의를 기울일 수 있도록 산소포화도 및 폐활량 변수에 대한 정보를 제공해야 한다. 또한 물리치료 보조사는 기도 청결을 유지하기 위해 타진법(percussion)을 동반한 체위배출법(postural drainage)을 시도 할 수 있다. 환자가 인공호흡기를 이용하고 있는 동안 가슴벽의 부드러운 스트레칭과 몸통 회전을 시행할 수 있다. 환자가 잠재적인 구축을 줄일 수 있는 자세를 취하기 위해서 손과 발에 보조기를 사용한다. 신경 지배를 받지 못하는 근육은 쉽게 손상될 수 있으므로 관절가동범위 운동을 시행할 때 추가적으로 세심한 관리가 필요하다. 물리치료 보조사는 과도한 스트레칭을 방지하기 위해 팔다리를 주의 깊게 지지해야만 한다. 아킬레스건을 스트레칭 하기 전에 항상 발목이 목말밑(subtalar) 중립 위치에 있는지 확인한다. 목말밑 중립(Subtalarneutral)은 그림 13-2에서 볼 수 있듯이 앞쪽에서 촉진할 때 목말뼈가 똑같이 두드러지는 자세이다. 관절가동범위 운동은 적어도 하루에 두 번 수행해야 한다. 자세취하기, 보조기 착용, 그리고 ROM 운동프로그램 일정을 환자의 침대 머리맡에 게시해야 한다(Hallum와 Allen, 2013).

통증은 길렝-바레 증후군 환자의 가장 치료하기 어려운 증상 중 하나이다. 약물치료가 항상 효과적이지는 않다. 수동관절가동범위 운동, 마사지, 그리고 경피신경전기자극(TENS)이 도움이 될 수 있다. 환자가 가벼운 접촉에 대한 민감성 증가를 보인다면 받침대(cradle)을 이용해 침대 시트를 피부에서 멀리 떨어뜨릴 수 있다. 압력이 적은 감싸기(wrapping)나 딱 맞춘 의복을 입으면 팔다리에 가볍게 닿는 움직임을 피할 수 있다. 무슨 일이 일어났는지를 두려워하는 환자의 두려움 때문에 통증이 더 커질 수 있다. 예상되는 상황에 대한 안도감 주는 말과 설명은 통증을 완화하고 불안을 가라앉히는 데 도움이 될 수 있다.

정점 지속 단계(plateauphase)

환자의 호흡기계 증상과 자율 기능이 안정화 되면 선자세에 대한 내성을 증가시키는 운동프로그램을 시작해야 한다. 이 운동프로그램은 환자가 인공호흡기를 이용할 때부터 점차적으로 시작해야 한다. 정점 지속 단계의 물리치료 목표는 직립 자세에의 순응, 관절가동범위의 유지, 폐기능 향상, 그리고 피로와 지나친 노력(overexertion)이 일어나지 않도록 관리하는 것도 포함된다. 환자가 아직 최소한의 신경 지배를 받을 수 있기 때문에 적절한 자세 정렬과 몸통지지를 통해 똑바로 앉은 상태를 적응하게 한다. 정기적으로 자세를 바꿈으로써 압력을 완화시킨다. 환자가 계속 통증을 호소하면 잠재적으로 구축되기 쉬운 자세로 팔다리를 내버려 둘 수도 있다. 감각상실이 없을 경우 스트레칭

전에 열 치료를 사용할 수 있다. 구강 근육 조직의 회복은 삼킴, 먹기 및 말하기에 필요한 운동패턴에 대한 치료를 하는 추가적인 팀 구성원이 필요하다는 것을 의미한다. 물리치료 보조사는 이 치료 기간 동안 환자에게 자세 지지를 제공할 수 있다. 최소한 물리치료 보조사는 잠재적인 흡인에 대한 예방 조치와 음식이나 음료를 경구로 섭취한 후에 상체의 똑바른 자세를 유지하는데 필요한 요구 사항을 알고 있어야 한다.

회복 단계(recovery phases)

근력은 상태가 정점 지속 단계에 도달한 후 2~4주 동안에 점진적으로 회복된다. 근육은 역순 또는 하행패턴으로 회복된다. 이것은 소실의 상행순서와 정반대이다. 목과 몸통 근육이 회복되면 환자는 직립 자세에 지속적으로 적응하고 다리로 체중을 지지하기 위해 기립경사대를 사용할 수 있다. 정맥 정체를 줄이기 위해 TED 스타킹뿐만 아니라 다리의 자세 잡기 보조기(positioning splints)가 필요할 수 있다. 호흡근육의 약화로 인공호흡기 보조가 필요한 경우에는 이러한 약화가 기립자세의 내성을 제한할 수도 있다.

이 시기에 물리치료의 목표는 이전 단계의 목표를 수행하는 것 외에도 기능적 능력을 강화하고 최대화하는 것을 포함한다. 이러한 환자를 위한 활동을 강화하고 운동 처방을 하는 것은 어렵다. 주어진 근육에서 존재하는 손상되지 않은 운동 단위(motor unit) 수에 따라서 똑같은 양의 운동이 해로울 수도 혹은 유익할 수 있다. 운동 단위의 수가 너무 적으면 근육을 움직이는 것이 회복에 해로울 수 있다. 불행하게도 길렝-바레 증후군에서 회복하는 환자에게 얼마나 많은 수의 운동 단위가 존재하는지를 확인하는 쉬운 방법은 없다.

일단 환자가 안정되거나 정점 지속 단계에 도달하면 능동적인 운동을 시작할 수 있다. 각 환자는 운동에 대한 환자의 반응에 기초하여 개별적으로 진행되어야 한다. 기능의 향상이 나타나는 즉시 재활은 시작되어야 한다(Van Doorn 등, 2008). Gupta 등(2010)은 환자가 처음 병원에 입원한 후에 1년 동안 계속 향상된다는 것을 보고했다. 처음 병원 입원 후에 환자가 평균 29.5일에 병원에서 신경재활 치료실로 옮겨졌다. 신경재활 치료실의 평균 입원 기간은 32.9일이었다. 장기간 입원하는 것은 자율신경기능장애와 관련이 있었지만, 인공호흡기 보조를 필요로 하는 뇌신경과는 관련이 없었다. Kahn과 Amatya (2012)의 체계적인 고찰에서 길렝-바레 증후군 환자에게 긍정적인 기능적 효과를 얻기 위한 입원 재활과 물리치료/운동 모두에서 만족할 만한 증거("satisfactory" evidence)가 발견되었다. 처음 길렝-바레 증후군 진단을 받은 지 6.5년이 지난 후에도 장기적인 이득을 가져오는 외래 환자 고강도 재활에 대한 좋은(good) 증거가 있다. 저자들은 매우 어렵고 복잡한 상태에 대한 재활 프로그램의 시기, 강도 및 진행의 효율성을 결정하기 위해 양질의 무작위 대조 연구(RCT)가 여전히 필요하다고 지적했습니다.

1970년에 Bensman의 권장 사항은 여전히 이 집단의 운동에 유용한 지침이다.

1. 환자의 근력에 적합한 짧은 시간 동안 피로하지 않는 운동을 한다.
2. 환자가 호전되거나 일주일 후에 상태가 악화하지 않는 경우에만 활동 또는 운동 수준의 난이도를 증가시킨다.
3. 근력 또는 기능 저하가 발생하면 환자를 다시 침대에서 쉬게 한다.
4. 단순한 근력을 향상시키는 것이 아니라 기능을 향상시키는 강화 운동을 지시한다.

부분적으로 신경의 지배를 받지 못하는 근육을 과도하게 운동시키면 근력과 지구력을 발휘하는 근육의 능력이 크게 감소한다. 과도한 사용으로 인한 약화의 징후는 운동 후 1~5일 내에 상태가 더욱 악화되는 지연발생근육통(delayed onset of muscle soreness, DOMS)과 근육이 생성할 수 있는 최대 힘의 양이 감소한다(Faulkner 등, 1993). Bassil (1996)은 팔 다리의 무게만을 사용해 중력을 제거된 평면에서 2/5 근력으로 근육을 훈련하는 것을 권장하고 있다. 팔다리의 무게와 동등한 저항에 대응해 팔다리를 움직일 수 있으면 항중력 운동을 수행할 수 있다. 이 집단에서 운동 진행은 천천히 이루어져야 한다. 좋은 회복을 보이는 환자들에게는 저항을 증가시키는 반면 약한 근육이 손상되지 않도록 조심히 관리해야 한다. 손과 발의 원위근육은 종종 완전히 회복되지 않을 가능성이 있다. 가벼운 보조기의 사용은 발목 주변 근육을 지지하여서 과사용을 막는 데 도움이 된다.

용어와 관계없이 모든 사람은 환자의 근육 능력 즉 근력에 상응하는 적은 반복과 짧고 빈번한 운동으로 시작하는 것이 가장 좋다는데 동의한다. 예를 들면 어깨세모근 근력(2/5)이 부족한 사람은 수영장에서 운동, 혹은 머리 위 슬링 장치나 파우더 보드를 사용해 운동할 수 있다. 이 모든 상황에서 중력은 제거된다. 치기(stroking), 쓰다듬기(brushing), 진동(vibration), 그리고 가볍게 근육 두드리기(tapping)와 같은 촉진기법을 중력이 제거된 상태에서의 운동과 결합할 수 있다. 환자는 어깨세모근 근육의 힘이 3/5가 될 때까지 중력에 대항하여 움직이는 것은 제한을 받는다. 다리는 팔이 회복된 이후에 회복되기 시작한다. 대부분의 환자는 증상이 발병한 지 6개월 이내에 걷지만(Van Doorn 등, 2008), 심각하게 침범당한 환자의 20%는 이 목표를 달성하지 못한다. 환자의 다리 근육이 적어도 양호(fair) 등급(3/5)을 갖기 전에 보행을 시도할지는 딜레마로 남아있다(Bassile, 1996). 현재까지 기능적 진전을 평가하는데 사용할 유효한 결과 측정 방법은 없다.

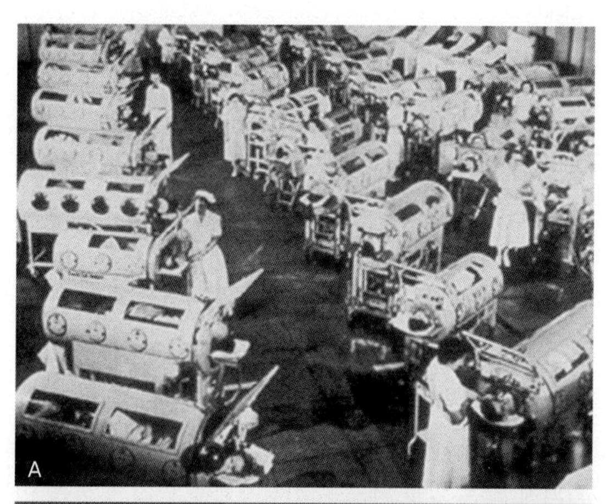

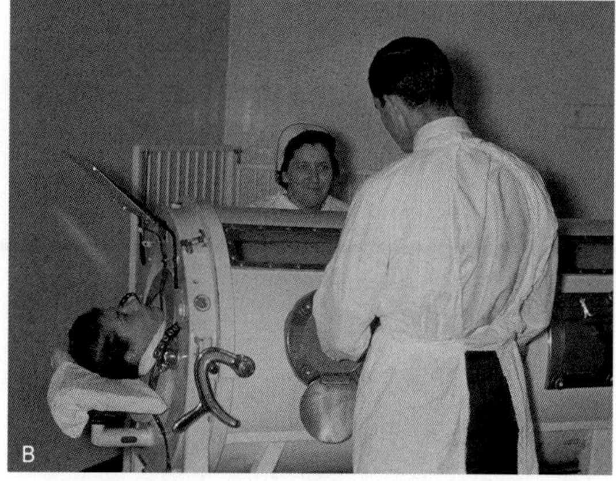

그림 13-3. A. 1952년도 로스앤젤레스의 호흡기 병동. B. 1960년 로도(Rhode) 섬 폴리오 유행병 발발 시기에 강철 폐(iron lung)를 이용하는 환자. (Courtesy Centers for Disease Control and Prevention.)

적응 기구는 환자가 회복에 따라 변화가 필요하다. 직립에 순응한 후에는 이동성이 휠체어로 제한될 수 있다. 환자가 보행을 하게되면 워커, 팔꿈치 목발 또는 지팡이가 보조 기구로 필요할 수 있다. 지지 보조기는 가벼워야만 한다. 플라스틱 AFO나 심지어는 공기 등자 부목(air stirrup splint)도 약한 발목을 보조할 수 있다. 잔존하는 근력 약화는 손목폄근과 손가락 내재근(intrinsics), 발목 발등굽힘근, 발 내재근 같은 손과 발의 원위부위 근육에서 가장 자주 나타난다. 또한 엉덩이근과 넙다리네갈래근도 약화된 채로 남아있을 수 있다. 지구력은 종종 부족하고, 직장으로 복귀할 정도로 강해진 사람에게도 큰 장애가 될 수 있다. 지구력 훈련은 환자의 가정운동 프로그램에 포함되어야 한다. 그렇지 않으면 환자는 적절한 근력이 있음에도 불구하고 최소한의 활동만을 지속할 수 밖에 없다. Pitetti 등(1993)은 길렝-바레 증후군 이후 3년이 지난 54 세의 남성을 연구했다. 그는 자전거 에르고미터를 사용하여 일주일에 3회 유산소 운동프로그램을 마친 후 다리의 근력과 총 작업 능력(total work capacity)을 향상할 수 있었다. 그는 심지어 정원 가꾸기와 같은 일상의 상태로 돌아갈 수 있었다. 길렝-바레 증후군 진단을 받은 고도로 훈련된 운동선수에 대한 최근의 사례 연구가 문헌에 보고되었다. 그 환자는 IVIG, PE 및 코르티코스테로이드를 병용한 치료법을 사용하여 3주 이내에 회복되었다(Fisher와 Stevens, 2008).

요약

길렝-바레 증후군 환자의 예후는 보통 매우 좋다. 다행히도 근육의 약화는 말초 신경계가 회복함에 따라 되돌릴 수 있다. 그러나 길렝-바레 증후군 환자는 회복 과정이 느리기 때문에 오랜 시간 동안 움직이지 못하고 있는 경우가 많다. 이 기간 동안에 건강관리팀의 역할은 근골격계 및 심호흡기계를 안전하게 보호하여 회복이 일어날 때 환자가 최대의 변화를 이끌어내게 하는 것이다. 이 신경근 질환에서 운동의 역할은 과도한 사용으로 인한 손상을 일으키지 않고 기능을 향상시키는 것이다. 피로를 유발하지 않는 운동 프로토콜 적용해야 한다. 이 프로토콜은 다음 단락에서 더 자세하게 논의하겠다.

소아마비 후 증후군(postpolio syndrome, PPP)

PPS는 소아마비 이후에 늦게 나타나는 증상을 일컫는 명칭이다. 소아마비는 척수의 앞뿔세포(anterior hor cell)를 공격해 근육마비를 일으키는 바이러스 감염이다. 소아마비는 1910년에서 1959년까지 미국에서 유행했다. 그로부터 수십 년 후, 25~40%의 소아마비 생존자들은 피로감과 새로운 근육 약화 및 기능적 능력 상실을 경험하게 되었다(국립 신경 질환 및 뇌졸중 연구소, National Institute of Neurological Disorders and Stroke, NINDS, 2012). PPS는 1972년에 멀더(Mulder 등)가 진단 기준을 발표했을 때 처음으로 기술되었고 인정되었다. 가장 최근의 진단 기준은 (1) 소아마비를 앓았던 과거 병력, (2) 양성 신경학적 검사나 근전도 검사, (3) 적어도 15년 동안 지속되는 상대적인 안정성 기간, (4) 최소 1년 동안 지속되는 다른 병리학에서 설명할 수 없는 새로운 신경학적 약화 및 비정상적인 피로의 발달로 구성된다(NINDS, 2012). 기록은 예상했던 것만큼 정확하지 않기 때문에 실제로 소아마비를 경험한 사람의 수를 추정만 할 수 있다. 소아마비 후 국제건강(Post-Polio Health International, PHI)에 따르면 PPS를 경험할 수 있는 사람들의 추정치는 전 세계적으로 1,200만에서 2,000만 명에 이른다. 국립 신경질환 및 뇌졸중 연구소(NINDS, 2012)에 따르면 미국에서 443,000명 이상의 사람들이 PPS에 걸릴 위험이 있다. PPS의 심각도는 원래 소아마비 감염의 심각도와 관련이 있다. 경미한 소아마비 발병 사례를 보인 경우에는 PPS도 경미하다. 반대로 강철 폐(iron-lung)를 사용해야 하는 심한 경우(그림 13-3)에는 PPS도 심각할 수 있다. 소아마비 후 증후군은 오랜 기간 동안 느린 진행을 보여주며 거의 생명을 위협하지 않는다.

병인학

대부분의 자료 출처에서는 소아마비 후 증후군이 수십 년 동안 증가한 거대 운동 단위(gaint motor unit)에 의해 신체에 가해진 신진대사 요구 증가 때문에 발생한다는 이론이 받아들여진다(Gonzalez 등, 2010; Trojan와 Cashman, 2005). 이 거대 운동 단위는 기존의 바이러스 감염의 회복 과정에서 형성되었다. 폴리오바이러스가 앞뿔 세포를 파괴한 후, 그 앞뿔 세포에 신경지배를 받았던 근육 섬유가 신경지배를 받지 못하고 고아세포가 된다. 회복 과정에서 바이러스에 파괴되지 않은 앞뿔 세포는 신경지배를 받지 못하는 이들 섬유의 일부를 재신경화하여 거대 운동 단위를 만든다. 회복 과정은 신경 과정의 분기 및 절단을 포함한다. 이 치료 과정은 기존의 감염 후에도 계속되었지만, 시간이 지남에 따라 신체가 필요한 변화를 따라잡을 수 있는 능력이 감소한다. 거대 운동 단위의 스트레스와 과사용은 축삭의 원위 퇴행을 일으키는 것으로 추정된다(Wiecher와 Hubbell, 1981). 기존 병리학에 대한 신체의 반응은 나이가 들면서 신경계의 노화 변화로 악화된다. 정상적인 노화 과정 중에는 운동 단위가 사라지기 때문에 소아마비를 앓았던 환자는 거대 운동 단위를 잃을 수 있다. 최종 결과는 PPS 환자의 연속적인 기능 소실이 나타난다.

임상적 특징

피로

PPS 환자한테서 가장 흔하게 보고되고 것 중에 하나이고, 약화를 유발하는 문제점 중 하나는 피로이다(Gonzalez 등, 2010). 실제로 피로는 통증과 근력 감소를 포함하는 3징후 중 하나이다. 이러한 피로는 일반인이 열심히 노력한 후 경험하는 일반적인 피로를 뛰어넘는다. 이것은 조금만 움직여도 압도적으로 나타나는 피로감이나 탈진(exhaustion)을 말한다. 집중해서 일을 할 수 없을 정도로 피로가 심각할 수 있다. 피로는 하루 중 같은 시간에 발생할 수 있으며, 땀이나 두통과 같은 자율신경계 증상을 동반할 수 있다. 어떤 사람들은 피로감을 "벽에 부딪히는" 것으로 묘사했다. PPS에서 원위 운동 단위의 퇴행으로 나타나는 신경근 전달 결함이 근육의 피로의 원인이 될 수 있다(Trojan와 Cashman, 2005). 피로는 다차원적이다. 과사용, 최대하 수준 작업임에도 불구하고 높은 에너지 소비, 그리고 전반적으로 감소된 심호흡계 기능이상과 같은 근육 요인은 신체적 피로감을 유발할 수 있다. 정신적 피로는 심리사회적 기능에 영향을 줄 수 있으며, 삶의 질 감소로 이어질 수 있다. 스트레스와 신체 활동과 같은 피로에 영향을 줄 수 있는 위험 요소는 PPS 환자의 관리에서 고려되어야만 한다(Trojan 등, 2009).

새로운 근력 약화

새로운 근육 약화는 소아마비 후 증후군의 특징이다. 이미 침범된 근육과 기존의 소아마비 감염의 효과가 임상적으로 나타나지 않은 근육에서 발생한다. 실제 임상적으로 일치되지 않는 이러한 "새로운 근육"의 침범이 근전도(EMG) 결과를 기반으로 한 소아바비 후 증후군의 증거이다. 이러한 근력 약화는 비대칭이며, 보통 근위 부위에서 발생하고 천천히 점진적으로 진행된다.

앞서 언급했듯이 과사용은 PPS 환자에게서 나타나는 새로운 근육 약화와 관련이 있다. 피로가 원인이라면 근력 약화는 일시적이다. 운동 단위는 일반적으로 노화에 따라 피괴되고, PPS 환자의 경우에서는 거대 운동 단위가 손상 받게 된다. 수년간의 증가된 신진 대사 결과로 이 거대 운동 단위는 파괴되고 영구적인 새로운 근력 약화가 발생한다. PPS 환자는 증가된 근력 약화로 인해 균형 감각을 상실할 수 있으며, 따라서 낙상 위험이 커진다. 의자차 사용을 포함한 보행 보조기구 사용을 고려해야 한다.

통증

근육통과 관절통은 PPS의 일반적인 증상이다. 근육통은 약한 근육의 과도한 사용과 관련이 있다. 이러한 근육의 통증과 피로는 활동 후 1–2일 이내에 발생한다. 통증은 휴식에 의해 감소되고, 과도한 피로를 피하기 위한 조절된 활동(pacing)에 잘 반응한다. 근육통은 확산되고, 치료하는 데 오랜 시간이 걸린다. 상황에 맞는 조절된 활동과 생활 방식 변화에 대한 권고사항을 준수하는 환자의 순응에 대한 연구에서 효과가 있다고 증명되었다(Peach와 Olejnik, 1991). 권고사항을 따르는 환자는 근육통의 해소나 향상 비율이 더 높게 나타났다.

근육이 약하거나 이러한 근육과 주변에 부드러운 조직에 일상의 과도한 신체 활동 스트레스가 가해지면 관절이 불안정해질 수 있다. 관절통이나 근육통이 있는 경우에 이동성이 제한되어서 결국 근육 위축이 발생하게 된다. 보통 통증은 바르지 못한 정열로 수년간 움직이는 관절의 반복적인 미세 손상으로 인해 발생하고 이차적으로 근력 약화나 명백한 자세 기형이 발생한다. 관절 통증은 관절의 마모, 질못된 자세, 그리고 연부조직의 퇴행 혹은 소아마비의 잔류 효과를 위해 시행한 정형외과적 수술 후유증의 결과로 나타난다. 관절통과 근육통은 PPS 남성 환자보다 PPS 여성 환자한테서 더 많이 나타난다고 보고되었다(Vasiliadis 등, 2002).

다른 증상

추위 불내성

교감신경 침범으로 PPS 환자는 추위를 견디지 못한

다. 팔다리가 자주 춥기 때문에 열 손실을 최소화하기 위해 여분의 옷이 필요하다. 이러한 추위에 대한 내성 감소 때문에 차가운 냉 치료를 적용할 때 대개의 환자들은 불편함을 호소한다. 만일 환자가 부종으로 힘들어 한다면 열 치료는 종종 적절한 치료 방법이 아니다. 그러나 PPS 환자의 부종을 치료하기 위해서 국소 부위에 냉을 적용하는 것에 대한 광범위한 환자 교육이 필요할 수도 있다.

기능 감소

피로, 통증 및 근력 약화는 PPS 환자의 비활동 주기를 유발한다. PPS 환자에게 정기적으로 무엇을 하는지 물으면 "별로(not much)"라는 대답이 나온다. 하지만 속사정을 캐보면 원래는 매우 적극적으로 많은 활동을 했지만, 피로, 통증 및 근력 약화 등의 복합적인 영향으로 활동 수준을 스스로 낮췄음을 알 수 있다. 활동이 적을수록 심호흡기계의 전반적인 상태가 악화된다. 이러한 전반적인 상태 악화는 피로와 근력 약화를 더욱 악화시키므로 활동이 적어지고 사회적 참여도가 낮아진다. 피로, 통증 및 근력 약화라는 3증상 중 하나만 나타나도 활동과 기능의 감소 주기를 유발할 수 있다.

숨뇌가 침범당하면 먹기와 호흡하기 같은 생명에 중요한 기능이 영향을 받을 수 있다. 뇌줄기나 숨뇌로부터 나오는 뇌신경은 구강 운동과 심호흡기계에 관여한다. 폴리오바이러스가 뇌줄기를 공격하면 가로막이나 갈비사이근과 같은 환기 근육 이외에도 호흡의 중추성 조절이 위태로워질 수 있다. 결과적으로 수년 동안 계속 일을 한다면 PPS 환자는 하루가 끝날 무렵에는 탈진해서 밤에 쓰러질 수 있다. 숨가쁨(shortness of breathing)은 흔한 주요 증상이다. 수면은 무호흡 또는 통증으로 인해 방해받을 수 있고, 따라서 깨어 있는 시간에 발생하는 피로, 통증 및 근력 약화가 더욱 악화된다. 구강 운동, 심각한 호흡기계 침범, 그리고 수면장애를 가진 환자는 해당 분야의 전문지식을 갖춘 팀원들인 작업치료사나 언어치료사가 보다 더 적절하게 치료할 수 있다. 호흡기 전문의(pulmonolo-

표 13-7 피로하지 않은 운동 프로토콜

	피로하지 않은 유산소 간격 훈련	피로하지 않은 근력 강화 운동
저항	목표 심박수 – 낮은 범위, 60%–70%	일회최대반복(one repetition maximum)의 60–70%
빈도	일주일에 3번	일주일에 3–5번
반복	없음	5–10회 목표
지속 시간	15–30분	없음
수축 시간/휴식 시간	없음	5초/10초
간격	15분 운동 시기 동안 2–3분 운동, 1분 휴식 2주 동안 총 20분의 운동을 편하게 할 수 있으면 각 운동 시간을 1분 더 늘림 목표는 4분 운동에 1분 쉬고, 총 30분 운동	없음
운동 종류	걷기와 수영, 풀에서 걷기, 고정형 자전거타기, 팔 에르고메트리 – 심박수 목표를 달성하고 관절 외상을 피하기 위해서 가장 강한 근육 집단을 기초로 운동 선택하기	구심성(concentric) 운동
측정 가능하고 재생산 가능한 검사	사전 검사, 2개월과 4개월 뒤에 검사	사전 검사, 1, 3, 6개월, 그리고 일년 뒤에 검사

Data from Owen RP: Postpolio syndrome and cardiopulmonary conditioning, in rehabilitation medicine—adding life to years, special issue, West J Med 154:557–558, 1991; McNelis A: Physical therapy management of post-polio syndrome, Rehab Manag 38–43, 1989; Dean E, Ross J: Modified aerobic walking program: Effect on patients with postpolio syndrome, Arch Phys Med Rehabil 69:1033–1038, 1988; and Jones DR, Speier J, Canine K, Owen R, Stull GA: Cardiorespiratory responses to aerobic training by patients with postpoliomyelitis sequelae, JAMA 261:3255–3258, 1989

gist)는 야간에 적절한 산소공급을 유지하기 위해 양압 호흡 장치 사용을 권장할 수 있다.

심각하게 비정상적인 보행을 보이며 수년간 걸어 다닌 PPS 환자들은 낙상과 골밀도의 감소 위험에 처해있다. 이러한 환자들은 절대적으로 필요한 경우에만 보조기구를 사용하는 것을 스스로 자랑스럽게 생각한다. 다른 환자들은 무릎–발목–발 보조기(KAFOs)와 전완지지 목발(forearm crutch)을 사용해 걷기도 한다. 많은 환자들이 기능적인 움직임을 도와주는 보조기구 및 보조기 사용 유무와 상관없이 보상 운동을 한다. 피로와 새로운 근력 약화가 나타나면, 이러한 보상은 더 이상 적절하지 않을 수 있고, 낙상 및 기타 근골격계 손상의 위험이 높아질 수 있다. 이러한 위험은 일상생활에서 과제 수행을 방해한다. 거북목, 앞쪽으로 기울어진 몸통, 허리 전만증 소실, 비대칭적인 골반 기저, 그리고 척추옆굽음증(scoliosis)을 포함하는 많은 자세적 비정상이 PPS 환자에게서 나타난다. PPS 환자는 일반인보다 골관절염이 발생할 가능성이 더 크다.

의료 관리

피로 회복을 위한 약물치료는 효과가 입증되지 않았다. 고용량의 프레드니손(prednisone)과 아만타딘(amantadine)은 근력을 향상하거나 피로를 치료하지 못했다(NINDS, 2012). PPS 환자 관리는 신체 활동과 개별화된 근육 훈련프로그램을 기반으로 한다. 추가적으로 건강한 식단, 양압 호흡기, 수면 무호흡증 치료 그리고 따뜻하게 지내기는 모두 PPS 환자에게 권장하는 사항이다. 의학적 초점은 이런 환자가 삶의 질을 향상시킬 수 있도록 증후군의 징후와 증상을 관리하는 것이다. 최근의 문헌 고찰에서 Gonzalez 등(2010)은 PPS 환자의 재활을 위한 다학제간 그리고 여러 전문가간 접근법의 일부로서 물리치료를 강조하라고 권고했다.

물리치료 관리

PPS 환자의 물리치료 관리의 목표는 다음과 같다.

1. 근육의 작업 부하를 줄인다.
2. 피로를 피한다.
3. 안전하게 보행한다.
4. 최적 수준의 기능적 독립성을 달성한다.
5. 환자와 보호자를 교육한다.

신체 활동/운동

PPS 환자에게 신체 활동은 유익하다. 규칙적인 신체 활동에 참여하는 환자는 활동하지 않는 환자들보다 기능수준은 높고 증상은 적게 나타난다고 보고되었다(Fillyaw 등, 1991; Willen 등, 2001). 대부분의 PPS 환자들은 비대칭 근력 약화를 나타내기 때문에 모든 운동 프로그램은 개개인의 증상 발현에 맞게 수정할 필요가 있다. 일반적인 지침에는 과사용과 오사용을 피하고 통증을 줄이기 위해 신체활동 수준을 조절하는 것이 포함된다. 심박수와 혈압 및 지각된 운동의 등급을 모두 주시해야 한다. Trojan와 Finch (1997)는 Borg 등급 14를 권장했으며 이는 “강도 높음(hard)”에 해당된다. 원래의 Borg 등급은 새로운 10점 기준 등급보다 선호된다. 피로하지 않는 프로토콜을 유지하기 위해서 운동의 시간은 짧아야 하고, 최대하 이하의 작업부하를 사용해야 한다.

개별화된(customized) 운동프로그램은 근육 과사용의 유발 없이 경증에서부터 중증도의 근력 약화 개선에 효과적이라는 사실이 여러 연구에서 나타났다(Bertelson 등, 2009; Farbu 등, 2006; Jubeltand Agre, 2000). 짧은 간격의 운동은 회복을 위해 휴식과 함께 권장된다. 피로하지 않는 프로토콜은 단기간 반복과 결합된 최대하 및 최대 근력강화 운동으로 구성된다. 과사용을 피하고 완전한 회복을 위해 격일로 운동을 계획한다. 환자가 올바른 기술을 사용하는지 그리고 근육이나 관절에 통증을 증가시키거나 과도한 근육 피로를 유발하는 것을 관찰하기 위해서 물리치료사나 물리치료 보조사는 운동을 감독해야 한다. 연구에 의하면 운동 및 생활 방식 수정(lifestyle modification)이 과사용의 징후 감소, 피로 개선 및 기능 향상에 긍정적인 효과가 있다고 보고하였다(Cup 등, 2007; Klein 등, 2002; Oncu 등, 2009). 피로하지 않는 프로토콜의 예는 표 13-7을 참조하기 바란다.

운동은 PPS를 관리하는데 중요한 역할을 한다. 현재까지 증가된 신체 활동이 근력 약화와 관련이 있다고 예상하는 자료는 없다(Farbu 등, 2006). 운동은 근육을 강화시켜야 하며 근육 피로를 유발하지 않아야 한다. 편안하고 느린 속도 조절하기가 모든 운동 과정에서 가장 적합하다. PPS 환자에게 과도한 운동을 하지 않고, 통증이나 피로의 한계를 넘어서지 않도록 가르쳐야 한다. 환자가 근력을 되찾기까지 며칠이 걸린다면 너무 무리했다는 사실을 알아야만 한다. 트레드밀 걷기와 같은 유산소 운동, 자전거 에르고메트리 및 수영을 권장한다. 물은 관절, 뼈 및 근육에 대한 스트레스를 감소시키기 때문에 수중 운동은 매우 유용할 수 있다. 연구결과에 따르면 수중 운동프로그램에 참여한 PPS 환자의 유연성, 근력 및 심폐기능이 향상되었다(Willen 등, 2001). 또한 Tiffreau 등(2010)은 수중 물리치료가 근육 기능과 통증에 긍정적인 영향을 미친다고 보고하였다.

스트레칭

과도하게 사용한 근육을 스트레칭하는 것은 관절의 불안정성을 증가시킬 수 있기 때문에 권장하지 않을 수 있다. PPS 환자는 약하거나 아예 없는 근육 조직을 인대와 근육 긴장(tightness)으로 보상하여서 섬세한 균형을 이미 획득하고 있다. 발바닥굽힘근의 경미한 단축은 넙다리네갈래근의 근력 약화가 나타날 때 무릎 안정성을 증가시킬 수 있다. 이러한 경우에 아킬레스건을 스트레칭하면 기능이 손상될 수 있다. ROM의 증가는 적절한 근력이 있어야 하는데 이는 이 인구집단에서 가능하지 않을 수 있다. 부드러운 스트레칭은 통증 혹은 때때로 과사용으로 인한 경련을 완화하기 위한 전략으로 적용될 수 있다(Gawne 등, 1993).

통증 관리

통증 관리는 PPS 환자가 경험하고 있는 통증의 유형에 따라 다르다. 문헌에 기술된 세 가지 유형의 통증으로는 경련, 근골격계, 그리고 생체 역학적인 통증이 있다(Gawne 등, 1993). 경련이 나타날 때는 열 치료를 한 후에 부드럽게 스트레칭 하도록 권장한다. 이는 소아마비 발병 후 처음 치료하는 방식과 매우 유사하다. 근골격계 통증은 종종 과사용의 결과로 발생한다. 적절한 치료를 결정하기 전에 힘줄, 활액낭, 근막, 혹은 근육과 같은 침범된 구조를 확인해야만 한다. 염증이나 염좌(strain) 치료는 항염제의 사용과 적절한 치료 방법을 통합해야만 하고 침범된 팔다리의 사용 패턴도 변경해야만 한다. 단연코 가장 흔한 통증의 유형은 퇴행성 관절 질환, 요통, 그리고 신경 압박으로 나타나는 생체역학적 변화 때문에 생긴다. 이 경우에는 자세 교육과 보조 기구 사용을 권장하는 것이 가장 좋은 전략이다.

발과 다리의 생체역학적 정렬을 향상시키기 위해 보조기를 권장할 수 있다. PPS 환자는 보통 생체역학적인 부정열과 근육 불균형의 조합을 가지고 있다. 보조기는 완벽한 교정을 수행하는 것이 아니라 관절 정렬을 좀 더 좋게 잘 지지하는 것이다. 가장 자주 처방되는 보조기로는 신발 높이기(shoes lift), AFO 및 KAFO가 있다. 이러한 보조기는 종종 보행의 질과 보행의 안전을 향상시키고 무릎과 전반적인 통증을 감소시킨다. Kelly와 DiBello (2007)는 PPS 환자들을 위한 보조기 사용 결정에 유용한 분류 시스템을 제공한다. 또한 보조 기구 사용도 고려할 필요가 있다.

생활 방식 수정

PPS 환자들은 생활 방식을 바꾸어야 한다. 말하기는 쉽지만 실행하기는 매우 어렵다. 소아마비에 걸렸다 살아남았음에도 귀한 교훈을 얻지 못한 사람들은 종종 변화의 필요성을 인식하면서도 변화하는 것을 거부한다. 이동성은 자유와 독립이다. 이것은 오랫동안 싸워서 성취한 것이다. 변화는 천천히 올 것이다. 고통을 극복한다는 격언은 예전에도 성공했으므로 그러한 전략이 지금도 다시 통할 것이라고 생각할 수 있다. 천천히 나아가는 것이 포기하는 것과 같다고 생각한다면 그 전략은 좋지 못한 선택처럼 보일 것이다. Gonzalez 등(2010)은 신체적 그리고 정서적 스트레스 줄이기, 관절 보호, 직장 및 가정 환경의 수정, 그리고 피로를 줄이고 기능을 보전해준 이동 보조기구 사용을 제안하였다. 다른 사람들은 피로와 근골격계 통증(관절과 근육통)에 대처하기 위해서 에너지 보존(energy conservation), 체중 감량, 그리고 생활 방식의 변화로서 보조 기구 사용을 권고하였다.

에너지 보존

피로의 광범위한 영향과 과사용의 위험 때문에 에너지 보존은 PPS 환자 관리의 필수적인 부분이어야하며 관리의 가장 중요한 측면이 되어야 한다. 에너지 보존은 에너지를 보존하기 위해 생활 방식을 수정하는 수단이다. 환경, 과제 또는 과제를 수행하는 방식의 변화가 포함되어야 한다. PPS 환자는 보행과 관련해서 에너지를 절약하기 위해 예전에 사용하지 않았던 보조 기구를 사용할 수도 있다. 어떤 사람은 전기 스쿠터를 사용할 수도 있다. 일상생활동작을 수행할 때, 과제를 세 번에 나누어서 하는 것보다 한 번에 수행할 수 있는지를 검토해 봐야 한다. 예를 들면 식기 세척기에서 모든 식기를 카트로 내리고 식기 세척기에서 여러 장소로 많이 이동하지 않고 모든 식기를 한번에 치울 수 있는 위치로 카트를 이동해야 한다. 만일 환자의 직업의 일부분으로 서류 정리를 할 때 서서 수행하기 보다 앉아서 할 수 있는가? 이러한 일상적 활동들을 분석하면 쉽게 바꿀 수 있는 부분들을 결정하는데 도움이 된다.

활동 조율(activity pacing)은 에너지 보존의 일부이고 결국 생활 방식 수정의 일부가 된다. 활동 조율은 휴식과 활동 사이의 균형을 필요로 한다. 환자가 아침이나 오후 중에 언제 에너지를 더 많이 가지고 있는가? 에너지를 많이 활용할 수 있는 시기에 따라서 활동 계획을 세우는 것이 바람직하다. 보다 자주 휴식을 취하는 것은 일상 가정 활동뿐만 아니라 일을 계속할 수 있게 해 준다. 적절한 휴식은 PPS 환자 개개인에 따라 달라질 수 있다. 낮잠이 필요할 수도 있다. 자신의 "일"을 지속적으로 할 수 있다면 자존감과 삶의 질이 향상된다. 그러므로 물리치료 보조사는 스트레스를 줄이면서 휴식의 양을 높이기 위해서 PPS 환자와 상담해야 한다(Halbritter, 2001).

활동과 휴식 사이의 균형

PPS 환자의 물리치료 관리는 매일 기본적으로 사용하는 근육의 작업량을 감소시키는 것에 그 목적이 있다. 피로하지 않은 운동 프로토콜과 에너지 보존, 활동 조율, 호흡 운동 및 호흡과 활동의 협응은 PPS를 경험한 환자에게 모두 사용하는 전략이다. 가장 큰 도전 과제는 중재 전략을 파악하는 것이 아니라 활동과 휴식의 가장 유익한 균형을 찾도록 도와주는 것이다. 일상생활에서 에너지를 보전하면서 운동을 얼마나 할 수 있는가? 이것이 진정한 균형을 이루는 행동이다. 이 경우에는 더 많은 것보다 적은 것이 좋다.

장 요약

이 장에서 검토한 신경계 질환은 몇 가지 공통점을 가지고 있다. 그것들은 모두 사람의 기능에 큰 영향을 미친다. 이러한 질환으로 이동성과 일상생활 활동, 직무 수행 및 여가 활동 참여가 모두 심각하게 손상될 수 있다. 이러한 모든 질환은 피로를 일으키고 관련된 근본적인 병리학적 과정과 상관없이 상태 악화 가능성을 가지고 있다. 운동은 이러한 신경계 질환자 뿐만 아니라 근위축측삭경화증 환자에게도 유익하다. 운동은 전반적인 치료 계획의 핵심 전략이며 가장 중요한 부분이다. 과사용에 관한 예방 조치는 이러한 종류의 신경계 질환을 가진 모든 환자에게 적용할 수 있다. 특정 질환과 관계없이 중재는 모든 개인이 계속해서 기능을 최적화하면서 견딜 수 있는 활동과 휴식의 균형을 찾도록 하는 것이다. 이 문맥에서 "진단 후 즉시"를 의미하는 조기 중재는 환자에게 최선의 치료 계획을 제공한다. 이 초기 치료 계획에는 많은 에피소드가 포함될 수 있으며, 질병 진행이나 회복을 기반으로 한 중재 전략은 지속적으로 수정할 수 있다. 이 계획은 의료 서비스 제공자 팀이 세워서 시행한다. 물리치료사 및 물리 치료사보조사는 파킨슨병과 다발성경화증, 근위축측삭경화증, 길랑-바레 증후군, 소아마비 후 증후군 환자를 관리하는 데 중요한 역할을 하는 팀의 일원이다. ■

검토사항

1. 성인 급성 마비의 가장 흔한 원인은 무엇인가?
2. 미국에서 가장 흔하게 나타나는 세 가지 운동장애 중 하나는 무엇인가?
3. 논의된 모든 신경계 질환에서 나타나는 가장 보편적인 증상은 무엇인가?
4. 다리의 긴장이 증가한 다발성경화증(MS) 환자의 다리(L/E) 폄을 향상시킬 수 있는 몇 가지 중재를 말해 본다.
5. 소아마비 후 증후군 환자의 무활동과 상태 악화를 유발할 수 있는 세 가지 요인을 파악한다.
6. 과사용 악화의 징후와 증상을 열거한다.
7. 가장 흔한 유형의 MS는 무엇인가?
8. 파킨슨병(PD) 환자는 보통 L-도파를 복용하면 얼마나 오랫동안 혜택을 누릴 수 있는가?
9. PD 환자가 동결됐을 때 사용하는 전략을 설명한다.
10. 피로하지 않은 운동프로토콜을 사용해야 하는 대상은 누구인가?
11. 길랑-바레 증후군 환자의 세 가지 운동지침은 무엇인가?

사례 연구 재활 치료실 초기 평가 : JB

병력

차트 검토

JB는 심각한 진행성 근력 약화를 보여서 지방 농촌 병원의 지역 의료 센터로 3주 전에 이송되었다. 이송 전날 응급실을 통해 입원했으며 모든 사지의 근력 약화를 호소했다. 며칠 전에는 설사와 발열 및 오한으로 바이러스에 감염되었다. 당뇨병, 만성 폐쇄성 폐질환(COPD), 심장 질환 또는 고혈압의 과거 병력은 없다. 환자는 신장 결석으로 응급실을 통해 입원한 적이 있다. 알레르기는 없고 약은 복용하지 않는다. 최근에 IV 감마글로불린 과정을 마쳤다. 재활 치료실로 이송되자마자 물리치료 검사와 치료 처방을 받았다.

주관적 검토

JB는 자신이 결혼했고 고등학교 수학 선생이라고 말한다. 완전히 회복된 후 3일 동안 계속 바이러스성 질환을 계속 앓았다고 한다. 3주 전에 근력 약화 때문에 글쓰기가 어려운 것을 알았다. 시골 병원에 입원했을 때 양팔이 부분적으로 마비됐고, 양다리는 완전히 마비됐다. 통증은 없었다. 그와 그의 아내는 지역 의료 센터로 옮겨야 하는 이유에 대해 염려했지만, 길렝-바레 증후군(GBS) 진단 및 치료를 받은 후 회복될 것으로 기대하고 있다. JB는 토마토를 취미로 키운다. 입구에 계단 두 개가 있는 1층 집에서 살고 있다. 검사에는 동의했다.

객관적 검토

외관/장비: 환자는 달걀 상자 형태의 매트리스에 누워 있었다. 소변줄(foley catheter)를 착용하고 있다.

체계적 고찰

의사소통/인지 : 언어 기능은 정상. 여러 단계의 지시 사항을 이해하고, 정신이 명료하며 협조적이다.

심혈관/호흡기계 : 심박동수 분당 82회, 혈압 130/90 mmHg, 호흡수 분당 20회

피부 : 손상되지 않은 피부, 붉은 부위나 부종 없음

근골격계 : 수동적 관절가동범위(PROM) 정상, 능동적 관절가동범위(AROM) 손상됨.

신경근 : 보행, 운동 및 균형 장애. 팔과 다리(UE and LE) 마비. 근위부 감각은 정상 원위부 감각은 손상됨.

심리 사회적 : 아내가 침대 옆에 대기 중임.

검사와 측정

인체 측정: 신장 190.5 cm(6' 3"), 체중 86 Kg(190 lbs)

각성, 주의 및 인지 : 지남력 × 3(시간, 사람, 장소), 정신 상태 정상

순환 : 피부가 만지면 따뜻하고, 발의 맥박은 양측에 나타나고, 요골 맥박은 강함.

환기/호흡 : 호흡 패턴은 2-목, 2-가로막. 가슴벽 확장은 나타나지 않음. 명치(epigastric) 상승은 1½", 폐활량은 3 L로 정상의 50%임.

뇌신경 통합성: 뇌신경은 손상되지 않음.

반사 통합성: 팔뚝 2 +, 무릎과 아킬레스 건 0, 양측에 바빈스키 없음, 근육 긴장은 다리와 몸통, 팔꿈치 아래쪽에서 이완됨. 팔, 어깨, 목의 근육 긴장은 정상.

관절가동범위 : PROM 통증 없이 근력 약화(weak and painless, WFL), 앉은 자세에서 어깨 능동적 굽힘/벌림 양측 60도, 능동적 팔꿈치 굽힘은 양측에서 90도, 팔꿈치 폄은 완전 폄에서 15도 각도 부족함, 목 운동은 WFL, 다른 능동적 움직임은 없음.

운동 기능 : 환자는 옆으로 구르기 및 앉기를 하기 위해서 1인의 최대 도움을 필요로 한다. 환자는 한 번에 20분 동안 침대에 앉아 있을 수 있다. 앉기와 서기에 의존적이다. 침대 ← → 의자차 이동 시 2인의 최대 도움이 필요하다.

근육 수행 : Berryman Reese의 맨손 근육 검사 절차에 따라 검사했다. 환자는 적절한 안정화를 유지하면서 지지하에 앉았다. 얼굴 근육은 양측 모두 손상되지 않음.

	Right	Left
위등세모근 Upper trapezius	3	3
어깨세모근 Deltoid	3-	3-
두갈래근 Biceps	3-	3-
세갈래근Triceps	0	0
손목 폄근	0	0
손가락 굽힘근	0	0
엉덩이 굽힘근	0	0
네갈래근	0	0
앞정강근	0	0
장딴지근	0	0

감각 통합성: 손목 아래 부위를 제외한 팔은 핀으로 찌르는 듯한 감각 인식은 정상. 손목 아래 부위는 감소함. 몸통에서 무릎까지는 정상, 그 아래쪽은 감각 없음.

통증: 0-10의 척도 가운데 0에 해당함.

자세: 휴식 시, 환자는 소변줄을 달고 달걀 상자 형태의 매트리스에서 누워 있다. 팔은 몸통 하부를 가로질러 구부러져 있다. 다리는 엉덩이에서 바깥쪽으로 돌아가고, 무릎은 펴지며, 발에서 발바닥굽힘이 나타났다.

(계속)

사례 연구 계속

보행과 이동 및 균형: 보행과 이동 시에 의존적이다. 환자는 지지하고 앉기 자세에서 어떠한 도전적 과제도 수행할 수 없다.

자가 관리(self-care): 음식물 먹기, 옷 입기, 그리고 개인 위생에서 의존적이다.

평가/감정

JB는 53세의 기혼 남성 교사로 바이러스성 질환을 앓은 후 팔과 다리 마비로 입원했다. 이틀 째, 지역 병원에서 지역 의료 센터로 옮겨져 계속해서 평가와 치료를 받았다. GBS 진단을 받았고, 감마글로불린으로 정맥 내 주사로 주입을 받았다. 보행과 이동 시에 의존적이다. 기능적 독립 수행 평가(functional independence measure) : 이동 1점, 보행 1점. 환자는 의료 센터의 재활 치료실로 이송되었다.

문제 항목

1. 이동성 측면에서 의존적임.
2. 일상생활동작(ADLs) 수행과 이동(transfer) 시 의존적임.
3. 근력과 지구력 감소
4. 압력 경감 시 의존적임.
5. 질병 경과 및 재활에 대한 지식 부족

진단: JB는 가이드 패턴 5G인 급성 다발성 신경병증과 관련된 운동 기능과 감각 통합성에 손상을 보인다. 이 패턴은 길랑-바레 증후군을 포함한다.

예후: 2개월 동안 기능적 독립성과 기능적 기술 수준이 향상될 것이다. 변화는 근육 기능과 근력의 회복 속도와 정도 그리고 근골격계의 잔존 혹은 신경근계의 결손에 의해 제한될 것이다.

단기 목표 (2주)

1. ADL을 수행하기 위해 기능적 범위 내에서 모든 관절의 수동적 관절가동범위를 유지한다.
2. 기침의 효율성을 증가시키기 위해 폐활량을 100 %까지 올린다.
3. 직립 자세에 대한 내성을 증가시키기 위해 2-가슴, 2-가로막 호흡 패턴을 설명한다.
4. 앉기와 서기 균형을 개선하기 위해 신경지배를 받는 모든 근육의 힘을 3+로 증가시킨다.
5. 전반적인 피부 상태의 손상 없이 하루 4시간까지 휠체어에 똑바로 앉아 있을 수 있는 내성을 증가시킨다.
6. 압력 완화를 위해 1인의 최소 도움을 받아 바로 누운 자세에서 엎드려 누운 자세로 돌아눕는다.
7. 서서 돌기(pivot)를 사용해 1인의 최소 도움을 받아 침대에서 의자차로 이동한다.

장기 목표(재활 기관에서 퇴원 후 6주까지)

1. 보행 보조 기구 유무와 상관없이 150 피트 × 3을 보행한다.
2. 손잡이가 있는 계단을 네 칸 올라간다.
3. 휴식을 취하지 않고 45분(수업 시간) 동안 연속적으로 서 있는다.
4. 집에서 학교까지 차를 몰고 간다.
5. 휴식 시간 없이 토마토 5개를 심는다.

계획

환자는 주 5일 동안 1일 2회, 토요일과 일요일에는 45분간 치료를 받는다. 치료 시간에 자세잡기, 관절가동범위 운동, 호흡기계 재활, 기능적 이동 훈련, 환자/보호자 교육, 그리고 퇴원 계획이 포함되어야 한다. 환자는 매주 재평가를 받는다.

협응, 의사소통 및 문서화: 물리치료사 및 물리치료 보조사는 지속적으로 연락을 취한다. 또한 물리치료사는 작업치료사, 호흡기계 치료사, 의사, 간호사 및 영양사와도 의사소통을 해야 한다.

환자 · 고객 지시: JB와 그의 아내는 GBS와 관련된 병리학적 과정, 운동 범위의 중요성, 근육 기능의 변화를 주시하고 과사용을 피하는 법을 교육받아야 한다.

절차적 중재

1. 수의적 움직임이 부족한 모든 사지의 수동적 관절가동범위 운동.
2. 발목을 지지하는 낮은 테니스 신발 착용을 포함한 구축을 방지하기 위한 자세잡기 프로그램.
3. 압력 완화를 위한 자세 변경 일정.
4. 가슴벽 스트레칭.
5. 가로막 근력 강화와 강화성 폐활량계(incentive spirometry) 훈련.
6. 앉아서 돌기 → 서서 돌기, 침대에서 변기겸용 의자(commode), 침대에서 의자차, 의자차에서 자동차로 이동 훈련
7. 서기를 위한 기립경사대 사용.
8. 근육 기능이 회복되면서 근력 강화 운동.
9. 피로하지 않은 프로토콜을 사용한 지구력 훈련.
10. 의자차 이동성 교육.
11. 평행봉에서부터 평지에서 경사로까지의 단계별 보행 훈련.
12. 팔을 지지하거나 손을 번갈아 가면서 수행하는 일상생활동작에서부터 독립적인 먹기, 옷 입기, 그리고 화장실 이용하기 훈련으로 진행하기.
13. 근육과 감각 회복을 주시하기.

(계속)

사례 연구 **계속**

퇴원 계획

JB는 배우자와 함께 집으로 퇴원할 예정이다. 필요한 경우에 가정 및 학교 평가가 수행되고 필요에 따라 장비를 확보한다. 직업 재활에 연락할 예정이다.

고려 사항

- 물리치료 보조사가 수행해야 하는 적절한 절차적 중재에는 어떤 것이 있는가?
- 앉기와 서기로의 이동은 언제 시작하는가?
- 물리치료 보조사가 환자의 부정적인 상태 변화를 알기 위해서 사용하는 징후와 증상은 무엇인가?

참고 문헌

Abrahams S, Leigh PN, Harvey A, et al.: Verbal fluency and executive dysfunction in amyotrophic lateral sclerosis, Neuropsychologia 38:734.747, 2000.

Adkins AL, Frank JS, Jog MS: Fear of falling and postural control in Parkinson's disease, Mov Disord 18:496.502, 2003.

Aminoff MJ: Treatment of Parkinson disease, West J Med 161:303, 1994.

Aronson KJ: Quality of life among persons with multiple sclerosis and their caregivers, Neurology 48:74.80, 1997.

Bakshi R: Fatigue associated with multiple sclerosis: diagnosis, impact, and management, Mul Scler 9:219.227, 2003.

Bassile CC: Guillain-Barre syndrome and exercise guidelines, Neurol Rep 20:31.36, 1996.

Bensman A: Strenuous exercise may impair muscle function in Guillain-Barre patients, JAMA 214:468.469, 1970.

Berg D, Supprian T, Thome J, et al.: Lesion patterns in patients with multiple sclerosis and depression, Mult Scler 6:256.262, 2000.

Bertelson M, Broberg S, Madsen E: Outcome of physiotherapy as part of a multidisciplinary rehabilitation in an unselected polio population with one-year follow-up: an uncontrolled study, J Rehabil Med 41:85.87, 2009.

Bloem BR, Hausdorf JM, Visser JE, Giladi N: Falls and freezing of gait in Parkinson's disease: a review of two interconnected and episodic phenomenon, Mov Disord 19:871.874, 2004.

Bond JM, Morris ME: Goal-directed secondary motor tasks: their effects on gait in subjects with Parkinson's disease, Arch Phys Med Rehabil 81:110.116, 2000.

Bridgewater KJ, Sharpe MH: Trunk muscle performance in early Parkinson's disease, Phys Ther 78:566.576, 1998.

Bronstein AM, Hood JD, Gresty MA, Panagi C: Visual control of balance in cerebellar and parkinsonian syndromes, Brain 113:767.779, 1990.

Brooks BR, Miller RG, Swash M, et al.: El Escorial revisited: revised criteria for the diagnosis of amyotrophic lateral sclerosis, Amyotroph Lateral Scler Other Motor Neuron Disord 1:293.299, 2000.

Cakit BD, Nacir B, Gene H, et al.: Cycling progressive resistance training for people with multiple sclerosis: a randomized controlled study, Am J Phys Med Rehabil 89:446.457, 2010.

Canning CG, Alison JA, Allen NE, Groeller H: Parkinson's disease: an investigation of exercise capacity, respiratory function, and gait, Arch Phys Med Rehabil 78:199.207, 1997.

Cup EH, Pieterse AJ, Ten Broed-Pastoor JM, et al.: Exercise therapy and other types of physical therapy for patients with neuromuscular diseases: a systematic review, Arch Phys Med Rehabil 88:1452.1464, 2007.

Dal Bello-Haas V, Florence JM, Kloos AD, et al.: A randomized controlled trial of resistance exercise in individuals with ALS, Neurology 68:2003.2007, 2007.

Dal Bello-Haas V: Amyotrophic lateral sclerosis. In O'Sullivan SS, Schmitz TJ, Fulk GD, editors: Physical rehabilitation, 6 ed., Philadelphia, 2014, Davis, pp 769.806.

Dalgas U, Stenager E, Jakobsen J, et al.: Fatigue, mood, and quality of life improve in MS patients after progressive resistance training, Mult Scler 16:480.490, 2010.

de Goede CJ, Keus SH, Kwakkel G, Wagenaar R: The effects of physical therapy in Parkinson's disease: a research synthesis, Arch Phys Med Rehabil 82:509.515, 2001.

Dean E, Frownfelter D: Individuals with chronic secondary cardiovascular and pulmonary dysfunction. In Frownfelter D, Dean E, editors: Cardiovascular and pulmonary physical therapy: evidence to practice, 5 ed., St. Louis, 2012, Mosby, pp 522.542.

Farbu E, Gilhus NE, Barnes MP, et al.: EFNS guideline on diagnosis and management of postpolio syndrome: report of an EFNS task force, Eur J Neurol 13:795.801, 2006.

Farley BG, Fox CM, Ramig LO, McFarland DH: Intensive amplitude-specific therapeutic approaches for Parkinson's disease: toward a neuroplasticity-principled rehabilitation model, Top Geriatr Rehabil 24:99.114, 2008.

Faulkner JA, Brooks SV, Opiteck JA: Injury to skeletal muscle fibers during contractions: conditions of occurrence and prevention, Phys Ther 73:911.921, 1993.

Fertl E, Doppelbauer A, Auff E: Physical activity and sports in patients suffering from Parkinson's disease in comparison with health seniors, J Neural Transm Park Dis Dement Sec 5:157.161, 1993.

Fillyaw M, Badger G, Goodwin G, et al.: The effects of long-term non-fatiguing resistance exercise in subjects with post-polio syndrome, Orthopedics 14:1253.1256, 1991.

Fisher TB, Stevens JE: Rehabilitation of a marathon runner with Guillain-Barre syndrome, J Neurol Phys Ther 32:203.209, 2008.

Fitzgerald MJT, Folan-Curran J: Clinical neuroanatomy and related neuroscience, ed 4, Philadelphia, 2002, Saunders.

Frazzitta G, Maestri R, Uccellini D, Bertoti G, Abelli P: Rehabilitation treatment of gait in patients with Parkinson's disease with freezing: a comparison between two physical therapy protocols using visual and auditory cues with and without treadmill training, Mov Disord 24:1139.1143, 2009.

Friedman JH, Friedman H: Fatigue in Parkinson's disease: a nine-year follow-up, Mov Disord 16:1120.1122, 2001.

Fuller KS, Winkler PS: Degenerative diseases of the central nervous system. In Goodman CC, Fuller KS, editors: Pathology: implications for the physical therapist, 3 ed., Philadelphia, 2009, Saunders, pp 1402.1448.

Garber CE, Friedman JH: Effects of fatigue on physical activity and function in patients with Parkinson's disease, Neurology 60:1119.1124, 2003.

Gawne AC, Ozcan E, Halstead L: Pain syndromes in 40 consecutive post-polio patients: a guide to evaluation and treatment, Arch Phys Med Rehabil 74:1263.1264, 1993.

Giordano MT, Ferrero P, Grifoni S, et al.: Dementia and cognitive impairment in amyotrophic lateral sclerosis: a review, Neurol Sci 32:9.16, 2011.

Glatt S: Anticipatory and feedback postural responses in perturbation in Parkinson disease, Phoenix, 1989, Society for Neuroscience Abstract.

Goetz CG, Poewe W, Rascol O, et al.: Movement Disorder Society Task Force report of the Hoehn and Yahr staging scale: status and recommendations, Mov Disord 19:1020.1028, 2004.

Gonzalez H, Olsson T, Borg K: Management of postpolio syndrome, Lancet Neurol 9:634.642, 2010.

Gupta A, Taly AB, Srivastava A, Murali T: Guillain-Barre syndrome: rehabilitation outcome, residual deficits, and requirement of lower-limb orthosis for locomotion at 1-year follow up, Dis Rehabil 32:1897.1902, 2010.

Halbritter T: Management of a patient with post-p o l i o sy n d r o m e, J A m A c a d N u rse P ra c t 13:555.559, 2001.

Hallum A, Allen DD: Neuromuscular diseases. In: Umphred DA, Lazaro RT, Roller ML, Burton GU, editors: Umphred's neurological rehabilitation, ed 6, St. Louis, 2013, Elsevier, pp 521.570.

Hassan-Smith G, Douglas MR: Epidemiology and diagnosis of multiple sclerosis, Br J Hosp Med (Lond) 72:M146.M151, 2011.

Herlofson K, Larsen JP: The influence of fatigue on health-related quality of life in patients with Parkinson's disease, Acta Neurol Scand 107:1. 6, 2003.

Hiraga A, Mori M, Ogawara K, Hattori T, Kuwabara S: Differences in patterns of progression in demyelinating and axonal Guillain-Barre Syndromes, Neurology 61:471.474, 2003.

Hirtz D, Thurman D, Gwinn-Hardy K, Mohamed M, Chaudhuri A, Zalutsky R: How common are the "common" neurologic disorders? Neurology 68:326.327, 2007.

Hoehn MM, Yahr MD: Parkinsonism: onset, progression, and mortality, Neurology 17:427, 1967.

Horak FB, Frank J, Nutt J: Effects of dopamine on postural control in parkinsonian subjects: scaling, set, tone, J Neurophysiol 75:2380.2396, 1996.

Horak FB, Dimitrova D, Nutt JG: Direction-specific postural instability in subjects with Parkinson's disease, Exp Neurol 193:504.521, 2005.

Hughes RA, Cornblath DR: Guillian-Barre syndrome, Lancet 366:1653.1666, 2005.

Hughes RA, Raphael JC, Swan AV, van Doorn PA: Intravenous immunoglobulin for Guillain-Barre syndrome, Cochrane Database Syst Rev 1, 2006, CD002063.

Hughes RA, Swan AV, Raphael JC, Annane D, van Koningsveld R, van Doorn PA: Immunotherapy for Guillain-Barre syndrome: a systematic review, Brain 130:2245.2257, 2007.

Ilzecka J, Stelmasiak Z: Creatine kinase activity in ALS patients, Neurol Sci 24:286.287, 2003.

Jubelt B, Agre JC: Characteristics and management of postpolio syndrome, JAMA 284:412.414, 2000.

Kahn F, Amatya B: Rehabilitation interventions in patients with acute demyelinating inflammatory polyneuropathy: a systematic review, Eur J Phys Rehabil Med 48:507.522, 2012.

Kelly C, DiBello TV: Orthotic assessment for individuals with postpolio syndrome: a classification system, J Prosthet Orthot 19:109.113, 2007.

Kelly VE, Samii A, Slimp JC, Price R, Goodkin R, Shumway-Cook A: Gait changes in response to subthalamic nucleus stimulation in people with Parkinson disease: a case series report, J Neurol Phys Ther 30:184.194, 2006.

Kerr GK, Worringham DJ, Cole MH, Lacherez PF, Wood JM, Silburn PA: Predictors of future falls in Parkinson disease, Neurol 75:116.124, 2010.

Klein MG, Whyte J, Esquenazi A, et al.: A comparison of the effects of exercise and lifestyle modification on the resolution of overuse symptoms of the shoulder in polio survivors: a preliminary study, Arch Phys Med Rehabil 83:708.713, 2002.

Konczak J, Corcos DM, Horak F, et al.: Proprioception and motor control in Parkinson's disease, J Mot Beh 41:543.552, 2009.

Langer-Gould A, Brara SM, Beaber BE, Zhang JL: Incidence of multiple sclerosis in multiple racial and ethnic groups, Neurology 80:1734.1739, 2013.

Lohnes CA, Earhart GM: Effect of subthalamic deep brain stimulation on turning kinematics and related saccadic eye movement in Parkinson disease, Exp Neurol 236:389.394, 2012.

Lomen-Hoerth C, Murphy J, Langmore S, et al.: Are amyotrophic lateral sclerosis patients cognitively normal? Neurol 60:1094.1097, 2003.

Mancini M, Zampieri C, Carlson-Kuhta P, et al.: Anticipatory postural adjustments prior to step initiation are hypometric in untreated Parkinson's disease: an accelerometer-based approach, Eur J Neurol 16:1028.1034, 2009.

Melnick ME: Basal ganglia disorders. In Umphred DA, Lazaro RT, Roller ML, Burton GU, editors: Umphred's neurological rehabilitation, 6 ed., Philadelphia, 2013, Saunders, pp 601.630.

Miller DH, Rudge P, Johnson G: Serial gadolinium-enhanced MRI in multiple sclerosis, Brain 111:927, 1988.

Morris ME: Movement disorders in people with Parkinson disease: a model for physical therapy, Phys Ther 80:578.597, 2000.

Morris ME, Iansek R: Gait disorders in Parkinson's disease: a framework for physical therapy practice, Neurol Repo 21:125.131, 1997.

Morris ME, Iansek R, Churchyard A: The role of physiotherapy in quantifying movement fluctuations in Parkinson's disease, Aus J Physiotherapy 44:105.114, 1998.

Morris ME, Huxham FE, McGinley J, Iansek R: Gait disorders and gait rehabilitation in Parkinson's disease, Adv Neurol 87:347.361, 2001.

Mostert S, Kesselring J: Effects of a short-term exercise training program on aerobic fitness, fatigue, health perception, and activity level of subjects with multiple sclerosis, Mult Scler 8:161.168, 2001.

Motl RS, Gosney JL: Effect of exercise training on quality of life in multiple sclerosis: a meta-analysis, Mult Scler 14:129.135, 2008.

Mulder DW, Rosenbaum RA, Layton DD Jr : Late progression of poliomyelitis or forme fruste amyotrophic lateral sclerosis?, Mayo Clin Proc 47:756.761, 1972.

National Institute of Neurological Disorders and Stroke: Post polio brochure, 2012.

Nemanich ST, Duncan RP, Dibble LE, et al.: Predictors of gait speeds and the relationship of gait speeds to falls in men and women with Parkinson disease, Parkinson's Dis 141720. 2013, http://dx.doi.org/10.1155/2013/141720. Published June 5, 2013.

Nieuwboer A, Baker K, Willems AM, et al.: The short-term effects of different cueing modalities on turn speed in people with Parkinson's disease, Neurorehabil Neural Repair 23:831.836, 2009.

Nui L, Ki LY, Li JM, et al.: Effect of bilateral deep brain stimulation of the subthalamic nucleus on freezing of gait in Parkinson's disease, J Int Med Res 40:1108.1113, 2012.

O'Sullivan SB, Bezkor EW: Parkinson's disease. In O'Sullivan SB, Schmitz TJ, Fulk GD, editors: Physical rehabilitation: assessment and treatment, 6 ed., Philadelphia, 2014, FA Davis, pp 807.858.

O'Sullivan SB, Schreyer RJ: Multiple sclerosis. In O'Sullivan SB, Schmitz TJ, Fulk GD, editors: Physical rehabilitation: assessment and treatment, 6 ed., Philadelphia, 2014, FA Davis, pp 721.768.

Olney RK, Murphy J, Forshew D, et al.: The effects of executive and behavioral dysfunction on the course of ALS, Neurology 65:1774.1777, 2005.

Oncu J, Durmaz B, Karapolat H: Short-term effects of aerobic exercise on functional capacity, fatigue, and, quality of life in patients with post-polio syndrome, Clin Rehabil 23:155.163, 2009.

Parmenter BA, Denney DR, Lynch SG: The cognitive performance of patients with multiple sclerosis during periods of high and low fatigue, Mult Scler 9:111.118, 2003.

Patton SB, Metz LM, Reimer MA: Biopsychosocial correlates of lifetime major depression in a multiple sclerosis population, Mult Scler 6:181.185, 2000.

Peach P, Olejnik S: Effect of treatment and noncompliance on post polio sequelae, Orthopedics 14:1199.1203, 1991.

Perry J, Gronley JK, Lunsford T: Rocker shoe as walking aid in multiple sclerosis, Arch Phys Med Rehabil 62:59.65, 1981.

Pitetti KH, Barrett PJ, Abbas D: Endurance exercise training in Guillain-Barre syndrome, Arch Phys Med Rehabil 74:761.765, 1993.

Polman CH, Reingold SC, Banwell B, et al.: Diagnostic criteria for multiple sclerosis: 2010 revisions to the McDonald--teria, Ann Neurol 69:292.302, 2011.

Protas E, Stanley R, Jankovic J: Parkinson's disease. In Durstine JL, Moore G, Painter P, Roberts S, editors: ACSM's exercise management for persons with chronic diseases and disabilities, 3 ed., Champaign, 2009, Human Kinetics, pp 350.356.

Rochester L, Chastin SF, Lord S, Baker K, Burn DJ: Understanding the impact of deep brain stimulation on ambulatory activity in advanced Parkinson's disease, J Neurol 259:1081.1086, 2012.

Roehrs T, Karst G: Effects of an aquatics exercise program on quality of life measures for individuals with progressive multiple sclerosis, J Neurol Phys Ther 28:63.71, 2004.

Ropper AH, Wijdicks E, Truax BT: Guillain-Barre

syndrome, Contemporary neurology series (vol 34), Philadelphia, 1991, FA Davis.

Schapiro RT: Managing the symptoms of multiple sclerosis, 4 ed., New York, 2003, Demos Publications.

Schrag A, Ben-Shlomo Y, Quinn N: How common are complications of Parkinson's disease? J Neurol 249:419.423, 2002.

Singleton AB, Farrer MJ, Bonifati V: The genetics of Parkinson's disease: progress and therapeutic implications, Mov Disord 28:14.23, 2013.

Sulton LL: Meeting the challenge of Guillain-Barre syndrome, Nursing Manage 33:25.31; 2002.

Sutton AL, editor: Movement disorders source book, 2 ed., Detroit, 2009, Omnigraphics.

Tiffreau V, Rapin A, Serafi R, et al.: Post-polio syndrome and rehabilitation, Ann Phys Med Rehabil Med 53:42.50, 2010.

Trojan DA, Cashman NR: Post-poliomyelitis syndrome, Muscle Nerve 31:6.19, 2005.

Trojan DA, Finch L: Management of post-polio syndrome, NeuroRehabilitation 8:93.105, 1997.

Trojan DA, Arnold DL, Shapiro S, et al.: Fatigue in post-poliomyelitis syndrome: association with disease-related, behavioral, and psychosocial factors, PM & R 1:442.449, 2009.

Van der Werf SP, Evers A, Jongen PJH, Bleijenberg G: The role of helplessness as mediator between neurological disability, emotional instability, experienced fatigue and depression in patients with multiple sclerosis, Mult Scler 9:89.94, 2003.

Van Doorn PA, Ruts L, Jacobs BC: Clinical features, pathogenesis, and treatment of Guillain-Barre syndrome, Lancet Neurol 7:939.950, 2008.

Van Koningsveld R, Steyerberg EW, Hughes RA, et al.: A clinical prognostic scoring system for Guillain-Barre syndrome, Lancet Neurol 6:589.594, 2007.

Van Vaerenbergh J, Vranken R, Baro F: The influence of rotational exercises on freezing in Parkinson's disease, Funct Neurol 18:11.16, 2003.

Vasiliadis HM, Collet JP, Shapiro S, et al.: Predictive factors and correlates for pain in postpoliomyelitis syndrome patients, Arch Phys Med Rehabil 83:1109.1115, 2002.

Wiechers DO, Hubbell SL: Late changes in the motor unit after acute poliomyelitis, Muscle Nerve 4:524.528, 1981.

Weiner WJ, Shulman LM, Lang AE: Parkinson's disease: a complete guide for patients and families, Baltimore, 2001, Johns Hopkins University Press.

White AT, Wilson TE, Davis SL, Petajan JH: Effect of precooling on physical performance in multiple sclerosis, Mult Scler 6:176.180, 2000.

Willen C, Sunnerhagen KS, Grimby G: Dynamic water exercise in individuals with late poliomyelitis, Arch Phys Med Rehabil 82:66.72, 2001.

Wood BH, Bilclough JA, Bowron A, Walker RW: Incidence and prediction falls in Parkinson's disease: a prospective multidisciplinary study, J Neurol Neurosurg Psychiatry 72:721.725, 2002.

Woolley SC, Jonathan SK: Cognitive and behavioral impairment in amyotrophic lateral sclerosis, Phys Med Rehabil Clin N Am 19:607.617, 2008.

Yekutiel MP, Pinhasov A, Shahar G, Sroka H: A clinical trial of the re-education of movement in patients with Parkinson's disease, Clin Rehabil 5:207.214, 1991.

색인

Index

주의사항: 쪽수 다음에 나오는 b는 상자, f는 그림, t는 표를 의미함

1/4 회전 550
2인 들기 525, 525b
ASIS 척수손상 국제표준화 신경학적 분류 491–492, 492f
C1에서 C3 503–504
C4 504
C5 504–506
C6 506
C7 507
C8 507
Hoehn와 Yahr의 기능장애분류 573t, 574
L3에서 L5 507–508
L–dopa 575
RhoGAM 165
T10에서 L2 507
T1에서 T9까지 507
Uhthoff 현상 582–583
W자 앉기 95, 122f, 178f
X관련 열성 유전 259

ㄱ

가로막 신경 조율 503–507
가로막 신경 조율 504
가로막 증강 386–387
가로막 호흡 280, 282f, 508f
가변 연습 60–61
가소성, 뇌성마비 184
가슴 물리치료 277
가슴벽 확장 509
가우어 징후 287, 286f
가정 운동 프로그램 560
가정 프로그램 121
가정환경 444–445
가족 교육
가족 시스템 74–75
가족 참여 438
가쪽 기저 가슴 확장 283f
가쪽 밀어올리기 이동 531–532
가쪽 확장 509
가치 있는 인생의 결과 183–184
각성 460
간단한 벌림 부목 228f
간대성경련 34–36, 382
갈비뼈 돌출 154f
감각 224
감각 결손 461
감각 손상
감각 시스템 260
감각 예방 조치 227–228
감각 입력 129–130
감각 조직 49–50
감각 통합 294–295
감각운동기 76
감각이상
감각자극 464–465
감각정보의 느린 처리 572
감금 증후군 376, 457–458
감마 아미노뷰티르산 12–13
감염 165–166, 165t
갑작스런 충격 증후군 457–458
강제날숨 기법 278
강철 폐 599f, 600
같은 쪽 반맹 176–177, 375–376
같은쪽 팔다리 따름운동 383t
개구리 호흡법 509
개방 손상 455
개조한 세발자전거 267f
거대 운동 단위 600
거미막 15
거미막밑 공간 15
거미막밑출혈 373
거짓비대 287–288, 287f
걷기
검사, 환자/고객 관리 4

겉질시각상실 376
겉질제거경축 461
결과, 환자/의뢰인 관리 39
결손
결정적 시기 62–63
경막내 바클로펜 펌프
경막외공간 15
경사 보드 440, 441f, 442b
경사 보드에서 앞뒤 체중이동 441
경사로 438, 540, 541f, 566
경직성
경직성 방광, 척수손상 501
경직형 뇌성마비 167–168, 167f, 177–181
경직형 마비 169
경직형 반신마비 173
경직형 양측마비 193
경질막 15
경질막밑 혈종 457–458, 458f
경질막바깥혈종 457, 458f
경축형 169, 571–572, 461
경험 기대적 가소성 62–63
경험 의존적 가소성 62–63
경화플라크 581
계단 435–437, 436–437b, 556–557
계류척수 224
고급 균형 운동 439–440
고랑 15
고리 모양으로 앉기 151f
고리중쇠 불안증(AAI) 259–260, 259b
고양이울음증후군 263
고양이울음증후군 263
고유수용성감각 신경근 촉진
– 척수손상 493, 493f
– 폴리오 후 증후군 600–605
– 골반 338b
– 어깨뼈 328b
고유 수용성 신경근 촉진법 326–346, 343t
고유 수용성 신경근 촉진법 315–371, 370b
고유 수용성 신경근 촉진법: 패턴과 기법 369
고유감각 380
골격계
골다공증 221, 385, 501
골반 기울임 406
골반 압박 136f
골반 자세잡기 406, 406f, 407b
골반 중립 407b
골반 지지 120f
골반 패턴 322–324, 330f, 338b
골반 흔들기 137b
골수형성이상 결함 217t
골절 275–276
곰 걸음걸이 98
공간에서의 머리 안정화 전략 (HSSS) 50
공격적인 행동 480–481
공기 부목 128f, 396
공동주시 375–376
과다 반사성 방광 501–502
과다굽힘 493, 493f
과다폄 493f, 494
과도한 자극 464–465
과상 보조기 195
과제
과제 특정적 운동 39
과제–특화 연습 60
관련 반응 382, 383t
관리계획, 환자/고객 관리 4
관자엽 17
관절운동범위
관절형 발목–발 보조기 429–430
괴사, 척추손상 494
교각자세 346, 347b, 349–350, 389–391, 389–390b
교뇌 20–21
교대적 85
교대적 기기 87, 87f
교차 폄 반사 382t
구강안면 결손 381
구두자극 318
구르기
구부리기 189b
구체적 조작기 73, 76
구축
구획연습 60
국제기능장애건강분류체계(ICF) 2, 2–3f
굽힘
굽힘근 회피 반사 382t
궤양 246, 498–499
균형 / 뇌혈관사고 194b / 409–411, 418, 419f
극지 뇌손상 456–457
근골격 시스템
근긴장 50
근긴장 이완 377
근방추 24
근섬유다발수축 593
근위축성 가쪽경화증 592
근육
근육모세포 이식 290
근육분절 26, 492
근육통 595
글라스고우 혼수 척도(GCS) 459–460
글루타메이트 12–13, 372–373

급성 치료 환경 386
급성운동축삭신경병증 594
기관지 위생 509
기관지확장증 276–277
기구, 적응 기구와 보조 기구 참조
기기 346, 535
기능
기능성 기침 509
기능적 독립 측정(FIM) 384
기능적 수행 2
기능적 움직임
기능적 잠재력 503–508, 504t
기능적 제한 1
기능적 활동
기대 수명 262
기립저혈압, 척수 손상 환자
513–514, 552–525
기본적 움직임 패턴 102–103
기술
기울임 반응 46
기저부 호흡 509
기침 280, 509
기형 발생 노출 165
긴 다리 부목 398
긴 팔 부목 396, 397–399b, 398f
긴뼈의 끝 83
긴장 감소 138b
긴장 과다 375, 499
긴장 평가 376
긴장성 미로반사 133, 178, 179f,
383t
긴장성 유지 42
긴장엄지반사 383t
길랑–바레 증후군 594–600
깊은 정맥 혈전증 500–501
깊은 힘줄 반사(DTRs) 284–285,
382, 595
끌어당겨 앉히기 138, 140f, 141b
끌어당기는 배밀이 118

ㄴ

나기 장애 모델 1, 2f
낙상 554, 555b, 573
난청 376
날섬유로 14–15
납 파이프 경축 571
낭성척추갈림증 216, 217t
낭포성 섬유증(CF) 276–283
내려치기 역행 325, 324b
내려치기 패턴 325, 341b
내반족 220f, 269
내반첨족 220f
내사시 176–177
내쉬너의 기립 시 자세조절 모델
51–52
넓게 다리 벌려 앉기 122f
넙다리뒤근육 스트레칭 585b,
587
네발기기 활동 431–432, 432f
네블린 287–288
네오번스타인 모델 59, 59t
노르에피네프린 13
놀람 반사 382t
놓기 86–87
뇌 16f, 164
뇌경색 372
뇌내출혈 373
뇌반구 특수화 17–18, 18t
뇌발작 375
뇌병증 164
뇌성마비 164–215, 205b
뇌신경 24, 25t, 376, 381, 594
뇌실막세포 11–12, 13f
뇌심부자극술 575–576
뇌졸중 증후군 375–377, 375t
뇌줄기 20–21, 20f
뇌진탕 456
뇌진탕 456
뇌척수액(CSF) 순환 216, 222f
뇌혈관 해부 34
뇌혈관장애(CVAs) 372–454, 446
눈떨림 176–177, 582, 292
눈–머리 안정화 50
눕기 진행 346–350, 349b
눕기에서 앉기로 이행 401–403,
402–403b, 474b
느린 반전 기법 343–345, 356b
느린 반전 유지 기법 343–345

ㄷ

다계통 퇴행 570
다리 굽혀 눕기 자세 330–332,
346–348, 349b
다리 똑바로 들어올리기 391b
다리 뻗고 앉기 151f, 522–525,
522b, 523f
다발성경화증 581–592
다운증후군 259–263, 259–261f,
298f
단트롤렌 나트륨 384
단트리움 197–200, 384–385
닫힌 과제와 열린 과제 59–60
닫힌 기술 59–60
달리기, 운동발달 100
담창구 19–20
당기기 98
당뇨 165
대각선 운동 패턴 318
대뇌 19f
– 엽 15–17
대뇌반구 15, 15f, 19f

대뇌엽 15–16
대뇌순환 34, 375, 375t
– 앞쪽 34, 35f
– 뒤쪽 34
대뇌피질 20f
– 운동 영역 17
대운동 기능 분류 시스템 170–171, 172f
대칭성 긴장 목반사 178, 178f, 180t, 383t
더 깊은 호흡 187b
던지기, 운동발달 104, 105t, 105f
데프레닐 575
도로시 보스 315
도약전도 14, 14f
도움 받아 기침하기 기법 509–510
도파민 13, 570
독립적인 생활 247–248
독립적인 이동성 193–197
돌림 135–136, 136f, 135–138b
동결 572
동기 75–79, 202–203
동맥 373
동맥류 373
동맥폐쇄 375
동시 수축 42–44
동요 전략 51, 52f
동적 균형 활동 439
동정맥기형(AVMs) 373
동형접합 258
되먹임 40
두개 내 손상 456
두개내압(ICP) 458
두통수엽 17
둔화 460
둘레계통 20
뒤기둥 497f, 497t, 498
뒤기둥 497–498
뒤기둥 증후군 497f, 497t, 498
뒤뇌 동맥 폐색 376
뒤센느근디스트로피
–뒤센느근디스트로피(DMD) 287, 290b, 291f, 292t
뒤엽 부목 428
뒤쪽 내림
–골반 338b
–어깨뼈 328b
뒤침해서 뻗기 96, 96f
들섬유로 14–15
들어올리기 역행 325, 324b
등뼈 손상 491–493
등척성 338–341, 344b
등척성 교대 기법 338–341, 344b, 355b, 359b, 519b
등척성 안정적 반전 341–343, 345b, 355b
디스트로핀 287–288
디아제팜 197–200
딴곳뼈되기 462–464
딸기 동맥류 373
땀 염화물 검사 276
때리기 105
떨림, 파킨슨병 571, 579–581
또래 상호 작용 201–202
뛰뛰기 100, 103f

ㄹ

라사길린 575
라커 신발 보조기 592
라텍스 알레르기 225
라파포트 혼수척도(CNC) 470–471
란다우 반사 93
란초로스 아미고 인지 기능 척도 465
랑비에결절 14
레보도파 575
레이미스트 현상 383t
레트 증후군 295
렌즈핵 19–20
로봇의 도움 557–558, 559b
로프스트랜드 목발 241
루게릭병 593
루이소체 571
리 실버만 음성 치료 빅 579–581
리루졸 594
리오레살 197, 503
리프톤 보행훈련기 197f

ㅁ

마가렛 노트 315
마루엽 16
마비 167–168
막 15, 15f
말초신경 29–31, 30f
말초신경계(PNS) 11, 24–34, 25f
말총 손상 490, 497t, 498
말하기 174, 177
맞충격 병변 456–457, 457f
매슬로우와 에릭슨의 발달 이론 77–78, 77f, 77t
매트 이동성 232, 232b
매트 활동 516, 532, 533–236
맨손 가슴 신장 509, 510b
맨손 저항 340, 513
맨손 접촉 사용 126–128, 128f, 135, 316, 316f
머리 들기
머리 자세잡기 407
머리 조절력 부족 284–285

머리뼈 15, 15f
머리에서 꼬리쪽 발달 80,81f
메칠프레드니솔론 494
면역 반응 595
면역계 494–495
면역글로불린 596
목발 236
목뼈 490
목신경얼기 26, 28f
몸 11–12
몸감각 50
몸신경계 26–31, 27f
몸쪽 관절 131b
몸쪽 근육 집단의 경직 발달 379, 379f
몸쪽에서 먼쪽 방향 81
몸통 굽힘 475b
몸통 돌림 178, 231, 389, 392b
몸통 뒤틀고 올리기 533
몸통 아래쪽 돌리기 392–393, 392b
몸통 패턴 325–326, 339–342b
몸통 폄 154b
무긴장성 뇌성마비 167–168
무뇌증 217–218
무릎 굽힘 392b
무릎 조절 415–416, 148b
무릎–발목–발 보조기 237f, 603, 547, 548f
무반사 방광 501–502
무산소 손상 458
무산소증 166
무정위운동증 169–170, 170f, 173, 181, 181t
문제해결 479–480
물뇌증 222, 223f
물리적 환경, 외상성 뇌손상 478
물리치료 보조사 1
물리치료 실습 가이드 1–3
물리치료교육위원회(CAPTE) 4–5
물척수증 224
미국 뇌손상 협회 455
미국물리치료협회(APTA) 2, 386, 456
미분류 발작 175, 175t
미상핵 19–20
미성숙, 뇌성마비 165t, 166–169
미세아교세포 11, 13f
밀기 98
밀러피셔 증후군 594

ㅂ

바닥핵 19–20
바닥핵 570
바로잡기 반응 93, 230, 231f
바빈스키 징후 23, 23f
바이러스 감염 581
바클로펜 197–200, 200f, 502–503
반구 특수화 17–18, 18t
반무릎 서기 354
반사 억제 자세 464
반사 장애 498–499
반사교감신경 영양장애 385
반사적 손바닥 쥐기 88, 389
반사적인 운동 반응 40
반사항진 34–36
반신마비 167f, 171–172, 399
발 227–228
발 부목 196t, 398
발가락 굽힘, 억제 391–392, 393b
발끝 서기 188f
발달 순서 346–368, 430–435
발달 중재 119–121
발륨 197
발목 438
발목–발 보조기(AFOs)
– 촉진 391–393
– 척수손상환자 535b, 542
발목 발등굽힘
– 촉진 391–393
– 척수손상 환자 535b, 542
발목 부목 196t
발보조기 236, 237f, 236–238
발작 175–176, 175t, 459
방광 장애
– 뇌혈관 장애 383
– 다발성 경화증 583
– 척수수막탈출증 225
– 척수손상 501–502
방산 317
백질 14, 582
백질연화증 166
백혈병 262
벌레근 쥐기 316f
베르니케 언어상실증 380
베르드니히–호프만 증후군 284
베커 근디스트로피 292–293
베타세론 584
변형된 발바닥 걷기 자세 435
별아교세포 11–12, 13f
병변
– 병변 수준과 관련된 기능 220t
– 수준 227
병상 시트 392b
보그 운동자각척도 543
보상 478
보상 접근법 515–516
보조 기구도 특수 기구 참조 425–

427
– 파킨슨병 576
– 폴리오 후 증후군 604
– 척수 손상 환자 560
– 긴장 감퇴와 머리 들기 138b
보조기 관리
보조기 조사 및 보행 평가기구 (ORLAU) 239f
보통염색체 258
보통염색체 열성유전 259
보통염색체 우성소질 259
보통염색체 우성유전 259
보툴리눔 독소 197, 503
– A형 385
보행 가능한 라이트게이트 195f
보행 전 활동 366–369, 368b
보행 훈련 546
보호 반응 42, 411–412, 410–411b
복시 376, 582, 595
복제 기법 332
복합 부위 통증 증후군 385
볼기 분만 166
볼프의 법칙 83
부분 과제 훈련 61
부분 발작 175
부분 보존 지역 496
부분발작 175–176, 175t
부분적 힘줄 이완 198
부유하기 545
부종 494–495
분리 81, 92–93
분산 연습 60
분산 조절 52–53
분절 구르기 85, 95, 94f
불변 연습 60–61
불완전 골생성증 270–276, 270b
불완전 손상 496, 497f, 497t
브라운 세커드 증후군 496–497, 497f, 497t
브로카 언어상실증 380
브로카영역 16–17
브룬스트롬 378
브룬스트롬 운동 회복 단계 378–388, 388t
비기능적 기침 509
비대칭 426–427
비대칭성 긴장 목반사 178–179, 179f, 180t, 383t
비분리 258–259
비정상적 자세 384, 385
비정상적 자세잡기 384–385
뻗기 410b
뼈대당김 494
뿌리 이탈 498
뿔세포 283, 284

ㅅ

사시 마비 176
사시, 뇌성마비 176
사전 냉각 587
사지마비 뇌성마비 167–168, 167f
사회화 246–247
산소 소비 381
산소 포화 280–283, 358–359, 597
산전 진단 척수수막탈출증 218
산화 손상 가설 75
삼염색체, 염색체 이상 258–259
삼키기
삼킴곤란 376, 381, 595
상반 보행 보조기 236, 237f, 592, 547, 548f
상복부 상승 508
상승작용 377, 378t
상의하달식 조절 52
상호 교류 81–82
색전증 372
생리적 굽힘 82, 83f
생리적 변화 203
생체역학 319
생태적 가소성 62–63
생활 방식 수정 604
샤이–드래거 증후군 570
서기로 전환 274
서서 돌기 이행 404b
서킷 트레이닝 543
선천성 뇌성마비 164
선천성 다발관절만곡증 264–269, 266f, 267t, 268–269f
선천성 척주 측만증 222
선천적 심장 질환 264
선택적 척수신경근 절단술 199
섬망 461
성 관련 소질 258–259
성 관련 유전 258–259
성기능장애
성숙, 운동발달과정 83
성염색체 258
성인기 74, 276
성인기 중기 74
성인기 후기 74–75
성장 83, 84f
세 손가락 집기 88f, 89
세갈래근 근력강화 514b
세라밴드 590–592
세로토닌 13
세수하기 472b
션트 223–224, 233t
소근육 활동 238–239

소뇌 20, 20f
소서증 571
소아마비 후 증후근 600–606
소화전 322
속섬유막 18–19
손 부목 397
손 주시 88, 88f
손상 377–381
핸드오버핸드 472b
수막탈출증 216, 217t
수상돌기 12
수술후 자세잡기 226
수영 자세 92–93, 93f
수영하기
수용 언어상실증 380
수의적 움직임 40
수의적 쥐기 88, 88f
수정된 서서 돌기 이동 527, 527b
수정된 애쉬워스 척도 378, 378t
수중 요법 543–545
수중 운동 272
– 폴리오 후 증후군 603–604
– 프라더–윌리 증후군 264
수직거골 220f
수초 14
수축 이완 기법 335–338
수크 현상 383t
숙련된 활동, 앉기 405
숨뇌 20–21
숨뇌 마비 595
숨은척추갈림증 216, 217t
슈미트의 도식 이론 57–58
슈반 세포 595
스스로 진정시키는 법 129b
스위블 워커 236, 239f
스위스 공 440
스캇–크레이그 무릎–발목–발 보조기 546–547, 548f
스캐니싱 발화 582
스키마 76
슬라이딩 보드 이동 527–528, 525b, 529–530b
시각적 인식 239
시각적 자극 318
시각적 학습, 취약X 증후군 295
시기, 운동조절 39, 39f
시냅스 12
시상 통증 증후군 376
시상밑핵 19–20
시상하부 19
시스템 모델 47–52, 49f
식물 상태 460
신경 가소성 62–63
신경 발달 치료(NDT) 접근법 399
신경 보호제 374
신경 분류 492
신경 손상 아동 116, 117t
신경 영상 373–374
신경 질환 569–609, 605b
신경가소성 443–444, 444f
신경근 자극 545
신경병적 골절 221–222
신경세포 11, 13f
신경세포 구조 12
신경아교세포 11, 13f
신경염 582
신경외과 수술 199–200
신경전달물질 12
신경절제술 198, 503
신경해부학 11–37, 36b
신장 반사 317
신체 역학 316
신체 위치 316
심장병 375
심폐 기능 재훈련 386–389
심폐 기능 훈련 541–543
심혈관계 586
심호흡기계 600
실조
– 뇌성마비 170, 170f, 181
– 뇌혈관 장애 376
– 다발성 경화증 582

ㅇ

아교세포 582
아놀드–키아리 기형 222–223
아담스의 닫힌 고리 운동 학습 이론 56–57
아동 116, 117t
아동 손상
아동기 73
아동학대 455
아보넥스 584
아세틸콜린 12–13, 570–571
아스펜 칼라 495f
아장아장 걷는 아기 99–100
악수 쥐기 136f
안뜰계 130–132, 131f
안면 근육 381
안전 121
안정 손 부목 389
안정성 한계 49, 49f
앉아서 돌기 이행 473, 476b, 525–527, 526b
앉아서 흔들기 533
알츠하이머 262
– 선천성다발관절굽음증 264–267
– 뇌성마비 180, 189–191, 191t
– 뇌혈관 장애 375, 422–423b, 423–430

- 뒤센근디스트로피 290
- 수준 241–242, 242b
- 다발성경화증 581–592
- 척수수막탈출증
- 준비 231–232
- 재평가 244–245
- 진행 423t
- 점진적 저항기법 367
- 척추뼈 갈림증 235t
- 치료적 507
- 척수손상 환자 훈련 545–557, 547b
- 지지하기 550
- 환경적 장애 556
- 낙상 554
- 보행 진행 549–550
- 목발 짚고 보행 훈련 552–557, 551b
- 보조기 546–547, 548f
- 준비 547
- 진보 550
- 1/4 회전 550
- 앉기 550
- 건너뛰기 보행 패턴 550
알코올 노출 218
알파태아단백질 218
암기 478–479
압력 458
압력 궤양 224–225, 498
압력 완화 242
압박 130–132, 131–133b, 389–391
- 고유수용성감각 신경근육 촉진 317
- 척수손상 493–494, 493f
앞 척수 증후군 497f, 497t, 498
앞대뇌 동맥 폐쇄 375
앞먹임 과정 51
앞뿔세포 24
- 폴리오 후 증후군 483–487
앞으로 손 뻗기 535
앞쪽 기울임 379
앞쪽 끌어올림 379
앞쪽 올림
- 골반 338b
- 어깨뼈 328b
애쉬워드 척도 378, 378t
야간뇨 583
약한 기능성 기침 509
약화 288–289
양무릎 서기 활동 434–435, 433–435b, 535–536
양반다리 앉기 151f
어깨 불완전탈구 408–409, 408f
어깨 통증, 뇌혈관장애 385
어깨/손 증후군 385
어깨뼈 근력강화 517b, 519b
어깨뼈 내림근 379
어깨뼈 내밀기 398b
어깨뼈 동원 393–395, 394b
어깨뼈 뒤쪽 올림 329b
어깨뼈 앞쪽 내림 329b
어깨뼈 패턴 321–322, 328–329b, 330f
어지러움 376
억제 기법 395
억제 기법 395
억제유도 움직임 치료(CIMT) 187
언어 손상 177
언어상실증 380
얼음 사용 396
엉덩이 굽힘 391–393, 392b
엉덩이 끌기 401
엉덩이 돌림근 신장 533, 534b
엉덩이 폄 391b
엉덩이 흔들기 533
엉덩이–무릎–발목–발 보조기 232–233
엉치 보존 496
엉치뼈 대고 앉기 152f
엎드려서 팔굽혀 펴기 533
엎드리기 140–141
엎드리기 진행 351–353
엎침해서 뻗기 96
에너지 보존 605
에릭슨의 발달 이론, 매슬로우와 에릭슨의 발달 이론 참조
에어리프트 이동 527
엔젤만 증후군 263–264
연령에 적합한 감각운동 발달 증진 229–233
연석 438, 536, 542b, 556
연질막 15
연합겉질 17
열공 경색 376
열린 기술 60
열성 유전 258–259
염증 595
엽산 218
옆으로 눕기 154b
옆으로 눕기 자세
옆으로 앉기 152f
예방, 뇌혈관장애 375
예비자세잡기 350–351
예측적 준비 50
예측적 중추 조절 51
예후, 환자/고객 관리 3–4
오른쪽반구 기능 17, 18t
온목동맥 34
올리기 패턴 325, 339b
완전 과제 훈련 61

완전 손상 496
완전 언어상실증 380
왈러 변성 36, 33f
외반족 220f
외사시 176–177
외상 후 발작 장애 459
외상 494–495
외상성 뇌손상(TBIs) 455–489, 483b
요실금 383
우울증 386
운동 283
운동 결함 461, 481
운동 계획 부족 380
운동 단계 83–89, 85t
운동 마비 216
운동 발달 71–115, 111b
운동 손상 377–380
운동 수행 18t
운동 약화 582
운동 이정표 182
운동 자각도 283t
운동 조절 38–70, 39f, 65b
운동 프로그램 47, 57
운동 학습 38–70
운동 협응 51
운동감소증 576
운동기능 116–163
운동못함증 571
운동완만증 571, 574
운동이상증 169–170, 575, 579–581
운전자 교육 246
움직이는 표면 440–441
움직임 기능의 질 324–325
움직임 패턴 318
움켜잡기 반사 382t
원시 반사 41, 41t, 395
위계적이론 41–42
위기 480
위생 246
위장염 595
유발 폐활량 측정 509
유산소 훈련 543
유아 89–99
유아기 73
유연성 246
유전 258–259
유전자 요법 290
유전적 장애 257–314
유전적 전달 258
유전체 각인 264
유지 이완 기법 332–335
유지 이완 능동적 움직임 기법 332, 363b
유해한 자극 465
율동적 개시 330, 578–579
율동적 돌림 기법 330–332, 588b
율동적 안정화 기법 332–341, 345, 355b, 517b
의식 460
의식 혼탁 460
이끄는 팔 325
이랑 15
이마관자엽치매 593
이마엽 15–16
이완 기술 579
이완성 방광 501–502
이중 과제 교육 439
이중채널 공기 부목 396
이중팔 올림 394b, 395
이차 진행형 583
이차성 파킨슨병 570
이차적 뇌손상 456–457
이행 영역 373
이형접합 259
인식 460, 464, 470
인식 18t, 244
인식 불능증 376
인지 도식 57
일상생활 활동
– 뇌성마비 201–202, 201t
– 척수수막탈출증 242–243
일상적 일과 120–121, 120–121f
일시적 허혈발작(TIAs) 373
일차 진행형 583
임신 중독증, 뇌성마비 165, 165t

ㅈ

자가 운동범위 532–533
자가면역 기능장애 581
자기 돌봄 242–243
자기책임 202–203, 202f
자나플렉스 197
자르기와 들어올리기 434, 434b
자세 워커 157f
자세 정렬 133
자세 준비 51, 133, 134t
자세 준비성 133, 134t
자세성 저혈압 499
자세잡기와 핸들링 116–163, 160b
자유도 53
자율 신경 반사 장애 499, 524
자율신경계 (ANS) 31–33
– 다발성 경화증 583
자율 신경계 기능장애 570
자율배담법 278
작은머리증 263
잡고 서서 옆으로 걷기 85–86, 87f, 99–100, 101f

잡기 102, 104f, 106f
잡기 87
장기적인 의료 관리 요구 562
재발-완화 다발성경화증 583
장 장애
- 뇌혈관 장애 383
- 다발성 경화증 583
- 척수수막탈출증 225
- 척수손상 501-502
잭나이프 자세 549-550
저산소증 173, 372
저항 진행 기법 346
저혈압 499-500, 513-514
적응 83
적응 기구는 보조 기구 참조
- 연령 157t-158t
- 뒤센 근육영양장애 290
- 목표 150, 150b
- 길랑-바레 증후군 605
- 자세와 운동성 148-157
- 옆으로 눕기 154b
- 서기 156b
- 기구 153f
적응 좌석 152-154
- 기구 153f
전기 자극 557-558
전동 이동성 192, 196, 541
전방돌진 572
전생애 개념 71, 72f
전신 발작 175-176, 175t
전신 부목 228f
전위, 염색체 이상 258-259
전조작기 사고 73-78
점액 276
정서적 불안정성 381
정신운동 발달 296
정신지체 293
정적 뇌병증 164
젖힌 무릎 227
제뇌 경직 461
조가비핵 19-20
조율 605
조음장애 376, 381, 595
조직 플라스 미노겐 활성제(tPA) 374
주동근 반전 기법 345-346
주의력 결핍 479
주의력 집중 전략 576
죽상동맥경화증 372
중간뇌 18, 19f
중간뇌 20-21
중대뇌 동맥 경색 375-376
중력 140f, 227
중력중심 319
중심 척수 증후군 497f, 497t, 498
중재, 환자/고객 관리 3-4
중추 신경계(CNS) 11
- 쇠퇴 224
쥐기 86-87
지남력 상실 478-479
지능 전조작기 76
지능 지수(IQs) 260-261
지레팔 319
지속 376
지속적 식물 상태 460
지역 사회 재진입 561
지역 사회 통합 203-204
지연된 자세 반응 297, 297f
지적변화 574
지지 121
지지면 319
지지하고 서기 156t
지지하고 앉기 122f
지지하고 앉기 138-139, 141f, 141b
지팡이 사용 425-427, 426f
직립에 순응 513-514, 515f
진동 276, 509
진행성 재발형 583
진행성 핵상 마비 570
질병 1
질식 166
집게 쥐기 88, 88f
집중 연습 60
쪼그려 앉기 190b

ㅊ

참여 제약 3
척수 20-26, 20f
척수 기형 222
척수 뒤 증후군 497-498, 497t
척수 쇼크 494-496
척수 수준 반사 382, 382t, 395
척수 신경 24
척수근위축증 283-286
척수손상 490-568, 562b
척수수막탈출증 216-256, 217t, 243b, 247b
척수신경근 절단술 199, 199f, 503
척수원뿔 증후군 497f, 497t, 498
척수절개 503
척주뒤굽음 222
척주앞굽음 175
척추 재킷 495f
척추갈림증 미국 연합 233
척추뼈 갈림증 216, 217f, 217t
청각 132, 177, 260
청소년기 73-74, 202, 275-276
체력 204, 261-262
체온 조절 228, 270-272, 554

체위배출법 277, 278b, 278–279f, 509
체중 이동 활동 409–410, 410b, 409b, 417–417
체중지지 관절 319
체중지지 트레이드밀 훈련(BW-STT) 190–192, 192f, 473–478, 557–562, 558–559b
– 다운증후군 262
초기 성인 전환기 74
촉각 방어 130, 294, 294t
촉각 신호, 교각 자세를 도움 390b
촉각 자극 464–465
촉각에 과민 반응 130
촉감 129–130, 129b
촉진 기법 395–398
최소 의식 상태 460
최적화 원칙 53
최하점 595
추상적 사고 77
추위 불내성 601–602
축삭 14, 581–582
축삭 싹틔움 36
출생시 체중 166
출혈 165t, 172–173, 457, 494–495
출혈성 뇌졸중 373
출혈성 뇌혈관장애 373
췌장 276
취약X 증후군(FXS) 293–294, 293f
취학 연령 275–276
치료 계획 478
치료 111
치료적 보행 507
친컵(이모장치) 504
침대 옆 활동 391–393, 391–393

ㅋ

카렐 보바스, 베르타 보바스 399
카르바마제핀(Tegretol) 459
칵테일 파티 음성 239–240
캄필로박터 제주니 595
코너 의자 120
코만도 배밀이 118, 180
코팍손 584
콜라겐 260–262
콜린성 활성화 571
쿠겔베르그–벨란더 증후군 284
큰볼기근 신장 533, 534b
클로나제팜 197–200
클로노핀 197

ㅌ

타격 병변 456
타박상 456–457
타진법 277, 278f, 509
탄트롤렌 197–200
태반 165
태아적모구증 173
턱 조종 장치 503–507
토론토 발보조기 236, 237f
톱니바퀴 경축 571
퇴원 계획 회의 558–560
트레이드밀 190, 200, 201f, 557–558, 558b
트렌델렌 버그 징후 285–286
특발성 파킨슨병(IPD) 570
틸트 테이블 514–515, 515f

ㅍ

파킨슨병 570–581
파킨슨–플러스 증후군 570
팔굽혀펴기 524–525, 524b
팔꿈치 부목 397
팔다리마비 167–168, 167f
팔다리마비 491–493, 544
팔신경얼기 26, 28f
팔의 기능 238–239
팽창식 공기 부목 396
페니토인, 발작 458
페닐 케톤뇨증 286–287
페닐알라닌 287
편측보행기 425
평가, 환자/고객 관리 3–4
평행봉, 척수손상환자 549
폐쇄 손상 455–456
폐활량 509
폐활량측정법 509
폴리오 600
표현 실어증 380
푸셔 증후군 377, 427
풀 프로그램 544
퓨글–마이어 평가도구 384
프라더–윌리 증후군 263–264, 265t
프래밍헴 하트 연구 374
프레드니손 603
프레드니솔론 290
프렌켈 운동 590t, 591–592
프론 스탠더 155f
플라크 582
플루터 밸브 281f
피부분절 26, 225, 492
피아제의 인지발달 단계 76, 77t
피츠의 운동 학습 단계 58–59, 59t
필라델피아 칼라 495f

ㅎ

하반신마비 490–491, 533
한 발 뛰기 102
한쪽 손 뻗기 97, 97f
합병증 384–385
항상성 26
항중력 목굽힘 92–93, 137–138
항콜린제 575
해먹 130, 131f
핵황달 165
행동 18t
행동 표현형 257
행동적 결손 462, 480
행위상실증 380
허리뼈 손상 494
허리엉치 신경얼기 27–29, 29f
허만 카벳 315
허혈 173, 372
허혈성 경계 영역 373
허혈성 뇌혈관 장애 372–373
헤일로 재킷 495f, 510
현기증 376
혈압 499
혈장 교환술 596–597
혈전 용해제 374
혈전성 뇌혈관장애 372
혈전증 372, 500–501
혈종 457
협응, 실조 참조, 운동 협응 참조 439
– 다발성 경화증 582
형식적 조작기 73–74, 76–77
호흡 곤란자세 280
호흡 지원 387
호흡, 뇌성마비 186–187
호흡곤란 척도 283t
호흡기 손상 501
호흡장애 381
혼미 460
혼수상태 372
확산강조영상 373–374
환경 적응 51
환경 접근성 246
환경 제어 장치 560
환경장벽 435–438
환경적 요소 570
환자 관리 부분에서 물리치료사의 역할 3–4, 3f
환자 교육 465
활동 의존적 가소성 62–63
활동 제약 3
활성 산소 이론 75
회복 접근법, 척수손상 515–516
회상 도식 57
회색질 494–495
후방돌진 572
후생설, 점성적 80, 80f
후진하기 550
후천성 뇌성마비 164
후천성 뇌손상 457–458
후천성 척추 측만증 222
후향성 기억 상실 456
휠라이 536–540, 540f
휠체어
휠체어 세우기 536, 539b
휠체어에서 침대/매트로 이행 403–405, 404b
휴식 605
흑색질 19–20, 570
흡인 381
희소돌기아교세포 11, 13f
힘줄 반사 382, 595
힘줄, 뇌성마비 198
힘줄고정 511, 512f, 522b
힘줄절단 198, 503

신경계물리치료학

첫째판 1쇄 인쇄 2011년 05월 02일
첫째판 1쇄 발행 2011년 05월 11일
둘째판 2쇄 발행 2021년 02월 25일

지 은 이 마틴, 케슬러
옮 긴 이 이주상 외
발 행 인 장주연
출 판 기 획 한인수
편집디자인 양란희
표지디자인 양란희
발 행 처 군자출판사
등록 제 4-139호(1991. 6. 24)
본사 (10881) 경기도 파주시 회동길 338(서패동 474-1)
Tel. (031) 943-1888 Fax. (031) 955-9545
홈페이지 | www.koonja.co.kr

ISBN 979-11-5955-256-4

정가 45,000원